W9-DFT-778

das xx. jahrhundert

altes museum
neue nationalgalerie
hamburger bahnhof

ein jahr hundert kunst in deutschland

Das Ende
des 20. Jahrhunderts
Joseph

Die Ausstellung steht unter der Schirmherrschaft des Bundeskanzlers

Für Werner Haftmann

Vorwort

Peter-Klaus Schuster

Der Versuch einer Jahrhundert-Ausstellung in der Berliner Nationalgalerie ist keineswegs der Versuch einer Wesensfrage. Weder wird gefragt, was deutsch ist in der Kunst noch nach dem Wesen der Deutschen, das die Kunst uns enthüllen soll.

Von daher ist es vielleicht symptomatisch, daß unsere Jahrhundert-Ausstellung zum 20. Jahrhundert anders als ihre Vorgängerausstellung, die berühmte *Deutsche Jahrhundert-Ausstellung* von 1906, nicht im Tempel der Nationalgalerie auf der Museumsinsel gezeigt wird. Wegen der Generalsanierung der Alten Nationalgalerie und wegen der Fülle und Vielfalt unseres Themas »Das XX. Jahrhundert – Ein Jahrhundert Kunst in Deutschland« findet unsere Jahrhundert-Ausstellung vielmehr an drei verschiedenen Ausstellungsorten der Staatlichen Museen zu Berlin statt: in Schinkels Altem Museum am Lustgarten, nur wenig von der Alten Nationalgalerie entfernt, in Mies van der Rohes Neuer Nationalgalerie am Kulturforum, wo auch die Trilogie der Ausstellungsbeiträge der Kunstbibliothek, des Kunstgewerbemuseums und des Kupferstichkabinettes (ab 28. September 1999) zu sehen sind, und schließlich als dritter Standort im Hamburger Bahnhof – Museum für Gegenwart Berlin an der Invalidenstraße, genau an jener Stelle, wo Berlin einst geteilt war und wo man vom einen Deutschland in das andere Deutschland nicht ohne Schwierigkeit hinüberwechselte.

Schon durch diese Dreizahl ihrer Ausstellungsorte – Altes Museum, Neue Nationalgalerie und Hamburger Bahnhof – thematisiert diese Jahrhundert-Ausstellung der Nationalgalerie, »mehr als jede andere Ausstellung dies vermöchte«, die so wechselvolle Geschichte der Deutschen in diesem 20. Jahrhundert zwischen Einheit, Teilung und wiedergefundener Einheit. Einerseits wird sie dadurch sehr zu einer deutschen Jahrhundert-Ausstellung, andererseits weicht sie durch die Dreizahl ihrer Ausstellungsorte ein wenig jener Frage aus, die mit der Inschrift »Der Deutschen Kunst 1871« im Giebel der Alten Nationalgalerie gestellt ist. Die verborgene Frage dieser Inschrift lautet, ob die mit der Jahreszahl »1871« aufgerufene Vorstellung von der Einheit der deutschen Nation wirklich eine deutsche Kunst hervorgebracht hat, wie diese Inschrift behauptet. Die Antwort der Jahrhundert-Ausstellung von 1906 auf diese Frage war ausweichend und unüberbietbar souverän zugleich. Tschudi, Lichtwark und Meier-Graefe haben mit ihrer *Deutschen Jahrhundert-Ausstellung 1775–1875* nichts anderes bewiesen und auch beweisen wollen, als daß auch in Deutschland nicht weniger als anderswo im 19. Jahrhundert bedeutende Kunst entstanden ist. Ob diese Kunst jedoch besonders deutsch war, diese Frage blieb unbeantwortet, weil sie von den Ausstellungskuratoren gar nicht gestellt wurde. Was für das wilhelminische Kaiserreich freilich auch eine sehr deutliche und provokante Antwort war.

In gleicher Weise enthält sich auch unsere Jahrhundert-Ausstellung jeglicher Wesensschau. Und doch zeigt sie unmißverständlich, daß an die Kunst in Deutschland gerade auch im 20. Jahrhundert besondere Erwartungen und Hoffnungen, geradezu Erlösungshoffnungen gerichtet wurden. Kunst soll Erlösung bewirken, dies zeigt unsere Ausstellung mit der Blickachse »Die Gewalt der Kunst« in Schinkels Altem Museum. Kunst soll, und dies besonders in Deutschland im 20. Jahrhundert, zudem aus »innerer Notwendigkeit« entstehen. Sie soll ganz rein sein und nach dem Geistigen streben. Diese Tendenz thematisiert unsere zweite Blickachse »Geist und Materie« im Glastempel von Mies van der Rohes Neuer Nationalgalerie. Im Gegensatz zu solchen Grundtendenzen gilt für die Kunst des 20. Jahrhunderts in Deutschland aber auch, allen Erwartungshaltungen im Hinblick auf nationale Selbstfindung und Identität entschieden zu widersprechen, um gerade das Zerstückelte, die Nicht-Identität, das Indifferente, das Ironische und Spielerische, das Inkommensurable und Subversive zu betonen. Dieser Tendenz, die man auch als die Anti-Tendenz in der Kunst des 20. Jahrhunderts in Deutschland bezeichnen könnte, gilt unsere dritte Blickachse »Collage-Montage« im Hamburger Bahnhof.

Das Konzept dieser Jahrhundert-Ausstellung wurde unter den Mitarbeitern der Nationalgalerie intensiv diskutiert, modifiziert und schließlich auf die genannten drei Blickachsen hin präzisiert. Von daher ist diese Jahrhundert-Ausstellung ein Gemeinschaftswerk aller Mitarbeiter der Nationalgalerie. Ihnen allen gilt mein sehr herzlicher Dank.

Wie bei allen großen Unternehmungen gibt es einen inneren Kreis, der im besonderen Maße für das Gelingen dieses bisher größten Ausstellungsprojektes der Nationalgalerie verantwortlich war. Für die Gesamtkonzeption waren dies Angela Schneider und Andrea Bärnreuther, Eugen Blume, Joachim Jäger und Roland März. Hinzu kommen Claudia Banz, Martina Dillmann, Fritz Jacobi, Gabriele Knapstein, Ruth Langenberg, Jörg Makarinus, Friedegund Weidemann, Angelika Wesenberg und Moritz Wullen. Der sehr herzliche Dank gilt ihrer Begeisterung, ihrer Tatkraft und ihrer Umsicht. Ohne sie wäre dieses große Werk nicht gelungen!

Dies gilt in gleicher Weise für alle Mitarbeiter, die für die Organisation, die Verwaltung, die Öffentlichkeitsarbeit sowie für die Technik des Aufbaus verantwortlich waren. Die lange Dankesliste nennt die Vielen, deren erfolgreiches Zusammenwirken das Unternehmen einzig ermöglicht hat. Es sei erlaubt, unter ihnen nochmals besonders herzlich zu danken Joachim Jäger und Andrea Bärnreuther sowie Lars Blunck, Gabriele Bösel, Anke Daemgen, Martina Dillmann, Karin Fraas, Marita Henkel, André Odier, Almut Otto, Doris Rector, Carola Rotheneichner und Carola Vernimmen.

Für die Mühen des oft sehr komplizierten Aufbaues danke ich sehr herzlich Axel Albinsky, Udo Beisert, Andreas Breselow, Uwe Büttner, Sebastian Conrad, Wolfgang Focke, Bettina Galgiakowski, Klaus Halm, Uwe Hirsch, Volker Hünniger, Friedemann Kutschbach, Torsten Neitzel, Hans Pietsch, Joachim Schlüter, Thomas Schreiber, Thomas Seewald und Ingo Valls.

Ihr Geschick, ihr Einfallsreichtum und ihre Energie haben die Ideen zu dieser Ausstellung in den Räumen erst Wirklichkeit werden lassen. Für die mutige, klare und extravagante Architektur zur Ausstellung danken wir sehr herzlich dem belastbaren Ingenium von Paul Kahlfeldt und Elisabeth Lux. Die restauratorische Betreuung besorgten mit größter Umsicht Otto Hubacek, Johannes Noack und Hana Streicher sowie ihre Kolleginnen und Kollegen Carola Bohlmann, Petra Breidenstein, Diana von Stietencron, Monika Tschierske, Maja de Tuchsznaider, Franziska Herzog und Anke Klusmeier. Ihnen gilt ebenfalls unser sehr herzlicher Dank.

So sehr diese Ausstellung ein Werk der Berliner Nationalgalerie ist, sie hätte sich nicht verwirklichen lassen ohne die entschiedene kollegiale Unterstützung durch die

Bayerischen Staatsgemäldesammlungen in München. Diese Unterstützung durch Carla Schulz-Hoffmann und Joachim Kaak sowie durch Jo-Anne Birnie-Danzker, Heidi Bodier, Susanne Bracht, Bruno Heimberg und Susanne Willisch war für das Gelingen der Ausstellung wie des Kataloges so außerordentlich, daß diese Jahrhundert-Ausstellung in der Tat nur als eine Kooperation zwischen den Staatlichen Museen zu Berlin und den Bayerischen Staatsgemäldesammlungen in München hat gelingen können. Für diese so bemerkenswerte und so außerordentliche erfolgreiche Kooperation zwischen München und Berlin danke ich sehr herzlich allen Beteiligten, insbesondere Carla Schulz-Hoffmann, Joachim Kaak und Reinhold Baumstark, dem Generaldirektor der Bayerische Staatsgemäldesammlungen in München.

Die Kooperation mit den Bayerischen Staatsgemäldesammlungen hat unserer Jahrhundert-Ausstellung wichtige Leihgaben aus der Staatsgalerie Moderner Kunst in München ermöglicht. Außergewöhnlich großzügige Unterstützung erhielten wir zudem durch zahlreiche Leihgaben aus der Staatsgalerie Stuttgart, dem Museum Ludwig in Köln und dem Museum of Modern Art in New York. Aber auch vielen weiteren in- und ausländischen Museen und Privatsammlungen sei hier nochmals für ihre so außerordentliche Großzügigkeit, mit der sie unsere so zahlreichen und anspruchsvollen Leihwünsche erfüllten, sehr herzlich gedankt. Es sei erlaubt, Katharina Schmidt, Heinz Berggruen, Heiner Bastian und Erich Marx für so Vieles besonders herzlich zu danken. Ohne die Unterstützung unserer Leihgeber wäre diese Jahrhundert-Ausstellung in Berlin ein bloßer Wunschtraum geblieben.

Für den umfassenden Katalog, der unsere Jahrhundert-Ausstellung so umsichtig begleitet, danken wir dem Nicolai Verlag, zuerst Dieter Beuermann für sein Vertrauen in unser Projekt und seiner Lektorin Bettina Hüllen sowie Almut Otto für ihre animierende Gründlichkeit, ihre Präzision und die Souveränität, mit der sie diesen Katalog als ein Gedankengebäude vieler verschiedener Autoren verwirklicht haben. Das Vergnügen an seiner Gestalt ist ganz das Verdienst von Peter Nils Dorén, unterstützt von Katharina Pfaller. Peter Nils Dorén hat diesem Katalog ein so intelligentes visuelles Innenleben verliehen, wodurch diese Jahrhundert-Ausstellung ein heftig diskutiertes Fortwirken haben wird. Für das äußere Erscheinungsbild sowohl des Kataloges wie der Ausstellung durch Opulenz und Strenge der Plakate durften wir uns der ebenso sublimen wie tatkräftigen Hilfe von Nicolaus Ott und Bernard Stein erfreuen. Allen sei sehr herzlich gedankt.

Diese Jahrhundert-Ausstellung hat keine Sponsoren! Sie wurde finanziell ganz ausschließlich ermöglicht durch die großzügige Förderung der Stiftung Deutsche Klassenlotterie Berlin. Dafür haben wir der Stiftung Deutsche Klassenlotterie Berlin sehr herzlich zu danken. Unser herzlicher Dank gilt ferner Ulrich Eckhardt, dem Intendanten der Berliner Festspiele. Ihm gelang es, unsere Wünsche an die Stiftung Deutsche Klassenlotterie Berlin mit größter Liebenswürdigkeit zu vermitteln. Daß am Ende der so einzigartigen Laufbahn von Ulrich Eckhardt dieses gemeinsame Projekt der Jahrhundert-Ausstellung als Zusammenarbeit der Festspiele mit der Nationalgalerie und den Bayerischen Staatsgemäldesammlungen in München steht, ist ein besonders sprechendes Zeichen für die Kollegialität und die Effizienz dieses großen Festspielintendanten in Berlin.

Im Kontakt mit der Stiftung Deutsche Klassenlotterie Berlin war von Seiten der Stiftung Preußischer Kulturbesitz ihr Vizepräsident Norbert Zimmermann eine außerordentliche Hilfe. Die Ausstellung erfreute sich auch der nachhaltigen Förderung durch Klaus-Dieter Lehmann, dem Präsidenten der Stiftung Preußischer Kulturbesitz. Sie profitierte zudem vom entschiedenen Wohlwollen Wolf-Dieter Dubes. Unsere Jahrhundert-Ausstellung war das letzte große Ausstellungsprojekt in seiner Amtszeit als Generaldirektor der Staatlichen Museen zu Berlin. Für seine Fürsorge und Nachsicht danke ich ihm sehr herzlich.

Am Schluß gilt nochmals mein größter Dank und meine Bewunderung Angela Schneider, die als *prima inter pares* die Regie führte an diesem großen Projekt, sowie Andrea Bärnreuther, Claudia Banz, Eugen Blume, Martina Dillmann, Fritz Jacobi, Gabriele Knapstein, Jörg Makarinus Roland März, Almut Otto, Moritz Wullen und unserem so außerordentlich kenntnisreichen und wirkungsvollen Ausstellungssekretär Joachim Jäger. Sie haben diese Jahrhundert-Ausstellung recht eigentlich gemacht.

Unser tiefer Dank gilt allen Museen, Galerien, Künstlern und Privatsammlern, deren freundliche Überlassung von Leihgaben diese Ausstellung erst ermöglicht hat:

- Stedelijk Museum, Amsterdam
  - Rudi H. Fuchs
  - Frits Keers
- Panorama Museum, Bad Frankenhausen
  - Gerd Lindner
- Anselm Kiefer, Barjac
- Elisabeth Kaufmann, Basel
- Öffentliche Kunstsammlung Basel, Kunstmuseum
  - Katharina Schmidt
- Öffentliche Kunstsammlung Basel, Kupferstichkabinett
  - Dieter Koepplin
- Sammlung Katharina und Wilfrid Steib, Basel
- Dieter Appelt, Berlin
- Bauhaus-Archiv Berlin
  - Peter Hahn
  - Klaus Weber
  - Christian Wolsdorff
- Berlinische Galerie
  - Jörn Merkert
- Bundesarchiv – Filmarchiv, Berlin
  - Hans-Gunter Voigt
  - Karl Griep
- Deutsches Filmmuseum, Berlin und Frankfurt am Main
  - Walter Schobert
- Deutsches Historisches Museum, Berlin
  - Christoph Stölzl
  - Monika Flacke
  - Rainer Rother
- Arnold Dreyblatt, Berlin
- Thomas Florschuetz, Berlin
- Galerie Berinson, Berlin
- Galerie Brusberg, Berlin
- Georg-Kolbe-Museum, Berlin
  - Ursel Berger
- Bernd Graff, Berlin
- Hochschule der Künste, Hochschularchiv, Berlin
  - Dietmar Schenk
- Rebecca Horn, Berlin
- Via Lewandowsky, Berlin
- Nachlaß KP Brehmer, Berlin
- Ruth Rehfeldt, Berlin
- Raffael Rheinsberg, Berlin
- Sammlung Heinz Berggruen, Berlin
- Sammlung Erich Marx, Berlin
- Sammlung Ulla und Heiner Pietzsch, Berlin
- Sammlung Folker Skulima, Berlin
- Staatliche Museen zu Berlin, Kunstbibliothek
  - Bernd Evers
- Staatliche Museen zu Berlin, Kupferstichkabinett
  - Alexander Dückers
- Staatsbibliothek zu Berlin
  - Antonius Jammers
  - Gisela Herdt
- Stiftung Archiv der Akademie der Künste, Berlin
  - Wolfgang Trautwein
  - Antje Keller
  - Karin Pfotenhauer
  - Peter Zimmermann
- Susanne Weirich, Berlin
- Zwinger Galerie, Berlin
- Kunstmuseum Bern
  - Toni Stooss
  - Michael Baumgartner
- Klee-Nachlaßverwaltung, Bern
  - Stefan Frey
- Kunsthalle Bielefeld
  - Thomas Kellein
- Indiana University Art Museum, Bloomington
  - Adelheid M. Gealt
- Kunstsammlungen der Ruhr-Universität Bochum
  - Monika Steinhauser
  - Kai-Uwe Hemken
- Bundessammlung zeitgenössischer Kunst, Bonn
- Kunstmuseum Bonn
  - Dieter Ronte
- Kunsthalle Bremen
  - Wulf Herzogenrath
- Kunsthandel Wolfgang Werner KG, Bremen / Berlin
- Neues Museum Weserburg, Bremen
  - Thomas Deecke
- Busch-Reisinger Museum, Harvard University Art Museums, Cambridge
  - James Cuno
  - Peter Nisbet
- The Art Institute of Chicago
  - James N. Wood
- Gilbert and Lila Silverman Collection Detroit, Michigan
- Rudolf Steiner Nachlaßverwaltung, Dornach / Schweiz
  - Walter Kugler
- Museum am Ostwall, Dortmund
  - Ingo Bartsch
  - Tayfun Belgin
- Staatliche Kunstsammlungen Dresden, Gemäldegalerie Neue Meister
  - Sybille Ebert-Schifferer
  - Ulrich Bischoff
- Staatliche Kunstsammlungen Dresden, Kupferstich-Kabinett
  - Wolfgang Holler
- Wilhelm-Lehmbruck-Museum, Duisburg
  - Christoph Brockhaus
  - Gottlieb Leinz
- Kunstsammlung Nordrhein-Westfalen, Düsseldorf
  - Armin Zweite
- Sammlung Raschdorf, Düsseldorf
- Kunsthandel Ewald Rathke, Frankfurt am Main
- Museum für Moderne Kunst, Frankfurt am Main
  - Jean-Christophe Ammann
- Städelsches Kunstinstitut und Städtische Galerie, Frankfurt am Main
  - Herbert Beck
  - Sabine Schulze
- Institut für Grenzgebiete der Psychologie und Psychohygiene e.V., Freiburg im Breisgau
  - Eberhard Bauer
- Zeppelin-Museum Friedrichshafen
  - Wolfgang Meighörner
- Andreas Müller-Pohle, Göttingen
- Ernst Barlach Stiftung, Güstrow
  - Volker Probst
- Staatliche Galerie Moritzburg Halle, Landeskunstmuseum Sachsen-Anhalt
  - Wolfgang Büche
  - Katja Schneider
- Franz Erhard Walther, Halstenbek
- Hamburger Kunsthalle
  - Uwe M. Schneede
  - Hanna Hohl
  - Georg Syamken
- Niedersächsische Sparkassenstiftung, Hannover
  - Monika Hallbaum
- Sprengel Museum Hannover
  - Ulrich Krempel
  - Norbert Nobis
  - Karin Orchard
- Edition Staeck, Heidelberg
- SchmidtBank Hof
- Louisiana Museum of Modern Art, Humlebæk
  - Lars Nittve
  - Steingrim Laursen

- Museum für konkrete Kunst, Ingolstadt
  - Peter Volkwein
- Staatliche Kunsthalle Karlsruhe
  - Klaus Schrenk
  - Sigmar Holsten
- Städtische Galerie Karlsruhe
  - Erika Rödiger-Diruf
  - Brigitte Baumstark
- ZKM | Zentrum für Kunst und Medientechnologie Karlsruhe, Museum für Neue Kunst
  - Peter Weibel
  - Ursula Frohne
- Museum Kurhaus Kleve
  - Guido de Werd
- Anna und Johannes Bernhard Blume, Köln
- Galerie Daniel Buchholz, Köln
- Galerie Gisela Capitain, Köln
- Galerie Gmurzynska, Köln
- Galerie + Edition Hundertmark, Köln
- Galerie Johnen & Schöttle, Köln
- Galerie Monika Sprüth, Köln
- Galerie Michael Werner, Köln und New York
- Museum Ludwig, Köln
  - Jochen Poetter
  - Evelyn Weiss
- Dieter Neef, Köln
- Sammlung Reiner Speck, Köln
- Eila Schrader-Buchholz, Königstein im Taunus
- Statens Museum for Kunst, Kopenhagen
  - Allis Helleland
- Krefelder Kunstmuseen
  - Julian Heynen
- Museum der bildenden Künste, Leipzig
  - Herwig Guratzsch
- Sammlung Annely Juda Fine Art, London
- Tate Gallery, London
  - Nicholas Serota
- Los Angeles County Museum of Art
  - Stephanie Barron
- Wilhelm-Hack-Museum, Ludwigshafen a. Rh.
  - Richard W. Gassen
- Museo Thyssen-Bornemisza, Madrid
  - Tomàs Llorens
- Civico Museo d'Arte Contemporanea, Mailand
  - Maria Teresa Fiorio
- Städtische Kunsthalle Mannheim
  - Manfred Fath
- Schiller-Nationalmuseum, Deutsches Literaturarchiv, Marbach
  - Jochen Meyer
- Galerie Löhrl, Mönchengladbach
- Bayerische Staatsgemäldesammlungen, Staatsgalerie moderner Kunst, München
  - Reinhold Baumstark
  - Bruno Heimberg
  - Joachim Kaak
  - Carla Schulz-Hoffmann
  - Susanne Willisch
- Deutsches Museum, München
  - Wolf Peter Fehlhammer
  - Alto Brachner
- Galerie Barbara Gross, München
- Rudolf Herz, München
- Galerie Bernd Klüser und Sammlung Klüser, München
- Olaf Metzel, München
- Museum Villa Stuck, München
  - Jo-Anne Birnie-Danzker
- Sammlung Bernet, München
- Städtische Galerie im Lenbachhaus, München
  - Helmut Friedel
  - Annegret Hoberg
- Galleria Lia Rumma, Neapel
- Collezione Mauro e Teresa Scarlato, Neapel
- Stiftung Seebüll Ada und Emil Nolde, Neukirchen
  - Manfred Reuther
  - Andreas Fluck
- Aziz + Cucher, New York
- Lothar Baumgarten, New York
- Solomon R. Guggenheim Museum, New York
  - Thomas Krens
  - Lisa Dennison
- Hans Haacke, New York
- Hirschl & Adler Modern, New York
- The Museum of Modern Art, New York
  - Glenn D. Lowry
  - Kirk Varnedoe
  - Cora Rosevear
- PaceWildenstein, New York
- Thomas Walther Collection, New York
- Germanisches Nationalmuseum Nürnberg
  - G. Ulrich Großmann
- Neues Museum, Nürnberg
  - Lucius Grisebach
- Stiftung Domnick, Nürtingen
  - Werner Esser
- Munch-museet, Oslo
  - Arne Eggum
- Kröller-Müller Museum, Otterlo
  - E.J. van Straaten
- Christian Boltanski, Paris
- Galerie Nelson, Paris
- Jochen Gerz, Paris
- Musée national d'art moderne, Centre Georges Pompidou, Paris
  - Werner Spies
- Riefenstahl-Produktion, Poecking
  - Gisela Jahn
  - Horst Keltner
  - Leni Riefenstahl
- Filmmuseum Potsdam
  - Christian Ilgner
- Reiner Ruthenbeck, Ratingen
- Sammlung Gottfried Schultz, Ratingen
- Hermann Braun, Remscheid
- Deutsches Röntgen-Museum, Remscheid-Lennep
  - Ulrich Henning
- Fondation Beyeler, Riehen / Basel
  - Ernst Beyeler
  - Markus Brüderlin
- Fondation Jean Arp und Sophie Taeuber-Arp e.V., Rolandseck
  - Walburga Krupp
- Nederlands Architectuurinstituut, Rotterdam
- Sammlung Grässlin, Sankt Georgen
- Staatliche Eremitage Sankt Petersburg
  - Michail Piotrovsky
  - Olga Ilmenkova
- Sammlung Lenz Schönberg
- UBS AG, Schweiz
- Anton Wolfgang Graf von Faber-Castell, Stein
- Musée d'Art Moderne et Contemporain de Strasbourg
  - Paul-Hervé Parsy
  - Marie-Jeanne Geyer
- Galerie der Stadt Stuttgart
  - Johann-Karl Schmidt
- Institut für Auslandsbeziehungen, Stuttgart
  - Ursula Zeller
- Sammlung Froehlich, Stuttgart
- Staatsgalerie Stuttgart
  - Christian von Holst
  - Karin von Maur
  - Ulrike Gauss
- Vicki and Kent Logan Collection, San Francisco
- Galleria Civica d'Arte Moderna e Contemporanea, Turin
  - Pier Giovanni Castagnoli
- Ulmer Museum
  - Brigitte Reinhardt
- Centraal Museum Utrecht
  - K.M.T. Ex

- Center of Military History, U.S. Army, Washington D.C.
  - Marylou Gjernes
- Leopold Museum – Privatstiftung, Wien
  - Romana Schuler
- MAK – Österreichisches Museum für angewandte Kunst, Wien
  - Peter Noever
- Museum moderner Kunst Stiftung Ludwig, Wien
  - Lóránd Hegyi
  - Edwin Lachnit
- Sammlung Hummel, Wien
- Von der Heydt-Museum Wuppertal
  - Sabine Fehlemann
- Alesco AG, Zürich
- Galerie Bruno Bischofberger, Zürich
- Kunsthaus Zürich
  - Felix A. Baumann
  - Christian Klemm
- Mai 36 Galerie, Zürich
- Museum für Gestaltung Zürich, Grafische Sammlung
  - Martin Heller
  - Myrtha Steiner
- Sammlung Herman Berninger, Zürich
- Sammlung Hauser und Wirth, St. Gallen / Schweiz

Archiv Baumeister, Felicitas Baumeister
Bogomir Ecker
Bühnen Archiv Oskar Schlemmer, Sammlung C. Raman Schlemmer
Bühnen Archiv Oskar Schlemmer, Sammlung UJS
Lutz Dammbeck
Ulrike Grossarth
Anne-Marie und Alexander Klee-Coll
Nikolaus Lang
Manfred Leve
Roman Opalka
Otto Piene
Privatsammlung Kunst + Design
Sammlung Frieder Burda
Sammlung Hoffmann
Sammlung Kleihues
Sammlung Uli Knecht
Sammlung Onnasch
Sammlung A. Rosengart
Sammlung Schröder
Sammlung Veilchen
Katharina Sieverding
Willi Sitte
Pia Stadtbäumer
Eva Sworowski
Rémy Zaugg
Dorothea Zwirner

sowie zahlreichen weiteren privaten Leihgebern, die ungenannt bleiben möchten.

Für freundliche Unterstützung, Rat und Hilfe danken wir:

Margrit Poeck
Steve Austen, Amsterdam
Jens Koetner-Kaul, Babelsberg
Rainer Schaper, Babelsberg
Heiner und Céline Bastian, Berlin
Becker & Kries, Berlin
Heinz Berggruen, Berlin
René Block, Berlin
Eberhard Blum, Berlin
Peter Böhme, Berlin
Ulrich Domröse, Berlin
Wolf-Dieter Dube, Berlin
Alexander Dückers, Berlin
Peter Dützer, Berlin
Ulrich Eckardt, Berlin
Jagoda Engelbrecht, Berlin
Bernd Evers, Berlin
Janos Frecot, Berlin
Klaus Fudickar, Berlin
Gedenkstätte Wannsee, Berlin
Edda von Gerlach, Berlin
Günther Gottmann, Berlin
Ekehard Haack, Berlin
Peter Hahn, Berlin
Torsten Hein, Berlin
Nele Hertling, Berlin
Torsten Hinz, Berlin
Stefan Kaempf
Tom Korr, Berlin
Martin Krone, Berlin
Anita Kühnel, Berlin
Dirk Lebahn, Berlin
Lutz Malke, Berlin
Erich Marx, Berlin
Torsten Maß, Berlin
Wolfgang Matzat, Berlin
Mikrofilm Center Klein, Berlin
Dirk Nabering, Berlin
Kerry Paul, Jacobs + Schulz, Berlin
Nana Poll, Berlin
Dominique Prokopy, Berlin
Shinobu Quebeck, Berlin
Annette Rosenfeldt, Berlin
Brigitte Rüger, Berlin
Monique Ruhe, Berlin
Joachim Sauter, Art+Com, Berlin
Maria Magdalena Schwaegermann, Berlin
Ellen Senst, Berlin
Tommy Spree, Berlin
Werner Sudendorf, Berlin
Christoph Tannert, Berlin
Wolfgang Tyrolla, Berlin
Hannah Weitemeier, Berlin
Norbert Zimmermann, Berlin
Eva Züchner, Berlin
Galerie Lutz Teutloff, Bielefeld
Manfred Kottmann, Bitburg
Dietrich Reusche, Bremen
Maria Gilissen, Brüssel
Wolfgang Wittrock, Düsseldorf
Deutsches Filminstitut, Frankfurt am Main
Ewald Rathke, Frankfurt am Main
Irene Schulze-Battmann, Freiburg im Breisgau
Gerhard Steidl, Göttingen
Martin Burger, Hamburg
Peter Bissegger, Intragna
Eggert Einarsson, Island
Björn Roth, Island
Iris Kadel, Karlsruhe
Videothek der Hochschule für Gestaltung, Karlsruhe
Kerstin Weinbrecht, Karlsruhe
Inge Bodesohn-Vogel, Köln
Galerie Zimmer, Köln
Erika Költzsch, Köln
Elisabeth Nay-Scheibler, Köln
Werner Tübke, Leipzig
Annegret Hoberg, München
Joe Amrhein, New York
C. Raman Schlemmer, Oggebbio
Daniel und Rotraut Klein-Moquay, Paradise Valley
Alexandr Krestovsky, Prag
Robert Rademacher
Gabriele Mantovani Banella, Rom
Luca Ruzza, Rom
Ute Gräfin von Baudissin, Sidney
David Elliott, Stockholm
Ina Conzen, Stuttgart
Filmgalerie 451 (www.filmgalerie451.de), Stuttgart
Ute Jaïna Schlemmer, Stuttgart
Hermann Walter, Verl
Jacqueline Matisse-Monnier, Villiers-sous-Grez
Bettina M. Busse, Wien
Friedrich-Wilhelm-Murnau-Stiftung, Wiesbaden
Doris Ammann, Zürich
Galerie Minerva, Zürich
Eva Presenhuber, Zürich

Das XX. Jahrhundert – Ein Jahrhundert Kunst in Deutschland

Peter-Klaus Schuster

Deutsche Jahrhundert-Ausstellung in der Nationalgalerie, 1906; 2. Obergeschoß, Wanddekoration von Peter Behrens

Nationalgalerie, Blick ins Vestibül, 3. Obergeschoß, 1897

Peter Behrens, Plakat für die »Deutsche Jahrhundertausstellung Berlin 1906«; Staatliche Museen zu Berlin, Kunstbibliothek

I. Jahrhundert-Ausstellungen

Wieder unternimmt die Nationalgalerie das Wagnis einer Jahrhundert-Ausstellung. »Jahrhundert-Ausstellung« – schon das Wort hat einen besonderen Klang. Es schmückte die Nationalgalerie auf der Berliner Museumsinsel bereits 1906 (Abb. S. 15), als durch die inzwischen legendäre *Jahrhundert-Ausstellung* in der Nationalgalerie der bis heute verbindliche Kanon zur deutschen Kunst des 19. Jahrhunderts erstmals festgelegt wurde.[1]

Aus Anlaß dieser Jahrhundert-Ausstellung hatte man die Nationalgalerie auf der Museumsinsel 1906 völlig leergeräumt. Die im Geschmack der Gründerzeit reicht dekorierten Räume (Abb. S. 15) wurden von Peter Behrens als dem verantwortlichen Gesamtgestalter der Ausstellung einem strengen Schwarz-Weiß-Dekorationssystem unterworfen (Abb. S. 15). In ihm waren der Stil der Goethezeit um 1800 mit Anmutungen Florentiner Frührenaissance zu einer Art von Proto-Konstruktivismus verbunden. Für diese feierlichen Räume hatten Hugo von Tschudi als damaliger Direktor der Nationalgalerie und Alfred Lichtwark, Direktor der Hamburger Kunsthalle, gemeinsam mit Julius Meier-Graefe, dem führenden Kunstschriftsteller, eine breite Auswahl deutscher Kunst aus 100 Jahren zusammengetragen, beginnend mit Werken der Zeit um 1775 und endend mit Gemälden, Skulpturen und Zeichnungen um 1875. Was eine heutige Jahrhundert-Ausstellung sogleich zum Scheitern verurteilen müßte, nämlich noch einmal den Kanon der Hauptwerke aus hundert Jahren Kunstentwicklung zu versammeln, das ist für die deutsche Kunst des 19. Jahrhunderts damals überhaupt erstmals versucht worden. Die deutsche Malerei des 19. Jahrhunderts hatte plötzlich jenen verbindlichen Kontur, wie er dank der durch den Erfolg der *Jahrhundert-Ausstellung* so reichlich gewährten Ankaufsgelder noch heute die Sammlungen der Nationalgalerie, der Hamburger Kunsthalle wie auch der Neuen Pinakothek in München und andere wichtige Sammlungen in Deutschland maßgeblich bestimmt.

Wenn die Berliner Nationalgalerie am Ende des 20. Jahrhunderts in Kooperation mit der Münchner Staatsgalerie moderner Kunst erneut auf die Kunst eines Jahrhunderts zurückblickt, dann sind wesentliche Unterschiede zur

Jahrhundert-Ausstellung von 1906 nicht zu übersehen. Im ganz entscheidenden Unterschied zur Ausstellung von 1906 beschränkt sich unsere Jahrhundert-Ausstellung nicht mehr ausschließlich auf deutsche Kunst, sondern – wie im Titel formuliert – zeigt sie »Das XX. Jahrhundert« als »Ein Jahrhundert Kunst in Deutschland«.

Gemeint ist damit das gesamte Kunstgeschehen, das sich in Deutschland seit dem Jahrhundertende um 1900 bis heute zugetragen hat. Dahinter steht die Überzeugung, daß die Kunst im 20. Jahrhundert nicht mehr ausschließlich national, sondern nur noch im internationalen Zusammenhang sich zureichend beschreiben läßt. Dies gilt besonders für Deutschland, das sich als bevorzugtes Transitland im 20. Jahrhundert trotz und schließlich gerade wegen des nationalen Wahns zwischen 1933 und 1945 den internationalen Kunstströmungen immer wieder weit geöffnet hat. Diese entscheidenden Beiträge ausländischer Künstler schließt unsere Ausstellung mit dem Untertitel »Ein Jahrhundert Kunst in Deutschland« ausdrücklich ein.[2]

Albrecht Dürer, Selbstbildnis im Pelzrock, 1500; Alte Pinakothek München

In ihrem Jahrhundertanspruch unterscheidet sich unsere Ausstellung auch von früheren Übersichtsdarstellungen wie etwa dem unter Dieter Honisch von der Nationalgalerie 1985 in Angriff genommenen weit ausgreifenden Überblick *1945–1985. Kunst in der Bundesrepublik Deutschland*. Unsere Jahrhundert-Ausstellung umfaßt demgegenüber nicht nur die größere Zeitspanne, sie ist nicht nur international orientiert, sondern sie zeigt auch, was im damaligen Überblick noch fehlte, Kunst und Künstler aus der einstigen DDR.

Dennoch unternimmt unsere Ausstellung im Unterschied auch zur *Jahrhundert-Ausstellung* von 1906 keineswegs den Versuch, ein vollständiges Panorama zum Kunstgeschehen des 20. Jahrhunderts in Deutschland zu geben. Ein enzyklopädischer Überblick, der das in diesem Jahrhundert so vielfach Ausgestellte und Publizierte nur nochmals zusammenstellen würde, hätte größte Schwierigkeiten, seine zahlreichen und hochkarätigen Leihwünsche zu begründen. Den in der Ausstellung von 1906 erstmals versuchten Kanon zur deutschen Kunst eines ganzen Jahrhunderts erneut zu formulieren, diesen Gedanken würde eine Jahrhundert-Ausstellung zum 20. Jahrhundert – wie schon vermerkt – von Anfang an zum Scheitern verurteilen.

Joseph Beuys, DAS ENDE DES 20. JAHRHUNDERTS, 1983/85; Bayerische Staatsgemäldesammlungen, Staatsgalerie moderner Kunst, Sammlung Prinz Franz von Bayern, München

Hinzu kommt die unübersehbare Ausweitung der Künste im 20. Jahrhundert. So wie sich das Kunstgeschehen in Deutschland in diesem Jahrhundert nur noch in internationalen Zusammenhängen begreifen läßt, ebenso läßt sich dieses nicht mehr auf die klassischen Kunstgattungen und deren Trennung beschränken. Denn nirgendwo, und dies ist neben dem internationalen Aspekt eine weitere Prämisse unserer Jahrhundert-Ausstellung zur Kunst in Deutschland im 20. Jahrhundert, nirgendwo strebten die Künste so sehr zum Gesamtkunstwerk, zu ästhetischen Gesamtinszenierungen, die alle Lebensbereiche umfassen sollten, wie in Deutschland.[3] Das reicht von Jugendstil-Ensembles in München, Darmstadt und anderswo über das Streben nach der Vereinigung aller Künste im Bauhaus bis zu den multimedialen Staatsinszenierungen der

Arnold Böcklin, Melancholia, 1885–90; Öffentliche Kunstsammlung Basel, Kunstmuseum, Geschenk der Familie Carlo Markees

Nationalsozialisten und führte schließlich zu den künstlerisch so unterschiedlichen Gesamtplanungen zum Wiederaufbau in den beiden Teilen Deutschlands bis zur völligen Ausweitung der Kunst ins Leben als Folge des sogenannten »offenen Kunstbegriffes« seit Ende der sechziger Jahre. In einer Ausstellung kaum darstellbar, haben wir versucht, all diese ästhetischen Totalphänomene in einer umfassenden »Jahrhundert-Chronik« als Bilderatlas und visuelles Elementarwerk zum 20. Jahrhundert gesondert und doch im Zusammenhang mit dieser Ausstellung und ihrem Katalog zu veranschaulichen.[4]

Unabhängig war es das Ziel, die ganze Fülle der Künste im 20. Jahrhundert in unsere Jahrhundert-Ausstellung zu integrieren, indem wir unseren Rückblick über die Malerei und Skulptur ausgedehnt haben auf die Zeichnung, Druckgrafik, Fotografie, Buch- und Medienkunst, das Kunstgewerbe und Design bis hin zu den darstellenden Künsten Theater, Film, Tanz und Musik. Möglich wird dies allein aufgrund der Erweiterung der Jahrhundert-Ausstellung der Nationalgalerie durch sogenannte Satelliten-Ausstellungen, die am Kulturforum von der Kunstbibliothek, dem Kunstgewerbemuseum und dem Kupferstichkabinett zu den Themen »Die Lesbarkeit der Kunst«, »Form ohne Ornament?« und »Gesichter der Zeit« veranstaltet werden. Literatur, Theater, Film, Tanz und Musik werden durch ein reiches Begleitprogramm der Berliner Festspiele als Mitveranstalter und im Zusammenhang mit unserer Ausstellung als entscheidende Kunstformen des 20. Jahrhunderts umfassend vorgestellt. Die Architektur wird schließlich in ausgewählten Beispielen in der Berliner Stadtlandschaft als ein gebautes Museum zur Architektur des 20. Jahrhunderts durch entsprechende Exkursionen mit einem eigenen Katalog erschlossen.[5]

Joseph Beuys, DAS ENDE DES 20. JAHRHUNDERTS, 1983/85; Staatliche Museen zu Berlin, Nationalgalerie, Sammlung Erich Marx

II. Jahrhundert-Bilder

Aus all den Einschränkungen und Ausweitungen folgt, daß eine Jahrhundert-Ausstellung zur Kunst des 20. Jahrhunderts in Deutschland keine Übersichtsausstellung sein kann, sondern sich auf wenige Themen und Einzelwerke konzentrieren muß. Die Ideallösung dieser Aufgabe wären Jahrhundert-Bilder, einzelne Bildwerke, die ein Jahrhundert geradezu inkarnieren.

Diese Pathosformel des Jahrhundert-Bildes hat ihren Anfang und ihre Vollendung in der deutschen Kunst in Albrecht Dürers berühmtem christomorphen Selbstbildnis von 1500 (Abb. S. 16) in der Alten Pinakothek. Ostentativ und deutlich sichtbar hat Dürer sein Bildnis auf das Jahr 1500 datiert. Zu Beginn eines neuen Jahrhunderts und zur Mitte eines Jahrtausends zeigt sich Dürer hier in christusähnlicher Gestalt als gottebenbildlicher Schöpfer seiner Selbst. Zum kalendarischen Beginn der Neuzeit erscheint der Künstler als alter Deus, als zweiter Gott, der zugleich – deutlich in der Kreuzspiegelung in der Pupille seines Auges – seinen Blick und damit sein ganzes künstlerisches Tun devot auf die Nachfolge Christi ausgerichtet hat.[6]

Ein ganz anderes Jahrhundert-Bild hat der alte Arnold Böcklin ein Jahr vor seinem Tod im Jahr 1900 mit seinem Gemälde der **Melancholia** (Abb. S. 17)

gegeben. Der Bezug auf Dürers berühmten Kupferstich der nachsinnenden Melancholiefigur ist offensichtlich. Böcklins schwer dasitzende Melancholie hat in dem Liebespaar und in den Reitern im Sommerlicht ein buntes, heiteres Leben hinter sich. Es sind fröhliche Bilder aus vergangenen, früheren Zeiten. Was vor ihr liegt, was die Zukunft bringt, sucht Böcklins Melancholiefigur in ihrem Handspiegel zu erblicken, wodurch sie als klug vorausschauende Prudentia ausgewiesen ist. Was sie im Spiegel sieht, bestärkt offensichtlich ihre Melancholie. Dieses 20. Jahrhundert, so Böcklin an dessen Beginn, wird ein schwermütig dunkles Jahrhundert, ein Jahrhundert im Zeichen der Melancholie. Links an der Sitzbank aus Stein, jenem kalten und trockenen Element, das traditionellerweise der Melancholie und dem Saturn zugerechnet wird, dem gefährlichen planetarischen Verursacher der Melancholie, hat Böcklin sein Monogramm und den Beginn dieses schwermütigen Jahrhunderts eingetragen: AB MCM.[7]

Arnold Böcklin, Die Toteninsel, 1883; Staatliche Museen zu Berlin, Nationalgalerie

DAS ENDE DES 20. JAHRHUNDERTS von Joseph Beuys (Abb. S. 17), eine weitere Jahrhundertallegorie, in ihrer Münchner Fassung mit 44 Basaltbrocken von Beuys 1983 eingerichtet, bestätigt am Jahrhundertende alle Befürchtungen Böcklins vom Anfang des 20. Jahrhunderts.[8] Die am Boden liegenden Basaltsteine suggerieren Erstarrung, kollektiven Tod, ein Gräberfeld, die unbewohnbar gewordene Erde am Ende des 20. Jahrhunderts. An seinem Denkbild auf unser Jahrhundertende hat Beuys jedoch einen bezeichnenden Eingriff vorgenommen. Jeder Stein wurde von ihm an einem oberen Ende ausgebohrt, und zwar so, daß die Bohrungen jeweils einen konisch zulaufenden Steinkegel ergeben. Herausgenommen und abgeschliffen, wurden diese Kegel anschließend jedem Stein wieder eingesetzt und in ihrer jeweiligen Stellung durch Filz und Ton fixiert. Alle Steine wirken so wie okuliert und mit teleskopartig aus dem Steinkörper herausragenden runden Augen versehen. Filz und Ton, die geläufigen Wärmeaggregate im Beuysschen Materialkosmos, sorgen zudem für den Eindruck eines den uralten Steinen eingepflanzten neuen Lebens. Noch in der Versteinerung wirkt so Lebendiges fort. Das Ende des 20. Jahrhunderts verweist mithin bei Beuys nicht nur auf Erstarrung, sondern ebenso auf neue animistische Anfänge. In dieser Ambivalenz, Sinnbild der unermeßlichen Katastrophe dieses Jahrhunderts und zugleich Hoffnungsbild für die Erneuerung des Lebens, liegt die Sprachkraft dieser Beuysschen Jahrhundertallegorie, die in ihrer Berliner Fassung aus der Sammlung von Erich Marx unserer Jahrhundert-Ausstellung wie ein emblematisches Sinnbild eingeschrieben ist.

Adolf Hitler und Wjatscheslaw M. Molotow; Staatliche zu Berlin, Nationalgalerie, Archiv

Entsprechend hätte unsere Ausstellung gerne mit Böcklins Jahrhundert-Bild, mit seiner **Melancholia,** auf den Beginn dieses 20. Jahrhunderts ihren Anfang genommen. Doch die große Holztafel ist zu Recht nicht ausleihbar. Statt dessen beginnt unsere Ausstellung nun mit Böcklins berühmter **Toteninsel** (Abb. S. 18) aus dem Besitz der Nationalgalerie. 1883 entstanden, ist sie das älteste oder – wenn man so will – das früheste Bild dieser Jahrhundert-Ausstellung. In der Weise wie Böcklins »Toteninsel« den jungen Giorgio de Chirico in München seit 1906 zur Entwicklung seiner *Pittura metafisica*

angeregt hat, wird an diesem Lieblingsbild der Deutschen, als das die »Toteninsel« gelten darf, völlig offensichtlich, daß das 20. Jahrhundert nicht aus sich selbst erklärt werden kann. Vielmehr hat es gerade auch im Bereich der Kunst sein Herkommen zutiefst noch im 19. Jahrhundert.

Aber nicht nur über de Chirico, sondern nicht weniger durch Hitler ist gerade diese Berliner Fassung von Böcklins »Toteninsel« zutiefst ein Bild des 20. Jahrhunderts geworden. 1939 wurde das Gemälde aus dem Schweizer Kunsthandel zur Ausstattung der Reichskanzlei erworben, wo es in Hitlers Arbeitszimmer hing. Berühmt ist das Foto, das Hitler mit Molotow in der Reichskanzlei unter Böcklins »Toteninsel« zeigt (Abb. S. 18). Aus der völlig zerstörten Berliner Reichskanzlei gelangte das auf Holz gemalte Lieblingsbild Hitlers gänzlich unerwartet und unversehrt über einen Vermittler aus Rußland 1980 in die Nationalgalerie.

Aus all dem wird offensichtlich, welch dramatischer Ausstellungsbogen zur Kunst in Deutschland im 20. Jahrhundert sich von Böcklins **Toteninsel** bis zu **DAS ENDE DES 20. JAHRHUNDERTS** von Beuys schlagen läßt. Diese Dramatik wird bestürzend angesichts eines weiteren Jahrhundert-Bildes, das als Titelblatt des *Spiegel* (Abb. S. 19) am Jahrhundertende enthüllt, was Böcklins »Melancholia« trotz der tiefsinnigen Schwermut ihres Blickes in den Spiegel am Jahrhundertanfang sich nimmer hätte träumen lassen, das Inferno eines Jahrhunderts, das mit Hitler im Zentrum zutiefst ein schrecklich deutsches Jahrhundert war. Diese Jahrhundert-Collage enthüllt plakativ, was mit **DAS ENDE DES 20. JAHRHUNDERTS** von Beuys in emblematischer Verrätselung gemeint ist. Sogleich ist diese Collage eine im Rückblick gespiegelte Jahrhundert-Summe als neuerliche »Toteninsel«. Man ahnt unter dem Blickwinkel von Jahrhundert-Bildern plötzlich, wie Aktualität von weit her kommt.

III. Blickachsen des 20. Jahrhunderts

Angesichts der hier verfolgten Erweiterungen des Blickes auf das 20. Jahrhundert und seine Künste in Deutschland bedarf unsere Jahrhundert-Ausstellung entschiedener Blickachsen. Sie sollen das Kaleidoskop der künstlerischen Entwicklungsweisen dieses Jahrhunderts bündeln. War die Blickachse der ersten Jahrhundert-Ausstellung von 1906 noch ganz ausschließlich von der Vorstellung des malerischen Meisterwerkes geprägt, so sind nach unserem Ausstellungsjahrhundert mit seiner allumfassenden Information über sämtliche künstlerischen Richtungen und Meisterwerke völlig neue Blickachsen gefragt. Statt eines enzyklopädischen Überblickes, der nicht zu leisten ist, versucht unsere Jahrhundert-Ausstellung, die Kunst aus dem Blickwinkel der in Deutschland im 20. Jahrhundert entscheidenden Inhalts- und Formfragen zu betrachten. Aus der Fülle der Betrachtungsmöglichkeiten erweisen sich drei Aspekte als die wirklich entscheidenden Konstanten für die Wertschätzung und den Umgang mit Kunst in Deutschland im 20. Jahrhundert: der Glaube an die Gewalt der Kunst, die Sehnsucht nach dem Geistigen und schließlich das Ende der geschlossenen Bildform im Wechselspiel von Collage und Montage.

Spiegel-Cover vom November 1998

Die Gewalt der Kunst

Kunst, so lautet eine Grundüberzeugung unserer Jahrhundert-Ausstellung, war nirgendwo so mit Ansprüchen ausgezeichnet und belastet wie in Deutschland. Von der Kunst und ihrer erzieherischen Wirkung wurde gerade in Deutschland ständig das Höchste erwartet. Umso mehr wurde sie beargwöhnt und reglementiert, um solch Höchstem gerecht zu werden. Dieses Höchste gipfelte im »Neuen Menschen«, den die Kunst in Deutschland im 20. Jahrhundert beständig hervorzubringen hatte. Sein Mythos reichte vom neuen Deutschen als Inbegriff einer europäischen Elite im Wilhelminischen Kaiserreich über den am Ideal der Ursprünglichkeit orientierten neuen Menschen des Expressionismus bis zum Rassenwahn im Faschismus. Nach 1945 gab es eine doppelte Internationalisierung des neuen Menschen, im Westen Deutschlands nach dem Muster der Demokratie und dem Leitbild Amerikas, im Osten nach dem Leitbild des Kommunismus und der Sowjetunion.

Aber auch die Künstler selbst, Georg Baselitz mit seinen neuen Helden wie Joseph Beuys mit seinem zur sozialen Plastik erweiterten Kunstbegriff, bezogen sich auf diese charakteristische deutsche Erneuerung des Menschen durch die Kunst. Der deutsche Hang zum Gesamtkunstwerk ist für dieses ästhetische Erziehungswerk in gleicher Weise kennzeichnend wie umgekehrt die Auratisierung und Reinhaltung des Einzelwerkes. Der Kampf des Kaisers gegen die französischen Impressionisten gehört zu solchen Reinheitsgeboten ebenso wie die nationalsozialistische »Säuberung des Kunsttempels« von sogenannter »entarteter Kunst« oder die Verabsolutierung künstlerischer Autonomie durch die Westkunst. Im Formalismusvorwurf der DDR-Kunst hatte sie ihr nicht weniger regulierendes Gegenprinzip. Ständig wurde den Künstlern in Deutschland vorgehalten, wie sie ihre höchste Wirkung hervorzubringen hätten. Der Glaube an die »Gewalt der Kunst«, grundgelegt in Dürers Genielehre im »Ästhetischen Exkurs« seiner *Proportionslehre*[9], nach welcher ein »gewaltiger Künstler« durch die völlige Beherrschung von Kunst und Brauch und inspiriert durch die inneren Ideen gottebenbildlich mit unendlichen Schöpferkräften begabt ist, dieser Glaube an die »Gewalt der Kunst« und der in der Weimarer Klassik begründete Glaube an die humane Bildungskraft der Kunst, sie bilden das Zentrum der deutschen Kunst- und Künstlertheologie noch im 20. Jahrhundert. Als Demonstrationsfeld dieser zentralen Blickachse dient der Jahrhundert-Ausstellung das Obergeschoß von Schinkels Altem Museum. Mit Schinkels »Rotunde« (Abb. S. 20) birgt dieses im Zentrum geradezu das Heiligtum solch ästhetischer Erziehung des Menschen in Deutschland, die zu den größten Leistungen wie Erniedrigungen der Kunst im 20. Jahrhundert geführt hat.

Geist und Materie

Das Prinzip des sprechenden Ausstellungsortes setzt unsere Jahrhundert-Ausstellung in Mies van der Rohes Neuer Nationalgalerie (Abb. S. 21) fort. In diesem Glashaus wird Abstraktion als ein weiteres Leitmotiv der Kunst des

Altes Museum, Rotunde

Anmerkungen

1 Vgl. Wesenberg, Angelika: »Impressionismus und die ›Deutsche Jahrhundert-Ausstellung Berlin 1906‹«. In: *Manet bis van Gogh. Hugo von Tschudi und der Kampf um die Moderne.* Ausst.Kat. Nationalgalerie Berlin, 1997, S. 364ff. und neuerdings Sabine Benecke: *Im Blick der Moderne. Die »Jahrhundertausstellung deutscher Kunst (1775–1875)« in der Berliner Nationalgalerie 1906.* Berlin 1999.

2 Vgl. dazu bereits Werner Hofmann im Vorwort seines Katalogs *Kunst in Deutschland. 1898–1973.* Hamburger Kunsthalle, 1973, S. 4ff.

3 Vgl. Hofmann, Werner: »Was ist deutsch an der deutschen Kunst?« In: Ders.: *Anhaltspunkte. Studien zur Kunst und Kunsttheorie.* Frankfurt am Main 1989, S. 84f.

4 Bärnreuther, Andrea; Schuster Peter-Klaus (Hg.): *Das XX. Jahrhundert. Kunst, Kultur, Politik und Gesellschaft im 20. Jahrhundert.* Köln 1999.

5 Lepik, Andres; Schmedding, Anne (Hg.): *Das XX. Jahrhundert. Ein Jahrhundert Kunst in Deutschland. Architektur in Berlin.* Fotos von Christian Gahl. Köln 1999.

6 Schuster, Peter-Klaus: *Melencolia I, Dürers Dunkelbild.* Bd. I. Berlin 1971, S. 243ff.

7 Schuster, Peter-Klaus: »Mythologie der Melancholie«. In: *Arnold*

Neue Nationalgalerie

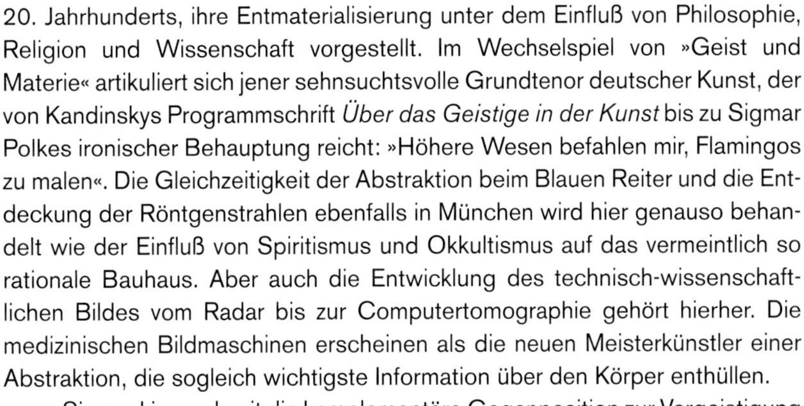

20. Jahrhunderts, ihre Entmaterialisierung unter dem Einfluß von Philosophie, Religion und Wissenschaft vorgestellt. Im Wechselspiel von »Geist und Materie« artikuliert sich jener sehnsuchtsvolle Grundtenor deutscher Kunst, der von Kandinskys Programmschrift *Über das Geistige in der Kunst* bis zu Sigmar Polkes ironischer Behauptung reicht: »Höhere Wesen befahlen mir, Flamingos zu malen«. Die Gleichzeitigkeit der Abstraktion beim Blauen Reiter und die Entdeckung der Röntgenstrahlen ebenfalls in München wird hier genauso behandelt wie der Einfluß von Spiritismus und Okkultismus auf das vermeintlich so rationale Bauhaus. Aber auch die Entwicklung des technisch-wissenschaftlichen Bildes vom Radar bis zur Computertomographie gehört hierher. Die medizinischen Bildmaschinen erscheinen als die neuen Meisterkünstler einer Abstraktion, die sogleich wichtigste Information über den Körper enthüllen.

Sie markieren damit die komplementäre Gegenposition zur Vergeistigung der Materie, die von Franz Marcs Tierbildern über Fritz Winters **Triebkräfte der Erde** bis zu Kiefers alchemistischer Verwandlung des Mikrokosmos zum spirituellen Makrokosmos reicht. Die Metamorphosen der Malerei in Licht-, Nebel-, Klang- und Feuerräume vom Bauhaus bis zu Yves Klein, Zero und danach lassen diese beständige Suche nach dem Geistigen in der Kunst als ein erstaunlich internationales Element im Kunstgeschehen des 20. Jahrhunderts in Deutschland deutlich werden.

Hamburger Bahnhof, Museum für Gegenwart

Collage-Montage

Mit »Collage-Montage« als weiterem künstlerischen Grundprinzip des 20. Jahrhunderts verwandelt sich unsere Jahrhundert-Ausstellung im Hamburger Bahnhof (Abb. S. 21) schließlich zu einer urbanen und geradezu globalen Werkstatt des Bildermachers und des Bildkonsums.

Schneiden und Montieren von Bildern ist das Wesensmerkmal des Films, jener wohl typischsten Kunstsprache dieses Jahrhunderts. Mit Collagen aus berühmten Filmen wird sich die Historische Halle des Hamburger Bahnhofs in einen riesigen Bildersaal des Films verwandeln. Diese Filmschnitte sind der Auftakt einer umfassenden Geschichte der Collage und der Montage von Dada bis in die Gegenwart, wobei das Spektrum von der Hochkunst bis in alle Gebrauchskünste ausgreift. Offenkundig wird damit auch der Materialcharakter der Kunst des 20. Jahrhunderts. Das Herstellen von Bildern aus anderen Bildern, das Ready-made, die Körperkunst, Fluxus, Neo Dada und Pop, all diese Realienkulte führen schließlich über Warhol und Beuys als den größten Collagisten aus den Wunderkammern des Lebens zur Verwertung sämtlicher Bilderwelten in der aktuellen Medienkunst.

Die Bilderbefragungen dieser Jahrhundert-Ausstellung richten sich nicht nur, aber doch zuerst an die Meisterwerke der Kunst in Deutschland im 20. Jahrhundert. Nur sie geben komplexe Antworten und stellen neue Fragen. Allein dies rechtfertigt unseren Versuch einer Ausstellung über »Das XX. Jahrhundert – Ein Jahrhundert Kunst in Deutschland.«

Böcklin, Giorgio de Chirico, Max Ernst. Eine Reise ins Ungewisse. Ausst.Kat. Kunsthaus Zürich, 1997, S. 212ff.

8 Schuster, Peter-Klaus: »›Das Ende des 20. Jahrhunderts‹ – Beuys, Düsseldorf und Deutschland«. In: *Deutsche Kunst seit 1960. Aus der Sammlung Prinz Franz von Bayern.* Ausst.Kat. Staatsgalerie moderner Kunst. München 1985, S. 39ff.

9 Dürer, Albrecht: *Proportionslehre.* III. Buch, Ästhetischer Exkurs: »Dann der gewalt der Kunst, wie for geredt, meystert alle werck.« Vgl. dazu ausführlich Schuster (Anm. 6), Bd. I, S. 214f.

DIE GEWALT

D E R   K U N S T

Die Gewalt der Kunst

Peter-Klaus Schuster und Andrea Bärnreuther

Max Klinger, Büste Friedrich Nietzsche, 1902; Privatsammlung

Der Glaube, daß Kunst eine besondere Gewalt habe, findet sich erstmals bei Dürer. Im sogenannten »Ästhetischen Exkurs«, einem zwischen 1515 und 1520 zu datierenden Text für sein *Lehrbuch der menschlichen Proportion*, vermerkt Dürer, »ein gewaltiger Künstler« sei durch das Zusammenwirken von Kunst und Brauch so geübt, daß er wie ein zweiter Gott menschliche Figuren in beliebiger Fülle und Gestalt hervorzubringen vermöge. Die Gewalt der Kunst, so weiß Dürer zudem, vermag sich in »grober beurischer gestalt«, mit der Feder in kürzester Zeit aufs Papier gebracht, oft weit mehr zu zeigen als in einem fein ausgearbeiteten Gemälde, »doran mit allem fleis der selb ein jor machte«.

Max Beckmann, Selbstbildnis im Smoking, 1927; Busch-Reisinger Museum, Harvard University Art Museums, Cambridge, Mass., Association Fund

Damit hat Dürer Kunstüberzeugungen formuliert, die in Deutschland weithin verbindlich blieben. Geniekult, expressiver Selbstausdruck, Regellosigkeit als Authentizität und die Auszeichnung der künstlerischen Tat als gottebenbildlicher Schaffensakt, all das ist in Dürers Vorstellung von der Gewalt der Kunst vorgegeben.

Artistenmetaphysik und Künstlerkult

Dieser geradezu religiöse Kunst- und Künstlerkult wird zu Beginn der Ausstellung unter Nietzsches Begriff »Artistenmetaphysik« in seiner unveränderten Vorbildlichkeit noch für das 20. Jahrhundert in einem Ensemble bedeutender Künstlerbildnisse und Selbstbildnisse demonstriert. Der erste Blick fällt dabei auf Beckmanns Selbstinszenierung als machtbewußter Gesellschaftsmensch (Abb. S. 24). Dieser Künstler ist sich seiner selbst und der Gewalt seiner Kunst gewiß. Als Ausnahmeexistenz in seinem Leiden zeigt sich hingegen Corinth in der Rolle des geblendeten Simson, während Dix in seinem Selbstbildnis als Soldat Energie und Gewaltbereitschaft veranschaulicht.

In den Bereich der Künstlerallegorie gehört Kandinskys Heiliger Georg, der mit seiner Lanze auf dem Frontispiz zum Almanach des Blauen Reiter im Drachen den unreinen Materialismus tötet. Diesen Topos vom Künstler als bewaffnetem Streiter hat Hubert Lanzinger in seinem berüchtigten Rollen-

Hubert Lanzinger, Der Bannerträger, 1937; U.S. Army Center of Military History, Fort McNair, D.C.

Auguste Rodin, Der Mensch und sein Gedanke, 1899/1900; Staatliche Museen zu Berlin, Nationalgalerie

porträt auf Hitler in Ritterrüstung (Abb. S. 24) übertragen. Sich selbst zum Künstler verklärend, sprach Hitler anläßlich der Eröffnung des »Hauses der Deutschen Kunst« in München von der Kunst als »einer erhabenen und zum Fanatismus verpflichtenden Mission«. Eine Formel der völligen Absolutsetzung von Kunst, auf die sich später Arnulf Rainer beziehen wird.

Die nur schwer zu disziplinierende Wirkungsmacht der Moderne, ihre Gewalt, haben die Nationalsozialisten sehr wohl erkannt und deshalb als »entartet« diffamiert und bekämpft. Hierauf reagiert Paul Klee mit seinem Rollenselbstbildnis **von der Liste gestrichen**, einem durchgestrichenen Kopf, gemalt im Jahre 1933, als Klee sein Düsseldorfer Lehramt verlor und in die Emigration getrieben wurde. Diesem melancholischen Bildnis Klees kontrastiert das Bekennerpathos des Rollenselbstbildnisses von Joseph Beuys. Im lebensgroßen Fotoauftritt zeigt sich Beuys in der Rolle des Künstlers als Wanderer, Sozialreformer und Menschheitserwecker unter der emphatischen Parole **La rivoluzione siamo Noi**, die Revolution sind wir, die Künstler!

Aus dieser Selbstverklärung des Künstlers zum eigentlichen Menschen und dem daran sichtbar werdenden schier grenzenlosen deutschen Glauben an die lebensgestaltenden und lebensverändernden Mächte des Ästhetischen entwickelt sich die Themenstellung aller folgenden Räume.

Max Klinger, Die Kreuzigung Christi, 1890; Museum der bildenden Künste, Leipzig ▪ Ferdinand Hodler, Die Wahrheit II, 1903; Kunsthaus Zürich, Leihgabe der Stadt Zürich ▪ Edvard Munch, Lebensfries: Begier/Sommernacht, 1907; Staatliche Museen zu Berlin, Nationalgalerie

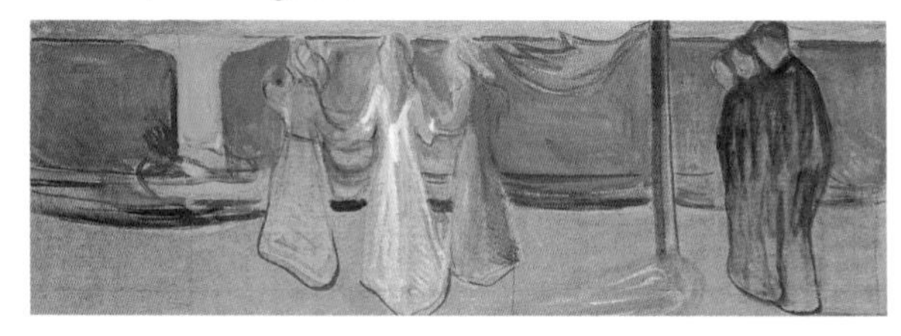

Max Beckmann, Die Nacht, 1918/19;
Kunstsammlung Nordrhein-Westfalen, Düsseldorf

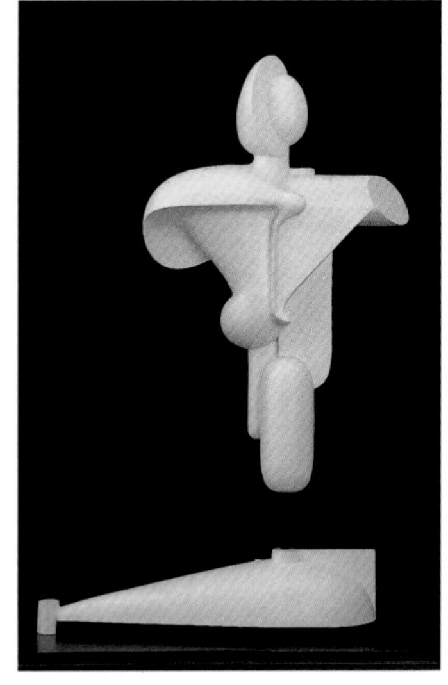

Oskar Schlemmer, Abstrakte Figur, Freiplastik G, 1921–23; Familiennachlaß Oskar Schlemmer, Oggebbio; Bronzefassung Bauhaus Archiv, Berlin

Wege zu Kraft und Schönheit – Auf der Suche nach Ursprünglichkeit

Auf ihrer Suche nach »Wegen zu Kraft und Schönheit« folgten Max Klinger, Ferdinand Hodler und Georg Kolbe um 1900 einer aus dem 19. Jahrhundert überkommenen Schönheitsreligion, die unter dem Eindruck von Friedrich Nietzsches Lehre vom »Übermenschen« neue Impulse erhielt. Begegnet man dem Visionär und Dichter Zarathustras in den Porträts von Max Klinger (Abb. S. 24) und Edvard Munch, so erhebt sich Wilhelm Lehmbrucks **Emporsteigender Jüngling** im Geiste Zarathustras. In der Gestalt des apollinischen Künstlergottes am Kreuz formuliert Klinger sein ästhetisches Glaubensbekenntnis (Abb. S. 25). Bei Ferdinand Hodler kennt diese Religion der Schönheit neben dem Männlichen als dem Schönheitsgefäß geistiger Kräfte auch die Frau als geistige Heroine – als Symbol der zu geistiger Erleuchtung führenden Kunst (Abb. S. 25).

Hochgeschätzt in Deutschland um 1900 hat Auguste Rodin den geistigen Schöpfungsprozeß mit der Schicksalsschwere des Lebens und Leidens zusammengebracht (Abb. S. 25). Als »ein Gedicht vom Leben, von der Liebe und vom Tod« konzipierte Edvard Munch den 1906 von Max Reinhardt in Auftrag gegebenen **Lebensfries** (Abb. S. 25), der die Spannung zwischen den Geschlechtern in den Grunderfahrungen des Lebens – Angst, Eifersucht, Begehren, Liebe, Tod – auf der Bühne der Natur als Resonanzraum der eigenen Stimmung ästhetisch reflektiert und zum kosmischen Gleichnis erhebt.

Arno Breker, Prometheus, 1937;
Privatsammlung

Karl Friedrich Schinkel, Die Rotunde im Alten Museum; Staatliche Museen zu Berlin, Kupferstichkabinett

Joseph Beuys, Straßenbahnhaltestelle, 1961–76 (Ausschnitt); Staatliche Museen zu Berlin, Nationalgalerie, Leihgabe der Sammlung Marx

Die Ideale von Kraft und Schönheit weichen bei den Expressionisten der Suche nach Ursprünglichkeit. So radikalisieren die Brücke-Künstler die antizivilisatorischen Affekte des Fin de siècle durch den Kult des Einfachen und Primitiven. Kirchners Gemälde **Ins Meer Schreitende** verheißt im Anschluß an Gauguin ein wiedergewonnenes Paradies beim Nacktbaden in den Moritzburger Teichen. Noldes ekstatische Tänzerinnen sind ein Lobpreis edler Barbarei. Und die im Almanach des Blauen Reiter aufgenommenen Kinderzeichnungen werden als Muster einer von Marc und Kandinsky angestrebten »Kunst aus innerer Notwendigkeit« vorgezeigt.

Apokalypse

Die Faszination der Großstadt in ihrer Dynamik und Dämonie entzündete bei den Expressionisten die Sehnsucht nach Zerstörung und Wiedergeburt, wie sie Kurt Pinthus auf den Begriff der »Menschheitsdämmerung« gebracht hatte. Dienten die vulkanischen Untergangslandschaften, die der Maler-Dichter Ludwig Meidner, der »Pathetiker« des Großstadt-Expressionismus, vor 1914 in halluzinatorischer Raserei auf die Leinwand brachte, noch »einem Wahn, dem Traum einer besseren und friedlichen Welt« (Stefan Zweig), so verwandelt Beckmann in seinem Gemälde **Die Nacht** (Abb. S. 26) die Anarchie der Revolution in Berlin zum Pandämonium einer Folterkammer, deren Schmerzen und Qualen in der Härte und Grausamkeit spätmittelalterlicher Tafelmalerei erinnert werden. Otto Dix malte 1934–36 in der »inneren Emigration« am Bodensee als »entarteter« Künstler mit **Flandern** das letzte große Bild des Krieges – eine Weltlandschaft der Kriegszerstörung in der Tradition von Altdorfer und Grünewald.

Der neue Mensch

Die Suche nach Heilsbringern kennzeichnet die zwanziger Jahre. Konfrontiert mit dem weltanschaulichen Vakuum und den tiefen emotionalen Verstörungen, die der erste hochtechnisierte Krieg hinterlassen hatte, sahen sich die Künstler als »Gesetzgeber« und Gesellschaftsbildner, d. h. vor die Aufgabe gestellt, die zukünftige Gesellschaftsordnung nach den Gesetzmäßigkeiten der Kunst zu formen und neue Modelle des Lebens zu entwickeln. Kunst – als reale Utopie dazu berufen, »Gebrauchsgegenstände der Seele« zu schaffen – in dieser Konzeption trat Oskar Schlemmers im Wandbild kristallisierende anthropozentrische Welt, in der die Körper-Einheit mit der Maß-Einheit von Raum und Fläche zu einem Ganzen verschmilzt, der Natur als eine andere, höhere Welt mit autonomem Existenzanspruch entgegen.

Es erscheint von daher wie eine sehr absichtsvolle Dramaturgie, daß sich im Ausstellungsrundgang ein völlig unverändert belassener Raum zur Kunst der Goethezeit mit den monumentalen Fresken der Nazarener für die Casa Bartholdy in Rom einschiebt. Diese Fresken waren der erste Versuch, Kunst erneut zur öffentlichen Erziehung der Gesellschaft zu nutzen. Dieser Versuch hat bis zu den Fresken Schlemmers für das Bauhaus und das Museum Folkwang in Essen fortgewirkt.

Schinkels Altes Museum mit den in der Rotunde aufgestellten antiken Statuen ist der Architektur gewordene Bildungsgedanke der Goethezeit (Abb. S. 27), durch Kunst das Humane zu befördern. Mit der von Joseph Beuys als »Monument für die Zukunft« geschaffenen **Straßenbahnhaltestelle** (Abb. S. 27) gewinnt dieser Gedanke eine erneute Aktualität. Im Bild der aus dem Drachenmaul des Kanonenrohrs unter Schmerzen hervorbrechenden Gestalt erscheint der kraft spiritueller Energie wiedergeborene Mensch.

Pervertiert wurde dieser Gedanke im Nationalsozialismus. In der Sichtachse der Raumdurchgänge steht Schlemmers **Abstrakte Figur** (Abb. S. 26) von 1921–23 als moderne Ausprägung der Weimarer Kunstreligion ihrer hypertrophen Verkehrung ins Inhumane durch Arno Brekers monumentalen **Prometheus** (Abb. S. 26) von 1937 gegenüber. Mit Leni Riefenstahls zweiteiligem Film-Opus zur Olympiade 1936 **Fest der Völker – Fest der Schönheit** erwies sich der Film als das technisch-ästhetisch allen tradierten Kunstformen überlegene Medium des Nationalsozialismus. Kulminierte die nationalsozialistische »Ästhetisierung der Politik« in den als »Gesamtkunstwerk« inszenierten *Deutschen Wochenschauen* vom Krieg, so hat Leni Riefenstahls Film wie kein anderes Werk den Mythos des »Dritten Reiches« als eines im Geist der Antike wiederauferstandenen neuen Deutschland geschaffen.

Peter Palitzsch, Pablo Picasso, Plakat des Berliner Ensemble, 1953; Stiftung Archiv der Akademie der Künste, Berlin, Plakatsammlung

»Entartung« als Kategorie der Moderne

Mit der sogenannten »entarteten Kunst« haben die Nationalsozialisten eine ganz eigene ästhetische Kategorie der Moderne geschaffen. An einem Modell sieht man die Räumlichkeiten mit den Werken der von den Nationalsozialisten 1937 in München gezeigten Schandausstellung. Die von den Nationalsozialisten an der deutschen Moderne erkannte Wirkungskraft war Anlaß zur Gewalt gegen diese Kunst. Die Gewalt blieb freilich nicht auf die Kunst beschränkt. Wer oder was sich dem totalitären Weltbild der Nationalsozialisten nicht fügte, dem wurde Gewalt angetan.

Die nach dem Untergang des »Dritten Reiches« nun positiv besetzbare Kategorie »Entartung« bildete den Bezugspunkt für diejenigen Künstler, die im Gegenschlag zur »abstrakten Kunst«, die als Symbol der Freiheit der westlichen Demokratie die Kunstszene beherrschte, nun »die Metaphysik via Haut wieder in die Gemüter einziehen« (Antonin Artaud) lassen wollten. Baselitz und Schönebeck stellten sich mit dem **Pandämonischen Manifest** ausdrücklich in die Tradition der »Entarteten«. Kunst, die nicht nur Dekor sein will, die Wirkung tun will und mithin Gewalt hat, Kunst, die auf Tabuverletzung abzielt – diese Kunst galt in der Tradition nationalsozialistischer Kunstverfolgung unverändert als »entartet«, auch wenn man sich oft nicht mehr dieser Topik bediente. **Die große Nacht im Eimer** von Baselitz rief einen solchen Kunstskandal hervor. Die von Otto van de Loo in Deutschland vertretende internationale

Ernst Wilhelm Nay, Grau und Olivgrün, 1964; Staatliche Museen zu Berlin, Nationalgalerie

Willi Sitte, Raub der Sabinerinnen, 1953; Staatliche Museen zu Berlin, Nationalgalerie

Künstlergruppe COBRA aktivierte mit den von der Kinderzeichnung und von Graffitis entlehnten Primitivismen die einst als »entartet« diffamierten Quellen der Moderne. Ebenso rissen die Wiener Aktionisten mit ihrem »Theater der Grausamkeit« (Antonin Artaud) die Kunst aus der gesellschaftlichen Gleichgültigkeit, die aus ihr einen »Naturschutzpark für Irrationalität« (Theodor W. Adorno) gemacht hatte. »Entartete Kunst« ist mithin keineswegs ein historisch abgeschlossenes Phänomen, sondern die Wunde der Moderne, aus der sie ihre Wirkungsmacht erneuert.

Mythen des Neubeginns

Deutschland nach 1945 ist der Versuch eines Neubeginns, an dem die Kunst formenden Anteil hat. Abermals zielt sie auf einen neuen Menschen, der in dem zweigeteilten Land freilich verschieden gedacht wird. Dieser neue Mensch, der nunmehr für einen optimistischen Lebenshorizont einsteht, bedient sich im Westen einer abstrakten Bildersprache. Arp, Uhlmann und das für die Aufbruchstimmung des westdeutschen Wiederaufbaus so signalhaft wirkende Schaffen von Ernst Wilhelm Nay (Abb. S. 28), als dem einst jüngsten »Entarteten«, stehen für diesen Rückgewinn einer internationalen Moderne.

Das menschliche Antlitz, im Westen in der Skulptur bei Heiliger beispielhaft ausgeprägt, wird im Osten auch in der Malerei in der Nachfolge Picassos bei Sitte (Abb. S. 29) und Metzkes entschieden bewahrt. Für die Künstler der DDR, die die Bindung an die Realität als Mittel der Existenzbefragung suchten, war Picasso der Inbegriff einer Moderne, die den Gegenstand noch nicht aufgegeben hatte, und eine Art Schutzschild gegenüber dem vordergründig pathetischen, naturalistisch orientierten Realismus (Abb. S. 28) der Parteidoktrin.

Werner Tübke, Lebenserinnerungen des Dr. jur. Schulze III, 1965; Staatliche Museen zu Berlin, Nationalgalerie

Die Wiederkehr der Geschichte – Der Angriff auf die Wahrnehmung

Der Vorwurf der Unverbindlichkeit der Abstraktion im Westen traf kaum weniger die abstrahierende Figuration im Osten. Dies führte gegen Mitte der sechziger Jahre zu einer sehr viel aggressiveren Gegenständlichkeit. Detailreich und manieristisch in der Nachfolge Klingers, des Symbolismus und Surrealismus demonstriert sich dies in den **Lebenserinnerungen des Dr. jur. Schulze** (Abb. S. 29) bei Werner Tübke. Dieser weitgehend rekonstruierte Bilderzyklus bildet hier den komplementären Kontrast zur Malerei von Baselitz. Ebenfalls aus dem Osten kommend, war er es, der im Westen die menschliche Figur geradezu gewalttätig zu malträtieren schien. Mit Titeln wie **Partisan**, **Der Held** und **Der neue Typ** werden Jünglingsgestalten als gepeinigte Figuren einer deutschen Geschichte in malerisch delikaten Schmutzfarben vorgestellt. Schwermütig und voller Allusionen erscheinen sie wie Repräsentanten einer verfehlten deutschen Geschichte.

Der wahre Mensch oder **Der Rotarmist** lauten die Bildtitel entsprechend beschädigter oder pathetischer Figuren bei Eugen Schönebeck.

Diese Rückkehr des Monströsen in der deutschen Malerei findet sich im Osten mit einer an Corinth geschulten Malerei in den theatralisch vielschichtigen Historienbildern von Bernhard Heisig. Diese Malerei zeigt als heftig geführte deutsch-deutsche Kunstkonfrontation zugleich wieder jene andere Seite des Themas der »Gewalt der Kunst«: Die Möglichkeit der einen Kunst behauptet die Unmöglichkeit der anderen. Von außen gesehen erscheint die deutsch-deutsche Kunst hingegen bei aller Verschiedenheit zwischen Altmeisterlichkeit und Expressivität im aggressiven Appell an den Betrachter geeint.

Joseph Beuys, Torso, 1949–51; Privatsammlung

Der Künstler als Erlöser

Der Vorwurf des teutonischen Tiefsinns, des Irrationalen wie der Kunstlosigkeit traf immer wieder auch Joseph Beuys. Wie der Voodoo eines Schamanen, der zugleich Pygmalion ist und einen neuen Menschen formt, so erscheint sein **Torso** (Abb. S. 30), entstanden 1949–51, am Ende des Ausstellungsganges. Er ist, mit Dürers Worten, wirklich ein Gebilde von »grober beurischer gestalt«, zutiefst verstörend in seiner ästhetischen Normverletzung und auch darin Zeugnis eines »gewaltigen Künstlers«. Beuys' **Torso** erinnert an Goethes Worte über *Deutsche Baukunst:* »Die Kunst ist lange bildend, eh sie schön ist.« Kunst war für Beuys und sein messianisches Künstlerbewußtsein die letzte geistige Bewegungsform, in der ein spirituelles Weltverständnis sich zu artikulieren und Kultur und Natur sich wieder einander anzunähern vermochten.

»Die Nacht ist fortgeschritten, der Tag nähert sich...«

Der letzte Raum zur »Gewalt der Kunst« ist völlig leer und gleißend hell. Es handelt sich um eine Arbeit von Gerhard Merz. Antithetisch zur Gegenstandsmagie bei Beuys verläßt sich Merz allein auf die Radikalität sparsamster und reiner Bildmittel. Der Titel der Arbeit lautet nach Römerbrief 13, Vers 12 – »Die Nacht ist fortgeschritten, der Tag nähert sich. Befreien wir uns also von den Werken der Finsternis, kehren wir zurück zu den Waffen des Lichts.« (Abb. S. 30)

Am Ende des Jahrhunderts und am Ende des Ausstellungsrundgangs, der vorstellt, welche Gewalt in diesem Jahrhundert von Kunstwerken ausging und welche Gewalt ihnen angetan wurde, ist dieser Lichtraum von Gerhard Merz wie eine Jahrhundertallegorie. Anschaulich wird das utopische Versprechen, nach einem Jahrhundert der Dunkelheit in ein durch Kunst bereitetes Licht zu treten. Bei Merz ist dieses Kunstversprechen zu negativer Kunsttheologie geworden. Wer diese Lichtfülle von Merz durchschritten hat, blickt von Schinkels Freitreppe im Alten Museum auf eine Stadtlandschaft, die sich wie kaum eine andere zugleich als eine politische Landschaft der Verdunkelungen dieses Jahrhunderts durch Gewalt lesen läßt. Schinkels Altes Museum mit seiner von antiken Statuen geschmückten Rotunde in der Mitte stiftet demgegenüber die Hoffnung, die Katastrophe dieses Jahrhunderts durch die Gewalt der Kunst zu bestehen.

Bildunterschrift zu Gerhard Merz, Die Nacht ist fortgeschritten..., Alabastergips und Lumilux 11; Lichtraum in Schinkels Altem Museum, 1999

»Artisten-Metaphysik«

TWENTY YEARS WITH BEUYS

Towards the end of the 60s, Beuys' work was evolving more and more in a political direction. During that period, he was completing his theory of an enlarged concept of art; art as a weapon that could change the economic and political structure of society, art as «social sculpture». When I first met Beuys in September 1971 in Heidelberg, I felt that that modest grey felt hat covered the head of a fantastic man. I immediately suggested that he come to Capri to discuss the possibility of a show in my gallery in Naples. In fact, a few days later he arrived on the island and stayed at Villa Orlandi with his wife and children Wenzel and Jessyka. He spent his days with his family observing the flowers, animals and rare plants. After some initial resistance, he finally accepted the idea of a political discussion to be held in my gallery, as a first step in a «Cycle on his work». On the 13th November he came back to Naples and spoke for four hours to a crowd who had arrived from all parts of Italy and Europe, about the «political problems of European society».

«La rivoluzione siamo Noi» represents a turning-point in Beuys' artistic evolution with which he affirmed the central role of every human being in the transformation and determination of society. «I find that in Naples and in the South of Italy», said Beuys in his last interview, «there still exists an idea of the People, as opposed to what is happening in other European countries, where this idea has been destroyed by the selfishness of capitalism, by Americanisation and by industrialisation. That is why I love this people so much. When I first arrived in Naples I immediately felt I had arrived home, that this was my homeland. In fifteen years of passionate work, Beuys wanted to dedicate to Naples some of his most significant works: «La rivoluzione siamo Noi», «Arena», «Azione nell'antro della Sibilla Cumana», «Terremoto in Palazzo», «Scala libera», «Capri-Batterie», «Ich glaube», «Scala Napoletana», and finally «Palazzo Regale», conceived for the exhibition at the Museo di Capodimonte. «Palazzo Regale» represents a sort of will, almost a monument to the regality of each individual: «Every human being is sovereign». I remember the solemn care with which the artist arranged the objects in the vitrines: the fur coat worn in Naples in November 1971, the head in iron of «Tram stop» exhibited at the Biennale of Venice in 1976, the sea-shell collected in Capri in 1972 and used as a horn to incite students to occupy the Düsseldorf Academy, the cymbals of «Iphigenie» of 1969. Perhaps he was already aware that he was writing his Te Deum...

Now that grey hat no longer frames those penetrating eyes; that fisherman's jacket now lies empty some place; Beuys has finally taken off that uniform which he was forced to wear in order to give more dignity to all human beings. His energy has gone back to nature.

But Beuys' great moral and artistic lesson is by no means over. Rather, it is more alive today than ever before. This collection of more than 150 works, assembled over the years with the help and invaluable advice of Joseph, Eva, Wenzel and Jessyka, is now exhibited in its totality in order to contribute to the advancement of research on the work of this extraordinary artist.

L.A.

video by Mario Franco layout by Jan Wagner translation by Simon Pocock photo by Luciano Romano

«Der Erfinder der Dampfmaschine» (The Inventor of the steam-engine) Napoli September 1971

«Palazzo Regale» Museo di Capodimonte Napoli Monday 23 December 1985 photo by Claudio Abate

28 ottobre 1991 ore 19
Lucio Amelio Napoli Piazza dei Martiri 58

»Artisten-Metaphysik«
Zum Künstlerkult der Deutschen

Peter-Klaus Schuster

1 Anselm Kiefer, Des Malers Atelier, 1979; Privatsammlung

2 Joseph Beuys, La rivoluzione siamo Noi, (1970) 1971; Lichtdruck, 191 x 192 cm; Edition Staeck, Heidelberg; Foto: Städtische Galerie Erlangen, Palais Stutterheim

3 Lovis Corinth, Der geblendete Simson, 1912; Öl auf Leinwand, 130 x 105 cm; Staatliche Museen zu Berlin, Nationalgalerie

4 Max Beckmann, Selbstbildnis im Smoking, 1927; Öl auf Leinwand, 139,5 x 95,5 cm; Busch-Reisinger Museum, Harvard University Art Museums, Cambridge, Mass., Association Fund

Nirgendwo stand der Künstler so unter Erwartungsdruck wie in Deutschland. Von ihm, und von ihm zuerst wurde alles erwartet. Was immer die Geschichte oder die Gesellschaft den Deutschen vorenthalten hatte, sollte die Kunst ersetzen. Schillers 1795 veröffentlichte Briefe *Über die ästhethische Erziehung des Menschen* haben diese Kompensationsleistung der Kunst zu deren Humanum erklärt. Angesichts der beengten Verhältnisse des Faktischen – und es sind die Gegebenheiten der deutschen Kleinstaaterei, die Schiller vor Augen hat – wird der Mensch vermöge der Kunst im »Reich des ästhetischen Schein« groß und frei. Er wird dies, weil »dem Bedürfnis nach« ein »solcher Staat des schönen Schein« in »jeder feingestimmten Seele« existiert[1], weil also jeder »dem Bedürfnis nach« als spielender und schöpferischer Mensch selbst an der Kunst teilhat, weil jeder selbst zur Kunst disponiert und mithin Künstler ist.

In diesem Glücksversprechen liegt die Größe der Weimarer Kunstreligion.[2] Ihre Bildungsmacht, ihr Veredlungstrieb setzt die künstlerische Kraft eines jeden voraus. Im Künstler potenziert sich diese Gabe. Zum Philosophengott dieses Künstlerkultes wurde Friedrich Nietzsche. In seinem 1886 verfaßten »Versuch einer Selbstkritik«, Kommentar zur 1872 veröffentlichten *Geburt der Tragödie*, spricht Nietzsche von der »Artisten-Metaphysik«. Die Kunst wird zur »eigentlich metaphysischen Tätigkeit des Menschen« erhöht. Sie dient Nietzsche im Unterschied zu Arthur Schopenhauer nicht zur Überwindung, sondern zur Steigerung des Lebens: »Die Kunst und nichts als die Kunst! Sie ist die große Ermöglicherin des Lebens, die große Verführerin zum Leben, das große Stimulanz des Lebens.« Nur vermöge der Kunst, »nur als ästhetisches Phänomen«, war für Nietzsche »das Dasein der Welt gerechtfertigt«. Auf dieser Lebenssteigerung der Kunst beruht Nietzsches »Künstler-Evangelium«, seine »Artisten-Metaphysik«. Der Künstler ist ihm der eigentliche Schöpfergott, denn im Kunstwerk lebt die Welt in höchster Verdichtung und Intensität.[3]

5 Oskar Kokoschka, Der Sturm. Neue Nummer, 1910; Lithografie; Staatliche Museen zu Berlin, Kunstbibliothek

Im Hof der Villa Orlandi auf Capri schreitet Joseph Beuys im späten September 1971 auf einem beige-hellbraun eingefärbten lebensgroßen Foliendruck (Kat.Nr. 2) nach einem Foto von Giancarlo Pancaldi in voller Montur – mit Stiefeln, Jeans, Fliegerweste, Umhängetasche und Hut – frontal auf uns zu. Gerahmt von einem Türfeld wie von einem Nimbus hält Beuys mit der einen Hand seine Umhängetasche, die andere hat er zur Faust geballt. Die Örtlichkeit, die er so entschlossen durchschreitet, wirkt mit der Mauer im Rücken und dem gepflasterten, in unregelmäßigen Schollen geborstenen Boden ausgemergelt. An diesem so steinernen und strengen Ort kommt alle Hoffnung auf Veränderung einzig von dem auf uns Zuschreitenden. Da der Kontur seines Oberkörpers sich vor dem Hintergrund auflöst, wirkt Beuys wie eine spirituelle Erscheinung, die durch die geschlossene Tür hindurch mit unaufhaltsamer Energie auf den Betrachter zuläuft. Dieser entschlossenen Lichtgestalt ist im

Kreuzstempel zu ihren Füßen ein Christusimpuls zugesprochen. Und dieser Wanderer im Zeichen Christi wagt inschriftlich die Behauptung »La rivoluzione siamo Noi«, die Revolution sind wir, die Künstler. Bereits von 1968 bis 1970 hatte Beuys Ansichtskarten mit eben dieser Inschrift aus Sils-Baselgia, dem Alpenrefugium von Nietzsche und Segantini, an seine Freunde versandt.

Beuys betreibt hier Nietzsches »Artisten-Metaphysik« mit pantheistischem Anspruch nach Goethes Vorbild. Das Erlösungsangebot dieser künstlerischen Universalrevolution liegt in der Aufforderung von Beuys an uns alle, sämtliche im zweckrationalen Dasein unseres Alltags verschüttete Qualitäten wieder in uns zu ergreifen. Mithin sind wir alle Künstler, die mit der Revolution bei sich selbst zu beginnen haben. So formuliert Beuys 1972: »Also, daß die Menschen von ihrer Macht als Individuen, als freie, kreative Menschen Gebrauch machen, das ist das Grundprinzip.« Aus diesem künstlerischen Appell an jeden Einzelnen erwächst die zukünftige revolutionäre Veränderung der Gesellschaft. Nichts anderes meint die pathetische Botschaft dieser so suggestiven Selbstinszenierung von Beuys als Wanderprediger und Menschheitserlöser drei Jahre nach der Studentenrevolution von 1968.[4]

6 Otto Dix, Selbstbildnis als Soldat, 1914; Öl auf Papier, 68 x 53,5 cm; Galerie der Stadt Stuttgart

Der so optimistische Künstlerzuruf von Beuys hat sein qualvolles, aber nicht weniger pathetisches Gegenbild in Anselm Kiefers 1979 entstandenem Gemälde **Des Malers Atelier** (Kat.Nr. 1). Aus der Sicht von Nietzsches »Artisten-Metaphysik« liefert Kiefer gleichsam die dionysische Leidensantithese zum apollinischen Sendungsbewußtsein der Beuysschen Selbstinszenierung. Doch so wie Beuys selbstbewußt als Erlöser die Welt durchschreitet und sich mit seiner Umhängetasche sichtbar auch dem Kleinsten zuwendet, ebenso umfaßt auch das Arbeitsfeld des Künstlers auf Kiefers Atelierbild – mit der Palette im Schnittpunkt eines Kreuzes, das wiederum einem Rechteck im Kreis einbeschrieben ist – ganz offensichtlich alle Bereiche des Mikro- und Makrokosmos. Mit dem ausgreifenden Palettenkreuz in der Mitte zitiert Kiefer Leonardos berühmten Kosmosmenschen, der mit ausgestreckten Armen und Beinen ein Rechteck im Kreis durchmißt. Bei Kiefer erscheint Malerei so als eine Passion, die das ganze Weltgebäude mit seinem gefährlich-geheimnisvollen Licht- und Feuerkranz umspannt.

Auf die Passion der Malerei verweist auch die bemerkenswerte Kreuzform des Bildes, in welcher Kiefer sein Atelierhaus mit bleiblauem Dach unter nachtdunklem Himmel eingeschrieben hat. Die im farbigen Mahlstrom des Weltkreises anschaulich werdenden Energie- und Schmerzkräfte des Kosmos sind bei Kiefer der Quellgrund seiner Malerei. Ihr eigentliches Thema ist, deutlich im Kreuz mit Palette, die Seitenwunde Christi und damit das qualvolle Leiden an der gefallenen Schöpfung. Zugleich ist der Weltbrand im Atelier ein elitärer Nimbus für jenen ausgezeichneten Künstler, der durch sein Werk christusgleich die Schöpfung wieder erlöst, der seine Malpassion zudem als Gekreuzigter und damit als sich selbst schindender Marsyas betreibt und der durch sein nachteinsames Atelierhaus zudem als melancholischer Ausnahmemensch ausgezeichnet ist.[5]

7 Ernst Ludwig Kirchner, Der Trinker (Selbstbildnis), 1915; Öl auf Leinwand, 118,5 x 88,5 cm; Germanisches Nationalmuseum Nürnberg

Nietzsches Gegensatz des Apollinischen und Dionysischen bestimmt auch den Gegensatz zwischen Lovis Corinths Rollenporträt **Geblendeter Simson** (Kat.Nr. 3) und Max Beckmanns **Selbstbildnis im Smoking** (Kat.Nr. 4). Kurz nach seinem Schlaganfall im Jahr 1911 nahm Corinth die Arbeit an diesem ersten größeren Gemälde des geblendeten und gefesselten Simson auf. Es ist Corinths Selbstenthüllung seines rasenden Leidens am Leben in Gestalt des biblischen Helden, der durch weibliche List von den Philistern gefangen genommen wurde. Nietzsches hier in Ketten gelegtes Übermenschentum, gepaart mit Schopenhauers abgründigem Pessimismus über den triebhaften Willen zum Leben, der sich alles blind unterwirft, diesen Antagonismus versuchte Corinth, täglich geplagt von melancholischen Depressionen, durch die Gewalt seiner Kunst zu bestehen. Auch seine Kunst ist bis zur Identifikation mit dem gekreuzigten Christus eine Passion der Malerei. Malerei als dionysische Steigerung des Lebens und Malerei als unablässige Versuchung, durch die Schönheit und den Reichtum der Farbe die Qual des Lebens zu bannen.[6]

8 Paul Klee, Junger Mann, ausruhend, 1911; Pinsel und Bleistift auf Papier auf Karton, 13,8 x 20,2 cm; Privatsammlung Bern

Demgegenüber gibt sich Beckmann in seinem lebensgroßen Selbstbildnis von 1927 als eleganter Gesellschaftsmensch, ganz distanziert in seiner plastischen Monumentalität. Es ist ein Bildnis der Neuen Sachlichkeit und zugleich, wie schon von Zeitgenossen erkannt, ein Künstlerselbstbildnis als Nietzsches Übermensch.[7] Wie schon bei Corinth ist aber auch Beckmanns Weltbild zugleich von Schopenhauer und seinem heroischen Pessimismus geprägt, den es angesichts der ewigen Wiederholung des Gleichen durch einen bloß triebhaften Willen zum Leben zu entwickeln gilt. Durch die *facies nigra*, die schwarze Gesichtsfärbung, als wissender Melancholiker ausgezeichnet, blickt Beckmann kaltblütig und mit stoischer Gelassenheit auf die chaotischen Verwerfungen seiner Zeit. Sein Ideal ist dennoch Nietzsches Künstlergott, der als utopischer Sozialist die Gesellschaft führen soll. So formuliert Beckmann kurz vor seinem **Selbstbildnis im Smoking** in seiner Schrift *Der Künstler im Staat* sein Credo: »Was uns also fehlt ist ein neues Kulturzentrum, ein neues Glaubenszentrum. [...] Die neuen Priester dieses neuen Kulturzentrums haben im schwarzen Anzug oder bei festlichen Zeremonien im Frack zu erscheinen. [...] Und zwar, was wesentlich ist, soll auch der Arbeiter im Smoking oder im Frack erscheinen. Das heißt, wir wünschen eine Art aristokratischen Bolschewismus. Einen sozialen Ausgleich, dessen Grundgedanke aber nicht die Genugtuung des reinen Materialismus ist, sondern der bewußte und organisierte Trieb, selbst Gott zu werden. [...] Das heißt, frei zu werden – selbst entscheiden zu können, ob leben oder sterben. Bewußter Besitzer der Unendlichkeit – frei von Raum und Zeit [...].«[8]

Weder als passive Opfer noch als elegante Herrenmenschen, sondern als gefährliche Täter zeigen sich Oskar Kokoschka und Otto Dix – beide im Brustbild, wobei Kokoschka die seltene Form des Aktselbstbildnisses wählt (Kat.Nr. 5). Mit seinem Finger in der offenen Seitenwunde wird wieder die Christusgleichheit des Künstlers betont. Weniger ein Märtyrer als ein selbstbewußt provozierender Außenseiter, der »als Gezeichneter angesehen werden« will, so präsentiert der kahlgeschorene Künstler 1910 auf dem Titelblatt von Herwarth Waldens Kunstzeitschrift *Der Sturm* ostentativ seine Wunde. Der Künstler als Apostel erschreckender Häßlichkeit nimmt auf gesellschaftliche Tabus keine Rücksicht mehr. Als Sendbote einer neuen

Barbarei suchte Kokoschka den Skandal auch mit seinem 1909 in Wien aufgeführten Stück *Mörder Hoffnung der Frauen*. Hinter der Demaskierung jeglicher bürgerlicher Sexualheuchelei, hinter der Verhöhnung der Gesellschaft steht bei Kokoschka jedoch ein fanatischer Humanismus. Expressionismus, so Kokoschka, »wendet sich an den Nächsten, den er erweckt«. Wieder ist Kunst Erlösung. Der Preis dieser Erlösung ist die Mißhandlung.[9]

Nicht als erschreckender Erlöser, sondern als gefährlicher Triebmensch ganz im Rausch des Krieges zeigt sich Dix in seinem **Selbstbildnis als Soldat** von 1914 (Kat.Nr. 6). Mit Nietzsches *Zarathustra* im Tornister hatte sich Dix 1914 zugleich als Freiwilliger an die Front gemeldet. Der Jünger Nietzsches erhoffte sich vom Krieg eine Katharsis, eine Reinigung und Erneuerung des moralisch verkommenen und ermüdeten alten Europa. Zudem wollte Dix als Schüler Nietzsches das Leben in all seinen Äußerungen kennenlernen: »Der Krieg war eine scheußliche Sache, aber trotzdem etwas Gewaltiges! Das durfte ich auf keinen Fall versäumen! Man muß den Menschen in diesem entfesselten Zustand gesehen haben, um etwas über die Menschen zu wissen.«[10] Der kahlgeschorene Rekrut Dix, gerade fünfundzwanzig, blickt energiegeladen und doch auch fragend über seine blutrote Schulter. Krieg als dionysische Lebenssteigerung und der Künstler als risikobereiter Tatmensch, dessen Kunst im schonungslosen Blick auf die Apokalypse der Menschheit ihre größte Aufgabe findet. Aus Demaskierung und Desillusion entwickelt diese Kunst ihre aufklärende Gewalt.

9 Wassily Kandinsky, Franz Marc (Hg.), Der Blaue Reiter, München 1912; Staatliche Museen zu Berlin, Nationalgalerie

Seine traumatischen Erfahrungen als Soldat bereits in den ersten Wochen des Ersten Weltkriegs haben bei Ernst Ludwig Kirchner zu einem Nervenzusammenbruch geführt. Wie gelähmt und unfähig zur Arbeit, so sitzt Kirchner auf seinem **Selbstbildnis als Trinker** 1914 in seinem Berliner Dachatelier (Kat.Nr. 7). Stigmatisiert durch Krankheit und Alkohol als Außenseiter, ein ohnmächtiger Pierrot mit buntem Schal, monumentalisiert Kirchner auf diesem programmatischen Selbstbildnis die Verlassenheit seiner Künstlerexistenz. Diesen Künstler trägt keine Kriegsbegeisterung und keine expressionistische Menschheitserlösung mehr. Des Malers Atelier ist der Ort seiner vollkommenen Einsamkeit.

Von solch elementarer Einsamkeit des modernen Künstlers in seiner Zeit wußte auch Paul Klee. »Uns trägt kein Volk mehr«, lautete sein Fazit, das seinen Blick nach innen lenkte. Mit aufgestütztem Kopf im traditionellen Gestus des Melancholikers gibt sich Klee im gezeichneten Selbstbildnis von 1911 als konzentriert Nachdenkender (Kat.Nr. 8).[11] Der an van Gogh gemahnende Duktus der Federzeichnung vermittelt den Eindruck flammender Intensität, die man zusammen mit dem gesenkten Haupt des Künstlers als Inbegriff künstlerischer Innenschau empfindet. Klees Bekenntnis »Diesseitig bin ich gar nicht fassbar« gewinnt in diesem Selbstbildnis ganz ohne Ateliermilieu und Künstlerutensilien die geläuterte Anschaulichkeit eines Künstler-Philosophen. Klee erhebt sich in den Rang des denkenden Sehers, eines jenseitigen Reiches der Kunst.

Wieder erscheint hier die Lehre von den drei Reichen, die Schillers »Ästhetische Erziehung des

Menschen« zur Lösung des deutschen Dilemmas entwirft, das »furchtbare Reich der Kräfte« und das »heilige Reich der Gesetze« werden kompensiert vom »fröhlichen Reiche des Spieles und des Scheins«, dem »Reich des ästhetischen Scheins«[12]. Der spielende Künstler begreift sich als auserwählter Schöpfer dieser anderen Welt, deren unendliche Möglichkeitsformen zum verlockenden Fluchtort angesichts der beiden anderen Welten wird.

Weit kämpferischer ist dagegen der Heilige Georg, jener Künstlerheilige der Münchner Moderne, den Wassily Kandinsky 1911 für den Umschlag des Almanach »Der Blaue Reiter« schuf (Kat.Nr. 9). Hoch zu Pferd hat der Heilige in Rüstung mit seiner Lanze den Drachen besiegt, dessen geschuppter Schlangenleib links vom Reiter fast parallel zum Baumstamm von oben nach unten das Bildfeld durchmißt. Rechts unten richtet die vom Drachen befreite Prinzessin ihre dankbaren Blicke zu dem streitbaren Heiligen. Er repräsentiert als christlicher Ritter nach der Künstlertheologie des Blauen Reiter den Kampf für das Geistige in der Kunst, das die Abtötung alles Materiellen zur Voraussetzung hat. Die wahre, die geistige Kunst, das meint natürlich die von Kandinsky und Franz Marc in München auf den Weg gebrachte abstrakte Kunst.

10 Hubert Lanzinger, Der Bannerträger, 1937; Öl auf Leinwand, 152,4 x 152,4 cm; U.S. Army Center of Military History, Fort McNair, D.C.

Was Kandinsky und Franz Marc, die Begründer des Blauen Reiter im Bereich der Künstlertheologie, einte, das trennte sie jedoch in der politischen Wirklichkeit. Denn anders als Marc, der hochgemut als Schüler Nietzsches in den Krieg zog, den er wie Dix als ein »Fegefeuer des alten, altgewordenen, sündigen Europas« verherrlichte, anders als Marc wollte Kandinsky den Kampf für das Geistige allein auf den Bereich der Kunst beschränkt sehen. Ihm ging es um die Gewalt der Kunst und nicht um die Gewalt in der Wirklichkeit. Für Marc hingegen sollte es eine solche Trennung nicht geben. So sah er den Krieg als die heilsame und notwendige Schule zur Abstraktion. »Gerade, und nur diese dröhnende Wirklichkeit«, so Marc, »riß die erregten Gedanken aus der gewohnten Bahn der tauglichen Sinneserlebnisse in ein fremdes Dahinter, in eine höhere geistige Möglichkeit als diese unmögliche Gegenwart«.[13] Der Krieg als militantes Hilfsmittel zur Fortsetzung und Verwirklichung des Geistigen in der Kunst, von dieser Vorstellung hat dann Franz Marc angesichts der mörderischen Materialschlachten desillusioniert Abschied genommen, ehe er früh an der französischen Front fiel.

Das zelotische Kunstideal des Blauen Reiter, die Reinheit des Geistigen bis hin zum Krieg fand seine entsetzlichste Übersteigerung in Hitlers Übertragung von Nietzsches »Künstler-Evangelium« ins Politische. Als **Bannerträger** in Rüstung zu Pferd (Kat.Nr. 10), als eine Mischung aus Heiligem Georg und Dürers **Ritter, Tod und Teufel**, jenem von Nietzsche so bewunderten Kultbild des heroischen Pessimismus, so reitet Hitler mit stählerner Entschiedenheit als Leitfigur eines rücksichtslos militanten Deutschland auf Lanzingers Gemälde. 1937 im soeben eröffneten »Haus der Deutschen Kunst« unter dem Titel »Führerbildnis« ausgestellt, zeigt es den »verkrachten Künstler« Hitler in der Rolle des kämpferischen Übermenschen, der durch seine gleichzeitig in München eröffnete Ausstellung *Entartete Kunst* und den damit

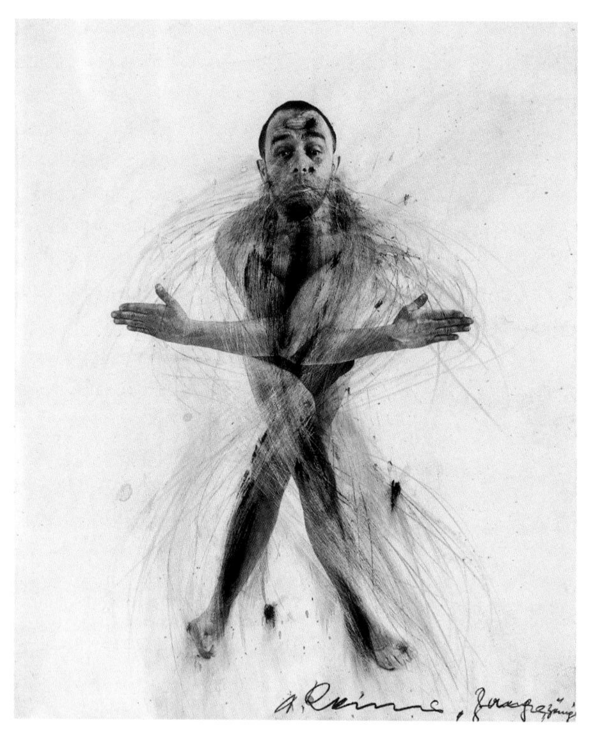

11 Arnulf Rainer, Zeng, 1972; Mischtechnik, Foto, 59,5 x 50 cm; Sammlung Eva Sworowski

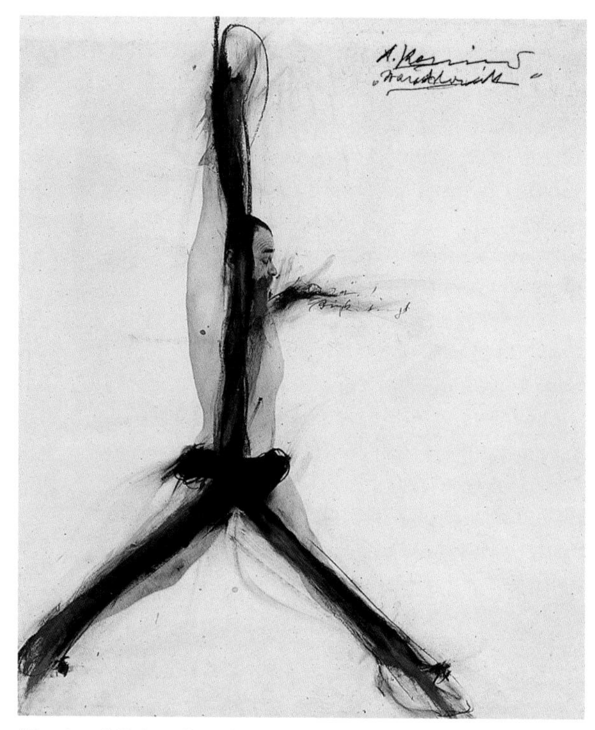

12 Arnulf Rainer, Standschritt, 1972; Mischtechnik, Foto, 50 x 60 cm; Sammlung Eva Sworowski

öffentlich gewordenen Bildersturm gegen die moderne Kunst sich auch zum Führer der deutschen Kunst ernannt hatte.[14]

»Kunst ist eine erhabene und zum Fanatismus verpflichtende Mission«, mit diesen Worten, die als Motto über dem Eingang zum »Haus der Deutschen Kunst« in München standen[15], hat Hitler die Vorstellung von der Gewalt der Kunst pervertiert zur tödlichen Gewalt gegen Kunst und Künstler und gegen jegliche Menschlichkeit. Weil er die Normen störende Gewalt der modernen Kunst erkannte und fürchtete, verfolgte er sie durch Gewalt. Gewalt ist schließlich Lanzingers Bildnis widerfahren, indem das Gesicht Hitlers als Tötungsakt *in effigie* mit Messerstichen traktiert wurde, wohl durch amerikanische Soldaten, die das Bild fanden.

Wie unglaublich die Kontinuitäten deutscher Kunst- und Künstlertheologie verlaufen können, belegt die Äußerung von Arnulf Rainer, als Schüler einer strengen nazi-elitären Anstalt sei ihm dort indirekt »Kunst als eine zur Leidenschaft verpflichtende Mission eingeimpft worden«[16]. Und Rainer fügt sogleich hinzu, »Skepsis, Toleranz, Ironie und das Kontemplative mußte ich mir später selbst beifügen«. Hinzu kommt noch die Körpersprache des Schaustellers. Bei diesen in seinen übermalten Fotos festgehaltenen Schaustellungen (Kat.Nrn. 11f.), so Rainer, »bin ich in einem Zustand der Anspannung, einer nervösen Erregung. Später enttäuschen mich die starren Fotos. [...] Es drängt mich, den Bildern jene Dynamik und Spannung aufzumalen, die mich bei den Fotoaufnahmen erfüllte. So akzentuiere ich durch die Überzeichnungen meine Körperexpression.«[17] In der expressiven Körperkunst dieser übermalten Fotografien ist somit der alte Gegensatz von Apoll und Marsyas wieder in neuer Form virulent. Apoll schindet den Marsyas und enthäutet ihn. Damit übt das Apollinische Gewalt aus, um die Kunst wieder dem Leben und dem Leiblichen zu vermählen, um – durchaus beuysianisch – aus dem reduzierten Menschen wieder einen wirklichen Menschen zu machen. »Ich betrachte Kunst«, so Rainer, »als etwas, das den Menschen erweitern soll.« Indem Rainer diese künstlerische Erweiterung an sich selbst exerziert, ist der Künstler in der Schaustellung seiner exzessiven Leiblichkeit zugleich die Demonstrationsfigur der riskant lebenssteigernden Gewalt der Kunst.

Die Selbstausstreichung – nicht als dionysischer Selbstgenuß, sondern als melancholische Selbsterfahrung des Emigranten aus Nazi-Deutschland – kennzeichnet Paul Klees Selbstbildnis von 1933 mit dem Titel **von der Liste gestrichen** (Kat.Nr. 13). Nach dem Verlust des Lehramtes in Düsseldorf ist es jene damals von ihm erfahrene Gewalt gegen Kunst, die Klee mit dem durchgestrichenen X seinem Selbstbildnis weitergibt. Er ist ein von Hitler gezeichneter »entarteter Künstler«, wobei Klees Selbstbildnis in seiner bemerkenswert kubistischen Formation durchaus eine entfernte Verwandschaft zu Otto Freundlichs »Neuem Menschen« hat, der auf dem »Ausstellungsführer« zur *Entarteten Kunst* diffamiert wurde. Zugleich zeigen die geschlossenen Augen erneut die für Klee so kennzeichnende Wendung nach innen, hier nun als satirisch-bitterer Kommentar zu seinem Ausgeschlossensein.[18]

13 Paul Klee, von der Liste gestrichen, 1933.424; Ölfarbe auf Papier, 31,5 x 24 cm; Schenkung LK, Klee-Museum, Bern

Als **Gezeichneter** (Kat.Nr. 14) porträtiert sich Klee 1935, dem Jahr, in dem seine tödliche Krankheit der Sklerodermie sich erstmals bemerkbar machte. Gezeichnet hat sich Klee mit starken Konturen in der Art einer Kinderzeichnung. Dabei kann die Einzeichnung im Gesicht durchaus ambivalent gelesen werden, als Anspielung auf ein Kreuz, das aber auch Anspielung auf ein Hakenkreuz sein könnte. Als »Gezeichneter« in seiner Zeit wirkt der Künstler durch die strenge Frontalität seines kreisrunden Kopfes gleichwohl entrückt wie eine spirituelle Erscheinung hinter den Erscheinungen. Aus dem »Gezeichneten« wird so ein Ausgezeichneter, der gerade dadurch vielfältige Zeitbezüge gewinnt. Zu Recht hat Georg Schmidt in seiner Rede zur Gedächtnisfeier für Paul Klee in Bern am 5. Juli 1940 formuliert: »Klee ist der wirklichkeitserfüllteste unter den wenigen Künstlern, die als die wesentlichsten unserer Zeit zu gelten haben.«[19]

Mit Klee, von Robert Delaunay als »Heiliger« verehrt[20], hat Dürers Ideal des »gewaltigen Künstlers«, der innerlich voller Figur sei und der durch seine vielfältigen Kenntnisse von Kunst und Brauch über eine solche Freiheit der Hand verfüge, daß er alles machen könne, was seine inneren Ideen ihm eingeben[21], mit Klee hat dieses Dürersche Ideal des »gewaltigen Künstlers« eine ihrer zentralen Figuren in der Kunst des 20. Jahrhunderts gefunden. Wie Dürer, der den »gewaltigen Künstler« mit göttlicher Schöpferkraft begabt sieht, weiß auch schon der junge Klee von sich als Künstler eines universalen Werkes analog der Schöpfung: »Ich bin Gott, so viel Göttliches ist in mir gehäuft, daß ich

14 Paul Klee, Gezeichneter, 1935; Öl und Wasserfarbe auf pastos grundierter Gaze über Pappe, 30,5 x 27,5 cm; Kunstsammlung Nordrhein-Westfalen, Düsseldorf

nicht sterben kann«.[22] Es ist diese Gottebenbildlichkeit, die sich die Künstler in Deutschland im 20. Jahrhundert von Corinth über Beckmann bis Beuys unverändert zusprachen[23], und die den Künstlerkult in Deutschland in seiner Besonderheit ausmacht. Denn gerade die Gottebenbildlichkeit, die der biblische Schöpfungsbericht jedem einzelnen Menschen zuspricht, sichert dem Kult vom Künstler sein demokratisches Prinzip. Seine Gottebenbildlichkeit macht den Künstler zum höchsten und allgemeinsten Vorbild für jeden. Nach diesem Vorbild des Künstlers, die jedem einzelnen Menschen verliehene göttliche Natur wiederherzustellen – darauf beruht nach der Kunsttheologie der Deutschen die revolutionäre Kraft und die Gewalt der Künste, und genauer noch: die Hoffnung auf Veränderung des Menschen und der Gesellschaft durch Kunst. Oder wie Beuys es formulierte: »La rivoluzione siamo Noi«, die Revolution sind wir, die Künstler!

Anmerkungen

1 Schiller, Friedrich: »Über die ästhetische Erziehung des Menschen in einer Reihe von Briefen«. In: *Schillers Werke*. Bd. IV. Frankfurt am Main 1960, S. 286.

2 Vgl. Bürger, Christa: *Der Ursprung der bürgerlichen Institution Kunst im höfischen Weimar. Literatursoziologische Untersuchung zum klassischen Goethe*. Frankfurt am Main 1977.

3 Vgl. Gebhardt, Volker: »Artisten-Metaphysik«. In: *Zur Aktualität Nietzsches*. Bd. I. Würzburg 1984, S. 81ff.; Schubert, Dietrich: »Nietzsches Blick auf Delacroix als Künstlertypus«. In: *Nietzscheforschung*, Bd. 4, 1998, S. 227ff. Zum Anteil Schopenhauers an Nietzsches Künstlerkult für das 20. Jahrhundert vgl. Wyss, Beat: *Der Wille zur Kunst. Zur Ästhetischen Mentalität der Moderne*. Köln 1996.

4 Vgl. Schuster, Peter-Klaus: »Der Mensch als sein eigener Schöpfer. Dürer und Beuys oder: das Bekenntnis zur Kreativität«. In: *Joseph Beuys. Zu seinem Tode. Nachrufe, Aufsätze, Reden*. Bonn 1986, S. 17ff.

5 Zum Christus-Marsyas-Bezug in der Kunst des 20. Jahrhunderts vgl. Hofmann, Werner: »Marsyas und Apoll«. *Bayerische Akademie der Schönen Künste*, H. 8, 1973, bes. S. 30ff.

6 Vgl. Schuster, Peter-Klaus: »Malerei als Passion. Corinth in Berlin«. In: *Lovis Corinth*. Ausst.Kat. Nationalgalerie Berlin 1996, S. 37ff. Dort auch Lothar Brauner: »Der geblendete Simson«, S. 202.

7 Vgl. Schulz-Hoffmann, Carla: *Max Beckmann. Der Maler*. München 1991, S. 66ff.

8 Zit. n. ebd., S. 75.

9 Vgl. Hofmann, Werner: »Oskar Kokoschka«. In: *Experiment Weltuntergang. Wien um 1900*. Ausst.Kat. Hamburger Kunsthalle 1981, S. 64ff.; und Hofmann (Anm. 5), S. 31f.

10 Vgl. Reinhardt, Brigitte: »Dix – Maler der Tatsachen«. In: Johann-Karl Schmidt (Hg.): *Otto Dix*. Bestandskatalog der Galerie der Stadt Stuttgart 1989, S. 12f.

11 Vgl. Glaesemer, Jürgen: »Klee and German Romanticism«. In: *Paul Klee*. Ausst.Kat. Museum of Modern Art New York 1987, S. 65ff.

12 Schiller (Anm. 1), S. 284.

13 Vgl. Schuster, Peter-Klaus: »München – Das Verhängnis einer Kunststadt«. In: Ders. (Hg.): *Die Kunststadt München 1937. Nationalsozialismus und »Entartete Kunst«*. München 1987, S. 20f., dort auch Nachweis der Zitate.

14 Vgl. ebd., S. 29 ff.; vgl. ferner hier das Kapitel »›Entartung‹ als ästhetische Kategorie des 20. Jahrhunderts«. Zu den Naziführern als verkrachten Künstlern vgl. Hofmann, Werner: »Kunst jenseits der geschlossenen Systeme«. In: Ders.: *Gegenstimmen. Aufsätze zur Kunst des 20. Jahrhunderts*. Frankfurt am Main 1979, S. 286ff.

15 Hitler, Adolf: *Die Kunst als stolzeste Verteidigung des deutschen Volkes*. München 1934, S. 14; vgl. Schuster (Anm. 13), S. 22.

16 Zit. n. *Arnulf Rainer. Retrospektive 1947–1997*. Ausst.Kat. Kunsthalle Krems 1997, S. 48.

17 Ebd., S. 147.

18 Vgl. Werckmeister, O.K.: »From Revolution to Exile«. In: Paul Klee (Anm. 11), S. 53f.

19 Zit. n. *Paul Klee. 50 Werke aus 50 Jahren (1890–1940)*. Ausst.Kat. Hamburger Kunsthalle 1990, S. 124.

20 Mehring, Walter: *Verrufene Malerei*. München 1965, S. 88.

21 Dürer, Albrecht: *Proportionslehre*, III. Buch, »Ästhetischer Exkurs: »Dann der gewalt der Kunst, wie for geredt, meystert alle werck.« Zur Gottebendbildlichkeit des Künstlers und zur Gewalt der Kunst vgl. Schuster, Peter-Klaus: *Melencolia I. Dürers Denkbild*. Bd. I. Berlin 1971, S. 183ff., 214f.

22 Vgl. Schuster, Peter-Klaus: »›Diesseitig bin ich gar nicht fassbar‹. Klees Erfindungen der Wirklichkeit«. In: *Klee aus New York. Hauptwerke der Sammlung Berggruen im Metropolitan Museum of Art*. Ausst.Kat. Sammlung Berggruen Berlin. Berlin 1998, bes. S. 22ff.

23 Zum Topos des göttlichen Künstlers im Deutschland des 20. Jahrhunderts vgl. Schulz-Hoffmann (Anm. 7), S. 75; Schuster (Anm. 4), S. 17ff.

Vorsatzblatt: Einladungskarte zur Gedächtnis-Ausstellung für Joseph Beuys in der Galerie Modern Art Agency von Lucio Amelio in Neapel am 28. Oktober 1991

Wege zu Kraft und Schönheit

Wege zu Kraft und Schönheit

Angelika Wesenberg

»Das Verlangen nach einer neuen deutschen Kunst«

Einen kurzen verbalen Schlagabtausch zwischen Kaiser Wilhelm II. und Hugo von Tschudi, dem Direktor der Nationalgalerie, hat uns Alfred Lichtwark überliefert: »– Und dann der widerliche Kultus der Persönlichkeit, den die Leute treiben, fuhr der Kaiser fort, das ist die reine Socialdemokratie. – Im Gegenteil, entgegnete Tschudi, das wäre ein sehr aristokratisches Princip. – Aber jeder will der Herr sein, rief der Kaiser. – Es ist dafür gesorgt, daß die Bäume nicht in den Himmel wachsen, sagte Tschudi. Dann brach der Kaiser ab.«[1] Die Anekdote beschreibt eine wichtige Facette der Situation um 1900: das Auftreten aristokratischer Führer, Reformer, Pädagogen und, dazugehörig, Lebensreformbemühungen jeder Art. »Es ist dafür gesorgt, daß die Bäume nicht in den Himmel wachsen« – ist das Motto, welches Goethe dem dritten Band von *Dichtung und Wahrheit* vorangestellt hat, der die Epoche des subjektivitäts-verherrlichenden, tatensüchtigen Sturm und Drang behandelt. Hier, in diesem Zusammenhang, zeigt es Parallelen auf. Die Wende zum 20. Jahrhundert besitzt in ihrer Aufbruchsstimmung ganz überraschende Bezüge zur Goethezeit.

Vielfach erscholl um 1900 der Ruf nach einer ›Erneuerung der Kunst‹, für eine ›neue Zeit‹ und eine ›neue Zukunft‹. Theodor Volbehr veröffentlichte 1901 sein Buch *Das Verlangen nach einer neuen deutschen Kunst* und beschrieb dieses Verlangen bereits im Untertitel als *Ein Vermächtnis des 18ten Jahrhunderts*. Thomas Mann nennt in einer Erzählung über einen Kunsteiferer 1902 etliche der neuen Titel und fährt fort: »[...] und du mußt wissen, daß diese Weckschriften tausendfach gekauft und gelesen werden, und daß abends über ebendieselben Gegenstände vor vollen Sälen geredet wird.«[2] Gemeinsam ist den so zahlreichen wie vielfältigen ›Weckschriften‹ nicht nur die Ablehnung des Voraufgegangenen, des ›Materialismus‹ – das meint den akademischen Historismus ebenso wie den unhistorischen, objektivierenden Impressionismus –, deutlich wird auch der Wille, die soziale Aufgabe der Kunst neu zu bestimmen.

Kaiser Wilhelm II., Völker Europas, wahret eure heiligsten Güter, 1895 (Entwurf zu einem später von H. Knackfuß ausgeführten Bild); Staatliche Museen zu Berlin, Archiv Nationalgalerie

17 Wilhelm Lehmbruck, Weg zur Schönheit, 1905; Gips (Relief), 64,5 x 48,5 x 6,8 cm; Wilhelm Lehmbruck Museum, Duisburg

Kunst und Kultur gewannen um 1900 eine neue Bedeutung. Die einen schrieben ihnen eine emanzipatorische Funktion zu, andere suchten ihre vergewissernde Rolle. Auch der Kaiser, wie zitiert, dachte über die kulturellen Werte nach. 1895 zeichnete er die mahnende Allegorie **Völker Europas, wahret eure heiligsten Güter** (Abb. S. 46). Eine Gruppe wehrhafter Frauen in antikisierenden Gewändern und Helmen, aber mit kreuzverziertem Schild und vor einem Lichtkreuz am Himmel, schaut auf das weite, wohlbestellte Land mit der ›gelben Gefahr‹ in der Ferne. Die heiligsten Güter sind die christlichen Werte und die abendländische, gräko-germanische Tradition. 1901, zur Eröffnung der Siegesallee im Tiergarten, beschwor der Kaiser diese Werte auch gegen innere Feinde: »Mit dem viel mißbrauchten Worte Freiheit und unter seiner Flagge verfällt man gar oft in Grenzenlosigkeit, Schrankenlosigkeit, Selbstüberhebung. [...] Die Kunst soll mithelfen, erzieherisch auf das Volk einzuwirken, sie soll auch den unteren Ständen nach harter Mühe und Arbeit die Möglichkeit geben, sich an den Idealen wieder aufzurichten.«[3]

Auf einem frühen Reliefentwurf von Wilhelm Lehmbruck **Weg zur Schönheit** (Kat.Nr. 17), in der Bronzeausführung ist es dem Akademielehrer Adolf Schill gewidmet, weist ein Arm in die Ferne, nicht mahnend, sondern verheißend. Ein Genius zeigt dem jungen Künstler einen antiken Tempel vor aufgehender Sonne, er weist den Weg zur Morgenröte. Stefan George, der zu eben dieser Zeit aus seiner ästhetizistischen Phase zum Pathos einer selbsternannten Führerrolle fand, formulierte: »Eine kleine schar zieht stille bahnen / Stolz entfernt vom wirkenden getriebe / Und als losung steht auf ihren fahnen: / Hellas ewig unsre liebe.«[4] Der neue Griechenkult war Teil des Willens zu einem überindividuellen Stil, zur reinen Form.

In neuklassischen Formen auch wurde dem Starken und Heldenhaften gehuldigt, ein heroischer und kriegerischer Geist aktiviert. Georg Kolbes plastisches Frühwerk **Krieger und Genius** (Kat.Nr. 18), wie Lehmbrucks Plakette 1905 entstanden, wird wie diese nicht zum eigentlichen Werk des Künstlers gezählt. »Der Wille zum Stil«, so der Titel eines Aufsatzes von Franz Servaes aus demselben Jahr, prägte diese Jugendwerke. Das Weisen ist bei Kolbe zu einem Geleiten geworden, der Genius zum Ausbilder, der Gleichschritt-Parallelismus Hodlers kündigt sich an.

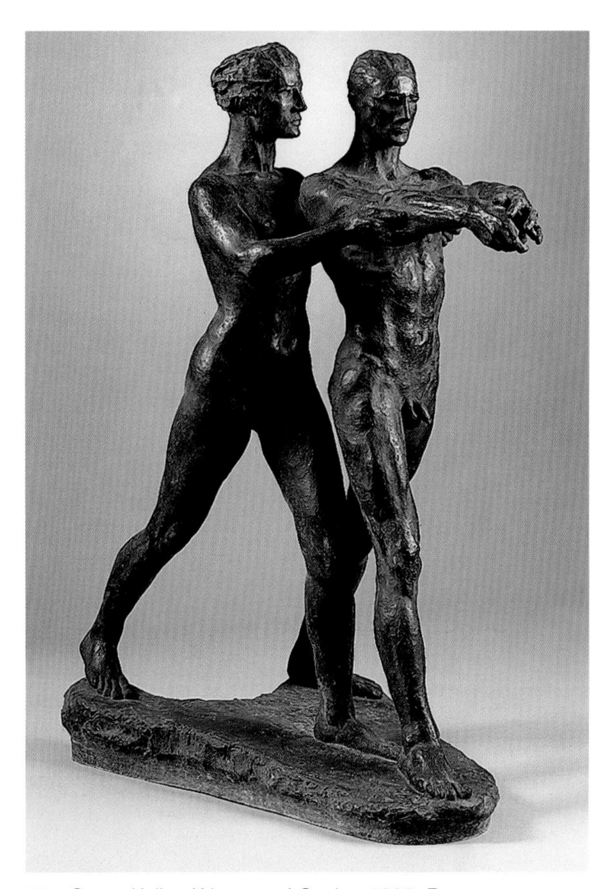

18 Georg Kolbe, Krieger und Genius, 1905; Bronze, Höhe 98 cm; Staatliche Museen zu Berlin, Nationalgalerie

Der Weg, die Suche nach ihm, ebenso wie der geleitete Gang, sind zentrale Motive der neuen Kunst. Selbst der Gang in den Krieg kann überhöhend begleitet werden. In Abkehr vom positivistischen Determinismus ist der Mensch nun wieder frei, als ein Werdender gedacht, damit aber auch ist er wieder erziehbar – das eröffnet Führern und Pädagogen ein weites Feld. Die verschiedenen bildlichen Gesten des Weisens und Zeigens aber haben ihre verbalen Pendants in den ›Weckschriften‹.

19 Arnold Böcklin, Die Toteninsel, 1883; Öl auf Holz, 80 x 150 cm; Staatliche Museen zu Berlin, Nationalgalerie

Die Insel

Der Weg, die *Brücke*, der *Blaue Reiter*, später gar der Sturm sind Aufbruchsmotive des neuen Jahrhunderts. Voran ging ihnen das eher ruhig-meditative Motiv der Insel und des einsamen Gestades. Seit jeher und nun ausdrücklich ist die Insel ein Ort der Auserwählten. Doch ist Kythera, sind die Liebesinseln früherer Zeiten, auf denen sich glückliche Paare begegneten, nun dem stillen Eiland gewichen, einem Ort für exklusive Einsamkeit und Trauer, meist nur sehnsuchtsvoll geschaut.

Eines der populärsten Bildwerke um 1900, unendlich oft kopiert und reproduziert, war **Die Toteninsel** (Kat.Nr. 19) von Arnold Böcklin, 1883 in dritter, besonders prägnanter Ausführung gemalt. Das Bild zeigt einen frei komponierten, aus verschiedenen Eindrücken abstrahierten Ort, der jedoch mit dem hohen Zypressenhain und den antiken Architekturformen auf ein mediterranes Umfeld verweist – Hellas auch hier. Der Halbkreis der hohen Felsen, die dunklen Bäume vor dem dräuenden Himmel, die stille Wasserfläche mit dem Totenkahn und der stehenden, weiß gekleideten Figur, die sich dem Betrachter zur Identifikation anbietet, vermitteln sakrale Feierlichkeit. Böcklin hat wenige Jahre später auch eine **Lebensinsel** gemalt, sie wurde weit weniger berühmt als dieses Bild voller Melancholie und Einsamkeit. **Die Toteninsel** vermittelt hoffnungslose Zivilisationskritik. »[...] so verhalten zuckt es in diesen grossen Linien mit ihren Kurven und Spitzen, dass man immer meint: der vorletzte antike Mensch würde dort vom letzten zu Grabe getragen, – mit seherischer Phantasie aber habe ein Spätling der grossen Vergangenheit den erschütternden Vorgang in ernster Stunde noch einmal erlauscht«, schrieb ein Autor 1898.[5]

Melancholie und sehnsuchtsvolle Einsamkeit zeichnen auch **Die Blaue Stunde**, 1890 von Max Klinger gemalt (Abb. S. 49), und **Die Goldene Insel** (Kat.Nr. 20) von Georg Kolbe, 1898, aus. Nicht den Untergang des Abendlandes aber wollen diese Bilder der beiden jüngeren Maler beklagen, eher geht es um ein elegisches Kräftesammeln vor neuem Aufbruch.

Max Klinger, Die Blaue Stunde, 1890; Museum der bildenden Künste, Leipzig

20 Georg Kolbe, Die Goldene Insel, 1898; Öl auf Leinwand, 106,5 x 120,3 cm; Staatliche Museen zu Berlin, Nationalgalerie

Max Klinger und Georg Kolbe haben, wie viele Künstler in diesen Jahren, Arthur Schopenhauer gelesen, wie er *Die Welt als Wille und Vorstellung* gedacht, eine unerkennbare Welt, ein Trugbild unserer Ideen. Schopenhauer schreibt über die Nähe von Leben und Traum und zitiert dabei aus William Shakespeares Inseldrama *Der Sturm*: »We are such stuff / As dreams are made of, / and our little life / Is rounded with a sleep.«[6] Die auf den beiden Bildern dargestellten Figuren sind in sich gekehrt, sie trauern, träumen und sehnen sich in die Ferne. Der klaren, silhouettenhaften Konturierung entspricht eine fast monochrome Farbigkeit, die sogar titelbestimmend wurde. **Die Blaue Stunde** ist von der in Italien rasch und eindrucksvoll hereinbrechenden Dämmerung angeregt, ruft aber auch die Erinnerung an die blaue Blume des Novalis, das bleibende Symbol romantischer Sehnsucht und Hoffnung, auf.

Georg Kolbe griff mit einigen seiner gemalten Gestalten – dem sitzenden Paar, dem bärtigen Mann – auf seine kurz zuvor gezeichneten Illustrationen zu den *Hymnen an die Nacht* von Novalis zurück. Vermittelt wurden ihm diese sinnenden Rückenfiguren, die Caspar David Friedrich mit nachhaltiger Wirkung in die Kunstgeschichte eingebracht hatte, über die bewunderten künstlerischen Vorbilder Arnold Böcklin und Max Klinger. Von Böcklin und Klinger übernahmen Kolbe und andere Künstler seiner Generation auch das leicht zur Veräußerlichung neigende Pathos in Gestik und Haltung. **Die Goldene Insel**, ein Jugendwerk des späteren Bildhauers Georg Kolbe, trug ursprünglich einen anderen Titel. An Graf Harrach schrieb Kolbe im Juni 1898: »*Das Land unseres Sehnens* ist zur Hälfte direkt zitronengelb und der Vordergrund schmutzig-grün, die Akte sind wie Molche kalkgrün.«[7] Eine vorbereitende Zeichnung zeigt denn auch Figuren mit verlangend ausgestreckten Armen, eine für diese Zeit bezeichnende Geste (Abbn. S. 50). Als Georg Kolbe dieses Bild malte, gehörte er noch zu dem engsten Kreis um den charismatischen Dichter Ludwig Derleth, der für einen ›Feldzug gegen die verrottete Welt‹ eine Gruppe junger, ihm ergebener, begeisterungswilliger Männer um sich scharte.[8] Im November 1898 flüchtete Kolbe aus der Einflußsphäre Derleths nach Rom. Er lernte dort verschiedene Bildhauer kennen, sein plastisches Werk bereitete sich vor.

»Den leib vergottet und den gott verleibt«

Die moderne Kunst suchte das ›Leben‹, die Verbindung von Kunst und Leben, eine neue Subjektivität. Eine neue Künstlergeneration übernahm von Nietzsche den Mythos der individuellen, mächtigen Kraft des einzelnen Menschen; und der Führer auf dem Weg des Einzelnen zum ›Übermenschen‹ hieß Zarathustra. »Einen neuen Stolz lehrte mich mein Ich, den lehre ich die Menschen: nicht mehr den Kopf in den Sand der himmlischen Dinge zu stecken, sondern frei ihn zu tragen, einen Erden-Kopf, der der Erde Sinn schafft!«[9] Voraussetzung des neuen Stolzes ist der erklärte Tod Gottes und die Zuwendung zur Welt. »Und was ihr Welt nanntet, das soll erst von euch geschaffen werden: eure Vernunft, euer Bild, euer Wille, eure Liebe soll es selber werden! [...] Was wäre denn zu schaffen, wenn Götter – da wären!«[10]

Ein neues Selbstgefühl bewirkte hochgestimmte, oft pathetische Formulierungen in allen Künsten. Als »geistreiche Schwiemelei« hatte Prof. Albrecht Ritschl die Arbeit seines Studenten Nietzsche *Die Geburt der Tragödie aus dem Geiste der Musik* bezeichnet.[11] Eine gewisse »Schwiemelei« wird die Überhöhung des puren Menschseins begleiten. Die Steigerung des Bildes vom Menschen ins Grandiose und Symbolische führte zugleich in der klaren Konturierung und überdeutlichen Gestik zu chiffrenhafter Vereinfachung und Anonymisierung. Nicht selten erscheinen die Äußerungen überspannt, die Formen leer und das Pathos hohl. Der Körper ist nicht mehr gleichgültiger Teil der Natur, eingebunden in das impressionistische Spiel des Lichtes, er agiert nun gleichsam in kosmischer Weite.

Die Vorläufer der zeichenhaften Gestalten um 1900 finden sich, noch malerisch differenzierter, bei Böcklin, Stuck und Klinger. Die berüchtigste und erfolgreichste Bildschöpfung nach der **Toteninsel** Böcklins war **Die Sünde** (Kat.Nr. 21) von Franz von Stuck. 1892 entstanden die ersten beiden Fassungen, bis etwa 1912 hat Stuck sie mehrfach variiert, wiederholt. Über das schillernde Motiv gibt es eine eher konventionelle Notiz Stucks auf einer Zeichnung: »Die Sünde / Saugend mit glühenden Augen / weißen Brüsten wollüstig strotzend / saugend mit glühenden Augen / lockt das nackte Weib zur Verführung, / aber gleich daneben neben dem lockenden / Antlitz, züngelt die giftige Schlange.«[12] Eine Radierung mit Darstellung einer einträchtig mit der Schlange verbundenen Eva hatte Stuck **Die Sinnlichkeit** genannt. Und positiv besetzt wird **Die Sinnlichkeit/Die Sünde** später den Hauptplatz auf seinem Künstleraltar einnehmen – über der selbstbildnishaften Bronze **Der Athlet** und der nach dem Bilde seiner Frau Mary geformten **Tänzerin** (Abb. S. 51).

Max Klinger, »Und doch!«, 1888

Sascha Schneider, »O, ihr Höheren!«, 1902

Fidus, Einladung der »Neuen Gemeinschaft«

Fidus, Lichtgebet, 1913

Künstleraltar in Stucks Atelier in der Villa Stuck, 1902

21 Franz von Stuck, Die Sünde, um 1912; Öl auf Leinwand, 88 x 52 cm; Staatliche Museen zu Berlin, Nationalgalerie; Rahmen nach Entwurf von Stuck, Museum Villa Stuck, München

Mehrere Ausführungen der **Sünde** besitzen einen antikisierenden, vergoldeten Rahmen nach einem Entwurf von Stuck: eine Ädikula mit kannelierten Halbsäulen rechts und links und dem groß und deutlich eingeschnittenen Titel am Grund. Der Rahmen unterstreicht das gesucht Bedeutungsvolle des Motivs, das Altargehäuse ist mitgegeben.

Der neue Geniekult, die nahezu sakrale Verehrung großer, schöpferischer Einzelner ermöglichte die Begegnung oder gar Gleichsetzung der Götter und Helden verschiedener Kulturschichten. »Apollo lehnt geheim / An Baldur«[13], postulierte George. Das Bild des titanischen Menschen wie das griechischer Götter schob sich häufig und verwechselbar selbst über die Gestalt Christi; oder beide agieren auf gemeinsamer Bühne, wie in Klingers Monumentalgemälde von 1897 **Christus im Olymp**. Nietzsche wiederum unterschrieb seine sogenannten Wahnsinnszettel, die er nach seinem Zusammenbruch 1889 in Turin in Fülle verschickte, einmal als »Dionysos«, ein anderes mal als »der Gekreu-

22 Max Klinger, Die Kreuzigung Christi, 1890; Öl auf Leinwand, 251 x 465 cm; Museum der bildenden Künste, Leipzig

zigte«. Der titanische Mensch schlüpft in die leeren Hüllen der Götter. Das Templer-Gedicht Georges mündet in die Zeile: »Den leib vergottet und den gott verleibt.«[14]

Klingers **Kreuzigung Christi** (Kat.Nr. 22) zeigt den Maler fasziniert von großen, ein tragisches Geschehen erleidenden Menschen. Dem entspricht die äußere Monumentalität des Bildes, ein singuläres Kunstwerk, ein ästhetisches Kultbild sollte es sein. An der Gestalt des Christus, einem Akt von apollinischer Schönheit, an der ›Verleiblichung‹ des Geistes entzündete sich dann auch der Protest. Im Mittelpunkt des Bildes stehen, mit den Gesichtszügen Beethovens, der Jünger Johannes und die drei, sich ganz verschieden verhaltenden Marien: die in erotisch-sehnendem Schmerz zusammenbrechende Maria Magdalena, die schmerzerstarrte Mutter Maria und, zwischen beiden vermittelnd, Maria Salome. Alle weiteren Figuren sind in diesem Moment Beobachter des Geschehens.

Isoliert man in Gedanken Christus und die Frauen in Klingers Kreuzigungsdarstellung, ergibt sich überraschend eine formale Ähnlichkeit zu Hodlers Bild **Jüngling vom Weibe bewundert II** (Kat.Nr. 23). Nähere Vergleiche verbieten sich; Hodler suchte im Formenspiel von Linie und Farbe einen sehr allgemeinen, ästhetisierend feierlichen Symbolismus. In einem Interview erklärte er 1904: »Was ich an der Malerei am höchsten schätze, das ist die *Form*. Alles andere ist da, um der Form zu dienen. Die wichtigste dieser Dienerinnen ist die *Farbe*. Ich liebe die Klarheit in einem Gemälde und darum liebe ich den Parallelismus. [...] Von den Modernen schätze ich Klimt äusserst hoch. [...] Klinger liebe ich weniger; er will stets zu viel sagen. Böcklin ist sehr gross, aber für meinen Geschmack ein wenig zu literarisch.«[15] Für den bewunderten Jüngling, der den Frauen keinen Blick schenkt, stand Hodlers Sohn Hector Modell. Sich selbst bewundernd, ist er bei gleicher Figurenkonstellation von der Rolle des Christus wie des Paris gleich weit entfernt.

Pathetische Stilisierung der Figuren und das Gestaltungsprinzip des Parallelismus, das Hodler um 1900

23 Ferdinand Hodler, Jüngling vom Weibe bewundert II, um 1904; Öl auf Leinwand, 206 x 244 cm; Staatliche Museen zu Berlin, Nationalgalerie, Leihgabe Kunsthaus Zürich, Gottfried Keller-Stiftung

durch feierliche Kreisformen ergänzt hatte, kennzeichnen auch die gemalte Allegorie der ›nackten Wahrheit‹ (Kat.Nr. 24). Hodler erläuterte: »Wie ist die Wahrheit gemeint? Das Weib repräsentiert die Wahrheit; es tritt inzwischen der schwarzen Gestalten hinein, welchen die Wahrheit immer greulich ist. Es war eben die Gelegenheit, ein Weib zwischen schwarz drapierte Männer zu setzen.«[16]

Lebensfries

Wie die Romantiker, ausgeprägter noch, suchten die neuromantischen Strömungen an der Jahrhundertwende dem Ganzen des Lebens in zyklischen Kompositionen oder Friesen Bildgestalt zu geben. In unterschiedlicher Weise haben Böcklin und Klinger, Klimt und Hodler auf diese Mittel zurückgegriffen. Munch stellte seit der ersten Berliner Ausstellung 1892 seine Gemälde, die Grunderfahrungen des Lebens – Angst, Eifersucht, Begehren, Liebe, Tod – reflektieren, trotz

24 Ferdinand Hodler, Die Wahrheit II, 1903; Öl auf Leinwand, 207 x 293 cm; Kunsthaus Zürich, Leihgabe der Stadt Zürich

25 Edvard Munch, Lebensfries (auf zwölf Tafeln), 1906/07, im Auftrag von Max Reinhardt für die Kammerspiele in Berlin; Tempera auf ungrundierter Leinwand; Tanz am Strand, 92 x 400 cm; Staatliche Museen zu Berlin, Nationalgalerie, Leihgabe aus Privatbesitz

unterschiedlicher Größen zu sinnbildhaften Friesen zusammen. Er gab ihnen wechselnde Überschriften: Ein Menschenleben, Aus dem modernen Seelenleben, Lebensbilder.

1906 erhielt Munch von Max Reinhardt den ersehnten Auftrag zu einem geschlossen konzipierten **Lebensfries** (Kat.Nr. 25). Er entwarf einen zeitlosen, auch ziellosen ›Tanz des Lebens‹. Er konnte auf die Lesbarkeit seines Werkes zählen, kaum ein Motiv war um 1900 in Dichtung und bildender Kunst so verbreitet wie der ›Tanz‹ in seinen unterschiedlichen Sinnschichten. Munch war Reinhardt bei einem Empfang im Nietzsche-Archiv in Weimar im Februar 1906 begegnet. Bei dieser Gelegenheit bat ihn Reinhardt um Bühnenbilder für eine Inszenierung der *Gespenster* von Henrik Ibsen, mit denen die neuen Kammerspiele in Berlin eröffnet werden sollten, und vermutlich auch bereits um einen Fries für den Festsaal.

Der Ende 1907 fertiggestellte **Lebensfries** zeigt nach Munch »Damen und Herren in einer Sommernacht«[17], der Mittsommernacht im norwegischen Aasgaardstrand. Deren unwirkliche Helligkeit, verbunden mit dem Rauschen des Meeres und dem Rausch des Tanzes, schienen ihm geeignet, ein überklares und überzeitliches, bühnenhaftes Bild des Lebens selbst zu geben. In der so gesehenen und formulierten Verschwisterung von Liebe, Tod und Wiederkehr klingt das alte Motiv des Totentanzes an. Verwandt ist Munchs Darstellung auch dem von Arthur Schnitzler beschriebenen *Reigen* von Begehren, Nähe und Verlassenwerden. Hieroglyphenhafte Kürzel Einzelner oder Zusammenstehender sind rhythmisch auf der Bildfläche angeordnet. Alle Hodlersche Stilisierung ist vermieden, eher nervös und kalligraphisch ist diese Parabel eines Lebens, das des Lebens Ziel ist, gegeben. Eine bestimmte Reihenfolge der zwölf Bilder ist nicht zwingend, die ursprüngliche Anordnung ist bezeichnenderweise nicht mehr bekannt. Vermutlich endete der Fries mit der **Melancholie** (Kat.Nr. 232).

Munch beschrieb sein Werk 1918: »Der Fries des Lebens ist als eine Reihe zusammengehörender Bilder gedacht, die gesamthaft ein Bild des Lebens geben sollen. Durch den ganzen Fries hindurch zieht sich die weitgeschweifte Strandlinie, hinter der das ewig bewegte Meer brandet; unter Baumkronen atmet das vielfältige Leben mit seinen Sorgen und Freuden. Der Fries ist als ein Gedicht vom Leben, von der Liebe und vom Tod empfunden.«[18]

Es hat Munch sehr gelockt, für einen öffentlichen Raum zu arbeiten, an einem Gesamtkunstwerk teilzuhaben. »Ob nicht die Kunst wieder, wie in alten Zeiten, der Besitz aller wird – in den öffentlichen Gebäuden und auf der Strasse? *Fresken?* [...] Das Werk eines Malers braucht nicht wie ein Lappen in einer Wohnung zu verschwinden [...].«[19] Der Idee des Freskos folgend, wählte Munch eine Temperatechnik auf ungrundierten, groben, leicht bräunlichen Leinwänden.

»Vom höheren Menschen«

Nachdem Zarathustra zehn Jahre im Gebirge war, »hier genoss er seines Geistes und seiner Einsamkeit«, hatte er eines Morgens die Erkenntnis: »Siehe! Ich bin meiner

Edvard Munch, Tafeln aus dem Reinhardt-Fries: Sommernacht, 91 x 252 cm; Paar am Strand, 90 x 155 cm; Aasgaardstrand, 91 x 157,5 cm; Begier, 91 x 250 cm; Staatliche Museen zu Berlin, Nationalgalerie

Weisheit überdrüssig, wie die Biene, die des Honigs zu viel gesammelt hat, ich bedarf der Hände, die sich ausstrecken.«[20]

Die beiden Phasen, elitäre Kunstproduktion und Entwicklung eines missionarischen, lebensreformerischen Impulses, lassen sich auch im deutschen Kulturleben etwas zeitverschoben ausmachen. Bald nach 1900 setzte die eingangs erwähnte Flut pädagogischer Bemühungen ein. »Die Forderung nach künstlerischer Erziehung tritt nicht als eine vereinzelte Erscheinung auf, sie ist von der ersten Stunde untrennbar verbunden mit dem [...] deutlich formulierten Rufe nach einer sittlichen Erneuerung unseres Lebens«, erklärte auf dem ersten Kunsterziehungstag 1901 in Dresden dessen Anreger Alfred Lichtwark.[21] 1902 gründete der Herausgeber des *Kunstwart*, Ferdinand Avenarius, den *Dürerbund*, der wichtige Teile der Reformbewegung umfaßte; bis 1912 wuchs er auf 300.000 Mitglieder an. Rudolf Steiner entwickelte, sich an Goethes Naturphilosophie orientierend, die Anthroposophie; über Vorträge und die Waldorfschulen erreichte sie eine breite Wirksamkeit.

1904 gründete die Amerikanerin Isadora Duncan in Berlin eine Schule für Mädchenerziehung, an der dem Tanz zur Rückgewinnung ursprünglicher Kraft und natürlicher Schönheit große Bedeutung beigemessen wurde. Duncan, selbst eine gefeierte Tänzerin, zitierte in ihrem Kommen, Gehen, Schreiten, in einfache Tuniken gekleidet, bewußt den Figurenkanon der griechischen Antike (Abb. S. 56). Dieser Tanz war nicht der von »Damen und Herren in einer Sommernacht« wie bei Munch (Kat.Nr. 25), aber auch nicht der dionysische Rausch, den Nolde darstellte (Kat.Nr. 39) und Nietzsche meinte: »Ihr höheren Menschen, euer Schlimmstes ist: ihr lerntet alle nicht tanzen, wie man tanzen muss – über euch hinweg tanzen!«[22] Nun sollten rhythmische Bewegungsabläufe und eine natürliche Gestik der Pflege einer ›edelbewegten‹ Körperlichkeit dienen. Tanzspiele gab es bald in der neuen Gartenstadt Dresden-Hellerau, in Reformschulen und Jugendbünden, und je nach Ausrichtung der Gruppe konnten sie sich zum gemeinschaftsfördernden Volkstanz wandeln oder das Motiv der Körperertüchtigung in den Vordergrund stellen. 1925 drehte die Kulturabteilung der Ufa unter der Regie von Wilhelm Prager mit Sequenzen aus Tanzübungen von Isadora Duncan, Rudolf von Laban und Mary Wigman den ›volksbildenden‹ Körperkultur-Lehrfilm *Wege zu Kraft und Schönheit* (Abb. S. 56).

Lichtwark, Avenarius, Steiner, Duncan sind genannt – das Leben hatte seine Reformatoren. Und die Kunst besaß eine besondere Vorliebe für die Darstellung großer Einzelner. 1911 wurde Ferdinand Hodler

Isadora Duncan im Dionysos-Theater in Athen tanzend, 1903

Wege zu Kraft und Schönheit, Filmplakat von Wilhelm Tank, 1924/25

Wege zu Kraft und Schönheit, Szene aus dem Film von Wilhelm Prager, 1925

von den Stadtbehörden Hannovers gebeten, ein Wandbild für einen Sitzungssaal im neuerbauten Rathaus zu entwerfen. Als Thema wurde ihm die Bekehrung der Hannoveraner Bürgerschaft zum evangelischen Glauben empfohlen und zur Vorbereitung eine historische Schilderung zur Verfügung gestellt. Hodler entschied sich für den Moment der öffentlichen Abstimmung nach Verlesung eines Treueschwures zur Reformation durch den Wortführer Arnsborg und nannte sein Bild **Einmütigkeit** (Abb. S. 57). Das zwiespältige Motiv gleichgerichteter Bewegungen war in Hodlers Historienbildern vorgeprägt; im **Auszug der Jenenser Studenten 1813**, dem Wandbild für die Jenaer Universität, hatte er es entschieden zur Darstellung gebracht (Abb. S. 45). Hier in Hannover nimmt es fast bedrohliche Züge an: Die gereckten Arme bilden eine einheitliche Wand; es ist niemand, der den seinen nicht erhebt. Die Reaktionen auf Hodlers Monumentalwerk waren damals auch nicht nur zustimmend. Das Zürcher *Volksrecht* vom 10. Juli 1913 berichtete: »Wilhelm II. kam, sah – und schwieg.«[23] Den Kaiser hatte vielleicht die einmütige Volkserhebung irritiert. Guillaume Apollinaire dagegen empfand das Werk als grobschlächtig und bedrohlich. Er sah eine kleinere Ausführung des Bildes in Paris und vermutete, an Hodlers Werk, »das für eine Münchener Bierbrauerei bestimmt sein könnte und das er *Einmütigkeit* betitelt, wird man hierorts wohl kaum Gefallen finden«[24]. Zu der Ablehnung hat nicht zuletzt die herrische, breitbeinig fordernde, gewalttätig wirkende Haltung des *Redners* (Kat.Nr. 26) mit seiner pathetischen Gestik und dem flammenden Blick beigetragen. Dessen nahsichtiges Einzelbildnis ist in seiner geballten physischen und psychischen Präsenz von nahezu unerträglicher Monumentalität.

26 Ferdinand Hodler, Der Redner, 1912; Öl auf Leinwand, 251 x 143,5 cm; Staatliche Museen zu Berlin, Nationalgalerie

Ferdinand Hodler, Einmütigkeit, 1913; historische Aufnahme, Rathaus Hannover; Staatliche Museen zu Berlin, Nationalgalerie, Archiv

27 Max Klinger, Büste Friedrich Nietzsche, 1902; Bronze, Höhe 50 cm; Privatsammlung

Edvard Munch, Bildnis Friedrich Nietzsche, 1906; Thielska Galleriet, Stockholm

Die beiden gültigsten bildlichen Darstellungen des tragischen Denkers, der das mißdeutige Bild des ›Übermenschen‹ entwickelt hatte, entstanden kurz nach seinem Tod durch Max Klinger und Edvard Munch. Klinger war noch zu Lebzeiten Nietzsches von Elisabeth Förster-Nietzsche um eine Büste des Philosophen gebeten worden. Der Besuch in Weimar verzögerte sich, am 25. August 1900 starb Friedrich Nietzsche. Die durch Curt Stœving abgenommene Totenmaske ließ Max Klinger unverzüglich in Bronze gießen. Er war durch ihre Ausdrucksstärke tief betroffen: »Seit ich diese Maske gesehen, kann ich nicht mehr an seine Geistesschwäche glauben …«.[25] Nach der Totenmaske und nach Fotos entstand im Sommer 1902 die in verlorener Form gegossene erste **Nietzsche-Büste** (Kat.Nr. 27). 1903 schuf Klinger eine monumentale Marmorbüste für das Nietzsche-Archiv in Weimar, nach dieser entstanden in der Folgezeit verschiedene Ausführungen in Bronze.

Auch Munch war der Auftrag zu dem **Bildnis Friedrich Nietzsche** (Abb. S. 58) durch dessen Schwester vermittelt worden. Ernest Thiel, der wesentlich den Ausbau des Nietzsche-Archivs in Weimar finanziert hatte, beauftragte Munch im Juli 1905, ein großes Porträt des Philosophen für sein neues Wohn- und Galeriegebäude in Stockholm zu malen. Friedrich Nietzsche war zu diesem Zeitpunkt fünf Jahre tot, lediglich Fotografien und Zeichnungen des Malers Hans Olde vermittelten Munch einen Eindruck der konkreten Person. Schnell löste sich Munch von den Abbildungen des kranken Mannes in Weimar und suchte nach einem gültigen Bild des Philosophen. »Monumental und dekorativ« solle das Bildnis Nietzsches wirken, schrieb Munch an den zukünftigen Besitzer: »Ich habe deshalb meinen Standpunkt pointiert, dadurch, daß ich ihn in etwas übernatürlicher Größe male. – Ich habe ihn als den Dichter des Zarathustra dargestellt, zwischen den Bergen in seiner Höhle. Er steht auf seiner Veranda und schaut hinunter in ein tiefes Tal ....«[26] Munch zeigt Nietzsche allein vor einem dramatisch bewegten, apokalyptischen Himmel, der in schwefelgelb und rot flammt, ähnlich jenem auf Munchs Bilde existentieller Angst, **Der Schrei**.

Wilhelm II. ließ in seiner Zeichnung (Abb. S. 46) eine stolze Pallas Athene vor einem leuchtenden Kreuz am Himmel mit ihren Begleiterinnen auf das Land schauen. Nietzsche aber hatte entgegen des Kaisers Beschwörung die ›heiligsten Güter‹ in Frage gestellt, seine Formulierung von der »Umwertung aller Werte« war am Ende des Jahrhunderts ein geflügeltes Wort. Munch zeigt, was Klinger in Nietzsches Totenmaske las: »Ein Gesicht von so grenzenlosem unaussprechlichen Seelen-Schmerz ohne Verzerrung, ohne Falten, nur das tiefste an qualvoller Resignation.«[27]

Ein zerfurchtes, grübelnd niederschauendes Gesicht und die gestalterische Konzentration auf Kopf und Arme zeichnen auch die große Plastik Wilhelm Lehmbrucks **Emporsteigender Jüngling** (Kat.Nr. 28) von 1913 aus. Das verbindet sie seltsam mit dem Bilde Nietzsches von Munch. Lehmbruck hat auch eine Torsofassung, nur der Büste, herausgegeben, das ermutigt zum Vergleich und läßt die klippenförmige Leere zwischen den Beinen des Emporsteigenden plötzlich wie den Berg Zarathustras erscheinen.

Die Beine des Emporsteigenden sind auseinandergesetzt, aber nicht mit der gespannten Kraft des **Redners** (Kat.Nr. 26) von Hodler. So wie der rechte Arm auch nicht agitierend weist, sondern, trotz des ebenfalls lehrend gestreckten Zeigefingers, unentschieden vor der Brust liegt. Das vorgesetzte, auf einem Erdklumpen ruhende Bein der stark gelängten Figur von Lehmbruck ist überzeugend mit einem gotischen Strebepfeiler verglichen worden.[28] Das unterstreicht die architektonische Aufgliederung dieser Figur und zugleich den Bezug auf die ›aristokratische Gotik‹, die besser als klassische Formen geeignet schien, die geistige Anspannung des Suchens und Welt-Bedenkens auszudrücken. Der Emporsteigende ist innerlich aufgerichtet, sein rechter Arm weist in die Höhe, aber der Kopf ist geneigt, der linke Fuß zeigt abwärts. Die Figur scheint geprägt von Richtungskämpfen, zwischen Leib

28 Wilhelm Lehmbruck, Emporsteigender Jüngling, 1913; Bronze, Höhe 221 cm; Kunsthaus Zürich, Vereinigung Zürcher Kunstfreunde

und Geist, Emporsteigen und Verhaftetbleiben. Für Lehmbrucks Emporsteigenden fand der Dichter Theodor Däubler eine treffende Beschreibung: »Seine Beine hat ein Meistergriff eingeteilt, damit ein menschlicher Körper Architektur werde. Moderne In-Sich-Gerissenheit und dabei wieder steiles Zum-Gewissen-Aufgebautsein.«[29] Ähnliche Worte hätte Däubler für den **Geistkämpfer** Barlachs von 1927/28 formulieren können. Ein Weg zu wehrhafter ›Kraft und Schönheit‹ ist solch eine geistgequälte Unentschiedenheit und ein ›steiles Zum-Gewissen-Aufgebautsein‹ nicht, und so fielen Lehmbruck wie Barlach bald unter das Verdikt ›entarteter Kunst‹.

Anmerkungen

1 Lichtwark, Alfred: *Briefe an die Kommission für die Verwaltung der Kunsthalle in Auswahl mit einer Einleitung herausgegeben von Gustav Pauli.* Bd. I. Hamburg 1923, S. 368 (31. Januar 1899).
2 Mann, Thomas: »Gladius Dei«. In: Ders.: *Gesammelte Werke.* Bd. 9. Berlin; Weimar 1965, S. 178.
3 Kaiser Wilhelm II.: »Die wahre Kunst«, 18.12.1901. In: Ute Lehnert: *Der Kaiser und die Siegesallee.* Berlin 1998, S. 249.
4 George, Stefan: *Der Teppich des Lebens und die Lieder von Traum und Tod mit einem Vorspiel.* Berlin 1920, S. 20.
5 Meissner, Franz Hermann: *Arnold Böcklin.* Berlin; Leipzig 1898, S. 92.
6 Schopenhauer, Arthur: »Die Welt als Wille und Vorstellung«. In: Ders.: *Sämtliche Werke.* Bd. 2, Buch 1. Leipzig 1916, S. 20.
7 In: Tiesenhausen, Maria Frfr. von (Hg.): *Georg Kolbe. Briefe und Aufzeichnungen.* Tübingen 1987, S. 49; vgl. S. 45f., 48–51.
8 Vgl. Berger, Ursel (Hg.): *Georg Kolbe. 1877–1947.* Ausst.Kat. Georg-Kolbe-Museum, Berlin. München; New York 1997, S. 9, 98.
9 Nietzsche, Friedrich: »Also sprach Zarathustra I, Von den Hinterweltlern«. In: Ders.: *Sämtliche Werke. Kritische Studienausgabe in 15 Bänden.* Hg. von Giorgio Colli und Mazzino Montinari. Bd. 4. München 1980, S. 36f.
10 Nietzsche, *Also sprach Zarathustra* II, »Auf den glücklichen Inseln« (Anm. 9), S. 110f.
11 Zit. n. Ross, Werner: *Der wilde Nietzsche oder Die Rückkehr des Dionysos.* Stuttgart 1994, S. 65.
12 Danzker, Jo-Anne Birnie: *Franz von Stuck. Die Sammlung des Museums Villa Stuck.* München 1997, S. 64.
13 George, Stefan: *Blätter für die Kunst.* Bd. IX. Berlin 1910, S. 34.
14 George, Stefan: »Templer«. In: Ders.: *Der siebente Ring.* Berlin 1922, S. 52f.
15 Zit. n. *Ferdinand Hodler.* Ausst.Kat. Nationalgalerie Berlin. Zürich 1983, S. 135.
16 Ebd., S. 132.
17 Edvard Munch an Jens Thiis, 26. Dezember 1907. In: Peter Krieger: *Edvard Munch. Der Lebensfries für Max Reinhardts Kammerspiele.* Ausst.Kat. Nationalgalerie Berlin. Berlin 1978, S. 42.
18 Zit. n. ebd., S. 42.
19 Zit. n. März, Roland: »Edvard Munch und Max Reinhardt«. In: *Edvard Munch. Melancholie. Aus dem Reinhardt-Fries 1906/07.* Hg. von der Kulturstiftung der Länder in Verbindung mit den Staatlichen Museen zu Berlin – Preußischer Kulturbesitz, Nationalgalerie. Berlin 1998, S. 18.
20 Nietzsche, *Also sprach Zarathustra* I, »Zarathustra's Vorrede«, (Anm. 9), S. 11.
21 Lichtwark, Alfred: *Eine Auswahl seiner Schriften.* Bd. 1. Berlin 1917, S. 3f.
22 Nietzsche, *Also sprach Zarathustra* IV, »Vom höheren Menschen«, (Anm. 9), S. 367.
23 Zit. n. Hodler (Anm. 15), S. 155.
24 Zit. n. ebd., S. 156.
25 Max Klinger an Alexander Hummel, 29. September 1901. In: Dieter Gleisberg (Hg.): *Max Klinger. 1857–1920.* Ausst.Kat. Städelsches Kunstinstitut Frankfurt am Main. Leipzig 1992, S. 66.
26 Zit. n. Krieger, Munch (Anm. 17), S. 69.
27 Klinger an Hummel, 1901 (Anm. 25), S. 66.
28 Vgl. Hofmann, Werner: *Die Plastik des 20. Jahrhunderts.* Frankfurt am Main 1958, S. 70. Vgl. auch Schubert, Dietrich: *Die Kunst Lehmbrucks.* Dresden 1990, S. 179–184.
29 Däubler, Theodor: *Der neue Standpunkt.* Dresden-Hellerau 1916. (»Expressionismus«), Neuausgabe Leipzig und Weimar 1980, S. 141.

Vorsatzblatt: Ferdinand Hodler, Auszug der Jenenser Studenten 1813, 1908/09 (Ausschnitt); Friedrich-Schiller-Universität, Jena

Ursprünglichkeit

Ursprünglichkeit

Angelika Wesenberg

Gegen neuklassisch-pathetische Stilgebärden, die Vergötterung des Menschen und seines Körpers, gegen alle äußerlichen ›Wege zu Kraft und Schönheit‹ entwickelte sich bald nach 1900 eine starke Sehnsucht nach ›Ursprünglichkeit‹. In einer engen Beziehung zur Natur und mit Blick auf alle natürlichen, ›primitiven‹ Gestaltungsweisen suchten junge Künstler nun ihren Weg zurück nach vorn. Ursprüngliche Ausdrucksformen von großer emotionaler Intensität entdeckten sie bei Kindern und manchen Geisteskranken, im Mittelalter, in der Volkskunst, in Afrika, Ozeanien und Ägypten. Die Orientierung an ›Ursprünglichkeit‹, symbolisiert durch das Kind, den Tanz, das Wasser, das Feuer, brachte eine neue, eine entschieden animalische Dimension in das Kunstschaffen.

Seinsmystik

Sie »verehrt primitive Bilder, sehr schade für sie – sollte sich malerische anschauen«, notierte Otto Modersohn am 11. Dezember 1905 im Tagebuch über die neuesten Bemühungen seiner gerade aus Paris zurückgekehrten jungen Frau Paula.[1] Rainer Maria Rilke dagegen, der zu eben dieser Zeit wieder einmal nach Worpswede kam, begrüßte es, Paula Modersohn »an einer ganz eigenen Entwicklung ihrer Malerei zu finden, rücksichtslos und gradeaus malend [...]. Und auf diesem ganz eigenen Wege sich mit van Gogh und seiner Richtung seltsam berührend.«[2]

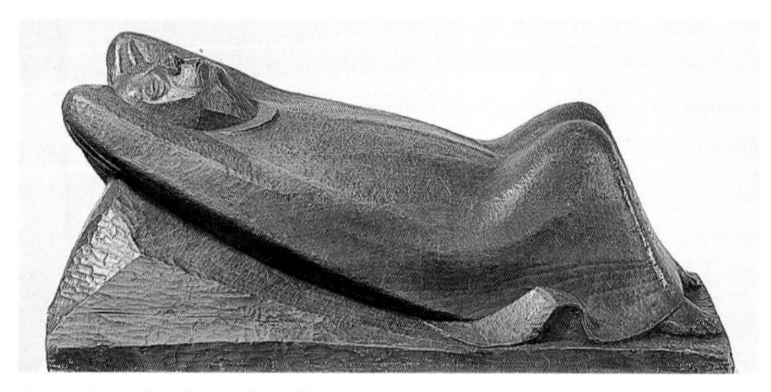

29 Ernst Barlach, Der Träumer, 1925; Holz, 34 x 77 x 29,5 cm; Ernst Barlach Stiftung Güstrow

Paula Modersohn-Becker war 1898 nach Worpswede gezogen, einem Dorf in spröder Moorgegend, um wie die anderen dort arbeitenden Künstler Bilder des Einklanges mit der Natur zu malen. Während mehrerer Aufenthalte in Paris fand sie von der selbstgewählten Enge inneren Abstand und wurde zur großen Einzelnen. Ihre Eigenart, die Verweigerung äußerer Schönheit und Gefühligkeit bei dazu prädestinierten Motiven, beleuchtet Rilkes frappanter Vergleich mit Vincent van Gogh.

In ihrem letzten Lebensjahr malte Paula Modersohn mehrfach eine **Mutter mit Kind** (Kat.Nr. 30), von ruhiger Strenge und monumentaler Plastizität, vergleichbar Werken Philipp Otto Runges hundert Jahre zuvor. Rilke fand nach Paula Modersohns frühem Tod in seinem Requiem *Für eine Freundin* treffende Worte für die handgreiflich-pralle Körperlichkeit dieser Figuren und ihre Seinsmystik: »Und so wie Früchte sahst du auch die Fraun / und sahst die Kinder so, von innen her / getrieben in die Formen ihres Daseins.«[3] Anders als bei Runge sind die Mütter Paula Modersohns animalisch nackt, wie »enthüllte Mysterien der Menschheit«[4]. Es ist wenig Zärtlichkeit ausgedrückt, ernst scheinen sie der Bedeutung ihres Seins nachzusinnen. Die ikonenhafte Feierlichkeit des abgebildeten Werkes wird durch den weißen Kreis, in dem die massige Mutter kniet, das strenge Profil ihres Gesichtes und die orangen Früchte auf dem Boden erhöht. Ein archetypisches Bild für Beginn und Reife ist gegeben.

»Aktzeichnen, ich muß bekennen, daß ich nie einen einzigen leidlichen Akt zustande gebracht habe«, erinnerte sich Ernst Barlach im *Selbsterzählten Leben* an seine Studienzeit.[5] Überpersönlich Menschliches ›verkörperte‹ sich für ihn auch später ganz entschieden nicht in der nackten Gestalt. In ausdrucksstarken Figuren mit großen, fließenden Konturen, wie sie einfache Gewänder erzeugen, fand er die plastische Lösung für

30 Paula Modersohn-Becker, Kniende Mutter mit Kind an der Brust, 1907; Öltempera auf Leinwand, 113 x 74 cm; Staatliche Museen zu Berlin, Nationalgalerie

die erstrebte »Einheit von Innen und Außen«. Auf solch ganz andere Weise als Paula Modersohn-Becker suchte er, elementare Gefühle und kreatürliches Leben darzustellen.

Barlach hatte die Ausdruckskraft großer Formen während seiner Rußlandreise 1906 sehen gelernt. Im Tagebuch der Reise findet sich die Formulierung von der »Weltabgeschiedenheit des innigst vertieften Weltgefühls«[6]. 1910 ließ sich der Künstler in Güstrow nieder. Hier fand er bei Mensch und Landschaft ähnlich ursprüngliche Klänge. »Es sind die Wellen der mecklenburgischen Landschaft«[7], deutete er das ruhig Gelagerte seiner Figur **Der Träumer** (Kat.Nr. 29). Der Dichter und Freund Theodor Däubler hat für die blockhafte Körperlichkeit wie für den spirituellen Gehalt dieser Arbeiten – Der Träumer, Der Einsame, Der Spaziergänger, Der Sterndeuter – die treffendste, allgemeine Formulierung gefunden: »Barlach ist die Witterung des Kosmischen und der Schreck davor.«[8]

31 Max Pechstein, Sitzendes Mädchen (Moritzburg), 1910; Öl auf Leinwand, 80 x 70 cm; Staatliche Museen zu Berlin, Nationalgalerie

Primitivismus und Arkadien – Naturmystik

Die Erdfarbigkeit der **Mutter mit Kind** von Paula Modersohn-Becker ist in dem 1910 entstandenen Werk von Max Pechstein, **Sitzendes Mädchen (Moritzburg)** (Kat.Nr. 31), leuchtenden Farben gewichen: der Körper gelb, die Decke rot, dazu das Grün der Wiese. Die Haare fallen frei, der Hintern ist herausgestreckt, der indianisch anmutende Kopf ist dem Betrachter zugewandt.

32 Ernst Ludwig Kirchner, Ins Meer Schreitende, 1912; Öl auf Leinwand, 146,4 x 200 cm; Staatsgalerie Stuttgart

Pechstein konstatierte später, zu eben dieser Zeit »zu einer noch größeren Vereinfachung des Gegeneinanders der Farbflächen und zu noch strafferer Energie der Kontur gelangt zu sein«[9]. Der Verzicht auf farbliche und räumliche Modulation war Programm. Ganz entschieden sollte alle platte Abbildhaftigkeit vermieden und mit Hilfe bewußter Zweidimensionalität eine neue, expressive Ausdruckskunst entwickelt werden. In Paris hatte Pechstein die gleichgerichteten Bestrebungen der Fauves und deren Begeisterung für ›primitive‹, außereuropäische Kunstformen kennengelernt.

Als »Aufstand der primitiven rohen Kunstinstinkte wider die Zivilisation, die Kultur und den Geschmack in der Kunst« bewertete abschätzig, aber ungewollt treffend ein Rezensent des *Kunstwart* 1910 die Bestrebungen der jungen Künstler.[10] Diese hatten nach einem Eklat in der Berliner Secession auf Initiative Pechsteins gerade die Neue Secession gegründet. Pechstein entwarf als Signet und für das Ausstellungsplakat eine junge Indianerin mit Pfeil und gespanntem Bogen, sie symbolisiert diesen »Aufstand der primitiven Kunstinstinkte«, die Ebene der künstlerischen Mittel.

Die gemeinsame Arbeit der Künstlergemeinschaft Brücke, zu der Pechstein seit 1906 gehörte, hatte programmatisch mit intensivem abendlichen Aktzeichnen begonnen. Ihrer Lebens- und Kunstidee folgend, verlegten die Freunde und ihre Modelle bald ihre Maltage ins Freie. 1907 entdeckten sie für sich die Moritzburger Teiche bei Dresden. Hier wie bei verschiedenen Reisen an Nord- und Ostsee suchten und fanden sie den, später oft sehnsuchtsvoll erinnerten, Einklang von Mensch, Natur und künstlerischem Handeln; ein freies, von Konventionen relativ unbehindertes Leben. Die Bilder von ›Badenden‹, von natürlichen Menschen in der Landschaft, nicht die Stadtansichten sind das eigentliche Sujet dieser Jahre. Sujet wie Bildmittel sollen ›Ursprünglichkeit‹ suggerieren; die dargestellte Realität und die Realität der Malerei sind gleichwertige Träger des Bildsinnes.

Das große und festliche Bild der **Ins Meer Schreitenden** (Kat.Nr. 32) ist das wichtigste Ergebnis des Aufenthaltes Ernst Ludwig Kirchners auf Fehmarn im Sommer 1912. Die girlandenhaft schwingenden Wellen- und Bergkämme erzeugen einen arkadischen Klang. Doch im Hintergrund sieht man den Leuchtturm von Staberhuk, bei aller Ornamentalisierung und holzschnitthafter Konturierung bleibt das Bild motivisch an der Realität. Im Dezember schrieb Kirchner resümierend an Gustav Schiefler: »Der ganz starke Eindruck des ersten Dortseins hat sich vertieft, und ich habe dort Bilder gemalt von absoluter Reife, soweit ich das beurteilen kann. Ocker, blau, grün sind die Farben von Fehmarn.«[11] Den ganz starken Eindruck bot die Natur, das arkadische Gefühl verstärkte sicher die neue Freundin Erna. Unter absoluter Reife verstand Kirchner, eine räumliche Situation nicht als räumliche Situation wiedergegeben, sondern überzeugend in die Fläche transponiert, eine geschlossene Form unter Bezug auf verschiedene ›primitive‹ Quellen entwickelt zu haben: Die Randschraffuren, welche sich an allen Raumformen finden, hatte er in Büchern über die Höhlenmalerei der indischen Ajanta entdeckt. Er bewunderte deren Menschendarstellungen: »Sie sind ganz flächig und doch absolut Masse und haben somit das Geheimnis der Malerei restlos gelöst.«[12] Zugleich zeugen die beiden **Ins Meer Schreitenden** vom prägenden Einfluß ›primitiver‹ Skulpturen auf Kirchner, und sie bringen Erfahrungen mit der Bildhauerei ein. Ebenfalls an Gustav Schiefler schrieb Kirchner nach einem späteren Fehmarnaufenthalt: »Auch Plastiken sind fertig geworden. Diese Zusammenarbeit mit der Plastik wird mir immer wertvoller, sie erleichtert mir die Übersetzung der räumlichen Vorstellungen in die Fläche, wie sie mir früher die grosse geschlossene Form finden half.«[13]

33 Ernst Ludwig Kirchner, Weibliche Figur (Eva), Männliche Figur (Adam), 1921/22; Schwarzpappelholz (Aspe), braun gebeizt und gebrannt, 169,8 x 30 x 22 und 169,6 x 40 x 31 cm; Staatsgalerie Stuttgart

Die Holzfigur des **Adam**, obwohl viele Jahre später entstanden, wirkt wie eine plastische Übersetzung des ›Ins Meer Schreitenden‹. Wie Donald E. Gordon überzeugend ausführt, ist sie in der zeichnerischen Reliefhaftigkeit vom Vorbild der Kunst der Palau-Insulaner, in anderen Bereichen von der afrikanischen Skulptur Kameruns beeinflußt.[14] Im April 1921 berichtete Kirchner Nele van de Velde von der schwierigen Arbeit an den großen Figuren **Adam und Eva** (Kat.Nr. 33), die ihm als Karyatiden am Eingang seines Hauses *In den Lärchen* bei Davos dienen sollten. Adam schaute frontal in die Landschaft; Eva, um 90 Grad gedreht, sah Adam und die Eintretenden direkt an. **Adam und Eva** waren in Davos Schmuck, Programm und Sehnsuchtsmotiv zugleich. – Einen großen Adam-und-Eva-Stuhl hat Kirchner kurz vor seinem Freitod zerstört.[15]

»Die sinnliche Harmonie seines Lebens mit dem Werk machte Mueller zu einem selbstverständlichen Mitglied von *Brücke*. Er brachte uns den Reiz der Leimfarbe«, berichtet Kirchner in der *Chronik* über den seit 1910 zur Gruppe gehörigen Otto Mueller. Das Sujet der ›Badenden‹ hat Mueller besonders intensiv verfolgt und über viele Jahre fast unverändert beibehalten. Er malte mädchenhaft-elegische, stark stilisierte Akte an unbestimmbaren Gewässern. Die Werke **Badende im Schilfgraben** (Kat.Nr. 34) und **Teich mit Badenden** (Kat.Nr. 35) zeigen Szenen von sanfter, lyrischer Unbestimmtheit, in ihrer Zeit- und Ortlosigkeit sind sie Metaphern eines ›irdischen Paradieses‹.

Wie den anderen Brücke-Künstlern diente Otto Mueller der Bezug auf fremde Kulturen dazu, eine vordergründig-schöne Idyllik zu vermeiden. »Mir vorbildlich, auch für das rein Handwerkliche war und ist noch jetzt die Kunst der alten Ägypter«, erklärte er 1919 im Katalogvorwort einer Ausstellung bei Paul Cassirer und meinte damit die von Kirchner erwähnte matte Leimfarbenmalerei. Als Malgrund bevorzugte Mueller groben Rupfen, um das spontane und spröde Moment seiner Arbeiten noch zu verstärken.

Die Kunstgeschichte lehrt, daß ein betonter Antiakademismus zu jedem Neubeginn gehört. Und am Anfang des 20. Jahrhunderts diente dem vor allem das Vorbild außereuropäischer Formen. Über Museen und Bücher vermittelt, aus ihrem Kulturzusammenhang gelöst, sollten sie den Weg zu einer neuen, elementaren Sicht der Welt weisen. Wilhelm Worringer, der mit seiner Dissertation *Abstraktion und Einfühlung* (1908) zum internen Kunsttheoretiker des Expressionismus geworden war, sah in ihnen ein Mittel, sich zu »emanzipieren von jenem Rationalismus des Sehens, der dem gebildeten Europa als das natürliche Sehen erscheint [...]. Um das zu erreichen, zwingen wir uns zu jener primitiven – durch kein Wissen und keine Erfahrung gebrochenen – Art des Sehens, die das schlichte Geheimnis der mystischen Wirkung primitiver Kunst ist.«[16]

In diesem Sinne auch brachte der 1912 von Franz Marc und Wassily Kandinsky herausgegebene Alma-

34 Otto Mueller, Badende im Schilfgraben, 1914; Leimfarbe auf Rupfen, 92 x 79 cm; Staatliche Museen zu Berlin, Nationalgalerie

35 Otto Mueller, Teich mit Badenden, 1921/22; Leimfarbe auf Leinwand, 80 x 98 cm; Staatliche Museen zu Berlin, Nationalgalerie

36 Emil Nolde, Kind und großer Vogel, 1921; Öl auf Leinwand, 73,5 x 88,5 cm; Statens Museum for Kunst, Kopenhagen

nach *Der blaue Reiter* in seinen zahlreichen Abbildungen Kinderzeichnungen und ägyptische Schattenbilder, Skulpturen des Völkerkundemuseums und mittelalterliche Plastik, bayerische Hinterglasmalerei und russische Volkskunst zu einem vollen, lebendigen Gesamtklang zusammen.

Innere Bilder – Mythische Wesen

Wenige Monate lang gehörte auch der Einzelgänger Emil Nolde zur Brücke. Die Brücke möchte »alle revolutionären und gärenden Elemente an sich ziehen« hatten ihm die Mitglieder nach seiner Ausstellung in der Galerie Arnold in Dresden im Februar 1906 einladend mitgeteilt. Nolde, der ausdruckssüchtigste unter den deutschen Expressionisten, suchte die unbewußte Wahrheit »innerer Bilder« in spontanen, bildlichen Formulierungen zu erfassen. Suggestive Farbkontraste und eine betonte Flächigkeit sollten weit über jede Abbildhaftigkeit hinausgreifen. »Meine Kunst ist keine Gedankenarbeit – sie entsteht«, notierte er programmatisch.[17]

Im Frühwerk Noldes gibt es Skizzen, die Radierungen von Goya auf ihre Flächenwerte reduzieren. Hier wird Nolde, zum Beispiel in dem Blatt Los Caprichos 72: Du wirst nicht entkommen, auch das bedrohliche Motiv Mädchen und Vogel begegnet sein. **Kind und großer Vogel** (Kat.Nr. 36) zeigt keine Konfrontation, sondern ein gleichwertiges Nebeneinander. Das Kind mit den leuchtend roten Haaren und Strümpfen und der schattenartige Vogel sind gleichermaßen spukhaft und zerzaust. Noch hat der Schatten nicht die bedrohliche Größe wie in Edvard Munchs Gemälde **Pubertät**. Kind und Vogel, ein starkes Motiv auch ohne alle Deutung, stehen in urtümlicher Landschaft, ohne die Spur eines heiteren Arkadien.

37 Emil Nolde, Akte und Eunuch, 1912; Öl auf Leinwand, 87,3 x 72,1 cm; Indiana University Art Museum, Jane und Roger Wolcott Memorial

38 Emil Nolde, Tanz um das goldene Kalb, 1910; Öl auf Leinwand, 88 x 105,5 cm; Bayerische Staatsgemäldesammlungen, Staatsgalerie moderner Kunst, München

In animalischer Trägheit und ängstlich verhaltener Spannung sind **Akte und Eunuch** (Kat.Nr. 37), die beiden auf dem Boden ruhenden Frauen wie der blockhafte Haremswächter, auf das Kommende gerichtet. Wie in dem Werk **Kind und großer Vogel** wird weniger eine Situation dar- als eine Haltung vorgestellt und für diese eine eindrückliche Bildform gefunden. Vor allem um 1912 ging Nolde, wie er betonte, »jenseits von Verstand und Wissen, an große freie Figurenbilder, die damals noch ganz außerhalb aller Zeit entstanden: Krieger und sein Weib, Kerzentänzerinnen, Akte und Eunuch, Priesterinnen, Mann und Weibchen, Gier, gelbe Akte, Kind und großer Vogel, – eine Art Bilder, auf deren Linie in späteren Jahren immer wieder neue entstanden«[18]. Eine Polarität, befand er, sei für diese Bilder konstitutiv: Mann und Weib, Lust und Leid, kalt und warm, hell und dunkel. In der noch jungen Psychologie, deren Weg die Künstler mit Aufmerksamkeit verfolgten, wurde zu eben dieser Zeit Symbolforschung betrieben, versuchte man die Gestaltungen der Geisteskranken und der Kinder zu verstehen; 1912 erschienen erste Arbeiten zur Gestaltpsychologie. Lernte man dort Gestaltformen als eine Ganzheit, eine Erlebniseinheit zu lesen, entwickelte Nolde elementare Figurbildungen, »auf deren Linie in späteren Jahren immer wieder neue entstanden«. – Die Suche nach Ursprünglichkeit führte im frühen 20. Jahrhundert nicht nur ins Ferne und Frühe, sondern auf den Spuren von Sigmund Freud und C.G. Jung auch weit in das eigene Unbewußte.

Emil Nolde begeisterte sich, wie auch Ernst Ludwig Kirchner, für den modernen Ausdruckstanz seiner Zeit. Mit Mary Wigman und deren Schülerin Gret Palucca war er befreundet. »Der Tanz war inzwischen, wie vordem die Masken, ein kleines Kapitel meiner Kunst geworden«[19], notierte er über das Jahr 1911. Noldes Darstellungen wild ekstatischer Tänzerinnen aber haben wenig mit dem neuen künstlerischen Tanz gemein, eher scheinen sie von rituellen Tänzen animiert zu sein.

Der kultische **Tanz um das goldene Kalb** (Kat.Nr. 38) zeigt schon dem alttestamentarischen Thema nach eine trotzig-lustvolle Ablehnung von Kultur und Gesetz. Mit den **Wildtanzenden Kindern** von 1909 hatte Nolde die Wirkung des Ungelenken erprobt. Nun steigert sich

39 Emil Nolde, Kerzentänzerinnen, 1912; Öl auf Leinwand, 100,5 x 86,5 cm; Stiftung Seebüll Ada und Emil Nolde, Neukirchen

der dargestellte Tanz zu dämonischer Besessenheit. Der wilde Rhythmus der stampfenden Beine und erhobenen Arme verleiht dem Werk seine Kraft, er ist das ganze Gegenteil des disziplinierten ›Parallelismus‹ auf Bildern Ferdinand Hodlers (vgl. Abb. S. 45). Diese Tänzerinnen bewegen sich, wie Nolde malte, oder besser, wie er vermeinte, der Natur gleich aus einem Ursprung heraus zu schaffen. Wie bei Pechstein und Kirchner bilden Bildstruktur und Sujet eine Einheit. Aber Nolde suchte weniger das Vorbild fremder, ›primitiver‹ Formfindungen als daß er mit Hilfe von »Willkür und krassen Rohheiten« selbst Bilder von mythischer Qualität hervorzubringen suchte.

Die Magie der verzückt-orgiastischen **Kerzentänzerinnen** (Kat.Nr. 39), ebenfalls eine alte, mehrfach variierte Bildidee Noldes, beruht auf der heftigen, über die Bildgrenzen hinausdrängenden Bewegung wie auf der glühenden Farbigkeit, auf der ausgedrückten Sehnsucht nach sich verzehrender Lebendigkeit. Die flackerigen Kerzen und der Rauch verstärken den Eindruck von archaischem Rausch, der Anrufung eines schöpferischen Unbewußten, dessen Symbol die Flamme ist. Besonders Guillaume Apollinaire hat das Bild des Feuers in seinen kunsttheoretischen Schriften oft benutzt. In dem Text *Die drei bildnerischen Kräfte*, in einem Katalog über Bilder der Fauves, formulierte er 1908: »Die Flamme ist das Symbol der Malerei [...]. Die Leinwand muß jene wesentliche Einheit vermitteln, die allein die Ekstase hervorruft.«[20]

Die Flamme versinnbildlicht hier einen Schöpfergeist, der nicht mehr die Natur abbilden will, sondern vorgibt, der Natur gleich zu schaffen, den Weg des frühen 20. Jahrhunderts von der Nachbildung zur Erfindung der Welt, »Werkschöpfung ist Weltschöpfung« (Kandinsky). Sieht man aber die Formen der Kunst derart den Formen des Lebens gleichgesetzt, werden sie nicht mehr nur gleichgültig bis begeistert rezipiert; sie können beargwöhnt, als falsch oder gefährlich abgelehnt oder in autoritäreren Gesellschaften auch als etwas zu Bekämpfendes ausgemacht werden.

Anmerkungen

1 Busch, Günter; von Reinken, Liselotte (Hg.): *Paula Modersohn-Becker in Briefen und Tagebüchern.* Frankfurt am Main 1979, S. 427.
2 Rainer Maria Rilke an Karl von der Heydt, 16. Januar 1906. In: Ders.: *Briefe 1902–1906.* Leipzig 1930, S. 291.
3 Rilke, Rainer Maria: *Werke in drei Bänden. Bd. 1: Gedicht-Zyklen.* Frankfurt am Main 1966, S. 405.
4 Pauli, Gustav: *Paula Modersohn-Becker.* München 1922, S. 32.
5 Barlach, Ernst: *Ein selbsterzähltes Leben.* Berlin 1928, S. 42.
6 Barlach, Ernst: *Taschenbuch von 1906.* In: Friedrich Schult (Hg.): *Ernst Barlach. Das plastische Werk.* Hamburg 1960, S. 24.
7 Schult, Barlach (Anm. 6), S. 81.
8 Däubler, Theodor: *Der neue Standpunkt.* Leipzig; Weimar 1980, S. 73 (zuerst 1916).
9 Reidemeister, Leopold (Hg.): *Max Pechstein. Erinnerungen. Mit 105 Zeichnungen des Künstlers.* Wiesbaden 1960, S. 38.
10 Zit. n. *Expressionisten. Die Avantgarde in Deutschland 1905–1920.* Ausst.Kat. Staatliche Museen zu Berlin, Nationalgalerie und Kupferstichkabinett. Berlin 1986, S. 90.
11 Ernst Ludwig Kirchner an Gustav Schiefler, 31. Dezember 1912. In: Heinz Spielmann (Bearb.): *Ernst Ludwig Kirchner auf Fehmarn.* Schleswig-Holsteinisches Landesmuseum, Schloß Gottorf. Schleswig 1997, S. 32.
12 Kirchner, Ernst Ludwig: *Briefe an Nele.* München 1961, S. 20f.
13 Ernst Ludwig Kirchner an Gustav Schiefler, 28. Dezember 1914. In: Spielmann, Kirchner (Anm. 11), S. 34.
14 Gordon, Donald E.: »Deutscher Expressionismus«. In: William Rubin (Hg.): *Primitivismus in der Kunst des zwanzigsten Jahrhunderts.* München 1984, S. 396.
15 Vgl. Kornfeld, Eberhard W.: *Ernst Ludwig Kirchner. Nachzeichnung seines Lebens.* Bern 1979, S. 322.
16 Worringer, Wilhelm: »Entwicklungsgeschichtliches zur modernsten Kunst«. In: *Im Kampf um die Kunst. Die Antwort auf den »Protest deutscher Künstler«.* München 1911, S. 95f.
17 Sauerlandt, Max: *Emil Nolde.* München 1921, S. 38. Vgl. auch Noldes Brief vom 28. Oktober 1906 in: Max Sauerlandt (Hg.): *Emil Nolde. Briefe aus den Jahren 1894–1926.* Berlin 1927, S. 55.
18 Nolde, Emil: *Jahre der Kämpfe 1902–1914.* Köln 1967, S. 200.
19 Ebd., S. 218.
20 Düchting, Hajo: *Apollinaire zur Kunst. Texte und Kritiken 1905–1918.* Köln 1989, S. 86f.

Vorsatzblatt: 38 Emil Nolde, Tanz um das goldene Kalb, 1910 (Ausschnitt)

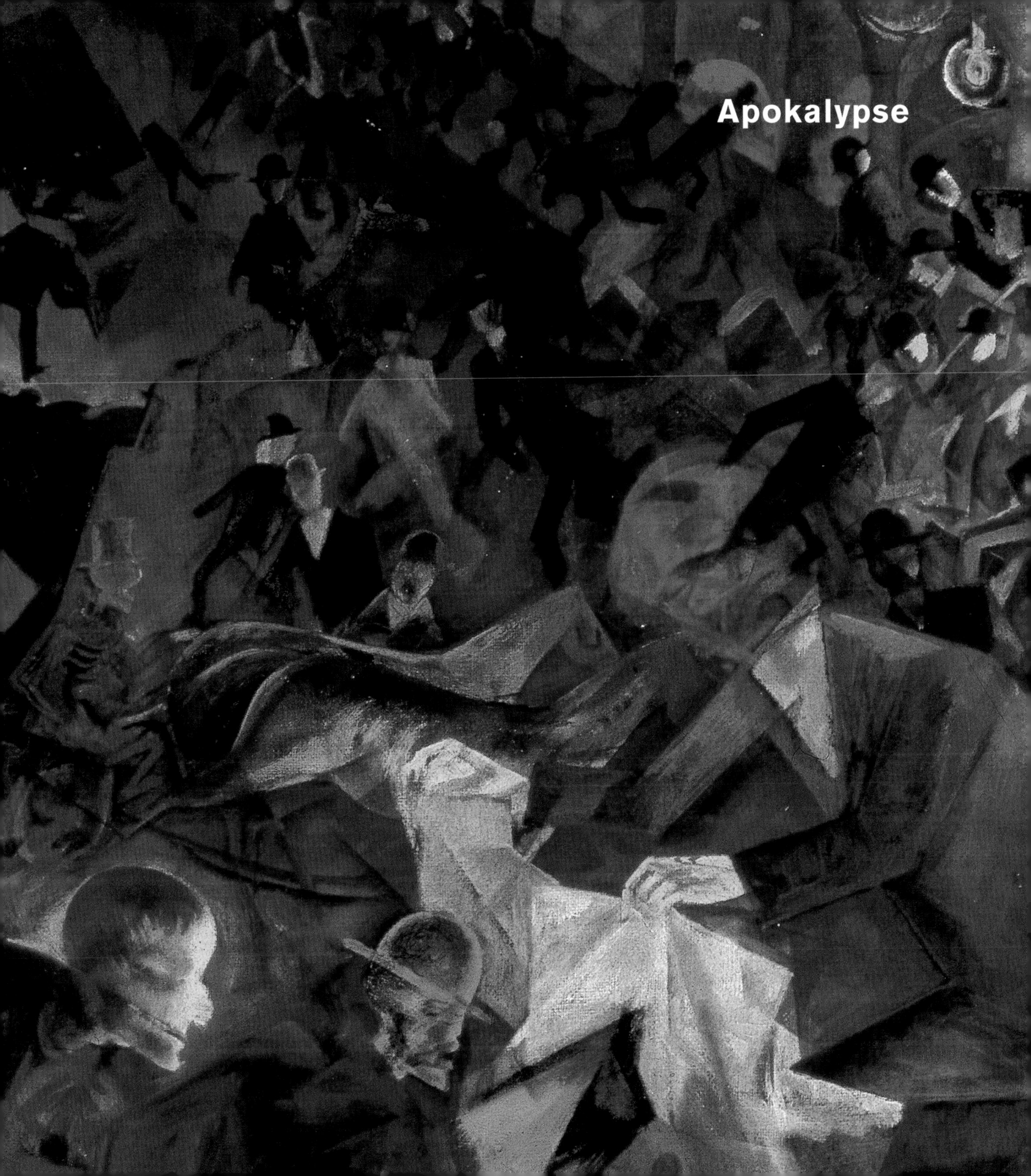

Apokalypse

Apokalypse

Roland März

Kaum ein Jahrhundert in der Geschichte Europas, das nicht ohne eine ambivalente Prophetie ›zu Ende‹ gegangen wäre. Das suggestive Reizwort hieß dabei nicht selten »Apokalypse«[1] – eine Mixtur aus Weltuntergangsstimmung und messianischer Heilserwartung vom ›himmlischen Jerusalem‹. Und bündig die Gleichung: apokalyptisch = katastrophal. Den unausweichlichen Modellfall für die bildenden Künste hatte Albrecht Dürer 1496–98 mit seiner 15teiligen Holzschnittfolge der »Apocalipsis cum figuris« gegeben, seine **Apokalyptischen Reiter** (Abb. S. 72) gipfelten ikonographisch in Arnold Böcklins furiosem Gemälde **Der Krieg** (Abb. S. 74) von 1897. Symbolische Sinngebung zum Thema, deklamatorisch die Reaktion auf das Unbehagen an den Zeitläuften, die aber von den wirklichen Schrecknissen des Krieges kaum etwas wußte. Die Botschaft bei Dürer und bei Böcklin: mit dem »Traum gegen das Böse«[2] der drohenden Unbill der Zeit Einhalt zu gebieten. Das Bild als Bannung und Menetekel wider das Unheil. In den Bildern der Symbolisten hat der *poète-prophète* Friedrich Nietzsche vereinzelte Spuren hinterlassen und mit seinem rigorosen ›Versuch einer Umwerthung aller Werthe‹ den Konflikt zwischen Künstlertum und Bürgerlichkeit, Vision und brüchiger Realität, zu schüren gewußt. In der Vorrede seiner Fragmente über den *Willen zur Macht* schrieb er 1888: »Unsere ganze europäische Kultur bewegt sich seit langem schon in einer Tortur der Spannung, die von Jahrzehnt zu Jahrzehnt wächst, wie auf eine Katastrophe los: unruhig, gewaltsam, überstürzt: einem Strom ähnlich, der ans Ende will, der sich nicht mehr besinnt, der Furcht davor hat, sich zu besinnen.«[3] Die nachfolgende Generation der expressionistischen Avantgarde hat die prophetische Diagnose des Entlarvungsphilosophen Friedrich Nietzsche mit wachsender Faszination und unterdrücktem Unbehagen geradezu ›verschlungen‹. Der Umstürzler Nietzsche bot das geistige Beispiel der Selbstbefreiung von autoritärem Zwang und nationalistischer Großmannssucht, von Erwerbsgier und Mechanisierung im wilhelminischen Kaiserreich.

Albrecht Dürer, Die apokalyptischen Reiter, 1496–98; Staatliche Museen zu Berlin, Kupferstichkabinett

Apokalyptische Visionen vor 1914

Der Boden des legendären »goldenen Zeitalters der Sicherheit« (Stefan Zweig) war nach 1900 brüchig geworden, die unausgetragenen Widersprüche in der wilhelminischen Gesellschaft drängten mehr und mehr an die Oberfläche. Der sensible Künstler-Visionär und ›Seher‹ trat jetzt als Seismograph in die Kulturarena der Zeit, als Rufer in der Wüste ein Außenseiter. Die drohende Apokalypse wurde nicht nur voraus geahnt, sie wurde als Erlöserin herbeigeredet. In der Dichtkunst der ›Schwarzen Expressionisten‹ Gottfried Benn, Georg Heym, Jakob van Hoddis, Alfred Kubin und Georg Trakl wetterleuchtete kommendes Unheil. Im Sommer 1910 notierte Georg Heym in seinem Tagebuch: »Es ist immer das Gleiche, so langweilig, langweilig, langweilig. Es geschieht nichts, nichts, nichts. Wenn doch einmal etwas geschehen wollte, was nicht diesen faden Geschmack von Alltäglichkeit hinterläßt ... sei es auch nur, daß man einen Krieg begänne, er kann ungerecht sein. Dieser Friede ist so faul, ölig und schmierig wie eine Leimpolitur auf alten Möbeln.«[4]

40 Ludwig Meidner, Apokalyptische Landschaft, 1912/13 (Ausschnitt); Öl auf Leinwand, 80 x 116 cm; Staatliche Museen zu Berlin, Nationalgalerie

Auch der dämonische Moloch Großstadt zeugte die Sehnsucht nach Zerstörung und Wiedergeburt: »Sind nicht heute die Städte allein noch die Träger des großen, künstlichen, planmäßig geschaffenen Glanzes, die über den dunklen Gewölben bedrückter Existenzen und unheilbaren Elends mutig das ganze Dasein der Menschenmasse in den Wind des Schicksals, in die Entscheidung einer noch unausgetragenen Krisis drängen?«[5], fragte Alfons Paquet. Diese zwiespältige Haßliebe der Großstadt bei Künstlern und Literaten zwang, mit ihrem zivilisatorischen Erlösungsgedanken, auch den schlesischen Maler-Dichter Ludwig Meidner in ihren Bann. In halluzinatorischer Raserei brachte der ›Pathetiker‹ des Großstadt-Expressionismus seine vulkanischen Untergangslandschaften mit lohender Farbe auf die Leinwände. Zum Jahreswechsel 1912/13 malte Meidner seine Vorahnung der **Revolution** (Kat.Nr. 42) auf den Straßen Berlins: im Zentrum der verwundete Fahnenträger mit der roten Schärpe, sein Schrei ist Fanal zum Aufruhr. Ringsum schießende Revoluzzer, explodierende Granaten und einstürzende, brennende Häuser. Als angsterfüllter Augenzeuge hat sich Meidner links unten selbst dargestellt. Auf der Rückseite der **Revolution** eine der vulkanischen **Apokalyptischen Landschaften** (Kat.Nr. 40) des Künstlers mit Adam, Christus oder dem ›edlen Wilden‹, der schlafende Mensch inmitten des Infernos, dem Weltuntergang ausgesetzt. **Mein Nachtgesicht** – ein Jahr vor Kriegsausbruch porträtierte sich Meidner im stickigen Dachatelier eines Mietshauses in Berlin-Friedenau in ekstatischer Gebärde, »denn in jenen Tagen warf zähnefletschend das große Weltgewitter schon seine grellgelben Schatten auf meine Pinselhand, mein Hirn blutete in schrecklichen Gesichten. Ich sah nur einen Tausendreigen der Skelette tänzeln. Viele Gräben und verbrannte Städte

41 Ludwig Meidner, Selbstbildnis, 1915; Öl auf Leinwand, 74,5 x 53,5 cm; Staatliche Museen zu Berlin, Nationalgalerie

Arnold Böcklin, Der Krieg, II. Fassung, 1897; Kunsthaus Zürich, Leihgabe der Gottfried-Keller-Stiftung

durch die Ebene sich winden«[6] – 1915 dann das **Selbstbildnis** (Kat.Nr. 41), Aug in Aug mit der Katastrophe.

Erster Weltkrieg: Höllenfahrt – Sturz – Tod

Als im August 1914 der erste der Weltkriege in diesem Jahrhundert ausbrach, wußte man noch »nichts von den Wirklichkeiten, er diente noch einem Wahn, dem Traum einer besseren und friedlichen Welt«[7]. Die chauvinistische Massenpsychose erfaßte im Trauma von ›Götterdämmerung‹ und ›Weltgewitter‹ auch die Künstler und Intellektuellen aus fast allen Lagern. Blinder Wahn herrschte auch in den liberalen Köpfen der meisten Expressionisten. Es gab unter ihnen nicht wenige, die glaubten, daß der Krieg nicht nur über »die Existenz

42 Ludwig Meidner, Revolution, 1912/13; Öl auf Leinwand, 80 x 116 cm; Staatliche Museen zu Berlin, Nationalgalerie

Deutschlands, sondern über den Sieg des Expressionismus« (Eduard Beaucamp) entscheiden würde. Schon die Futuristen hatten den Krieg ›als die einzige Hygiene der Welt‹ begrüßt. Auch Franz Marc und viele andere erwarteten vom heroisch-romantischen Mythos des Krieges die weltverändernde Katharsis und die Heraufkunft des geläuterten ›geistigen Europa‹. Mit welch innerer Distanz dagegen hat doch Paul Klee 1915 auf dieses Ereignis reagiert: »Ich habe diesen Krieg in mir längst gehabt. Daher geht er mich innerlich nichts an.«[8] Der Weltkrieg brach die feste Phalanx der expressionistischen Avantgarde auseinander und wurde zur entscheidenden Zäsur und Wendemarke für die gesamte Bewegung.

Noch ›im Frieden‹ begonnen, vollendete Ernst Ludwig Kirchner im Herbst 1914 in Berlin sein monumentales Gemälde **Potsdamer Platz** (Kat.Nr. 43), die Krone seiner Berliner Straßenszenen: In der Mitte des Hintergrundes der Potsdamer Bahnhof, auf eine Arkadenloggia reduziert, die Uhr zeigt Mitternacht. Links das 1913 von Kempinski eröffnete *Café Picadilly,* nach Kriegsausbruch in *Haus Vaterland* umbenannt, rechts das angeschnittene, um mehrere Geschosse verkleinerte Pschorr-Haus. Vor dieser Architekturkulisse sind zwei fast lebensgroße Kokotten die Hauptdarstellerinnen auf der ovalen Bühne einer Verkehrsinsel. Die eine, im schwarzen Trauerkostüm, hat sich mit dem Witwenschleier getarnt, fahlgrünes Antlitz, rot brennendes

Haar – ganz vergitterte Unnahbarkeit. Die Jüngere in Preußischblau wächst, immer schlanker werdend, nach oben. Die Figuren im pantomimischen Habitus verkörpern in ihrer Isolation Jugendlichkeit und Altern, Sich-Behaupten und Abwendung. Hinter den chimärenhaften Frauen nähern sich mit gespreizten Beinen die Freier in Schwarz. Der Nachtgänger Kirchner hat dieses Sich-Fremd-Bleiben, seine Faszination an der Verruchtheit des Eros in der Metropole intensiv erlebt und ausgelotet. Mit seinem **Potsdamer Platz** gibt Kirchner ein weltstädtisches Panorama, vor dem die Figuren dominieren, und er zieht mit diesem grandiosen Bild nach Kriegsausbruch die Bilanz seiner geistig-existentiellen Berlin-Erfahrung: die Metropole als Schauplatz der Käuflichkeit des Eros und der unauflösbaren Verstrickung der Geschlechter. Im Frühjahr 1915 wurde Kirchner ›unfreiwillig freiwillig‹ als Rekrut zur Feldartillerie in Halle einberufen, im September ›wegen Lungenaffektion und Schwäche‹ beurlaubt. Der uniformierte Kirchner hat sich in Nahaufnahme fotografiert (Abb. S. 76) und während des Urlaubs in Berlin im **Selbstbildnis als Soldat** (Abb. S. 76) mit abgeschossener rechter Hand gemalt. Kirchners ›metaphorische Autobiographie‹: »Mich ließ, solange der Krieg dauerte, die quälende Angst nicht los, noch einmal als Soldat eingezogen zu werden. Tag und Nacht hatte ich solche Angstvorstellungen.«[9] – »Wie die Kokotten, die ich malte, ist man jetzt selbst. Hingewischt, beim nächsten Male weg.«[10] Kirchners Alptraum Krieg, den er als ›blutigen Karneval‹ empfand, wich erst, als er 1917, seelisch und physisch durch den Kriegsdienst gebrochen, in die Einsamkeit der Davoser Berge übersiedelte.

Ernst Ludwig Kirchner, Selbstporträt als Soldat im Atelier Berlin-Friedenau, 1915; Kirchner Museum Davos

Ernst Ludwig Kirchner, Selbstbildnis als Soldat, 1915; Allen Memorial Art Museum, Oberlin College, Charles F. Olney Fund, 1950

Der apokalyptische Spuk der Vorkriegsvisionen war im Trommelfeuer der Materialschlachten zerstoben. Ernüchterung machte sich breit, von Monat zu Monat schärften Not und Tod den Blick der Künstler für die wahren Realitäten des Krieges. An die patriotische Apotheose des ›deutschen Helden‹ in Fritz Erlers Bild (Abb. S. 78) und im Neujahrsgruß (Abb. S. 78) glaubte in Kreisen der künstlerischen Avantgarde bei mörderisch anhaltendem Stellungskrieg, in Giftgas gehüllt, im Jahr 1916 keiner der Intellektuellen mehr. In diesem Jahr vollendete der Bildhauer Wilhelm Lehmbruck eines seiner Hauptwerke: **Der Gestürzte** (Kat.Nr. 44). Als Sanitäter in einem Berliner Lazarett hatte er 1915 den Krieg erlebt. **Sterbender Krieger** – so hieß die Skulptur in der Frühjahrsausstellung der Freien Secession 1916 in Berlin, von der deutschnationalen, kaisertreuen Presse geschmäht. Über diese fragil gebaute ›Brücke‹ zwischen Leben und Tod eines gestürzten Jünglings wollte damals keiner gehen. Letzte Anspannung der Figur, das zerbrochene Schwert in der rechten Hand. Lehmbrucks Denkmal für die sinnlos geopferten Menschen und Freunde im Ersten Weltkrieg. 1914 war August Macke, 1916 Franz Marc gefallen. Die moralische Verurteilung des Krieges durch Wilhelm Lehmbruck steht in diametralem Gegensatz zu dem 1920 erschienenen Tagebuch *In Stahlgewittern* von Ernst Jünger, der den Krieg aus Kameraderie zur heldischen Bewährungssituation der Frontkämpfer stilisierte. Ernst Jünger gehörte mit Oswald Spengler (*Der Untergang des Abendlandes*) zum Kreis der ›Konservativen Revolution‹, der den Nationalsozialismus vorzubereiten half. In seinen Kriegsbüchern »fand sich eine orientierungs-

43 Ernst Ludwig Kirchner, Potsdamer Platz, 1914; Öl auf Leinwand, 200 x 150 cm; Staatliche Museen zu Berlin, Nationalgalerie

los gewordene Frontgeneration wieder«, von Jüngers Werken fasziniert, »weil er die Erfahrung der bürgerlichen Kulturkrise mit der persönlichen Identitätskrise zur ›exemplarischen Existenz‹ verdichtet und vor diesem Hintergrund die erlebte Sinnlosigkeit der Materialschlacht ästhetisch in eine ›heroische Wunschlandschaft‹ verwandelt hat«[11]. Darin und in der Verbindung von Ästhetik und Barbarei sowie der heroischen ›Ästhetisierung des Todes‹ fand sich später auch Adolf Hitler wieder. Der Krieg für ›Tatmenschen‹ – die Schaffung eines neuen, verhängnisvollen Mythos im 20. Jahrhundert.

Tatsächlich aber hatte der Krieg die expressionistische Avantgarde in Auflösung und Agonie versetzt. Unter dem metaphorischen Titel *Menschheitsdämmerung* veröffentlichte Kurt Pinthus 1919 seine Anthologie expressionistischer Lyrik als ein Resümee des Expressionismus. Der Untertitel *Symphonie jüngster Dichtung* bündelt treffend die verschiedenen expressionistischen Tendenzen in einer Synästhesie: »Wie so oft sind auch hier Sturz und Schrei, Aufbau und Zerstörung, Verfall und Triumph kaum auseinanderzuhalten. Selbst die Revolution wird auf diese Weise zu einem Jüngsten Gericht, einer Apokalypse, einer Posaune des Untergangs, bei der die Verzweiflungsschreie der Verdammten und das Aufjauchzen der Verklärten scheinbar bruchlos ineinander übergehen.«[12] Morgenröte und Abenddämmerung, das Janusgesicht des Expressionismus. Nicht der Kriegsschauplatz selbst, sondern die **Metropolis** Berlin (Kat.Nr. 45) diente George Grosz als Schauplatz für die Höllenfahrt der Verdammten in den Kriegsjahren. Vorübergehend untergebracht in der Nervenheilanstalt Görden, wurde der Maler im Mai 1917 als ›dauernd dienstunbrauchbar‹ aus dem Heer entlassen. Jetzt begann die intensive Arbeit am Bild. Die Großstadt bei Grosz – ein entfesseltes Chaos, übergossen von feuriger Lava. Auseinanderstrebende Straßenfluchten, in denen eine blindwütige Menge in panischer Flucht dahinrast, Fahrzeuge kreischen, die Gegenwart des Todes im Leichenwagen. Im apokalyptischen Tohuwabohu widersteht nur das grandiose Central-Hotel am Bahnhof Friedrichstraße im Zentrum. »... auch Dir singen die Landschaften rote Melodien, ebenso knallen Sterne Dir übern brennenden Kopf! Zugreifen! Hinein in den Schutt!!!«[13] Grosz' liebend hassender Abgesang an den Moloch Großstadt und das alles verschlingende Ungeheuer Krieg. Mit **Metropolis** spiegelte Grosz in grotesker Weise den Massenwahnsinn der Kriegszeit, seine Hinrichtung der überlebten, wilhelminischen Gesellschaft in unaufhaltsamer apokalyptischer Höllenfahrt vor der Kulisse Berlins. ›Hinrichtung‹ – eine rigide, transitorische Möglichkeit, der Gewalt der Politik im Kriege durch die anarchische ›Gewalttätigkeit‹ in der Kunst provokant zu begegnen. 1918 Kriegsende – Bankrott der Hindenburg, Ludendorff und ›WII‹ (Abb. S. 82), ›der Kaiser ging, die

Feldpostkarte zu Neujahr 1916; Privatsammlung

Fritz Erler, Männer (Heldenlied), 1917

44 Wilhelm Lehmbruck, Der Gestürzte, 1915/16; Bronze, 72 x 82,5 x 239 cm; Staatliche Museen zu Berlin, Nationalgalerie

Generäle blieben‹, nach der Apokalypse die Rückkehr auf den Boden der Tatsachen. Siegesfeier in Paris (Abb. S. 82), die ›Schmach von Versailles‹ zeitigte in der Weimarer Republik katastrophale Folgen. Auch Max Beckmann war als Sanitäter durch die Hölle des Krieges, dann des Nachkrieges in der Stadt gegangen, doch diese ›Hölle‹ sah stilistisch völlig anders aus als bei Dix oder Grosz. **Die Nacht** (Kat.Nr. 46) – »ein Wohnhaus grimmiger Schmerzen« (Andreas Gryphius) im völlig verwandelten Stil der spätgotischen Meister, Grünewalds Qual, spitz, verdreht die Gestalten, bei Beckmann ins fahl Leichenhafte getrieben: »... ich denke mir das ganze von elektrischem Lichte beleuchtet, das außerhalb der Szene angedreht ist.«[14] Eine sperrige, verwinkelte Dachkammer bei Nacht, in die drei finstere Mordgesellen eingebrochen sind. Die friedliche Familienidylle beim Abendessen ist unversehens umgeschlagen in das Martyrium einer Folterkammer. Qualvolles Geschrei der Opfer, begleitet von der Klage des heulenden Hundes. Das Verbrechen und der Opfergang sind zwar deutlich voneinander getrennt, dennoch liegt über der quälenden Szenerie die Zwanghaftigkeit einer unzertrennlich aufeinander bezogenen Schicksalsgemeinschaft. Über das zutiefst Menschliche und Unmenschliche hinaus ist Max Beckmanns **Die Nacht** als ein verschlüsseltes Gleichnis über den Untergang des wilhelminischen Reiches, die Novemberrevolution von 1918 und den kommunistischen Januaraufstand von 1919 zu betrachten. Max Beckmanns ›Welttheater‹ figurierte seitdem phantasievoll aus einer Synthese privater und tradierter Mythologien. ›Transzendente Sachlichkeit‹ hieß in den frühen zwanziger Jahren die Devise, am selbstherrlichen Künstler-Ego des Malers im Smoking prallten künftighin alle Gewalttätigkeiten und Versuchungen von Staat und Gesellschaft ab. Es gab nur eine Autorität für Beckmann: das souverän schaffende, sich immer wieder behauptende Ich, das Selbst-Sein, Herrscher-Sein.

Zwischen den Kriegen – Stützen der Gesellschaft

Erst das höhnische Lachen Dadas, dann ein erbarmungsloser Verismus, mit dem George Grosz zynisch die deutschen Zustände geißelte: »Es war eine völlig negative Welt, mit buntem Schaum obenauf.«[15] Seine **Stützen der Gesellschaft** (Kat.Nr. 48) repräsentieren eine Staatshierarchie, die sich im Fortleben des wilhel-

45 George Grosz, Metropolis, 1916/17; Öl auf Leinwand, 100 x 102 cm; Museo Thyssen-Bornemisza, Madrid

46 Max Beckmann, Die Nacht, 1918/19; Öl auf Leinwand, 133 x 154 cm; Kunstsammlung Nordrhein-Westfalen, Düsseldorf

minischen Militarismus auf die nächste, faschistische Katastrophe zubewegte: Als Stützen der Gesellschaft fungieren Grosz' typisierte Repräsentanten der Staatshierarchie in der Weimarer Republik – der gehörlose Jurist mit Schmiß und Monokel, ein ›alter Herr‹ mit Vatermörder, Bierseidel und Florett, Corpsbruder einer schlagenden Verbindung, am Schlipskragen das Hakenkreuz, die Schädeldecke aufgesägt, als Kavallerieoffizier unverbesserlicher ›Ostlandreiter‹. Der Journalist mit den Zügen des Pressezaren Alfred Hugenberg (die ›Spinne‹), einen Nachttopf auf dem Kopf (als Zeichen beschränkter geistiger Haftung), den *Berliner Lokal-Anzeiger* und das *8 Uhr Abendblatt* unter dem Arm. Der Parlamentarier, der sich auf den Reichstag stützt, ein Opportunist, der mit deutschnationalem Fähnchen und der demagogischen Parole »Sozialismus ist Arbeit« die

47 George Grosz, Der Agitator, 1928; Öl auf Leinwand, 108 x 81 cm; Stedelijk Museum Amsterdam

Kacke (nur kein Streik!) am Dampfen hält. Der versoffene Militärseelsorger vertritt die Generalität, er predigt scheinheilig Frieden und duldet hinter seinem Rücken Mord und Totschlag durch Reichswehr, ›Stahlhelm‹ und ›Wehrwolf‹. Im Hintergrund brennen die Häuser, Jahre später werden es die Synagogen sein. Es folgte 1928 der Auftritt des Groszschen **Agitators** (Kat.Nr. 47) im Panoptikum: der wildgewordene deutsche Spießer als Jahrmarktschreier im Zentrum des Bilderbogens. Eine lächerliche Marionette, charakterisiert durch die Attribute Sprachrohr und Kinderrassel, Eisernes Kreuz, Gummiknüppel und riesiger Säbel, ihr Lebkuchenherz schlägt deutschnational, das Hakenkreuz an der Krawatte, die Papiermütze obenauf. An der Seite des Agitators die Trommel und der Pinsel im Topf, Anspielungen auf Adolf Hitler, den ›Trommler zum Krieg‹ und ›Anstreicher‹, der in jener Zeit seinen Aufstieg begann. Als der ›Gefreite‹ des Ersten Weltkriegs (Abb. S. 84) 1933 an die Macht kam, war für den Moralisten und Zeitkritiker Grosz alles verloren, und als Exilant in den USA verlor sich auch sein amerikanischer Traum.

Zweiter Weltkrieg – Gewalttrauma und Totenstille

Max Ernst malte 1933 **Europa nach dem Regen**, Otto Dix wenige Jahre danach in der ›inneren Emigration‹ am Bodensee als ›entarteter‹ Künstler mit **Flandern** (Kat.Nr. 49) das letzte große Bild des Krieges. Histori-

Paul von Hindenburg, Kaiser Wilhelm II. und Erich Ludendorff im Großen Hauptquartier zu Spa, 1918; Sächsische Landesbibliothek – Staats- und Universitätsbibliothek Dresden, Dezernat Deutsche Fotothek

Gallischer Hahn auf einer Pyramide aus deutschen Kanonen anläßlich der Siegesfeiern in Paris, Champs-Elysées, am 14. Juli 1919; Privatsammlung

scher Ausgangspunkt war der Stellungskrieg in den Schützengräben Flanderns im Spätsommer 1918, auch Dix hatte dort gekämpft. Dix malte aus der Erinnerung und nach Bildmetaphern aus der Antikriegsliteratur, *Im Westen nichts Neues* von Erich Maria Remarque und *Le feu (Das Feuer)* von Henri Barbusse, der im Kapitel »Morgengrauen« schreibt: »Eine gewaltige Stille. Nicht ein Geräusch ... Niemand schießt ... Kein Geschoß ... die Menschen, wo sind die Menschen? Allmählich sieht man sie. Nicht weit von uns liegen welche auf der Erde und schlafen. Der Kot bedeckt sie von oben bis unten ... Etwas weiter sehe ich andere Soldaten; sie sind in sich zusammengesunken und kleben wie Schnecken an dem runden Hügel, den das Wasser halb aufgesogen hat ... und sie haben die gleiche Farbe wie die Erde ... Sind es Deutsche oder Franzosen? ... Sind sie tot? Schlafen sie? Man weiß es nicht. Alles hat jetzt ein Ende. Es ist die Stunde der ungeheuren Rast, die epische Pause des Krieges.«[16] **Flandern** streckt sich als sintflutartige Grabenlandschaft dahin, im Schlamm der Krater versacken die Soldaten in der Grenzsituation von Erschöpfung, Schlaf und Tod, über ihnen schweben kalt und bedrohlich gleichzeitig Sonne und Mond. Eine apokalyptische Landschaft in der Spanne von Urzeit und Endzeit, am Horizont das Wetterleuchten des Zweiten Weltkrieges, der 1939 beginnen sollte. Eine Sinngebung ohne positiven Schluß: »Mit dem Morgen beginnt kein neuer Tag, keine neue Zeit. Die Wasser werden sich nicht mehr verlaufen, die Erde wird sich nicht mehr erholen. Die Gestirne haben ihren Kreislauf beendet. Radikaler als jede Apokalypse, welche im Untergang den Vorschein der Erlösung kommen sieht, verweigert Dix' Bild das Prinzip Hoffnung. Der Krieg macht die Schöpfung rückgängig. So muß die Welt aussehen, wenn die Elemente wieder eins werden.«[17]

48 George Grosz, Stützen der Gesellschaft, 1926; Öl auf Leinwand, 200 x 108 cm; Staatliche Museen zu Berlin, Nationalgalerie

1939 bei Kriegsausbruch als Bildidee notiert, 1940 begonnen und 1943 vollendet, malte Max Beckmann im holländischen Exil mit dem **Traum von Monte Carlo** (Kat.Nr. 50) sein Sinnbild unausrottbarer Gewalt: »In der Sicht des Malers verwandelt sich das luxuriöse Ambiente der Spielsäle von Monte Carlo radikal. Nicht nur in einen hoffnungslosen Irrgarten menschlicher Leidenschaften, sondern zum Schauplatz jäh ausbrechender Gewalt. Hinter der gepflegten Maske einer mondänen Gesellschaft lauert nackte Brutalität. Beckmann zeigt wiederum in der Art einer Schlußszene, wie maßlose Gier die Dämonen der Zerstörung auf den Plan ruft.«[18] Als Privatdruck der Bauerschen Gießerei erschienen 1943, ›als gesichte des apokalyptischen sehers grauenvolle wirklichkeit wurden‹, in Frankfurt am Main die handkolorierten Steinzeichnungen zur **Apokalypse** von Max Beckmann (Abb. S. 86). Der schwertbewehrte König als Richter über dem besiegten Tier und den niedergeworfenen Heeren: »[...] und alle Vögel« – so in der Offenbarung des Johannes 19, 21 – »wurden satt von ihrem Fleisch.«

Apokalypse und Krisenbewußtsein, Untergang und Wiedergeburt gehören untrennbar zueinander, die Situationen in ihrem zeitlichen Wandel aber hat jede Künstlergeneration anders empfunden und artikuliert. Konstant geblieben aber sind bis auf den heutigen Tag die Faktoren und Ursachen ihrer Hervorbringung: Diktatur – Gewalt – Menschenverachtung – Personenkult – Terror – Vertreibung. Gewalt zeugt immer Gegengewalt und hält als Fluch ›die Dämonen der Zerstörung‹ wach. Der Zweite Weltkrieg endete mit dem Atombombenabwurf auf Hiroshima, der Berliner Tiergarten nach Kriegsende (Abb. S. 84) nimmt sich dagegen wie eine abgeholzte Idylle aus. Doch die atomare Bedrohung schürte bis in die achtziger Jahre apokalyptische Stimmungen.[19] Mit dem Ende der Ost-West-Konfrontation 1989 schien ein dritter Weltkrieg ganz unmöglich geworden, seit Jahren schon abgelöst durch lokalisierbare, kriegerische ›Abenteuer‹ in aller Welt. Das Apokalyptische wohldosiert, ›wenn weit in der Türkei die Völker aufeinanderschlagen‹, das mediale Event im Fernsehen. Gestern die Brachialgewalt der Materialschlachten, heute der computergesteuerte Krieg. Es scheint so, als hätten alle Utopien der *humanitas* und die hypertrophe Gläubigkeit an vermeintlichen Fortschritt und perfekte Mechanisierung von Staat und Gesellschaft die Katastrophen unseres Säkulums nur noch beschleunigt. Die Vision vom ›himmlischen Jerusalem‹ als Sehnsucht nach einer global befriedeten Welt steht in weiter Ferne des nahenden 21. Jahrhunderts, dessen Schrecknisse ahnbar, aber nur zu bewältigen sind durch ein tätiges ›Prinzip Hoffnung‹ im Sinne Ernst Blochs. Bannung des Apokalyptischen durch Niederhalten des Irrationalen und Bekräftigen pragmatischer Politik der Gewaltlosigkeit, der Vernunft; auf das Schicksal des Menschen bezogen. Skepsis aber auch gegenüber den alten und neuen Heilsideen, die fast immer ins Katastrophale führten. Die heutige geistige Situation der Zeit unterscheidet sich nicht grundlegend von jener, die Karl Jaspers 1931 diagnostizierte und als Aufgabe für die Gegenwart und Zukunft formulierte: »Erweckende Prognose würde die Antwort auf die Frage möglich machen, für welche Gegenwart ich leben will. Sofern die Prognose den Untergang als möglich zeigt, kann die Antwort sein, scheitern zu wollen mit dem, was Selbstsein des Menschen ist [...]. Die erweckende Prognose des Möglichen kann nur die Aufgabe haben, den Menschen an sich selbst zu erinnern.«[20]

Werbeplakat der NSDAP zur Reichstagswahl, Berlin, November 1933; Privatsammlung

Vor der Siegessäule, Berlin, Frühling 1945

49 Otto Dix, Flandern, 1934–36; Mischtechnik auf Leinwand, 200 x 250 cm; Staatliche Museen zu Berlin, Nationalgalerie

Anmerkungen

1 Vgl. zum Thema »Apokalypse«: März, Roland: »Künstlerische Vorahnung und Realität des Weltkrieges. Apokalyptische Visionen in der Kunst des 20. Jahrhunderts«. In: *Bildende Kunst*, H. 8, 1983, S. 401–405; Gassen, Richard W.; Holecek, Bernhard (Hg.): *Apokalypse. Ein Prinzip Hoffnung? Ernst Bloch zum 100. Geburtstag*. Ausst.Kat. Wilhelm-Hack-Museum, Ludwigshafen am Rhein. Heidelberg 1985. Vom 27.8.–7.11. 1999 findet die von Harald Szeemann konzipierte Ausstellung *Weltuntergang* im Kunsthaus Zürich statt.

2 Vgl. Blume, Eugen: »Dürers Apokalypse – Ein Traum gegen das Böse«. In: *Bildende Kunst*, H. 8, 1983, S. 405–407.

3 Zit. n. *Bildende Kunst* (Anm. 1), S. 402.

4 Zit. n. *Der 1. Weltkrieg. Vision und Wirklichkeit.* Galerie Michael Pabst. München 1982, S. 5.

5 Zit. n. Soergel, Albert: *Dichtung und Dichter der Zeit. Neue Folge: Im Banne des Expressionismus.* Leipzig [6]1925, S. 209.

6 Zit. n. *Kunst in Deutschland 1905–1937*. Ausst.Kat. Nationalgalerie Berlin. Berlin 1992, S. 87.

Max Beckmann, Apokalypse (… und alle Vögel wurden satt von ihrem Fleisch), 1941/42; Kunsthalle Bremen

50 Max Beckmann, Traum von Monte Carlo, 1943; Öl auf Leinwand, 160 x 200 cm; Staatsgalerie Stuttgart

7 Zweig, Stefan: *Die Welt von gestern. Erinnerungen eines Europäers.* Berlin; Weimar 1985, S. 245.
8 Klee, Paul: *Tagebücher 1898–1918.* Hg. von Felix Klee. Leipzig; Weimar 1980, Nr. 952.
9 Zit. n. *Ernst Ludwig Kirchner, 1880–1938.* Ausst.Kat. Nationalgalerie Berlin. München 1979, S. 75.
10 Ernst Ludwig Kirchner an Gustav Schiefler, Jena, 12. November 1916. In: Ernst Ludwig Kirchner; Gustav Schiefler: *Briefwechsel 1910–1935/1938.* Bearb. von Wolfgang Henze u.a. Stuttgart; Zürich 1990, S. 83.
11 Reichel, Peter: *Der schöne Schein des Dritten Reiches. Faszination und Gewalt des Faschismus.* Frankfurt am Main 1994, S. 73.
12 Hamann, Richard; Hermand, Jost: *Expressionismus.* Berlin 1975, S. 109.
13 Zit. n. Schuster, Peter-Klaus (Hg.): *George Grosz. Berlin – New York.* Ausst.Kat. Nationalgalerie Berlin. Berlin 1994, S. 324.
14 Zit. n. Reimertz, Stephan: *Max Beckmann.* Reinbek 1995, S. 62.
15 Grosz, George: *Ein kleines Ja und ein großes Nein.* Hamburg 1974, S. 143.
16 Zit. n. *Kunst in Deutschland* (Anm. 6), S. 144f.
17 Sofsky, Wolfgang: »Der Sieger des großen Metzelns war der Schlamm«. In: *Frankfurter Allgemeine Zeitung,* 11. November 1998, S. 46.
18 Fischer, Friedhelm Wilhelm: *Der Maler Max Beckmann.* Köln 1972, S. 59.
19 Vor der Ludwigshafener Ausstellung (vgl. Anm. 1) wurde 1983 in Ost-Berlin der Versuch unternommen, das Thema »Apokalypse« in der Kunst des 20. Jahrhunderts zu reflektieren. Die von Eugen Blume und Roland März konzipierte Studio-Ausstellung *Apokalyptische Visionen. Die Weltkriege in Malerei und Graphik des 20. Jahrhunderts* konnte aufgrund der angespannten internationalen ›Wetterlage‹ aus politischen Gründen nicht realisiert werden. Sie wurde auf Beschluß der SED-Parteigruppe der Staatlichen Museen zu Berlin/DDR gestrichen und durch eine Ausstellung entschärfter Form ersetzt, die als 33. Studio-Ausstellung der Nationalgalerie unter dem Titel *Schrecken des Krieges. Künstlerische Zeugnisse aus drei Jahrhunderten* im Mai/Juni 1983 im Alten Museum stattfand.
20 Jaspers, Karl: *Die geistige Situation der Zeit.* Leipzig 1931, S. 189, 191.

Vorsatzblatt: 45 George Grosz, Metropolis, 1916/17 (Ausschnitt)

Der neue Mensch – Die neue Welt

Utopia

Dokumente der Wirklichkeit

Der neue Mensch – Die neue Welt

Andrea Bärnreuther

»Die zukünftige Gesellschaftsordnung wird sich nach den Gesetzmäßigkeiten der Kunst formen.« (Joseph Beuys)

Der Erste Weltkrieg wurde überall in Europa als Kulturschock erlebt. Als erster großer Testfall für die gezielte Mobilisierung von Menschen für Zwecke der Erneuerung hatte er am Ende mit den Destruktionserfahrungen der Hochtechnologie tiefe emotionale Verstörungen und ein weltanschauliches Vakuum zurückgelassen. Die Zerstörung der alten Ordnungen und die Erschütterung von Kirche und Staat forderten die Künstler heraus, auf die geistigen Bedürfnisse der Menschen zu reagieren. Diese höchste, die Kunst der Zerreißprobe aussetzende Aufgabe enthielt die Verheißung, die Kunst aus ihrer Isolation herauszuführen und erneut in der Gesellschaft zu verankern. In der Wendung an »die Menschheit« schien sich für die Kunst ein neues, internationales Aktionsfeld zu öffnen. Dabei begegneten sich in der gemeinsamen Zielsetzung, einen »Neuen Menschen«, ein »Neues Leben« und eine »Neue Welt« zu entwerfen, höchst unterschiedliche und zum Teil widersprüchliche Kunstauffassungen.

Allein die Antworten auf die Frage, wie sich die Kunst der Herausforderung der Industrialisierung stellen sollte, waren vielfältig: Die Flucht vor der Modernisierung stand neben der Flucht in die Modernisierung. Während Walter Gropius seit 1923 den Slogan »Kunst und Technik eine Einheit« propagierte, sah Kasimir Malewitsch den Menschen vor die Entscheidung gestellt: »Kunst oder Utilitarismus«, »das Bild oder das Flugzeug«. Dabei stellte sich zugleich die Frage, wie der »Neue Mensch« aussehen müßte, um den Herausforderungen von Technik und Industrialisierung sowie den Anforderungen der Modernisierung und Beschleunigung gewachsen zu sein.

Die Suche nach Heilsbringern kennzeichnet die zwanziger Jahre überall in Europa. Sie prägte auch die Kunsterwartung im gesellschaftspolitischen Raum und trat dabei in Diskrepanz zu den Existenzbedingungen

51 Oskar Schlemmer, Der Organismus Mensch in dem kubischen, abstrakten Raum der Bühne – die Gesetze des kubischen Raumes sind bestimmend / die Gesetze des organischen Menschen sind bestimmend, 1925; in: László Moholy-Nagy, Farkas Molnár, Oskar Schlemmer: *Die Bühne im Bauhaus*, Bauhausbücher Bd. 4, München 1925

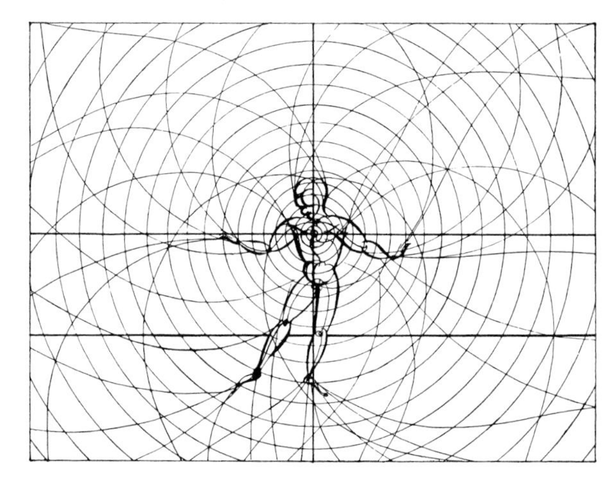

52–54 Piet Mondrian, *Neue Gestaltung. Neoplastizismus. Nieuwe Beelding*; Theo van Doesburg, *Grundbegriffe der neuen gestaltenden Kunst*; Kasimir Malewitsch, *Die gegenstandslose Welt*; Bauhausbücher Bd. 5, 6, 11; München 1925/27/27; 23,4 x 18,2 cm; Bauhaus-Archiv Berlin

und Ausdrucksmöglichkeiten der Kunst in einer Gesellschaft, die sich in autonome Teilbereiche differenziert hatte. Kunst als Bewußtseinserweiterung, als Weg zur Erkenntnis, als Offenbarung, als Heilsweg, Weg der Erlösung, Weg zur Befreiung des Menschen – der Anspruch der Künstler ging stets aufs Ganze. Er kulminierte in Malewitschs Postulat eines »einheitlichen Systems der Weltarchitektur der Erde« vom Dezember 1920, mit dem ein Gesamtplan der Welt als suprematistisches System propagiert wurde. Der Suche nach dem Universalen und Absoluten korrelierte – mit der Ausmerzung des »Ich« aus der Kunst und der Ersetzung der erschöpften Psychologie des Menschen – die Infragestellung einer »freien Kunst«, deren fiktiver Bereich sich immer mehr zur Realität abgedichtet hatte, und die verbale Verabschiedung der bürgerlichen Ästhetik, die die Kunst der Willkür bloß subjektiver Bestimmung ausgeliefert und damit zu gesellschaftlicher Gleichgültigkeit verurteilt hatte. Dabei war man sich durchaus darüber im klaren, daß es des Status einer »autonomen Kunst« bedurfte, um die »neue Gesellschaft« zu entwerfen. In der Tat artikulierten sich die meisten Entwürfe im Medium der Malerei, die doch gerade überwunden werden sollte, was die Künstler allerdings nicht davon abhielt, auf ihrer Eigengesetzlichkeit zu insistieren. Aus einem übersteigerten künstlerischen Selbstverständnis heraus, das die Rolle des Sehers, des Hohepriesters oder Gesetzgebers beanspruchte und den Künstler als »Vollmensch« (Mondrian), das heißt als »eine vollkommen vom utilitaristischen Bürger isolierte Kategorie« (Malewitsch) von der Masse der Menschen trennte, wurde das Ideal einer »kollektiven Kunst« beschworen.

Mit dem umfassenden Gestaltungsanspruch geriet die Kunst unter Legitimationsdruck. Es bedurfte neuer Formen der Vermittlung. Theo van Doesburg formulierte in der Einleitung der neuen Zeitschrift *De Stijl*, dem Organ der gleichnamigen Künstlergruppe, für ein neues Kunstbewußtsein neben der Hervorbringung des »rein gestalteten Kunstwerks« die Aufgabe, »das Publikum für die Schönheit in der rein gestaltenden Kunst empfänglich zu machen«.

Wie Mondrian wandten sich auch die Künstler des Bauhauses gegen eine Haltung, die Schönheit und Harmonie als Ideal unerreichbar und die Kunst abseits des Lebens sah. Getragen von dem Glauben, daß die endliche Befreiung des Menschen und damit ein neues Leben in naher Zukunft bevorstünde, wurde die Utopie als Projekt zur Realisierung ausgegeben.

Die ursprünglich christliche Vorstellung von einem »Neuen Menschen« öffnete im zeitgenössischen Ideenhorizont einen neuen Raum diesseitiger Erwartung, in dem der Mensch sich selbst ermächtigte, die Natur zu überschreiten und eine zweite oder neue Natur zu schaffen.[1] In dieser Obsession war Friedrich Nietzsche den Künstlern der Avantgarde mit dem universalen Anspruch der Kunst und dem Postulat der Erneuerung des ganzen Daseins vorausgegangen. Nietzsches Überwindung des Nihilismus im Bild des »Übermenschen« bedeutete die Umwertung aller Werte und die Überwindung des vom Christentum geprägten Menschentypus: In der wahren Welt, die nicht mehr jenseits von Raum und Zeit liegt, tritt die Erde als die schaffende Kraft an die Stelle des toten Gottes.

Mit der russischen Revolution von 1917 und dem sich formierenden Sowjetstaat erschien der »Neue Mensch« auch in Westeuropa als Heilsziel und Hoffnungsinhalt. Die Erwartung radikaler Erneuerung, die ein Großteil der Künstler zuvor an den Ersten Weltkrieg geknüpft hatte, wurde nun auf die Kunst übertragen. »Es gibt ein altes und ein neues Zeitbewußtsein. Das alte richtet sich auf das Individuelle. Das neue richtet sich auf das Universelle. Der Streit des Individuellen mit dem Universellen zeigt sich sowohl in dem Weltkrieg wie in der heutigen Kunst.« (Erstes Manifest von De Stijl, 1918) Dieser Vorstellungswelt einer durch Destruktion zu rettenden Humanität, die in Filippo Marinettis Dictum vom Krieg als der »einzigen Hygiene der Welt« kulminiert, entstammt der enthusiastisch-kämpferische, bisweilen auch messianische Ton der meisten Künstlermanifeste dieser Zeit.

Das avantgardistische Projekt, im Medium der Kunst Formen und Modelle eines neuen Lebens zu entwickeln – mit Architektur und Produktgestaltung ins Alltagsleben einzugreifen und mit den Medien der Fotografie, des Films und der Typografie das Bewußtsein zu organisieren –, implizierte einen Funktionswandel der Kunst: auf der einen Seite hin zu einem radikalen Absolutheitsanspruch, auf der anderen Seite hin zur Funktionalisierung der Kunst, verbunden mit der Vorstellung, daß die Kunst, wenn sie ihre Mission erfüllt habe, zu ihrem Ende kommen solle. Damit gerieten die Künstler in ein neues Spannungsfeld: zwischen die Pole einer »Wahrheitsästhetik«, wie sie Malewitsch vertrat, der die Suprematie der Kunst postulierte, und der »Produktionsästhetik« der Konstruktivisten, des Bauhauses sowie der Künstlergruppe De Stijl, die die Auflösung der Kunst in das Leben forderten. Aus größerer Distanz betrachtet, verband sie beide die Haltung, Kunst und Leben, das eine am Maßstab des anderen zu messen und von der real existierenden Gesellschaft zu abstrahieren.

55 Lyonel Feininger, Titelholzschnitt für das Programm des Staatlichen Bauhauses Weimar, 1919; Holzschnitt, 32 x 19,2 cm; Bauhaus-Archiv Berlin

56 Oskar Schlemmer, Einband der Vorzugsausgabe des Almanachs *Utopia. Dokumente der Wirklichkeit*, 1921; hg. von Bruno Adler, Utopia Verlag, Weimar; Lithographie, Aquarell und Deckfarbe auf Transparentpapier, 33 x 24,7 cm; Sammlung C. Raman Schlemmer

Das Bauhaus und der Traum vom »Einheitskunstwerk«

»Was ist Baukunst? Doch der kristallene Ausdruck der edelsten Gedanken der Menschen, ihrer Inbrunst, ihrer Menschlichkeit, ihres Glaubens, ihrer Religion! [...] diese grauen, hohlen, geistlosen Attrappen, in denen wir leben und arbeiten, werden vor der Nachwelt beschämendes Zeugnis für den geistigen Höllensturz unseres Geschlechtes ablegen, das die große einzige Kunst vergaß: Bauen. [...] Unser aller Werke sind nur Splitter, Gebilde, die Zweck und Notdurft schaffen, stillen nicht die Sehnsucht nach einer von Grund aus neu gebauten Welt der Schönheit, nach Wiedergeburt jener Geisteseinheit, die sich zur Wundertat der gothischen Kathedrale aufschwang. Wir erleben sie nicht mehr. Aber es gibt einen

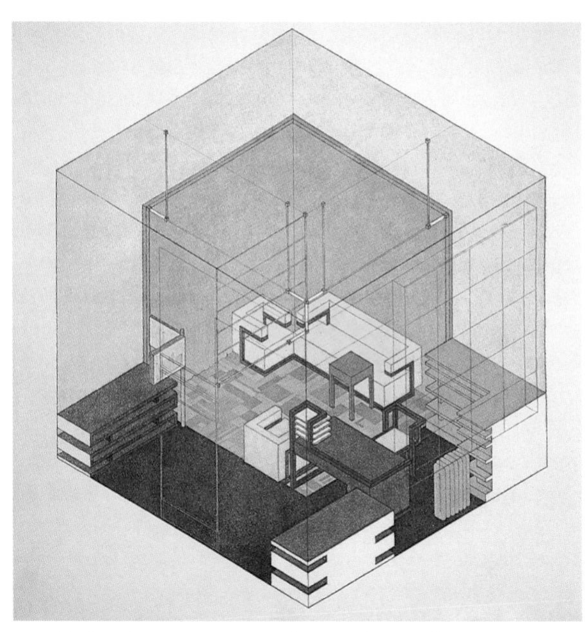

57 Herbert Bayer (Isometrie); Walter Gropius (Entwurf), Ansicht von Walter Gropius' Direktorenzimmer im Bauhaus Weimar, 1923; in: Publikation zur Ausstellung Bauhaus Weimar, 1923; Bauhaus-Archiv Berlin

Trost für uns: Die Idee, der Aufbau einer glühenden, kühnen, weitvorauseilenden Bauidee, die eine glücklichere Zeit, die kommen muß, erfüllen soll.«

Im Bild der »Kathedrale« als Symbol eines neuen Glaubens artikulieren die emphatischen Worte von Walter Gropius, Bruno Taut und Adolf Behne zur Ausstellung *Für unbekannte Architekten* (1919) ebenso wie Lyonel Feiningers Titelholzschnitt »Kathedrale der Zukunft« (Kat.Nr. 55) für das Programm des Staatlichen Bauhauses Weimar (1919) die Utopie, die der Gründung des Bauhauses 1919 zugrundelag. Als »das letzte, wenn auch ferne Ziel des Bauhauses« galt »das Einheitskunstwerk – der große Bau«, in dem es keine Grenze zwischen monumentaler und dekorativer Kunst geben sollte (Walter Gropius im Gründungsmanifest des Staatlichen Bauhauses Weimar).

Der beherrschende Gedanke des Bauhauses war die Idee einer neuen Einheit, der Sammlung der vielen »Künste« und »Richtungen«. In diesem Sinn lehnte Gropius jede Festlegung auf einen bestimmten Stil ab. Die Werk- und Formlehre sowie die Theorie als Fundament der kollektiven Gestaltungsarbeit sollte die Kontingenz des Individuellen zurückdrängen und die bloß subjektive Vernunft durchstoßen. »Freiheit des Schaffens« bedeutete so verstanden »freie Bewegung innerhalb ihrer strengen gesetzmäßigen Begrenzung«.

»Wir wollen den klaren organischen Bauleib schaffen, nackt und strahlend aus innerem Gesetz heraus ohne Lügen und Verspieltheiten, der unsere Welt der Maschinen, Drähte und Schnellfahrzeuge bejaht, der seinen Sinn und Zweck aus sich heraus durch die Spannung seiner Baumassen zueinander funktionell verdeutlicht und alles Entbehrliche abstößt, das die absolute Gestalt des Baues verschleiert. Mit zuneh-

58 Marcel Breuer, Lattenstuhl, 1922; Holz mit schwarzer Bespannung, 97 x 56 x 60,5 cm; Bauhaus-Archiv Berlin

59 Marcel Breuer, Satztische B9, 1925/26; Stahlrohr vernickelt, Tischlerplatte mit Schleiflack, 45,5 x 45 x 39 cm, 50,5 x 52 x 40 cm, 56 x 59,5 x 40 cm, 60,5 x 66 x 40 cm; Bauhaus-Archiv Berlin

60 Ludwig Mies van der Rohe, Weißenhofsessel, 1927; Stahlrohr verchromt, Rohrgeflecht, 82,5 x 57 x 82 cm; Bauhaus-Archiv Berlin

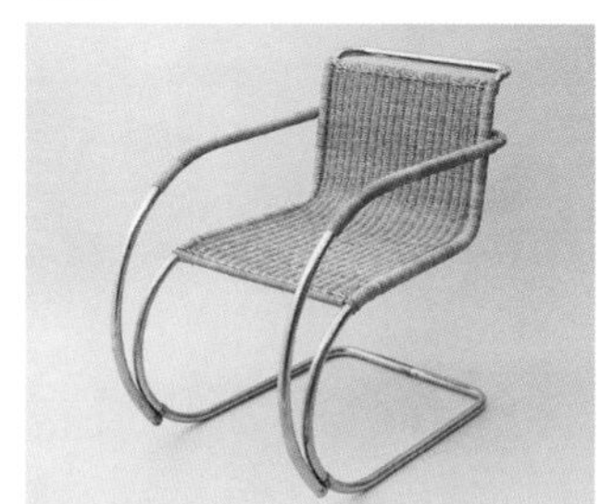

61 Oskar Schlemmer, Vier Figuren und Kubus, Probetafel für den Wandbildzyklus im Brunnenraum des Museum Folkwang in Essen, 1928; Öl und Tempera auf Leinwand, 245,5 x 160 cm; Staatsgalerie Stuttgart

mender Festigkeit und Dichtigkeit der modernen Baustoffe (Eisen, Beton und Glas) und mit wachsender Kühnheit neuer schwebender Konstruktionen wandelt sich das Gefühl der Schwere, das die alte Bauform entscheidend bestimmte. Eine neue Statik der Horizontalen, die das Schwergewicht ausgleichend aufzuheben strebt, beginnt sich zu entwickeln. Die Symmetrie der Bauglieder, ihr Spiegelbild zu einer Mittelachse, schwindet in logischer Folge vor der neuen Gleichgewichtslehre, die die tote Gleichheit der sich entsprechenden Teile in eine unsymmetrische, aber rhythmische Balance wandelt. Der neue Baugeist bedeutet: Überwindung der Trägheit, Ausgleich der Gegensätze.« (Walter Gropius 1935)[2]

Der so apostrophierte neue architektonische Geist artikuliert sich in der nach Gropius' Entwurf von Herbert Bayer gezeichneten farbigen Isometrie des **Direktorenzimmers von Walter Gropius im Bauhaus Weimar** (Kat.Nr. 57). Auf dem Grundmodul des Kubus entworfen, zeigt sich der geschlossene Raumkubus als Ganzes durch ein stereometrisches System in seinen Proportionen festgelegt. Ein kompliziert verspanntes Lampensystem artikuliert die Raumkoordinaten. Die Systematisierung erfaßt auch die Gebrauchsgegenstände, die unverrückbar ihren Ort im Raum zugewiesen erhalten und nach Gropius' Entwurf in den Bauhauswerkstätten hergestellt wurden. Der Raum, der alles Überflüssige und Zufällige abgestreift hat, um eine Atmosphäre der Konzentration zu schaffen, verkörpert einen vom Ballast des Lebens und der Vergangenheit befreiten Lebensstil.

Die Parole »Kunst und Technik eine Einheit« bewirkte im Bereich der Möbelwerkstatt, wo sie einen ersten Grundsatzstreit zwischen Johannes Itten und Gropius entfacht hatte, die Umstellung auf die industrielle Fertigung.[3] Die ab 1922 stilistisch vom Einfluß der Stijl-Möbel Gerrit Rietvelds geprägten Prototypen wurden als Ergebnis einer »Funktionsanalyse« – Gropius sprach von »Wesensforschung« – ausgegeben. Der 1922 von Marcel Breuer als Lehrlingsarbeit entwickelte **Lattenstuhl** (Kat.Nr. 58) – eine Inkunabel des frühen Bauhauses – war eines der meistdiskutierten Bauhaus-Objekte. Als Leiter der Möbelwerkstatt von Gropius 1925 ans Bauhaus Dessau berufen, schrieb Breuer mit der Einführung des Stahlrohrs für die Möbelherstellung (**Satztische B9;** Kat.Nr. 59) und die Erstellung eines Typenprogramms erneut Designgeschichte. 1927 erschien der erste Verkaufskatalog. Die symbolische Aufladung der Stahlrohrmöbel zum Symbol des Neuen Wohnens läßt auch Ludwig Mies van der Rohes **Weißenhofsessel** (Kat.Nr. 60) in der großzügigen, freien Bewegung der weit ausschwingenden Vorderkufen erkennen. Er war für die von ihm geleitete Stuttgarter Weißenhofsiedlung, die Mustersiedlung der internationalen Avantgarde, konzipiert und folgte den Anregungen, die Mart Stam mit dem ebenfalls für die Weißenhofsiedlung entworfenen ersten »Freischwinger« gegeben hatte.

Die Forderung, das Problem der Gestaltung zu einer Sache des Lebens selbst zu machen, sah sich in der Wirklichkeit mit der Tatsache konfrontiert, daß es selbst innerhalb des Bauhauses keinen Konsens darüber gab, wie dieses Ziel erreicht werden sollte. Auf dem Weg von der Utopie in den gesellschaftlichen Prozeß wurden alle Glaubensinhalte einer harten Realitätsprüfung ausgesetzt und großenteils wieder verworfen.[4] Mit der Orientierung auf die Technologie, mit dem Hervortreten der Kriterien »Funktionalität« und »Zweckmäßigkeit«, wurde das Gesamtkunstwerk in seiner ursprünglichen Konzeption als leitender Gedanke aufgegeben. Die Bauhaus-Ausstellung 1923 markiert die Entfernung von den romantischen Anfängen und die Hinwendung zur Industrie in der Entwicklung von Prototypen. An die Stelle der »Kathedrale« trat das »Haus« (Haus am Horn) als neues Symbol des Bauhauses. Das Motto der Verbindung von Kunst und Technik zu einer neuen Einheit, das auch auf eine Einheit im Bauhaus selbst zielte, verfehlte die erhoffte Wirkung.

Oskar Schlemmer – »der Gesetzgeber«

In den Auseinandersetzungen des Bauhauses zwischen einer am Ideal der Selbstvervollkommnung beziehungsweise am Ziel des Anschlusses an die moderne Industriegesellschaft orientierten Erziehung (Itten versus Gropius) kam Schlemmer eine vermittelnde Position zu.[5] Wie er in seinen Tagebüchern und Briefen noch während des Ersten Weltkriegs (1917/18) formulierte, erwartete er nicht weniger von der Kunst als »die große Mission [...], nämlich Weltanschauung, Religion«. In einer Synthese des »Ästhetischen« mit dem »Ethischen« sollte die Kunst »die neue Anschauungswelt, die Symbole unserer Zeit« erschaffen.

Der Brunnenraum im Museum Folkwang Essen; erste, zweite und dritte Fassung des Wandbildzyklus von Oskar Schlemmer, 1928; Museum Folkwang Essen

62 Oskar Schlemmer, Homo Drahtfigur, 1931 (Replik 1988); Kupfer- und Messingdraht, ca. 530 x 600 cm; Sammlung C. Raman Schlemmer; Ansicht des Drahtreliefs in der Wohnhalle des Hauses Dr. Rabe in Zwenkau bei Dresden, 1930/31

In der Nachkriegszeit, als die Utopie ihre größte Wirkungsmacht entfaltete, entwarf Schlemmer den Umschlag der Vorzugsausgabe für den 1921 von Bruno Adler im Utopia Verlag Weimar herausgegebenen Almanach **Utopia. Dokumente der Wirklichkeit** (Kat.Nr. 56). Mit Analysen alter Meister von Johannes Itten sowie Auszügen aus altägyptischen, tibetanischen, chinesischen Weisheitslehren, aus den Schriften des Arztes und Naturforschers Paracelsus, von deutschen Mystikern und Romantikern wurde hier »dem Sinn der Kunst vor dem Geist« nachgespürt.

Wie Schlemmer in der Ansprache zur Eröffnung der *Herbstschau neuer Kunst* am 25. Oktober 1919 im Stuttgarter Kunstgebäude formulierte, lag für ihn das »Schicksal der neuen deutschen Kunst« in dem »Willen zur Verinnerlichung« wie in dem »Willen zur Anwendung« beschlossen. Schlemmer wollte »die Kunst ins Leben tragen«. Sollte ihm auch wiederholt der Sinn und Zweck der »freien Kunst« und insbesondere der Malerei fraglich erscheinen, so erhärtete sich dabei doch seine Überzeugung, daß der Kunst ein »großes Thema« bliebe, »uralt, ewig, neu, Gegenstand der Bilder aller Zeiten: der Mensch, die menschliche Figur – Maß aller Dinge«.

Ein 1922 verfaßter, postum veröffentlichter Text *Hausbau und Bauhaus! – Eine reale Utopie* sieht die Kunst in der Bestimmung, »Gebrauchsgegenstände der Seele« zu schaffen. »Der Gott ist in den Menschen verlegt – seine Religion: die Erkenntnis seiner und der Glaube an sich selbst – seine Wohnung: seine Kirche. Der Mensch: der Mittelpunkt der Welt. Meine Wände schmücken keine Bilder griechischer Götter- und Heldensagen, noch die Anbetung der Hl. 3 Könige, noch ein Sonnenuntergang bei Nizza – aber das Gott-, Helden- und Lebensgefühl in mir, die Anbetung des Mystisch-Unbewußten, der Sonnenauf- und -untergang meiner Seele, dies sind Darstellungen würdig des heutigen Menschen. Eine *transzendente Anatomie des Menschen* – meines Menschen also – die Darstellung des Innern, die Bloßlegung des Psychischen ist heute das Sujet – nicht mehr der ›schöne Mensch‹ – und sei es der griechische.«[6]

Der Grundbegriff des Menschen und der Grundbegriff des Raumes sind für Schlemmer untrennbar miteinander verbunden. Bevor er in der Wandgestaltung sein »großes Thema« entfalten konnte, fand er sein Experimentierfeld auf der Bühne des Bauhauses. Seine systematischen Untersuchungen der wechselseitigen Beziehungen der Gesetze von Körper und Raum für die Bühne führten ihn zu vier Prototypen von Raumkörpern: einer wandelnden Architektur, einer Gliederpuppe, einem stereometrischen Rotationsgebilde und einer entmaterialisierten Figurine.[7] Der Idee der Verschmelzung der Körper-Einheit mit der Maß-Einheit von Raum und Fläche zu einem Ganzen, die Schlemmers gesamtes Werk durchzieht, inhäriert ein utopischer Gedanke, die Antizipation einer neuen Gemeinschaft.

Mit Schlemmers Bestreben, »das Metaphysische zu binden«, das heißt, ihm einen Körper zu geben und es in eine verständliche Sprache zu kleiden, verband sich ein Hang zum Monumentalen, der im Wandbild als dem öffentlichen Kunstwerk kristallisierte. Für Schlemmer, der sich während des Direktorats von Hannes Meyer zunehmend einer seinem Werk fremden Politisierung der Bühnenarbeit konfrontiert sah, bedeutete der Auftrag Ernst Gosebruchs, des Direktors des Museum Folkwang in Essen, vom Oktober 1928, im Rahmen eines Wettbewerbs, an dem auch Erich Heckel und Willi Baumeister teilnahmen, einen **Wandbildzyklus** (Abb. S. 93) im Brunnen-

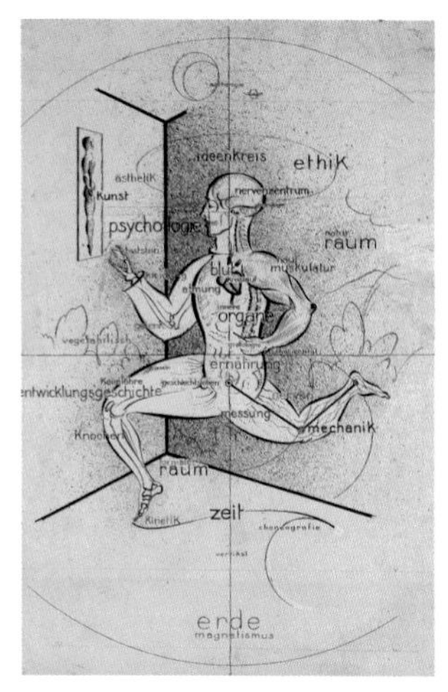

63 Oskar Schlemmer, Der Mensch im Ideenkreis, 1928; Feder und gesprühte Tusche, Deckweiß und roter Farbstift auf schwerem grau-weißem Papier, aufgezogen auf Holz, 74,5 x 48,9 cm; Bühnen Archiv Oskar Schlemmer, Sammlung UJS

Oskar Schlemmer in Breslau, 1931; Bühnen Archiv Oskar Schlemmer, Oggebbio

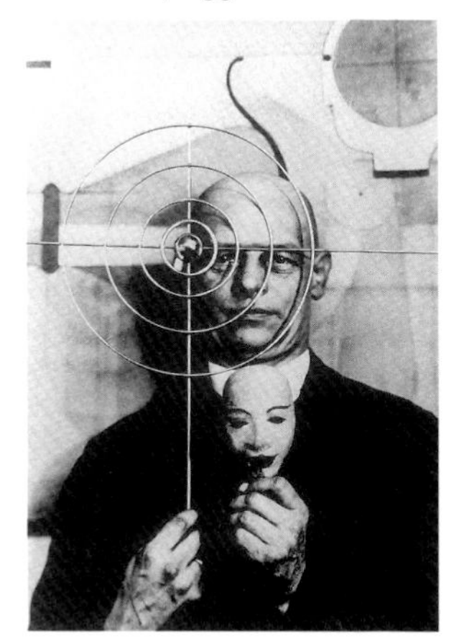

raum des Museums zu verwirklichen, eine Chance zur Verfolgung seiner ureigensten Interessen. Das Thema »Die jungmännische Bewegung unserer Zeit« verstand sich als Reflex auf die zeitgenössische Bewertung des Sports als zeitgemäßer Erscheinungsform des Geistes, mit der sich im Zeichen der Jugendbewegung das Erlebnis der Gemeinschaft verband.

Vier Figuren und Kubus (Kat.Nr. 61) entstand nach Entwurfsvorstufen als erstes Probebild wahrscheinlich im Sommer 1928 – nicht mehr für den ursprünglich vorgesehenen Wandfries, sondern, auf Wunsch Schlemmers, für die untere Wandzone der Rotunde mit dem figürlichen Brunnenmonument von Georg Minne. Das Bild konzentriert die körperliche Plastizität der vier räumlich gestaffelten, in Rücken-, Profil- und Frontalansicht statuarisch bewegten und wie von Kohäsionskräften in wechselseitigen Beziehungen begriffenen Figuren zusammen mit der klaren, lichten stereometrischen Form des überdimensionierten Kubus und seiner gralhaft mystischen Ausstrahlung in der Bildmitte.

Der Entwurfsprozeß, der schließlich im Herbst 1930 mit der dritten Fassung abgeschlossen wurde, zeigt eine fortschreitende Loslösung der gestellten Thematik und dessen Überführung und Aufhebung in Schlemmers »großem Thema« der Interaktion von Figur und Raum. An die Stelle einer Allegorie des Lebens tritt in der ersten und dritten Fassung bei den Tafeln mit den großen Jünglingsfiguren und den alternierenden Gruppenkonfigurationen die Beziehung des Einzelnen zum Raum und zur Gruppe. Während

Schlemmer in der zweiten Fassung, in der der ganzfigurige Jünglingsakt, einmal für sich, achtmal in Konfigurationen, in einem architektonischen Gerüst erscheint, eine konzentrische Gruppierung bildet, schafft er mit den asymmetrischen Anordnungen der Figuren in der dritten Fassung einen Kontrapunkt zur Symmetrie der Architektur und der konzentrischen Konstellation der Brunnenfiguren.

In Schlemmers Welt erscheint der Mensch als Typus. Während einerseits die Figuren isoliert, befangen in ihrer jeweiligen Bewegung in unterschiedlichen Raumebenen die Vereinzelung des Menschen, die Auflösung des ursprünglich gemeinten Verhältnisses des Menschen zur Gemeinschaft, die Karl Marx auf den Begriff »Entfremdung« gebracht hatte, zum Ausdruck bringen, erscheint als Fluchtpunkt der neue, in freier Assoziation begriffene – »vergesellschaftete« – Mensch in seiner Bindung an die Gesetze der Architektur beziehungsweise des umgebenden Raumes. Schlemmers Darstellungen oszillieren zwischen diesen beiden Interpretationsmöglichkeiten, die nach keiner Seite aufzulösen sind. 1933 traf den Folkwang-Zyklus dasselbe Schicksal wie die bereits 1930 auf Befehl des neuen nationalsozialistischen Direktors der Bauhochschule, Paul Schultze-Naumburg, destruierte Wandgestaltung im Werkstättengebäude des Staatlichen Bauhauses in Weimar.

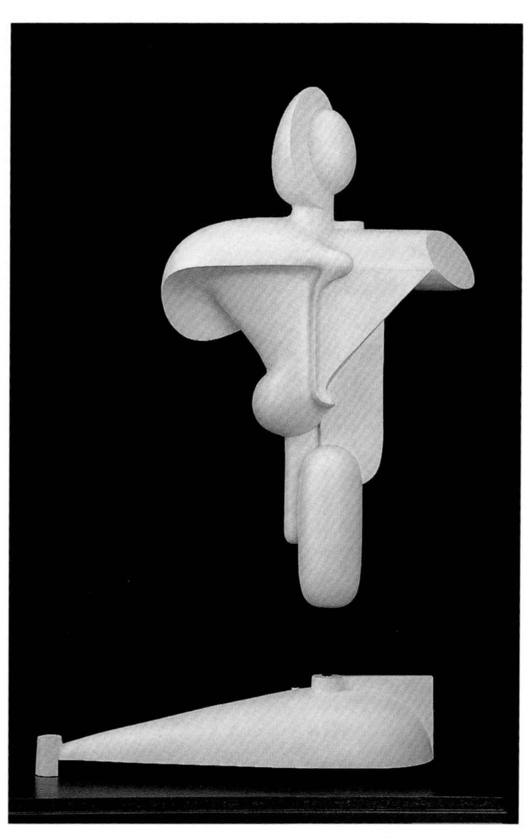

64 Oskar Schlemmer, Abstrakte Figur, Freiplastik G, 1921–23; Privatsammlung; in der Ausstellung: vernickelte Bronze, 105,5 x 65,5 x 21,4 cm; Bauhaus-Archiv Berlin

Mit dem Auftrag zur Ausgestaltung des Privathauses des Arztes Dr. Rabe in Zwenkau bei Leipzig erhielt Schlemmer erstmals die Möglichkeit, mit einem gleichgesinnten Architekten zusammenzuarbeiten. Die von Adolf Rading, einem Kollegen Schlemmers an der Breslauer Akademie, funktionell gestaltete Wohnhalle mit Stahlrohr-Möbeln bot einen adäquaten Rahmen zur Realisierung der formelhaften Kunstfigur als Symbol einer »transzendenten Anatomie des Menschen« in einer Materialkomposition.

Die symbolhafte Figuralformel des **Homo** (Kat.Nr. 62), eine auf wenige Umrisse reduzierte, in sitzender Position und Seitenansicht auf das Achsenkreuz bezogene männliche Aktfigur mit gerüsthaft schematisiertem Leib, war als Prototyp im Gemälde **Homo** (1916) vorgebildet und in Tuschfederzeichnungen von 1919/20 präzisiert worden. In dem sogenannten Differenziermenschen hatte Schlemmer eine figürliche Elementarformel für den Menschen als organisches und zugleich mechanisches Gebilde sowie als Proportionsfigur geschaffen. Der zweifigurigen Homo-Gruppe im Haus Rabe in Gestalt einer lineargeometrischen Drahtfigur (aus Kupfer-, Messing- und Neusilberdrähten verschiedener Stärke), die eine kleine reliefhafte Wellenfigur aus getriebenem Metall auf der Hand trägt, antwortet auf der rechten Seite ein über die ganze Höhe der olivgrünen Wand sich erstreckendes Gesichtsprofil aus schattenwerfendem, senkrecht auf die Wand treffenden Kupferband. Schlemmer bezog nicht nur die Architektur, sondern auch das »unbedingte Licht«, i.e. das wechselnde Tageslicht, in seine Kompo-

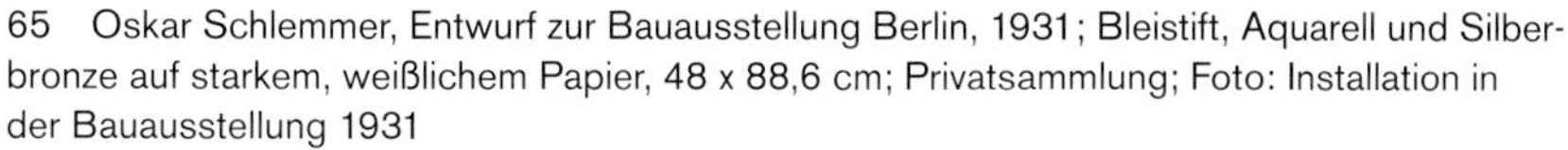

65 Oskar Schlemmer, Entwurf zur Bauausstellung Berlin, 1931; Bleistift, Aquarell und Silberbronze auf starkem, weißlichem Papier, 48 x 88,6 cm; Privatsammlung; Foto: Installation in der Bauausstellung 1931

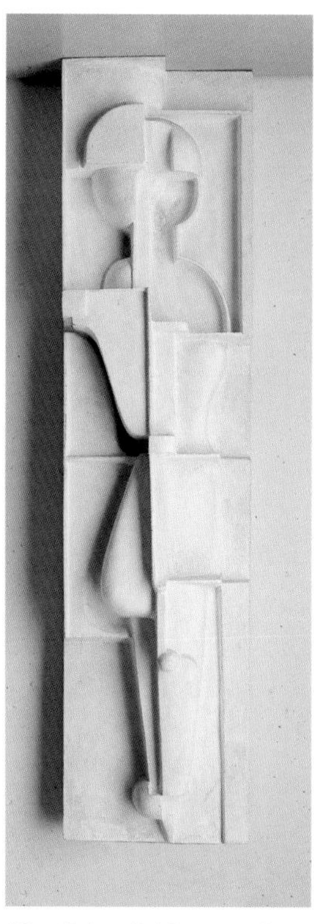

66 Oskar Schlemmer, Bauplastik R, 1919; Gips, 105 x 31,5 x 8 cm; Privatsammlung

sition mit ein. Das von links einfallende Licht projiziert das plastische Lineament der figürlichen Elementarformel, die acht Zentimeter von der Wand abgerückt ist, auf die Wand, wo es sich mit dem gemalten Schatten verbindet und die Figur entmaterialisiert. Während der Homo durch die Einwirkung des Lichts schwerelos erscheint, wird das optische Gewicht der kleinen Wellenfigur durch den Schatten verdoppelt.

Als zentrierendes Bindeglied fungiert ein Metallelement aus konzentrischen Kreisen mit kugelförmiger Mitte auf einem Achsenkreuz aus Draht, das als kosmisches Zeichen für Einheit und Vollständigkeit und als Symbol für die universale Natur den Schlüssel zur Deutung der Gruppe darstellt. Die symbolischen Anklänge an das Schöpfungsmotiv, an Adam und Eva, an die Einheit von Mensch und Kosmos, die Dreiheit von Körper, Seele und Geist (nach Ricarda Huch) sowie an Schlemmers Utopie einer »transzendenten Anatomie des Menschen« eröffnen zusammen mit dem ikonischen Gehalt des Schwerelosen, Präzisen und Absoluten ein Assoziationsfeld, das Schlemmer in der symbolischen Ausdeutung der Psychologie der einfachen Formen immer weiter ergründen sollte.

Anläßlich der von Mies van der Rohe geleiteten Bauausstellung in Berlin im Jahre 1931 (Kat.Nr. 65) erarbeitete Schlemmer mit den Grundsätzen für die Einordnung von Malerei und Plastik in die Architektur ein formales Gerüst für seine späteren Kompositionen. Er entwickelte die menschliche Figur von der Abstraktion der vollplastischen Figur über die Geometrisierung des

67 Oskar Schlemmer, Konzentrische Gruppe, 1925;
Öl auf Leinwand, 97,5 x 62 cm; Staatsgalerie Stuttgart

Reliefs zu der idealisierenden Malerei und der den Naturformen angenäherten Zeichnung, wobei der Abstraktionsgrad oder die Naturnähe des Mediums in umgekehrt proportionalem Verhältnis zur Darstellung steht.

Die in die Komposition integrierten plastischen Arbeiten der Bauhauszeit, die Reliefkomposition **Bauplastik R** (Kat.Nr. 66) und die Vollplastik **Abstrakte Figur** (Kat.Nr. 64), präsentieren sich als Figuralmontagen. In analytischem Zugriff wird die Figur demontiert und nach bildnerischen Gesetzen neu zusammengesetzt. Die **Abstrakte Figur**, in der Schlemmers plastisches Schaffen kulminiert, entfaltet sich in drei Ansichten im Raum. Aufgebaut auf einem orthogonalen Achsensystem, der beherrschenden Vertikale, die in der Frontansicht der hohen, nach dem Prinzip von Kern und Schale gebildeten Kopfform gipfelt, und den beiden sie durchkreuzenden beziehungsweise auffangenden Horizontalen der Schulterpartie und des wie ein Klangkörper gebildeten Fußes, zeigt sie sich im Koordinatensystem des Raumes verankert und somit optisch stabilisiert. Während die abstrakt-geometrisierende Figuration, die den Körper auf einem Metallstab schweben läßt, die Gesetze der Gravitation außer Kraft setzt, bringt das Gebilde in seinem Aufbau die Gesetze der Tektonik zur Darstellung.

Im Medium der Malerei, der sich Schlemmer ab 1923 wieder zuwandte, verrät das Gemälde **Konzentrische Gruppe** (Kat.Nr. 67) in der vollendeten Integration von Raum- und Flächenstruktur ein am plastischen Gestalten geschultes Auge. In der Bildmitte erscheint eine in drei nebeneinander und drei übereinander gereihten Köpfen plastisch hervortretende Figurenkonfiguration. Sie durchmißt mit Gesten und Blickachsen die achsial in zwei helle und zwei dunkle Rechteckfelder konstruktiv gegliederte Fläche. Die Statuarik der Gruppe gipfelt in einer kleinen lichten Figur vor einem türartigen Ausschnitt, der die Fläche in eine imaginäre Räumlichkeit öffnet. Die im wesentlichen auf die Farbskala Schwarz, gebrochenes Weiß, Kadmiumrot, Braun und Blau beschränkte Farbgebung dient dem orchestralen Zusammenwirken raumbildender Körperlichkeit und konstruktiver Flächengliederung.

Bauhaustreppe (Kat.Nr. 68) – Schlemmers bekanntestes Gemälde – entstand drei Jahre nachdem er das Bauhaus Dessau verlassen hatte. Unmittelbarer Anlaß dürfte die Schließung des Bauhauses durch den Stadtrat gewesen sein. Das Gemälde transformiert eine Skizze der Treppe im Werkstattgebäude des Bauhauses von 1928 in eine Bildarchitektur, die in der Verkörperung eines dynamischen Bewegungsmoments unzählige Möglichkeiten der Interaktion von Mensch und Raum öffnet. Zwischen zwei am Rande erscheinenden Profilgestalten, die einen aufwärtsstrebenden Bewegungsimpuls verkörpern, und zwei weiteren, ebenfalls kleineren Figuren, die dem Aufwärtstrend entgegenwirken, erscheint im Zentrum ein im Aufsteigen verharrendes Rückenfigurtrio, das im beherrschenden Weiß-Rot-Schwarz-Akkord mit dem Blau des Treppenhauses zusammenklingt. Im Moment des Aufsteigens der vom Betrachter abgewandten Figuren und in ihrer durch die Treppe gerichteten, aber zwischen Momentfixierung, Bewegungsvorstellung und zeitloser Dauer oszillierenden Bewegung wird die Ausrichtung der Gestalten zum Ansatzpunkt ihrer räumlichen und geistig-seelischen Ausdeutung.

In Schlemmers anthropozentrischer Welt, die der Natur als eine andere, höherbewertete Welt mit autonomem Existenzanspruch entgegentritt, bewegt sich der »neue Mensch«, eine Verbindung von künstlicher, rational konstruierter Marionette und idealisiertem, höherem Menschen, in einem metaphysisch verstandenen Raum. In dieser Welt walten Maß und Gesetz, Ordnung und Klarheit, aber auch Spannungsverhältnisse zwischen den Figuren beziehungsweise zwischen Figur und Raum, die, geistig-psychisch ausgedeutet, Hinweise auf die Stigmata des modernen Lebens geben.

68 Oskar Schlemmer, Bauhaustreppe, 1932; Öl auf Leinwand, 162,3 x 114,3 cm; The Museum of Modern Art, New York, Schenkung Philip Johnson

Schlemmer, »der Gesetzgeber«, der »die Kunst ins Leben tragen« wollte und sie dabei als Gestaltprägung zum Absoluten, einzig Dauerhaften, zeitlos Gültigen steigerte, entwarf in einem programmatischen Artikel, der am 22. August 1933 in der *Deutschen Allgemeinen Zeitung* erschien, seine Vision einer Wiedervereinigung von Kunst, Staat und Volk – einer umfassenden Vereinigung der Künste im Rahmen eines durchorganisierten Staatsgefüges im Sinne der antiken Frühkulturen. Im Gedanken der »Volksgemeinschaft«, der sich in das eigene Kunstwollen nicht nur zu integrieren, sondern ihm bereits zu inhärieren schien, glaubte Schlemmer – trotz der bereits erfahrenen Maßnahmen der Nationalsozialisten gegen seine Wandgestaltungen im Bauhaus Dessau (1930) und im Museum Folkwang (1933) – eine gleichgerichtete Grundintention entdecken zu können. Schlemmers Empfänglich-

69 Piet Mondrian, Komposition in Rot, Blau und Gelb, 1930; Öl auf Leinwand, 45 x 45 cm; Kunsthaus Zürich, Schenkung Alfred Roth

keit für die nationalsozialistische Ideologie der »Volksgemeinschaft« offenbart den Kurzschluß im Denken der Avantgarde, die sich an die Adresse der »Menschheit« als das »Totale« richtete und dabei den real existierenden Menschen, die real existierende Gesellschaft sowie die realen Machtinteressen übersah.

Piet Mondrians Vision einer universellen Harmonie als Modell zur Gestaltung der Welt

Wie Schlemmer entwarf auch Piet Mondrian, neben Theo van Doesburg Protagonist der 1917 ins Leben gerufenen holländischen Künstlergruppe De Stijl, Kunst als Religion. Wo diese die Harmonie zwischen dem Menschen und der Natur-als-Natur herzustellen suche, suche die Kunst in der Überschreitung und Transformation der Natur »wahre vollmenschliche Harmonie«[8]. Doch während Schlemmer für die Kunst stets »Freiheit im Gesetz«, die »Verbindung des Höchstpersönlichen mit dem Allgemeingültigen, Grundsätzlichen« forderte, eskamotierte Mondrian das Subjekt aus dem künstlerischen Produktionsprozeß. *Die neue Gestaltung in der Malerei*, so der Titel seiner programmatischen Schrift, die den Auftakt der 1917 gegründeten Zeitschrift *De Stijl* bildete und der neuen Kunstrichtung den Namen »Neo-Plastizismus« gab, verstand sich ihrer universalen Absicht wegen als anti-individuell, als Gestaltung des rein Objektiven, das heißt der Wahrheit.

Mondrian trat mit dem Anspruch an, die Abstraktion des Kubismus bis zur äußersten Konsequenz, dem Ausdruck der »reinen Wirklichkeit« zu führen. Durch die Befreiung der Gestaltungsmittel und ihre Läuterung sah er die Kunst in der Lage, in der »reinen Gestaltung« gleichgewichtiger Verhältnisse, folglich in der Reduktion der natürlichen Formen und Farben auf die konstanten Elemente der Form und die elementaren Farben sowie im »Gleichgewicht der dynamischen Bewegung von Form und Farbe«, den »neuen Geist« und seine ihm eigene Harmonie und Einheitlichkeit zu offenbaren. An die Stelle der Relativität aller Dinge im Kubismus trat die Wirklichkeit als etwas Absolutes. 1925 erschien Mondrians programmatische Schrift *Neue Gestaltung. Neoplastizismus. Nieuwe Beelding* in der Reihe der Bauhausbücher (Kat.Nr. 52).

Komposition in Rot, Blau und Gelb (Kat.Nr. 69) entstand für Mondrians Freund und Kollegen Alfred Roth, der sich ein kleines Werk wünschte, das er auf Reisen mitnehmen konnte.[9] Wie aus der Korrespondenz zwischen Mondrian und Roth vom September 1929 hervorgeht, konnte der Auftraggeber zwischen einem Bild mit Rot, Blau und Gelb und einem mit Blau und Gelb wählen – das eine »realer«, das andere »spiritueller«. Mondrians Widmung enthält sein Credo: Mit dem Bild als Gleichnis des Gleichgewichts in Kunst und Leben sollte die Zukunft vorbereitet werden. Die Komposition teilt das quadratische Format (8:8) durch zwei schwarze Koordinatenachsen im Verhältnis 6:2, an denen zwei Farbflächen – eine große quadratische in Rot (6:6) und eine kleine rechteckige in Blau (2:2) – in der Diagonale aufgehängt sind, die an den linear nicht begrenzten, mit dem Grundquadrat zusammenfallenden Kanten in den Raum zu expandieren scheinen. Als Gegengewicht zu diesen Kräften der Extension sowie als Rückbindung der aufgrund ihrer unterschiedlichen

Farbgewichte optisch in verschiedenen Ebenen schwebenden Farbflächen an die Grundfläche wirkt das schwarze Liniengerüst auf den weißen Restflächen beziehungsweise dem hypostasierten weißen Grundquadrat sowie ein gelbes sehr kleines Quadrat am unteren rechten Rand. Das Liniengerüst verankert eine Ordnung, in der Farbe und Fläche, geschlossene und offene Form, Intensität im Innern und Extensität nach außen in ein Spannungsverhältnis gesetzt sind, das die Materialität des Bildes transzendiert. Das in sich harmonische und zugleich über sich hinausgreifende Bild stellte für Mondrian einen Ausschnitt und zugleich das Symbol einer neuen idealen Welt dar, es hatte Modellcharakter. Die Kategorie des ästhetischen Scheins erhielt eine metaphysische Referenz.

In Mondrians Vision der »Neuen Gestaltung« sollte das Bild die Farbengestaltung (Chromoplastik) der Architektur vorbereiten und eine Umgebung von abstrakter Schönheit schaffen. Alle Künste sollten schließlich zu Architektur werden, das heißt sich im Leben realisieren. Anders als das Gesamtkunstwerk Richard Wagners, das die Synthese der Künste in ihrer höchsten Fülle anstrebte, schwebte Mondrian eine einheitliche neue Ästhetik vor, in der Architektur und Malerei, auf das »Generalprinzip gleichgewichtiger Gestaltung« verpflichtet, ineinander aufgehen sollten. Der Funktionalisierung aller Künste nach demselben Prinzip korrelierte der Traum einer kollektiven Kunst.

War die Freiheit der Kunst in der Gegenwart zu nutzen, um die »Neue Gestaltung« als Umwelt zu realisieren, so sollte die Kunst mit Erfüllung ihrer Mission, den Menschen »aus der Tragik des Lebens zu erlösen«, an ihr Ende gelangen. Die Gleichgewichtsgestaltung, die Mondrian als Endpunkt einer teleologischen Entwicklung hypostasierte, hatte ihr Ziel im »Vollmenschentum«.

71 Theo van Doesburg, Stijl-Komposition, 1925; Gouache auf Schoeller-Hammerkarton, 24,1 x 24 auf 30,2 x 31,4 cm; Privatsammlung Kunst + Design

70 Theo van Doesburg, Contra-Composition VIII, 1924; Öl auf Leinwand, 100 x 100 cm; The Art Institute of Chicago, Schenkung Peggy Guggenheim

Mondrians Entwurf eines »Neuen Menschen« hat die Brücke zur alten Welt abgebrochen. Von den Kategorien von Raum und Zeit befreit, hat dieser »die Gefühle von Heimweh, Freude, Entzücken, Schmerz, Schrecken usw. überschritten« im Versprechen, »daß sich ihm alles in einer einzigen Schönheit vereinige«. Mondrians Vision einer Umwelt-Gestaltung als Welt-Umgestaltung enthielt außer den Postulaten der Abstraktion und der Denaturalisation keine näheren Bestimmungen. Die »neue Welt« war zum Spielball des ästhetischen Bewußtseins geworden.

Theo van Doesburgs »Elementarismus« und die »Transfiguration« der natürlichen Erscheinung in der Neuhervorbringung der Gegenstandswelt

Mondrians Leben erfüllte der Traum einer universellen Harmonie; nur in seinem eigenen Atelier hatte er Gelegenheit, seine Ideen zu verwirklichen.[10] Es war van

72 Theo van Doesburg, Cornelis van Eesteren (Architektur), Entwurf für eine Universitätshalle, 1923; Papier, 63,4 x 146 cm; Netherlands Architecture Institute, Sammlung van Eesteren, Fluck en Van Lohuizen Foundation, The Hague

Doesburg vorbehalten, die »Neue Gestaltung« in der Wirklichkeit zu realisieren – in einem breiten Spektrum künstlerischer Tätigkeiten, das von der Malerei zur Architektur reichte und Innenraumdesign, Möbeldesign, Reklame und Bühnenbild umfaßte. Im April 1921 verlegte van Doesburg die Redaktion der Zeitschrift *De Stijl* nach Weimar, um von hier aus eine weltweite Stijl-Propaganda zu betreiben. Seine Aufenthalte in Weimar in den Jahren 1921/22 verschafften ihm zwar nur einen geringen offiziellen Rang am Bauhaus – sein Bemühen, am Bauhaus Meister zu werden, scheiterte; dennoch gelang es ihm, Einfluß auf dessen Entwicklung zu nehmen. Van Doesburg, der mit seinen Architekturkursen außerhalb des regulären Lehrbetriebs eine Lücke im Bauhausprogramm füllte, gab letztlich den entscheidenden Anstoß zur Abkehr von den romantisierenden Anfängen, insbesondere von der mystisch-expressiven Orientierung Ittens. Nach Mondrians Kunsttheologie, die »den Menschen der Zukunft« gewidmet war, erschienen van Doesburgs **Grundbegriffe der neuen gestaltenden Kunst** (Kat.Nr. 53) in der Reihe der Bauhausbücher[11], die weniger ambitioniert zur Erklärung und Verteidigung des neuen Stils an die Adresse der »Freunde und Gegner« gerichtet waren. Im Bemühen um »allgemeinverständliche elementare Grundbegriffe der bildenden Kunst« und in der visuellen Argumentation zeigt sich der Künstler in der Rolle des Vermittlers.

73 Theo van Doesburg, Contra-Construction de la Maison particulière, 1923; Gouache, Lichtdruck, 57 x 57 cm; Kröller-Müller-Museum, Otterlo, Sammlung des Instituut Collectie Nederlands (ICN), Den Haag

74 Theo van Doesburg, Axonometrie der Maison particulière, 1923; Gouache, Collage, 57 x 57 cm; Instituut Collectie Nederlands, Rijswijk, Schenkung Van Moorsel

Wie für Mondrian sollten auch für van Doesburg alle Künste einen gleichartigen Inhalt haben: die »Transfiguration« der natürlichen Erscheinung in der Neuhervorbringung der Gegenstandswelt. Doch während Mondrian die Kunst auf Harmonie als Ergebnis eines zur Statik führenden Prozesses festlegte, konnte für van Doesburg das »Generalprinzip gleichgewichtiger Gestaltung« nicht das letzte Ergebnis der Malerei sein. Er faßte das Telos der Kunst als »Ausdrucks- und Gestaltungsform der ästhetischen bzw. geistigen aktiven Realitätserfahrung« offener »in stetiger Annäherung an den exakten realen Ausdruck der Gestaltungsidee«, die er als »Aufhebung« begriff. Der Weg von Rechteckfelderkompositionen mit Liniengefügen zu einem rechtwinkligen Liniengerüst, das diagonal auf der Fläche steht, und zu Farbfeldern, die in Diagonalen aneinanderstoßen und auf lineare Begrenzungen verzichten, und schließlich zu simultanen Kontra-Kompositionen, in denen Farbfeldkonfigurationen mit linearen Gefügen überlagert werden, führte von der harmonisch ausgewogenen zur dynamischen Komposition, zu einem »Elementarismus«[12], der sich von Mondrians Erlösungspathos weitgehend befreit hatte. Die Einführung der Diagonale, mit der die Dynamik den Rang einer Elementarkraft erhielt, führte zum Bruch mit Mondrian.

Noch scheinbar ausgewogen komponiert, oszilliert van Doesburgs **Contra-Composition VIII** (Kat.Nr. 70) optisch zwischen der Wahrnehmung der beiden schwarzen rechtwinklig sich kreuzenden Balken als Figur auf weißem Grund und als Grund, von dem sich die weißen Flächen abheben. Die Harmonie erscheint als Paradoxon, als vibrierende Ruhe.

75 Gerrit Rietveld, Berlin-Stuhl, 1923; Buche, schwarz, mittelgrau, hellgrau und weiß lackiert, 74 x 58 x 106 cm; Centraal Museum Utrecht

76 Vilmos Huszár (Entwurf), Gerrit Rietveld (Ausführung), Modellraum für die Große Berliner Kunstausstellung, 1923; in: L'architecture vivante, 1924; Staatliche Museen zu Berlin, Kunstbibliothek

Der Elementarismus van Doesburgs bildete den Ansatzpunkt einer neuen Verbindung von Architektur und Malerei. Die erste Diagonalkomposition entwickelte van Doesburg in dem (nicht realisierten) Projekt einer von dem jungen Architekturstudenten Cornelis van Eesteren (als Diplomarbeit) entworfenen **Universitätshalle für Amsterdam** (Kat.Nr. 72). Van Doesburgs Entwürfe für die farbige Ausgestaltung, die Wände, Fußböden und Decke umfaßte, kulminierte in der Deckengestaltung nach Art einer Kontra-Komposition.

Einen Höhepunkt in der Geschichte von De Stijl bildete die gegen Ende 1923 in Paris in der Galerie L'Effort Moderne von Leonce Rosenberg veranstaltete Ausstellung, an der auch Mies van der Rohe teilnahm. In van Eesterens und van Doesburgs ambitioniertestem, allerdings nicht realisiertem Projekt, den Entwürfen für das Haus des Galeristen Rosenberg (1923), **Contra-Construction de la Maison particulière** (Kat.Nr. 73), die später auch in Weimar ausgestellt wurden, hat die Farbgestaltung entscheidende Bedeutung für den Gesamteindruck des Gebäudes. Das von einem inneren Kern in unauflöslicher Verbindung von Raumgestalt und Raumfunktion nach außen entwickelte Gebäude gewinnt mit den aufgelösten Gebäudeseiten eine Vielzahl unterschiedlicher Perspektiven. Mit der Farbgebung, die ausschließlich reine Buntfarben – Primärfarben, Schwarz und Weiß – verwendet und die Farbflächen ohne Bezug zu den Architekturflächen frei konfiguriert, entsteht ein räumlich bewegtes Gefüge von Flächen. Diese autonome, kontrapunktisch zur Architektur gesetzte Farbgestaltung, die die architektonischen Formen verschleift und die Struktur des Raumes transzendiert, unterscheidet van Doesburgs Architekturauffassung trotz der prinzipiellen Übereinstimmung im Rekurs auf Grundelemente der Architektur, in der Reduktion des Raumes auf einfache kubische und planimetrische Formen, von der des Bauhauses, wie sie sich zur gleichen Zeit in Gropius' Direktorenzimmer manifestierte.

Parallel zu El Lissitzkys genialem abstrakten Konzept des Prounen-Raums (Kat.Nr. 453f.) entwickelten Vilmos Huszár und Gerrit Rietveld den (nicht realisierten) **Modellraum für die Große Berliner Kunstausstellung 1923** (Kat.Nr. 76). Die Farbumwindung des Raumes durch die wandauflösende Eigendynamik der sich überlagernden und eckübergreifenden Farbflächen (in Primärfarben und Unbunt) verschleift die Raumkonstruktion. Gerrit Rietvelds **Berlin-Stuhl** (Kat.Nr. 75) erhält in diesem Ensemble den Sinn einer Skulptur. Für die Berliner Ausstellung als Modell entworfen, markiert er den Übergang Rietvelds zu asymmetrischen, raffiniert austarierten Gebilden, die, zweiansichtig konzipiert, flächige und lineare Formelemente gegeneinander ausspielen.

Kasimir Malewitsch, Schwarzes Quadrat, 1915; Tretjakow Galerie, Moskau

»Durch Krieg möchte ich bis zu jenem Pol vorstoßen wo vor mir kein Hindernis mehr erscheint, wo die ›Welt als Gegenstandslosigkeit‹ existiert.« (Kasimir Malewitsch 1924)[13]

Mit Kasimir Malewitsch trat ein Künstler ins Blickfeld des Bauhauses, der das Funktionalitätsdenken entschieden ablehnte. Malewitsch predigte die Umkehr vom Utilitaritätsdenken und die Abstinenz von jeglicher gesellschaftlicher Praxis. Er warf alle Kategorien, die im Leben und in der Kunst den Menschen bisher Orientierung geboten hatten, über Bord und formulierte mit der Infragestellung der gesamten Welt des Willens und der Vorstellung eine in ihrer Radikalität nicht mehr zu überbietende Position.

Mit dem Postulat der »Suprematie der reinen Empfindung« (»Suprematismus«) entwarf Malewitsch die Kunst in Schopenhauerschen Begriffen als Anti-These zur Gesellschaft.[14] Das Dogma der »Unfehlbarkeit der gegenstandslosen Empfindung« – »stärker als der Mensch selbst« – bildete die Basis für die Aufrichtung einer »neuen Weltanschauung« beziehungsweise einer »neuen wahrhaftigen Weltordnung« durch die Kunst, die von jeder sozialen und materialistischen Tendenz frei sein sollte. Die Dematerialisierung der Kultur, die Malewitsch seit 1915 propagierte, zielte gegen die Materialkultur Wladimir Tatlins.

Mit dem Schlachtruf »Das Bild ist etwas, was überwunden werden muß, weil das Bild jener Horizont ist, der den Blick behindert«, gelangt die Kunst »in eine ›Wüste‹, in der nichts als die Empfindung zu erkennen ist«. **Das schwarze Quadrat** – die Ikone des Suprematismus (Abb. S. 104) – schwebt auf der weißen Fläche wie die mittelalterlichen Darstellungen auf dem Goldgrund, dem Symbol des unendlichen Raumes. Malewitschs Vision der Auflösung der Gegenstandswelt in reine, innerpsychische und zugleich kosmische Energie enthält ein utopisches Moment: die vollständige Auslöschung aller Ungleichheiten und Gegensätze im befreiten Nichts einer »gegenstandslosen Welt«. **Suprematistisches Bild (Schallwellen)** (Abb. S. 105) läßt von der alten Welt allein die rhythmisch schwingende Erregung zurück, die den Menschen mit den Vibrationen des Kosmos vereint.

Malewitsch, der von 1923 bis 1929 aufhörte zu malen, um sich der Gestaltung der Umwelt zu widmen, transformierte seine Gedanken in eine »Ideologie der Architektur«[15], die den »leeren Raum« als »Refugium für den Menschen« begreift: Einen Ort zu schaffen, in dem der Mensch bar jeglicher Bilder, Vorstellungen und Ideen das ewige Antlitz der Ruhe finden würde, das war der Sinn und das Ziel seiner künstlerischen Arbeit. In Architekturmodellen aus Holz und Gips – »Architektona« – sowie in Zeichnungen und Beschreibungen von utopisch angelegten, frei im Raum schwebenden Wohnstätten – »Planiten« – hat er die räumliche Umsetzung des »Suprematismus« in Angriff angenommen.

Mit dem Wunschtraum, von Deutschland aus die Kunsttheologie des »Suprematismus« universal zu verbreiten, trat Malewitsch im Februar 1928 seine erste und letzte Reise nach Deutschland an. Malewitsch, der bereits 1922 in der *Ersten großen russischen Kunstausstellung* in der Galerie van Diemen in Berlin präsent gewesen war und 1927 im Rahmen der *Großen Berliner Kunstausstellung* im Lehrter Bahnhof seine zweite Einzelausstellung bekommen sollte, setzte auf eine Tätigkeit am Bauhaus, nachdem im November 1926 das Staatliche Institut für künstlerische Kultur (GINChUK), der er als Direktor vorstand, geschlossen worden war. Malewitschs Hoffnungen wurden enttäuscht. Bei aller Ähnlichkeit der Motivationen stand das Bauhaus dem von Malewitsch so sehr bekämpften Konstruktivismus näher als seiner mit messianischem Eifer vorgetragenen Kunsttheologie. Als Frucht der Begegnung erschien 1927 in der Reihe der Bauhausbücher **Die gegenstandslose Welt** (Kat.Nr. 54) – mit dem Hinweis des Schriftleiters László Moholy-Nagy, daß die Vorstellungen Malewitschs in grundsätzlichen Fragen vom Standpunkt des Bauhauses abwichen. Während Malewitsch nach dem Scheitern seiner Idee einer suprematistisch transformierten Wirklichkeit zum Ausgangspunkt des Suprematismus zurückkehrte, um sich im Medium der Malerei das Bild einer solchen Wirklichkeit zu schaffen, setzten seine bei der plötzlichen Abreise am 5. Juni 1928 in Berlin zurückgelassenen Werke eine Rezeption in Gang, die von dem suprematistischen Credo abstrahierte.

Die Kunst der Avantgarde partizipiert an der säkularen Religionsgeschichte der Moderne. Der utopische Gedanke, daß Kunst als Produktivkraft den »Neuen Menschen« selbst herstellen und planen könne, hat in der zweiten Hälfte des 20. Jahrhunderts in Deutschland noch einmal zündend gewirkt und neue Wirkungsmacht entfaltet. Herbert Marcuse setzte auf eine aus der Kunst entwickelte neue Sensibilität, mit der die Veränderung der Gesellschaft zum individuellen Bedürfnis würde. Seine ästhetische Theorie entwarf eine Perspektive, in der die Wirklichkeit durch die Wirkungsmacht der Kunst als Produktivkraft der materiellen und kulturellen Umweltgestaltung schließlich eine Form annehmen sollte, die sie selbst zum Kunstwerk machte. Wie kein anderer Künstler der zweiten Hälfte dieses Jahrhunderts partizipierte Joseph Beuys an dieser Utopie in seiner prophetischen Verheißung: »Die zukünftige Gesellschaftsordnung wird sich nach den Gesetzmäßigkeiten der Kunst formen.«

Am Ende dieses Jahrhunderts hat die Ideologiekritik auch die Avantgarde eingeholt. Schonungslos hat Jean Clair in seiner Streitschrift *Die Verantwortung des Künstlers. Avantgarde zwischen Terror und Vernunft* (1998, frz. Originalausgabe 1997) die Frage nach der Verantwortung des Künstlers gestellt und dabei Doppeldeutigkeiten, Kompromisse und Komplizenschaften herausgestellt, die er

Kasimir Malewitsch, Suprematistisches Bild (Schallwellen), 1917/18; Stedelijk Museum, Amsterdam

als Früchte eines widersprüchlichen Erbes interpretierte: des Projekts der Aufklärung einerseits und des Irrationalismus der romantischen Weltanschauung andererseits. In der Zielsetzung, »Westkünstler von den Selbstbehauptungs- und Überlebensstrategien und den Gegenwelt-Entwürfen der anderen, verwickelten Seite der Moderne«, i.e. den Künstlern der DDR, lernen zu lassen, erschien ebenfalls 1998 Eduard Beaucamps Abrechnung mit der Avantgarde »Der verstrickte Künstler. Wider die Legende von der unbefleckten Avantgarde«, in der die intellektuellen und künstlerischen Avantgarden dieses Jahrhunderts der Partizipation an den politischen Zielvorstellungen, der aktionistischen Praxis, der Geschichts- und Wirklichkeitsverachtung, dem unbedingten Zukunftswillen, der Naturfeindlichkeit, dem Planungsideal des »neuen Menschen« und den totalitären Ordnungsentwürfen überführt werden sollten. Und dennoch – in den stärksten Werken der Avantgarde begegnet man einem Widerstandspotential, das sich gegen jede Art der Funktionalisierung als resistent erweist.

Anmerkungen

1 Vgl. hierzu Lepp, Nicola; Roth, Martin; Vogel, Klaus (Hg.): *Der Neue Mensch. Obsessionen des 20. Jahrhunderts.* Ausst.Kat. Deutsches Hygiene-Museum Dresden. Ostfildern 1999; Küenzlen, Gottfried: *Der Neue Mensch. Zur säkularen Religionsgeschichte der Moderne.* München 1994.

2 Gropius, Walter: *Die neue Architektur und das Bauhaus. Grundzüge und Entwicklung einer Konzeption.* (Dt. Erstausgabe von *The New Architecture and The Bauhaus.* London 1935) Neue Bauhausbücher, Mainz; Berlin 1965.

3 Vgl. hierzu Droste, Magdalena: »Die Möbelwerkstatt«. In: *Experiment Bauhaus.* Ausst.Kat. Bauhaus-Archiv Berlin (West) im Bauhaus Dessau. Berlin 1988, S. 98–119.

4 Vgl. hierzu Forgács, Éva: *The Bauhaus Idea and Bauhaus Politics.* Budapest 1995 ([1]1991).

5 Vgl. Wingler, Hans M. (Hg.): *Oskar Schlemmer. Der Mensch. Unterricht am Bauhaus. Nachgelassene Aufzeichnungen.* Redigiert, eingeleitet und kommentiert von Heimo Kuchling. Neue Bauhausbücher. Mainz; Berlin 1969; von Maur, Karin: *Oskar Schlemmer. Monographie* (Bd. I)/*Œuvrekatalog der Gemälde, Aquarelle, Pastelle und Plastiken* (Bd. II). München 1979; Herzogenrath, Wulf: *Oskar Schlemmer. Die Wandgestaltung der neuen Architektur.* München 1973; *Oskar Schlemmer. Wand – Bild Bild – Wand.* Ausst.Kat. Städtische Kunsthalle Mannheim. Mannheim 1988.

6 Zit. n. von Maur, Schlemmer Monographie (Anm. 5), S. 337.

7 Schlemmer, Oskar: »Mensch und Kunstfigur«. In: Oskar Schlemmer, László Moholy-Nagy, Farkas Molnár: *Die Bühne im Bauhaus.* München 1925 (Bauhausbücher, begründet von Walter Gropius und László Moholy-Nagy, Bd. 4). Nachdruck, Neue Bauhausbücher, Mainz; Berlin 1965.

8 Vgl. hierzu und zum folgenden Mondrian, Piet: *Neue Gestaltung Neoplastizismus Nieuwe Beelding.* München 1925; Nachdruck: Neue Bauhausbücher 5, Mainz; Berlin 1974; Wismer, Beat: »Mondrians ästhetische Theorie als Utopie«. In: Hubertus Gaßner, Karlheinz Kopanski, Karin Stengel (Hg.): *Die Konstruktion der Utopie. Ästhetische Avantgarde und politische Utopie in den 20er Jahren.* Marburg 1992, S. 157–162; Warncke, Carsten-Peter: *De Stijl 1917–1931.* Köln 1998.

9 Joosten, Joop M.: *Piet Mondrian. Catalogue Raisonée.* 2 Bde., Blaricom 1998, S. 351.

10 Der Entwurf zur Gestaltung eines studioartigen Raumes im Haus von Ida Bienert, einer bedeutenden Sammlerin moderner Kunst, in Plauen bei Dresden (1926), wurde nicht realisiert; er wurde veröffentlicht in der Zeitschrift *L'Art International d'Aujourd'hui*, VII, 1928, Pl. 50.

11 Zuerst abgedruckt in: *Het Tijdschrift voor Wijsbegeerte (Zeitschrift für Philosophie),* Bd. I und II, 1919; Bd. 6 der Bauhausbücher (1925) wurde nachgedruckt in den Neuen Bauhausbüchern, Mainz; Berlin 1966.

12 Zu den Entwürfen vgl. Warncke, De Stijl (Anm. 8).

13 Malewitsch, Kasimir: »Zum Vortrag in der Leningrader Architekturgesellschaft – Die Ideologie der Architektur« vom 22.12.1924, in einem Auszug abgedruckt in: Evelyn Weiss (Hg.): *Kasimir Malewitsch. Werk und Wirkung.* Ausst.Kat. Museum Ludwig Köln. Köln 1995, S. 45.

14 Vgl. hierzu Malewitsch, Kasimir: *Die gegenstandslose Welt.* Weimar 1927 (Bauhausbücher), Nachdruck: Neue Bauhausbücher, Mainz; Berlin 1980.

15 Siehe Anm. 13.

Vorsatzblatt: Margit Téry Adler, Einbandgestaltung der Vorzugsausgabe des Almanachs *Utopia. Dokumente der Wirklichkeit,* 1921; hg. von Bruno Adler, H. I/II, Utopia Verlag, Weimar; Bauhaus-Archiv Berlin

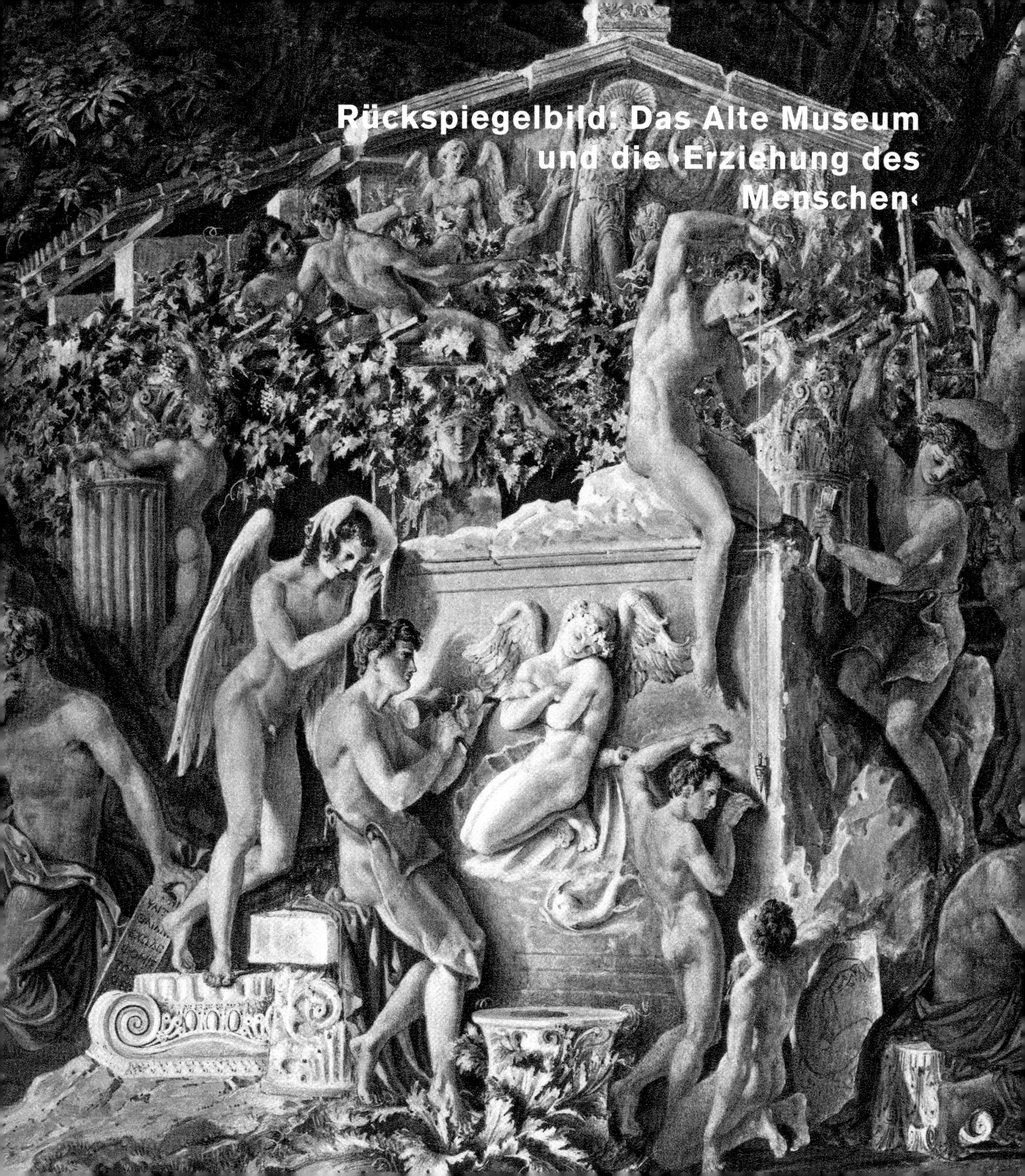

Rückspiegelbild: Das Alte Museum und die ›Erziehung des Menschen‹

Rückspiegelbild: Das Alte Museum und die ›Erziehung des Menschen‹

Claude Keisch

Der Ort, an dem eine Ausstellung eingerichtet wird, setzt ihr Grenzen. Und macht ihr Angebote: Er reicht ihren Inhalt an einen umfänglicheren Kontext weiter. Nur wo diese Beziehung nicht fruchtbar zu werden verspricht, wird man Ausstellungshallen mit ihren mobilen Wänden als einen ›virtuellen‹ Raum vorziehen. – Schinkels 1830 eröffnetes Museum am Lustgarten hält die geistige Kultur der Klassik herausfordernd präsent; im sinnfälligen Hier und Heute des alten Gebäudes gleitet die Vergangenheit in die Gegenwart hinüber. Sollte man sich der Versuchung entziehen, beide wie Computerbilder ineinander zu kopieren?

Menschen›bildung‹

Wo, wie zur Zeit im Alten Museum, die meisten Fenster verblendet sind, wird der Raum zeitweilig ortlos; doch auf halbem Wege wird wieder eine Orientierung möglich. Wer, die Kunst des 1925 aus Weimar vertriebenen Bauhauses im Rücken, die nationalsozialistische Perversion der Moderne vor sich, die Mittelachse des Gebäudes kreuzt, befindet sich auf einer geistig und politisch aufgeladenen Linie: im Süden die dem Pantheon nachgebildete Rotunde, der Lustgarten, der Schatten des untergegangenen Schlosses, im Norden die Museumsinsel. Diese war ursprünglich, von Friedrich Wilhelm IV. und seinem Baumeister Friedrich August Stüler, als »eine stille reichbegabte Freistätte für Kunst und Wissenschaft«[1] gedacht, ein Konzept, das den Universalgedanken der abgeschiedenen fürstlichen Kunst- und Wunderkammern ins Öffentlich-verbindliche und Bildungspolitische umschlagen ließ. Auch nach Kriegsschäden und reduziertem Wiederaufbau vermittelt das Museum am Lustgarten die Erinnerung an (und den Anspruch auf) seine einstige Ikonographie; denn wer die breitgelagerte Freitreppe bestiegen hat und in die Rotunde (Abb. S. 109) eintritt, in der Sternkreiszeichen und Genien zwei Kreise antiker Statuen überkuppeln, ahnt schon, daß eine Beziehung zwischen Kunst und Universum entstehen soll. Dieser Absicht diente erst recht die – im Zweiten Weltkrieg zerstörte – Ausmalung der vorderen Säulenhalle und des oberen Treppenhauses, die Karl Friedrich Schinkel noch entwarf, deren Verwirklichung (seit 1841) durch Schüler des Peter Cornelius er aber nicht mehr erlebte.

Diese Fresken wurden, im Sinne eines Bildungsprogramms, als »eine Art illustrirter Vorrede oder Einleitung für das Studium der im Museum ausgestellten Kunstdenkmäler« aufgefaßt. Ihnen lag »der Gedanke zu Grunde, die Kunstthätigkeit als die Blüthe der Culturentwicklung überhaupt zu begreifen, und so werden uns die verschiedenen Phasen einerseits der cosmologischen, andrerseits der anthropologischen Entwicklung in lebendigen Gestalten vor Augen geführt«[2]. Nichts Geringeres als »die Bildungsgeschichte der Welt und noch mehr des Menschengeschlechtes«[3] war gemeint, wenn in vielverschlungenen Figurenketten der mythische Anfang der Welt aus dem Chaos, die fortschreitende Gliederung des Götterreiches einerseits, die Ausbildung der menschlichen Kultur andererseits geschildert wurden; dabei standen Tages- und Jahreszeiten parallel zu den Altersstufen des Einzelnen wie der Menschheit. In dem Fries **Menschenleben** (Abb. S. 111) bezeichneten die ausgebreiteten Flügel des Pegasus und die Quelle Hippokrene die Mittelachse, und beiderseits besetzten Malerei und Bildhauerkunst auffallende Plätze.

Mit einer solchen Bildenzyklopädie des Fortschritts steht Schinkels Museum in der Tradition der Aufklärung. Zugleich läßt es sich, wenn man sich auf eine Kontrastsymmetrie einlassen mag, als Gegenstück zu den alten fürstlichen Kunst- und Wunderkammern verstehen, indem es deren Anspruch übernimmt, alles zu umgreifen: ein Weltkreis *in nuce*, nur umgestülpt und aus der privilegierten Zurückgezogenheit heraus in die Öffentlichkeit gestellt. Ein ausgreifenderes, alles mit allem verknüpfendes Bildprogramm läßt sich nicht den-

Die Rotunde des Alten Museums, 1916; Staatliche Museen zu Berlin, Zentralarchiv

ken. Schon Wilhelm von Kaulbachs Fresken im Neuen Museum und dessen übriger Bildschmuck suchen speziellere, engere Zusammenhänge, und ganz logisch verkündet der völlige Verzicht modernerer Museen auf ein ikonographisches Rahmenwerk die Scharfeinstellung des Interesses auf die Autonomiebezirke des Ästhetischen.

Das erste, 1797/98 von dem Archäologen Alois Hirt vorgelegte Berliner Museumsprojekt sollte der Akademie der Künste angeschlossen sein: als eine Ausbildungshilfe und Vorbildersammlung – ein Gedanke, der noch hundert Jahre später die Gründung der Kunst»gewerbe«museen leitete. Als das Berliner Museum später eigenständig zwischen Schloß und Dom errichtet wurde, wechselte auch der Adressat. Über einen Kreis von Praktikern hinaus war nunmehr ein Publikum von Bürgern angesprochen: als Angehörige keiner anderen Gemeinschaft als der Menschheit – nicht als Untertanenschaft (Blick auf das Schloß), nicht als Gemeinde (Blick auf den Dom). Darum blieb für Schinkel, trotz Hirts Widerspruch, die Rotunde als ein »schöner und erhabener Raum« unverzichtbar, um dem Besucher »eine Stimmung [zu] geben für den Genuß und die Erkenntniß dessen, was das Gebäude überhaupt bewahrt«[4]. Mit Schinkels und Wilhelm von Humboldts polemischer Überwindung des von Hirt verfochtenen Prinzips »Belehrung« siegte denn auch eine den ganzen Menschen ansprechende Vorstellung von ästhetischem Erlebnis über die traditionelle Dualität von (didaktischer) Belehrung und (sinnlichem) Vergnügen. Hier wirkten Ideen Diderots, vor allem aber Herders und Schillers fort. Wenn letzterer 1795 *Über die ästhetische Erziehung des Menschen* schrieb, war eine Erziehung nicht zur, sondern durch Ästhetik gemeint. Schon 1778 hatte Herder *Über die Würkung der Dichtung auf die Sitten der Völker* nachgedacht. Klassikern wie Romantikern war der Glaube an eine läuternde, bessernde, mehr: »bildende«, prägende Wirkung der Künste gemeinsam, auch wenn dabei Humanität, Bürgersinn, Religiosität jeweils unterschiedliches Gewicht erhielten. Darum konnte Friedrich Hölderlin für sein Philosophie, Kunst und Religion vereinendes »Ideal aller menschlichen Gesellschaft« die Metapher der »ästhetischen Kirche« erfinden.[5] Darum durfte Schinkel seine Rotunde als »das Heiligthum« bezeichnen. Auch wenn die religiöse Funktion ganz dem benachbarten, gleichfalls überkuppelten Dom überlassen blieb – das Museum bedurfte des emotionalen Höhepunktes, an welchem Studium und Erlebnis als Bausteine übergeordneter menschlicher Werte in ein Ganzes münden konnten.

Daß keineswegs die Kunstwerke allein, sondern ebenso ihre Anordnung und obendrein das Gebäude selbst zu dieser Aufgabe ausersehen waren, wird sinnfällig belegt durch die Aufstellung – noch im Eröffnungsjahr! – eines Standbildes des Architekten in der Vorhalle.[6] Nicht des Königs! In deutlichem Unterschied zu jener Ideologie, die ein halbes Jahrhundert später das Äußere wie das Innere der Nationalgalerie prägte, erhielt der Künstler als Menschen- und Gesellschaftsbildner die zentrale Rolle: der Architekt als »Veredler aller menschlichen Beziehungen«. Als solcher konnten auch der Philosoph (Kant) und der Dichter gelten (der Idealist Schiller eher noch als Goethe mit seinem viel-

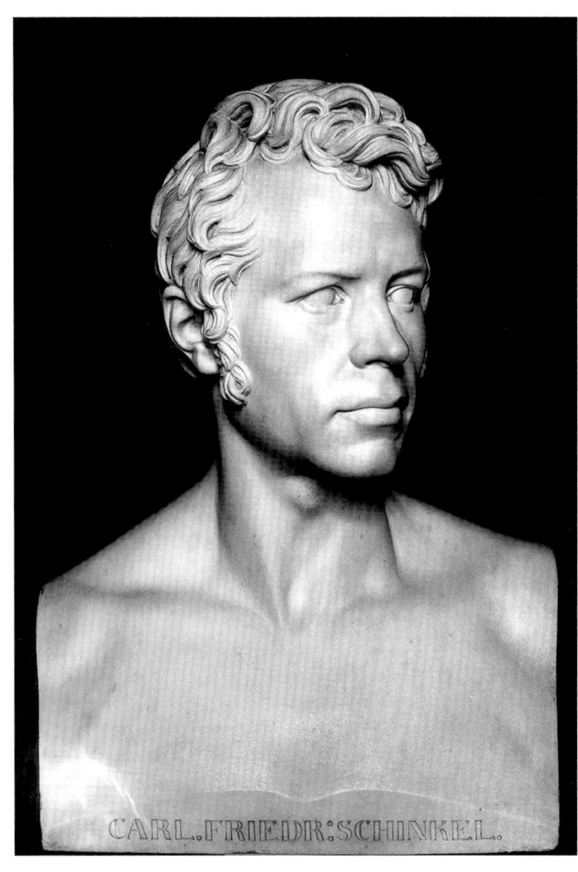

Christian Friedrich Tieck, Karl Friedrich Schinkel, 1819; Staatliche Museen zu Berlin, Nationalgalerie

verzweigten Realismus). In einem späten Traktatentwurf verknüpft Schinkel in bemerkenswerter Weise die ihm wichtige Forderung nach dem (ästhetisch) Neuen in der Kunst mit deren moralischer Aufgabe. Man liest: »Da nun Kunst überhaupt nichts ist, wenn sie nicht *neu ist, das heißt, praktisch darauf ausgeht, den sittlichen Fortschritt im Menschen zu fördern*, und dafür immer neue Wendungen erfindet [...].«[7] Dem Einfluß des Geistes vertraut sich der Bürger an: Dies ist der tiefere Sinn des Verlangens nach ›Bildung‹, und die gymnasiale Variante bietet nur dessen Karikatur. Ausdrücklich als Bildungseinrichtung war seit 1774 auch das Museum im Louvre durch den Grafen Charles-Claude d'Angiviller konzipiert worden. Es ist ein Werk der Aufklärung eher als eines der Französischen Revolution, obschon es erst 1793 eröffnet wurde. Ja, ein Zeitgenosse meinte, wäre es zeitiger vollendet worden, so hätte womöglich die Monarchie gerettet werden können, weil deren Vorzüge erkannt worden wären![8]

Alle Verführungsmacht der Kunst wird aufgeboten. Der Roman, lange als oberflächlicher Zeitvertreib einer eitlen Damenwelt verachtet, wird in dieser Zeit mit Jean Paul und Goethe zum Träger von Weltanschauung und Menschenliebe. Aber »Gewalt der Kunst«? Ist es doch ein »sanfter Flügel« der Freude, der uns nach Schillers Vision in Brüderlichkeit zusammenführen soll! Daß auch die Sprache der Architektur in diesem heiteren Sinne verstanden wird, belegt eine Passage aus Hegels *Ästhetik*, die Tilmann Buddensieg sehr willkommenerweise ins Licht gehoben hat: Der Philosoph, der das Bild griechischer Tempelklassik beschwören will, habe dabei Schinkels Museum vor Augen. Und er sieht in den Säulengängen »die Menschen offen, frei umherwandeln, zerstreut, zufällig sich gruppieren. [...] Statt der Vorstellung einer Versammlung zu einem Zweck [...] erhalten [wir] nur die Vorstellung eines ernstlosen, heiteren, müßigen, geschwätzigen Verweilens.« Durch die stete Beziehung des Inneren auf das Außen bleibe der Tempel »zwar einfach und großartig, zugleich aber heiter, offen und behaglich [...]«[9]. Dies stimmt, wie Buddensieg deutlich macht, mit dem Gesellschaftsbild überein, das der Aufenthalt in der oberen Treppenhalle des Alten Museums nahelegt, ebenso wie mit jenem Primat des ›Genusses‹ vor der trockenen Gelehrsamkeit, das Schinkel und seine kunsthistorischen Mitstreiter durchsetzten.

Und wenn Schinkel, schreibend, seiner Logik frei folgt, statuiert er als den unterscheidenden Kern des menschlichen Wesens innerhalb der Natur nicht etwa den Staat, sondern die in Kunst (und Wissenschaft) verkörperten Einsichten und Ideale. Sie zu fördern muß demnach auch »Princip des gebildeten Staats« sein. »Die Freiheit des Gewissens muß durch Erziehung im Vernünftigen, Gebildeten und Schönen erzeugt werden. Keines dieser Ingredienzien darf fehlen, denn das Moralische erhöht sich noch durch das Schöne [...].

Karl Friedrich Schinkel, Menschenleben, Der Herbst, 1831 (Detail aus dem Entwurf eines Freskos im Treppenhaus des Alten Museums); ehemals Schinkel-Museum, Berlin, seit 1945 verschollen

Das Bestreben des Künstlers ist, daß Alle einen Genuß am Höchsten mitempfinden sollen, und schon dies ist moralisch oder tugendhaft.«[10]

Schinkels Ideen entsprechen dem bürgerlichen Selbstbild einer Periode, die man zu Recht mit dem Namen ihres berühmtesten Dichters verknüpft. Diese Selbstdefinition baut sich ganz wesentlich auf Bildung, auf Kultur und Kunst auf: Sie stiften Kollektivität, auch durch gemeinsame Verpflichtungen.[11] Zu diesen gehört der Kunstbetrieb und gesellt sich das Museum, unabhängig davon, daß dessen unmittelbarer Stifter, worauf die Fassadeninschrift des Museums am Lustgarten hinweist, ein Monarch ist.

Fresko und Öffentlichkeit

Sinnreich öffnet sich, in der Mitte des Ausstellungsparcours und diesen nachdenklich unterbrechend, ein »Fenster« in die Museumswirklichkeit: Sichtbar geblieben sind die – für die Dauer der Rekonstruktion des angestammten Gebäudes der Nationalgalerie in dieses prächtige Notquartier eingebauten – Romantikerfresken aus der Casa Bartholdy in Rom aus den Jahren 1816/17. Für diese Bilderfolge aus der alttestamentarischen Josephslegende, an der vier Maler arbeiteten[12], hatte ein preußischer Generalkonsul jüdischer Herkunft einen Raum in seiner Wohnung zur Verfügung gestellt. Sie waren ein erster Anlauf, ja ausdrücklich ein Probe-

Die Fresken aus der Casa Bartholdy in ihrer alten Aufstellung, um 1935/36; Staatliche Museen zu Berlin, Zentralarchiv

lauf und Musterstück zu jener monumentalen Kunst, die den in einem römischen Kloster versammelten, auf »Ursprünge« orientierten jungen Akademieflüchtlingen, den »Lukasbrüdern«, vorschwebte. Freilich, die rebellische Geste, mit der sie begonnen hatten und mit der einige ihrer Freunde den »deutschen Rock« trugen, ermüdete bald; und so richtete sich ihr Ruf nach den großen Wänden, nach der »Ausmalung eines Doms oder sonstigen großen öffentlichen Gebäudes in einer Deutschen Stadt«[13] nicht an das deutsche Volk, sondern an die deutschen Fürsten. Was im patriotisch erregten Jahr 1814 eine Gruppe romdeutscher Künstler unter der Federführung von Ernst Platner und bald darauf der Maler Peter Cornelius in Briefen an den Berliner Verleger Georg Andreas Reimer und den Publizisten Joseph Görres formulierten[14], klang mehr nach Kunstpolitik und Kunstförderung als nach Menschenbildung. Aller Enthusiasmus für »Flammenzeichen auf den Bergen« und »neuen edlen Aufruhr« bezieht sich zunächst auf eine Entwicklungsmöglichkeit der Kunst, auf ihre Wendung ins Öffentliche und ihre Neubindung an das »Herz der Nation«; »so daß von den Wänden der hohen

Dome, der stillen einsamen Capellen u Klöster, der Raths u Kaufhäuser u Hallen herab, alte vaterländische befreundete Gestalten in neu erstandener frischer Lebensfülle mit holder Farbensprache dem Geschlechte sagten, daß der alte Glaube die alte Liebe u mit ihnen die alte Kraft der Väter wieder erstanden, u daß der Herr unser Gott wieder ausgesöhnt ist mit seinem Volke«[15].

Davon konnte in dem Freskenzimmer der Casa Bartholdy allerdings keine Rede sein; denn da es zu einer der Privatwohnungen gehörte, die sich bei der Aufteilung des alten Palazzo Zuccari ergeben hatten, war es stets nur privilegierten Kunstfreunden zugänglich. Die Bilder aber, frei von einem übergreifenden ikonographischen Programm, frei von Allegorie, erzählen eine Geschichte von Schuld und Versöhnung, die das Gemüt anrührt, ohne den Geist zu dogmatisieren. Nur wenig später war diese Unmittelbarkeit keinem der Beteiligten mehr zugänglich, nachdem ihnen die ersehnten öffentlichen Wände anvertraut waren: Der Titel *Der Triumph der Religion in den Künsten* artikuliert das Programm eines monumentalen Bildes von Friedrich Overbeck. Erwartet wurde von öffentlicher Kunst vor allem Indoktrination im Sinne von Staat und Kirche.

Als nach der Reichsgründung das Erbe Schillers, Goethes, Beethovens in nationalistischem Sinne verbogen wurde, lag es nahe, auch die ersten Romantikerfresken, als eine identitätsstiftende deutsche Leistung, dem fremden Ort wieder zu entziehen, der allein sie doch ermöglicht hatte. Weil sie *in situ* nachlässig behandelt wurden, setzte man die Radikallösung durch, schälte sie von den Wänden, die zuvor niedergelegt werden mußten, und überführte sie, wie Trophäen vom Wettkampf der Kulturnationen, 1886 in die Nationalgalerie (Abb. S. 112).

Feuerstrafe

Wird man es glauben, daß auch das Stichwort Autodafé im Zusammenhang mit dem Lukasbund genannt werden kann? Am 10. Mai 1815 schreibt dessen Mitbegründer Joseph Sutter von Wien aus, wo der Kongreß tagt, an den bewunderten Freund Friedrich Overbeck nach Rom. Er berichtet[16] von seinen Bemühungen, in dem »beschränkten Würkungskreise«[17], in welchem er verblieben ist, »den heiligen Eifer der einst unsere Versammlungen mit poetischer Begeisterung für den edelsten Zweck unserer Kunst nährte«[18], neu zu wecken, und erinnert sich daran, wie er zwei Jahre zuvor den Stiftungstag des Bundes, den 10. Juli, feierte. Beinahe ohne Einleitung berichtet er über das von ihm erdachte »gefällige Opfer« für »unsere gute Sache der Wahrheit«, und ganz unvorbereitet fällt das henkersmäßige erste Wort: »Der Vernichtung habe ich geweiht, von mir drei Kompositionen, ein Modellakt, Hottingers geschriebenen Namen, den ich schon ein Jahr vorher aus meinem Ordensbrief herausgeschnitten hatte[19], nach Füger eine gezeichnete Figur nach Antiken, nach Cautschig eine gezeichnete Gliederfigur, nach Lampi dito, nach Schmutzer einen gezeichneten Kopf nach Antiken, nach Maurer Zeichnung einen Christuskopf nebst 5 anderen [...]« und so fort, »alle diese Missgeburten meines Fleisses habe ich ins Feuer geworfen, indem ich sie vorher in Stücke gerissen und bey jedem Riss ausrufte es lebe St. Lucas! oder zum Opfer der Kunstwahrheit! oder es lebe unsere Bruderschaft, oder, die Afterkunst soll verderben!« Ein Jahr darauf wiederholte sich das Schauspiel, bei dem neben Briefen und akademischen Zeugnissen und »23 Zeichnungen von mir« auch »eine manierierte Modellzeichnung von einem berühmten Wiener Akademiker«, eine Bildniszeichnung von Heinrich Friedrich Füger, Kopien von Joseph Wintergerst und sogar »Zeichnungen nach Antiken von Wächter«, dem verehrten Mentor der Lukasbrüder, die Skizze eines Niederländers des 18. Jahrhunderts, Kupferstiche nach Tempesta, Nicolas Poussin und anderen Barock-Klassizisten. »Dieses Opfer gedenke ich alljährig lebenslänglich fortzusetzen«, fügt der Verblendete hinzu.

»Die Bilderstürmerei«, hätte ihm Schinkel entgegengehalten, »möchte vielleicht der crasseste Ausbruch von zur Barbarei herabgesunkener Menschennatur sein.«[20] Nur oberflächlich betrachtet schließt Sutters Zerstörungswut an Bilderstürme der Vergangenheit an. Im alten byzantinischen Reich, im Wittenberg oder im Genf der Reformationszeit waren sie religiös begründet und wandten sich gegen »Götzen«bilder oder gegen Bilder schlechthin; während der Jakobinerherrschaft

August Wittig, Peter Cornelius, 1875; Staatliche Museen zu Berlin, Nationalgalerie

richteten sie sich gegen Kirche und Christentum; aber hatte es je einen Bildersturm aus *ästhetischen* Motiven gegeben? Denn man muß festhalten, daß den Lukasjünger nicht die subjektive Erbitterung über eine Arbeit leitet, die nicht gelingen will, obgleich die eigene Schwäche ihm durchaus bewußt ist, wie der Anfang seines Briefes zeigt; nein, vernichten will er den vermeintlich falschen Weg – in eigenen wie in fremden Werken, unterschiedslos und damit die entscheidende Grenze überschreitend. Von angedrohten Gewalttätigkeiten gegen Bilder, von erhobenen Regenschirmen im französischen Salon des Zweiten Kaiserreichs hört man gelegentlich; doch die furchtbarste Gewalt erhält Sutters Gebärde 120 Jahre später in der »Aktion Entartete Kunst« – und zuvor, gleich nach der »Machtergreifung«, in der großen Bücherverbrennung auf dem Opernplatz, einige hundert (Marsch-)Schritt vom Lustgarten entfernt. Doch ein bedeutender Unterschied verbietet die Gleichsetzung entschieden: Der junge Maler, erfüllt von jenem zornigen Märtyrertum, der den Lukasbund zusammengeschmolzen hatte, verfügt nicht über politische Macht!

Die Suche nach einer Kontinuität des Ungeistes schlägt ihre Schneisen durch die deutsche Geschichte nur zu häufig mit einer stumpfen Axt. »Von Herder, Schiller und Goethe«, so liest man etwa, »führt *gewiß kein gerader Weg* zu Hitler. *Aber* [...] die Schätze der Hochkultur gerieten schnell unter den nationalen Treibhammer, *in die Idee vom Herrenmenschentum fügten sie sich so problemlos ein.*«[21] Letzteres darf man bezweifeln! Doch in selbstgefälligem, weithin rückwirkenden nationalen Selbsthaß baut man gern Brücken über die Unvereinbarbarkeit hinweg. Darum wurde auch zu Recht davor gewarnt, etwa die Giebelinschrift der Nationalgalerie »Der Deutschen Kunst 1871« als Vorausverweis auf das Hitlersche »Haus der Deutschen Kunst« zu deuten.[22] Das gilt nicht minder für die in der Architektur des Faschismus umgedeutete Kunst Schinkels.

Zeitsprung

Unter Schinkels Kuppel eine Arbeit von Joseph Beuys: die **Straßenbahnhaltestelle** (1961–76, 2. Fassung) heißt auch **A monument to the future**, was auf die in

Der zweite Corneliussaal im Mittelgeschoß der (Alten) Nationalgalerie, 1879; Staatliche Museen zu Berlin, Zentralarchiv

ihr vollzogene Verbindung von Erinnerung und Vorausdenken verweist. Erinnerung ist die Quelle dieses Werkes (vgl. Kat.Nr. 146), das Historisches, ästhetisch Geprägtes mit moderner Technik verknüpft, und parallel dazu schlägt das Ruinenhafte seiner Erscheinung eine zweite Brücke, diesmal über die Gegenwart hinweg in die Zukunft. Unter dem Zeichen religiös begründeter Ahnungen und sogartiger Suggestionen wird auch hier jene Totalität der Bezüge angestrebt, die der Rundraum nahelegt. Nur führt kein Weg zu seiner Rationalität. Beuys' Begriff der »Sozialen Plastik« drückt, in anderem Vokabular, einen Anspruch aus, den der klassische Begriff »Menschenbildung«, »Erziehung des Menschengeschlechts« ebenso enthält; und doch wird man auch hier eher die trennenden als die gemeinsamen Züge wahrnehmen.

Geistesheldentum

Ausstellungen unterliegen dem Widerstreit zwischen Erwünschtem und Möglichgewordenem. Auch diese Variante ist für den Saal erwogen worden: Gottfried Schadows Prinzessinnengruppe, ein Modell vollendeter ›Anmut und Würde‹, hätte ihren Mittelplatz an ein wunderliches Kultbild deutscher Geistigkeit abgetreten. August Wittigs mehr als überlebensgroße Büste des Malers Peter Cornelius[23] (Abb. S. 114) ist, wie alle Kolossalkunst, Gelegenheitskunst, Auftragswerk und (ursprünglich) ortsgebunden. Sie krönte einst, in durchaus konservativem Sinne, die ikonographische Argumentation der 1876 eröffneten Nationalgalerie, jenes Gebäudes, das von außen einem antiken Tempel, vom Grundriß her einer Basilika ähnelt. Die beiden größten Säle, ausgezeichnet durch ihre Höhe ebenso wie durch ihre Lage in der Mittelachse der Beletage, waren den von Cornelius hinterlassenen Kartons vorbehalten (Abb. S. 115): den schon klassischen Vorarbeiten zu den mythologischen Fresken der Münchner Glyptothek (1824–30) und den in mehr als zwanzigjährigem Mühen entstandenen Entwürfen zu den christlichen Allegorien des niemals verwirklichten Berliner Camposanto eines Mausoleums der Hohenzollern, aussichtslos geworden nach der Achtundvierziger Revolution. Cornelius starb, als die Nationalgalerie bereits im Bau war, und seinem Alters- und Unglückswerk wurde das Herz des Gebäudes gewidmet. Den Scheitel der Raumachse markierte eine Apsis und darin, einem Kultbild gleich, auf schwarzem Marmorsockel die lorbeergekränzte Büste des jüngst Verewigten. Menschlichem Maß enthoben, olympisch erstarrt, im Glanz der Feuervergoldung, bleibt es dennoch ein verschlossener, schmallippiger Beamtenkopf. Das ist nicht mehr der junge Cornelius, der feurige Zeichner der **Nibelungen** und des **Faust**, der Initiator der Fresken der Casa Bartholdy; es ist der spätere Konservative, der von wenigen unentwegten und hochgestellten Getreuen umgebene Verlierer. Die Büste, ein Ewigkeitsbild mit hohler Triumphgeste, ist das Denkmal einer trotzigen Arrière-garde.

Der archaisierende Rückgriff auf die Kolossalskulptur – von Ludwig von Schwanthalers **Bavaria** bis zu den Bismarckdenkmälern um 1900, dem Kyffhäuserdenkmal und schließlich Arno Brekers hysterischen Heroen (neben denen die amerikanischen und sowjetischen Beispiele doch verblassen; vgl. Kat.Nr. 80), gilt gewöhnlich einer Sakralisierung politischer Macht und ihrer Ideologie. Die Cornelius-Büste bildete denn auch den Schlußakzent der Hauptachse der Nationalgalerie, die mit dem königlichen Reiterdenkmal einsetzte; ihren Höhepunkt erlebte man in jenen Camposanto-Kompositionen, einer staatstragenden religiösen Kunst, einer dogmatischen Systematisierung der Welt, zu welcher der Griff zur Kolossalkunst paßt. Man ermißt im Vergleich mit Schinkels Werk den Abstand zwischen den Ideologien und »Erziehungs«programmen. Die Idee, im Museum eine Welt-Ganzheit abzubilden, war bald verschüttet, und welche fortgesetzte Verbiegung der klassischen Vorstellung von Geist, Kunst, Öffentlichkeit bedeutete erst der weitere Weg von Weimar nach Nürnberg!

Anmerkungen

1 Ignaz von Olfers an Friedrich Wilhelm IV., 20. Januar 1841.

2 Schasler, Max: *Berlin's Kunstschätze.* Bd. I. Berlin 1855, S. 5.

3 Waagen, Gustav Friedrich: *Karl Friedrich Schinkel als Mensch und Künstler*, 1844. Zit. n. Riemann, Gottfried (Hg.): *Karl Friedrich Schinkel 1781–1841.* Ausst.Kat. Staatliche Museen zu Berlin (DDR). Berlin 1980, S. 149.

4 Schinkels Erwiderung auf Hirts Kritik, 5. Februar 1823. In: Alfred von Wolzogen: *Aus Schinkel's Nachlaß*, Bd. III. Berlin 1863, S. 248.

5 Friedrich Hölderlin an seinen Bruder, 4. Juni 1799. In: Pigenot, Ludwig von (Hg.): *Hölderlin. Sämtliche Werke.* Bd. III. Berlin 1922. S. 403.

6 Von August Wittig nach einem Modell von Friedrich Tieck. Die Statuen weiterer Künstler kamen erst Ende des 19. Jahrhunderts hinzu.

7 Schinkel, Karl Friedrich: »Gedanken und Bemerkungen über Kunst überhaupt«. In: Wolzogen (Anm. 4), S. 345. Hervorhebung von C.K.

8 Meister, Jacques-Henri: *Souvenirs de mon dernier voyage à Paris*, 1795. Zit. n. Andrew McClellan: *Inventing the Louvre. Art, Politics, and the Origins of the Modern Museum in Eighteenth Century Paris.* Cambridge 1994, S. 8. Auf dieses Buch machte mich Françoise Forster-Hahn aufmerksam, der ich auch für die kritische Lektüre dieses Textes danke.

9 Hegel, Georg Wilhelm Friedrich: *Ästhetik.* Zit. n. Tilmann Buddensieg: »Das hellenische Gegenbild. Schinkels Museum und Hegels Tempel am Lustgarten«. In: Ders.: *Berliner Labyrinth, Preußische Raster.* Berlin 1993, S. 41.

10 Schinkel, Gedanken (Anm. 7), S. 359f., hier S. 360. Zu dem langen Gedankengang hat Schinkel zweimal angesetzt; vgl. Wolzogens Fußnote ebd., S. 358.

11 Mommsen, Wolfgang J.: »Kultur als Instrument der Legitimation bürgerlicher Hegemonie im Nationalstaat«. In: Claudia Rückert; Sven Kuhrau (Hg.): *»Der Deutschen Kunst...«. Nationalgalerie und nationale Identität 1876–1998.* Dresden 1998, S. 15–29.

12 Friedrich Overbeck, Peter Cornelius, Wilhelm Schadow, Philipp Veit; nicht in die Nationalgalerie gelangt sind die kleinen dekorativen Landschaften von Franz Catel.

13 Peter Cornelius an Georg Andreas Reimer, 10. Oktober 1814. Zit. n. Einem, Herbert von: »Ein unveröffentlichter Brief des Peter Cornelius aus Rom«. In: *Wallraf-Richartz-Jahrbuch*, N. F. XVI, 1954, S. 308–314, hier S. 309.

14 Dazu ausführlich Droste, Magdalena: *Das Fresko als Idee. Zur Geschichte öffentlicher Kunst im 19. Jahrhundert.* Münster 1980.

15 Peter Cornelius (Anm. 13), S. 310.

16 Vgl. Grote, Ludwig: *Joseph Sutter und der nazarenische Gedanke.* München 1972 (Studien zur Kunst des neunzehnten Jahrhunderts 14), S. 112f., und den Brief von Sutter an Overbeck, 10. Mai 1815, ebd., S. 280–283.

17 Ebd., S. 280.

18 Ebd., S. 282.

19 Das jedem Mitglied überreichte Diplom des am 10. Juli 1809 in Wien gegründeten »neuen Lucas-Ordens« trug die Namen aller Mitglieder. Der Schweizer Johann Konrad Hottinger war jedoch abtrünnig geworden (und sollte die Kunst schließlich ganz aufgeben).

20 Schinkel, Gedanken (Anm. 7), S. 355.

21 Aly, Götz: »Vom Antlitz zur Maske. Goethe-Zeichnungen in Buchenwald. Porträts jüdischer Häftlinge im Schillermuseum«. In: *Berliner Zeitung*, 27. Mai 1999. Hervorhebungen von C.K.

22 Horst Bredekamp im Vorwort zu: *»Der Deutschen Kunst...«* (Anm. 11), S. 8.

23 Bronze, feuervergoldet, Höhe 158 cm.

Vorsatzblatt: Karl Friedrich Schinkel, Menschenleben, Der Herbst, 1831 (Ausschnitt)

Die Ästhetik der Macht
IIIA · 42802
Vervielfältigungsgewerbe
Geld-, Bank-, Börsen- und Versicherungswesen
Baugewerbe
Verkehrswesen
Bekleidungsgewerbe
Elektrotechnische Industrie, Optik, Feinmechanik
Großhandel
Eisenwaren, Stahlwaren, Metallwaren
Berlin – die Weltstadt in Mitteleuropa
26
Die Reichshauptstadt baut auf! Bauvorhaben in allen Teilen der Viermillionenstadt prägen ein neues Stadtbild und beleben die Industrien.
Building up the German capital. Building operations in all parts of this city of four million inhabitants are imparting a fresh stamp to its
27
La capitale du Reich bâtit! Les projets de constructions qui s'exécutent dans toutes les parties de cette ville de plus de 4 millions d'habitants lui donnent un nouvel aspect et raniment ses industries.
La capital del Reich construye y crece. Nuevas construcciones en todos los barrios de la metrópoli, dan un nuevo perfil

Die Ästhetik der Macht

Andrea Bärnreuther

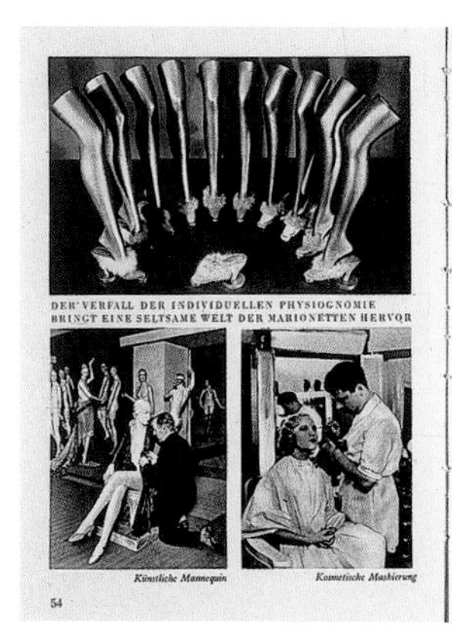

»Der Verfall der individuellen Physiognomie bringt eine seltsame Welt der Marionetten hervor«
Diese und nächste Seite: *Die veränderte Welt*, herausgegeben von Edmund Schultz, mit einer Einleitung von Ernst Jünger, 1933

»Der Arbeitsplan ... stellt einen Versuch zur neuen und konstruktiven Formung des Lebens dar«

Der totalitäre Irrtum der Moderne

Die Avantgarde ist seit den achtziger Jahren immer stärker ins Kreuzfeuer der Kritik geraten. Der mit ihrer Rehabilitierung in der Nachkriegszeit zur herrschenden Meinung kristallisierte Glaube, die im »Dritten Reich« verfolgte Avantgarde beziehungsweise die moderne Kunst hätte prinzipiell auf der Seite der menschlichen Freiheit in Opposition zur totalitären Herrschaft gestanden, ist mittlerweile erschüttert. Mehr noch, er ist heute weitgehend abgelöst von der Frage, ob es »einen inneren Zusammenhang zwischen Avantgarde und Totalitarismus« gäbe. »Hat die Avantgarde Züge, die sie mit den gewaltsamsten Regimen verbindet, die Europa jemals gesehen hat, und hat sie sich, anstatt sich für die Sache der menschlichen Freiheit einzusetzen, zum Komplizen ihrer Herrschaftsansprüche gemacht?«[1] Mit der so polemisch zugespitzen Frage nach der »Verantwortung des Künstlers« hat Jean Clair die künstlerische Avantgarde »zwischen Terror und Vernunft« positioniert. Mit gleicher Schärfe hat Boris Groys in *Gesamtkunstwerk Stalin* 1988 von der russischen Avantgarde bis zum Stalinistischen Realismus die Wirkungsmacht eines Impulses herausgestellt: den despotischen Wahn, befreit von jeder kulturellen Tradition und ohne Vergangenheit die Welt neu zu schaffen, Leben und Kunst, Wahrheit und Schönheit in einer nie zuvor erfahrenen Einheit zu verbinden. Nach Groys hat »ausgerechnet die Kunst des Realistischen Sozialismus (und ebenso etwa die Nazi-Kunst) eine Stellung erreicht, die die Avantgarde von Anfang an anstrebte – jenseits des Museums, jenseits der Kunstgeschichte, als das absolut Andere in bezug auf jede beliebige sozial akzeptierte kulturelle Norm. [...] Die Stalinzeit realisierte tatsächlich den Traum der Avantgarde, das gesamte gesellschaftliche Leben nach einem künstlerischen Gesamtplan zu organisieren, wenn auch selbstverständlich nicht so, wie das der Avantgarde vorgeschwebt hatte.«[2]

Wie sehr der totalitäre Irrtum zur Moderne gehört, offenbart die dichterische Philosophie Ernst Jüngers.[3] In ihr tritt die Mythologie der Moderne ans Tageslicht, die in ihrer Geschichtsphilosophie vom Fortschritt beziehungsweise von der »totalen Mobilmachung der

»Kriegerische Schaustellungen«

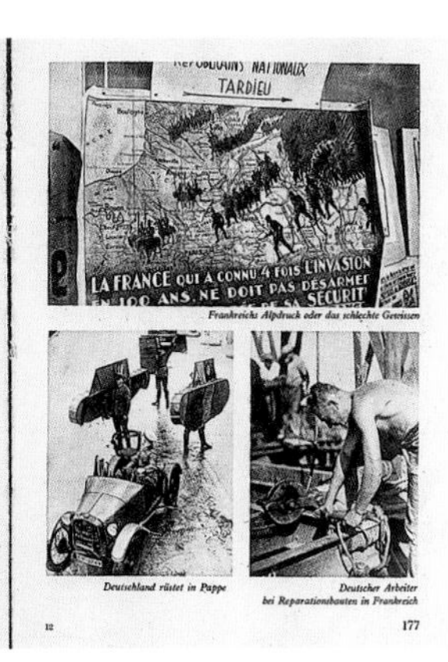

»›Frieden und Behagen bis an der Welt Ende‹«

Erde« (Ernst Jünger) enthalten ist. Wie die Avantgarde verstand sich Jünger im revolutionären Protest gegen das bürgerliche Zeitalter und seine Wertungen. Die Forderung, vom romantischen Protest zur Aktion überzugehen, war eine Kampfansage an Liberalismus und Utilitarismus, die aus der sozialen Wirklichkeit die mythische und theologische Tiefendimension der Welt und des Menschen verbannt hätten. Die Suche nach der verlorenen metaphysischen Dimension führte Jünger zu einer metaphysisch überhöhten, kultischen Technik, die in der Forcierung zur »Totalen Mobilmachung« den Nihilismus überwinden sollte.

Der mythologische Held seines Epos der Moderne ist der Mensch als Krieger, Arbeiter und Titan. Analog zu Friedrich Nietzsches »Übermenschen« versammelte Jünger im »Arbeiter« als der höchsten Ausformung einer Tendenz des Lebens, sich gestaltbildend selbst zu transzendieren, alle Bestimmungen seiner tragischen Lebensphilosophie.[4] Er entwarf die »Gestalt« als »Typus« in Antithese zum bürgerlichen Individuum, als eine höchste sinngebende Wirklichkeit, die den Weltgeist für die Epoche der Moderne repräsentieren sollte.

Für Jünger war der »totale Arbeitscharakter des Krieges« nur die Probe auf eine neue Wirklichkeit, in der sich auch das Menschenbild mit der ständigen Aufforderung, den »Leib als reines Instrument zu behandeln«, entscheidend verändern würde. Jüngers Vision kulminiert im Bild der »Alchemie des Krieges«: Im Blut des Krieges destilliert der Geist in eine neue Essenz. Der «starke Verbrauch des Rohstoffs« – ein anderer Begriff für das flächenhafte Töten der Schlacht – bringt den neuen Stoff, das neue Zeitalter hervor. Als Typus planetarischer technischer Herrschaft geht der »Arbeiter« aus dem totalen technischen Todesraum des Krieges hervor. Der Held der Moderne ist zur totalen Herrschaft legitimiert, weil er allein die Waffe der Moderne, die Technik, zu handhaben und die anonymen Mächte der Technik zu beherrschen vermag. Gegen den liberalen Eudämonismus mit seinen vielfältigen Glücksversprechen auf dem Weg des Fortschritts forderte Jünger das Martyrium für den Fortschritt und den Willen zur Macht,

77 Doppelseite aus dem von Herbert Bayer gestalteten Prospekt *Deutschland Ausstellung*, »Der Klassizismus, seines strengen Stils wegen Preußischer Stil genannt, ist am reinsten in Berlin verkörpert«, 1936

das heißt das Opfer der Empfindsamkeit und der Individualität.

»Die Technik als Mobilisierung der Welt durch die Gestalt des Arbeiters« – in dieser Vision verknüpften sich Produktivität und Vernichtung, Zerstörung und Neukonstruktion, rationale Mittel und irrationale Zwecke. Die Technik als das »wirksamste und unbestreitbarste Mittel der totalen Revolution« legitimierte sich für Jünger, sobald eine unbestreitbare Herrschaft sich durch sie verwirklichte. Im Unterschied zur Avantgarde, sah er die Kunst nicht länger als Mittel, sondern als Objekt der Veränderung. »Die natürliche Aufgabe« einer Kunst, die die Gestalt des Arbeiters repräsentierte, läge in der Gestaltung der Erde, »im Sinne derselben Lebensmacht, die zu seiner Beherrschung berufen ist«[5] – in Aufgaben, an denen sich der enge Zusammenhang zwischen Kunst und Staatskunst und das Leben als Totalität zu erweisen habe. »Daher ist sie nichts Abgelöstes, nichts, was an sich und aus sich heraus Gültigkeit besitzt, sondern es gibt kein Gebiet des Lebens, das nicht als Material auch der Kunst zu betrachten ist.«[6]

Jüngers »Gestalt« des »Arbeiters« impliziert mit dem aus der Wahrnehmungstheorie entlehnten Begriff medienästhetische Überlegungen.[7] Die auf den Schlachtfeldern erfahrene »Mobilmachung« des Ästhetischen und die Diskrepanz zwischen dem modernen Technikeinsatz und der subjektiven Erfahrung veranlaßten ihn zu Reflexionen über eine Bewußtseinserweiterung zur Anpassung des Wahrnehmungsapparats an eine prinzipiell katastrophale Technik. Jüngers Begriff eines »zweiten, kalten Bewußtseins«, das sich selbst als Objekt zu sehen vermag, hatte sein Äquivalent im Medium der Fotografie. Mit den neuen Medien verband sich für Jünger »Kontrolle«, »Disziplinierung« und »Globalisierung«: Politik als Medienpolitik und die Fotografie als ihre Waffe.

In diesem Sinn verfolgt die von Jünger eingeleitete, von Edmund Schultz herausgegebene, als »Welt-

Doppelseite aus dem von Herbert Bayer gestalteten Prospekt *Deutschland Ausstellung*, »Der Führer spricht! Millionen hören ihn«, 1936

geschichte unserer Epoche« konzipierte »Bilderfibel« *Die veränderte Welt* (1933; Abb. S. 118f.) das Ziel, in den technisch erzeugten Bildern durch »eine neue Formenwelt« zu führen und »die Mittel und Wege« zu zeigen, »deren sich der moderne Machtkampf bedient«. Dabei sollte die »Phrase, die mit Worten wie Freiheit, Wahrheit und Friede als mit leeren Begriffen hantiert« (Klappentext) »vernichtet« werden. Der Appell an die Anschauung – für Jünger Anzeichen einer »neuen Primitivität« – erfolgt im Glauben an die Technik als eine sinngebende Instanz, als »existentielles Mittel«. Der Vergleich des technischen Verfahrens mit einem »Filter, der nur für eine ganz bestimmte Schicht der Wirklichkeit durchlässig ist«, dementiert den »objektiven Charakter« der Fotografie, um sie zum Kriterium für ein entscheidendes Verhältnis der Menschen und Mittel zu den »neuen Formen des Machtkampfes« zu machen: Es sei »ein Einwand gegen einen Politiker, daß er schlecht zu photographieren ist«. Jüngers Paraphrase von McLuhans späterem Dictum »The medium is the message« – nicht das Thema, sondern »die überlegene Meisterung der Mittel, die an jedem beliebigen Stoffe nachgewiesen werden« könne, erhebe den Film in den Rang einer »nationalen Propaganda« – impliziert die essentielle Verknüpfung von Fotografie und Politik beziehungsweise Propaganda: »Die Verwendung des Lichtbildes kann nur in einer seiner eigentümlichen Gesetzmäßigkeit korrespondierenden Weise geschehen.«

Wie von Ernst Jünger diagnostiziert, hatte die nationalsozialistische Ästhetik in den herrschaftstechnisch verstandenen, auf die Herstellung fiktiver Einheitsbilder und entsprechender Sinngebungen festgelegten neuen Medien Fotografie und Film ihren Kristallisationspunkt.

Das Image eines modernen Deutschland

Das nationalsozialistische Deutschland nutzte die Olympischen Spiele 1936, um sich als moderner, fortschrittlicher und technologisch hochentwickelter Staat darzustellen. Diesem Ziel diente auch die in erster Linie für das Ausland bestimmte Ausstellung *Deutschland*, zu deren Gestaltung Emil Fahrenkamp und Herbert Bayer für den Ausstellungsprospekt (Kat.Nr. 77) herangezogen wurden. Für den von 1925–28 als Leiter der Abteilung »Druck und Reklame« am Bauhaus Dessau tätigen Grafiker, der sich seit 1929 mit seinem Studio Dorland in die internationale Wirtschaftswerbung eingeführt hatte, bedeutete die NS-Zeit eine Beschränkung auf Arbeiten für deutsche Markenfirmen und Ausstellungswerbung im Schnittpunkt von wirtschaftlicher und staatlicher Selbstdarstellung. Allerdings wurde er zu einigen der repräsentativsten Werbeaufgaben herangezogen, die das Gesicht des »Dritten Reiches« prägten und zum Erfolg des NS-Regimes einiges beitragen sollten.[8] Die Nationalsozialisten, die im Medium der Ausstellung ein Mittel zur »Volksführung« und in der Messe ein Instrument der »Volkserziehung« erkannt hatten, zogen für Aufgaben in diesen Bereichen zumindest bis 1937 prononciert ›moderne‹ Künstler, darunter viele ehemalige Bauhäusler, heran. Die Liste der Ausstellungen, für die Bayer im »Dritten Reich« tätig war, enthält *Die Kamera* (1933), die Ausstellungs-»Trilogie« *Deutsches Volk – Deutsche Arbeit* (1934), *Das Wunder des Lebens* (1935) und *Deutschland* (1936), die Ausstellungen *Gebt mir vier Jahre Zeit* (1937; vgl. Abb. S. 422) sowie *Gesundes Volk – Frohes Schaffen* (1938). Nachdem Bayers Arbeiten 1937 in der Ausstellung *Entartete Kunst* gezeigt worden waren, emigrierte er 1938 in die USA, wo er noch im selben Jahr an der Gestaltung der Ausstellung *Bauhaus 1919–28* im Museum of Modern Art, New York, mitwirkte.

Bayers »Deutschland«-Prospekt sucht den Facettenreichtum deutscher Geschichte, Kultur und Wirtschaft durch ein breites Spektrum an Darstellungsmitteln zu vergegenwärtigen. Anklänge an Bauhaus-Gestaltungen finden sich vor allem in den Fotomontagen, in der Verwendung einer sachlichen Fotografie, die von Stimmungsbildern überblendet wird. Die Verschränkung von Fernwirkung und emotional aufgeladener näherer Betrachtung hält den Blick innerhalb verschiedener Bildebenen gefesselt und schafft Assoziationsräume. Hatte Goebbels die vergleichbaren »gewaltigen Photomontagen« Fahrenkamps in der *Deutschland-Ausstellung* noch »aus dem Geist des neuen Deutschland geboren« bezeichnet[9], so distanzierte er sich 1937 wieder von diesem Werbestil, den er nun als »zu modern« empfand.

Kein anderes Erzeugnis hat im »Dritten Reich« so sehr zur Mythen- und Legendenbildung beigetragen wie der **Volkswagen** (Kat.Nr. 78), dessen Prototyp 1936 vorgestellt wurde.[10] Wie bei der Reichsautobahn entstammt die Idee den zwanziger Jahren. Während Henry Ford in den Vereinigten Staaten dank Fließbandfertigung bereits seit 1907 Millionen von Fahrzeugen verkauft und eine Motorisierungswelle ausgelöst hatte, verfügte das wirtschaftlich erschütterte Deutschland zum einen nicht über die Voraussetzungen, zum andern hatten sich die Regierungen der Weimarer Republik unter dem Einfluß der Schwerindustrie noch nicht von der Vorstellung gelöst, das Automobil sei ein Luxusgut. Das »Volksmotorisierungs«-Programm, das Hitler bei der Eröffnung der Automobilausstellung 1933 propagierte, sollte den Stein ins Rollen bringen. Mit dem 1933 anlaufenden großen Unternehmen des Reichsautobahnbaus, das einem Heer von Arbeitslosen wieder Arbeit verschaffen sollte, und der Zusage der staatlichen Unterstützung von Autokauf und -Unterhalt waren die Weichen für die »Volksmotorisierung« gestellt. Für die Identifizierung der Nationalsozialisten mit dem »Volkswagen« als ihrer ureigensten Erfolgsgeschichte, die weder mit der Idee noch mit dem Namen zu begründen ist, reichte die propagandistische Ausschlachtung ihres Programms, das der Automobilindustrie nach dem gigantischen Verkaufserfolg des »Volksempfängers« einen kräftigen Aufschwung versprach. Hitler forderte von der Industrie auf der Automobilausstellung 1934 den Bau eines »neuen deutschen Volkswagens«, ein richtiges »Volksautomobil«. Ferdinand Porsche, Ingenieur aus Österreich, von 1923–28 verantwortlicher Chefkonstrukteur der Stuttgarter Daimler-Benz AG, seit 1931 Chef eines eigenen Konstruktionsbüros in Stuttgart, arbeitete bereits im Auftrag der Nürnberger Zündapp-Werke an der Entwicklung eines »Kleinwagens für jedermann«. Nach

78 KdF-Wagen, Limousine, Typ 60, Baujahr 1943; Geschenk Ferdinand Porsches an den Flugzeugkonstrukteur Willy Messerschmitt; Sammlung Gottfried Schultz, Ratingen

wiederholtem Scheitern seiner Pläne am Wankelmut der Investoren wandte er sich im Januar 1934 an das Reichsverkehrsministerium. Nachdem sich Hitlers Plan, den »Volkswagen« als Gemeinschaftsprojekt der deutschen Automobilhersteller bauen zu lassen, wegen deren Bedenken als schwierig erwiesen hatte, wurde der Auftrag an die »Deutsche Arbeitsfront« (DAF) übertragen. Nach dem Beschluß des Baus eines eigenen Werks in der »Stadt des KdF-Wagens« (seit Mai 1945 in Wolfsburg umbenannt) vom Sommer 1936, sollte die Produktion im Herbst 1936 anlaufen. Der von Hitler zu diesem Zeitpunkt bereits geplante Krieg beschränkte die Partizipation an dem **KdF-Wagen** (Kat.Nr. 78) de facto auf einige wenige Auserwählte, fast ausschließlich Parteifunktionäre und Dienststellen des NS-Regimes, an die von 1939–42 etwa 630 Volkswagen-Limousinen ausgeliefert wurden. So blieb der ausschließlich schwarz lackierte Volkswagen in den Kriegsjahren ein nationalsozialistisches Statussymbol, während der in Großserien produzierte VW-Kübelwagen im Krieg Verwendung fand.

Mythos Olympia

Den stimmungsmäßigen Höhepunkt erreichte das »Dritte Reich« mit den Olympischen Spielen 1936. Mit gewaltigem technischen, inszenatorischen und propagandistischen Aufwand war es den Nationalsozialisten gelungen, vor aller Welt in der Friedensmaske zu erscheinen. Die Flakartillerie ließ mit ihren riesigen Scheinwerfern über dem nächtlichen Olympiastadion den bereits in Nürnberg spektakulär inszenierten »Lichtdom« in den Nachthimmel aufragen. Die Luftwaffe unterstützte mit einem Fesselballon Leni Riefenstahls mit gewaltigen Mitteln des Reichspropagandaministeriums ausgestattete Filmproduktion.

Mit Leni Riefenstahls zweiteiligem Filmopus **Fest der Völker – Fest der Schönheit** (Kat.Nr. 79) erwies sich der Film als das technisch-ästhetisch allen tradierten Kunstformen überlegene Medium des Nationalsozialismus.[11] Wie kein anderes Werk der NS-Zeit hat dieser Film in der Verdoppelung der Selbstinszenierung des Regimes den Mythos des »Dritten Reiches« geschaffen. Er wurde nach eineinhalbjähriger Arbeit am 29. April 1938 in Berlin als Beitrag zu den Feierlichkeiten anläßlich Hitlers 49. Geburtstags zur Welturaufführung gebracht und im selben Jahr als deutscher Hauptbeitrag auf den Filmfestspielen in Venedig mit der Goldmedaille ausgezeichnet.

Bereits Riefenstahls Film vom Nürnberger Reichsparteitag *Triumph des Willens* (1934) war von Anfang an als Kulisse für ein Filmspektakel angelegt[12]: als eine radikale Transformation der Realität. Das Bild (»Dokument«) war nicht die bloße Aufzeichnung der Realität, vielmehr wurde die Realität im Hinblick auf den Film inszeniert.

Im Sport, der sich seit den zwanziger Jahren zur »Weltreligion des 20. Jahrhunderts« (H. Seiffert) entwickelt hatte, erkannte der Nationalsozialismus einen neuen Identifikationsfaktor mit dem Staat: Der »Kampfgeist« des Sportes ließ sich in die »Mobilmachung« für den Krieg umlenken. Im Sinne der von Alfred Baeumler formulierten Doktrin einer »politischen Leibeserziehung« formulierte Hitler in *Mein Kampf* (2 Bde., [1]1925/27): »Die körperliche Ertüchtigung ist daher im völkischen Staat nicht die Sache des einzelnen, [...] sondern eine Forderung der Selbsterhaltung des durch den Staat vertretenen und geschützten Volkstums [...].«[13]

Unter dem Motto »Schönheit und Kampf in herrlicher Harmonie«[14] zeigt der Film ein im Geist der Antike wiederauferstandenes neues Deutschland. Die griechisch-germanische Synthese, die in der 1936 eingeführten Fackelläuferstafette sinnfällig wurde, gewinnt in der Bildmontage des Prologs eine mythische Qualität. Der Prolog setzt ein mit nebelverschleierten Aufnahmen der Akropolis und des Zeus-Tempels in Olympia. Aus den Tempelruinen treten langsam hellenische Göttergestalten und Olympiakämpfer hervor, die durch geschickte Licht-Schattenwechsel Plastizität und leibhaftes Leben gewinnen. In der Überblendung der Körper aus Stein durch nackte Körper aus Fleisch und Blut, zum Beispiel Myrons Skulptur des Diskuswerfers durch den deutschen Zehnkämpfer Erwin Huber, vollzieht sich die Metamorphose der antiken Vorbilder in germanische Diskus- und Speerwerfer: das »Dritte Reich« als rechtmäßiger Erbe Athens und Spartas. Je mehr sich der Fackelläufer dem Ort des olympischen Geschehens nähert, desto deutlicher werden die politischen Zeichen. In wechselnden Überblendungen erscheinen antiker Mythos und neues Deutschland, Volk und »Führer«, olympisches Ideal und nationalsozialistischer Geist.

Was hier als Metamorphose von Kunst und Natur ineinander übergeht, bildet im Nebeneinander von Lichtbild und Kunstwerk in der Bildpublizistik eine Koexistenz. »Zwischen Wirklichkeit, für die Fotografie einzustehen, und Ideal, das die Kunst zu garantieren hatte, ließ sich so eine sichtbare Konkordanz konstruieren. [...] So wie das häßliche Feindbild als Deponie aller

79 Leni Riefenstahl, Fest der Völker – Fest der Schönheit, 1936–38; Prolog, I. Teil

Freiübungen im Stadium, in: Leni Riefenstahl, *Schönheit im Olympischen Kampf*, Berlin 1937

inneren, sozialen Konflikte getaugt hatte (und am Ende liquidiert wurde), konnte das visualisierte Rasseldeal den aller Binnenkonflikte gereinigten ›Volkskörper‹ ebenso sichtbar vorspiegeln: die über alle sozialen Grenzen und Gegensätze hinweg *ästhetisch ›sozialisierte‹ Nation*.«[15]

Der hier vorgeführten Naturalisierung und Biologisierung des klassischen Körperideals der Antike und seiner Vereinnahmung durch den zeitgenössischen Körperkult hatte der Film *Wege zu Kraft und Schönheit* (1925; Abb. S. 56) von Nicholas Kaufmann und Wilhelm Prager präludiert, in welchem der nackte Körper als Projektionsfläche rückwärtsgewandter sozialer Utopien erscheint. Der später zum Kulturfilmregisseur der Ufa avancierte Arzt Kaufmann hatte in der Kampfansage eines »gesunden Films« an die »kranke Zeit der Weimarer Republik« die Körperkultur zu einer Weltanschauung stilisiert und ihr religiöse Bedeutung verliehen.

In Riefenstahls Film wird das Wirkliche durch ein visuelles Verknüpfungssystem – jede Erscheinung verbindet sich mit einer anderen – zum Symbol für das Unwirkliche: die Idee der Wiedergeburt Olympias zu einer nationalsozialistischen Erlösungsreligion, die Dramatik des Wettkampfes zur Tragik, das Sportfest zum

80 Arno Breker, Prometheus, 1937; Bronze, 300 x 110 x 100 cm; Privatsammlung, in: *Die Kunst im Dritten Reich*, Jg. 2, April 1938

Weihfest. In der Herstellung fiktiver Einheitsbilder und neuer, zwischen Realität und Fiktion changierender Zusammenhänge erlangt die Bildmontage mythenbildende Kraft. Die Magie der Bilder ist aus der äußersten Präzision der Schnittechnik gezeugt.

Neben dem Ideal des »neuen Menschentypus« erscheint das Ideal der »Volksgemeinschaft« in Bildern wie »Freiübungen im Stadion« (Abb. S. 125), die in Leni Riefenstahls Bildband *Schönheit im Olympischen Kampf* (1937) weite Verbreitung fanden, wobei die Choreographie zwischen pausenloser Bewegung und statischen »virilen« Posen variierte. Das in den zwanziger Jahren zur Signatur der Epoche erhobene Phänomen »automatischer Disziplin« – »das moderne Leben bringt Bilder von wachsender Geometrie hervor«[16] –, war von Siegfried Kracauer als »ästhetischer Reflex der von dem herrschenden Wirtschaftssystem erstrebten Rationalität« gedeutet und auf den Begriff »Massenornament«[17] gebracht worden. Im Nationalsozialismus wurde daraus das Bild des in der »unio mystica« zwischen Volk und »Führer« geeinten Volkskörpers, in dem die Alltagswirklichkeit durch ekstatische Selbstkontrolle und Unterwerfung transzendiert wird.

In der Zuspitzung des olympischen Gedankens auf die Aspekte des Körperideals und der »Volksgemeinschaft« übernahm der Film die Legitimations- und Argumentationsstrategien des Nationalsozialismus. »Wer leben will, der kämpfe also, und wer nicht streiten will in dieser Welt des ewigen Ringens, verdient das Leben nicht.« Hitlers Worte auf der Titelseite der Olympia-Sonderausgabe der *Woche* offenbarten – ebenso wie seine Worte zur Eröffnung des »Hauses der Deutschen Kunst« am 18. Juli 1937 – den untrennbaren Zusammenhang der Arbeit an »einem neuen Menschentyp« – am »Typ der neuen Zeit«, den er bei den Olympischen Spielen »in seiner strahlenden, stolzen, körperlichen Kraft und Gesundheit vor der ganzen Welt in Erscheinung treten« sah – und dem »unerbittlichen Säuberungskrieg [...] gegen die letzten Elemente der Kulturzersetzung«[18]. 1936 waren die Nürnberger Rassegesetze bereits in Kraft, einen Tag nach Eröffnung der Spiele gab Hitler die Anordnung zur systematischen Vorbereitung des Krieges.

Riefenstahls Film bestätigt die These von Walter Benjamin, die »das Kunstwerk im Zeitalter seiner technischen Reproduzierbarkeit« im Film als dem »machtvollsten Agenten« der Massenbewegungen kulminieren läßt. Doch täuschte sich Benjamin, indem er dessen soziale Funktion auf die kathartisch verstandene »Liquidierung des Traditionswertes am Kulturerbe«, auf den »Verfall der Aura« und die Emanzipation »von seinem parasitären Dasein am Ritual« festlegte.[19]

Deutsche Kunstausstellung im Haus der Deutschen Kunst, München 1937; Hitler mit Goebbels, Himmler und anderen vor Arno Brekers »Prometheus«

Arno Breker, Der Künder, 1940; in: *Die Kunst im Deutschen Reich,* Jg. 4, April 1940

»Aus einem neuen Lebens-Mythus einen neuen Menschentypus schaffen«[20]

So definierte der Chefideologe der NSDAP Alfred Rosenberg die Aufgabe des Jahrhunderts. Die Kunst – als eine »Religion an sich« – sollte zum »Medium der Weltüberwindung« werden.

Der Fall Georg Kolbe zeigt, daß sich die heroischen Menschenbilder der dreißiger Jahre nicht einfach als Anpassung an das Kunstideal des Nationalsozialismus erklären lassen; sie waren auch im Subjekt des Künstlers und in einer von der Kunstgeschichte genährten Kunsterwartung verankert.[21] Gegen 1910 hatte Kolbe seine künstlerische Herkunft von der symbolistischen Malerei – mit Kulturpessimismus, Weltschmerz und Übermensch im philosophischen Gepäck – hinter sich gelassen, um sich auf den nackten Menschenkörper zu konzentrieren. Kolbe suchte die »reine Form« als »Ausdruck des heutigen Lebens« (1912). Diesen Weg, der in der lyrisch-anmutigen Plastik der **Tänzerin** (1912) kulminierte, verließ Kolbe, als er Ende der zwanziger Jahre durch den Suizid seiner Frau in eine Lebenskrise geriet und im Umgang mit einem Personenkreis idealistischer junger Männer erneut für den Einfluß der Gedankenwelt Nietzsches, Stefan Georges und anderer empfänglich wurde. Signifikant ist die nun einsetzende intensive Beschäftigung mit dem *Nietzsche-Denkmal* in Weimar, wahrscheinlich im eigenen Auftrag. Das aufsteigende Menschenpaar, das Kolbe dafür vorsah, wurde seit 1932 durch die Figur eines aufsteigenden Mannes – *Zarathustras Erhebung* (1932/33) abgelöst: »Der große, kraftvolle Mann, der sich selbst befreite, das war die Aufgabe, das war auch der Weg zur eigenen Freiheit. Zarathustra ist das allgemeinverständliche Symbol.« (Georg Kolbe)[22] Suchte Kolbe, der seine künstlerische Arbeit als »Deutung des Menschentums« (1936) verstand, mit dem **Menschenpaar** (Kat.Nr. 81), das 1937 in veränderter Form als Großbronze am Maschsee

81 Georg Kolbe, Menschenpaar, 1936; Bronze, Höhe 113,1 cm; Georg-Kolbe-Museum, Berlin

in Hannover aufgestellt wurde, »Menschen hoher Art als ein Vorbild menschlicher Würde« zu schaffen, so antwortete er damit auch einer virulenten Kunsterwartung im gesellschaftlichen Raum. Für Wilhelm Pinder war Kolbe gerade in dieser Zeit, seit etwa 1930, »auf der Höhe angelangt, die ihm erlaubt, uns in jedem Bilde das *Vorbild* zu geben, das wir suchen, den Adel, den wir heute mehr als je brauchen, wo wir den Wahn der Spaltung zwischen Leib und Seele überwinden, [...] wo wir unsere Welt mühsam von unten her wieder bauen müssen, bauen zuerst, in der Hoffnung auf ein künftiges plastisches Zeitalter.«[23] Pinder, der die Frage, »ob die neue Natur, die sich selbst durch den Künstler erschuf, sich unserer bemächtigen kann, – und weiter, was sie aus uns macht«, zum Prüfstein der Kunst erklärte[24], setzte die »wahre Form« mit der »wahren Gesinnung« gleich. Kolbes einzigartige Leistung läge im Zeugnis für eine »neue Stellung des Menschen zum Leben«, die er als »typisch deutsch« verstand: »Und erst jetzt tritt die Adelung des Leibes, das gute Gewissen gegenüber der Erde und dem Körper ringsum als etwas Allgemeines, als ein echter Glaube auf – und nun entdeckt man erstaunt, daß die Zeichen für uns schon geprägt sind, die wir brauchen, daß das Jungmädchen, der Athlet, der

Vertreter aus 18 Nationen besuchen den Bildhauer Arno Breker in seinem Atelier, 18. November 1942

Besucher im Atelier des Bildhauers Josef Thorak in Oberbayern, um 1940

Zehnkämpfer, schon da sind!«[25] Für Pinder hatte Kolbe die Vorbilder für ein künftiges »plastisches Zeitalter« geschaffen.

Offiziell waren Arno Breker und Josef Thorak – weit mehr als Kolbe – die Staatsbildhauer des »Dritten Reiches«. Die Erben Pygmalions wurden zur Herrschaftsinstanz der Rassenzüchtung: In der Perversion des »neuen Menschen« kulminierte der Glaube an die »Gewalt der Kunst«.[26]

Brekers Bronze **Prometheus** (Kat.Nr. 80) entstand 1937 für den Garten des Propagandaministeriums. Zu dieser Zeit arbeitete der Bildhauer an den Figuren **Partei** und **Wehrmacht**, der programmatischen Formulierung des Themas Fackel- und Schwertträger, das auf die Zurückführung des Staates zur autoritären Herrschaftsform anspielte. Die Gestalt des Prometheus – des mythischen Titan, der den Göttern trotzt, um den Menschen das Feuer zu bringen – war für den politischen Körperbegriff im »Dritten Reich« zentral. Berief sich Breker auf Goethes Prometheus-Gedicht als Inspirationsquelle, so repräsentiert die Bronze im Pathos der Distanz, in der gepanzerten Haltung und der erbarmungslosen Medusen-Physiognomie mit der Fackel als kultischem Symbol eines mystischen Geistbegriffs im Sinne der »Lichtkämpfer-Ideologie« jene Eigenschaften »Willenstat« und »Geist«, die Rosenberg für den »nordisch-abendländischen Schönheitsbegriff« für konstitutiv erklärt hatte. In der rassistisch-elitären Zuspitzung des »Urempörers« tritt der emanzipatorische Gedanke der Autonomie des Menschen in den Hintergrund. Bevor Hitler in *Mein Kampf* den »Arier« als »Begründer höheren Menschentums überhaupt« zum »Prometheus der Menschheit« stilisierte, »aus dessen lichter Stirne der göttliche Funke des Genius zu allen Zeiten hervorsprang, immer von neuem jenes Feuer entzündend, das als Erkenntnis die Nacht der schweigenden Geheimnisse aufhellte und den Menschen so zum Beherrscher der anderen Wesen dieser Erde emporsteigen ließ«, hatte Nietzsche die Prometheus-Sage als »ein ursprüngliches Eigentum der gesamten arischen Völkergemeinde und ein Dokument für deren Begabung zum Tiefsinnig-Tragischen« ausgegeben.[27] In Brekers nacktem Heros wird dieser Aufladungsprozeß

82 Adolf Zieglers Gemälde »Die vier Elemente«, 1936, im »Führerbau« in München; Bayerische Staatsgemäldesammlungen München, Staatsgalerie moderner Kunst

im Zusammenfluß der Vorstellungen von Geist und Wille, Genie und Übermensch, Prometheus und Zarathustra sinnfällig. In den Prometheus-Gestalten des »Dritten Reiches« verkörperte sich das Dogma der »Schönheit und Würde eines höheren Menschentums«, in dessen Namen die »durchgreifende moralische Sanierung des Volkskörpers« vorgenommen werden sollte. »Je ausschließlicher nur dem Ideal die vollkommene Schönheit und elementarer Geist zuerkannt wurde, desto weniger war der wirkliche Mensch ideell geschützt. [...] Die Schönheit, welche ursprünglich als eine humanistisch positive Bestimmung in der idealen Nacktheit zur sinnlichen Anschauung kam, hatte nun allein die Funktion, das durch sie als häßlich relativierte reale Leben zu negieren.«[28]

Die Plastik des »Dritten Reiches« erhielt im Medium der Fotografie weite Verbreitung. Walter Benjamin hatte bereits 1931 in seiner *Kleinen Geschichte der Photographie* darauf hingewiesen, wie sehr die Wirkung der fotografischen Reproduktion von Kunstwerken die Funktion der Kunst veränderte: durch Aktualisierung und Intimisierung und insbesondere dadurch, daß in ihr die Kunstwerke zu »kollektiven Gebilden« geworden seien.[29] Berthold Hinz' Beobachtung aufgreifend, daß Kunst und »Lichtbild« in einem durchaus modern zu nennenden »Medienverbund« zur Propaganda der Ideale des NS-Staates eingesetzt wurden[30], hat Silke Wenk darauf hingewiesen, daß die reale Fiktion des NS-Körperideals nur über die immer wieder von neuem zu vollziehende mediale Konstruktion zu gewinnen war.[31] In diesem Sinn erhalten auch die Versuche, Körper und Skulptur bildlich und medial aneinander anzugleichen, eine konstitutive Bedeutung.

Gegenüber Film, Fotografie und Skulptur entbehrt die Malerei im »Dritten Reich« der »Gewalt der Kunst«. Ihre Wirkungsmacht war selbst in der NS-Zeit beschränkt. Adolf Ziegler, der als Präsident der »Reichskammer der bildenden Künste« die Aktion *Entartete Kunst* verantwortete, hat mit seinen ausschließlich weiblichen Akten, denen er – wie in dem für den Münchener »Führerbau« bestimmten Gemälde **Die vier Elemente** (Kat.Nr. 82) – zu ostentativer Plastizität verhalf, allenfalls leere Schemata von Körperbildern formuliert, denen auch die letzte Spur von Aura ausgetrieben ist.

»Das tiefste Glück des Menschen besteht darin, daß er geopfert wird, und die höchste Befehlskunst darin, Ziele zu zeigen, die des Opfers würdig sind.«[32]
Die in der »Heilsideologie« der »Volksgemeinschaft« verankerte politische Liturgie bediente sich, wie der Film **Für uns** (Kat.Nr. 83) zeigt, des Ritus der katholischen Kirche, aber auch der Kundgebungsformen der Kommunisten und der »Chorischen Jugend«. »Diese fast religiös-mystische Funktion, die Hitler der Partei übertrug, war die *praktische* Voraussetzung zur Schaf-

83 Vier Szenen aus dem Film *Für uns*, 1937; Wiener Library, London

84 Wilhelm Kreis, Totenburgen, in: *Die Kunst im Deutschen Reich,* Jg. 7, März 1943

Totenburg am Dnjepr, Rußland, Entwurf 1941

fung seiner nationalsozialistischen Volksgemeinschaft – so widersprüchlich das im ersten Augenblick auch klingen mag.«[33] Albert Speer bezog sich auf ein Gespräch Hitlers mit Hermann Rauschning, in dem Hitler die kultisch-ästhetische »Sozialisierung« als Kerngedanken der politischen Religion herausgestellt hatte: »Unser Sozialismus greift viel tiefer. Er ändert nicht die äußere Ordnung der Dinge, sondern er ordnet allein das Verhältnis des Menschen zum Staat, zur Volksgemeinschaft. [...] Gibt es etwas Beglückenderes als eine nationalsozialistische Versammlung, in der man sich eins fühlt, Redner und Zuhörer? Es ist das Glück der Gemeinsamkeit. Es ist das, was in solcher Intensität nur die ersten Christengemeinden empfunden haben können. Und auch sie opferten ihr persönliches Glück um der höheren Beglückung in der Gemeinde willen. [...] Wir sozialisieren den Menschen.«

Das nationalsozialistische Verständnis der »Volksgemeinschaft« als einer Gemeinschaft von Lebenden und Toten basierte auf dem Opfergedanken. Das Opfer als »eine ständig wirkende Wirklichkeit des Lebens« galt als »das bindendste Geheimnis der Gemeinschaft«[34]. An den Münchner Ehrentempeln für die Parteimärtyrer beziehungsweise »Blutzeugen« der »Bewegung«, die beim Putschversuch vom 8./9. November 1923 ums Leben gekommen waren, zogen die Regisseure des »Dritten Reiches« alle Register der Inszenierung: Blutweihe, Feuerkult, Licht- und Dunkelsymbolik, militärisches Ritual, soldatischer Mythos, nationale Opferbereitschaft, Todesverklärung und Ahnenverehrung.[35]

Der renommierte, vom Kaiserreich bis in die Nachkriegszeit hinein tätige Architekt Wilhelm Kreis, der sich selbst als ›der‹ Architekt Deutschlands bezeichnet hat, war von den Nationalsozialisten aus seinen Ämtern an der Hochschule in Dresden, des BDA und des Internationalen Gremiums für den Völkerbundpalast in Genf entlassen und – als gemäßigter Anhänger des Neuen Bauens, Sammler moderner Kunst und Freund jüdischer Künstler und Auftraggeber – jahrelang in der Praxis außer Kurs gesetzt, bevor er von Speer im Zuge des gewaltigen Berliner Neugestaltungsprojekts reaktiviert und rehabilitiert wurde.[36] Mit seinen Entwürfen zur »Soldatenhalle« (1938) sowie als »Generalbaurat zur Gestaltung deutscher Kriegsgräber« (ab März 1941) war Kreis zur Feier des Todes berufen. Tatsächlich verfügte er wie kaum ein anderer über ein gewaltiges Arsenal von Bauformen, insbesondere im Bereich der Traditionen des Monumentalbaus und des Denkmals, womit er den Ideen eines nationalsozialistischen Walhalls Rechnung tragen konnte. Ideologisch stellte sich die Aufgabe entsprechend Rosenbergs Verklärung der Toten des Ersten Weltkriegs zur Begründung eines »neuen Geschlechts«: »Aus den Todesschauern der Schlachten, aus Kampf, Not und Elend ringt sich ein neues Geschlecht empor, das endlich einmal ein arteigenes Ziel vor Augen sieht [...]. Die Heldendenkmäler und Gedächtnishaine werden durch ein neues Geschlecht zu Wallfahrtsorten einer neuen Religion gestaltet werden, wo deutsche Herzen immer wieder neu geformt werden im Sinne eines neuen Mythus. Dann ist durch die Kunst erneut einmal die Welt überwunden worden.«[37]

Kreis' **Totenburgen** (Kat.Nr. 84), die ein Gebiet zwischen Narvik, Dnjepr und Nordafrika, zwischen Mazedonien und Holland, vom Kanal bis zur Weichsel und zur Struma umspannen sollten, wurden nicht realisiert. In der repräsentativen Kunstzeitschrift *Die Kunst im Deutschen Reich* publiziert[38], waren sie als Bewußtseinsinhalt präsent. Kreis schöpfte aus dem vollen einer im Denkmal quasi ritualisierten Romantik der Weltgeschichte: Das die ägyptischen Mastabas des Alten Reiches in Gizeh evozierende Ehrenmal der Panzer in Afrika (1942) erhebt sich als gewaltiger Tempel aus Haustein mit geschlossenen, geböschten, an den Ecken von Adlern bekrönten Wänden auf leichtem Hügel. Am Dnjepr in der Weite Rußlands imaginierte Wilhelm Kreis eine archaische Pyramide nach dem Muster von Halikarnass in Kleinasien beziehungsweise der französischen Revolutionsarchitekten – ein Walhall der toten Helden. Die Vorstellung von Urwüchsigkeit beziehungsweise von der Gewalt der Natur und der Geschichte bedurfte der Evokation durch einfache – archetypische – Formen, die sich für Kreis nur am Maßstab der Tradition gewinnen ließen.

»Fiat ars – pereat mundus«

»›Fiat ars – pereat mundus‹ sagt der Faschismus und erwartet die künstlerische Befriedigung der von der Technik veränderten Sinneswahrnehmung, wie Marinetti bekennt, vom Kriege. Das ist offenbar die Vollendung des l'art pour l'art. Die Menschheit, die einst bei Homer ein Schauobjekt für die Olympischen Götter war, ist es nun für sich selbst geworden. Ihre Selbstentfremdung hat jenen Grad erreicht, der sie ihre eigene Vernichtung als ästhetischen Genuß ersten Ranges erleben läßt. So steht es um die Ästhetisierung der Politik, welche der Faschismus betreibt.« (Walter Benjamin)[39]

Die faschistische »Ästhetisierung der Politik« kulminierte im Krieg und in den als »Gesamtkunstwerk« inszenierten *Deutschen Wochenschauen* vom Krieg. Sie traten mit dem Anspruch auf, das »wahre Gesicht des Krieges« und das »Kriegserlebnis« zu zeigen; von der Publizistik wurde ihnen eine »künstlerisch überzeugende Form« attestiert.[40] Die emotional-erlebnishafte Qualität war Ergebnis einer systematischen Ästhetisierung. Die Selektion des Bildmaterials verfuhr nach dem Kriterium der ästhetischen Qualität; wie bei Spielfilmen wurde das Material schnittechnisch nach dramaturgischen Schemata zu »geschlossenen Kompositionen« verarbeitet. Prinzipiell am Schneidetisch vertont, folgte der Schnittrhythmus der einzelnen Sequenzen dem Rhythmus der unterlegten klassischen Musik, die interpretierend und emotionalisierend eingesetzt wurde. Der von Berufsschauspielern gesprochene Kommentar war das letzte Element der Mischung. In ihrer Tendenz, die Fakten des hochtechnisierten Krieges ins Vorindustrielle zu transponieren, machten die Wochenschauen aus dem Krieg ein romantisches Schauspiel.

»Faszinierender Faschismus«

1982 entstanden Andy Warhols Siebdrucke **Stadium** (Kat.Nr. 86) und **Reflected** (Kat.Nrn. 85, 87) in diversen Variationen (**Zeitgeist-Serie**) für die Ausstellung *Zeitgeist* im Martin-Gropius-Bau nach Aufnahmen des berühmten »Lichtdoms« von Albert Speer im Stadium auf dem Reichsparteitagsgelände in Nürnberg.[41] Wie kein anderer Künstler dieses Jahrhunderts hat Andy Warhol alle Bildwelten, vom Starkult Hollywoods über die Werbung, die Massenmedien und die politische Propaganda bis hin zur religiösen Bilderverehrung und dem Ikonenkult ausgeschlachtet. In seinem Werk, einer »einzigartigen Bilderbank des Zeitgeistes« (Robert Rosenblum), schwirren – wie in der Medienwelt – Gegenwärtiges und Vergangenes, Hohes und Niedriges durcheinander, als frei flottierende kollektive Gebilde. Warhol, dessen Rolle zwischen Affirmation und Subversion

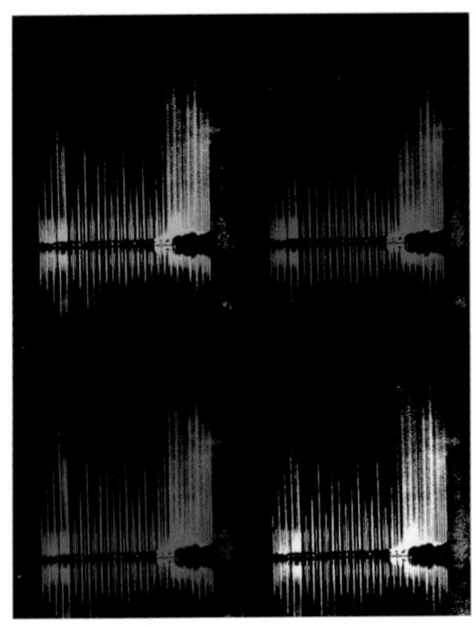
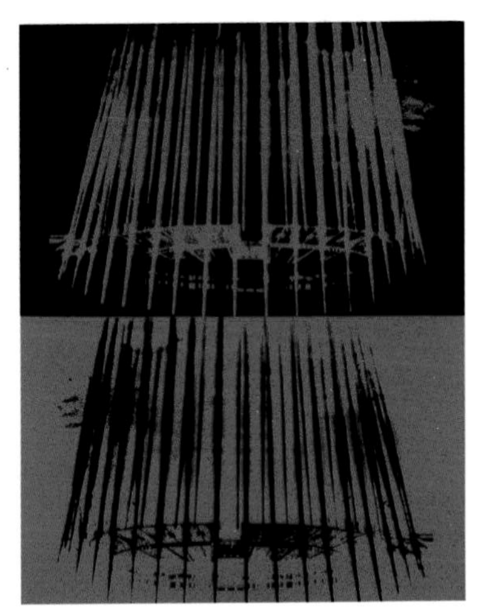
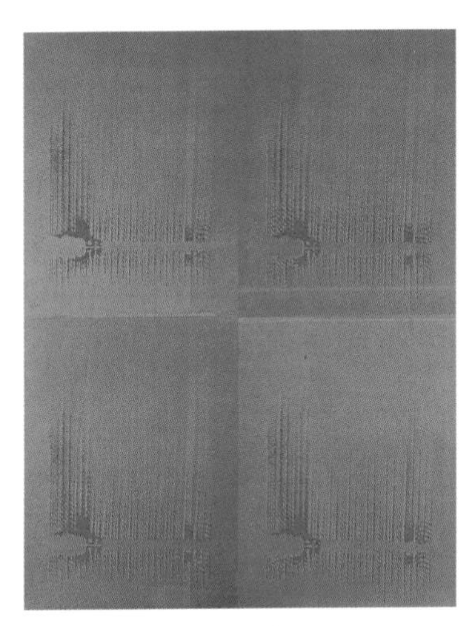

Andy Warhol, Zeitgeist-Serie, 1982; Siebdruck auf Leinwand, 229 x 178/9 cm; Courtesy Galerie Bischofberger Zürich
85 Reflected (blue, yellow, red and white on black); 86 Stadium (red/black); 87 Reflected (red on gold)

changiert, betrieb unter dem alles vergleich-gültigenden Motto »All is pretty« und dem Kult des Trivialen eine Generalliquidation der Traditionswerte, mit der er auch dem Einmaligen den Sinn für das Gleichartige abgewinnen sollte. »Niemand hat die Aura des Werks so sehr zerstört wie er und niemand hat sie im gleichen Atemzug als Klischee so unangreifbar gemacht. Die Aura kehrte dabei als Warenqualität wieder.«[42] In Warhols Werk verrät sich das Funktionieren der »Kulturindustrie«, die den längst ohnmächtig gewordenen »Mythos der Kunst« selbst an dem Material, das ihm widerspricht, immer weiter perpetuiert. In diesem Sinn bilden auch die im kollektiven Bewußtsein zirkulierenden Erinnerungen an die NS-Zeit keinen Gegen-stand mehr, der dem Denken Widerstand zu leisten vermöchte. In ihrem Aufsatz *Faszinierender Faschismus* (1974)[43] hat Susan Sontag am Beispiel der Entnazifizierung und Rehabilitierung Leni Riefenstahls als »unbezwingbarer Priesterin des Schönen« die bis heute lebendige Wirkungsmacht ihrer Filme darauf zurückgeführt, daß die Ideale des Nationalsozialismus und Faschismus »heute noch unter anderer Flagge lebendig« seien: »weil der Inhalt einem romantischen Ideal entspricht, zu dem sich immer noch viele hingezogen fühlen und das seinen Ausdruck in so unterschiedlichen Erscheinungsformen kultureller Dissidenz und Propagierung neuer Formen des Zusammenlebens findet wie der Jugend-Rockkultur, der Urschrei-Therapie, der Anti-Psychiatrie, der Dritte-Welt-Bewegung oder dem Glauben an das Okkulte.«[44] Für ein Bewußtsein, das Hitlers politischen Fanatismus lediglich als ästhetischen Exzeß wahrnimmt, ist Hitler dann, wie David Bowie sagte, »einer der ersten Rockstars«.

Anmerkungen

1 Clair, Jean: *Die Verantwortung des Künstlers. Avantgarde zwischen Terror und Vernunft.* Köln 1998, S. 56 (frz. Original Paris 1997).
2 Groys, Boris: *Gesamtkunstwerk Stalin. Die gespaltene Kultur in der Sowjetunion.* München; Wien 1988, S. 11, 14.
3 Vgl. hierzu Koslowski, Peter: *Der Mythos der Moderne. Die dichterische Philosophie Ernst Jüngers.* München 1991.
4 Jünger, Ernst: *Der Arbeiter. Herrschaft und Gestalt.* Hamburg 1932. Zit. n. der Ausgabe Stuttgart 1982 ([1]1981).
5 Ebd., S. 220.
6 Ebd., S. 221.
7 Vgl. hierzu Werneburg, Brigitte: »Ernst Jünger, Walter Benjamin und die Photographie«. In: Hans-Harald Müller; Harro Segeberg (Hg.): *Ernst Jünger im 20. Jahrhundert.* München 1995, S. 39–57.

8 Vgl. hierzu Brüning, Ute: »Bauhäusler zwischen Propaganda und Wirtschaftswerbung«; Weißler, Sabine: »Bauhaus-Gestaltung in NS-Propaganda-Ausstellungen«; Sachsse, Rolf: »Kontinuitäten, Brüche und Mißverständnisse. Bauhaus-Fotografie in den dreißiger Jahren«. Alle in: Winfried Nerdinger (Hg.): *Bauhaus-Moderne im Nationalsozialismus. Zwischen Anbiederung und Verfolgung.* Berlin; München 1988, S. 24–27; S. 48–62; S. 64–83.

9 *Berliner Tagblatt* vom 18. Juli 1936.

10 Vgl. hierzu Hornbostel, Wilhelm; Jockel, Nils (Hg.): *Käfer: der Erfolgswagen. Nutzen Alltag Mythos.* Ausst.Kat. Museum für Kunst und Gewerbe Hamburg. München; New York 1997.

11 Vgl. hierzu Hoffmann, Hilmar: *Mythos Olympia. Autonomie und Unterwerfung von Sport und Kultur.* Berlin; Weimar 1993; Sontag, Susan: »Faszinierender Faschismus«. In: Dies.: *Im Zeichen des Saturn.* Frankfurt am Main 1983, S. 96–125 (Übers. zuerst 1981; Orig. New York 1980).

12 Riefenstahl, Leni: *Hinter den Kulissen des Reichsparteitag-Films.* München 1935. Vgl. hierzu auch Sontag (Anm. 11), S. 104f.

13 Zit. n. Reichel, Peter: »Die Religion des 20. Jahrhunderts: Der Sport«. In: Ders.: *Der schöne Schein des Dritten Reiches. Faszination und Gewalt des Faschismus.* Frankfurt am Main, 1996, S. 255–262, hier S. 257 (zuerst 1991).

14 Riefenstahl, Leni: »Schönheit und Kampf in herrlicher Harmonie«. In: *Lichtbild, Bühne, Rundfunk*, 13. April 1938.

15 Hinz, Berthold: »›Entartete Kunst‹ und ›Kunst im Dritten Reich‹. Eine Synopse«. In: *Kunst und Macht im Europa der Diktatoren 1930 bis 1945.* (*Art and Power under the dictators 1930–45*). Ausst.Kat. organisiert von der Hayward Gallery, London, in Verbindung mit dem Deutschen Historischen Museum Berlin und Centro de Cultura Contemporània de Barcelona. London 1996, S. 330–332, hier S. 332.

16 Schultz, Edmund (Hg.): *Die veränderte Welt. Eine Bilderfibel unserer Zeit.* Mit einer Einleitung von Ernst Jünger. Breslau 1933, S. 44.

17 Kracauer, Siegfried: »Das Ornament der Masse«. In: *Frankfurter Allgemeine Zeitung*, 9./10. Juni 1927.

18 *Völkischer Beobachter*, Nr. 200, 19. Juli 1937.

19 Benjamin, Walter: *Das Kunstwerk im Zeitalter seiner technischen Reproduzierbarkeit.* Frankfurt am Main 1977, S. 13ff. (zuerst 1963; Erstdruck in franz. Übersetzung in der *Zeitschrift für Sozialforschung*, Jg. 5, 1936).

20 Rosenberg, Alfred: *Der Mythus des 20. Jahrhunderts. Eine Wertung der seelisch-geistigen Gestaltenkämpfe unserer Zeit.* München 1930.

21 Vgl. hierzu Berger, Ursel: *Georg Kolbe. Leben und Werk.* Mit dem Katalog der Kolbe-Plastiken im Georg-Kolbe-Museum. Berlin 1990; Dies. (Hg.): *Georg Kolbe 1877–1947.* Ausst.Kat. Georg-Kolbe-Museum Berlin. München; New York 1997.

22 Zit. n. Berger, Kolbe, 1990 (Anm. 21), S. 116.

23 Pinder, Wilhelm: *Georg Kolbe. Werke der letzten Jahre.* Berlin 1937, S. 13.

24 Ebd., S. 5f.

25 Ebd., S. 10.

26 Vgl. hierzu Wolbert, Klaus: *Die Nackten und die Toten des »Dritten Reiches«. Folgen einer politischen Geschichte des Körpers in der Plastik des deutschen Faschismus.* Gießen 1982.

27 Zit. n. ebd., S. 215.

28 Ebd., S. 235, 241.

29 Der Aufsatz »Kleine Geschichte der Photographie« erschien erstmals in der *Literarischen Welt,* 18./25.9, 2.10.1931, wiederabgedruckt in: Benjamin, Kunstwerk (Anm. 19), S. 45–64.

30 In: Hinz, Berthold u.a. (Hg.): *Die Dekoration der Gewalt. Kunst und Medien im Faschismus.* Gießen 1979, S. 137–149.

31 Wenk, Silke: »Volkskörper und Medienspiel. Zum Verhältnis von Skulptur und Fotografie im deutschen Faschismus«. In: *Kunstforum*, Bd. 114, Juli/August 1991, S. 226–235.

32 Jünger, Der Arbeiter (Anm. 4), S. 81.

33 Speer, Albert: *Technik und Macht.* Hg. von Adelbert Reif. Esslingen am Neckar 1979, S. 61.

34 Schrade, Hubert: *Bauten des Dritten Reiches.* Leipzig 1937, S. 13.

35 Vgl. Reichel (Anm. 13), S. 221.

36 Vgl. hierzu Mai, Ekkehard: »Von 1930 bis 1945: Ehrenmäler und Totenburgen«. In: Winfried Nerdinger; Ekkehard Mai (Hg.): *Wilhelm Kreis: Architekt zwischen Kaiserreich und Demokratie 1873–1955.* München; Berlin 1994, S. 157–167.

37 Rosenberg, Mythus (Anm. 20), S. 163.

38 *Die Kunst im Deutschen Reich. Illustrierte Monatsschrift für alle Gebiete künstlerischen Schaffens*, Ausg. B, März 1943, S. 50ff.

39 Benjamin, Kunstwerk (Anm. 19), S. 44.

40 Stamm, Karl: »Das ›Erlebnis‹ des Krieges in der Deutschen Wochenschau. Zur Ästhetisierung der Politik im ›Dritten Reich‹«. In: Hinz u.a., Die Dekoration der Gewalt (Anm. 30), S. 115–122.

41 Weiss, Evelyn: »Warhol und Deutschland«. In: *Kölner Museums-Bulletin*, H. 4, 1989, S. 4–18.

42 Belting, Hans: »Andy Warhols ›viertausend Meisterwerke‹«. In: Ders.: *Das unsichtbare Meisterwerk. Die modernen Mythen der Kunst.* München 1998, S. 437–442, hier S. 438.

43 Sontag (Anm. 11).

44 Sontag (Anm. 11), S. 117.

Vorsatzblatt: Josef Thorak, Ehrenmal der Panzer in Afrika, 1942; Der Bildhauer Wilhelm Kreis in seinem Atelier; Leni Riefenstahl, Fest der Völker – Fest der Schönheit, 1936–38 (Prolog, I. Teil); Grundsteinlegung des Volkswagen-Werkes, 26. Mai 1938; Leni Riefenstahl, Fest der Völker – Fest der Schönheit, 1936–38 (Prolog, I. Teil); Doppelseite aus dem von Herbert Bayer gestalteten Prospekt *Deutschland Ausstellung*, »Die Reichshauptstadt baut auf!«, 1936; Leni Riefenstahl, Triumph des Willens, 1934, Wiener Library, London

Die inszenierte Realität

Filmpropaganda im ›Dritten Reich‹

Lutz Becker

Die Ernennung Adolf Hitlers zum Reichskanzler am 30. Januar 1933 war das Resultat der ersten modernen Propagandaaktion einer politischen Partei in Deutschland. Sie war ein persönlicher Erfolg von Dr. Joseph Goebbels, dem Propagandachef der NSDAP. Hitler ernannte ihn am 13. März 1933 zum Reichsminister für Volksaufklärung und Propaganda. Die Gründung des Propagandaministeriums und das Inkrafttreten des Ermächtigungsgesetzes elf Tage später waren entscheidende Schritte auf dem Weg in die NS-Diktatur. Die Brutalisierung der Politik und die systematische Beeinflussung des Volkes durch den Propagandaapparat bildeten die Pole, zwischen denen sich das öffentliche Leben im ›Dritten Reich‹ abspielte: Presse, Rundfunk, und Film wurden zu Pfeilern der Macht. Sämtliche im Kulturbereich und in den Medien tätige Personengruppen wurden durch die Mitgliedschaft in der Reichskulturkammer zwangsorganisiert. Der Filmindustrie galt Goebbels' größtes Interesse, sie wurde durch die Gründung der Reichsfilmkammer gleichgeschaltet. Vom 14. Juli 1933 an durften nur noch jene im Film arbeiten, die von der Filmkammer zugelassen worden waren, politisch Andersdenkende und Juden wurden ausgeschlossen.

Fortwährende Eingriffe des Propagandaministeriums in die Produktionen führten zu einer Bürokratisierung und Verteuerung der Spielfilmherstellung, die allmählich in den formalen Konventionen der Ateliers erstarrte. Jeder Film sollte, wenn er schon nicht reine Propaganda sein konnte, zumindest ein Stück nationalsozialistischer Kultur sein. Trotz dieses großen Anspruchs entstammten die Melodramen, Unterhaltungsfilme und Ausstattungsrevuen nach wie vor der kleinbürgerlichen Klischeewelt. Unter der zwölf Jahre währenden Ägide Goebbels' wurden 1.094 Spielfilme hergestellt, von denen über 90% Unterhaltungsfilme im Sinne der »Kraft durch Freude«-Mentalität, der Rest eindeutige Propagandavehikel waren. Alle Produktionen hatten ihren Platz im weiteren Propagandakonzept; sie sollten entweder von den täglichen Realitäten ablenken oder das Zugehörigkeitsgefühl zur Volksgemeinschaft festigen und den ›Wehrwillen‹ stärken.

Der Führerkult war die Achse der NS-Propaganda; er hatte die Funktion, die Loyalität der Bevölkerung zu Hitler, Partei und Staat zu mobilisieren. Dank ihrer mythenbildenden Eigenschaften waren Dokumentarfilme und *Wochenschauen* besonders für die Multiplikation und Steigerung des Hitlerbildes geeignet. Sie verankerten die Gestalt des »Führers« in der Vorstellungswelt der Massen und gaben den irrationalen Aspekten der nationalsozialistischen Ideologie bildliche Substanz. Die Aufgabe, die für den Führermythos gültigen Bilder zu finden, fiel auf eine junge Generation von Kameramännern, die fast ohne Ausnahme in den Berg- und Skifilmproduktionen von Arnold Fanck ausgebildet worden war. In seinen melodramatischen Darstellungen der Alpenwelt war der Berg nicht nur Ort der Handlung, sondern Schicksalsmetapher. In der Bildsprache seiner Schüler verband sich Fancks romantisierende Sicht mit sportlicher Körperlichkeit und der Fotoästhetik der Neuen Sachlichkeit.

Auch Leni Riefenstahl entstammte dieser Schule. Vormals Darstellerin in Fancks Filmen, drehte sie unter dessen Mentorenschaft 1932 ihren ersten Spielfilm *Das Blaue Licht*. Dieser Film machte Hitler und Goebbels auf die Regisseurin aufmerksam. Sie produzierte auf Wunsch Hitlers drei Filme über die Reichsparteitage der NSDAP in Nürnberg, von denen *Triumph des Willens* (1935) zum Prototyp des NS-Propagandafilms schlechthin gedieh. Im Enthusiasmus für ihre Arbeit und für den »Führer« schuf sie die authentische filmische Umsetzung der kollektiven Euphorie. Sie hatte die im Führerkult enthaltenen Erlösungsphantasien derartig verinnerlicht, daß es ihr gelang, die Nürnberger Rituale und die Überhöhung der Gestalt Hitlers in mythologisierenden Bildern und Stimmungen darzustellen. Sie zeigte das Regime im Höhenrausch; wie Fanck in seinen Naturhymnen gestaltete Riefenstahl das emotionale Milieu Nürnbergs verallgemeinernd naturhaft, das die Führerschaft Hitlers in der Begeisterung der Massen legitimierte. Der *Triumph des Willens* war das Resultat einer bemerkenswerten Kollaboration der besten Kameraleute Deutschlands, angeführt von Arnold Fancks jungen Männern. Fancks Anteil an der Modernisierung und ideologischen Neudefinition der Filmsprache des ›Dritten Reichs‹ kann nicht überbewertet werden.

Stilprägend wirkte auch die geradezu militärische Planung der Filmarbeit. Ein besonderer ›Einsatzstab‹ wurde eingerichtet, der für die organisatorischen und technischen Vorbereitungen des Einsatzes der Filmteams bei Staatsanlässen verantwortlich war und die Zusammenarbeit zwischen den verschiedenen Abteilungen des Propagandaministeriums und den Gliederungen der Partei koordinierte. Die Erfahrungen, die der ›Einsatzstab‹ bei den Dreharbeiten zu *Triumph des Willens* gewonnen hatte, bereiteten die logistische Basis für Riefenstahls größten Staatsauftrag vor, die Produktion des Films über die Olympischen Spiele 1936. Neben den direkt unter ihrer Regie arbeitenden sechs Kameramännern filmten weitere 38 Operateure die Spiele, unterstützt von einem Heer von Technikern, Assistenten und Organisatoren. Nach zweijähriger Schnittzeit enstand ein zweiteiliges Werk: *Fest der Völker* und *Fest der Schönheit*. In der arkadisch sentimentalischen Darstellung Leni Riefenstahls wurden die Olympischen Spiele zur strahlenden Siegesfeier des Regimes. Das Berliner Stadion wurde zum Thingplatz der Nation, über dem die Allmacht und Autorität des Diktators waltete; das Ornament der Masse wurde zum Sinnbild der Unterwerfung. Durch die heroisierende Darstellung der Wettkämpfe und die rassistische Interpretation des Schönheitsideals wurde der Film zum ideologisch potenzierten Abbild der faschistischen Utopie. Die Bild- und Tonmontage steigerte die Dynamik des Massenrausches zur Extase. – In ihrem Olympia-Film hat Leni Riefenstahl eine monumentale, unverwechselbare, dem NS-Film eigene Ikonographie gefunden.

Es war besonders die *Wochenschau*, die von der technischen, stilistischen und organisatorischen Entwicklung profitierte. Sie hatte alle Vorzüge eines zeitgemäßen Propagandamediums, das unbegrenzt reproduzierbar über Aktualität, Universalität und Periodizität verfügte. Die *Wochenschau* wurde vom Publikum bedingungslos als Reflexion der Realität angenommen und nicht als Resultat eines synthetischen, manipulierbaren Prozesses erkannt. Die desorientierende Wirkung einer durch dramatisierende Montage, einprägsame Musik und Kommentarsalven emotionalisierten Weltsicht in der *Wochenschau* wurde durch den generellen Realitätsabbau im Spielfilmprogramm gesteigert. Der normale Kinobesuch wurde mehr und mehr zum gehobenen theatralischen Erlebnis.

Der Ausbruch des Krieges bewirkte eine Steigerung der Anziehungskraft der *Wochenschau*. Besonders der Blitzkrieg im Westen und die Fiktion der schnellen Siege faszinierten das Kinopublikum; zeitweise interessierte es sich mehr für die *Wochenschau* als für das Spielfilmangebot. Innerhalb eines Jahres, von Juni 1939 bis Juni 1940, steigerte sich der Kinobesuch um 90%. Die Wochenschauproduktion wurde 1940 durch die Gründung der »Deutschen Wochenschau« zentralisiert. Von nun an mußte jede einzelne Folge dem Propagandaminister vorgelegt werden, der Inhalt, Form und propagandistisch-weltanschauliche Zielrichtung festlegte. Die Aufgaben des ›Einsatzstabes‹ wurden den Propagandakompanien (PK) übertragen. Diese waren vom Propagandaministerium in Absprache mit dem Oberkommando der Wehrmacht gebildet worden. Die PK waren allen Waffengattungen und Frontabschnitten zugeordnet, was der Kriegswochenschau eine dynamische Unmittelbarkeit und den Schein der Omnipotenz ermöglichte. Die aktuelle Kriegsberichterstattung war die Essenz einer effektiven Filmpropaganda, die ihre Wirkung und relative Popularität bis zum Zusammenbruch des Regimes 1945 beibehielt.

Ausstellung
„Entartete Kunst"
Eintritt frei

»Entartung« als ästhetische Kategorie des 20. Jahrhunderts

Peter-Klaus Schuster

Blick in die Ausstellung *Entartete Kunst*, München 1937

Hitler bei der Vorbesichtigung der Ausstellung *Entartete Kunst* am 16. Juli 1937 vor der Dada-Wand, rechts neben Hitler Adolf Ziegler, hinten Wolfgang Willrich (mit Brille) und Walter Hansen

Abb. unten links: Aufruf zum Besuch der Ausstellung *Entartete Kunst*, Einlegeblatt im Katalog zur *Großen Deutschen Kunstausstellung* 1937 im »Haus der Deutschen Kunst«

Abb. unten rechts: 88 Umschlag des Ausstellungsführers »Entartete ›Kunst‹«, 1937, abgebildet ist »Der Neue Mensch« von Otto Freundlich

Zu den riskantesten Widersprüchen der Moderne gehört der Begriff der »Entartung«. In der Weise, wie die Nationalsozialisten die deutsche Moderne insgesamt als »entartet« diffamierten, verkehrte sich dieser Vorwurf nach dem Ende von Hitler-Deutschland zum Ehrentitel, zu einer ästhetischen Kategorie, welche der Moderne erneut eine verstörende Wirkungsmacht zusprach, eine künstlerische Gewalt, gegen die sich die Nationalsozialisten einzig mit physischer Gewalt, mit Unterdrückung, Vertreibung und Vernichtung der Werke wie ihrer Künstler zu wehren gewußt hatten. Mit dem Vorwurf der »Entartung« und allen damit verbundenen Tabuverletzungen schufen die Nationalsozialisten somit *via negationis* eine der entscheidenden, weil unter Künstlern letztlich angesehensten ästhetischen Kategorien des 20. Jahrhunderts.

Gequälte Leinwand –
Seelische Verwesung –
Krankhafte Phantasien –
Geisteskranke Nichtskönner

von Judencliquen preisgekrönt, von Literaten gepriesen, waren Produkte und Produzenten einer „Kunst", für die Staatliche und Städtische Institute gewissenlos Millionenbeträge deutschen Volksvermögens verschleuderten, während deutsche Künstler zur gleichen Zeit verhungerten. So, wie jener „Staat" war seine „Kunst".

Seht Euch das an! Urteilt selbst!

Besuchet die Ausstellung

„Entartete Kunst"

Hofgarten-Arkaden, Galeriestraße 4

Eintritt frei Für Jugendliche verboten

I. Zur Münchner Ausstellung *Entartete Kunst*

Die Geburtsstunde dieser ästhetischen Kategorie vor einer breiten Öffentlichkeit war der 19. Juli 1937. An diesem Tag wurde von den Nationalsozialisten in München unter dem Titel *Entartete Kunst* in den nur provisorisch hergerichteten Ausstellungsräumen der dafür entfernten Gipsabgußsammlung des Archäologischen Institutes im Galeriegebäude am Hofgarten (Abb. S. 138) die gesamte deutsche Moderne vom späten Corinth über die Brücke-Künstler, den Blauen Reiter, Dada und Bauhaus bis zur Neuen Sachlichkeit versammelt und als krankhafte Ausgeburt des Wahnsinns oder als Schwindel eines jüdisch unterwanderten Kulturbolschewismus diffamiert.[1] »Gequälte Leinwand – Seelische Verwesung – Krankhafte Phantasten – Geistes-

Die Dirne wird zum sittlichen Ideal erhoben!

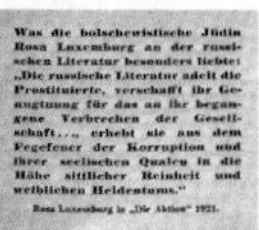

Was die bolschewistische Jüdin Rosa Luxemburg an der russischen Literatur besonders liebte: „Die russische Literatur adelt die Prostituierte, verschafft ihr Genugtuung für das an ihr begangene Verbrechen der Gesellschaft...„ erhebt sie aus dem Fegefeuer der Korruption und ihrer seelischen Qualen in die Höhe sittlicher Reinheit und weiblichen Heldentums."

Rosa Luxemburg in „Die Aktion" 1921.

89 Collage mit »entarteter Kunst« aus dem Stadtmuseum Dresden; aus: Wolfgang Willrich, *Säuberung des Kunsttempels*, München 1937 ■ *Erste Internationale Dada-Messe* in der Kunsthandlung Dr. Burchard in Berlin am 5.7.1920; von links nach rechts stehend: Raoul Hausmann, Otto Burchard, Johannes Baader, Wieland und Margarete Herzfelde, George Grosz, John Heartfield; sitzend: Hannah Höch, Otto Schmalhausen ■ Dada-Wand mit Werken von Kurt Schwitters, Paul Klee sowie Blättern aus Dada-Zeitschriften in der Ausstellung *Entartete Kunst*, München 1937 ■ Aus dem »Ausstellungsführer« zur *Entarteten Kunst*, 1937

kranke Nichtskönner«, »Seht Euch das an! Urteilt selbst!« So lauteten die aufreizenden Parolen eines signalroten Flugblattes (Abb. S. 138), das zum Besuch der Ausstellung *Entartete Kunst* aufrief und dem offiziellen Katalog der *Ersten Deutschen Kunstausstellung* beilag. Als kalkulierte Kontrastveranstaltung wurde diese am Tag zuvor, am 18. Juli 1937, im gegenüberliegenden »Haus der Deutschen Kunst« eröffnet. In diesem eben vollendeten monumentalen Tempel nationalsozialistischer Staatskunst sah man die nichtentartete, die gesunde deutsche Kunst der Gegenwart, die sich in der Skulptur durchweg am Klassizismus und in der Malerei bevorzugt am Realismus der Genremalerei des 19. Jahrhunderts orientierte.

Der Aufforderung zum kostenfreien, für Jugendliche jedoch ausdrücklich verbotenen Besuch der Ausstellung *Entartete Kunst* sollen bis zum Ausstellungsende am 30. November 1937 allein in München 2.009.899 Besucher gefolgt sein. Dies wäre die höchste Besucherzahl, die überhaupt je für eine Ausstellung moderner Kunst gezählt wurde. In veränderter Form wurde die Ausstellung *Entartete Kunst* anschließend in Berlin, Hamburg, Wien und an anderen Orten gezeigt.[2] Die Ausstellung der offiziellen Staatskunst im »Haus der Deutschen Kunst« hatte dagegen ›nur‹ 500.000 Besucher. Diese offiziellen Zahlen, denen in beiden Fällen als propagandistische Übertreibung zu mißtrauen ist, verraten jedoch, daß den Nationalsozialisten die massenhafte Publikumswahrnehmung der von ihnen als »entartet« verdammten Antikunst als Ausdruck ihrer Gewalt über Kunst weit wichtiger war als der Zuspruch der von ihnen verordneten Kunst. Die von den Nationalsozialisten im Münchner Hofgarten als »entartet« an den Pranger gestellte deutsche Moderne umfaßte etwa 300 Gemälde, 25 Skulpturen und 400 Grafiken von 110 Künstlern. Alle ausgestellten Werke waren von den Nationalsozialisten wenige Wochen zuvor aus deutschem Museumsbesitz beschlagnahmt worden. Geleitet wurde diese Beschlagnahmungskommission von Adolf Ziegler, seit 1933 Professor für Maltechnik an der Münchner Akademie und Präsident der Reichskammer der bildenden Künste. Er steht rechts von Hitler auf einem Foto (Abb. S. 138), das kurz vor Eröffnung in der Ausstellung *Entartete Kunst* gemacht wurde. Links von Hitler stehen Wolfgang Willrich und Walter Hansen. Als Maler und Zeichenlehrer in Göttingen und Hamburg haben sie mit ihrem Künstler-Haß auf die Moderne in jahrelangen Vorarbeiten die notwendigen Kenntnisse zur Modernen Kunst für den nationalsozialistischen Bildersturm verfügbar gemacht.[3]

Besucher in der Berliner Version der Ausstellung *Entartete Kunst*, 1938

90 Emil Nolde, Christus und die Sünderin, 1926; Öl auf Leinwand, 86 x 106 cm; Staatliche Museen zu Berlin, Nationalgalerie; 1929 von der Nationalgalerie erworben, 1937 dort beschlagnahmt, 1939 in Luzern versteigert, 1999 aus Privatbesitz für die Nationalgalerie zurückerworben

Besonders folgenreich war Willrichs im Frühjahr 1937 erschienenes Pamphlet *Säuberung des Kunsttempels.* Darin finden sich Fotocollagen aus montierten Werken moderner Kunst (Kat.Nr. 89), deren chaotische Anordnung das diffamierend verwirrende Hängeprinzip der Ausstellung *Entartete Kunst* bereits vorwegnimmt. Dahinter steht als Schock der Moderne natürlich die Provokation des Dadaismus. Die *Erste Internationale Dada-Messe* in Berlin (Abb. S. 139), 1920 von Raoul Hausmann, Hannah Höch, George Grosz, John Heartfield und anderen inszeniert, liefert in ihrer verstörenden Wort-Bild-Montage, in ihrer Kombination von Kunstwerken und Wandparolen offensichtlich das optische Grundmuster der gesamten Münchner Ausstellung zur »Entarteten Kunst«. Kaum zufällig wird deshalb die Aufforderung »Nehmen Sie DADA ernst, es lohnt sich!« aus der *Ersten Internationalen Dada-Messe* als Motto auf der Dada-Wand in der Münchner Ausstellung *Entartete Kunst* zitiert (Abb. S. 139), die dort Werke von Kurt Schwitters, Paul Klee, Wassily Kandinsky und Seiten aus Dada-Zeitschriften in Dada-Manier kombiniert.[4] Man kann die Münchner Schandausstellung in ihrer perfide verstörenden Inszenierung geradezu als die auf bürgerliche Kunstvorbehalte abzielende Dada-Messe des Führers bezeichnen. Zur Ausstellung des Führers wird sie auch durch einen »Ausstellungsführer« (Kat.Nr. 88), auf dessen Titel die Skulptur des »Neuen Menschen« von Otto Freundlich die Ängste des gesunden Volksempfindens gegenüber den Primitivismen der Moderne wachrief. Mit diesem für München vielleicht, für die Berliner Station der *Entarteten Kunst* gewiß vorliegenden »Ausstellungsführer« wird Hitler durch Zitate seiner Reden zur Kunst auch als »Führer« durch die Kunst der Moderne inthronisiert. Durch seine collageartige Seitengestaltung (Abb. S. 139) übernimmt dieser »Ausstellungsführer«

Abb. links
Karel Appel, Femme et chien dans la rue, 1953; Staatliche Museen zu Berlin, Nationalgalerie, Schenkung Otto van de Loo

Abb. rechts
91 Asger Jorn, Ein Draußenstehender, 1964; Öl auf Leinwand, 89 x 116 cm; Staatliche Museen zu Berlin, Nationalgalerie, Schenkung Otto van de Loo

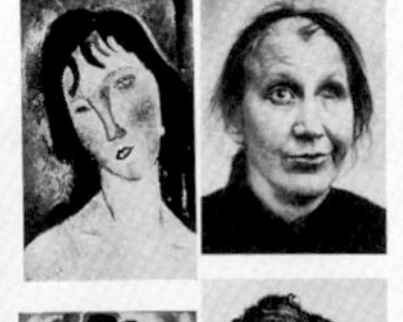
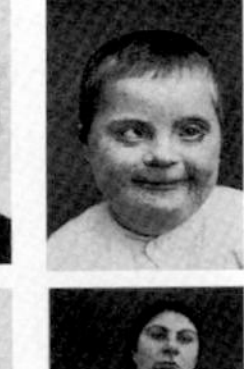

92 Gegenüberstellung von expressionistischen Kunstwerken mit kranken Menschen, um die »Entartung« beider »zu beweisen«; aus: Paul Schultze-Naumburg, *Kunst und Rasse*, München 1928; Staatliche Museen zu Berlin, Kunstbibliothek

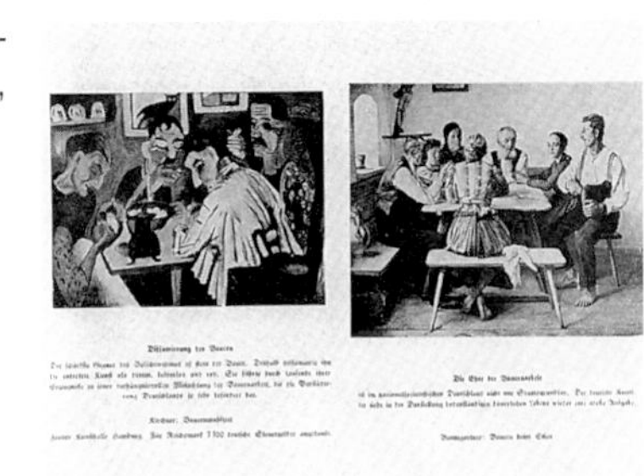

»Entartete« und »deutsche« Bauerndarstellung, Gegenüberstellung; aus: Adolf Dressler, *Deutsche Kunst und Entartete Kunst*, München 1938

selbst noch im Inneren die dadaistische Schockstrategie.

Demgegenüber büßt die Ausstellungsinszenierung nach München ihre dadaistische Dichte und damit auch ihre Attraktivität als Bürgerschreck ein, was nach dem beängstigenden Erfolg in München möglicherweise beabsichtigt war. Umgekehrt stellt sich dem Blick auf die so geordnete Situation der Berliner Ausstellung *Entartete Kunst* (Abb. S. 140) die beunruhigende Frage, welchen Stellenwert die deutsche Moderne heute für uns hätte, wäre sie von den Nationalsozialisten nicht als »entartet« diffamiert, sondern von diesen uneingeschränkt als Kunst bewundert worden mit der Konsequenz, daß die Nazis diese jungen Soldaten zur Kunstandacht vor den Meisterwerken des deutschen Expressionismus abgeordnet hätten.[5]

II. Zur Vorgeschichte

»Entartete Kunst«, so belehrt der »Ausstellungsführer«, kennzeichnet eine »Barbarei der Darstellung«. Sie ist bestimmt durch »bewußte Verzerrung« und durch fortschreitende »Zersetzung des Form- und Farbempfindens«. Ihrem Inhalt nach kennt diese Kunst nur »Hohn auf jegliche religiöse Vorstellung«. Ihre künstlerische Anarchie »predige politische Anarchie für die bolschewistische Revolution«. Ferner sei »die ganze Welt« für diese Kunst »ein einziges Bordell«. Sie erhebe die Dirne »zum sittlichen Ideal«. Ihr fehle »jedes Rassebewußtsein«. Ihr geistiges Ideal sei »der Idiot, der Kretin und der Paralytiker«. Die abstrakte Kunst gilt schließlich als »vollendeter Wahnsinn«, ihr Vorhandensein in Kunstsammlungen und Museen vermerkte der »Ausstellungsführer« als besondere Verhöhnung des deutschen Publikums.[6]

Georg Baselitz und Eugen Schönebeck, Pandämonisches Manifest I, 1. Version, Oktober 1961; Museum Ludwig, Köln

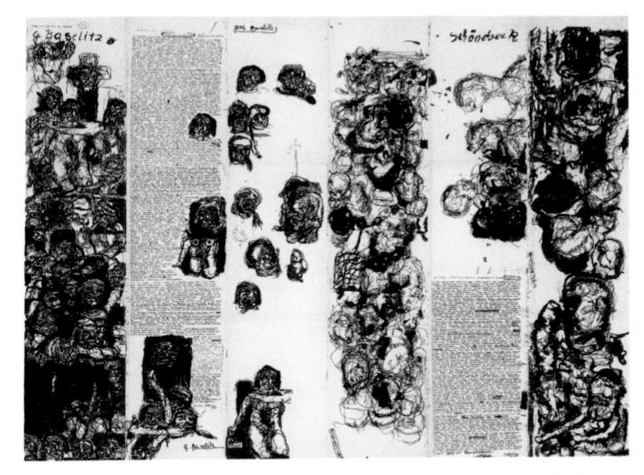

93 Georg Baselitz und Eugen Schönebeck, Pandämonisches Manifest II, Frühjahr 1962; Lichtpause, 90,3 x 128,7 cm; Privatsammlung Berlin

Dieser Katalog an Vorwürfen gegen die verderbenden Kräfte moderner Kunst faßt all das zusammen, was seit dem Machtantritt der Nationalsozialisten im Jahr 1933 und vereinzelt auch schon früher gegen die Moderne vorgebracht wurde.[7] Die Urschrift all dieser Vorwürfe stammt aus der Feder von Max Nordau. 1849 wurde er als Sohn des polnischen Rabbiners Gabriel Südfeld und einer russisch-jüdischen Mutter in Budapest geboren. Nach Studien der Medizin und Psychiatrie betätigte er sich als Journalist. Ausgedehnte Reisen machen ihn mit dem Kulturbetrieb der europäischen Metropolen bestens vertraut. Dabei registriert er am Ende des 19. Jahrhunderts ein Dekadenzbewußtsein, das, besonders in Paris spürbar, von Nordau als Krankheitserreger einer umfassenden sozialen Fehlentwicklung diagnostiziert wird, an deren Ende eine ihren Ursprüngen entfremdete und verlogene Kulturmenschheit steht. Sie hat ihren Ursprung für Nordau in den Degenerationserscheinungen der modernen Künste, zu denen er besonders Naturalismus, Symbolismus und Realismus zählt. Gegen diese künstlerischen Formen »des moralischen Irrsinns, des Schwachsinns und der Verrücktheit« schrieb Nordau sein zweibändiges, 1892 und 1893 in Berlin erschienenes Erfolgsbuch *Entartung*, das er dem italienischen Gerichtsmediziner und Psychiater Cesare Lambroso widmete.[8]

Die Moderne als Krankheitsgeschichte von einem Gesunden verfaßt, mit diesem Grundtenor wurde

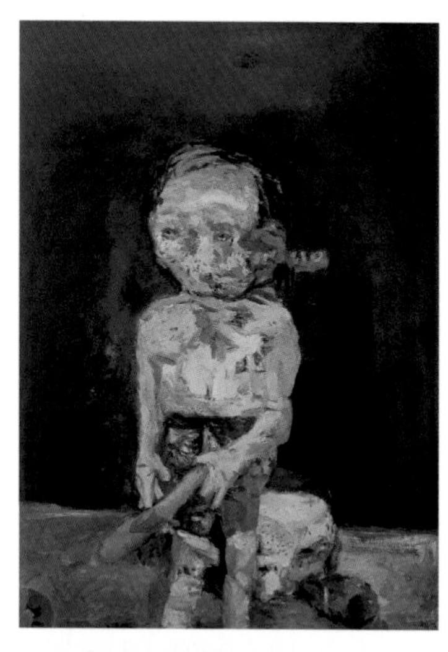

94 Georg Baselitz, Die große Nacht im Eimer, 1962/63; Öl auf Leinwand, 250 x 180 cm; Museum Ludwig, Köln

95 Georg Baselitz, Geschlecht mit Klößen, 1963; Öl auf Leinwand, 190 x 165 cm; Privatsammlung

96 Georg Baselitz, Der nackte Mann, 1962; Öl auf Leinwand, 114 x 146 cm; Sammlung Kleihues

97 Eugen Schönebeck, Ginster, 1963; Öl auf Leinwand, 162 x 129 cm; Privatsammlung

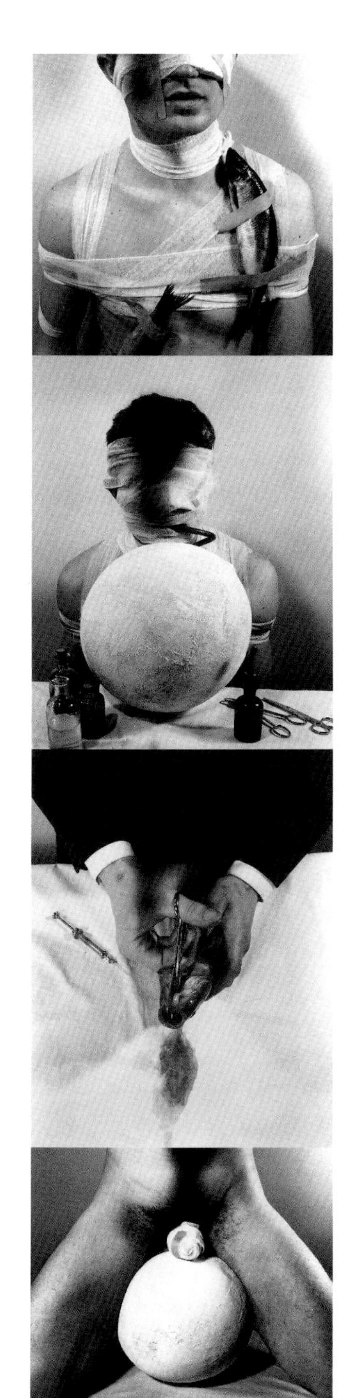

Nordaus *Entartung* zu einem Hauptwerk europäischer Kulturkritik am Jahrhundertende, vielfach übersetzt und bis zum Ersten Weltkrieg immer wieder aufgelegt. In seiner Nachfolge wurde »Entartung« zu einem höchst geläufigen Wort im Kultur- und Kunstbetrieb. So etwa fand Franz Marc nichts dabei, seine Dichterfreundin Else Lasker-Schüler als »entartet« zu charakterisieren.[9] Wilhelm von Bode als kämpferischer Generaldirektor der Berliner Museen bezeichnete 1919 die von Expressionismus und Dadaismus beeinflußte Film- und Tanzkunst als »Entartung des Schauwesens«[10]. Kafkas Freundin Milena befand 1927, in Deutschland »entartet jede Moderne allerdings zu Sektierertum, Besessenheit und Verschwörerbanden«[11].

Ohne das Wort »Entartung« zu gebrauchen, hatte auch die Behinderung beziehungsweise das Verbot des Sammelns von Werken der Moderne in deutschen Museen schon vor dem Nationalsozialismus eine vielfältige Tradition. Solche Abwehr des Neuen in den Künsten führte freilich zu lebhaften öffentlichen Debatten im wilhelminischen Deutschland, wobei das liberale und zumal häufig jüdische Bürgertum in diesen Polemiken meist die Seite der modernen Kunst gegen Obrigkeit und Künstlerneid ergriff. Eine Ausnahme machte allerdings bezeichnenderweise der Autor der *Entartung*. So tadelte Max Nordau 1908 Hugo von Tschudi, daß er »von schmunzelnden Pariser Händlern Cézanneschen Kehricht zu hohen Preisen erstand und ehrfurchtsvoll in Berliner Museen der öffentlichen Bewunderung preisgab«[12]. Nicht »Entartung«, wohl aber übersteigerte Ich-Sucht der Künstler, das Unfertige ihrer Bilder sowie ihre

98 Rudolf Schwarzkogler, 2. Aktion in der Wohnung Cibulka, Wien, Sommer 1965; Fotos Lilly Hoffenreich; Staatliche Museen zu Berlin, Nationalgalerie

99 Kurt Kren: Film über Günther Brus' Fiktion Selbstverstümmelung, 1965; Sammlung Hummel, Wien

100 Günther Brus, Der helle Wahnsinn, 1968; Fotografie, 18 x 24 cm; Sammlung Hummel, Wien

101 Günther Brus, Die Zerreißprobe, 1970/72; Farbfotografie auf Holzfaserplatte, 99,5 x 118,5 cm; Museum moderner Kunst Stiftung Ludwig, Wien

wenig erbaulichen Themen beklagte Kaiser Wilhelm II. gegenüber Tschudi an der von ihm als »Rinnsteinkunst« abqualifizierten Moderne. Mit seinem Erlaß von 1899 wies er als oberster Dienstherr Tschudi an, daß alle Neuerwerbungen und Geschenke für die Nationalgalerie durch ihn persönlich zu genehmigen seien. Damit waren Tschudis vielfältige Bemühungen um Ankäufe zeitgenössischer Kunst, insbesondere der französischen Impressionisten, aber auch von Werken van Goghs und Gauguins entscheidend behindert.[13]

Der bürgerliche Kunstbetrieb im Kaiserreich wußte solche Verbote freilich noch wirkungsvoll zu unterlaufen. So gelang dem künstlerischen Ratgeber des Kaisers und Direktor der Berliner Kunstakademie Anton von Werner durch die Schließung der Munch-Ausstellung 1892 im Berliner Künstlerverein mit der Begründung, es handle sich um »künstlerische Schweinerei«, nur mehr ein Pyrrhussieg. Denn kein Künstler war nach diesem Verbot – wie Corinth neidvoll vermerkte[14] – in Deutschland so erfolgreich wie eben Munch. Und auch Tschudi konnte seine durch Berliner Mäzene weiterhin ermöglichten, beim Kaiser aus ästhetischen wie nationalen Rücksichten jedoch nicht erwünschten französischen Erwerbungen schließlich – wenn auch nicht ohne Not – in der Neuen Pinakothek in München plazieren. Selbst der von zahlreichen deutschen Künstlern unterstützte Protest des Bremer Malers Carl Vinnen gegen den Ankauf des Gemäldes **Mohnfeld** von van Gogh durch die Bremer Kunsthalle, dieses »Atelierkehrrichts französischer Malerei, der die Künstlerjugend verderbe«, hatte keineswegs zu einer Lähmung der internationalen Ankaufsbemühungen der deutschen Museen geführt. Vielmehr bewirkte der Vinnen-Protest eine Solidarisierung der Künstler und Sammler, die ihr Plädoyer für die Moderne in einer von Franz Marc stark geförderten und 1912 bei Piper in München erschienenen Schrift *Im Kampf um die Kunst* veröffentlichten.[15]

Dieser Kampf um die Moderne veränderte erst sein liberales Klima, als sich mit dem Erscheinen des ersten

102 Via Lewandowsky, Anomalie Normaler Dauer, Neigung zu ungehemmter Löslichkeit, 1992; 24 Tafeln, je 90 x 90 cm; Besitz des Künstlers

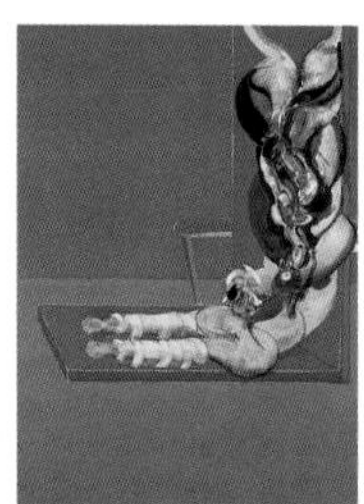

Francis Bacon, Kreuzigung, 1965; Staatsgalerie moderner Kunst, München, Dauerleihgabe der Stiftung Galerie-Verein

103 Francis Bacon, Nach Muybridge, Studie der menschlichen Figur in Bewegung – Frau eine Schale Wasser leerend und gelähmtes Kind auf allen Vieren, 1965; Öl auf Leinwand, 198 x 147,5 cm; Stedelijk Museum, Amsterdam

Bandes von Hitlers *Mein Kampf* 1925 ein zelotischer Leser von Max Nordau zu Wort meldete. Mit Haß sprach er von den »krankhaften Auswüchsen irrsinniger und verkommener Menschen, die wir unter dem Sammelbegriff des Kubismus und Dadaismus seit der Jahrhundertwende kennenlernten und ›von der Aufgabe‹ der Staatsleitung, zu verhindern, daß ein Volk dem geistigen Wahnsinn in die Arme getrieben wird«[16].

Wie sehr sich mit diesem Haß-Glauben der Nationalsozialisten an die Gewalt der Kunst zugleich die Gewalt gegen die Kunst und die Menschlichkeit radikal änderte, verrät die Verschärfung der Bildpolemik im öffentlichen Kunststreit. Bereits Franz Marc dachte sich als schlagkräftige Illustration für den gegen Vinnen gerichteten »Kampf gegen die Kunst« eine Bildkonfrontation guter französischer gegen schlechte deutsche Kunst. Die konfrontierende Bildpolemik hat dann erstmals der Gefolgsmann Vinnens und Hitlers Paul Schultze-Naumburg gegen die Moderne angewandt. In seinem 1928 in München erschienenen Buch *Kunst und Rasse* (Kat.Nr. 92) werden expressionistische Kunstwerke und Fotos kranker Menschen perfide als Beweis für den Schwachsinn der Moderne konfrontiert. Dem folgt Adolf Dresslers 1938 ebenfalls in München publiziertes Bilderbuch, das unter dem Titel *Deutsche Kunst und Entartete Kunst* (Abb. S. 141) gesunde Heimatkunst und kranke Moderne einander gegenüberstellt.

104 Anselm Kiefer, Besetzungen, 1969 (Zwischen Sommer und Herbst 1969 habe ich die Schweiz, Frankreich und Italien besetzt) in: *Interfunktionen*, 11.12.1975; Staatliche Museen zu Berlin, Kunstbibliothek

III. »Entartung« als Auszeichnung

Eine solche Gegenüberstellung von Heimatkunst und moderner Kunst empfiehlt auch Theodor W. Adorno in seinem »Vorschlag zur Ungüte«, mit dem er 1959 auf die Rundfrage antwortete: »Wird die moderne Kunst ›gemanagt‹?« Die neue Heimatkunst ist für Adorno die Hotelbildmalerei, »lauter mittlere Malerei mit Mitte, garantiert seinsverbunden, echte Malerei auf Feld- und Holzwegen«. Bei einer Ausstellung der Hotelbildmalerei »könnte denn alles aus den Löchern kriechen, was sowieso darauf wartet, nachdem es das ›Dritte Reich‹ glücklich überdauert hat. Eine solche Ausstellung schräg gegenüber einer mit Winter und Nay, Emil Schumacher und Bernard Schultze, würde zwar die Frage nach dem Managertum nicht lösen, aber überflüssig machen. Denn wahrlich, die Hotelbildmalerei braucht keine Manager, sondern lebt vom gesunden Volksempfinden«. Mit diesem Verdikt gegen »nichtentartete Kunst« wird »Entartung« zu einem Künstleradel.[17]

Weit ungebrochener noch erscheint »Entartung« als positive Kategorie bereits im wiederauflebenden Kunstbetrieb der ersten deutschen Nachkriegsjahre. So trägt die erste große Ausstellung moderner Kunst 1947 im Schaetzlerpalais in Augsburg den Titel *Extreme Malerei*. Die Anspielung auf die »Entartete Kunst« und deren Verwandlung ins

Vorbildliche ist offensichtlich. Das Publikum, durch abzugebende Stimmzettel ausdrücklich zum Urteil aufgefordert, lehnt diese Neubewertung einst »entarteter« Kunstrichtungen jedoch noch weitgehend ab. Als Ausstellungsrezensent macht Erich Kästner für diesen fehlenden Zuspruch die NS-Kunsterfahrung des Publikums etwa in der Münchner Ausstellung *Entartete Kunst* verantwortlich. Er empfiehlt deshalb, »die gezüchteten jungen Barbaren« durch Kunsterziehung für die Moderne zu gewinnen.[18]

Für viele war freilich bereits der Besuch der Ausstellung *Entartete Kunst* im Münchner Hofgarten zum entscheidenden Kunsterlebnis geworden. Werner Haftmann berichtet von ästhetischen Konversionen, die er beim zunächst spottenden und dann ernst werdenden Ausstellungspublikum 1937 wahrgenommen habe.[19] Zur Moderne bekehrt wurden durch die Münchner Schandausstellung so bedeutende Sammler wie Sprengel in Hannover, Haubrich in Köln und die beiden später führenden jungen Münchner Galeristen Otto Stangl und Otto van de Loo. Es ist deshalb wohl auch nicht zufällig, daß der durch die Erfahrung der »Entartung« zum Kunsthändler gewordene Otto van de Loo gerade jene internationale Künstlergruppe in München vertrat, die schon in ihrem Namen COBRA die Gefährlichkeit ihrer Kunst verriet.[20] Immer wieder haben Mitglieder dieser dänisch-, belgisch-, niederländischen Gruppe wie etwa Asger Jorn oder Karel Appel in ihren Werken die riskanten, einst als »entartet« diffamierten Quellen der Moderne aktiviert, die Kunst der Geisteskranken und die Primitivität der Kinderzeichnung (Kat.Nr. 91).

Anselm Kiefer, Malerei der verbrannten Erde, 1974; Privatsammlung

Durch Otto van de Loos Vermittlung entwickelte COBRA als Bürgerschreck einen lebhaften Einfluß auf die Münchner Gruppe SPUR. In einem von Prem, Jorn, Zimmer, Sturm, Fischer und anderen unterzeichneten Manifest wandte sich die Gruppe SPUR 1960 mit entschiedenem Nachdruck gegen die leeren Ästhetizismen der abstrakten Malerei und forderte für die Kunst »den Kitsch, den Dreck, den Urschlamm, die Wüste. Die Kunst ist der Misthaufen, auf dem der Kitsch wächst. Kitsch ist die Tochter der Kunst, die Tochter ist jung und duftet, die Mutter ist ein uraltes stinkendes Weib. Wir wollen nur eins: Den Kitsch verbreiten.«[21]

Das war als Tabuverletzung und als Wunsch, der Kunst eine neue verstörende Gewalt zu gewinnen, nicht so weit entfernt vom ersten **Pandämonischen Manifest**, das Georg Baselitz und Eugen Schönebeck 1961 in Berlin vorlegten (Abb. S. 141). Explizit bekennt dort der pandämonische Künstler: »In mir sind die Giftmischer, die Verheerer, die Entarteten zu Ehren gelangt.«[22] Als »entartet« wurden dann auch die kloßartigen Menschenleiber mit ihren erotischen Konnotationen auf den Gemälden von Baselitz empfunden. So wurden in der Ausstellung der Galerie Werner & Katz 1963 die beiden Bilder **Die große Nacht im Eimer** (Kat.Nr. 94) und **Der nackte Mann** (Kat.Nr. 96) von Baselitz durch die Berliner Staatsanwaltschaft konfisziert. Der bis 1965 geführte Strafprozeß endete dann mit der Einstellung des Verfahrens und der Rückgabe der Bilder.

Das ständige Prozeßrisiko begleitete auch die künstlerische Praxis der Wiener Aktionisten Rudolf Schwarzkogler (Kat.Nr. 98), Günther Brus (Kat.Nrn. 99–101), Otto Muehl und Hermann Nitsch. Ihre anarchischen Happenings und Aktionen, im Foto oft kunstvoll überliefert, gelten seit den sechziger Jahren bis heute unverändert als Attacken auf den guten Geschmack. Im frühen Freitod von Schwarzkogler verklären sich diese destruktiven, auf Selbstverstümmelung zielenden Körperaktionen zur katholischen Märtyrerapotheose. In ihren Schwarzen Messen inszenierten sich die Wiener Aktionisten als Täter und Opfer zugleich. In all dem aktivierten sie jene dunklen Triebseiten, die der bürgerliche Geschmack gerne als »entartet« tabuisiert. Diesen als unduldsam bloßzustellen durch »Lustfrevel, Zotengier und Schmutzfanatismus«, darin begründet sich der antiinstitutionelle und antiästhetische Affekt der Wiener Aktionisten. Dieser kulturverachtende Haß, der die Wiener Szene so sehr charakterisiert, wird als Befreiung von Normen und Zwängen zugleich wie ein religiöses Erlösungswerk empfunden. Im Martyrium seiner Schaustellung tritt der alle Möglichkeitsformen sogenannter »Entartung« durchspielende Aktionist als polemischer Häretiker doch wieder »in den religiösen Bannkreis des Christentums«[23].

Gleichsam das protestantische Gegenbild dazu liefern die Tafeln mit Körperfragmentierungen von Via Lewandowsky (Kat.Nr. 102). In ihrer Zerstückelung des menschlichen Körpers unter dem Titel **Anomalie Normaler Dauer, Neigung zu ungehemmter Löslichkeit** verrätseln sich diese Schautafeln zum Bilderatlas eines Wahns, der menschliches Leben im wissenschaftlichen Experiment zurichtet. Andere Bildfolgen von Via Lewandowsky mit Titeln wie **Euthanasie** verraten eindeutiger noch diesen Hintergrund deutscher Geistesgeschichte beziehungsweise ihres Ungeistes in fehlgeleiteten Wissenschaften. In ihren surrealistischen Montagen läßt Lewandowskys Kunst mit schockierender Poesie das sichtbar werden, was dem Nationalsozialismus als »entartet« und deshalb als minderwertig galt. Zugleich wird damit, wie Durs Grünbein betonte, »die DDR kenntlich gemacht als Anstalt von Menschen, der seinesgleichen einschläfert, betäubt, verwaltet, in Ordnungen einsperrt, ideologisch erpreßt usw«[24].

Gerhard Merz, DOVE STA MEMORIA, letzter Raum der Installation mit einer Vergrößerung des Titelmotivs des Ausstellungsführers »Entartete ›Kunst‹« mit Otto Freundlichs 1912 entstandener Skulptur »Der neue Mensch« und Flammenschale, Kunstverein München, 1986

Es war Francis Bacon, dessen gewalttätige Malerei des geschundenen Fleisches (Kat.Nr. 103) das gesunde Volksempfinden in einer Weise schockierte, die alle bisherig gekannten Tabuverletzungen sogenannter »entarteter Kunst« weit überschritt. Im Triptychon seiner Münchner **Kreuzigung** (Abb. S. 144) hat er als weiteren Tabuverstoß gegen alle *political correctness* diese malerische Schönheit des Grauenhaften wenn nicht erstmals, dann doch erschreckend eindeutig, zur Darstellung seiner Faszination benutzt, die das Bestialische im deutschen Faschismus auf ihn ausübte.[25]

Die Barbarei des Nationalsozialismus als Thema einer gewalttätigen Malerei, die gegen den Ästhetizismus der Abstraktion die »Entartungen« der deutschen Geschichte freilegt, das findet sich am Ende der sechziger Jahre in der deutschen Kunst früh im Zyklus der **Besetzungen** von Anselm Kiefer (Kat.Nr. 104). Diese zeigen im inszenierten Foto den Künstler mit Hitlergruß als faschistischen Besetzer in Landschaften der Schweiz, in Frankreich und Italien.[26] Nicht weniger ambivalent sind Kiefers Bilder großer Künstlerpaletten über Landschaften mit Inschriften wie **Nero malt** oder **Malerei der verbrannten Erde** (Abb. S. 146). Die kostbare Schönheit informeller Malerei verwandelt sich zum Historienbild faschistischer Gewalt. Kiefer verbindet hier Hitlers Wahn der verbrannten Erde mit Nietzsches amoralischer Heroisierung des Künstlers. Die Ästhetisierung des Ausnahmemenschen wird zum Schönheitsprinzip der Weltvernichtung.[27]

Welchen Risikobereich solche Historienmalerei durchschreitet, welche Gewalt der Gefühle solche Kunst im Wissen ihrer Betrachter um die nationalsozialistische Kategorie der »Entartung« provoziert, das zeigt die Installation **DOVE STA MEMORIA** (Wo ist Erinnerung), die Gerhard Merz im Herbst 1986 in den Räumen des Münchner Kunstvereins eingerichtet hat. Es sind genau jene Räume, in denen 1937 die Ausstellung *Entartete Kunst* stattfand. Den Abschluß dieser Erinnerungs-Installation (Abb. S. 147) bildete eine malerisch behandelte und würdig gerahmte Vergrößerung des Titelmotivs des »Ausstellungsführers« zur *Entarteten Kunst* von 1937 mit Otto Freundlichs 1912 entstandener Skulptur »Der Neue Mensch«. Die Flammenschale davor auf dem gemauerten Pylon läßt allerdings mit verwirrender Mehrdeutigkeit offen, ob hier nicht die pseudo-heroische und inhumane Welt des Faschismus zitiert wird, dem Freundlich 1943 im Konzentrationslager zu Maidanek zum Opfer gefallen ist. Die Weihestätte für den »entarteten Künstler« am Ort seiner tiefsten künstlerischen Erniedrigung schlägt plötzlich in eine provozierende Mahnung um.[28]

Anmerkungen

1 Vgl. Schuster, Peter-Klaus (Hg.): *Die »Kunststadt« München 1937: Nationalsozialismus und »Entartete Kunst«.* München 1987. [5]1998, mit neuerlich verbesserter Rekonstruktion der Münchner Ausstellung *Entartete Kunst* von Mario-Andreas von Lüttichau und Andreas Hüneke. Vgl. ferner Stephanie Barron (Hg.): *»Entartete Kunst«. Das Schicksal der Avantgarde in Nazi-Deutschland.* München 1992; Werner Haftmann: *Verfemte Kunst. Bildende Künstler der inneren und äußeren Emigration in der Zeit des Nationalsozialismus.* Köln 1986.

2 Vgl. Zuschlag, Christoph: *»Entartete Kunst«, Ausstellungsstrategien in Nazi-Deutschland.* Worms 1995.

3 Zu Willrich als dem eigentlichen »Ausstellungsmacher« vgl. von Lüttichau, Mario-Andreas: »›Deutsche Kunst‹ und ›Entartete Kunst‹: Die Münchner Ausstellung 1937«. In: Schuster (Anm. 1), S. 99ff.

4 Zu Dada und Hitler vgl. Schuster (Anm. 1), S. 29ff.

5 Vgl. Schuster, Peter-Klaus: »Die doppelte ›Rettung‹ der Moderne durch die Nationalsozialisten«. In: Eugen Blume; Dieter Scholz (Hg.): *Überbrückt. Ästhetische Moderne und Nationalsozialismus. Kunsthistoriker und Künstler 1925–1937.* Köln 1999, S. 44ff.

6 Ein Faksimile des »Ausstellungsführers« findet sich bei Schuster (Anm. 1), S. 183ff., dort alle Zitate.

7 Zur Vorgeschichte der Münchner Schandausstellung vgl. Zuschlag (Anm. 2) und von Lüttichau (Anm. 3).

8 Vgl. Mattenklott, Gert: »Max Nordaus These kultureller Degeneration«. In: *Museum der Gegenwart – Kunst in öffentlichen Sammlungen bis 1937.* Ausst.Kat. Kunstsammlung Nordrhein-Westfalen, Düsseldorf 1987, S. 25ff. Zur weiteren Literatur vgl. Schuster (Anm. 5), S. 36, Anm. 48 und 55.

9 Zit. n. Schuster (Anm. 5), S. 27.

10 Zit. n. ebd., S. 28.

11 Jesenská, Miléna: *»Alles ist Leben«. Feuilletons und Reportagen 1919–1939.* Frankfurt am Main, o.J., S. 106.

12 Vgl. Keisch, Claude: »Adonis«. In: *Manet bis van Gogh. Hugo von Tschudi und der Kampf um die Moderne.* Ausst.Kat. Nationalgalerie Berlin. München 1996, S. 354f.

13 Vgl. Schuster, Peter-Klaus: »Hugo von Tschudi und der Kampf um die Moderne«. In: Ebd., S. 21ff.

14 Corinth, Lovis: *Das Leben Walter Leistikows. Ein Stück Berliner Kulturgeschichte.* Berlin 1910, S. 48f.

15 Vgl. Herzogenrath, Wulf: »›Ein Schaukelpferd von einem Berserker geritten‹: Gustav Pauli, Carl Vinnen und der ›Protest deutscher Künstler‹«. In: Manet bis van Gogh (Anm. 12), S. 264ff.

16 Zit. n. Schuster (Anm. 5), S. 27.

17 Adorno, Theodor W.: »Vorschlag zur Ungüte«. In: Ders.: *Ohne Leitbild. Parva Aesthetica.* Frankfurt am Main 1967, S. 55.

18 Kästner, Erich: »Die Augsburger Diagnose, Kunst und die deutsche Jugend«. In: *Neue Zeitung,* Januar 1947. Zit. n. *Rupprecht Geiger.* Ausst.Kat. Staatsgalerie moderner Kunst. München 1988, S. 14.

19 Haftmann, Werner: »Kriegserklärung an die moderne Kunst. Nachdenklicher Bericht zur Wiederkehr des 50. Jahrestages der ›Entarteten‹-Ausstellung«. In: *Frankfurter Allgemeine Zeitung,* Nr. 151, 5. Juli 1987.

20 Vgl. Honisch, Dieter: »Dem Förderer der Künstler Otto van de Loo«. In: *Die Schenkung Otto van de Loo.* Ausst.Kat. Nationalgalerie Berlin 1992, S. 9ff. Zum Rückgriff der Kunst nach 1945 auf die riskanten Quellen der »Entartung« vgl. Walter Grasskamp: »Die unbewältigte Moderne: Entartete Kunst und documenta I. Verfemung und Entschärfung«. In: Museum der Gegenwart (Anm. 8), S. 13ff.

21 Zit. n. Becker, Jürgen; Vostell, Wolf (Hg.): *Happenings. Fluxus, Pop Art, Nouveau Réalisme.* Eine Dokumentation. Reinbek 1965, S. 45.

22 Abgedruckt in: *Georg Baselitz.* Ausst.Kat. Kunstverein Braunschweig 1981, S. 11; vgl. Gercken, Günther: »Die Nacht des Pandämoniums«. In: Ebd., S. 19ff.

23 Hofmann, Werner: »Die Wiener Aktionisten«. In: *Luther und die Folgen für die Kunst.* Ausst.Kat. Hamburger Kunsthalle 1983, S. 641ff.

24 Grünbein, Durs: »Alibi für Via«. Zit. n. Eckhart Gillen: »Angst vor Deutschland«. In: *Deutschlandbilder. Kunst aus einem geteilten Land.* Ausst.Kat. Martin-Gropius-Bau Berlin. Köln 1997, S. 362.

25 Vgl. Zimmermann, Jörg: *Francis Bacons »Kreuzigung«. Versuch, eine gewalttätige Wirklichkeit neu zu sehen.* Frankfurt am Main 1986, S. 31ff.

26 Vgl. Herzogenrath, Wulf: »Bilder entstehen nicht nur aus ›Nach-Denken‹, sondern aus ›Vor-Leben‹«. In: *Anselm Kiefer.* Ausst.Kat. Nationalgalerie Berlin. Berlin 1991, S. 93ff.

27 Vgl. Schulz-Hoffmann, Carla: »›Nero malt‹ oder ›Eine neue Apotheose der Malerei‹«. In: *Deutsche Kunst seit 1960.* Aus der Sammlung Prinz Franz von Bayern. Staatsgalerie moderner Kunst. München 1985, S. 21ff.

28 Vgl. den Essay von Zdenek Felix in *Gerhard Merz. Dove Sta Memoria.* Ausst.Kat. Kunstverein München 1986.

Vorsatzblatt: Eingang zur Ausstellung *Entartete Kunst* im Galeriegebäude des Münchner Hofgartens, 1937

Mythen des Neubeginns

Mythen des Neubeginns

Fritz Jacobi

110 Pablo Picasso, Sylvette, 1954; Öl auf Leinwand, 81 x 65 cm; Kunsthalle Bremen

Die *documenta I* in Kassel 1955 stellte eine ganz wichtige Bilanz der Kunst der klassischen Moderne der ersten Jahrhunderthälfte dar, die gerade für das nach Nationalsozialismus und Krieg allmählich wieder Leben gewinnende Deutschland von zeichensetzender Bedeutung wurde. Diese mit Recht gerühmte Ausstellung, die auch noch von vielen Ostdeutschen gesehen werden konnte, enthielt darüber hinaus bereits die Anfänge einer eigenen westdeutschen Kunstentwicklung, die sich vor allem den abstrakten Formen dieser Tradition – eingebunden in die weitergeführten westeuropäischen Kunstströmungen – verpflichtet fühlte. So waren neben Pablo Picasso, Hans Arp und Henry Moore – um nur jene Künstler zu nennen, die in diesem Teil der ›Jahrhundertausstellung‹ vertreten sind – auch Hans Uhlmann, Karl Hartung, Bernhard Heiliger und Ernst Wilhelm Nay vertreten.

Während Hans Arp mit seinen phantasievollen Verwandlungen organischer Natur, wie in **Schlangenbrot** (Kat.Nr. 114) von 1942 oder **Aus dem Land der Gnomen** (Kat.Nr. 113) von 1949, oder Henry Moore mit seinen bewegten, eigenwillig gebrochenen Figurationen von hoher Plastizität – wie etwa den **Drei stehenden Figuren** (Kat.Nr. 115) von 1953 – in der Kunstwelt bald voll akzeptiert waren, gestaltete sich das Verhältnis zu Pablo Picasso etwas schwieriger. Es gab keinerlei Zweifel in bezug auf seine epochemachenden Leistungen in der Vorkriegszeit, aber sein Gegenwartsschaffen – das Alterswerk eines großen Künstlers – blieb doch bis zu einem gewissen Grade umstritten. Die ständig neuen Spielarten seiner Gestalteinfälle, das Festhalten am Gegenständlichen und auch seine politischen Themen und Aktivitäten lösten eine gewisse Irritation aus.

Der russische Schriftsteller Ilja Ehrenburg, der Picasso aus der Jugendzeit kannte, besuchte ihn 1954 in Vallauris und berichtet: »Mitunter sah ich Picasso acht bis zehn Jahre nicht, doch nie traf ich ihn fremd, verändert. [...] Ich erinnere mich an verschiedene Ateliers: in der Rue La Boétrie, ein Luxusetablissement, wo er wie zu Besuch, ja wie ein Einbrecher wirkte; in der Rue Saint-Augustin, ein uraltes Haus, ein großes Atelier – Spanier, Tauben, riesige Bildwerke –, voll jener sinnreichen, organisierten Unordnung, die Picasso allenthalben verbreitete; ein Schuppen in Vallauris, Blech, Ton, Zeichnungen, Glaskugeln, Plakatfetzen, gußeiserne Säulen und eine Hütte, worin er schlief, ein Bett, überladen mit Zeitungen, Briefen, Fotos [...]. In Vallauris saß ihm eine hübsche junge Amerikanerin Modell. Er

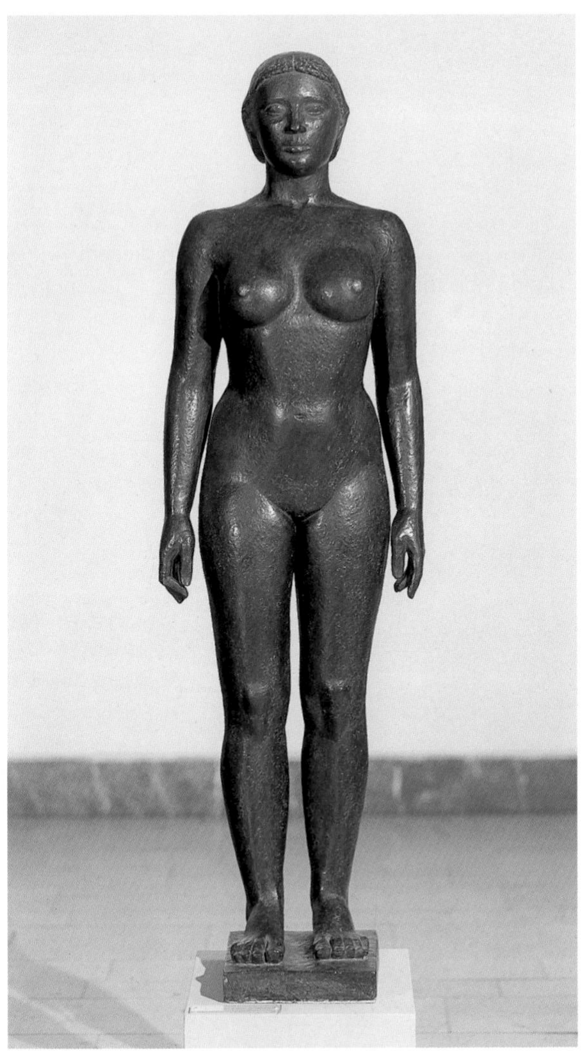

111 Gustav Seitz, Eva, 1947; Bronze, Höhe 165 cm; Staatliche Museen zu Berlin, Nationalgalerie

112 Eugen Hoffmann, Das Leben, 1949; Bronze, Höhe 38,5 cm; Staatliche Museen zu Berlin, Nationalgalerie

machte Dutzende Skizzen, malte dann in Öl. Das erste Bild zeigte sie, wie die Mitwelt sie sah; kein Verfechter des Realismus im engen Sinne des Wortes hätte etwas daran auszusetzen vermocht. Dann löste er das Gesicht allmählich auf. Das engelhafte Äußere genügte ihm wohl nicht; er fand Züge, die ihr Wesen verrieten, und verlieh ihnen Profil.«[1]

Es handelte sich bei diesem Modell um Sylvette David, die Picasso damals in Vallauris kennengelernt hatte und in einer ganzen Serie von Zeichnungen und Gemälden unterschiedlichen Abstraktionsgrades festhielt. Während einige der bekannteren Fassungen der **Sylvette** von 1954 das Porträt einer jungen Frau facettenartig in eigenständige Flächensegmente aufgliedern, so daß sie in ihrer stark abstrahierten, schnitthaft begrenzten Form wie Teile eines Puzzles erscheinen, das – zur kompakten Gesamtform zusammengeschoben – jene klare und frische Ausstrahlung veranschaulicht, die Picasso so fasziniert hat, dominiert hier (Kat.Nr. 110) in dieser Dreiviertelansicht die realitätsnähere Kubik des Kopfes. Dieses weibliche Brustbild wird durch eine plastische Detailbeobachtung geprägt, bei der bizarre Formen wie der bekrönende Haarschopf mit dem seinerzeit in Mode kommenden Pferde-

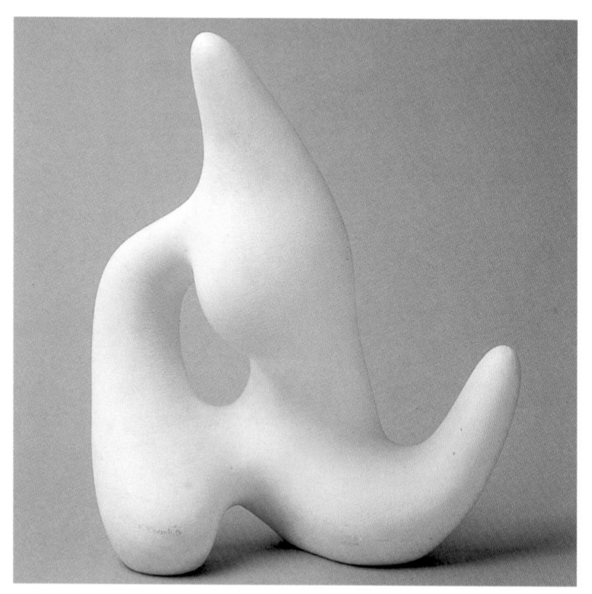

113 Hans Arp, Aus dem Land der Gnomen, 1949; Gips, 25 x 20,5 x 10 cm; Hamburger Kunsthalle

114 Hans Arp, Schlangenbrot, 1942; Gips, 15 x 25 x 16,5 cm; Hamburger Kunsthalle

115 Henry Moore, Drei stehende Figuren, 1953; Bronze, 73 x 67 x 28,7 cm; Hamburger Kunsthalle

schwanz besonders augenfällig sind. Die Fähigkeit zur verwandelnden Durchdringung eines Motivs, dieses innere Aufladen des Figurativen mit immer neuen bildnerischen Findungen an freien Formentsprechungen, die seit dem Kubismus Picassos Werkfolge in verschiedenster Prägung bestimmen, macht unter anderem seine geniale Größe und Bedeutung aus. Er bezieht seine Inspiration aus der Magie des Sichtbaren, das er in spannungsgeladene Anschauungsformeln übersetzt.

Dieser bleibende Realitätsbezug ließ ihn für viele Künstler, die sich der Darstellung des Menschen oder des Gegenstandes auch in der zweiten Jahrhunderthälfte verbunden fühlten, zu einer wichtigen Leitfigur werden. Gustav Seitz, der 1950 einem Ruf Arnold Zweigs zur Gründung der Deutschen Akademie der Künste zu Berlin (Ost) folgte und daraufhin seine Lehrämter im Westteil der Stadt verlor, besuchte Picasso 1952 und stellte fest: »Man hat das Gefühl, daß er immer auf der Lauer ist, jeden neuen Eindruck fest-

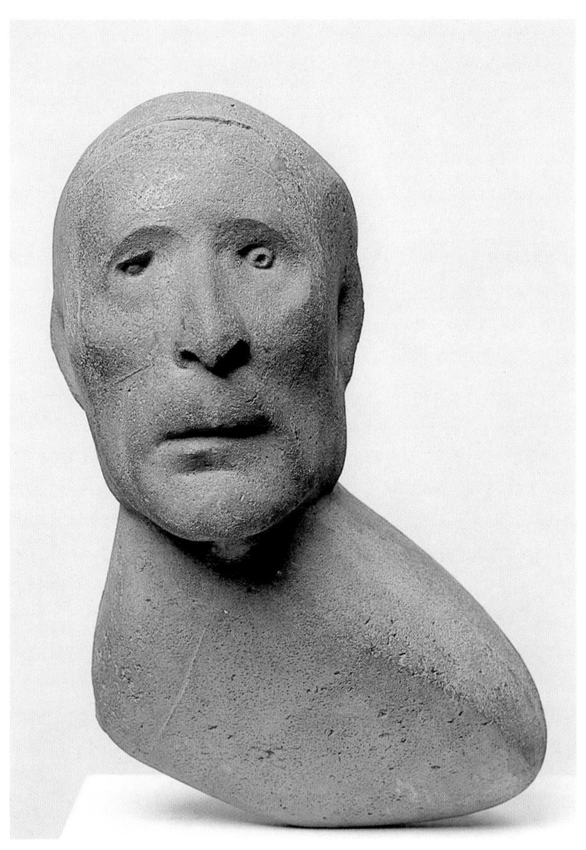

116 Bernhard Heiliger, Portrait Karl Hofer, 1951; Zementguß, Höhe 44 cm; Staatliche Museen zu Berlin, Nationalgalerie

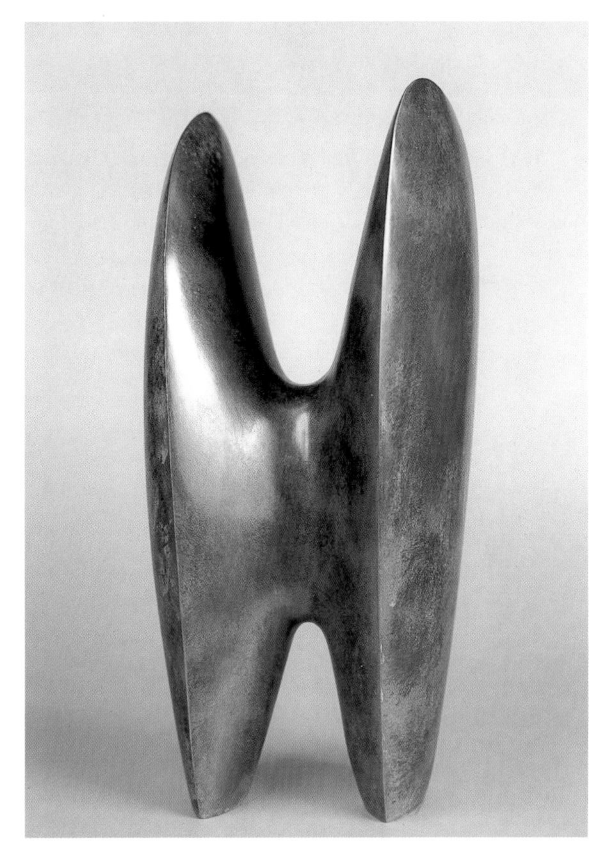

117 Karl Hartung, Doppelform, 1950; Bronze, Höhe 38 cm; Staatliche Museen zu Berlin, Nationalgalerie

halten möchte, und zwar sofort.«[2] Die Intentionen von Seitz, dessen Wirken für die ostdeutsche Bildhauerei – gerade im Kreis so unterschiedlicher Bildhauerpersönlichkeiten wie Fritz Cremer, Theo Balden, Heinrich Drake oder Waldemar Grzimek – von eminenter Bedeutung war, lagen – ähnlich wie bei Picasso – in einer auf das Ganzheitliche gerichteten Gestaltungsform. Er führte Traditionen weiter, die die realistische deutsche Bildhauerkunst der ersten Jahrhunderthälfte mit Wilhelm Lehmbruck, Ernst Barlach, Käthe Kollwitz, Gerhard Marcks, Ludwig Kasper oder Hermann Blumenthal vorgegeben hatte. Seine sehr einfach, statuarisch und zugleich vital empfundene **Eva** (Kat.Nr. 111) ist ein deutlicher Beleg für diese Haltung, was auch für seine Meisterschüler – unter ihnen Werner Stötzer – von großem Einfluß war. Ähnlich wie der 1949 entstandene sinnbildhafte Kopf **Das Leben** (Kat.Nr. 112) von Eugen Hoffmann, der 1946 aus der englischen Emigration nach Dresden zurückkehrte, stellt die **Eva** die Verkörperung einer wiedergewonnenen Zuversicht dar, die ohne jedes Pathos elementares sinnliches Sein in wohltuender Schlichtheit zur Anschauung kommen läßt.

Während die ostdeutsche Gesellschaft in einem Ringen um existentielle Auseinandersetzungen zwischen diktatorischem Machtanspruch, neuer Gesellschaftsutopie und humanitärer Wahrhaftigkeit verblieb und in der Reibung der verschiedenen weltanschaulichen Lebensentwürfe ihren Weg suchte, was durchaus unterschiedliche Kunsthaltungen hervorbrachte, hatte die Bundesrepublik ihren prinzipiellen demokratischen Konsens gefunden, der auch der Kunst eine weitgehend ungehinderte Entfaltung ermöglichte. Dabei wurde die abstrakte Kunst mehr und mehr zum Inbegriff jenes Freigefühls, das zugleich als belebende Öffnung gegenüber internationalen Entwicklungen begriffen wurde. Willi Baumeisters Schrift *Das Unbekannte in der Kunst*, während des Krieges geschrieben und 1947 veröffentlicht, bildete dabei eine Art theoretisches Fundament, das mit starker Überzeugung konventionellen Tendenzen entgegengestellt wurde – so beispielsweise im *Darmstädter Gespräch* 1950, wo Baumeister seine Thesen gegenüber Hans Sedlmayr und dessen Auffassungen vom »Verlust der Mitte«, 1948 erschienen, mit Recht verhement verteidigte.

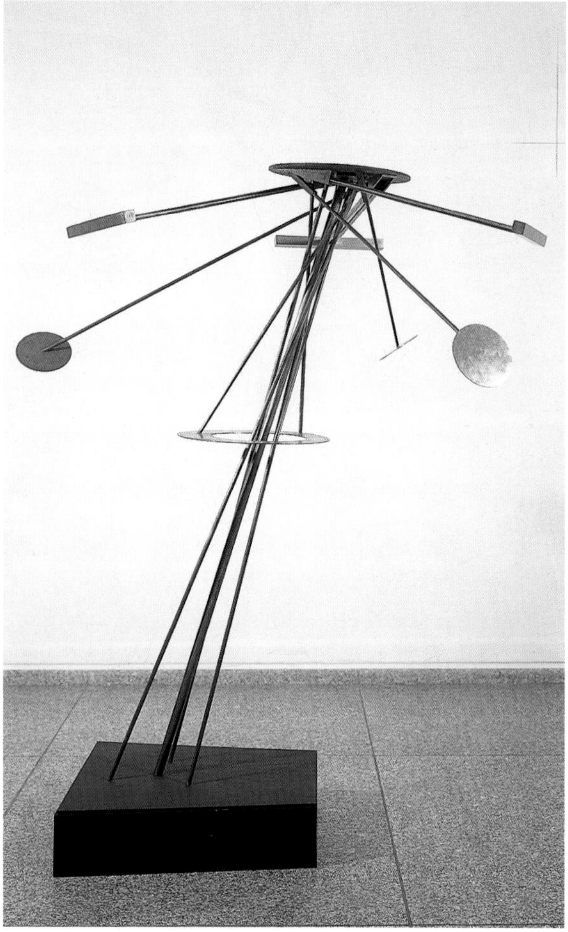

In der Skulptur vollzog sich dieser Schritt zur Abstraktion allmählicher. So hat Bernhard Heiliger, der nach der Nichtaufstellung seines Max-Planck-Denkmals vor der Ostberliner Humboldt-Universität und seiner Berufung an die Westberliner Hochschule für bildende Künste durch Karl Hofer vom Ost- in den Westteil der Stadt übergesiedelt war, in einer Art Zwischenschritt eine interessante Porträtreihe verschiedener Persönlichkeiten geschaffen, unter anderem 1951 das **Portrait Karl Hofer** (Kat.Nr. 116). Heiliger erreicht hier eine Synthese von individuellem Ausdruck und dynamischen Körperzeichen. Die gestrafft eingesetzten Volumina erreichen eine fast suggestive Wirkung, die das Wesen des Porträtierten intensiviert und in die Spannung der Gesamtform integriert. »Mit diesem in Zement gegossenen ›Bildnis‹«, so schreibt Hanns Theodor Flemming 1962, »war es Heiliger erstmals vollkommen gelungen, eine rein plastische, nahezu ›absolute‹ Form mit höchster Porträtähnlichkeit zu verbinden.«[3]

Für Heiliger wie für Karl Hartung bedeutete das Schaffen von Hans Arp und besonders von Henry Moore eine wesentliche Anregung. Ähnlich wie Moore fühlte sich Hartung »ganz intensiv von Baumformen angesprochen. [...] Jahrelang habe ich mich bemüht, dieses selbstverständliche Wachsen an Stamm und Ast von einer Form aus der anderen machen zu können.«[4] Seine **Doppelform** (Kat.Nr. 117) von 1950 läßt solche Bezüge noch ahnen, ist aber in ihrer klaren symmetrischen Strenge von eigener Prägnanz. Das flügelartige Herauswachsen der beiden aufsteigenden Seitenteile aus einem zentralen Mittelstück läßt technoide und plastische Spannung gleichermaßen fühlbar werden.

Ganz anders gelagert ist das Schaffen von Hans Uhlmann, der zusammen mit Heiliger und Hartung zu den wegweisenden Bildhauern der westdeutschen Nachkriegskunst wurde. Sein Werk, das schon in den dreißiger Jahren mit gitterartigen Drahtköpfen einen ersten Höhepunkt aufweist, basiert ganz auf einer kon-

118 Hans Uhlmann, Kleines Karussell, 1958; Stahl, 160 x 140 x 140 cm; Staatliche Museen zu Berlin, Nationalgalerie

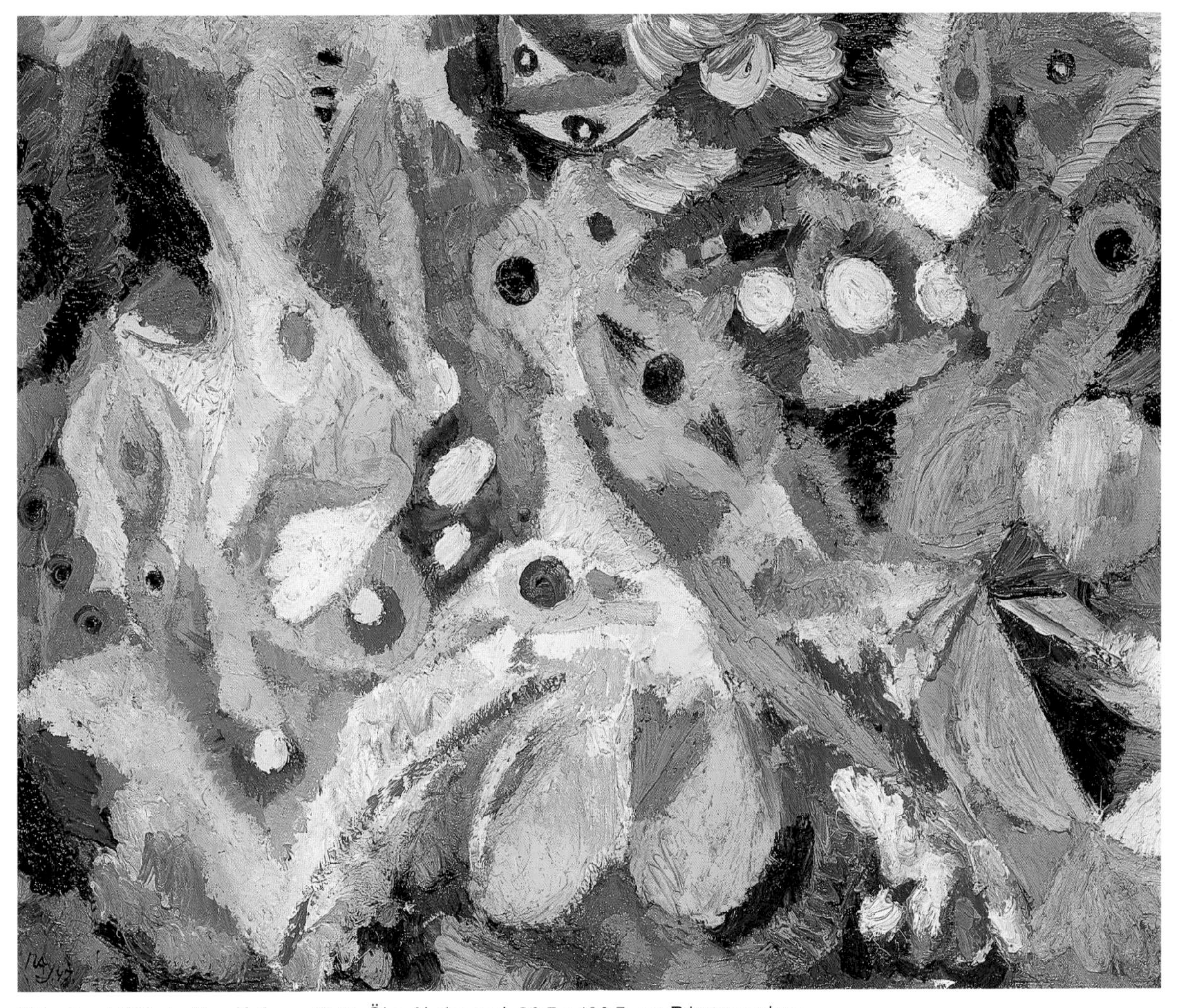

119 Ernst Wilhelm Nay, Kythera, 1947; Öl auf Leinwand, 80,5 x 100,5 cm; Privatsammlung

struktiven Intention, die den Körper mit elementaren funktionalen Formen aufbricht und in ein Wechselverhältnis zum Raum stellt. Diese gegenseitige Durchdringung von linearer, flächiger und räumlicher Energie hat das Ziel, »Reduktion und Knappheit zu erreichen«[5], die ihrerseits wieder Bewegung und das Empfinden einer sphärischen Transparenz auslösen.

Hans Uhlmann war mit dem für die frühe Bundesrepublik wahrscheinlich bedeutsamsten Maler Ernst Wilhelm Nay befreundet. Beide suchten Grundprinzipien, ›Tiefenstrukturen‹ der Kunst, in der konkreten Umsetzung aber gingen sie völlig entgegengesetzte Wege: Auf der einen Seite steht der Konstrukteur Uhlmann, auf der anderen der Fabulierer Nay, der in seiner expressiven Art Farbwelten weiter ausformt, die einst durch Claude Monet und später durch Wassily Kandinsky freigesetzt und auf eigendynamische Bahnen gebracht worden waren. Auch Nay hat über die Figuration –

120 Ernst Wilhelm Nay, Weiß-Schwarz-Gelb, 1968; Öl auf Leinwand, 162 x 130 cm; Privatsammlung

121 Ernst Wilhelm Nay, Prometheus I, 1948; Öl auf Leinwand, 107 x 126 cm; Sprengel Museum Hannover

122 Ernst Wilhelm Nay, Satztechnik II, 1955; Öl auf Leinwand, 125 x 200 cm; Privatsammlung

zunächst beeinflußt durch seinen Lehrer Karl Hofer, danach stärker durch Ernst Ludwig Kirchner und Picasso – nach dem Kriege zur abstrakten Form gefunden, deren vielfältige Kombinatorik er in einem unerhört vitalen Gestus gleichsam seriell ausgelotet hat. Der entscheidende Bezugspunkt war für ihn die Fläche. Er forderte: »Die Fläche ist durch die Farbe zur Gestalt zu erheben. Die Farbe als realer Wert, als gestaltender Wert, die nichts anderes aussagt als Farbe zu sein, breitet sich notwendig als Fläche aus und enthält bereits Fläche, wenn Farbe als elementarer Wert begriffen werden soll. Solange man von jeder Form der Darstellung absieht, kann Farbe nur so gedacht werden. Man setzt also die Farbe als Gestaltwert und somit auch die Gestaltfarbe als *Gestaltwert der Fläche*.«[6] Während die Form in den früheren Bildern wie **Kythera** (Kat.Nr. 119) oder **Prometheus I** (Kat.Nr. 121) noch relativ verfestigt erscheint, öffnet sie sich in den »Scheibenbildern« der fünfziger Jahre – wie in **Satztechnik II** (Kat.Nr. 122) – zu rhythmischen Abfolgen, um sich dann in den »Augenbildern« wie **Grau und Olivgrün** (Kat.Nr. 123) oder in besonderem Maße in den späten Arbeiten, wie in seinem zuletzt entstandenen **Weiß-Schwarz-Gelb** (Kat.Nr. 120), wieder stärker zu schließen und als flächig gebundener Wert die Gestalt des Bildes zu

123 Ernst Wilhelm Nay, Grau und Olivgrün, 1964; Öl auf Leinwand, 200 x 160 cm; Staatliche Museen zu Berlin, Nationalgalerie

124 Willi Sitte, Raub der Sabinerinnen, 1953; Öl auf Hartfaser, 126,5 x 165 cm; Staatliche Museen zu Berlin, Nationalgalerie

bestimmen. Nay sucht den Schwebezustand der Fläche, um durch ihn die Farbe in ihrer unterschiedlichen Aura in den Raum verströmen und aufleuchten zu lassen. Er zündet gleichsam Farbfeuerwerke, manchmal der Erde näher, manchmal atmosphärisch entfernter von ihr, aber immer mit einem eigenen, bewegten Pulsieren verbunden. »Es ergibt sich keine Figur«, so schreibt Werner Haftmann 1966, »– aber das Figurale; keine pflanzliche Bildung, – aber das Floreale; nichts Landschaftliches, – aber das Pastorale.« Es gelingt Nay, »aus dem Dinglichen das Zuständliche heraus(zu)lösen«[7].

Die ostdeutsche Malerei, in der es auch abstrakte Tendenzen – etwa durch Hermann Glöckner, Herbert Kunze, Günther Hornig u.a. – gab, blieb aber in überwiegendem Maße stärker dem Figurativen verpflichet. Und das nicht nur, weil die abstrakte Kunst als Ausdruck ›spätkapitalistischer Menschheitsentfremdung‹ offiziell verfemt und denunziert wurde, sondern weil die Bindung an die Realität zugleich Ausdruck eigener Existenzbefragung und Standortsuche bedeutete. Die offiziell geforderte Natur- und Volksnähe war eine Seite, die künstlerische Interpretation des Menschen und seiner Lebenswirklichkeit eine andere. Sie hatte zwar ebenfalls

125 Willi Sitte, Rufende Frauen (Studie zu »Lidice«), 1957; Öl auf Hartfaser, 155 x 162 cm; Besitz des Künstlers

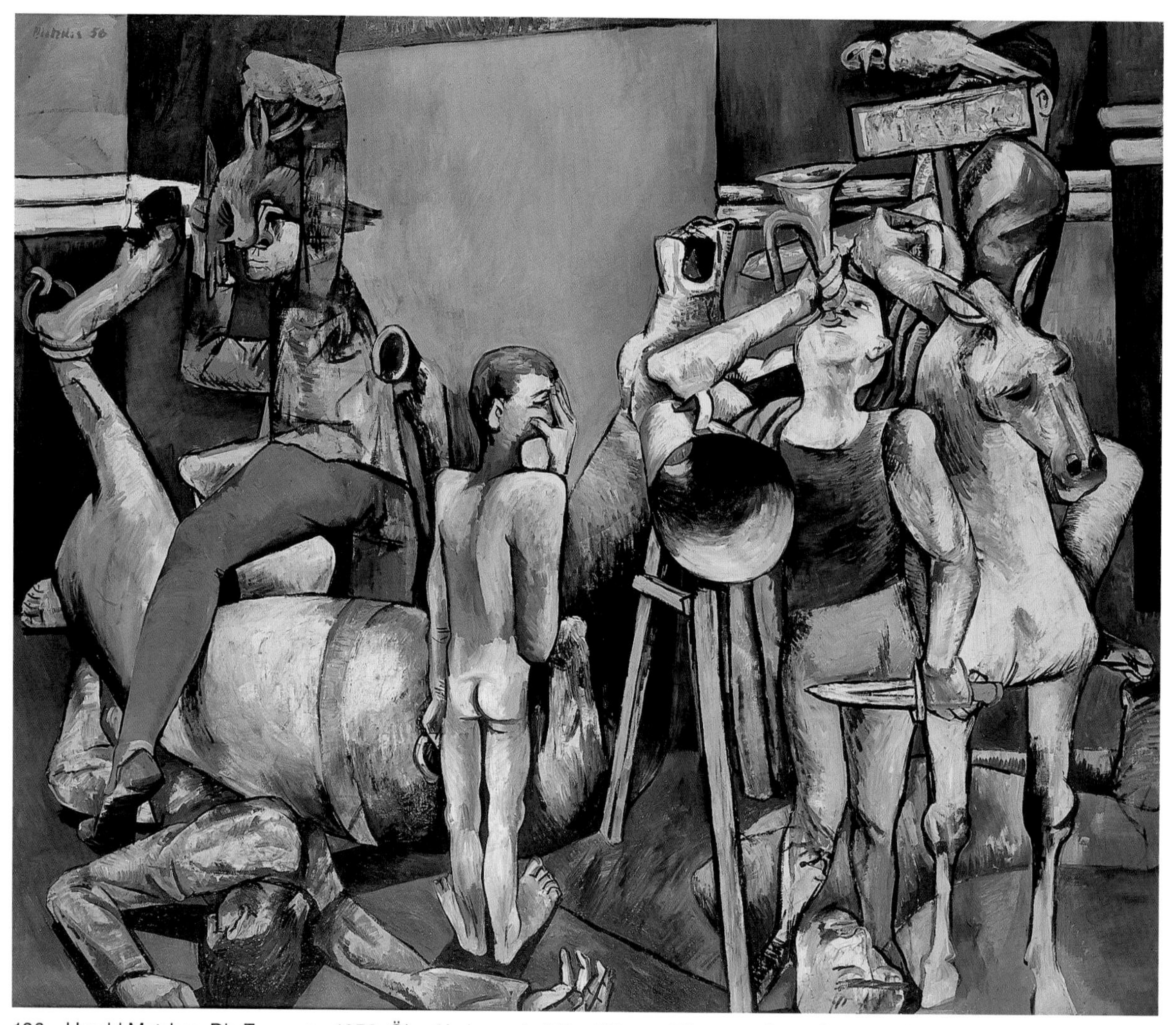

126 Harald Metzkes, Die Trompete, 1956; Öl auf Leinwand, 150 x 180 cm; Privatsammlung, Courtesy Galerie Brusberg, Berlin

Figur, Landschaft oder Stilleben zum Gegenstand, aber sie entsprach einem ureigensten Anliegen vieler Künstler. Ein unterschiedliches Gesellschaftsverständnis verschiedener Gruppierungen beeinflußte zuweilen, aber nicht automatisch die jeweilige Ausprägung der künstlerischen Handschrift. Diese verschiedenen Strömungen im Druckkessel eines Landes, das nach außen als eine mehr oder minder ›geschlossene Gesellschaft‹ erschien, führten zu permanent vorhandenen Spannungen, die Standvermögen und innere Überzeugtheit erforderten, ohne dabei der jeweiligen individuellen Kunstentwicklung immer förderlich zu sein.

So hat Willi Sitte, Kommunist, 1944 noch an den Kämpfen italienischer Partisanen beteiligt und später Vorsitzender des Verbandes Bildender Künstler der DDR, erfahren müssen, daß seine Kunst der fünfziger Jahre, beeinflußt durch Max Ernst, Fernand Léger und besonders Picasso, nicht den kritischen Erwartungen seiner Partei entsprach, obwohl gerade in dieser Zeit ein Teil seiner intensivsten Werke entstanden ist. Im Kreise der sog. Hallenser »Formalisten« um Charles Crodel, Kurt Bunge, Hermann Bachmann, Herbert Kitzel u.a., die in den späten vierziger und frühen fünfziger Jahren eine ausdrucksintensivierte Stilisierung als künstlerische Programmatik vertraten, entwickelte Sitte seine verknappt-bewegte Formensprache.[8] So sind der **Raub der Sabinerinnen** (Kat.Nr. 124) und die **Rufenden Frauen** (Kat.Nr. 125) dramatische, expressive Szenerien, die das historische Geschehen der antiken beziehungsweise unmittelbaren Vergangenheit in eindrucksvolle Sinnbilder verwandeln. Ganz in die Fläche eingespannt läßt dieser Bühnenraum, gerade beim **Raub der Sabinerinnen**, eine dichte Ballung heftiger Bewegungen entstehen, die – nach den verschiedenen Seiten ausfluchtend – den ewigen Kreislauf von Macht und Aufbegehren symbolisieren. Die von Kontur und Flächigkeit bestimmten Figuren werden zeichenhaft vereinfacht und bilden so ein rhythmisch komponiertes Panorama, das Emotionalität und Leidenschaft zum Ausdruck kommen läßt. Auch das von einer massiven Körperlichkeit geprägte Gemälde **Rufende Frauen**, eine Studie für das 1959/60 entstandene Diptychon **Lidice**, wo 1942 die Gestapo 209 Menschen hingerichtet hatte, zeigt mit dem Gestus der Klage und des Erschreckens eine starke innere Bewegung, die durch ein eigenständiges Liniengatter und aggressive Farbigkeit zum Ausdruck kommt. Die Bezüge zu **Guernica** oder **Massaker in Korea** von Picasso liegen nahe.

Picasso, der 1944 Mitglied der Kommunistischen Partei Frankreichs wurde und mehrfach aktiv bei kommunistischen Kongressen auftrat, war im Osten Deutschlands eine ganz wichtige Künstlerpersönlichkeit – als Inbegriff der Moderne, die das Figurative noch nicht aufgegeben hatte. Nicht nur seine Friedenstaube, die offiziell verbreitet wurde, oder das 1951 aus Anlaß der Weltfestspiele gestaltete Völkersymbol, das Bertolt Brecht seitdem für den Bühnenvorhang seines Berliner Ensembles verwendete (Kat.Nr. 128), ließen ihn für viele Künstler zu einer Art Schutzschild gegenüber einem vordergründig pathetischen, naturalistisch orientierten Realismus werden. 1957 veröffentlichte die Zeitschrift *Bildende Kunst*, die eine zweijährige Picasso-Diskussion mit Für und Wider geführt hatte, zusammen mit einer ganzseitigen Farbtafel des **Porträt Madame Z** von 1954 ein Telegramm Picassos, das dieser 1956 an Ilja Ehrenburg in Moskau aus Anlaß einer ihm zu seinem 85. Geburtstag eingerichteten Ausstellung geschickt hatte. Darin heißt es unter anderem: »Schon früher sagte ich, daß ich zum Kommunismus kam, wie man zu einer erfrischenden Quelle kommt, und mich mein gesamtes Schaffen zum Kommunismus brachte.«[10] Picasso ließ keine einfachen Zuordnungen zu. Er stand auch für die kreative Wandlungsfähigkeit gegenüber dem realen Modell, was für eine ganze Reihe von Künstlern in der DDR als Bestätigung ihres eigenen Suchens empfunden wurde. Die beiden Gemälde von Harald Metzkes, **Seiltänzer** (Kat.Nr. 127) und **Die Trompete**

127 Harald Metzkes, Seiltänzer, 1956; Öl auf Leinwand, 80 x 65 cm; Privatsammlung

128 Peter Palitzsch, Pablo Picasso, Willkommen beim Berliner Ensemble, 1953; Plakat (Halstuch der französischen Delegation zu den Weltfestspielen), Offset, 83,6 x 59,2 cm; Stiftung Archiv der Akademie der Künste, Berlin, Plakatsammlung

(Kat.Nr. 126), die während seiner Meisterschülerschaft an der Akademie der Künste bei Otto Nagel entstanden waren, zeigen, wie sehr damals die deutschen Expressionisten, Max Beckmann oder eben Picasso haltgebende Orientierungen gewesen sind. Metzkes, der Arztsohn aus Bautzen, der einer religiös-liberalen Weltanschauung verpflichtet war, bei Wilhelm Lachnit in Dresden studiert hatte und später so etwas wie das Haupt der Berliner Malerschule mit Manfred Böttcher, Hans Vent, Lothar Böhme, Klaus Roenspieß und anderen wurde, gestaltet im **Seiltänzer** die spielerisch-verfremdete Lakonie des Alltäglichen in dunkel getönter Farbigkeit und still-sprechender Dingmagie, was auch an die Artistendarstellungen des frühen Picasso erinnert. **Die Trompete** hingegen offenbart in ihrer dämonisierten Gewalt und dramatischen Wucht den inneren Widerstreit, den Weltereignisse wie die Auseinandersetzungen in Ungarn und Zypern oder die Entwicklungen im eigenen Lande in dem jungen Maler ausgelöst hatten. In der Kunst der DDR sind häufig historische oder aktuelle Geschehen an anderen Schauplätzen als Motiv genutzt worden, um die Spannungen in der eigenen Gesellschaft in vermittelter Form zu behandeln. Die nackte Rückenfigur des Knaben im Zentrum des Bildes, das insgesamt außerordentlich plastisch geformt ist, verweist auf die ungeschützte Ratlosigkeit angesichts der brutal-bedrängenden Kräfte von verschiedenen Seiten. In einem Interview 1975 bekannte Harald Metzkes: »Die Bilder der deutschen Expressionisten erschienen mir nach dem Krieg die einzig mögliche Sprache. Mir wurde nicht bewußt, daß diese Bilder alle schon vierzig Jahre alt waren. Die erste Hälfte des zwanzigsten Jahrhunderts hat großartige Malerei hervorgebracht. Die erste ›Documenta‹ gab einen breiten Überblick. [...] Picasso hat alles in Malerei verwandelt. Damit ist auch meine Meinung zu den ›akzeptablen avantgardistischen Auffassungen‹ gesagt.«[11]

Anmerkungen

1 Ehrenburg, Ilja: *Menschen, Jahre, Leben. Memoiren.* Bd. I. Berlin 1978. Zit. n. Lothar Lang (Hg.): *Das Genie läßt bitten – Erinnerungen an Picasso.* Leipzig 1987, S. 50f.
2 Seitz, Gustav: »Begegnungen mit Picasso«, 1952. Zit. n. *Gustav Seitz, 1906–1969. Plastik, Zeichnungen, Graphik.* Ausst.Kat. Altes Museum, Berlin. Berlin 1986, S. 50.
3 Hanns Theodor Flemming: *Bernhard Heiliger.* Berlin 1962, S. 166.
4 Karl Hartung, in: *Torso – das Unvollendete als künstlerische Form.* Ausst.Kat. Recklinghausen 1964, n. pag.
5 Uhlmann, Hans: »Über meine Zeichnungen«. In: Christoph Brockhaus; Jörn Merkert (Hg.): *Hans Uhlmann. Aquarelle und Zeichnungen.* Ausst.Kat. Wilhelm-Lehmbruck-Museum Duisburg. Berlin; Duisburg 1990, S. 53.
6 Nay, Ernst Wilhelm: »Farbe als Gestaltwert der Fläche (Die chromatische Relation)«. Zit. n. Jürgen Claus: *Theorien zeitgenössischer Malerei.* Reinbek 1963, S. 53.
7 Haftmann, Werner: »Über die neuen Bilder von E.W. Nay«. In: *E. W. Nay.* Ausst.Kat. Württembergischer Kunstverein, Stuttgart. Stuttgart 1966, S. 12.
8 Vgl. *Verfemte Formalisten. Kunst aus Halle (Saale) 1945–1963.* Ausst.Kat. Kunstverein Talstrasse e.V., Halle 1998.
9 Vgl. Schneider, Angela: »Picasso in uns selbst«. In: *Deutschlandbilder.* Ausst.Kat. Köln 1997, S. 539–544.
10 »Picasso-Feier in Moskau«. In: *Bildende Kunst,* H. 1, 1957, S. 68.
11 Harald Metzkes, 10. September 1975. In: Schumann, Henry: *Ateliergespräche.* Leipzig 1976, S. 169f.

Vorsatzblatt: 123 Ernst Wilhelm Nay, Grau und Olivgrün, 1964 (Ausschnitt)

Beharrlichkeit des Vergessens

Beharrlichkeit des Vergessens
Werner Tübke

Hans Jürgen Papies

»Der Vorwurf der Unverbindlichkeit der Abstraktion im Westen traf kaum weniger die abstrahierende Figuration im Osten. Das führte gegen Mitte der 60er Jahre zu einer sehr viel aggressiveren Gegenständlichkeit. Detailreich und manieristisch [...] demonstriert sich dies in den **Lebenserinnerungen des Dr. jur. Schulze** [...] bei Werner Tübke. Dieser weitgehend rekonstruierte Bilderzyklus bildet hier den komplementären Kontrast zur Malerei von Baselitz«, heißt es in einer konzeptionellen Schrift zu dieser Ausstellung.[1]

Es war kein staatlicher Auftrag, sondern eine selbstgestellte Aufgabe, als sich Werner Tübke bildkünstlerisch mit dem Thema des deutschen Faschismus und seinen Nachwirkungen in der Bundesrepublik Deutschland zu beschäftigen begann. Er fühlte sich dazu angestoßen durch Berichte vom Frankfurter Auschwitz-Prozeß (1963), aber auch durch Nachrichten, die immer wieder deutlich machten, wie in den ersten beiden Nachkriegsjahrzehnten in der BRD bestimmte Wahrheiten über die Zeit des faschistischen Deutschen Reiches verdrängt, verharmlost oder gar geleugnet wurden. Ende 1964 notierte Tübke unter dem Stichwort »Westdeutsche Justiz« dazu erste Bild-Vorstellungen in sein Konzept-Tagebuch: »1. Wenige Figuren (eventuell

129 Werner Tübke, Requiem, 1965; Tempera, 28 x 44 cm; Staatliche Kunstsammlungen Dresden, Gemäldegalerie Neue Meister

Diptychon); 2. Polyptychon mit diversen Szenen; 3. Landschaft mit diversen Szenen; 4. Fabel finden.« Und nach einigen Detailüberlegungen hinsichtlich eines Triptychons vermerkte er als »Hauptforderung – Allgemeines muß ausströmen (keine tagespolitische Illustration)«[2]. Tatsächlich jedoch entstand weder ein Triptychon noch ein Diptychon, vielmehr schuf Tübke innerhalb von zweieinhalb Jahren, bis Mitte 1967, eine Folge von elf einzelnen Gemälden[3], die er unter das Motto stellte: **Lebenserinnerungen des Dr. jur. Schulze**. Sieben Fassungen tragen auch diesen Titel (von denen allerdings nur fünf ausgeführt wurden) und beziehen sich auf die fiktive Gestalt eines faschistischen Richters mit dem deutschen Allerweltsnamen Schulze, der erst im ›Dritten Reich‹ das Recht gnadenlos beugte – und später wieder im Staatsdienst stehen konnte, als wäre nichts geschehen. Und die übrigen Gemälde ergänzen, unter anderen Titeln, diesen Themenkreis.

Die »in sich schlüssige Bilderfolge von realistischen Allegorien zur Zeitgeschichte«[4] wird eingeleitet mit der Anfang 1965 geschaffenen Tafel **Requiem** (Kat.Nr. 129), einer lautlosen Messe zu Ehren der Opfer. Auf einem Gefängnishof liegen im gleißenden Licht – der abgestorbene Baumstumpf wirft einen tiefen Schatten – die erstarrten Körper der Hingerichteten. Obwohl auch sie en detail überscharf gezeichnet erscheinen, deuten kaum Spuren auf das vorausgegangene Massaker. Die Körperachsen der fast einander berührenden Leichname führen zu einer (wie von Ernst Barlach geschaffenen) Gewandfigur der Trauernden. Nichts verweist auf einen bestimmten Ort des Geschehens, ebenso bleibt die Frage nach dem Wann offen.

In der nachfolgenden ersten Fassung der **Lebenserinnerungen** (Kat.Nr. 130) greift Tübke auf eine Kompositionsstruktur zurück, die er bereits 1957 für sein Gemälde **Weißer Terror in Ungarn 1956** entwickelt hatte: eine Straßenszenerie, in der aufgebrachter Mob an politischen Gegnern Lynchjustiz betreibt, indem er sie kurzerhand an Straßenlaternen aufhängt. Die in diesem Kontext geschaffene **Laternenabnahme** macht offensichtlich, daß Tübke sich schon damals keineswegs scheute (was ansonsten in der Kunst der DDR erst später üblich wurde), für seine Intentionen

130 Werner Tübke, Lebenserinnerungen des Dr. jur. Schulze I, 1965; Tempera auf Leinwand, 65 x 100,5 cm; Panorama Museum Bad Frankenhausen

auch christliche Motive umzufunktionieren. Auch in der ersten Fassung findet sich ein solcher Zugriff auf die christliche Ikonographie. Imitten eines fast überbordenden Menschengemenges von Uniformierten und Zivilisten, von Aufmarschierten und Zugeführten, von Tätern, Helfern und Opfern, erscheint die herausgestellte Erhängungsszene wie eine christliche Kreuzigung: Der Querbalken des Galgens verlängert sich zu einem T, dem Antoniuskreuz, und am Fuße des Kreuzes kniet eine Trauernde wie die biblische Maria Magdalena. In der unvollendeten Durchführung der Malerei mit ihrer ›unterkühlt‹ flirrenden Farbigkeit erscheint das Bild wie eine halluzinatorische Spiegelung.

Die zweite Fassung der **Lebenserinnerungen** (Kat.Nr. 131) erweist sich als eine Montage zeitlich und räumlich auseinanderliegender Erinnerungs-Bilder des in blutroter Robe wie versteinert dasitzenden Richters. Erinnerungs-Bilder, die in realen Handlungen, Sinnbildern und Symbolen die Welt seiner eher privaten Erlebnisse und sadomasochistischen Neigungen wie auch die Leidenswelt seiner Opfer simultan und in eine Landschaft eingewoben reflektiert. Nicht alle Sinnbilder (wie »Goldfasan«: Nazifunktionär, »Dame mit Feuerfalter«: käufliche Liebe) sind offenkundig, und auch die hier eingebrachten christlichen Motive, wie das »Ecce homo« oder die »Beweinung«, wurden in einen neuen Kontext gestellt.

Im Sommer 1965 hat Werner Tübke die Arbeit an der dritten Fassung der **Lebenserinnerungen** (Kat.Nr. 132) aufgenommen, die sich im nachhinein als das Hauptwerk dieser Folge erwiesen hat. Trotz mancher Ähnlichkeit im Detail mit der zweiten offenbart die dritte Fassung einen erheblich anderen Charakter: Die ›Lebenserinnerungen des Dr. jur. Schulze‹ werden hier gleichsam auf einer surrealen (nicht: surrealistischen) Ebene angesiedelt. Die Gestalt des Richters in der roten Robe ist hier überproportional groß – ja, geradezu dominant in die Bildmitte gesetzt worden. Die in dieser dritten Fassung noch gesteigerte Fülle assoziativer Motive – es ist nicht möglich, darauf hier im einzelnen einzugehen[5] – bleibt weitgehend so miteinander verwoben, daß alles voll dramatischer Unruhe erscheint und das Auge immer wieder zu der zentralen Gestalt des Richters zurückkehrt. Nicht zuletzt findet die surreale Konstellation in der manieristischen Farbigkeit ihren Ausdruck.

Man hat darauf hingewiesen, daß der dritten Fassung die überlieferte Bildvorstellung vom »Jüngsten Gericht« zugrunde liegt, hier allerdings die Umkehrung des Themas dominiert: »Die erzählende Funktion [...] ist zurückgedrängt zugunsten einer schauerlichen Verkehrung des Majestas-Domini-Motivs: Schulze, ein gesichtsloses Idol [...] thront in vollkommener Gleichgültigkeit über der Welt der Zugrundegerichteten.«[6] Die Eigenart der Gestalt des Nazirichters in dieser Fassung besteht aber auch darin, daß sie hier durch eine Gliederpuppe mit umgehängter Robe dargestellt wird, die verankerte Stahlseile aufrechthalten. Das gibt – angesichts des Kontextes – zu bedenken, ob ein zuzeiten mächtiger Staatsdiener nur ein bloßer ›Vollstrecker‹ des Staatswillens ist, gewissermaßen eine Marionette, oder ob er für seine Handlungen und Entscheidungen ›im Dienste des Staates‹ auch persönliche Verantwortung und Schuld trägt.

Im Herbst 1965 wurde die dritte Fassung auf der 7. Leipziger Bezirkskunstausstellung ausgestellt und löste – ebenso wie einige Werke anderer Künstler – in der Öffentlichkeit eine heftige, kontroverse Kunstdiskussion aus. Die offizielle Kunstpolitik hatte derzeit an die bildende Kunst nachdrücklich die Erwartung gerichtet, die Erziehung der Menschen im Sinne einer »sozialistischen Menschengemeinschaft« zu befördern und sah in diesen neuen Tendenzen ein ideologisches Abweichen von den vorgebenenen Positionen. Besonders schieden sich – seit der Kafka-Konferenz von 1963[7] – die Geister an der Frage, ob es »Entfremdung« auch in einer ›sozialistisch‹ orientierten Gesellschaft gäbe und mithin auch bestimmte künstlerische Ausdrucksmittel des 20. Jahrhunderts für das eigene Schaffen anwendbar seien. Besonnen erklärte Werner Tübke im Juni 1966 zu der dritten Fassung: »Ich glaube, daß die Mittel der bildenden Kunst umfangreicher eingesetzt werden können als es hier und da geschieht: im Dienste einer sozialistischen Lebenshaltung, das humanum fördernd, aber auch die Therapie der Abschreckung implizierend, aus Verantwortung dem Leben gegenüber.«[8] Neben prinzipieller Kritik an Tübkes dritter Fassung gab es aber auch Ermutigungen. Dazu gehörte nicht zuletzt der Umstand, daß die Ostberliner National-

131 Werner Tübke, Lebenserinnerungen des Dr. jur. Schulze II, 1965; Mischtechnik auf Leinwand auf Holz aufgezogen, 40 x 53 cm; Staatliche Galerie Moritzburg Halle, Landeskunstmuseum Sachsen-Anhalt

132 Werner Tübke, Die Lebenserinnerungen des Dr. jur. Schulze III, 1965; Tempera auf Leinwand auf Holz, 188 x 121 cm; Staatliche Museen zu Berlin, Nationalgalerie

133 Werner Tübke, Lebenserinnerungen des Dr. jur. Schulze V, 1967; Mischtechnik auf Leinwand auf Holz, 21,8 x 40,6 cm; Panorama Museum Bad Frankenhausen

galerie noch 1965, im Anschluß an die Bezirkskunstausstellung, dieses Tafelbild als Leihgabe zu sich holte und es fortan in ihrer Ständigen Ausstellung zeigte.[9]

Werner Tübke setzte jedenfalls seine Arbeit auf dem eingeschlagenen Weg fort, wobei auch das Thema **Lebenserinnerungen des Dr. jur. Schulze** für ihn aktuell blieb. Schon bald begann er mit Vorstudien für eine vierte Fassung, die jedoch nicht in ein Gemälde mündeten. Anfang 1966 entstand die große Bildtafel **Ungeziefer (auch: Botschaft der Taube)**, eine geradezu kafkaeske Paraphrase auf die dritte Fassung und gemalt im Geiste eines Hieronymus Bosch: Über einer grotesken Szenerie, in der Menschen von großen Insekten gequält werden, schwebt in Gestalt eines fledermausartigen Vampirs der Nazirichter als Engel des Unheils (leider ist das Gemälde inzwischen im Ausland verschollen – ebenso wie die beiden 1966 entstandenen kleinformatigen **Variationen I** und **II**).

Auch noch 1967 beschäftigt das Thema die bildnerische Phantasie Tübkes so, daß drei weitere Fassungen entstehen. In der fünften Fassung der **Lebenserinnerungen** (Kat.Nr. 133) greift er noch einmal das Motiv der Opfergruppe aus dem **Requiem** auf, doch ist der Ort der Handlung nun ein Schlachtfeld, auf dem eine rheinische Karnevalsgesellschaft einen ausgelassenen Tanz vollführt. Und inmitten dieses ›fröhlichen‹ Treibens sitzt in einer gutbetuchten Tischrunde ein gealteter Herr Dr. Schulze als Biedermann, den abgestürzten Reichsadler neben sich liegend. Doch auch der Tod, mit einem Zylinder drapiert, hat sich dazugesellt; und so wird es wohl in einem *danse macabre*, einem Totentanz dieser Gesellschaft, enden.

Der Unterschied der siebten Fassung der **Lebenserinnerungen** (Kat.Nr. 134) gegenüber der fünften (eine sechste Fassung als solche existiert nicht) besteht vor allem in dem so ganz anderen Grundklang. Bildbestimmend sind dabei zwei geradezu barocke Frauenakte, Allegorien blühenden Lebens, die sich in einer Strandlandschaft gegenüberstehen. Zu dieser Bildfindung mag beigetragen haben, daß es den Künstler in der Auseinandersetzung mit dem Thema »zunehmend nach einem positiven Gegengewicht verlangte«[10]. Die Akte stehen entspannt zwischen zwei größeren Scherben, auf denen ›Vergangenheit‹ sich spiegelt: eine Art »Höllensturz« der alten Gesellschaft samt Dr. Schulze in seiner blutroten Robe und den schaurigen Gestalten des Ku-Klux-Klan auf der linken – und einen »Tanz ums Goldene Kalb« auf der rechten. »Als monumentales Triumpfbild des Lebens ist es das Gegenstück zum Triumpfbild der Vernichtung, der [...] 3. Fassung der Dr. jur. Schulze-Serie.«[11]

Den inhaltlichen Abschluß der Folge bildet die Bildtafel **Mahnung** (auch sie gilt inzwischen als verschollen). Über der kraftvollen Gestalt eines Mannes, der seine Arme beschützend über einer Gruppe ruhender Menschen ausgebreitet hat, ziehen am Himmel neue, numehr auch technisierte Dämonen herauf: Die Gefahren faschistischer Gewalt sind noch längst nicht gebannt.

Werner Tübke hat mit seinem Kunstschaffen seit Anfang der siebziger Jahre nicht nur in der DDR zunehmende Akzeptanz, sondern auch internationale Anerkennung gefunden.[12] Inwieweit auch seine »Therapie der Abschreckung« wirkungsvoll war, sei dahingestellt. Die Wirkungsmöglichkeiten der Kunst sind in der DDR, von verschiedener Seite, lange Zeit überschätzt worden. Kunstwerke vermögen kaum Gewalt und schon gar nicht Kriege zu verhindern. Aber zum geistvollen Nachdenken anzuregen, vermögen sie allemal.

Anmerkungen

1 Schuster, Peter-Klaus: »Die Gewalt in der Kunst«. In: *MuseumsJournal* (Berlin), Nr. III, Juli 1999, S. 21.
2 Meißner, Günter: *Werner Tübke. Leben und Werk*. Leipzig 1989, S. 115f.
3 Meißner, Tübke (Anm. 2), S. 116.
4 Roland März, in: *Werner Tübke. Variationen zum Thema »Lebenserinnerungen des Dr. jur. Schulze«*. Ausst.Kat. Nationalgalerie Berlin 1972, n. pag.
5 Vgl. Meißner, Tübke (Anm. 2), S. 119–128.
6 Emmrich, Irma: *Werner Tübke. Schöpfertum und Erbe*. Berlin; Weimar 1976, S. 40.
7 Vgl. Protokoll der Kafka-Konferenz in Liblice am 27./28. Mai 1963. In: *Franz Kafka aus Prager Sicht 1963*. Hg. von der Tschechoslowakischen Akademie der Wissenschaften. Prag 1965 (deutsche Ausgabe); siehe u.a. die Beiträge von Eduard Goldstücker, Ernst Fischer, Roger Garaudy, Werner Mittenzwei.
8 Tübke, Werner: »Statement vom Juni 1966«. Abgedruckt in: Tübke (Anm. 4), n. pag.
9 Das ab 1966 im wiedereröffneten Alten Museum ausgestellte Werk blieb bis 1987 Leihgabe des Rates des Bezirkes Leipzig an die Nationalgalerie und wurde ihr erst dann übereignet.
10 Lindner, Gerd: »Sinnbilder wider das Vergessen, zu Werner Tübkes ›Lebenserinnerungen des Dr. jur. Schulze‹.« In: *Ostwind. Fünf deutsche Maler aus der Sammlung der Grundkreditbank*. Ausst.Kat. Kunstforum der Grundkreditbank. Berlin 1997, S. 204.
11 Meißner, Tübke (Anm. 2), S. 139.
12 Vgl. Beaucamp, Eduard: »Neue Kunst-Szene DDR. Leipziger Eindrücke: Eine veränderte Wirklichkeit in den Bildern einer jungen Künstlergeneration.« In: *Frankfurter Allgemeine Zeitung*, vom 25.3.1972.

Vorsatzblatt: 132 Werner Tübke, Lebenserinnerungen des Dr. jur. Schulze III, 1965 (Ausschnitt)

134 Werner Tübke, Lebenserinnerungen des Dr. jur. Schulze VII, 1967; Mischtechnik auf Leinwand auf Holz, 122 x 183 cm; Museum der bildenden Künste Leipzig

Die Beharrlichkeit des Vergessens

Fritz Jacobi

Das Thema des Umgangs mit der deutschen Geschichte ist bis heute ein schwieriges Thema geblieben. Während in Literatur und Film eine ganze Reihe bedeutender Werke entstanden sind, ist in der bildenden Kunst nur wenig Vergleichbares geschaffen worden. Sieht man einmal von Arbeiten in der unmittelbaren Nachkriegszeit ab[1], so sind erst seit Mitte der sechziger und besonders in den siebziger Jahren Versuche unternommen worden, dieses Thema auch bildnerisch zu gestalten. Die Dominanz der abstrakten Kunst im Westen und die Doktrin eines orthodoxen sozialistischen Realismus im Osten verhinderten weitgehend eine wirklich tragfähige Darstellung.

Zu den Malern, die sich einer erneuten Beschäftigung mit historischen Stoffen gewidmet haben, gehören Bernhard Heisig (* 1925) und – durch eine Generation getrennt – Eugen Schönebeck (* 1936), Georg Baselitz (* 1938) und Markus Lüpertz (* 1941). Es ist interessant, daß die Biographien aller vier Künstler durch Flucht mehr oder minder einschneidend bestimmt wurden: Heisig und Lüpertz kamen nach Kriegsende aus Schlesien beziehungsweise Böhmen nach Deutschland, während Schönebeck 1955 und Baselitz 1957 vom Osten in den Westen Deutschlands gegangen sind. Möglicherweise liegt auch darin ein besonderes

135 Georg Baselitz, Der neue Typ, 1966; Öl auf Leinwand, 162 x 130 cm; Louisiana Museum of Modern Art, Humlebæk

136 Georg Baselitz, Der Held, 1965; Öl auf Leinwand, 120 x 105 cm; Sammlung Katharina und Wilfrid Steib, Basel

137 Georg Baselitz, Partisan, 1965; Öl auf Leinwand, 162 x 130 cm; Sammlung Vicki und Kent Logan, San Francisco

138 Georg Baselitz, Torso, 1993; Lindenholz, 155 x 77 x 79 cm; Staatliche Museen zu Berlin, Nationalgalerie, Leihgabe der Sammlung Marx

Problembewußtsein gegenüber so existentiell einschneidenden Ereignissen begründet.

Die unterschiedlichen Lebens- und Gesellschaftsbedingungen – Heisig lebte in der DDR, Schönebeck, Baselitz und Lüpertz arbeiteten in der Bundesrepublik – sind neben der individuellen Mentalität der jeweiligen Künstler sicherlich Momente, die ein unterschiedliches Herangehen an diese Thematik zur Folge hatten. Zugleich aber ist es aufschlußreich, daß für alle vier Maler der deutsche Expressionismus, speziell die Kunst der Dresdener Künstlergemeinschaft Brücke, Emil Noldes und Max Beckmanns richtungsweisend wurde.

Georg Baselitz hat sein Vorgehen beim Malen einmal mit den Worten formuliert: »Wenn ich ein Gemälde anfange, dann beginne ich Dinge zu formulieren, als wäre ich der erste, der einzige, als würden die Vorläufer nicht existieren; auch wenn ich weiß, daß tausende Vorläufer sich gegen mich stellen. Man muß daran denken, etwas zu machen, etwas gültiges. Das ist mein Leben.«[2] Mitte der sechziger Jahre malt er die Serie der »Helden«, die im weitesten Sinne durchaus selbstbildnishafte Züge tragen, aber vor allem eine gesellschaftliche Problematik dialogisch umreißen. Der damals Mittzwanziger schraubt seine Figuren in die Bildfläche hinein, verspannt sie mit dem Unten und Oben und meist auch mit den Seiten, so als wolle er den Raum ausloten, der der jeweiligen Existenz zur Verfügung steht. (Man denkt unwillkürlich an Leonardos sogenannten Vitruv-Mann, dessen Bewegungsmöglichkeiten von einem Kreis umschrieben werden.) Auch für Baselitz scheint damals der Grundsatz seines Freundes Eugen Schönebeck verbindlich gewesen zu sein: »Beim Malen immer den Vordergrund im Auge behalten, niemals den Hintergrund, der stellt sich von selbst ein.«[3]

So rückt Baselitz seine »Helden« – wie **Partisan** (Kat.Nr. 137), **Held** (Kat.Nr. 136) oder **Der neue Typ** (Kat.Nr. 135) – ganz nahe, gleichsam distanzlos, an die Bildbühnenkante, so daß ein Vorbeischauen, ein Ausweichen vor diesen seltsam ungeschlachten, offenbar schicksalsbeladenen und von überholten Parolen getriebenen Gestalten nicht möglich ist. Sie tauchen aus geschichtlichen Untergründen auf und stehen wie Fremdkörper, einem Kaspar Hauser vergleichbar, im Raum. Diese männlichen Figuren, die an Bilder von wandernden Gesellen zu Beginn des 19. Jahrhunderts erinnern, sind von jugendlicher Kraft, von bedingungsloser, durchaus sexueller Emotionalität, aber zugleich auch von einer tiefgreifenden Ratlosigkeit erfüllt. Ihr wie erstarrtes Innehalten und ihre fragende Gestik signalisieren – im direkten wie im übertragenen Sinne – die Suche nach einem Weg, einer Antwort, einem Sinn. Baselitz setzt in provokativer Direktheit das ironisch gebrochene Pathos einer machtlos aufbegehrenden Sturm- und Drang-Bewegung einer irregeleiteten Jugend ins Bild.

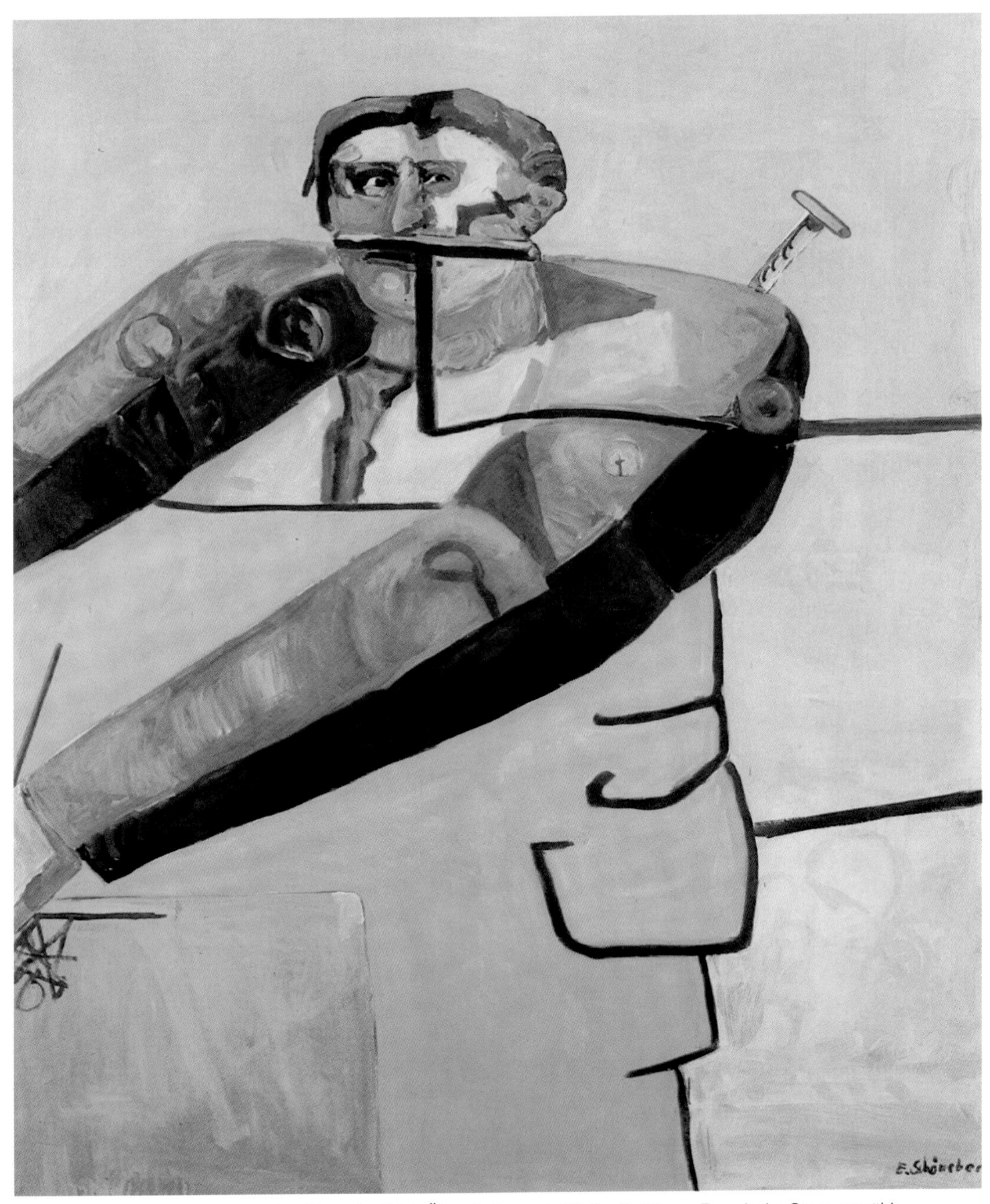

139 Eugen Schönebeck, Der wahre Mensch, 1964; Öl auf Leinwand, 219,5 x 188,5 cm; Bayerische Staatsgemäldesammlungen, Sammlung Herzog Franz von Bayern, München

140 Eugen Schönebeck, Der Rotarmist, 1965; Öl auf Leinwand, 220 x 198 cm; Bayerische Staatsgemäldesammlungen, Sammlung Herzog Franz von Bayern, München

Er zwingt zur Existenzbefragung durch die Begegnung mit den eigenartig fragil aufgestellten Symbolfiguren, deren elementare Zerrissenheit damals, zur Entstehungszeit der Gemälde, noch in besonderem Maße die Kriegserlebnisse wachgerufen und damit die Widersprüche zwischen den traumatischen Erfahrungen und einer scheinbar wieder ins Lot gebrachten Ordnung aufgerissen hat. Aber auch die Spannungen zwischen jugendlicher Grenzenlosigkeit, vitaler Lebenssehnsucht einerseits und den tatsächlichen Realitätsverhältnissen andererseits sind in diesen gleichnishaften Bildmetaphern enthalten.

Baselitz erreicht diese irritierende Verfremdung seiner Bilder, indem er gegensätzliche Darstellungsarten innerhalb eines Werkes miteinander konfrontiert: Seine zum Teil wie historische Illustrationen anmutenden Bildfigurationen – einfach, ganzheitlich, vom Umriß bestimmt und fast plastisch mit zurückhaltenden Tonwerten versehen – werden durch expressive Reizmomente gewissermaßen gekontert. Seine Szenerien erscheinen wie von einem flackernden Formrhythmus erfaßt; besonders die Binnenzeichnung verwandelt sich zu eigenständig bewegten Strukturen. Aufleuchtende Farbfleckpartien setzen – über die Komposition verteilt – gezielte Akzente, die einen ganz bestimmten Ausdrucks- und Stimmungswert signalisieren. Diese permanente Gegenläufigkeit kennzeichnet die Kunst von Georg Baselitz in einem sehr grundlegenden Sinne. (Die spätere Umkehrung seiner Motive ist in anderer Form ein weiterer Beleg dafür.) Dem entspricht auch, was er 1992 sagte: »Ich begann, erst einmal die Dinge selbst und ihre Verhältnisse zueinander unglaubhaft zu machen und zu verschieben [...].«[4]

In seinen Holzskulpturen, die seit 1969 entstehen, findet sich ebenfalls dieses Aufeinanderstoßen von Gestaltungsformen. So wird, wie in dem weiblichen **Torso** von 1993 (Kat.Nr. 138), der roh herausgeschlagene Holzblock an zwei Stellen mit aufgesetzten roten Farbflatschen versehen, um Brüste und Schampartie zu betonen. Diese malerische Pointierung aber führt das Skulpturale wieder ins Visuelle zurück. Die Intention von Baselitz wird deutlich, wenn er feststellt: »Mich interessieren solche Grenzfälle in der Kunst, wo das erworbene Terrain unsicher geworden ist und das klassische Bild zerfällt. Von hier aus geht es munterer weiter.«[5]

Eugen Schönebeck, der mehrere Jahre mit Georg Baselitz zusammengearbeitet und mit ihm die beiden drastisch-schokierenden **Pandämonischen Manifeste** 1961 und 1962 herausgegeben hat, entwickelte einen ausgeprägt eigenen Stil. Wohl gibt es in seinen frühen Jahren Einflüsse etwa durch Wols und später Parallelen zu Francis Bacon, die Phase aber seit 1963, als er seine skurrilen Körper- und Kopfbilder entwickelte, ist in einem überraschenden Maße originär.

Schönebeck baut, konstruiert und verspannt seine nüchtern gehaltenen, kubischen Figurenkonstellationen mit den Flächengrenzen, was häufig zu einem harten seitlichen Beschnitt, insgesamt aber zu einer Art Nahaufnahme mit gleichsam intimer und zugleich verfremdeter Monumentalität führt. So konzentriert er in **Der wahre Mensch** (Kat.Nr. 139) von 1964 den Blick voll auf den lauernden Gesichtsausdruck eines Mannes, dessen monströse Armpartien – fest in eine flächig-lineare Apparatur verstrickt – nach links wie ins Leere ausgreifen. Der Mensch steht im Zentrum, scheint zu dominieren und wird doch zum Opfer seiner eigenen Entwicklungen. Schönebeck wuchtet die Körper in den Bildraum und beläßt ihnen doch die Empfindungen. Er vollzieht Brechungen, ohne damit den organischen Zusammenhang in Frage zu stellen. Seine vermeintlich plakative Kompositionsform, in der Figur und Grund deutlich gegeneinandergesetzt werden, ist zumeist von innerer Dramatik erfüllt, was sich in der verbissen-aufgeregten Gestik des **Rotarmisten** von 1965 (Kat.Nr. 140) zeigt. Doch selbst in einem solchen Werk, in dem offensichtlich ein hypertrophierter Realismus prägend wird, bleiben eine Magie des Unwirklichen und eine seltsame Reinheit erhalten, die seine Bilder in einer ganz eigenen Schwebe zwischen Hinwendung und Abwendung, Empfindsamkeit und Brutalität oder der Wärme einer tektonischen Plastizität und der Kälte technoider Formelhaftigkeit hält.

Diese Spannung zwischen Gläubigkeit und Mißtrauen wird auch in einigen Passagen des **2. Pandämonischen Manifests** von 1962 deutlich, wo er schreibt – als ahne er bereits, daß er vier Jahre später die Malerei ganz aufgeben würde: »Wer interessiert sich schon für meine Träume? Man darf nichts verlautbaren lassen. Ich bin Zeuge, ich bin der einzige Zeuge meiner selbst. Egoismus. (Ich habe eine Aufgabe, die mir gar nicht erlaubt an mich zu denken). Möglichkeit auf das Emblem der Leute ein bischen Druck auszuüben. Sie überzeugen lassen, die Sinnlichkeit darlegen, den Knoten herausheben und wieder fallen lassen (Balanceakt). Diesen Monstren mit der Farbe Orange Gerechtigkeit widerfahren lassen. Ich baue auf 30 Zigaretten – die Selbsthilfe der Nerven. Die Noblesse im Tabak finden. Tragische Noblesse ist die Wiedergeburt der Erinnerung.«[6]

Markus Lüpertz' Malerei ist dagegen von der Impulsivität des Formwillens und deren zeichenhafte Bindung bestimmt. Groß und fest, wuchtig und klar baut er seine durchaus surreal geprägten Vorstellungen in den Bildraum. Er entwickelt seine sperrig-phantastischen Bildgegenstände aus einer Mischung von vorge-

141–143 Markus Lüpertz, Schwarz-Rot-Gold I–III, Dithyrambisch, 1974; Leimfarbe auf Leinwand, je 260 x 200 cm; Galerie der Stadt Stuttgart

fundener Realität und abstrakter Gestaltgebung heraus; er verwandelt die Details des Alltäglichen zu monumentalisierten Zeichen, deren expressive Vergrößerung und Vitalisierung den Eindruck einer monströsen Gewaltigkeit hervorruft. Trotz der leuchtenden Farbigkeit werden seine Arbeiten von einer eigenartigen Kühle und Distanz bestimmt. Die übersteigerte Form, die in ihrer heftigen und zugleich spielerischen Struktur zuweilen an Pablo Picasso denken läßt, in ihrer Schwere jedoch auf deutsche Maltraditionen verweist, erscheint als etwas Fremdes, durchaus Bedrohliches. Die Härte der Formgebung ist mit Erstarrung und Untergründigkeit verbunden.

In seinem Triptychon **Schwarz-Rot-Gold I-III, Dithyrambisch** (Kat.Nrn. 141–143) von 1974, dessen Tafeln von gleicher Größe und fast identischer Bildgestaltung sind, ist diese überzeitliche Dämonie ins Historische gewendet und damit zu einer insistierenden Kraft geworden. Die Insignien des Krieges, wie sie zuweilen als Skulpturenschmuck an alten Zeughäusern zu finden sind – der Stahlhelm, die Rüstung und das Kanonengestell mit seinen großen Rädern – verschmelzen zu einer schemenhaft-dunklen Machtfigur, die sich von links wie ein Todesschatten gefahrbedeutend in den aufgehellt-flackernden Bildraum schiebt. Die erkaltete Materialität wird zum Inbegriff einer Kriegsmaschinerie, die – einmal in Bewegung gesetzt – nur schwer wieder zu stoppen ist. Die taktartige, dem Rhythmus eines Marschschrittes nahekommende Wiederholung dieser beklemmenden Szenerie verstärkt den Eindruck der Unausweichlichkeit. Lüpertz ist mit diesem Werk ein nachhaltiges Sinnbild gelungen, das gerade in Deutschland auf die Ereignisse der Vergangenheit verweist und fast quälend die möglicherweise nie ganz zu beantwortenden Fragen immer wieder stellt.

Markus Lüpertz hat diese einfache und dennoch so intensive Bildfindung mehr aus einer Empfindung heraus, Gestalt werden lassen, die wohl auch durch den Zeitgeist der siebziger Jahre beeinflußt wurde. In einem Gespräch 1983 bekennt er: »Und dann ist das die andere Seite, die Spannung, die ich mir selbst gegenüber empfinde. Ich muß die aufrecht halten und

144 Bernhard Heisig, Christus verweigert den Gehorsam, 1986/88; Öl auf Leinwand, 141 x 281 cm; Staatliche Museen zu Berlin, Nationalgalerie

forsche das auch nicht nach. [...] Ich habe einen dunklen Punkt, das ist meine Thematik. Ich hab mir nie zum Beispiel, wie ich den Stahlhelm gemalt habe oder ›Arrangement für eine Mütze‹, ich hab mir nie Gedanken darüber gemacht, warum. Ich habe ihnen keine Deutung gegeben, sie sind nicht geplant gewesen.«[7] Andererseits aber stellt er fest: »Es gibt eine Vernunft. Jedes Bild, das ich gemacht habe, und jedes Bild das ich betrachtet habe, das nicht von mir ist, entspricht, wenn ich es gut finde, einer mir plausiblen Vernunft.«[8]

Für Bernhard Heisig, der von der Vision einer sozialistischen Gesellschaft erfüllt war und seiner Kunst auch bewußt politische Dimensionen gab, sind die Kriegserlebnisse, in die er als junger Mann noch aktiv verwickelt war, von entscheidender Bedeutung für sein gesamtes Werk. Denn fast alle seiner Gemälde, die sich mit der historischen oder der gesellschaftlichen Thematik befassen – und das ist bei der überwiegenden Zahl seiner Arbeiten der Fall –, sind von der dramatischen Auseinandersetzung, vom Kampf der Gruppierungen, von menschlichen Konflikten bestimmt. »Ich finde es sehr erregend, mit *vielen* Figuren zu arbeiten. Die beeinflussen sich gegenseitig, beantworten sich in ihrer Gestik, in der Farbe. Und die Rollenverteilung ist wichtig, das Orchestrieren des Ganzen, die Raumdisposition intakt zu erhalten, sie durchzuhalten von der Nasenspitze bis zum Ohr und in die Tiefe des gesamten Bildraumes.«[9]

Seine ganz eindeutig expressiv ausgerichtete Malerei, die von Max Beckmann, Oskar Kokoschka und Otto Dix beeinflußt wurde, wird ihm zum Mittel, um die Energien des Lebenskampfes – und damit auch des Kampfes gegen Sterben und Tod – in all seiner Intensität, Brutalität und emotionalisierten Form ins Bild zu

145 Bernhard Heisig, Beharrlichkeit des Vergessens, 1977; Öl auf Leinwand, 151 x 242 cm; Staatliche Museen zu Berlin, Nationalgalerie

setzen. Das Gruppenbild spielt für ihn deshalb von Anfang an, beginnend beim Thema der Pariser Kommune, eine wesentliche Rolle. Es wird bei ihm schon früh in eine angespannte, tumultartige Szenerie verwandelt, in der sich die Realität der Leidenschaft, der Zerstörung, der vehementen Verteidigung oder der intensiven Spannung entladen kann. Er veranschaulicht in rhythmisch gebrochener Form den Widerstreit der Gruppierungen oder des Einzelnen innerhalb der Masse in einer erregten Atmosphäre, in der es eigentlich nie Sieger, sondern immer nur Betroffene gibt. Seine Bilder wirken wie aus plastischen Farb- und Formfetzen zusammengeschmolzen, von grellen, aufleuchtenden Farbakzenten durchsetzt und in eine Vielzahl von Detailformen zergliedert. Nur selten sind in seinen Gruppendarstellungen ganzheitliche Figuren zu sehen, weil in dem verwirrenden Mit- und Gegeneinander, das den Bildraum bis an die Grenzen voll ausfüllt, meist nur Teilpartien der Körper, Gesichter oder Gegenstände auftauchen. So werden im grotesken Spektakel von **Beharrlichkeit des Vergessens** (Kat.Nr. 145) von 1977, einer jahrmarktsmäßig aufgeheizten Szenerie des Nachkrieges, in einer simultanbildhaften Form Kriegskrüppel, Liebespaare, bunte Medienbilder, im Vordergrund ein Trompete blasender Narr oder im Hintergrund – als Bildzitat – die Mitteltafel von Otto Dix' **Kriegstriptychon** sichtbar zusammengeschoben zu einem Zerrbild falscher Lebenslust, einer fatalen Verdrängung von Geschichte und gepaart mit einer deutlich formulierten Kapitalismuskritik.

Etwas überschaubarer ist die Komposition seines Bildes **Christus verweigert den Gehorsam** (Kat.Nr. 144) von 1986/87. In der rechten Bildhälfte sucht sich die unbändig ringende Christusfigur – als plebejisch kompakte Männergestalt gegeben – aus eigener Kraft von Kreuz, Dornenkrone und Gewalt zu befreien, umgeben von der mumienartigen Kulisse der Kirchenvertreter und der Reality-Show der Medien. Christus, der die Blechmarke des Soldaten noch um den Hals trägt, wird zum Selbsthelfer, der der Gewalt mit Gegengewalt entgegentritt. Heisig setzt den flirrenden Strich wie das Licht eines Scheinwerfers ein, das das verfremdete Geschehen aus dem Dunklen herauslöst.

Ein solches Werk, das Heisigs expressiven Realismus, aber ebenso seine naturalistischen Tendenzen verdeutlicht, wurde seinerzeit auch als kritisches Bekenntnis, als Metapher der Selbstbehauptung innerhalb der ostdeutschen Gesellschaft verstanden, in der die individuelle Stellung des Einzelnen schon von Bedeutung war. Heisigs politisch engagierte, aber formal durchaus offene Position hat deshalb auch das Schaffen seiner Meisterschüler – wie etwa Hartwig Ebersbach, Walter Libuda u. a. – wesentlich bestärkt. Für die Kunst selbst spielt die Haltungsfrage letztlich jedoch nur eine zweitrangige Rolle, denn so Bernhard Heisig 1976: »Meist geht man ja von dem Moralischen aus. Aber der Begriff Moral in der Kunst ist so eine Sache. Kunst ist weder moralisch noch unmoralisch. Erst die gesellschaftlichen Zusammenhänge bringen es. Man kann Kunst von links und von rechts machen. Ich meine damit, daß der artifizielle Anregungsteil eines Kunstwerkes unabhängig ist von der ideologischen Position seines Autors.«[10]

Anmerkungen

1 Als wenige Beispiele seien genannt: Horst Strempel, **Nacht über Deutschland**, 1945/46; Wilhelm Rudolph, **Das zerstörte Dresden**, Holzschnittzyklus, 1945/46; und Hans Grundig, **Den Opfern des Faschismus**, 1946/49.
2 Georg Baselitz im Interview mit Jean-Louis Froment und Jean Marc Poinsot. Zit. n. *Georg Baselitz.* Ausst.Kat. Nationalgalerie Berlin. Ostfildern 1996, S. 78, 80.
3 Schönebeck, Eugen: »Bruchstücke zu einem Pandämonium«, 1962. In: *Eugen Schönebeck, Die Nacht des Malers. Bilder und Zeichnungen 1957–1966.* Ausst.Kat. Kestner-Gesellschaft Hannover. Hannover 1992, S. 8.
4 Baselitz, Georg: »Purzelbäume sind auch Bewegung, und noch dazu macht es Spaß«. Vortrag in München, Oktober 1992. In: Baselitz (Anm. 2), S. 206.
5 Baselitz, Georg: »Rote Girlande«, 1993. In: Ebd., S. 214.
6 Schönebeck, Eugen: »2. Pandämonisches Manifest«, 1962. In: Schönebeck, Die Nacht des Malers (Anm. 3), S. 146.
7 Auszüge aus einem Gespräch zwischen Oswald Wiener und Markus Lüpertz, 1982. In: Haenlein, Carl (Hg.): *Markus Lüpertz. Bilder 1970–1983.* Ausst.Kat. Kestner-Gesellschaft Hannover. Hannover 1983, S. 86.
8 Ebd., S. 88.
9 Schumann, Henry: *Ateliergespräche.* Leipzig 1976, S. 113.
10 Ebd., S. 114.

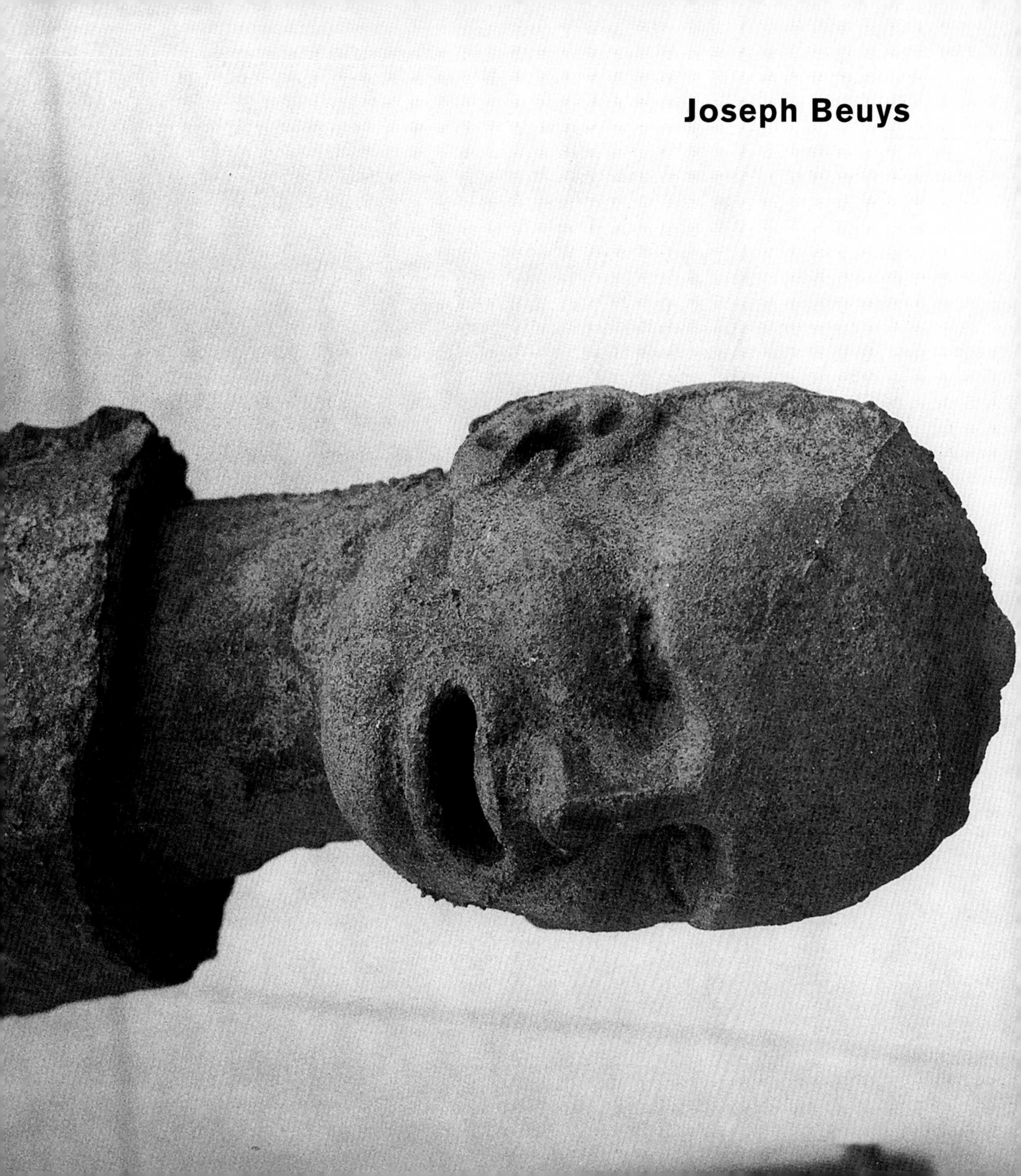
Joseph Beuys

Der Künstler als Erlöser – La rivoluzione siamo Noi

Eugen Blume

Der erfolgreichste unter den Erlösern war Jesus Christus, der die westliche Kultur zweitausend Jahre geprägt hat und dessen geistige Kraft am Ende des zweiten Jahrtausends zu schwinden droht. Kein anderer Künstler der späten Moderne hat sich wie Joseph Beuys auf das Versprechen des judäischen Messias berufen, ohne ihn direkt zum Bildgegenstand zu erheben. Nur in seinen künstlerischen Anfängen hat er sich der verbrauchten Leidensmetapher des Gekreuzigten zugewandt, um bald schon deren spirituelle Energie in einem abstrakteren Sinne in sein Werk einfließen zu lassen. Die revolutionäre Idee des erweiterten Kunstbegriffs ist ohne die Christus-Kraft, wie Beuys es genannt hat, nicht denkbar. Wenn sich Beuys aber auf den Erlöser beruft, ist er dann selbst schon ein Retter in der Not?

Joseph Beuys, La rivoluzione siamo Noi, (1970) 1971; Edition Staeck, Heidelberg

1955 hat Gottfried Benn in der Berliner Akademie die Frage gestellt »Soll die Dichtung das Leben bessern?«, und er fährt fort: »Wer fragt eigentlich, wer stellt die Forderung, über die Dichtung eine Erklärung zu erwarten. Ist es ein Nationalökonom, ein Pädagoge, ein Geistlicher, ein Staatsanwalt; oder soll es die Vox populi sein, der Consensus omnium oder das demokratische Ideal, demzufolge jeder alles wissen und über alles mitreden soll?«[1] Benn behauptet von dem »Kunstträger«, den er vom »Kulturträger« unterscheidet, er »[...] ist statistisch asozial, weiß kaum etwas von vor ihm und nach ihm, lebt nur seinem inneren Material, für das sammelt er Eindrücke in sich hinein, zieht sie nach innen, so tief nach innen, bis es sein Material berührt, unruhig macht, zu Entladungen treibt. Er ist uninteressiert an Verbreitung, Flächenwirkung, Aufnahmesteigerung, an Kultur. Er ist kalt, das Material muß kalt gehalten werden, er muß die Gefühle, die Räusche, denen die anderen sich menschlich überlassen dürfen, formen, das heißt härten, kalt machen, dem Weichen Stabilität verleihen.«[2]

Am Schluß seines Vortrages zieht Benn das Fazit: »Die Dichtung bessert nicht, aber sie tut etwas viel Entscheidenderes: sie verändert. [...] Sie hebt die Zeit und die Geschichte auf, ihre Wirkung geht auf die Gene, die Erbmasse, die Substanz – ein langer innerer Weg.«[3] Was Benn hier beschreibt, ist für Beuys Grund genug, Kunst und Revolution zu vereinen. Beuys hat ganz im Sinne Benns in der Einsamkeit einer ›initiatischen‹ Krise sein inneres Material gefunden und zur Entladung gebracht. Aber im Gegensatz zu Benns Auffassung vom einsam schaffenden Künstler ist er an Verbreitung, Flächenwirkung und an Kultur interessiert. Beuys' Kunstbegriff ist totaler Natur. Er will alle Bereiche der menschlichen Gesellschaft der Kunst aussetzen. Sie ist für Beuys nicht ein letztes Refugium, sondern die letzte geistige Bewegungsform, in der sich ein spirituelles Weltverständnis einen wirksamen Ausdruck zu geben vermag, in der sich Kultur und Natur wieder einander annähern. Die Welt, die sich materiell nicht mehr bessern läßt, ist für ihn geistig bankrott. Ganz im

Joseph Beuys, Der Erfinder der Stickstoffsynthese; Der Erfinder der Gravitationskonstante; Der Erfinder des 3. thermodynamischen Hauptsatzes; Der Erfinder der Dampfmaschine; Der Erfinder der Elektrizität, 1971; Privatsammlung

Sinne der von Max Horkheimer und Theodor W. Adorno 1947 veröffentlichten Schrift *Dialektik der Aufklärung* sieht Beuys in einer entmythologisierten Welt das Ende aller Kultur gekommen. Sein anthropologischer Kunstbegriff beschreibt den Menschen nicht als Herrscher über die Welt, sondern als ein ganzheitliches Wesen, das sich als Natur- und Geisteswesen gleichermaßen versteht. Damit stellt er sich gegen Aufklärung und Vernunft. Beuys unterstreicht auf seine Weise das Fazit, das Horkheimer und Adorno in ihrer Einleitung ziehen: »Aber die vollends aufgeklärte Erde strahlt im Zeichen triumphalen Unheils. Das Programm der Aufklärung war die Entzauberung der Welt. Sie wollten die Mythen auflösen und Einbildung durch Wissen stürzen.«[4] Die *Dialektik der Aufklärung* ist eine scharfe Analyse des Bestehenden ohne den geringsten Ansatz zu einer Heilsbotschaft. Beuys hingegen scheint das Mittel zu kennen, das aus dem Dilemma der angeblich von der Moderne zugrunde gerichteten Menschheit herausführen soll: durch eine anthropologische, eine auf den Menschen ausgerichtete Kunst, die sich freilich grundsätzlich von der zeitgenössischen Kunst unterscheidet, die für ihn lediglich zum affirmativen Bestandteil des herrschenden Systems geworden war. Der Kunstbegriff mußte deshalb revolutioniert, das heißt erweitert werden. Beuys' mittlerweile als unverstandene Phrase benutzte Formel »Jeder Mensch ist ein Künstler« setzt nach seiner Vorstellung ein Individuum voraus, das in einem initiatischen Erlebnis sich selbst transzendiert, mit anderen Worten sich zur Freiheit verhilft, die ganz im Sinne der Freiheitsidee des französischen Philosophen Henri Bergson aus der ganzen Persönlichkeit hervorgehen muß und die Bergson explizit mit dem Verhältnis zwischen Künstler (als Schöpfer) und seinem Werk vergleicht. Kunst ist für Beuys Freiheitswissenschaft. Dieses Freiwerden gelingt nur in einem langen Prozeß, der zu unterschiedlichsten Formungen und Verwerfungen führt. Beuys wollte diesen Akt der Freiwerdung exemplarisch in einer Art Selbstversuch vor den Augen der Öffentlichkeit demonstrieren. 1964 erklärte er seinen Lebenslauf als identisch mit seinem Werklauf. Demzufolge ist keine Tätigkeit mehr von der künstlerischen unterschieden. Diese radikale Form der Selbstkasteiung gebiert den Revolutionär, wie ihn Beuys auf dem Foto von Giancarlo Pancaldi in **La rivoluzione siamo Noi** gibt. Es ist ein Revolutionär neuen Typs, ein Revolutionär, der kein Manifest einer wie auch immer gearteten politischen Bewegung verkündet, sondern als Pro-

Straßenbahnhaltestelle/Tram Stop, 1961–76; Installation im Deutschen Pavillon auf der 37. Biennale Venedig, 1976

gramm lediglich die erste Person Plural mit sich führt. Beuys führt *expressis verbis* den Begriff Revolution wieder in die Kunst ein, einen Begriff also, den etwa Benn den Politikern überlassen wissen wollte. Was hat Beuys veranlaßt, die Kunst im fortgeschrittenen 20. Jahrhundert, in dem die verschiedenen Modelle der Avantgarden längst gescheitert waren, als revolutionäre Bewegung zu apostrophieren?

In der Moderne hatte sich die Kunst durch Aufhebung aller Konventionen lediglich zu sich selbst befreit. Doch die »Erweiterung zeigt sich in vielen Dimensionen als Schrumpfungen«, und es ist »ungewiß, ob Kunst überhaupt noch möglich sei; ob sie nach ihrer vollkommenen Emanzipation, nicht ihre Voraussetzungen sich abgegraben und verloren habe«. Adorno, von dem diese Sätze stammen, schreibt weiter: »Die Clichés von dem versöhnenden Abglanz, der von der Kunst über die Realität sich verbreite, sind widerlich nicht nur, weil sie den emphatischen Begriff von der Kunst und deren bourgeoise Zurüstung parodieren und sie unter die trostspendenden Sonntagsveranstaltungen einreihen. Sie rühren an die Wunde der Kunst selbst. Durch ihre unvermeidliche Lossage von der Theologie, vom ungeschmälerten Anspruch auf die Wahrheit der Erlösung, eine Säkularisierung, ohne welche Kunst nie sich entfaltet hätte, verdammt sie sich dazu, dem Seienden und Bestehenden einen Zuspruch zu spenden, der, bar jeder Hoffnung auf ein Anderes, den Bann dessen verstärkt, wovon die Autonomie der Kunst sich befreien möchte.«[5] Adorno hat keineswegs an ein Ende der Kunst geglaubt, sondern gerade als Fazit aus der *Dialektik der Aufklärung* die Kunst als das angesehen, worin die Aufklärung versagt hat, nämlich der naturbeherrschenden Vernunft eine Gestalt zu geben, die sich als Naturbeherrschung zugleich widerruft und dadurch zum geschichtlichen Ort für die Erfahrung der anfänglichen Natur wird. Adorno begreift die Kunst als Stellvertreter der anfänglichen, noch nicht beherrschten Natur.[6] Diese Rückbesinnung, welche die Aufklärung zu überwinden trachtete, zeigt sich in der Kunst als nicht definierbare, als geheime, verhüllte Wahrheit.

In dem mehrteiligen Werk **Straßenbahnhaltestelle – A monument to the future** (Kat.Nr. 146) hat Beuys seiner Ideenwelt, seinem revolutionären Veränderungswillen eine dramatische Gestalt verschafft. Sie zeigt sich als rätselhafte Figuration, die letztendlich dem aufklärenden, rationalen Denken unerschlossen bleibt. Ehe das Denken einsetzt, ist der Betrachter mit seinen Empfindungen so allein wie der sechsjährige Beuys 1927 an der Straßenbahnhaltestelle »Zum Eisernen Mann« in Kleve.

Die Verbindung von autobiographischer Rückbesinnung und Gegenwart assoziiert nochmals Henri Bergsons Freiheitsbegriff, der das Vergangene im Gegenwärtigen als anwesend sieht, ohne daß sich aus dem Vergangenen das Gewordene ableiten ließe: »Mit

Die Straßenbahnhaltestelle in Kleve mit der eisernen Säule, Aufnahme fünfziger Jahre

Recht also sagt man, unser Tun hänge von dem ab, was wir sind: nur daß noch hinzugefügt werden müßte, daß wir in gewissem Grad auch sind, was wir tun, und daß wir uns selbst unaufhörlich erschaffen.«[7] Die aus dem Eisen hervorbrechende Gestalt verkörpert den Mythos von der Selbsterschaffung des Menschen, dessen ›Lebensbahn‹ auf vier Zeitebenen fährt: der individuellen Biographie, der allgemeinen Geschichte und der Gegenwart, die in eine Zukunft führt, die wir noch nicht kennen können, die aber in der aus dem Eisen kommenden Figur als Ahnung bereits anwesend ist.

Die biographische Episode ist schnell erzählt: Beuys hat als Schuljunge in Kleve an der Haltestelle »Zum Eisernen Mann« auf die Straßenbahn gewartet und dabei seine Phantasie an einem dort aufgestellten, für ihn damals unerklärlichen Gebilde aus Eisen geschult (Abb. S. 183). Das aufgerichtete Rohr war, wie sich später herausstellte, ein Überrest eines der von dem Klever Fürsten Johann Moritz von Nassau-Siegen im 17. Jahrhundert aufgerichteten Trophäenmale. Die Monumente des Friedens waren in eine von Johann Moritz entworfene Gartenlandschaft eingebunden; sie markierten das Zentrum der wie Sonnenstrahlen angelegten Wege. Der gestaltete Garten als Symbol der Aufklärung, der beherrschten Natur, gipfelte in den aus militärischem Gerät bestehenden Assemblagen, Denkmäler, die den Krieg in die Welt des Geistes verlegten, ihn in einen Krieg der Ideen verwandelten. Dieser »innere Krieg mit sich selbst« ist für Beuys die Verlaufsform seiner »permanenten inneren Revolution«[8].

Zeitgenosse des aufgeklärten Fürsten und brandenburgischen Statthalters ist der französische Philosoph und Naturwissenschaftler René Descartes. Descartes, der ›Vater der Moderne‹, ist der Begründer einer Weltanschauung, die Körper und Seele, Geist und Materie als getrennt voneinander betrachtete und im lebenden Organismus eine Art Maschine erblickte. Die cartesianische dualistische Metaphysik bildet bis heute die geistige Grundlage der westlichen Kultur. Beuys war als Künstler in der zweiten Hälfte des 20. Jahrhunderts angetreten, dieses Denken zu überwinden. Gestützt auf das theosophische Weltbild von Rudolf Steiner hat Beuys die grundsätzliche Einheit von Geist und Materie in seinen Werken verkündet. Mit dieser Auffassung tritt er vollständig aus den ›Zielen‹ der künstlerischen Moderne heraus, deren Bewegungsform der Dekonstruktion verschrieben ist. Die in der Romantik beginnende Desillusion, die sich in der Moderne als fatalistische Dekonstruktion fortsetzt[9], bestätigt sich in dem seit den späten achtziger Jahren erklärten Ende der Utopien scheinbar endgültig. Beuys hat das Prinzip der Dekonstruktion nicht gelten lassen. Sein Beitritt zu Fluxus, dessen neodadaistischer Impetus eine poetische und politisch motivierte Dekonstruktion gleichermaßen beinhaltete, bedeutete gleichsam die subversive Einführung einer ›konstruktiven‹ Zielstellung. In den ersten gemeinsamen Veranstaltungen tritt Beuys bereits als Verkünder theosophischer Geheimlehren ins Rampenlicht, ohne seine Quellen preiszugeben. In seiner Aktion *›kukei‹, ›akopee-Nein!‹, ›braunkreuz‹, ›fettecken‹, ›modellfettecken‹* während des *festivals der neuen kunst* 1964 an der Technischen Hochschule in Aachen bezieht sich Beuys mit mehreren Requisiten auf die Rosenkreuzer und deren paradoxe religiöse Strategie des Offenbarens von Geheimnissen, die sich Beuys zu eigen macht (»Make the secrets productive!«[10]). Beuys sucht in der westlichen Kultur nach Quellen, die sich dem Siegeszug des atheistischen Materialismus widersetzt haben und einer ganzheitlichen Weltsicht durch die Jahrhunderte treu geblieben sind. Über Steiners Schrift *Zur Theosophie der Rosenkreuzer*, in der Steiner die Gestalt des sagenhaften Christian Rosenkreuz im 15. Jahrhundert ansiedelt, wird Beuys mit der »Rosenkreuzerströmung« vertraut. Was Steiner über Rosenkreuz, der fünf Rosen als Zeichen seines Bundes am Hut getragen haben soll, zu berichten weiß, entspricht dem Anspruch, den Beuys an die Gestalt eines Revolutionärs stellt. Rosenkreuz offenbart sich am Vorabend der Moderne, um eine geistige Welt zu retten, die zu diesem Zeitpunkt zu Ende ging. Beuys war fasziniert von geschichtlichen Figuren, die eine hohe Individualität verkörperten, so daß ihre geistigen Energien große Zeiträume überdauerten und etwas in Gang setzten, was das geistige Klima veränderte. Rosenkreuz, der nach Steiner den Prototypen des ›Geistesmenschen‹ verkörperte, also einer noch nicht realisierten Gestalt des Menschen, gehörte in die Galerie jener Personen, die für Beuys am Ende des 20. Jahrhunderts die Revolution bewerkstelligen sollten. Natürlich hat Beuys selbst dafür gesorgt, daß dieser hohe Anspruch auch auf ihn projiziert werden konnte. Aber nicht etwa nur aus einem narzistischen Motiv heraus, sondern er hatte sich dafür entschieden, Projektionsfläche zu sein, um exemplarisch vorzuführen, was für ihn Freiheit bedeutet, nämlich die Identität von Konzeption und Erscheinung. Die Identität von Konzeption und Erscheinung ist die Bestimmung eines jeden Kunstwerks und der ›Beweis‹ der Untrennbarkeit von Geist und Materie. Beuys aber hat diese Bestimmung auch auf den Menschen übertragen. Er hat den Mythos von der Selbsterschaffung gegen die gesellschaftliche Fremdbestimmung auf eine eindringliche Weise neu ins Spiel gebracht. Die Selbsterschaffung kann nur ästhetischer Natur sein und die daraus resultierende Freiheit nur aus der Kunst kommen, davon war Beuys überzeugt. Beuys, der beabsichtigte, Werke herzustellen, die stellvertretend für ihren Produzenten Zeugnis ablegen von einer komplexen Ideenwelt, die sich in die Geschichte einschreiben und das geistige Klima verändern sollte, hatte Figuren im Blick, die aufgrund ihrer bleibenden Bedeutung für dieses Prinzip standen. Namentlich führen sie von Jesus Christus, Christian Rosenkreuz, Ignatius von Loyola, Anacharsis Cloots, Rudolf Steiner bis zu James Joyce.

1976 hat Beuys anläßlich der Biennale in Venedig im Hauptraum des deutschen Pavillons die **Straßenbahnhaltestelle** als aufgerichtetes Denkmal verwirklicht. Zwei Jahre zuvor hatte Gerhard Richter den Raum mit seinen Geistesgrößen gefüllt, 48 Porträts von wahllos aus dem Lexikon reproduzierten Persönlichkeiten (vgl. Kat.Nr. 303). Beuys hat einige der an die Wände gepinnten und später vergessenen Beschriftungsschilder gelten lassen, u.a. Albert Einstein und Patrick Maynard Stuart Blackett, beide berühmte Nobelpreisträger für Physik. Ganz in der Ferne, fast unsichtbar, kündet sich hier die Widerlegung des Materialismus aus sich selbst heraus an, die aus der Wissenschaft kommende Antithese zu René Descartes' und Isaac Newtons mechanistischem Weltbild, die Einstein mit der Relativitätstheorie und Blackett mit seiner Arbeit an der Quantentheorie gelungen war. Beuys war fasziniert von der Physik, deren Visualisierung unsichtbarer Energiefelder er in Parallele zu den spirituellen Energien sah, die er in das der traditionellen Physik zugrunde liegende reduzierte, materialistisch-mechanistische Weltverständnis implantieren wollte. Unter dem aus dem Drachenmaul des Kanonenrohrs der **Straßenbahnhaltestelle** hervorbrechenden Menschen ist nicht eine bestimmte Gestalt, gar ein Selbstbildnis von Beuys zu verstehen, sondern die für Beuys im 20. Jahrhundert stattfindende Geburt des zukünftigen Menschen. Der unter Schmerzen Hervortretende ist kein Homunkulus, kein gottähnlicher Idealtypus, sondern der von den Göttern verlassene Mensch, der sich selbst erschafft. Für Beuys ist der Mensch erst durch die Wirklichkeit eines spirituellen Prinzips, wie es Christus verkörpert (vgl. Abb. S. 181), zum Materialismus befähigt worden. Der Materialismus hat den Intellekt des Menschen geschärft, hat ihn aus archaischer metaphysischer Gebundenheit befreit. Beuys hat das zu Ende gehende Jahrhundert als das Jahrhundert angesehen, in dem der Materialismus nun selbst zur reaktionären Ideologie verkommen ist, die auf Wissenschaft, Wirtschaft, Kunst und Kultur gleichermaßen destruktiv einwirkt. Ohne Inspiration versteinert der Mensch. Erst durch das auf höherem Niveau hinzutretende spirituelle Denken tritt er aus seiner Regression ins Mineralische als Wiedergeborener hervor. Er ist weder ein ›neuer‹ noch ein erlöster, sondern ein aus dem Stein befreiter Mensch. Befreit von der ihn zügelnden geistlosen Intelligenz des kristallinen Rationalismus. »In Bezug auf den erweiterten Kunstbegriff bin ich auf der Suche nach dem Dümmsten. Und wenn ich den Dümmsten, der auf dem allerniedrigsten Niveau ist, gefunden habe, dann habe ich den Intelligentesten gefunden, den potentiell am meisten Vermögenden. Und der ist Träger der Kreativität. Die sogenannte Intelligenz, die sich die Leute wie ein Messer in den Kopf stecken, ergibt nur ein vordergründiges Bild, und diese Intelligenz muss zerstört werden. Die Dumpfheit muss beteiligt werden, denn in ihr existieren doch alle anderen Kräfte, wie ein wilder Wille, ein irres Gefühlsleben und vielleicht ein ganz anderes Erkennen. Vielleicht leben die schon im Himmel.«[11]

1982 wurde Beuys von Christos Joachimides gebeten, an einer Malerei-Ausstellung unter dem Titel *Zeitgeist* in Berlin teilzunehmen. Inmitten der von Beuys eingerichteten, ganz und gar unmalerischen Werkstatt, *Hirschdenkmäler* von 1948–82, die er als Antithese zu einer sich noch einmal als wild gebärdenden Malerei in den Lichthof des Martin-Gropius-Baus in Berlin unweit der Mauer gestellt hat, stand fast unbemerkt auf einem hohen Bildhauer-Modellierfuß die Plastik **Torso**, 1949–51 (Kat.Nr. 147). Ihr benachbart war ein zweiter Modellierfuß, auf dem ein von Wurzelwerk und Tonscherben durchdrungenes Stück Erde ruhte. Innerhalb des vielteiligen, monumentalen Arbeitsraumes, der weit über eine simulierte Ateliersituation hinaus grundsätzlich die Rolle der künstlerischen Arbeit in der Gesellschaft thematisierte, bildeten die beiden Plastiken eine Art Dialogsituation, welche die von Beuys immer wieder gestellte Frage nach der Annäherung von Natur und Kultur in deren geformten und ungeformten Gestalten aufscheinen ließ. Der **Torso**, eine der frühesten plastischen, ganz aus den Regeln des überkommenen Bildhauerhandwerks heraus entstandenen Werke, könnte in seinem akademischen Aufbau für den traditionellen Kunstbegriff stehen. Die unvollendete Figur ist in dem Environment das einzige direkte Abbild der menschlichen Gestalt. In ihrer widersprüchlichen Einheit aus Würde und entwürdigender Fragmentierung blickt die hoch aufgesockelte weibliche Figur auf eine verlassene Arbeitslandschaft. Der hier Arbeitende mußte erst noch gefunden werden. Beuys ging es noch einmal ums Ganze.[12] »Die Hirschdenkmäler sind Akkumulationsmaschinen, an denen Menschen und alle anderen Geister sich treffen, um gemeinsam zu arbeiten und dabei die entscheidenden Gesichtspunkte zu besprechen, die nötig sind, den **Kapitalbegriff** und damit die Weltlage in die richtige **Form** zu bringen.«[13] Über allem hatte Beuys an einer über zehn Meter hohen Stange eine Blutwurst befestigt, die er nach dem Abbau der Instal-

146 Joseph Beuys, Straßenbahnhaltestelle
(A monument to the future), 1961–76 (2. Fassung);
29 Eisenteile, 837 x 246 x 74 cm; Staatliche Museen zu Berlin, Nationalgalerie, Leihgabe der Sammlung Marx

147 Joseph Beuys, Torso, 1949–51; Gips, Eisen, Gaze, Holz, Blei, Ölfarbe, 104,5 x 48 x 67 (Torso), 126 x 87 x 86 (Bildhauer Modellierfuß); Privatsammlung; hier in der Ausstellung *Zeitgeist*, Berlin, 1982/83

lation über die Mauer in den Osten geworfen hat. Der **Torso** hatte als Ausdruck des klassischen Ideals der Kunst den ›Kampf um die Wurst‹ verloren. In dieser Zukunftswerkstatt spielte er nur noch eine marginale Rolle. Sein sich aus der Wirklichkeit entfernendes Pathos mußte durch eine Bleiplatte geerdet werden, die Beuys unter ein Bein des Modellierfußes geschoben hatte. So tritt eine »neue Muse [...] den alten Musen gegenüber auf! [...] Ich schreie sogar: es wird keine brauchbare Plastik mehr hienieden geben, wenn der *SOZIALE ORGANISMUS ALS LEBEWESEN* nicht da ist. Das ist die Idee des Gesamtkunstwerkes in dem *JEDER MENSCH EIN KÜNSTLER* ist.«[14]

Anmerkungen

1 Benn, Gottfried: »Soll die Dichtung das Leben bessern«. In: Ders.: *Das Hauptwerk*. Bd. 2. Wiesbaden; München 1980, S. 391.
2 Ebd., S. 395.
3 Ebd., S. 401.
4 Horkheimer, Max; Adorno, Theodor W.: *Dialektik der Aufklärung*. Frankfurt am Main 1971, S. 7.
5 Adorno, Theodor W.: *Ästhetische Theorie*. Frankfurt am Main 1998, S. 10.
6 Vgl. Figal, Günther: »Max Horkheimer und Theodor W. Adorno«. In: Anton Hügli; Paul Lübcke (Hg.): *Philosophie im 20. Jahrhundert*. Bd. 1. Reinbek bei Hamburg 1982, S. 329ff.
7 Bergson, Henri: *Schöpferische Entwicklung*. Jena 1922, S. 13. Zit. n. Arne Gron: »Henri Bergson: Das unmittelbar Gegebene«. In: Hügli; Lübcke, Philosophie (Anm. 6), S. 420.
8 Joseph Beuys, in: *Ein Gespräch/Una Discussione*. Joseph Beuys, Jannis Kounellis, Anselm Kiefer, Enzo Cucchi. Zürich 1986, S. 162.
9 Vgl. Paul, Jean-Marie: »Von der romantischen Desillusion zur Dekonstruktion«. In: Silvio Vietta; Dirk Kemper (Hg.): *Ästhetische Moderne in Europa. Grundzüge und Problemzusammenhänge seit der Romantik*. München 1998, S. 509ff.
10 Diesen Satz hat Beuys auf eine der auf Staffeleien stehenden Tafeln in seinem Werk RICHTKRÄFTE (Kat.Nr. 294), Nationalgalerie Berlin, geschrieben.
11 Joseph Beuys (Anm. 8), S. 162.
12 »+ - WURST (jetzt geht es um die Wurst)" " " "DAS GANZE«, hatte Beuys seinen Katalogtext überschrieben. In: Christos Joachimides; Norman Rosenthal (Hg.): *Zeitgeist*. Ausst.Kat. Martin-Gropius-Bau, Berlin. Berlin 1982, n. pag.
13 Ebd.
14 Ebd.

Vorsatzblatt: 146 Joseph Beuys, Straßenbahnhaltestelle (A monument to the future), 1961–76 (2. Fassung; Ausschnitt)

GERHARD MERZ
"DIE NACHT IST FORTGESCHRITTEN, DER TAG NÄHERT SICH. BEFREIEN WIR UNS ALSO VON DEN WERKEN DER FINSTERNIS, KEHREN WIR ZURÜCK ZU DEN WAFFEN DES LICHTS."
RÖMERBRIEF, XIII 12
ALABASTERGIPS UND LUMILUX 11

»Die Nacht ist fortgeschritten, der Tag nähert sich. ...«

Gerhard Merz und die Gewalt der Kunst am Ende des 20. Jahrhunderts

Peter-Klaus Schuster

Wenn es einen Künstler gibt, der heute unverändert an die Gewalt der Kunst wenn schon nicht mehr glaubt, so doch diese Gewalt der Kunst radikal einfordert, dann ist es Gerhard Merz. »Alles, was sich nicht auf Kunst bezieht«, langweile ihn. An seinen Freunden schätze er am meisten »Kunstkenntnisse«. Sein größter Fehler sei jedoch, »Kunstkenntnisse bei meinen Freunden zu erhoffen«. Und über seine gegenwärtige Geistesverfassung befragt, antwortet Gerhard Merz: »Melancholisch. Warum lassen wir das Verschwinden der Kunst zu?«[1]

Kunst ist ihm etwas so Großes, daß sie in unserem Leben kaum mehr einen Platz hat. »Ich kann mir vorstellen, daß die Kunst nach 2000 verschwinden wird.« Denn für die Kunst geht es in dieser Gesellschaft nicht mehr darum, »einen gemeinsamen Willen ins Bild zu setzen [...]. Kunst ist von einzelnen für einzelne.«[2] Aus solcher Vereinzelung, aus dem Verzicht auf gesellschaftliche Wirkung wie auf jegliche Selbstverwirklichung des Künstlers im Kunstwerk, erwächst für Gerhard Merz dessen Reinheit, der sich alles zu unterwerfen hat. Kunst ist »Kunst als Kunst und alles andere ist alles andere«, lautet für Gerhard Merz und seine Exegeten das immer wieder zitierte erste Gebot der Kunst von Ad Reinhardt.[3] Demgegenüber sind wir durch die »nachmoderne Populärkultur bereits derart dem Wesen der Kunst entwöhnt, daß wir jene Gestimmtheit nicht mehr ertragen, die sie uns einst abforderte. In der Tat hat die Kunst dem Leben immer Gewalt angetan in ihrem Versuch, das Leben zu bessern. Kunst war geschaffen, den Menschen über seine anfällige Natur hinaus zu erheben.«

Karl Friedrich Schinkel, Darstellung des Treppenhauses im Alten Museum, 1829; Federzeichnung; Staatliche Museen zu Berlin, Kupferstichkabinett

Die hier explizit wieder in Anwendung gebrachte Formel von der Gewalt der Kunst stammt nicht von Gerhard Merz, sondern von einem Interpreten jenes Lichtraumes, den Gerhard Merz im Deutschen Pavillon 1997 zur Biennale in Venedig einrichten ließ (Abb. S. 189). Gerhard Merz hat diesen Text abgelehnt und im Katalog nicht drucken lassen.[4] Die Gewalt über seine Kunst übt Gerhard Merz selbst aus. Als vollendeter Perfektionist sucht er die absolute Kontrolle über sein Werk, um dieses in seinem reinen Kunstcharakter fortschreitend so zu radikalisieren, daß es schließlich zu verschwinden droht.

In diesem Sinne, als ein weitergehender Schritt hin zum Verschwinden, bedeutet auch der jetzt von Gerhard Merz zur ›Jahrhundertausstellung‹ im letzten Saal von Schinkels Altem Museum realisierte Lichtraum eine Radikalisierung seines Raumkunstwerkes von 1997 zur Biennale von Venedig. Nicht weniger karg, nicht weniger grell ausgeleuchtet als der Raum im Deutschen Pavillon, ist der jetzt noch größere und ebenfalls mit Alabastergips und Lumilux 11 – so die Bezeichnung des Leuchtstoffmittels der handelsüblichen Neonröhren – unter Vermeidung jeglicher Künstlerhand ins Werk gesetzte Berliner Lichtraum nun kein Innenraum mehr, sondern er öffnet sich zum Außenraum hin.[5] Im Ausstellungsrundgang vom Beuys-Raum mit

»DIE NACHT IST FORTGESCHRITTEN, DER TAG NÄHERT SICH...«

dem wundersam erschreckenden Torso (Kat.Nr. 147) herkommend, muß der Besucher zunächst eine mächtige Holztür öffnen und steht dann erst in dem Gerhard-Merz-Raum, im gleißend hellen Neonlicht eines völlig leeren und weißen Raumes, der mit ständig geöffneter Tür direkt ins Freie von Schinkels offenem Treppenhaus (Abb. S. 188) hinausführt.

Auf diese Disposition eines Durchschreitens des Lichtes, um dann ins Helle, ins offene Tageslicht hinauszutreten, bezieht sich auch das Bibelwort aus Römer 13, 12, das Gerhard Merz als Titel für diesen Berliner Lichtraum gewählt hat: »Die Nacht ist fortgeschritten, der Tag nähert sich. Befreien wir uns also von den Werken der Finsternis, kehren wir zurück zu den Waffen des Lichts.« – »Der Tag nähert sich«, das meint der ständig geöffnete Durchgang und Durchblick vom Lichtraum nach Draußen. Wenn man hingegen durch das Öffnen der schweren Holztür aus der Ausstellung in den Lichtraum von Merz hinübergewechselt ist, dann hat man im biblischen Bild des Römerbriefes die Werke der Finsternis ab- und die Waffen des Lichts angelegt. Man ist damit für die Her-

Gerhard Merz, Foto seines Münchner Ateliers 1971
Abb. S. 189: Gerhard Merz, Venezia 1997, Lichtraum für den deutschen Pavillon der 47. Biennale in Venedig, 1997

Gerhard Merz, Deckenmalerei im Treppenhaus der Hamburger Kunsthalle, 1992

ausforderungen des nahe herbeigekommenen Tages gerüstet.

Damit ist genau jener ästhetische Entwicklungsgang beschrieben, den Gerhard Merz in seiner Laufbahn als Künstler selbst durchschritten hat und den er nun mit dem Durchgang durch seinen so pointiert zwischen Kunst und Leben plazierten Berliner Lichtraum mit einer Helligkeit von über 800 Lumilux-11-Neonröhren wie eine ästhetische Schleuse jedem Besucher auferlegt. 1947 als Sohn eines Architekten geboren, hat Gerhard Merz, durch die Bewunderung der malerischen Schmerzexistenzen von Francis Bacon zum Studium an die Münchner Kunstakademie gelangt, dort durch Reimer Jochims und Günter Fruhtrunk wieder den Ausstieg aus der Malerei in eine konstruktive und minimalistische Konzeptkunst gefunden.[6]

Verblüffend früh und mit extremer Entschiedenheit zeigt sich dieser Ausstieg aus der Malerei in einem Foto, das Gerhard Merz 1971 von seinem Münchner Atelier aufgenommen hat (Abb. S. 190). Wir sehen dort eine große Reißschiene an der Wand, ganz ähnlich jenem Lineal im ansonsten ebenfalls nahezu leeren Atelier von Caspar David Friedrich, der Malerei dezidiert nicht als ein Werk des leiblichen, sondern des geistigen Auges definierte. Weiterhin zeigt das Foto das immaterielle Spiel des Lichts auf der Wand, wobei es den gegen die Wand gelehnten schwarzen Stab an einer Stelle fast zum Verschwinden bringt. Am Fuß des Stabes steht am Boden der Karton einer Philips Glühlampe. Ein Atelierbild aus Licht und Geometrie unter Tilgung jeglicher subjektiver Künstlerhandschrift, das Meisterwerk eines Vierundzwanzigjährigen, das alle Wesensmerkmale seines späteren Werkes bereits enthüllt. Dazu gehört die Tilgung alles Individuellen bei der Bildherstellung, die weitestgehende Eliminierung auch des Gegenstandes und seiner möglichen Bedeutun-

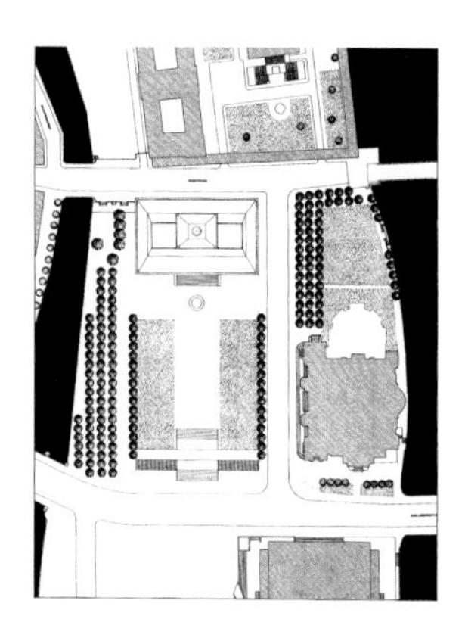

Gerhard Merz, Entwurf für die Neugestaltung des Lustgarten, 1994; Erster Preis des Wettbewerbs

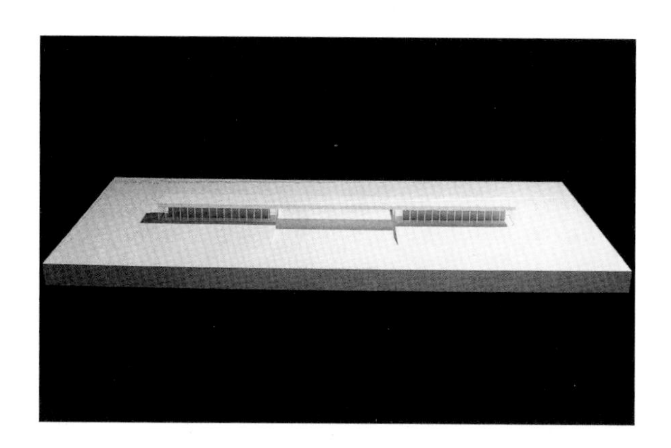

Gerhard Merz, Pavillon zum Lustgarten-Entwurf, 1994

gen. Es wird nichts dargestellt außer dem Versuch, »die Welt kalt zu sehen«[7]. Die Welt selbst wird vom Künstler entleert. Im Bild eines Ateliers wird hier, mit der größtmöglichen Objektivität des Fotos, ein Künstlerraum, völlig nüchtern und präzise als ein vom Geist der Geometrie geprägter, nahezu ausgeleerter Lichtraum vorgestellt, wobei hier schon in der Addition von Glühlampen und Lichtspiel auf der Wand von Merz auf den Doppelaspekt von Kunst- und Naturlicht verwiesen ist.

Diesen Doppelaspekt zeigt auch jener dritte Lichtraum von Gerhard Merz, das Treppenhaus in der Hamburger Kunsthalle (Abb. S. 191), eine Arbeit, die fünf Jahre vor dem Lichtraum in Venedig 1992 realisiert wurde.[8] Mit dem deutlichen Hinweis auf das **Schwarze Quadrat** von Malewitsch, das wie die schwarze Sonne der Melancholie im Zentrum des strahlend hellen Deckenspiegels sitzt, wirkt dieses Treppenhaus in der Hamburger Kunsthalle wie eine Allegorie auf den Aufstieg zur Kunst. Bei diesem Aufstieg läßt der Besucher den im hochgelegenen Fensterband als Tageslicht durchscheinenden Naturbereich hinter sich und steigt hinauf in die Sphäre der Kunst, die unerreichbar von dem im gleißenden Neonlicht erstrahlenden *Schwarzen Quadrat* an der Decke bekrönt wird. Es ist dies Ideal der völligen Leere und Reinheit und einer daraus erwachsenden elementaren Beunruhigung durch Kunst, die sich dem Besucher in dem ihm völlig unzugänglichen *Schwarzen Quadrat* des strahlenden Deckenspiegels mitteilt. »Das schwarze Quadrat«, so Gerhard Merz, »ist keine erfüllte Kunst, es ist ein Fragment aus einem großen Wissen, aus einer größeren Realisierung. Bis heute wird das schwarze Quadrat in seiner Leere, Leere im wirklichen Sinn des Wortes, in seiner Dürftigkeit nicht erkannt.«[9]

Kunst als die elementare Setzung der absoluten Leere und mithin auch einer geradezu ausgebrannten Reinheit, dies ist am Jahrhundertende jener Zustand der Kunst, der bei Gerhard Merz von seinem frühen Atelierfoto über seine als Ready-mades aufzufassenden Siebdrucke, über die mit der Reißschiene gezogenen Linienbilder, seine monochromen Malereien, seine Farbraum-Gestaltungen und schließlich über seine »Archipittura«, seine Bildarchitekturen aus gebauter Architektur und Malerei, schließlich zu seinen strahlend leeren und reinen Lichträumen führte.[10]

War schon die mit Licht und monochromer Malerei arbeitende »Archipittura« des Hamburger Treppenhauses eine negative Utopie – die Darstellung des absoluten Anspruches und Schreckens einer absoluten Kunst –, so radikalisiert sich dies am Jahrhundertende nochmals in der Lichtarbeit für die Berliner ›Jahrhundertausstellung‹. Denn wer nach Römer 13, 12, versehen mit den Waffen des Lichts, den Kunstlichtraum von Gerhard Merz durchschreitet und dann ins Offene hinaustritt, der sieht auf der Freitreppe des Alten Museums – anders als die Besucher auf Schinkels schönen Umrißzeichnungen (Abb. S. 188) – weder die dort einst im Fresko dargestellte Schöpfungskosmologie noch jene

Gerhard Merz, Pavillons zum veränderten Lustgarten-Entwurf, 1994

kunstvolle *tabula rasa*, die Gerhard Merz für die Neugestaltung des Lustgarten vorsah (Abb. S. 192). Der im Wettbewerb mit dem ersten Preis ausgezeichnete Entwurf legte vor Schinkels Altes Museum ein geometrisch zweigeteiltes Rasengrün, das Merz vor der Straße Unter den Linden architektonisch abgrenzte. Zunächst war dort von Merz ein schmalgliedriges Gebäude nach dem Vorbild von Mies van der Rohes Barcelona Pavillon vorgesehen (Abb. S. 192). Ein modifizierter späterer Entwurf zeigte dann zwei Pavillons (Abb. S. 193) auf quadratischem Grundriß nach dem Vorbild von Mies van der Rohes Neuer Nationalgalerie, wobei die Anspielung auf Malewitschs **Schwarzes Quadrat** zusätzlich gesucht war. In all diesen Pavillons hatte Merz, öffentlich unzugänglich hinter Wänden aus Kristallglas, monochrome Fresken in Ocker oder Siena vorgesehen.[11]

All diese so sorgsam geplanten Kunstlandschaften wird der Betrachter von Schinkels Freitreppe aus nie erblicken. Was er tatsächlich auch zur ›Jahrhundertausstellung‹ von dort aus sieht, ist die *tabula rasa* jener noch sehr unvollkommen geordneten Berliner Stadtlandschaft, die als politische Landschaft am Jahrhundertende noch all die Wunden, Zufälligkeiten und unterschiedlichen optischen Linderungen all jener Wunden vorzeigt, die das 20. Jahrhundert diesem Areal angetan hat. Radikale Kunst wird nach der Absage an die radikalen Entwürfe von Gerhard Merz zum Lustgarten einzig in seinem Lichtraum im Museumsbereich sichtbar. Wenigstens temporär hat sich damit für Gerhard Merz sein Traum vom Glück erfüllt: »Ein Museum, das die große Kunst des 20. Jahrhunderts ins Recht setzt.«[12]

Die Kunst am Ende des 20. Jahrhunderts im Museum ins Recht zu setzen, meint für Gerhard Merz genau dieses, was sein Berliner Lichtraum mit seiner Öffnung hin zur *tabula rasa* von Berlin-Mitte zeigt: Die Kunst verwirklicht sich als Museumsutopie. Sie ist für Merz im Bild seines Lichtraumes eine Schönheit ohne Transzendenz. Sie verweist nicht mehr auf eine Schönheit, sondern Kunst ist selbst ihre Schönheit. Im Unterschied zu seinen Vorgängern Kasimir Malewitsch, Piet Mondrian, Barnett Newman und Ad Reinhardt, auf deren Kunst er fußt, ist Kunst für Gerhard Merz am Jahrhundertende eine Kunst am Ende aller Utopien.

Daniel Chodowiecki, Aufklärung, Kupfer zum Goettinger Taschencalender für das Jahr 1792, Frankfurt, Städelsches Kunstinstitut

Doch selbst wenn am Jahrhundertende der metaphysische Hintergrund aller Kunst für Gerhard Merz verschwunden ist, auch wenn sein radikales Reinheitsstreben notwendig dazu führt, daß auch die Kunst zu verschwinden droht oder sie sich – anders formuliert – teleologisch im Verschwinden vollendet, so gilt doch zugleich, was Merz mit dem Bibelwort Römer 13, 12 seinem Lichtraum in Schinkels Altem Museum zugesprochen hat. Auch dieser Raum ist seiner Verlaufsform nach, als ein vom Besucher zu durchschreitender Lichtraum, als »Archipittura« eine Bildungsallegorie. Licht als Metapher der Aufklärung, wie dies in Berlin Chodowiecki auf seinem Kupfer (Abb. S. 194) mit einem Sonnenaufgang über einer Landschaft so anrührend zeigte, diesen Sinnbereich berührte auch Merz im Verheißungspathos seiner »Archipittura« »Dem Menschen der Zukunft«, die er unter Berufung auf Mondrian 1990 für Hannover realisierte.[13] Ohne Abbildungsqualität zielt Kunst bei Gerhard Merz mithin unverändert auf das höchste Bildungsideal, den ihr gegenübertretenden Menschen neu zu formen.

In diesem Sinne ist der Lichtraum in Schinkels Altem Museum, im Museum als ästhetischer Kirche, unverändert ein Beitrag zur Kunstreligion der Deutschen, nun aber von Gerhard Merz vorgetragen mit der agnostischen Skepsis negativer Theologie. Merz, mit Platons Höhlengleichnis und seiner Lichtmetaphysik wohl vertraut[14], hat in der Leere und Weite seines vom Auge des Betrachters gar nicht auszuschöpfenden Lichtraumes in der Tradition neoplatonischer Lichtmetaphysik ein anschauliches Gleichnis der Verborgenheit Gottes geschaffen. Gott ist Licht, so zeigt es schon der Holzschnitt in einem neoplatonischen Traktat um 1510 (Abb. S. 194). Gott kann in seiner Lichtgestalt vom Menschen nicht gesehen werden. Die Engel können Gott direkt oder im Licht der Sonne ansichtig werden. Der Mensch erträgt bei seinem Verlangen, Gott zu schauen, hingegen einzig das gebrochene und vermittelte Licht des Mondes.

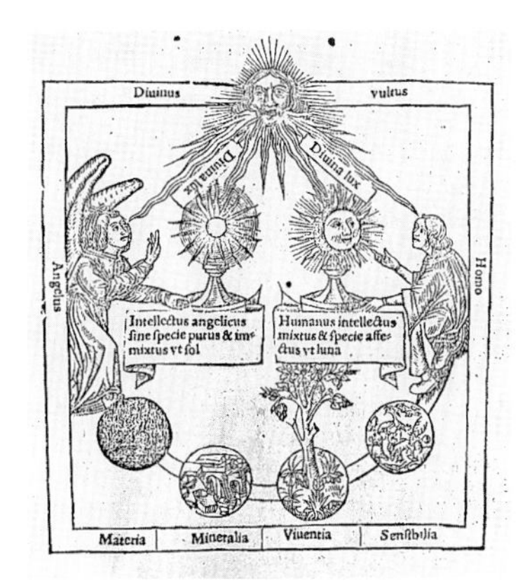

Die unterschiedliche Erkenntnis Gottes durch die Engel und den Menschen; aus: Carolus Bovillus, Liber de sapiente, Paris 1510

Im vermittelnden Kunstlicht des Neon ahnt der Mensch auch bei Gerhard Merz noch immer seine Hinfälligkeit und Vorläufigkeit gegenüber dem unaussprechlich Erhabenen. Mit dem Hinweis auf den Römerbrief dürfen wir dieses Erhabene im Berliner Lichtraum bei Merz durchaus als Sinnbild des Göttlichen fassen. Die Gewalt der Kunst am Jahrhundertende, das ist bei Gerhard Merz zu negativer Kunsttheologie geworden, die sein Lichtraum im Alten Museum uns anschaulich werden läßt. In ihm wird das Göttliche zur negativen Utopie einer Kunst, die ihre eigenen Grenzen und damit die Aufklärung ihrer Betrachter über deren Grenzen ebenfalls beständig vorantreibt. Das ist für Gerhard Merz die Gewalt der Kunst heute.

Anmerkungen

1 Merz, Gerhard: »Fragebogen«. In: *FAZ*-Magazin, 10. Juli 1998, S. 25.
2 Merz, Gerhard: »Interview«. In: *Der Spiegel*, H. 23, 1997.
3 So auch zitiert von Ingrid Rein: »Und macht vor Klarheit die Luft erzittern. Zur Ausstellung von Gerhard Merz in der Staatlichen Kunsthalle Baden-Baden«. In: *Süddeutsche Zeitung*, Nr. 88, 12. April 1987, S. 45.
4 Wyss, Beat: »Die Kunst zur Disposition gestellt. Zur Eröffnung der Biennale in Venedig: Die Intervention von Gerhard Merz im Deutschen Pavillon«. In: *Süddeutsche Zeitung*, Nr. 131, 11. Mai 1997, S. 17. Zum Biennale-Beitrag »Venezia 1997« von Gerhard Merz vgl. Inboden, Gudrun: »Venedig oder das Gesetz zu Form, Maß und Licht«. In: *Gerhard Merz.* Ausst.Kat. Biennale Venedig. Zürich; München 1997, S. 5ff.
5 Gerhard Merz, **Die Nacht ist fortgeschritten, der Tag nähert sich. ...**; Alabastergips und Lumilux 11 (Leuchtstoffmittel der Leuchtröhren, 18 Watt; Leuchten in Halterungen der Firma Zumthobel: 61 x 4,5 cm); Größe des Raumes: ca. 15,4 x 8,80 m, Höhe des Raumes: ca. 5,30 m.
6 Vgl. Schuster, Peter-Klaus: »Gerhard Merz«. In: Heiner Bastian (Hg.): *Sammlung Marx*, Bd. II. Berlin 1996, S. 203ff., dort auch die neuere Literatur.
7 Merz (Anm. 1), Antwort auf die Frage »Welche Reform bewundern Sie am meisten«: »Alle die helfen, die Welt kalt zu sehen«.
8 Vgl. Zbikowski, Dörte: *Gerhard Merz. Deckenmalerei 1992*, Hamburger Kunsthalle 1998.
9 Gerhard Merz, Vortrag zur ›Jahrhundertaustellung‹ der Nationalgalerie Berlin 1999, unveröffentlichtes Manuskript, S. 3.
10 Vgl. dazu ausführlich Riese, Ute: *Gerhard Merz.* Zürich 1996.
11 Vgl. Grün Berlin (Hg.): *Wettbewerb zum Lustgarten.* Berlin 1994, S. 42ff.
12 Merz (Anm. 1).
13 Vgl. dazu Riese (Anm. 10), S. 42ff.
14 Vgl. dazu Riese (Anm. 10), S. 121ff.

Vorsatzblatt: 148 Gerhard Merz, Titel zum Lichtraum in Schinkels Altem Museum, 1999

G E I S T   U N D

M A T E R I E

Geist und Materie

Angela Schneider und Joachim Jäger

Geist und Materie ist nicht allein ein Thema des 20. Jahrhunderts. Beides, so müssen wir annehmen, hat von allem Anfang an existiert. In der Antike hatte Demokrit eine Theorie von unteilbaren Atomen entworfen, während Plato die eigentliche Wirklichkeit im Reich der Ideen sah. Die neuzeitliche Physik hat sich jahrhundertelang damit beschäftigt, die Materie in immer kleinere Bausteine – Atome, Neutrone, Protone, Quarks, Leptonen und so weiter – zu zerlegen und diese experimentell nachzuweisen. Neuere Forschungen gehen allerdings davon aus, daß nicht die Materialteilchen das entscheidene des Mikrokosmos sind, sondern die zwischen ihnen wirksamen Kraftfelder. »Wir bewegen uns«, schreibt der Physiker Herwig Schopper, »von Demokrit und seinen Atomen auf Plato zu, der die Ideen als letzte Wirklichkeit ansah«[1].

Dieser Weg von der Materie zum Geist, vom Substantiellen zum Ideellen, vom Konkreten zum Relativen kündigte sich bereits zur Jahrhundertwende in den wissenschaftlichen Forschungen an. 1895 entdeckte Wilhelm C. Röntgen die Kathodenstrahlen, mit denen plötzlich seine eigene Hand durchsichtig wurde. Im selben Jahr etablierten Josef Breuer und Sigmund Freud mit ihren »Studien über Hysterie« die Psychoanalyse, die die dunklen Seiten unserer Seele zu erhellen suchte. Wenig später fand Henri Becquerel die natürliche Strahlung des Urans, die Radioaktivität, auf deren Grundlage die Physiker Max Planck und Niels Bohr nach 1900 die Quantentheorie entwickelten. Die damals schockierende Erkenntnis dieser Forschungen war, daß die Materie nicht als feste Größe zu begreifen wäre, sondern lediglich als System von variierenden Energiezuständen.

Niels Bohr und Max Planck während Plancks Aufenthalt in Kopenhagen, 1930; Niels-Bohr-Institut, Kopenhagen

»Ist alles Materie? Ist alles Geist«, fragte Wassily Kandinsky 1911 in *Über das Geistige in der Kunst*. »Können die Unterschiede, die wir zwischen Materie und Geist legen, nicht nur Abstufungen der Materie sein oder nur des Geistes? [...] Der als Produkt des ›Geistes‹ in positiver Wissenschaft bestehende Gedanke ist auch Materie [...]. Was die körperliche Hand nicht betasten kann, ist das Geist?«[2] Kandinsky sah sich im München vor dem Ersten Weltkrieg am Beginn der Epoche des Großen Geistigen, und auch Paul Klee war nach seinem eigenen Lebenslauf *diesseitig nicht faßbar*. Ähnlich den Schattenbildern der frühen Röntgenographie siedelt auch sein Werk in einem Zwischenreich. »Kunst«, so sein Credo in der *Schöpferischen Konfession*, »verhält sich zur Schöpfung gleichnisartig. Sie ist jeweils ein Beispiel, ähnlich wie das Irdische ein kosmisches Beispiel ist. Die Kunst spielt mit den letzten Dingen ein unwissend Spiel und erreicht sie doch! Im obersten Kreis steht unter der Vieldeutigkeit ein letztes Geheimnis, und das Licht des Intellekts erlischt kläglich.«[3]

1 Schopper, Herwig: »Suche nach den Bausteinen der Materie«. In: *Frankfurter Allgemeine Zeitung*, Nr. 103, 5. Mai 1999, S. N3.
2 Kandinsky, Wassily: *Über das Geistige in der Kunst*. Hg. von Max Bill. Bern 1970, S. 34.
3 Zit. n. Haftmann, Werner (Hg.): *Im Zwischenreich. Aquarelle und Zeichnungen von Paul Klee*. Köln 1961, n. pag. [S. 9f.].

Franz Marc, Der Turm der blauen Pferde, 1913; verschollen

Von der »mystisch-innerlichen Konstruktion des Weltbildes«, die das große Problem der heutigen Generation ist, sprach auch Franz Marc im Vorwort des *Almanach* des Blauen Reiters. Nach Else Lasker-Schüler gehörte er zu jenen, die die Tiere noch reden hörten. Mit seinem bis heute verschollenen Hauptwerk **Der Turm der blauen Pferde** (Abb. S. 199) entwickelte Marc »das Tierbild zur sakralen Utopie, in der die Tiere in einer blauen Kristallarchitektur als geläuterte und vergeistigte Wesen zum Himmel emporwachsen«[4]. Marc selbst formulierte sein Vorgehen wie folgt: »Wir zerlegen die keusche, immer täuschende Natur und fügen sie nach unserem Willen wieder zusammen. *Wir blicken durch die Materie, und der Tag wird nicht ferne sein, an dem wir durch ihre Schwingungsmasse hindurchgreifen werden wie durch Luft. Stoff ist etwas, das der Mensch höchstens noch duldet, aber nicht anerkennt* [...].«[5] Für Marc stand fest, daß die Welt nur Geist, nur Psyche ist. Sein früher Tod auf den Schlachtfeldern von Verdun schien gar wie eine Verklärung des geistigen Prinzips. »Wie schön, wie einzig tröstlich zu wissen«, hatte er noch in seinem 90. Aphorismus gedichtet, »daß der Geist nicht sterben kann.«[6]

Solcherart Künstlerphilosophien gediehen – durchaus im Rückblick auf Arthur Schopenhauer, Georg Wilhelm Friedrich Hegel und die deutsche Romantik – in dem intellektuellen Klima Münchens, in dem die Gedichte Maurice Maeterlincks zitiert und dann von Arnold Schönberg vertont wurden. Tischerücken und allerlei spiritistische Veranstaltungen zählten zu den abendlichen Vergnügungen.

Die ungeheuren Materialschlachten des Ersten Weltkriegs bereiteten diesen fast schon kultischen Beschwörungen des Geistigen ein vorläufiges Ende. Am Bauhaus in Weimar war ein anderer Geist gefragt.

Im protestantischen Norden ging es um Aufklärung, um Technik und Konstruktion. László Moholy-Nagy »immanenter Geist« suchte: »licht, licht«.[7] In den Fotogrammen wird das Licht in ein fast wesenloses Material umgesetzt. In dem **Licht-Raum-Modulator** (Kat.Nr. 185) wird es in Bewegung gesetzt und in seiner Struktur als eigene, raum- und zeitdurchmessende Dimension zur Darstellung gebracht. Als László Moholy-Nagy den Apparat nach seiner Fertigstellung im Jahr 1930 in Funktion sah, fühlte er sich – aller Rationalität zum Trotz – wie ein Zauberlehrling und wollte bei den Schattenfolgen fast an Magie glauben.

4 Peter-Klaus Schuster, in: *Franz Marc.* Ausst.Kat. Kunsthalle in Emden. Ostfildern 1994, S. 170.
5 Zit. n. Schardt, Alois J.: *Franz Marc.* Berlin 1936, S. 142.
6 Zit. n. Marc, Franz: *Briefe, Aufzeichnungen und Aphorismen.* Berlin 1920, S. 132.
7 Zit. n. *László Moholy-Nagy.* Mit Beiträgen von Hannah Weitemeier u.a. Ausst.Kat. Württembergischer Kunstverein Stuttgart. Stuttgart 1974, S. 46.

Dabei hatte sich Moholy-Nagy explizit gegen jede Form des transzendenten Spiritualismus gewandt. »Die Wirklichkeit ist der Maßstab des menschlichen Denkens. Durch sie orientieren wir uns im Universum. Die Gegenwärtigkeit der Zeit – die Wirklichkeit dieses Jahrhunderts – bestimmt, was wir begreifen und was wir noch nicht verstehen können. Und diese Wirklichkeit unseres Jahrhunderts ist die Technologie: die Erfindung, Konstruktion und Wartung von Maschinen. Maschinen benutzen, heißt im Geist des Jahrhunderts handeln.«[8] – »Die Sonne als Ausdruck der alten Weltenergie«, schrieb El Lissitzky 1923, »wird vom Himmel herabgerissen durch den modernen Menschen, der kraft seines technischen Herrentums sich eine eigene Energiequelle schafft.«[9]

Dieses »Herrentum« machte sich, wie wir wissen, die Technik zu Dienst und legte Europa in Schutt und Asche. Die Kunst ging andere Wege. Mit dem aufkeimenden Nationalsozialismus entfernte sie sich von der realen Zeit und setzte auf den Mythos. Die Erlösungsmodelle der Avantgarde hatten nicht funktioniert. So kehren die Bilder Paul Klees und Willi Baumeisters zum Ursprünglichen, auch zum Material zurück. Sand bei Baumeister, Jute und Kleister bei Klee bilden die Gründe, in die Urformen und Zeichen eingegraben sind. Vorstoß zum Nullpunkt oder Erforschung des Unbekannten nannte Baumeister diesen Weg. Klee wollte dem *Herzen der Schöpfung* etwas näher sein. Die beseelten Oberflächen seiner Bilder sind Relikte eines zurückliegenden Schaffensaktes, der im Material der Bilder aufgehoben ist und dort weiterlebt. Klee selbst war, die irdischen Schlacken hinter sich lassend, bereits auf dem Weg in eine andere Welt, in der er sich mit Max Beckmann trifft. **Schwere Botschaft**, obgleich der Titel eines Werkes von Klee, könnte ebenso als Motto für Beckmanns **Abfahrt** (Kat.Nr. 250) dienen.

Ob wir der reinigenden Kraft des Wassers in **Abfahrt** trauen dürfen, bleibt ungewiß, ob wir an die Erlösung glauben dürfen, wissen wir nicht. »Raum«, sagte Beckmann, »das ist der Raum der Götter und der Furcht.«[10] Nach Beckmanns eigenen Worten handelt **Abfahrt** »vom trügerischen Schein des Lebens zu den wesentlichen Dingen, die hinter den Erscheinungen stehen«[11]. Der Kunstkritiker Alfred Barr deutete **Abfahrt** anläßlich ihrer ersten Präsentation im Museum of Modern Art 1951 als eine »Allegorie der triumphalen Reise des modernen Geistes durch und über die Qual der modernen Welt hinaus«[12].

Am Ende des Zweiten Weltkrieges war Europa in weiten Teilen ein Trümmerfeld, ein Brachland ruinierter Materie. *Verlust der Mitte* ist mehr als nur der Titel des berühmt-berüchtigten Buches von Hans Sedlmayr. Er beschreibt ziemlich genau den Zustand des Landes, das bei der ›Stunde Null‹ angekommen war. Max Beckmann, Lyonel Feininger, László Moholy-Nagy waren ins Exil geflüchtet, Ernst Ludwig Kirchner, Oskar Schlemmer und Paul Klee lebten nicht mehr, Fritz Winter war in Gefangenschaft. Unterdessen diagnostizierte Sedlmayr die Moderne, die aller Hierarchien verlustig gegangen war, als chaotisch, zersetzend und in Auflösung begriffen. Die Vertauschung von Oben und Unten, von Intellekt und Trieb führte ins Chaos – eine Feststellung übrigens, die Alex-

8 Ebd., S. 16.
9 Zit. n. Hofmann, Werner: *Die Moderne im Rückspiegel. Hauptwege der Kunstgeschichte.* München 1998, S. 303.
10 Zit. n. *Hommage à Schönberg.* Ausst.Kat. Nationalgalerie Berlin 1974, S. 41.
11 Zit. n. *Max Beckmann. Die Triptychen im Städel.* Ausst.Kat. Städtische Galerie im Städelschen Kunstinstitut, Frankfurt am Main 1981, S. 37.
12 Ebd., S. 15.

Joseph Beuys, wie man dem toten Hasen die Bilder erklärt, 1965; Foto: Walter Vogel

ander Mitscherlich als Psychoanalytiker entschieden bestritt: »Das Unten ist vielleicht so lange gar nicht durchaus dämonisch solange das Oben es nicht verleugnet.«[13]

Neue Utopien zeigten sich erst in den späten fünfziger Jahren. Immer noch oder auch wieder ging es um die Verbindung des Einzelnen zum Universum, einem Universum, das weit mehr war als »Abstraktion und Einfühlung« und das auch den realen Dingen der Welt wieder zu ihrem Recht verhalf. Dies geschah bemerkenswerterweise wie zu Beginn des Jahrhunderts unter dem Einfluß theosophischer Lektüre: Sowohl Joseph Beuys als auch Yves Klein – um zwei Hauptfiguren zu benennen – haben sich intensiv mit den Rosenkreuzern respektive mit den anthroposophischen Lehren Rudolf Steiners beschäftigt.

Kleins magisch-blaue Bilder und Anthropometrien verkörpern die Sehnsucht des Künstlers nach einer allumfassenden Welt- und Bewußtseinserweiterung, nach einer Verschmelzung mit dem Kosmos. »Was ist Sensibilität?«, fragte sich der Künstler 1959 und gab zur Antwort: »Das, was außerhalb unseres Wesens existiert und uns trotzdem immer gehört. – Das Leben gehört uns nicht; nur mit der Sensibilität, die uns gehört, können wir es kaufen. Die Sensibilität ist die Währung des Universums, des Weltraums, der großen Natur, die uns erlaubt, das Leben als Rohstoff zu kaufen. Die Imagination ist der Träger der Sensibilität! Von der Imagination getragen gelangen wir zum Leben, zum eigentlichen Leben, das die absolute Kunst ist.«[14] Das Bild wird in diesem Sinne zu einem Ort der Transzendenz, zu einem Medium der Entgrenzung und der Unendlichkeit. Die strahlende Farbe gerät zu einem spirituellen Stoff, der in die »Leere« weist, der Himmel und Erde in Einklang bringt. »Das Blau hat keine Dimensionen«, postulierte Yves Klein begeistert und wurde darin bestätigt vom Kosmonauten Jurij Alexejewitsch Gagarin. Bei seiner spektakulären ersten Erdumrundung im Jahr 1961 beschrieb er die Welt bekanntlich als »blaue Kugel« und prägte unsere bis heute gültige Vorstellung vom »blauen Planeten«.

Die Sehnsucht nach dem Kosmos verband Yves Klein mit der Gruppe ZERO in Düsseldorf, die Klang, Licht, Feuer, Wasser und Luft in ihre Kunst einbezog, um die Einheit des Menschen mit dem Universum als unmittelbares Sinnesereignis zu inszenieren. Man berief sich auf den Italiener Lucio Fontana, der schon 1946 in seinem *Manifesto blanco* eine dynamische Kunst gefordert und in seinen aufgeschlitzten Leinwänden das Bild für grundlegend neue Raum-Erfahrungen geöffnet hatte. Aufbruch und Idealismus waren anstelle des Lamentos über einen »Verlust der Mitte« getreten. Unter dem ergreifenden Titel

13 Zit. n. *1945–1985. Kunst in der Bundesrepublik Deutschland.* Ausst.Kat. Nationalgalerie Berlin 1985, S. 88.

14 Weitemeier, Hannah: *Yves Klein.* Köln 1994, S. 52.

»Wege ins Paradies« schrieb Otto Piene: »Jetzt sind die Bilder nicht mehr Verliese, die den Geist und seinen Körper fesseln, sondern Spiegel, von denen Kräfte auf den Menschen übergreifen, Ströme, die sich frei im Raum entfalten, die nicht ebben, sondern fluten [...].«[15] Licht als ungreifbare Materie, als entmaterialisierter Wellenstrom wurde in Maschinen und kinetischen Objekten zum ästhetischen Spektakel, aber auch als essentieller »Weltstoff« präsentiert, der die Energien von Leben und Tod gleichermaßen in sich birgt. In einem Gedicht, das der Katastrophe von Hiroshima gewidmet ist, schrieb Günther Uecker: »das licht wird uns fliegen machen, / und wir werden den Himmel von oben sehen, / alles wird uns durchdringen / es wird durch uns hindurchgehen, / wie es durch etwas und nichts geht / [...] / wird uns so schnell bewegen, / daß wir unsichtbar werden und 00000000.«[16]

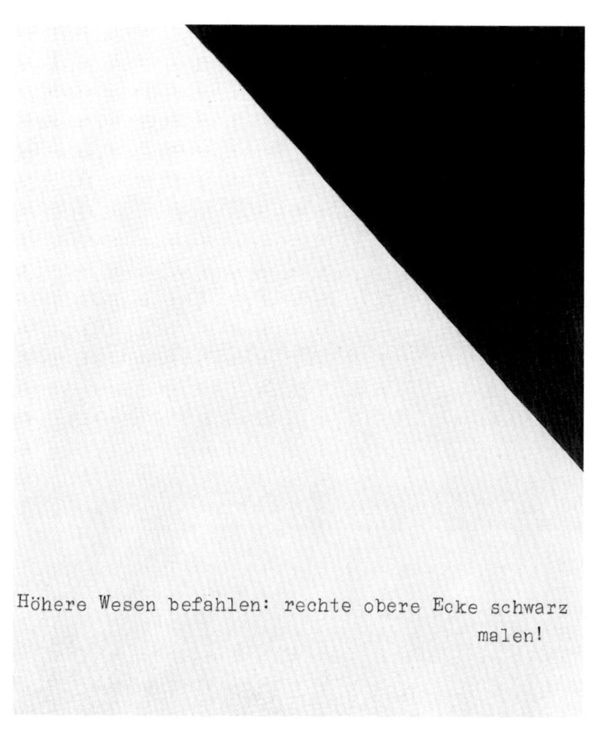

Sigmar Polke, Höhere Wesen befahlen: rechte obere Ecke schwarz malen!, 1969; Sammlung Froehlich, Stuttgart

Die Betonung des Übersinnlichen kulminierte in der Figur von Joseph Beuys, der mit seinem »erweiterten Denken« den Glauben an die Transzendenz des Stofflichen auf alle Bereiche des Lebens ausdehnte. Exemplarisch sei an die legendär gewordene Ausstellung *wie man dem toten Hasen die Bilder erklärt*, 1965 (Abb. S. 201), erinnert, in der sich der Künstler, mit vergoldetem und von Honig verkleistertem Kopf, gleichsam als meditierender Schamane präsentierte, der im Einklang mit Tier und Natur archaische, rituelle Handlungen vollführte. Das Interesse für Magie und Mystik erklärt sich dabei aus seiner Utopie einer ganzheitlichen Welterfahrung: »Ich will etwas für die Gegenwart und für die Zukunft tun, etwas Allgemeingültiges. Deswegen sind meine Aktionen nicht subjektivistisch zu verstehen. Sie sind ein Anklopfen an Wände, ein Anklopfen an das Gefangensein in unserem zivilisatorischen Kulturbewußtsein, sie zeigen ein Gegenmodell zum Alleinherrschenden, zum Nur-Rationalen, auf.«[17] Entschieden wendet sich Beuys gegen den rein empirischen Materialismus der Naturwissenschaften. »Wirklich ist für den Physiker nur das, was gemessen werden kann!«, zitiert Beuys den Physiker Ernst Pascual Jordan, um im gleichen Moment provozierend hinzuzufügen: »Hirschführergebrüll von rechts: ›Wie lange wollen Sie noch beim ersten Schritt bleiben?‹«[18]

Joseph Beuys plädierte für eine »poetische Physik«, in der Materie zum Träger geistiger Energien wird. Seine einfachen Stoffe, mit denen er sich und seine Werke umgab, wie Fett und Filz, Kupfer und Honig, stehen in diesem Sinne für Wärme, Energie, Alchemie und Evolution, für den prozessualen Charakter des Lebens. Damit öffnete Beuys wie kein anderer Künstler in Deutschland nach 1945 den Blick auf die Metaphysik des Stofflichen, auf spirituelle

15 Piene, Otto: »Wege zum Paradies«. In: Heinz Mack; Otto Piene (Hg.): *Zero 3*. Düsseldorf 1961.
16 Zit. n. Wiese, Stephan von (Hg.): *Günther Uecker. Schriften*. St. Gallen 1979, S. 24f.
17 Joseph Beuys, zit. n. Harlan, Volker (Hg.): *Soziale Plastik*. Achberg 1976, S. 96.
18 Joseph Beuys während einer Aktion in der Galerie Parnass, Wuppertal, 5. Juni 1965. Zit. n. Schneede, Uwe M.: *Die Aktionen*. Ostfildern 1994, Nr. 7.

Walter de Maria, Vertical Earth Kilometer, 1977; Friedrichsplatz Park, Kassel

Dimensionen des Lebens. Seine Schüler und Nachfolger, wie Felix Droese, Ulrike Rosenbach oder auch Imi Knoebel, übertrugen diese Ideen des »beseelten« Materials auf neue Stoffe und Inhalte, verschränkten die minimalistische Malerei mit Rückbezügen auf die absoluten Ideen von Kasimir Malewitsch oder verbanden, wie Ulrike Rosenbach, die Selbstreflexion im Film mit Signalen und Emblemen des weiblichen Körpers. Die Transzendenz des Stofflichen wird fortan zum Thema in der »Spurensicherung«, aber auch zum Spielball von großen Alchemisten und Naturforschern, die in den ursprünglichen Kräften der Natur neue Wege der Vergeistung erahnen. »Es geht mir darum, nach einer anderen Kultur zu suchen«, sagt beispielsweise Wolfgang Laib, »und das setzt voraus, sich von unserer Zeit unabhängig zu machen [...]. Ich glaube, es ist eine Suche nach dem Universellen, nach dem Zeitlosen.«[19]

Diese Hoffnungen und Wünsche bleiben nicht ohne Widerspruch und ohne Kommentar. Bereits in den Jahren 1966 bis 1969 entsteht die Werkreihe »Höhere Wesen befahlen« von Sigmar Polke (Abb. S. 202), in der das Vertrauen auf das Geistig-Absolute offen persifliert wird. Es ist eine »Malerei nach der Malerei«, eine Kunst, die die Reflexion über ihre eigenen Entstehungsbedingungen ebenso einschließt wie den Dialog mit den großen Dogmen der Moderne. Durch die tiefgreifenden gesellschaftlichen und historischen Umwälzungen Ende der sechziger und erneut Anfang der achtziger Jahre nahm die Kunst zugleich schrittweise Abschied vom utopischen Traum der substantiellen und menschlichen Identität, der Übereinstimmung von Körper und Geist, Mensch und Kosmos. Bereits bei Rebecca Horn erscheint der Körper als »Fremdkörper«, in dem – wie bei dem frühen Werk **Überströmer** – die Zirkulation des Blutes aus dem Inneren nach Außen verlagert ist. Bei Pia Stadtbäumer wird das Individuum gar aus immergleichen Modulen geschaffen, und dieses Prinzip findet sich in den Fotoarbeiten der Amerikanerin Cindy Sherman bis zu irritierend vielfältigen Selbstinszenierungen gesteigert.

Nicht von ungefähr definierte der Philosoph Wolfgang Welsch die menschliche Identität als »Leben im Übergang« und der Soziologe Erving Goffman analog das Ich als »veränderliche Formel«[20], mit der man sich auf alle Ereignisse ständig neu einzulassen habe. Selbstdistanz, Rollenspiele, Ironie und Travestie sind im Zeitalter der Postmoderne zu Strategien der Wirklichkeitsbewältigung geworden. Jean-François Lyotard vertrat in seinen Texten immer wieder die Idee einer »Ästhetik der Anspielung«, und Jacques Derrida sprach im selben Zug von einer »Malerei ohne Wahrheit«: »Die Trugbilder, die die Malerei so virtuos beschwören kann, verbinden sich am anderen Ende der Skala mit dem vollen Ernst ihrer Buchstäblichkeit«[21].

Bei Sigmar Polkes »Höheren Wesen« mündet dieses Konzept in befehlsgemäß gemalte »Flamingo«-Bilder oder in präzise abgezirkelte Farbdreiecke, die den absoluten Formwillen der abstrakten Malerei ironisch konterkarieren. Dabei stellt nicht Respektlosigkeit, sondern das Interesse an Aufklärung das Motiv dar, sich »in das Meer der Ironie« zu stürzen, wie Uwe Japp geschrieben

19 Wolfgang Laib, zit. n. Farrow, Clare: *Wolfgang Laib. Eine Reise.* Ostfildern 1996, S. 54.

20 Goffman, Erving: *Rahmen-Analyse. Ein Versuch über die Organisation von Alltagserfahrungen.* Frankfurt am Main 1980, S. 617.

21 Zit. n. Hans Belting, in: *Sigmar Polke. Die drei Lügen der Malerei.* Ausst.Kat. Ostfildern 1997, S. 130.

hat, »ohne allerdings immer darauf hoffen zu können, daß es jenseits dieses Meeres ein Festland gäbe«[22]. Diese tiefgreifende Verunsicherung angesichts einer grotesken und ungereimten Wirklichkeit läßt auch Künstler wie Anna und Bernhard Blume, Martin Kippenberger, Albert Oehlen und Rosemarie Trockel die Welten des Alltags und der Kunst ironisieren, humoristisch verzerren und verrätseln.

Die Skepsis an der Beschreibbarkeit des Realen und der Drang zur Intellektualisierung, die Kultur der philosophischen »Diskurse« führte unweigerlich zu einer Kunstrichtung des rein Gedanklichen: zur Konzept-Kunst. Künstler wie Hanne Darboven, On Kawara, Joseph Kosuth, Lawrence Weiner haben das Kunstwerk reduziert auf Prinzipien und Regeln, auf Schrift und Text, auf eine pure Semantik der Zeichen. Die amerikanische Kunsthistorikerin Lucy Lippard beschrieb folgerichtig die Jahre 1966 bis 1972 als »Phase der Entmaterialisierung«. Ein besonders eindrucksvolles Beispiel dieses Prozesses ist auch die *documenta*-Arbeit von Walter de Maria: der **Vertikale Erdkilometer** (Abb. S. 203), eine aufwendige Tiefenbohrung, die nach Abschluß der Arbeiten nur mittels einer Bodenplatte visuell erfahrbar bleibt. Die volle Wirkung des Werkes vollzieht sich nicht mehr im sinnlichen Erleben vor Ort, sondern im Wissen um die Hintergründe.

Am Ende des 20. Jahrhunderts scheint die Vergeistigung ganz zu dominieren. Zum Abschluß einer Epoche, die so sehr von Produktion, Verbrauch und Zerstörung, von maßlosen »Materialschlachten« geprägt war, ist die Erfahrung von Wirklichkeit paradoxerweise gerade nicht mehr an materielle, sondern vielfach an virtuelle Begebenheiten gekoppelt. Digital bearbeitete Bilder und Computersimulationen haben den Augenzeugen und die Kamera vor Ort überflüssig gemacht. In »rasendem Stillstand« (Paul Virilio) erreichen den Betrachter die immergleichen künstlichen Bilder. Horst Bredekamp sprach in bezug auf das Internet vom »Geisterreich Cyberspace«, das mit neuen Hoffnungen befrachtet ist: »Nachdem sich der Weltraum als unwirtlicher herausgestellt hat, als es die wissenschaftliche Science-fiction der fünfziger Jahre wahrhaben wollte, vor allem aber, seitdem die Phantasie nicht mehr durch das Denken in geopolitischen Blöcken gebremst wird, andererseits keine weißen Flecken mehr zur Verfügung stehen, deren Besiedelung neue Horizonte eröffnen würde, gilt die jüngste Form eines emphatischen Eskapismus dem Ganzen der materiellen Welt.«[23] Populäre Spielfilme wie *Terminator 2* (Abb. S. 204) oder *Matrix* bedienen sich dieser Vision in erneuter Science-fiction Manier und suggerieren die Schaffung des Lebens aus einer hyperrealen, künstlichen »Matrix«. Dahinter steht der uralte Wunsch nach Ewigkeit, die sich vom Material unabhängig macht. In diesem Sinne schlägt die Imagination der technischen Bilder den Bogen zurück zu dem großen Visionär Kandinsky, der bereits 1911 voraussagte: »Das erste ist das Folgen der Materie. Das zweite dem Geiste: Der Geist schafft eine Form und geht zu weiterem über.«

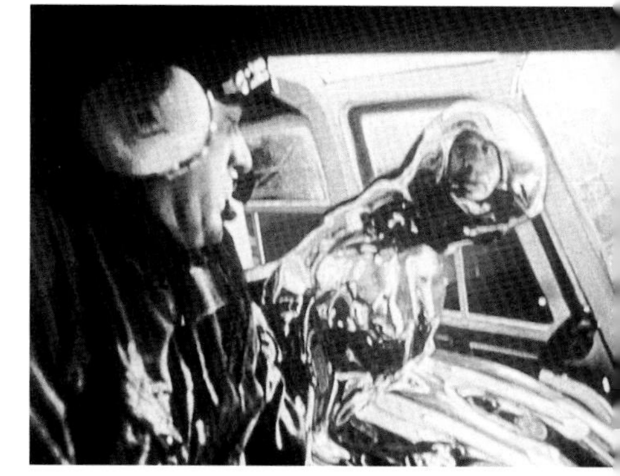

Szene aus James Camerons *Terminator 2,* 1991; pwe Kinoarchiv, Hamburg

22 Japp, Uwe: *Theorie der Ironie*. Frankfurt am Main 1983, S. 78.
23 Bredekamp, Horst: »Cyberspace, ein Geisterreich«. In: *Frankfurter Allgemeine Zeitung*, 3. Februar 1996.

Wellen und Strahlen

Wellen und Strahlen – Wege ins Licht

Moritz Wullen

Dem inneren Auge offenbart sich das Geistige leuchtend und hell. Der Gelehrte, hoffnungslos verloren in den Nebeln voluminöser Schriftweisheiten, blickt auf und sieht, wohl nur für einen kurzen Augenblick, was er in all den Büchern vor lauter Suchen nie gefunden hat (Abb. S. 206). Kometenhaft leuchtend schwebt es über dem staubigen Wust von Folianten und Globen, wie ein flammendes ›Heureka‹. Unbekümmert um den wissenschaftlichen Bienenfleiß, der sich da auf dem Studiertisch ausgebreitet hat, verweist es mit astralem Finger göttlich-souverän schlicht auf sich selbst. Diese blitzhafte Idee, so erkennt der Betrachter gemeinsam mit dem faustischen Helden des Blattes, ist purer Geist, ohne Fußnote und Glosse, Zeit und Ort.

Rembrandt, Faust, um 1652; Staatliche Museen zu Berlin, Kupferstichkabinett

Und zweihundert Jahre später, in freier Landschaft, auf einem Gemälde Caspar David Friedrichs: Im geistigen Bund von Gott und Mensch geht die Welt in Strahlen auf. Fernstes und Nächstes, Endliches und Ewiges schmelzen hell ineinander (Abb. S. 207). Doch das Wunder ist zu sehr Wunder, um zur Gänze sichtbar zu sein. Das Materielle, nur noch eine ausgesparte Silhouette, versperrt die Sicht: »Aber wie ganz anders wird es uns dünken – wenn diese Verfinsterung vorbei, und der Schattenkörper hinweggerückt ist. Wir werden mehr genießen als je, denn unser Geist hat entbehrt.«[1]

Solche Inszenierungen von Geist als Licht finden sich quer durch die Kulturen, in allen Epochen. Die Bildsprache vorchristlicher Sonnenkulte, die strahlende Mandorla des mittelalterlichen Christus, die Fanfaren von Licht, die Tintorettos Auferstehungssensationen majestätisch begleiten, aber auch die befreiende Lichtgewalt in Adrian Lynes Todesphantasie *Jacob's Ladder*, die fluoreszierende Wesenheit in James Camerons Erlösungsparabel *The Abyss* (Abb. S. 207) sind nur dramaturgische Variationen einer einzigen, anthropologisch konstanten Grundidee, deren philosophische Ausformulierung in der Spätantike ihre erste Glanzzeit erlebt. Namentlich in der Lichtmetaphysik regiert der Geist in luminoser Höhe. Darunter, in wachsender materieller Verschlackung und Verfinsterung, lagern die Schichten der Vernunft, der Körperwelt und schließlich der nackten, dumpfen Dinglichkeit. Der Mensch, eine zwiespältige Montage aus Körper und Geist, bildet ein dämmriges Zwischenreich. Allein auf dem Weg der Katharsis, der Reinigung von den Schlacken der Materie, kann er an Höhe gewinnen. Die Vergeistigung feiert sich als Ankunft im Licht.

In ihrem Wesen ist die Lichtmetaphysik ein Orientierungsmodell für sittlich-kultische Läuterung. Möglichkeiten der Neuinterpretation fand erst das 19. Jahrhun-

Caspar David Friedrich, Frau in der Morgensonne, um 1815–17; Museum Folkwang Essen

dert. Anlaß war die globale Verzeitlichung von Sinn: Die Biologie entdeckte mit der Evolutionstheorie die Geschichte der Natur, in der Sprachwissenschaft etablierte sich die Etymologie als Methode der historischen Rückversicherung semantischer Entscheidungen, die Kunst formulierte mit der Differenz von ›Alt‹ und ›Neu‹ die Forderungen und Ziele einer künftigen Moderne, und überhaupt wurde mit der Akademisierung der histo-

Die neue französische Constitution, 1791; in: Goettinger Taschenkalender für das Jahr 1792

The Abyss, 1989; pwe Kinoarchiv, Hamburg

rischen Forschung die Geschichte erst als Geschichte bewußt.[2] Konsequent wurde auch die lichtmetaphysische Weltarchitektur auf die Zeitachse projiziert. So wird bereits in einer Illustration des *Goettinger Taschen Calender für das Jahr 1792* (Abb. S. 207) die neoplatonische Vorstellung einer lichten Höhe in die Vision einer leuchtenden Zukunft abgewandelt, und die unteren Stufen der vernunftlosen Körperwelt erscheinen in der verzeitlichten Form einer dunklen Vergangenheit; als schweres Gewölk verdüstert sie den Himmel. Die Katharsis wird zum metaphorischen Weg des Fortschritts. Der sehnsuchtsvolle Blick nach oben ist zugleich ein Blick nach vorn.

Tatsächlich vollzog sich der *progrès de l'esprit humain* im 19. Jahrhundert als Ausbreitung von Licht. Die lichtmetaphysische Verheißung einer strahlenden Zukunft bestätigte sich auf wundersame Weise. Neue Visualisierungstechnologien suggerierten die Eroberung ferner, höherer Lichträume, Unerwartetes trat in die Helle der Sichtbarkeit. Fast war es so, als glänze die Welt bereits in der Gloriole des Künftigen. Schon der Jubel um die Entdeckung der Fotografie war weit mehr als nur eine gemeine Begeisterung für ein mimetisches Zauberstück. Die Kommentare jener Zeit haben ganz den Ton tiefen Ergriffenseins, als wären mit der Fotografie tatsächlich letzte Schleier gelüftet und als schössen am Horizont die ersten Strahlen des göttlichen Logos empor: »Ein Sieg war errungen, der wirklich bedeutender war als jeder Sieg auf dem Schlachtfeld, ein Sieg der Wissenschaft. Die Menge war wie eine funkensströmende Batterie. Jeder war glücklich, wenn er die Freude des anderen sah. Im Reich des grenzenlosen Fortschritts war eine weitere Barriere gefallen. Ich habe oft den Eindruck, als könnten spätere Generationen einer solchen Begeisterung niemals fähig sein.«[3] Der Enthusiasmus entzündete sich vor allem an der sensationellen Schärfe, mit welcher die Raffinessen des Lichts Gestalt gewannen: »kein menschlicher Blick könnte so tief in diese Massen von Schatten und Licht eindringen.«[4] Im Überschwang wähnte sich der Fortschritt gottgewaltig. Die Entstehung einer Fotografie wurde als Schöpfungsakt erlebt. »Die Platte«, so schrieb ein Bewunderer Daguerres, »leuchtet in sanfter Klarheit auf, die lichten Stellen trennen sich vom Schatten, in den noch unsicheren Strichen zeichnet sich Leben ab, alle Tiefen des Lichts enthüllen sich nach und nach. Man wohnt, so kann man regelrecht sagen, einem wahrhaften Schöpfungsakt bei, eine Welt erhebt sich aus dem Chaos, eine bezaubernde, vollendete, kultivierte, konstruierte Welt, mit Wohnstätten sowohl wie mit Blumen reichlich erfüllt.«[5]

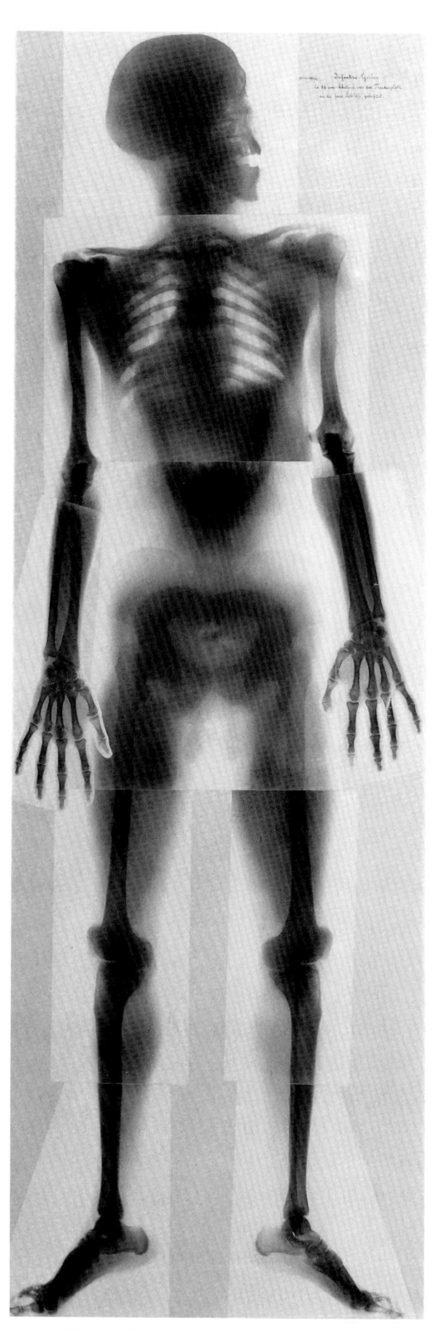

151 Menschlicher Körper, aus neun Einzelaufnahmen zusammengesetzte Röntgenaufnahme von Ludwig Zehnder, 1896; Deutsches Museum, München

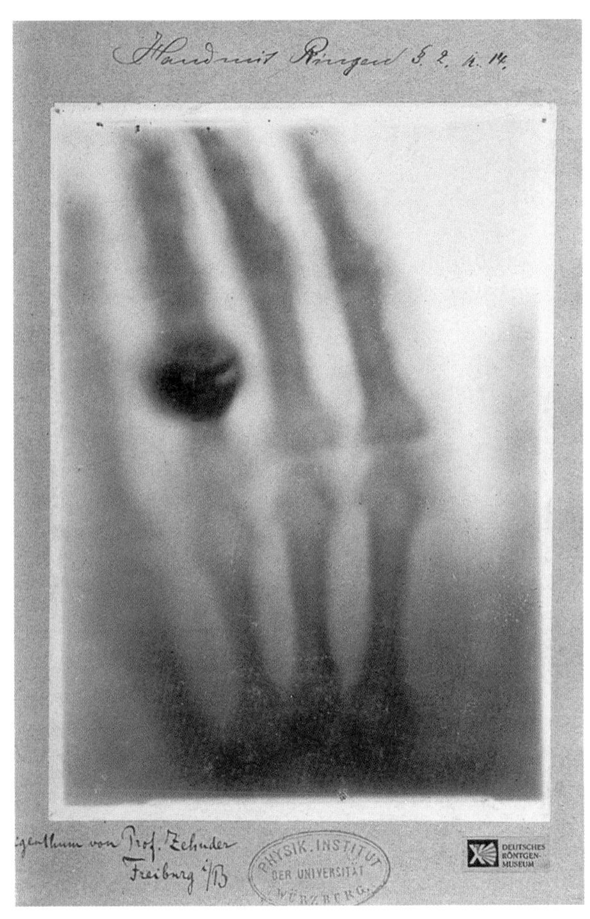

152 Wilhelm Conrad Röntgen, Röntgenaufnahme der Hand von Röntgens Frau, 1895; Deutsches Röntgen-Museum Remscheid-Lennep

153 Wilhelm Conrad Röntgen, Röntgenaufnahme eines Kompasses, 1896; Deutsches Röntgen-Museum Remscheid-Lennep

Das Wunder der fotografischen Offenbarung war nur eine erste Stufe des erlösenden Aufstiegs ins Licht. Unentdeckte Geistessphären, erfüllt vom magischen Leuchten fremdartiger Wellen und Strahlen, warteten darauf, entdeckt zu werden. Die Sichtbarkeit der Welt war noch lange nicht erschöpft. Womöglich lagen die okkulten Helligkeiten in nur hauchdünner Entfernung vom Sichtkreis des menschlichen Auges. 1876 schrieben Stewart und Tait in *The Unseen Universe or Speculations on a Future State*: »Wie Punkte die Enden von Linien sind, Linien die Grenzen von Abschnitten des dreidimensionalen Raums: so können wir uns vorstellen, daß unsere (prinzipiell dreidimensionale) Materie die bloße Haut oder Grenze eines Unsichtbaren ist, dessen Materie vier Dimensionen hat.«[6] Unklar war nur, wo und wie das »unseen universe« zu finden war. So blieb nichts weiter als das Warten auf den Zufall oder zumindest die Hoffnung, durch die Schaffung günstiger apparativer Bedingungen den Zufall wahrscheinlicher zu machen. Immer neue, feinere Saiten wurden aufgespannt. Vielleicht gelang es doch noch, einige wenige aus dem Ätherreich verirrte Töne aufzufangen. Die

Eroberung des »Schattenreichs zwischen dem Bekannten und Unbekannten« hatte erst begonnen, und man war sich sicher, »daß die größten wissenschaftlichen Probleme der Zukunft in diesem Grenzlande ihre Lösung finden werden und selbst noch darüber hinaus; hier liegen [...] letzte Realitäten«[7].

Ende des 19. Jahrhunderts hatten die Erkundungen des »Schattenreichs« einen Grad der technologischen Differenziertheit erreicht, daß der Zufall einer Offenbarung aus der Fabelwelt der Lichtmysterien nicht länger auf sich warten ließ. Bereits in den fünfziger Jahren hatte man im materiellen Nichts evakuierter Glasgefäße bei Zuführung elektrischer Ströme rätselhafte Fluoreszenzen beobachtet, vielversprechende Daseinszeichen eines Lichtes hinter dem Licht. Dieses Glimmen war jedoch nie mehr als ein schwebender Spuk. Es kam und verging wie das Irrlicht einer elektrisch halluzinierenden Apparatur. Aber 1895, genauer: in der Woche auf den 8. November, geschah das Wunder. Ausgerüstet mit einer Rapsschen Vakuumpumpe, einem Funkeninduktor der Firma Reiniger, Gebbert und Schall, einem Akkumulator mit automatischem Unterbrecher nach Deprez, ferner: einem Fluoreszenzschirm aus Barium-Platin-Cyanür und Hittorf-Röhren der Firma Müller-Unkel, entdeckte Röntgen die X-Strahlen.[8] Der Zufall wollte es so, und von »Zufall« sprach Röntgen auch später noch.[9] Plötzlich und überraschend hatte sich, wenn auch nur um einen kleinen Spalt, eine wundersame Welt eröffnet, von deren Standpunkt aus das Banalste im Glanz der Kuriosität erschien. Geisterhaft entschleierten sich die Schatten eines Handknochens samt Ehering, vom Flor des Fleisches hell umwoben (Kat.Nr. 152), sodann das Innenleben einer Flinte und eines Kompasses (Kat.Nr. 153) sowie die filigranen Details einer dem bloßen Auge unsichtbaren, in einem Kästchen versperrten Spule. Das Publikum, aber auch Röntgens Familien- und Bekanntenkreis, der zum Jahreswechsel die neuen Motive per Grußkarte vom Erfinder persönlich erhielt, reagierte enthusiastisch. Von einem »abrupten Sprung ins Unbekannte«[10] war die Rede, von einem Blick »über das Grenzland des Äthers hinaus in die Astralwelt«[11]. Selbst Henri Poincaré gab sich über wissenschaftliche Gebühr begeistert: »als wolle Gott uns plötzlich daran erinnern, daß wir von Geheimnissen umgeben sind und daß sie die Wissenschaft nur Zug um Zug enthüllen wird.«[12] Im eigentlichen Sinn des Wortes ›meta-physisch‹ war Röntgens Befund auch insofern, als die physikalische Beschaffenheit der X-Strahlen weitestgehend unklar war. Noch zehn Jahre später lebte die Wissenschaft mit der »Schmach, daß man [...] nicht weiß, was in den Röntgenstrahlen eigentlich los ist«[13]. Doch gerade die Unerforschlichkeit faszinierte. Röntgen selbst hatte, noch in den ersten Tagen seines experimentellen Erfolgs, von einem »Agens«[14] gesprochen, als wären die X-Strahlen nicht von dieser Welt, sondern Wirkungen einer jenseitigen Kraft.

Die Glorifizierung dieser visuellen Sensationen zu Offenbarungen leuchtender Geistesregionen, die lichtmetaphysische Gewißheit, mit der Fotografie und Röntgenografie wären erste und entscheidende Schritte in Richtung auf eine spirituelle Zukunft getan, hatten freilich wenig mit der Wirklichkeit zu tun. Real war allein die Sehnsucht nach den Wegen ins Licht, die Hoffnung, mit den Mitteln moderner Visualisierungstechnologie ließen sich die Leuchtfeuer höherer Daseinsstufen vielleicht doch registrieren. Die astronomische Fotografie hatte es schließlich vorgemacht. Lichtphänomene, von den Fernen des Kosmos verschluckt und für das Auge selbst durch die raffiniertesten Teleskope nicht wahrnehmbar, gab die Fotografie nach hinreichend langer Belichtungszeit wieder frei. Da war es unwahrscheinlich, daß nicht auch die Aufzeichnung des Seelen- und Gedankenlichts gelingen sollte. Immerhin gab es Hinweise genug, daß bei günstiger Anlage schon das bloße Auge das Fluidum des Seelenlebens erkennen konnte. Andrew Jackson Davis, Spiritist der ersten Stunde, wußte in seinen *Lebenserinnerungen* sogar von einem persönlichen Fluidalerlebnis zu berichten: »Alle Dinge in unserem Zimmer erschienen überraschend erleuchtet. Jeder menschliche Körper erglühte in vielen Farben, jede Gestalt war eingehüllt in eine Lichtatmosphäre, die von ihr ausströmte und den ganzen Körper durchdrang. Haare, Ohren, Augen, besonders der Kopf hatten farbige Lichtkreise um sich. Die Gedanken erschienen als Flammen, als schöne Atmungen.«[15]

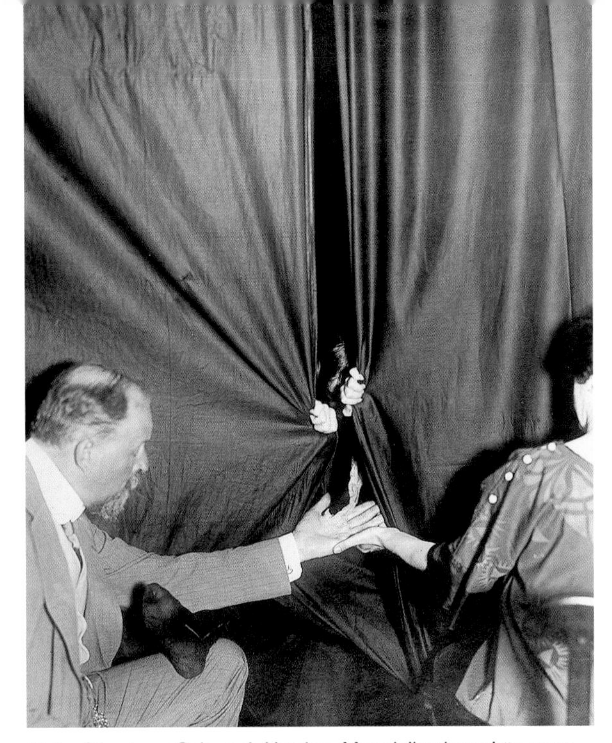

154 Albert von Schrenck-Notzing, Materialisationsphänomen mit Stanislawa P., München, 1. Juli 1913; Fotografie, ca. 24 x 18 cm; Institut für Grenzgebiete der Psychologie und Psychohygiene e.V., Freiburg

155 Albert von Schrenck-Notzing, Materialisationsphänomen mit Eva C., St. Jean de Luz, 21. August 1911; Fotografie, ca. 23 x 17 cm; Institut für Grenzgebiete der Psychologie und Psychohygiene e.V., Freiburg

156 Albert von Schrenck-Notzing, Materialisationsphänomen mit Eva C., Paris, 2. Mai 1913; Fotografie, ca. 23 x 17 cm; Institut für Grenzgebiete der Psychologie und Psychohygiene e.V., Freiburg

157 Albert von Schrenck-Notzing, Madelaine Bisson, Materialisationsphänomen mit Eva C., 14. Februar 1912; Fotografie, ca. 22 x 18 cm; Institut für Grenzgebiete der Psychologie und Psychohygiene e.V., Freiburg

No. 1. XVI. Jahrgang. Januar 1908.

„Die Uebersinnliche Welt."

Monatsschrift für okkultistische Forschung.

Organ der

Wissenschaftlichen Vereinigung Sphinx in Berlin. | Gesellschaft für wissenschaftliche Psychologie in München

und des

Alten Ordens der Mystiker.

Die möglichst allseitige Untersuchung und Erörterung übersinnlicher Tatsachen und Fragen ist der Zweck dieser Zeitschrift. Die Redaktion übernimmt keine Verantwortung für die darin ausgesprochenen Ansichten, soweit sie nicht von ihr unterzeichnet sind. Die Verfasser der einzelnen Artikel und Mitteilungen haben das von ihnen Vorgebrachte selbst zu vertreten.

Herausg. u. Verleger A. Weinholtz, Berlin C. 25, Dircksenstr. 105.
Verantwortl. Redakteur Max Rahn, Hohen-Neuendorf, a. d. Nordb. (Mark) Carlstraße 3.

Leipzig, Paul Eberhardt, Königstr. 19.
London, The Theosophical Publishing Sty, 3. Langham Place.
Paris, Librairie du Magnétisme, 23, rue Saint Merri, 4e.

158 »Die Uebersinnliche Welt.«, Monatsschrift für okkultistische Forschung, Jg. 16, H. 1, 1908; Papier, 25,7 x 17,4 cm; Staatliche Museen zu Berlin, Nationalgalerie

Schließlich war es der fanatische Mediumist und Spiritist Louis Darget, der sich als erster den Erfolg zusprach, das Opaleszieren psychischer Kräfte fotografisch belegt zu haben. Von Darget ist nur wenig bekannt.[16] Offenbar war er in Tour bei der Armee beschäftigt, doch alle weiteren Lebensumstände liegen ebenso im dunkeln wie die Entstehung seiner fluidografischen Präparate. Unter der Markenbezeichnung »Gedanken-Fotografie« machten sie weit über die Grenzen Frankreichs hinaus Furore. Dargets Behauptungen zufolge war es möglich, die V-Strahlen (Vitalstrahlen) durch die bloße Anstrengung des Willens so weit zu bündeln, daß deren Brennpunkte auf einer bereitgestellten Fotoplatte als leuchtende Spuren in Erscheinung traten. Wie von selbst erzeugte die gedankliche Imagination einer Schnapsflasche ihr visuelles Pendant, und die Experimente mit leibhaftig vorgestellten Spazierstöcken verliefen gleichfalls erfolgreich. Noch sensationeller waren die Wunderbilder der von Alexander Aksakow in seinem Kultbuch *Spiritismus und Animismus* propagierten »Transcendental-Photographie«[17]. Mit ihr sollte es gelingen, zu den eigentlichen Gipfeln des Geist- und Geisterreiches vorzudringen. Netto wurde jedoch nur der Gipfel des Fotografiekults erreicht. In der Zeitschrift *»Die Uebersinnliche Welt.«* (Kat.Nr. 158) gibt J. Peter 1908 einen Abriß der transzendental-fotografischen Lehre: »Photographie, d. h. die Art des Druckes durch das Licht ist die geistigste von allen Künsten, und jede Substanz, die genügend dicht ist, die Lichtstrahlen in Bewegung zu setzen [...], kann auf der feinen und entsprechend sensibel hergerichteten Platte Form und Charakter bringen. Aber die Geistergestalten sind so viel feiner als Licht, dass sie den Lichtstrahl nicht in Bewegung setzen oder reflektieren können. Um dies zu ermöglichen, acquirieren die ›Geister‹ die Hilfe des Lebensprinzipes, (Odkraft), des Magnetismus und der Elektrizität. Diese können sie erhalten von gewissen Medien und deren Umgebungs-Atmosphäre. Wenn sie dies erreichen können, so umgibt sich entweder die Spiritgestalt damit oder sie kombiniert und formt ein Modell, das seine Gestalt darstellt. Beide sind dann geeignet, das Licht in Bewegung zu setzen und dieses drückt das Bild auf die Platte.«[18]

Daguerreotypie, Röntgenografie, Geister-, Gedanken- und Transzendentalfotografie erscheinen in den Spekulationen des 19. Jahrhunderts als Stufen einer mystischen Initiation in die Herrlichkeit eines leuchtend-göttlichen Logos. Mit jeder neuen Sensation der Lichtbildtechnik glaubte man sich metaphysisch erhöht und den himmlischen Räumen näher. Dieser moderne Kult des Lichtes fand seinen festlichen Höhepunkt in den Séancen des Münchener Nervenarztes Albert von Schrenck-Notzing, dessen Hauptwerk unter dem Titel *Materialisationsphänomene* 1914 (Kat.Nrn. 154–157) in München erschien.[19] Schrenck-Notzing, um eine wissenschaftliche Bereinigung der Transzendentalfabulistik seiner Vorläufer redlich bemüht, schuf neue begriffliche Schärfen für einen vagen Sachverhalt. In seinen Sitzungen materialisierten sich die Lichtkräfte des Geistes in einem, so seine Diktion, »Teleplasma«, das sich dem Auge als »Ideoplastik« offenbarte. Rötliches Halbdunkel, monotone Hintergrundmusik und stundenlanges Meditieren versetzten die Teilnehmer der Sitzung in Trance, bis, am Punkt der äußersten Entrückung, sich die geistigen Energien in einer »Materialisation« explosiv entluden. Fotografische Dokumente zeigen ekstatische Vereinigungen mit spirituellen Kräften, moderne Riten einer *Unio mystica*.

Die mystische Einswerdung mit dem Licht des Logos ist denn auch ein metaphysischer Bezugspunkt der Farbeuphorik Rudolf Steiners (Kat.Nr. 159). Immer wieder umspielen Steiners Gedanken die Frage nach dem Wesen des Lichts, jener elementaren Unterscheidung, mit welcher alles begann: »Es werde Licht«. Ohne das Licht, dies die Gewißheit Steiners, wäre keine Unterscheidung, und Geist und Materie, Ich und Welt vergingen in einem bewußtlosen Einerlei: »Wenn wir in der Nacht in schwarzer Finsternis aufwachen, fühlen wir, das ist nicht unsere entsprechende menschliche Umgebung, wo wir unser Ich voll fühlen können. Wir brauchen Licht zwischen uns und den Gegenständen, um unser Ich voll fühlen zu können. Wir brauchen gewissermaßen zwischen uns und der Wand Licht, damit die Wand aus der Entfernung auf uns wirken kann. Da entzündet sich unser Ich-Gefühl.«[20] Das Licht selbst jedoch, als Grundbedingung aller Unterscheidung, ist ununterschiedenes Licht als Licht, eine blanke, bodenlose Helligkeit, in der die Linienzüge des menschlichen Denkens wie in einer letzten Überbelichtung verlöschen. Die Sensation des puren Weiß wird zur Ahnung des reinen Geistes: »Das Weiß ist dem Lichte verwandt. Fühlen wir das Weiß, das heißt das Lichtartige in dieser Art, das wir eben empfinden, wie das Ich im Raume sich entzündet an dem Weißen zu seiner inneren Stärke, dann können wir sagen, indem wir jetzt den Gedanken lebendig machen, nicht abstrakt: Das Weiß ist die seelische Erscheinung des Geistes. – Deshalb fühlen wir auch überall, wo uns auf Bildern Weiß entgegentritt: Ja, da ist der Geist gemeint.«[21]

Die Wege ins Licht: Sie enden freilich nicht mit der Farbmystik Steiners, vielmehr führen sie über Kandinskys farbenprächtige Visionen des »Geistigen«, die Lichtkinetik des Futurismus, das tiefe Blau Yves Kleins und die Psychedelik der sechziger Jahre bis hin zu den röntgenografischen Lichtgespinsten Isa Genzkens (Kat.Nr. 160) und den Lichtarchitekturen der Cyberträume unserer Gegenwart. Heute wie damals sind sie Metaphern

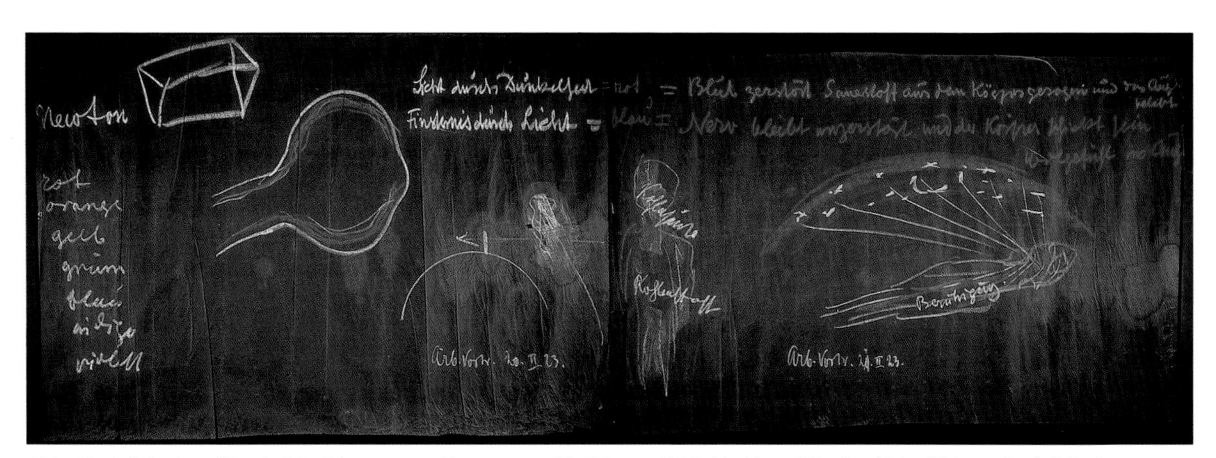

159 Rudolf Steiner, Wandtafelzeichnung zum Vortrag vom 21. Februar 1923; Kreide auf Papier, 104 x 300 cm; Rudolf Steiner Nachlaßverwaltung, Dornach/Schweiz

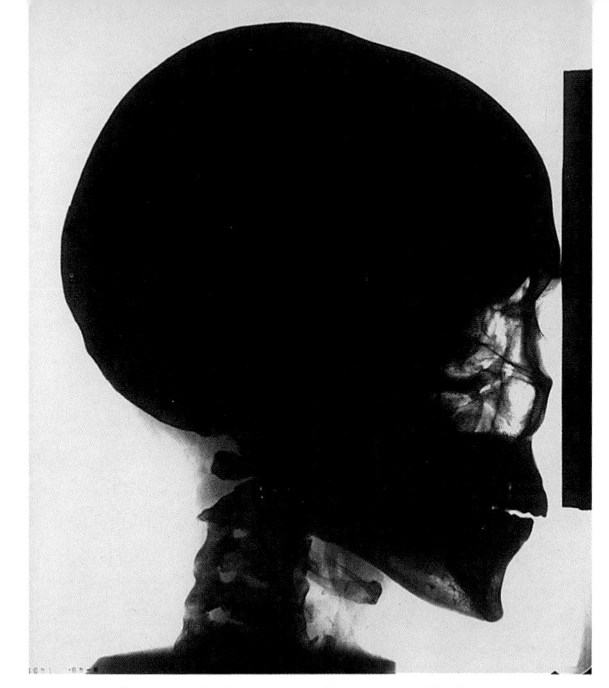

160 Isa Genzken, X-Ray, 1989; Schwarz/weiß-Fotografie, gerahmt, 62 x 50 cm; Sammlung Hoffmann

eines Wegs in die Zukunft, über dessen tatsächliche Richtung der Fortschritt keine Auskunft gibt. Das Wohin visualisiert sich erst auf dem Display einer Lichtmetaphysik, die sich ihre Katharsiserlebnisse über die *visual effects* aus Kunst und Technik selbst beschert, und dies – noch einmal sei Dargets gedacht – mitunter reichlich skrupellos. Die Heilsgewißheit der Moderne hat viel von der verzweifelten Entschlossenheit Münchhausens. Am eigenen Zopf zieht sie sich aus dem Dunkel ins Licht.

Anmerkungen

1 Novalis: »Vermischte Bemerkungen 1797–1798«. In: Carl Paschek (Hg.): *Novalis (Friedrich von Hardenberg). Fragmente und Studien. Die Christenheit oder Europa.* Stuttgart 1984, S. 8.
2 Vgl. Luhmann, Niklas: *Soziale Systeme.* Frankfurt am Main 1987, S. 377–487.
3 Zit. n. Busch, Bernd: *Belichtete Welt. Eine Wahrnehmungsgeschichte der Fotografie.* München; Wien 1989, S. 212.
4 Janin, Jules: »Der Daguerreotyp«, 1839. In: Wolfgang Kemp: *Theorie der Fotografie I. 1839–1912.* München 1980, S. 46–51, hier S. 48.
5 Zit. n. Koppen, Erwin: *Literatur und Photographie. Über Geschichte und Thematik einer Medienentdeckung.* Stuttgart 1987, S. 48f.
6 Stewart, Balfour; Tait, Peter Guthrie: *The Unseen Universe or Speculations on a Future State.* London; New York [4]1876, S. 221.
7 Crookes, William: *Strahlende Materie oder der vierte Aggregatszustand. Vortrag, gehalten auf der 49. Jahresversammlung der Britischen Association zur Förderung der Wissenschaften in Sheffield am 22. August 1879.* Leipzig 1879, S. 38.
8 Brachner, Alto: *Röntgenstrahlen: Entdeckung, Wirkung, Anwendung.* München 1995, S. 30.
9 Vgl. Fölsing, Albrecht: *Röntgen: Aufbruch ins Innere der Materie.* München; Wien 1995, S. 220–239.
10 Zit. n. Henderson, Linda Dalrymple: »Die moderne Kunst und das Unsichtbare: Die verborgenen Wellen und Dimensionen des Okkultismus und der Wissenschaften«. In: *Okkultismus und Avantgarde. Von Munch bis Mondrian 1900–1915.* Ausst.Kat. Schirn Kunsthalle. Frankfurt am Main 1995, S. 13–32, hier S. 14.
11 Besant, Annie; Leadbeater, Charles Webster: *Gedankenformen.* Leipzig 1908, S. 1.
12 Zit. n. Fölsing, Röntgen (Anm. 9), S. 170.
13 Zit. n. Brachner, Röntgenstrahlen (Anm. 8), S. 55.
14 Ebd., S. 32.
15 Zit. n. Fischer, Andreas: »Ein Nachtgebiet der Fotografie«. In: Okkultismus (Anm. 10), S. 503–521, hier S. 514.
16 Ebd., S. 516–519.
17 Aksakow, Alexander: *Animismus und Spiritismus.* 2 Bde. Leipzig 1890.
18 Peter, J.: »Transscendental-Photographie. Vortrag in der Gesellschaft für wissenschaftliche Psychologie München«. In: *»Die Uebersinnliche Welt.« Monatsschrift für okkultistische Forschung,* Jg. 16, Nr. 1, 1908, S. 4–18, hier S. 17f.
19 Schrenck-Notzing, Albert von: *Materialisationsphänomene. Ein Beitrag zur Erforschung der mediumistischen Teleplastie.* München 1914.
20 Steiner, Rudolf: »Anthroposophie und Kunst. Vortrag vom 18. Mai 1923 in Kristiania (Oslo)«. In: *Rudolf Steiner. Tafelzeichnungen.* Ausst.Kat. Kunstforum in der Grundkreditbank Berlin. Ostfildern 1994, S. 42–61, hier S. 54f.
21 Ebd., S. 55.

Vorsatzblatt: Albert von Schrenck-Notzing, Materialisationsphänomen mit Eva C., München, 1913 (Ausschnitt); Institut für Grenzgebiete der Psychologie und Psychohygiene e.V., Freiburg

»Diesseitig bin ich gar nicht faßbar«[1]
Wanderer *im* oder *über* dem Nebelmeer?

Carla Schulz-Hoffmann

Unter dem Motto »Geschenkte Freiheit« setzte sich Günter Grass 1985 in einer die Gemüter erregenden Analyse mit dem Reizthema deutscher Vergangenheitsbewältigung auseinander. In polemischer Zuspitzung charakterisierte er etwa die marktbeherrschende informelle Malerei der ersten Nachkriegsjahre als willkommene Verdrängungsstrategie und Inspirationsquelle der Tapetenindustrie.[2] Damit wiederholte Grass in pointiert negativer Wendung ein Urteil, das, vielfach variiert, die Entwicklung *und* Rezeption der abstrakten Kunst begleitete. Zugleich galt diese jedoch auch stets als künstlerisch progressive Methode. Noch heute, Jahrzehnte nach den Grundsatzdiskussionen um die Bedeutung gegenständlicher und ungegenständlicher Kunst, gilt

161 Franz Marc, Im Regen, 1912; Öl auf Leinwand, 81,5 x 106 cm; Städtische Galerie im Lenbachhaus, München

162 Franz Marc, Rehe im Walde II, 1914; Öl auf Leinwand, 110,5 x 100,5 cm; Staatliche Kunsthalle Karlsruhe

163 Franz Marc, Tirol, 1914; Öl auf Leinwand, 135,7 x 144,5 cm; Bayerische Staatsgemäldesammlungen, Staatsgalerie moderner Kunst, München

der Abstraktion im Unterschied zur figurativen Malerei a priori das Prädikat größerer Fortschrittlichkeit einerseits und tieferer Geistigkeit andererseits, weit entfernt von den ebenso bedrängenden wie, gemessen an der »Ewigkeit«, banalen, niederen Zeitläufen. Dieser Stilisierung einer von der vergänglichen Dingwelt scheinbar unbelasteten Bildwelt zu reiner Spiritualität steht dann wiederum der Vorwurf weitgehender Unverständlichkeit, esoterischer Entfremdung von der Realität (und damit dem »durchschnittlichen« Kunstfreund), aber auch der Beliebigkeit und Unverbindlichkeit leerer Ornamentik und oberflächlicher Dekoration gegenüber.

Aufschlußreich sind in dieser Hinsicht bereits die frühen Interpreten, die zwar den Schritt zu einer autonomen, von den materiellen Bindungen der Alltäglichkeit befreiten Kunst begrüßen, die jedoch mit Skepsis auf einen diffusen Spiritualismus reagieren, der sich jeglicher Objektivierung entzieht. Und so vermerkt man ein gewisses Unbehagen, wenn Paul Fechter dem modernen Künstler ein Gespür dafür zugesteht, »daß er irgendwie Ausdrucksmedium der Weltseele ist«[3]. Drastischer formuliert es Carl Einstein, der in seinem kritischen Abriß der Kunst des 20. Jahrhunderts nur wenige Künstler der Avantgarde ungeschoren läßt. Zu diesen Auserwählten gehört Paul Klee, den er als bestimmenden Protagonisten der Ideenwelt des Blauen Reiters vorstellt.[4] Er gilt ihm als die »erheblichste Persönlichkeit unter den deutschen Künstlern«[5], während er am Kandinsky der zwanziger Jahre die in »Dreieck und Kreis« zu »Pedanterie gealterte«[6] Form rügt. Seine Einstellung zu Franz Marc bleibt, wohl bedingt durch dessen frühen Tod, unkonkret: Er glaubt zwar, daß er sich weiterentwickelt hätte, lehnt jedoch »manche kosmisch aufgedonnerten Banalitäten seiner Kriegszeichnungen« ab.[7]

Verblüffend ist einmal mehr sein luzides Urteil über künstlerische Phänomene der Zeit, wenn er etwa als zentrales Verdienst des Blauen Reiters zusammenfaßt: »Endlich stellen die Deutschen das Problem der autonomen Malerei und der frei entwickelten, halluzinativen Prozesse.«[8] »Man entscheidet sich romantisch,

164 Franz Marc, Die verzauberte Mühle, 1913; Öl auf Leinwand, 130,2 x 90,8 cm; The Art Institute of Chicago, Arthur Jerome Eddy Memorial Collection, 1931.522

165 Franz Marc, Zerbrochene Formen, 1914; Öl auf Leinwand, 111,8 x 84,4 cm; Solomon R. Guggenheim Museum, New York

166 Alexej von Jawlensky, Frauenkopf, 1912; Öl auf Karton, 61 x 51 cm; Staatliche Museen zu Berlin, Nationalgalerie

d. h. überschätzt nicht mehr die anscheinend eleganten und gelungenen Lösungen der beschränkten Vernunft, sondern öffnet seelische Bezirke, die bisher in den verworfenen Niederungen des Aberglaubens und Ungestaltens dämmerten.«[9] Einstein benennt damit summarisch entscheidende Kriterien für eine inhaltliche Genese abstrakter Kunst auf den Grundlagen des Blauen Reiters, kritisch auf ihre Relevanz hin an Kandinsky, Marc und Klee hinterfragt.

Wenngleich es sich dabei um weitverbreitete und vielfach diskutierte Überlegungen handelt, sieht Einstein sie erstmals als zwingend miteinander verwobenes Gerüst: Freudsche Psychoanalyse und beginnender Surrealismus sind Basis einer Kunstvorstellung jenseits der faktischen Realität, die sich an Traum und Unterbewußtsein orientiert, die transzendent und spirituell sein will und die damit ein schier unerschöpfliches gedankliches Reservoir in der Romantik hatte, die bezeichnenderweise in diesen Jahren eine fast inflationäre Renaissance erlebte.

Einstein unterscheidet rigoros zwischen der leeren Attitüde reiner Abstraktion, die er bei Marc, besonders jedoch bei Kandinsky zu erkennen meint, und einer autonomen Malerei, die sich im Sinne Paul Klees *Über-*

167 Alexej von Jawlensky, Einsamkeit, 1912; Öl auf Karton, 33,7 x 45,5 cm; Museum am Ostwall, Dortmund

168 Alexej von Jawlensky, Hügel, 1912; Öl auf Karton, 53,5 x 64 cm; Museum am Ostwall, Dortmund

169 Wassily Kandinsky, Abstrakte Komposition, 1914; Öl auf Leinwand, 53 x 62 cm; Sammlung Herman Berninger, Zürich

wirklichkeit erschafft. »Marc wie Kandinsky ermangeln der Gegengewichte ihrer gestaltverzehrenden Mystik. Im Bild überspielt ekstatische Leere und Hingerissenheit die grobschwache Gestalt, und die metaphysische Abstraktion läuft etwas leer in schmückenden Ornamenten [...] Kosmik und Ekstase im Absoluten enden tragisch im pathetischen, etwas mechanischen Entwurf«[10], wohingegen Klee die Kunst in seiner surrealen Gegenstandswelt »wieder zum magischen Mittel und zur Prophetie des Künftigen«[11] formt. Der gravierende Vorwurf gegen eine falsch verstandene Abstraktion – Kandinsky »verwechselt offenbar Gegenstand und Gestalt«[12] – ist dessen Tendenz zu pathetischer Ornamentik, die Oberfläche bleibt und keinen neuen Vorstellungsraum erschafft.

Unweigerlich fühlt man sich an jene Kontroverse erinnert, die Adolf Loos 1908 mit seinem provokativ »Ornament und Verbrechen« benannten Aufsatz auslöste, der bezeichnenderweise in reformgerechter Kleinschreibung abgefaßt war.[13] Seine auf die angewandte Kunst gemünzte These, die auf strikte Trennung von Kunst und Zweck zielt, lautete apodiktisch: »Evolution der kultur ist gleichbedeutend mit dem entfernen des ornaments aus dem gebrauchsgegenstande.«[14] Seitdem hat sich der Streit um die Relevanz und Bedeutung des Ornaments als Grundelement des Dekorativen nie ganz beruhigt und bewahrte sich zugleich auf beiden Seiten den Unterton moralischer Entrüstung. Wird das Ornament zu einer negativen, verbrecherischen Kraft, weil es wie dekorativer Zuckerguß die Klarheit des Gegenstandes überspielt und damit von dessen qualitativer Substanz ablenkt? Oder ist gerade umgekehrt das Ornament als abstrakte, gegenständlich nicht eindeutig festgelegte Form Grundlage einer von anekdotischen Zufälligkeiten geläuterten Kunst? Mit ebenso genialer wie – im Rückblick auf die Geschichte – gefährlicher Unbekümmertheit bringt Loos seine Polemik auf den Punkt: »Das kind ist amoralisch. Der papua ist es für uns auch. Der papua schlachtet seine feinde ab und verzehrt sie. Er ist kein verbrecher. Wenn aber der moderne mensch jemanden abschlachtet und verzehrt, so ist er ein verbrecher oder ein degenerierter. Der papua tätowiert seine haut, sein boot, seine ruder, kurz alles, was ihm erreichbar ist. Er ist kein verbrecher. Der moderne mensch, der sich tätowiert, ist ein verbrecher oder ein degenerierter. Es gibt gefängnisse, in denen achtzig prozent der häftlinge tätowierungen aufweisen. Die tätowierten, die nicht in haft sind, sind latente verbrecher oder degenerierte aristokraten. Wenn ein tätowierter in freiheit stirbt, so ist er eben einige jahre, bevor er einen mord verübt hat gestorben.«[15]

Loos folgert daraus, daß eine Evolution, die sich als fortschreitende Entwicklung zum Besseren hin begreift, mit einem rigorosen Ornamentverzicht einhergehen muß. Demgegenüber sieht Wilhelm Worringer, dessen grundlegende Untersuchung *Abstraktion und Einfühlung* gleichfalls 1908 publiziert wurde, im Ornament das vom Naturvorbild abstrahierte Gesetz[16], in dem »das Kunstwollen eines Volkes am reinsten und ungetrübtesten zum Ausdruck kommt«[17]. Voraussetzung war die antithetische, aber wertneutrale Setzung von organischen und anorganischen Entwicklungsprozessen. Sie gipfelt in einer Schlußfolgerung, die die Grenzen reiner Abstraktion auf den Punkt bringt und damit ein Kernproblem der späteren Kontroversen antizipiert: »Alle transzendentale Kunst geht also auf eine Entorganisierung des Organischen hinaus, d.h. auf eine Übersetzung des Wechselnden und Bedingten in unbedingte Notwendigkeitswerte. Solche Notwendigkeit aber vermag der Mensch nur im großen Jenseits des Lebendigen, im Anorganischen, zu empfinden. Das führte ihn zur starren Linie, zur toten kristallinischen Form. Alles Leben übertrug er in die Sprache dieser unvergänglichen und unbedingten Werte.«[18]

Diese scheinbar selbstevidente Synthese von Abstraktion und Transzendenz – gerne gekoppelt mit emotionaler Askese und idealistischem Impetus – wird zum Angelpunkt für eine Kritik, die sich einer Überhöhung der Kunst zur Ersatzreligion verweigert. Und auf ein nicht geringeres Ziel haben sich weite Bereiche der Moderne, insbesondere jedoch die Künstler des Blauen Reiters, eingeschworen! Nach Franz Marcs vielzitierter Formulierung gilt es, »Symbole zu schaffen, die auf die Altäre der kommenden geistigen Religion gehören«[19] und »das Volk [...] statt zum goldenen Kalbe [...] wieder zu Gott«[20] zurückzuführen. Der Künstler wird damit ganz im Sinne von Novalis zum »transzendentalen Arzt« und »Priester«[21], der die Sehnsucht nach Reinheit und Ursprünglichkeit in sich und seinem Werk verkörpert.

Der dieser Vorstellung zugrundeliegende Wunsch nach Entmaterialisierung erforderte Abstraktion von der Begrenzung der optisch erfahrenen Wirklichkeit. Dies war durch Reduktion und Typisierung ebenso möglich wie durch ein Überschreiten in die *surrealen* Bereiche von Traum und Unterbewußtsein.

Formal erscheint das Konzept von Franz Marc in diesem Zusammenhang vergleichsweise unkompliziert, ohne deshalb allerdings inhaltlich notwendigerweise konkreter faßbar zu sein. »Entmaterialisierung« konzentriert sich bei ihm unmittelbar auf den realen Naturvorwurf, der als allgemeine Idee trotz größter Abstraktion spürbar bleibt. Seine Kompositionen sind auch dort, wo sie physisch zu zerbrechen drohen, auf eine benennbare Gesamtheit bezogen. Die Bildgegenstände selbst werden in einer flächenübergreifenden Prismatisierung, einem kontinuierlichen Farbrhythmus, zusammengefaßt und evozieren damit keine gegensätzlichen Assoziationen. Sie vermitteln vielmehr *eine* Stimmung, irritieren nicht durch kontroverse Vorstellungen, sondern werden zu in sich beschlossenen *Andachtsbildern*, die ganz auf die Bereitschaft des einzelnen zu meditativer Versenkung abzielen. Und die Apotheose von Tier und Natur, die vordergründig gemeint ist, gerät zur Verherrlichung einer subjektiven, geheimnisvollen Weltsicht, der das individuelle Tier lediglich als Vehikel dient. Religiosität wird zu einem kaum präzisierbaren, mystischen Empfinden, das sich nicht am realen Naturgegenstand ausrichtet, sondern an einer vom Künstler gedachten »Idee« von Natur[22], die sich auf Visionen einer fernen Zukunft konzentrieren.

Das Weltverständnis ist, in Anlehnung an Robert Delaunay, »simultan«[23]. In eigenwilliger Schwärmerei verbindet Marc romantischen Naturmystizismus mit einem durchaus esoterisch verstandenen Wissenschafts- und Technologiekult, der dem Futurismus ebenso huldigt wie den neuesten wissenschaftlichen Erfindungen, um sie beide ins Okkulte zu wenden. In einem denkwürdigen Vortragsmanuskript »Zur Kritik der Vergangenheit«[24] berichtet er vom »Geist der chemischen Analyse, die die Kräfte zerlegt und eigenmächtig verbindet« und beschreibt den »Telegraphenapparat« als »eine Mechanisierung der berühmten Klopftöne«, die »drahtlose Telegraphie« als »ein Exempel der Telepathie«, und das Grammophon »scheint experimentell

170 August Macke, Mädchen mit Fischglas, 1914; Öl auf Leinwand, 81 x 100,5 cm; Von-der-Heydt-Museum Wuppertal

171 August Macke, Badende mit Stadt im Hintergrund, 1913; Öl auf Leinwand, 100,6 x 80,4 cm; Bayerische Staatsgemäldesammlungen, Staatsgalerie moderner Kunst, München

zu beweisen, daß die Verstorbenen noch zu uns reden können«[25]. Warum also sollte mit dem Rückhalt dieses Wissens nicht eine parallele künstlerische Arbeit möglich sein? Wenn überwirkliche Kräfte offenbar dem Reich der Tatsachen zugehörig sind, warum sollte dann nicht ebenso eine spirituelle Bildwelt denkbar sein, erschaffen von einem ähnlich funktionierenden *künstlerischen Röntgenblick*? Wo die Funktion von Caspar David Friedrichs **Kreuz im Gebirge** (Abb. S. 280) ebensogut von einem veritablen Telegraphenmast erfüllt werden kann (Kat.Nr. 167), zumal er offenkundig einen direkten telepathischen Draht zur Spiritualität verspricht, sollte eine adäquate Lösung im Medium der Malerei durchaus möglich sein! Diese Apotheose in einer von allen Schlacken der Materie befreiten, strahlend hellen Zukunft verlangte allerdings nach übermenschlichen Anstrengungen, nach einem gigantischen physischen Zusammenbruch. Zumindest theoretisch ergab sich daraus jene schwer erträgliche Überhöhung des Ersten Weltkrieges als möglicher *Katharsis* und damit zwingender Voraussetzung für jeden wirklichen Neuanfang.[26] Erlösung aus dem Dunkel, so die These, war nicht durch Umformulierung des Vorhandenen denkbar, sondern nur durch einen radikalen Bruch, der allein eine Wiedergeburt wie Phönix aus der Asche erhoffen ließ.

Marcs ebenso anspruchsvoller wie pathetischer Utopie einer schönen neuen Welt, die sich in *einer* Formsynthese und damit in ähnlichen Bildern verdichtet, steht Klees wertfreies, den ewigen Gesetzmäßigkeiten der Natur nachspürendes *Experiment* gegenüber, das potentiell unbegrenzt ist. Marc war in der Interpretation von Klee noch »Species«, das heißt Mensch mit den seiner Gesellschaft entsprechenden normativen moralischen Vorstellungen, wohingegen sich Klee als »Neutralgeschöpf«[27] bezeichnet. Er steht als Künstler außerhalb sozialer Verbindlichkeiten und begreift seine Arbeit als Versuchsreihe ohne Anfang und Ende. Während sie Marc als »Symbol« für »die Altäre der kommenden geistigen Religion«[28] fordert, wird sie Klee in letzter Konsequenz zum Gleichnis der Schöpfung. »Sie ist jeweils ein Beispiel, ähnlich wie das Irdische ein Beispiel ist.«[29] Klee teilt weder Marcs Sublimierung von Krieg und Zerstörung noch dessen Stilisierung des Todes zur positiven Instanz. Und nicht die *Sehnsucht* als Projektion in eine bessere Zukunft wird entscheidend, sondern der nicht eindeutig gerichtete *Weg* mit all seinen potentiellen Haupt- und Nebenlinien. Subjektivismus ist nicht als isolierte, unabhängige Kategorie denkbar, sondern steht in Zusammenhang mit der Forderung nach Disziplinierung in permanentem Experiment, da nur so die geforderte Nähe zur »ideellen Ursprünglichkeit«[30] gelingen kann. Abstraktion meint dabei zunehmende Reduktion, meint »Sparsamkeit, als letzte professionelle Erkenntnis«[31]. Sublimierung der Natur wird so zu einer Frage von Rationalität und

172 Robert Delaunay, Der Eiffelturm, 1911; Öl auf Leinwand, 202 x 138,4 cm; Solomon R. Guggenheim Museum, New York

173 Paul Klee, Plan einer Maschinenanlage, 1920.163; Ölfarbe auf Aquarell auf Papier, unten Randstreifen mit Aquarell, auf Karton 24,5 x 32 cm; Privatsammlung

Askese, von schrittweiser Beschränkung auf einfachste Grundformen, die Klee allein als Reflex des Gesamten tauglich erscheinen. Daraus entstehen neue Welten, *Geisterzimmer* mit einer ihnen eigenen Logik, die nicht die Realität verlassen, sondern die sich als komplexes Gefüge aus Sichtbarem und Unsichtbarem, aus physischen und psychischen Bereichen begreifen. Mit den Mitteln der Abstraktion erreicht Klee eine *Metaphysik der Realität*, in der er sich überraschenderweise mit Max Beckmann trifft, wenngleich beide von unterschiedlichen Polen kommen (vgl. S. 276 ff.).

Dieser distanzierte gedankliche Zugang, der auch Klees Vorstellung von Spiritualität charakterisiert, kennzeichnet bis zu einem gewissen Grad ebenso Kandinsky. Was Marc intuitiv erspürt, entspricht bei Kandinsky der durchdachten, logischen Folgerung, und jene zukünftige »geistige Epoche«, die beide gegen den Materialismus ihrer Zeit erhoffen, wird von Kandinsky in weniger mystischen Sphären angesiedelt. Seine Vertrautheit mit esoterisch-spiritistischen, modischen Tendenzen seiner Zeit ist zwar belegt[32], scheint jedoch weniger unmittelbar zum Tragen zu kommen.

174 Paul Klee, Der Seiltänzer, 1923.121; Bleistift, Aquarell und Ölpause auf Papier auf Karton, 48,7 x 31,2 cm; Paul-Klee-Stiftung, Kunstmuseum Bern

175 Paul Klee, Zimmerperspektive mit Einwohnern, 1921.24; Ölpause und Aquarell auf Papier auf Karton, 48,5 x 31,7 cm; Kunstmuseum Bern

176 Paul Klee, Schwarzmagier, 1920.13; Ölfarbenzeichnung und Aquarell auf Kreidegrundierung auf Karton, 37,3 x 25,2 cm; Staatliche Museen zu Berlin, Nationalgalerie, Leihgabe der Sammlung Berggruen

177 Paul Klee, polyphon gefasstes Weiss, 1930.140; Feder und Aquarell auf Papier auf Karton, 33,3 x 24,5 cm; Kunstmuseum Bern, Paul-Klee-Stiftung

178 Paul Klee, Doppelzelt, 1923.114; Aquarell auf Papier auf Karton, 50,6 x 31,8 cm; Sammlung A. Rosengart

179 Paul Klee, Eros, 1923.115; Aquarell auf Papier auf Karton, 33,3 x 25,5 cm; Sammlung A. Rosengart

Die bildnerische Umsetzung seiner vielschichtigen spirituellen Ansätze erfolgt dementsprechend komplizierter und für den Betrachter schwerer greifbar als bei Marc. Vergleichsweise klare Assoziationsansätze bieten die Arbeiten, die noch gegenständlich geläufige Motive enthalten. Diese konkreten inhaltlichen Dimensionen verlieren sich jedoch in Relation zur steigenden Abstraktion seiner Bilder. Sie werden zu Meditationsobjekten, deren geistiger Gehalt im Gegenüber einen Widerklang finden *kann*, wenn eine entsprechende Bereitschaft vorhanden ist. In der ihm eigenen mystifizierenden Sprache charakterisiert schon Marc diese Seite in den Bildern des Freundes. Er sieht sie »in die blaue Himmelswand getaucht, wo sie in Stille ihr Feierleben leben«, sie »sind nicht aus sterblichem Willen geformt [...] ihr Sein ist unsterblich [...] warum sollen wir nicht glauben, daß ein Erzengel sie dort [d. h. an der Himmelswand] gemalt hat, Dinge aus seinem Reich, durch die Hand unseres Freundes Kandinsky?«[33] Mit ihrer Überhöhung in eine immaterielle Sphäre wird ihre Akzeptanz letztlich zu einer Glaubensfrage, ein Problem, das auch ein bezeichnendes Licht auf das unterschiedliche Ausgangsverständnis beider Künstler wirft. Denn Kandinsky war weit davon entfernt, nebulöse Unverbindlichkeit für sein Werk zu akzeptieren. Vielmehr war er davon überzeugt, daß der »Geist der Malerei [...] im organischen direkten Zusammenhang mit dem schon begonnenen Neubau des neuen geistigen Reiches steht, da dieser Geist die Seele ist der *Epoche des großen Geistigen*«[34]. Zumindest verbal wird damit die bestimmende geistige Kraft der Kunst als Faktum behauptet. Der Abstraktion fällt dabei die dominierende Rolle zu, denn nur sie kann Äquivalent dieser Epoche des Geistigen sein, nur sie entspricht der »dritten Offenbarung«[35] als einer geläuterten religiösen Entwicklungsphase.

Aber inwieweit taugen die zur Verfügung stehenden ungegenständlichen Chiffren zur Konkretisierung von Positionen, die sich nicht in ganz allgemeinen Stimmungen und emotionalen Befindlichkeiten erschöpfen wollen? Oder ist die Frage falsch gestellt, weil eine *diesseitige Faßbarkeit*[36] in jedem Fall trockenes Gerüst wäre?

Das Dilemma bleibt unlösbar – Geistigkeit, Spiritualität sind nicht wirklich verifizierbar und eher die Frage eines vergleichbaren »metaphysischen Codes«[37] von Künstler und Betrachter. Wo der eine tiefe Geistigkeit ahnt, sieht der andere nur schöne Dekoration. Bis zu einem gewissen Grad objektivierbar wird lediglich – und man mag streiten, ob dies viel oder wenig ist – die Qualität des jeweiligen Werkes in seinen formalen, farblichen, kompositionellen und so weiter Koordinaten sein, wohingegen jede darüberhinaus gehende Dimension abhängige Variable des Betrachters bleibt. Das Problem der Abstraktion ist vielleicht weniger eine Frage ihrer optischen als ihrer inhaltlichen Akzeptanz. Auf der einen Ebene wandert es sich leicht in lichten Höhen, auf der anderen kann der Nebel durchaus undurchdringlich erscheinen.

180 Paul Klee, Rot-Stufung, 1921.89; Aquarell auf Papier mit Leimtupfen auf Karton, mit Tusche eingefaßt, 21 x 31,1 cm; Staatliche Museen zu Berlin, Nationalgalerie, Leihgabe der Sammlung Berggruen

Anmerkungen

1 Paul Klee, aus seiner handschriftlichen Biographie. In: Weddehop, H. von: *Paul Klee*. Leipzig 1920 (Junge Kunst, Bd. 13). Nachdruck unter dem Titel »Eine biographische Skizze nach Angaben des Künstlers«. In: *Der Ararat*. Zweites Sonderheft, »Paul Klee«. Katalog der 60. Ausstellung der Galerie Neue Kunst – Hans Goltz, München. München 1920, S. 20.

2 Grass, Günter: »Geschenkte Freiheit«. Rede zum 8. Mai 1945, Akademie der Künste, Berlin, 5. Mai 1985. Zit. n. Jochen Poetter (Hg.): *ZEN 49*. Baden-Baden 1986, S. 11.

3 Fechter, Paul: *Der Expressionismus*. München 1914, S. 50.

4 Einstein, Carl: *Die Kunst des 20. Jahrhunderts*. Hg. und kommentiert von Uwe Fleckner und Thomas W. Gaehtgens. In: *Carl Einstein, Werke*. Berliner Ausgabe. Bd. 5. Berlin 1996, S. 241 (1926 in Berlin als Bd. 16 der Propyläen Kunstgeschichte erschienen; erst die 3. Ausgabe von 1931 widmete allerdings dem Blauen Reiter, dem dieses Zitat gilt, ein eigenes Kapitel).

5 Ebd., S. 243.

6 Ebd., S. 242.

7 Ebd.

8 Ebd., S. 241.

9 Ebd., S. 244.

10 Ebd., S. 249f.

11 Ebd., S. 269.

12 Ebd., S. 253.

13 Loos, Adolf: »Ornament und Verbrechen«, 1908. Zit. n. Ernst H. Gombrich: *Ornament und Kunst*. Stuttgart 1982, S. 71ff.

14 Ebd., S. 73.

15 Ebd.

16 Worringer, Wilhelm: *Abstraktion und Einfühlung. Ein Beitrag zur Stilpsychologie*. München 1908. Zit. n. der 2. Auflage der Neuauflage von 1959, München 1981, S. 99.

17 Ebd., S. 89.

18 Ebd., S. 180f.

19 Lankheit, Klaus (Hg.): *Franz Marc. Schriften*. Köln 1978, S. 143.

20 Ebd., S. 114.

21 Müller, Andreas (Hg.): »Kunstanschauung der Frühromantik«. In: Paul Kluckhohn (Hg.): *Deutsche Literatur. Reihe Romantik*. Bd. 3. Leipzig 1931, S. 220, 225.

22 Erinnert sei dabei an eine auf den ersten Blick ähnliche Haltung, wie sie in dem vieldiskutierten **Tetschener Altar** von Caspar David Friedrich zum Tragen kommt, in dem trotz aller Subjektivität wohl doch Natur noch als konkretes Gegenüber gemeint ist.

23 Vgl. hierzu etwa Delaunay, Robert: »La Lumière«. In der Übersetzung von Paul Klee publiziert in: Herwarth Walden (Hg.): *Der Sturm*, Jg. 3, Nr. 144/145, S. 225f.

24 Marc, Franz: »Zur Kritik der Vergangenheit. Manuskript für einen Vortrag«. Zit. n. *Okkultismus und Avantgarde. Von Munch bis Mondrian 1900–1915*. Ausst.Kat. Schirn Kunsthalle Frankfurt am Main. Frankfurt am Main 1995, S. 274ff.

25 Ebd., S. 275.

26 Vgl. hierzu etwa folgende Äußerung von Franz Marc, der immer wieder vom Krieg als »Leidensopfer« und »Reinigung« spricht: »Weil man die Verlogenheit der europäischen Stile nicht mehr aushielt. Lieber Blut als ewig schwindeln; der Krieg ist ebensosehr Sühne als selbstgewolltes Opfer, dem sich Europa unterworfen hat, um ›ins Reine‹ zu kommen mit sich«. In: Franz Marc: *Briefe aus dem Feld*. Berlin 1940, S. 58.

27 Klee, Paul: *Tagebücher 1898–1918*. Textkritische Neuedition. Hg. von der Paul-Klee-Stiftung, Kunstmuseum Bern. Bearb. von Wolfgang Kersten. Bern 1988, S. 401f.

28 Vgl. Lankheit, Marc (Anm. 19), S. 143.

29 Beitrag Paul Klees für den Sammelband *Schöpferische Konfession*. Berlin 1920. In: Christian Geelhaar (Hg.): *Paul Klee. Schriften, Rezensionen und Aufsätze*. Köln 1976, S. 122.

30 Klee, Paul: *Unendliche Naturgeschichte. Prinzipielle Ordnung der bildnerischen Mittel, verbunden mit Naturstudium, und konstruktive Kompositionswege, Form- und Gestaltungslehre*. Bd. II. Hg. und bearb. von Jürg Spiller. Basel; Stuttgart 1970, S. 67.

31 Klee, Paul: *Das bildnerische Denken. Schriften zur Form- und Gestaltungslehre*. Hg. und bearb. von Jürg Spiller. Basel; Stuttgart 1956, S. 451 (aus einem Vortrag, gehalten aus Anlaß einer Gemäldeausstellung im Kunstverein zu Jena am 26. Januar 1924. Erstmal erschienen unter dem Titel: Paul Klee: *Über die moderne Kunst*. Bern-Bümplitz 1945).

32 Vgl. hierzu besonders Ringbom, Sixten: »Kandinsky und das Okkulte«. In: Armin Zweite (Hg.): *Kandinsky und München. Begegnungen und Wandlungen 1896–1914*. Ausst.Kat. Städtische Galerie im Lenbachhaus München. München 1982, S. 85ff.

33 Franz Marc, zit. n. Lankheit, Marc (Anm. 19), S. 139.

34 Kandinsky, Wassily: *Über das Geistige in der Kunst*. Bern [9]1970, S. 143.

35 Vgl. Ringbom, Kandinsky (Anm. 32), S. 100.

36 Vgl. hierzu Klee (Anm. 1).

37 Formulierung Max Beckmanns gegenüber Curt Valentin. Vgl. hierzu Göpel, Erhard und Barbara: *Max Beckmann. Katalog der Gemälde*. Bd. 1. Bern 1976, Nr. 200, S. 276.

Illuminierte Welt

Moritz Wullen

Auf Albrecht Dürers Holzschnitt **Der Zeichner des liegenden Weibes** sieht man den Künstler bei der Arbeit am offenen Fenster (Abb. S. 230). Helligkeit strömt in das Studio, fällt auf den Akt, den Zeichentisch und erfüllt das Auge des fleißigen Zeichners. Im Kontinuum des Lichts finden Auge und Dinge zueinander, navigiert sich der künstlerische Scharfblick durch die anspruchsvolle Räumlichkeit der verschränkten Räkelpose. Mehr als 150 Jahre später, in Athanasius Kirchers Modellentwurf einer *camera obscura*, weist diese Kontinuität erste Brüchigkeiten auf (Abb. S. 230). Hineingebastelt in eine hausgroße Kiste, hat sich das Auge aus dem Lichtkreis der Natur zurückgezogen. Nur durch ein winziges Loch fällt Licht in die Kammer des Zeichners und projiziert das Bild der Außenwelt in punktsymmetrischer Verkehrung auf einen Schirm, auf dessen Rückseite es erst nach neuer, diesmal spiegelsymmetrischer Verdrehung faßbar wird. Das Kontinuum des Lichts, das Dürers sonnenhelles Atelier so entspannt durchfloß, ist eingeschnürt zu einem engen, in sich verdrehten Schlauch, der die Sichtbarkeit der Dinge nur noch gebrochen transportiert.

Das 19. Jahrhundert kappt auch diese letzte, ohnedies schon überdehnte Nabelschnur. Das Wesen des Lichts, einst als göttlich gefügtes Medium visueller Erfahrung gedacht, wird namentlich in der Kunst zum Problem, zum ästhetischen Zweifelpunkt. Man erkennt: Die visuelle Sensation des Lichts ist nicht weniger, aber auch nicht mehr als eine visuelle Sensation, eine Erfindung des Sehens, das sich stets nur als Sehen von Licht empfinden kann. So schmilzt, je nachdem, wie das Sehen sich sieht, das Licht des 19. Jahrhunderts spätromantisch-stimmungsvoll über klassische Landschaftsbühnen hin, funkelt impressionistisch über Zypressen und die Wasser der Seine, wühlt sich gedankenvollschwer aus der Rätseltiefe symbolistischer Bilder oder zersprüht zu pointillistischem Farbgesprenkel. In der finalen *camera obscura* agiert die Kunst nun wie ein Wesen der Nacht, das vom Licht allein durch sehnsuchtsvolle Mythen weiß und sich Licht verschaffen will, ohne Licht wirklich je gesehen zu haben.

Auch die Wissenschaft und die technologische Forschung jener Zeit haben unverkennbar lemurische Züge. Im verschatteten Reich der Laboratorien feiern sie ihre spektakulärsten Lichterlebnisse, entdeckt William Talbot auf fotografisch vorbehandeltem Papier eine gleichsam aus dem Nichts entstandene Zeichnung, entfacht Sir William Crookes mittels elektrischer Impulse in luftleer ausgepumpten Glasgefäßen ein mysteriöses Irisieren, erblickt Wilhelm Conrad Röntgen mit visionärer Plötzlichkeit das fluoreszierende Gerippe seiner durchleuchteten Hand; und mit den Séancen des Münchener Starpsychologen Albrecht von Schrenck-Notzing vollzieht sich die völlige Verkapselung der *camera obscura* zu einer *camera occulta*.[1] Von schweren Vorhängen und Draperien nächtlich abgedunkelt, werden die Kabinette seiner spiritistischen Sitzungen zur Schaubühne rätselvoller, wahrhaft dunkelster Lichtphänomene.

In einer lichtdicht verschalten Welt, die ihre einzige Realitätsgarantie bereits im Vorfeld jedes menschlichen Gedankens – und da mag ein Philosoph noch so schnell und pfiffig ›schalten‹ – für das Vorhandensein einer bloßen, namenlosen Dunkelheit vergeben hat, bedarf es also schon eines entschiedenen technischen Willens oder einer starken künstlerischen Vorstellung, um soviel nachhaltiges Dunkel durch Illumination zu kompensieren. László Moholy-Nagy (sprich: »Nodsch« mit weichem »sch«) führt beide Kräfte zusammen: Imagination und Technik, Geist und Kalkül. Seine von 1922 bis 1930 zunächst in Berlin, dann in den Weimarer und Dessauer Bauhaus-Instituten entwickelte, auch als »Lichtrequisit«, »Light-Prop« oder »Light-Space-Modulator« bezeichnete »Lichtmaschine« (Kat.Nr. 185) ist zunächst, von der technischen Seite her gesehen, nichts anderes als ein apparatives Wunderding, das sich,

Albrecht Dürer, Der Zeichner des liegenden Weibes, um 1525

Athanasius Kircher, Camera obscura, 1671

185 László Moholy-Nagy, Licht-Raum-Modulator, 1922-30 (Rekonstruktion 1970); bewegliche Metallkonstruktion mit Teilen aus Glas, Plexiglas und Holz, von einem Motor angetrieben, Höhe (ohne Antriebsteil) 90 cm, Ø ca. 80 cm; Bauhaus-Archiv Berlin

anders als die Mona Lisa, beliebig replizieren läßt, wie tatsächlich auch geschehen: Lange nach seinem Tod, Anfang der siebziger Jahre, wurde das im Busch-Reisinger Museum in Cambridge, Mass., befindliche Original nach den Plänen des Künstlers und unter Aufsicht der Künstlerwitwe gleich zweimal neu aufgelegt. Auf seiner Kunstseite jedoch ist der »Modulator« eine einzigartige, unwiederholbare Metapher für das Licht des menschlichen Geistes, der in der Dunkelheit, im hoffnungslosen Nichts der Welt doch räumliche und zeitliche Schattierungen erkennen will, und sei es, daß er sie selbst erst projizieren muß, um überhaupt etwas erkennen zu können. In Moholy-Nagys 1917 entstandenem Gedicht »Lichtvision« heißt es am Ende:

> [...] Aber der Menschen Geist, so traurig klein,
> Durchbrach die Dunkelheit des Nichts und band
> Materie, Raum und Zeit an die Konturen des Lichts,
> Des ewigen Lichts, das Licht des lebendigen Lebens.
> Das Nichts, vergebens ausgemessen
> In Zeit und Raum, wandelt den verdunkelten Menschen –
> Licht, totales Licht, schafft den totalen Menschen.[2]

Mit der Verzweiflung in der Dunkelheit wächst die Hoffnung auf die Erlösung im Licht. In seinen Fotogrammen, entstanden aus zufälligen Objektarrangements auf Fotoplatten, nahm Moholy-Nagy die Offenbarungen einer künftigen Lichtwelt vorweg (Kat.Nrn. 186–191). Das Fotografieren wurde zur kultischen Handlung. Gleichzeitig entwarfen Architekten wie Walter Gropius, Peter Behrens, Hans Luckhardt oder der junge Max Taut (Abb. S. 232) die Paläste einer zukünftigen Lichtreligion. Man war sich sicher: Aus Glas sollten sie sein, so zart und kristallin wie die visionären Architekturen des Lyonel Feininger (Kat.Nr. 192). In der bezeichnenderweise unter dem Titel *Frühlicht* publizierten Avantgardezeitschrift des jungen Bauens der zwanziger Jahre forderte Paul Scheerbart in holperndem Pathos:

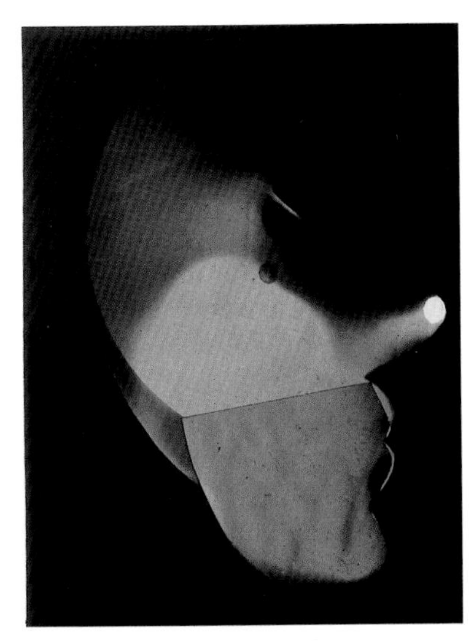

186 László Moholy-Nagy, Selbstporträt im Profil, 1922; Fotogramm, 30 x 23,5 cm; Bauhaus-Archiv Berlin

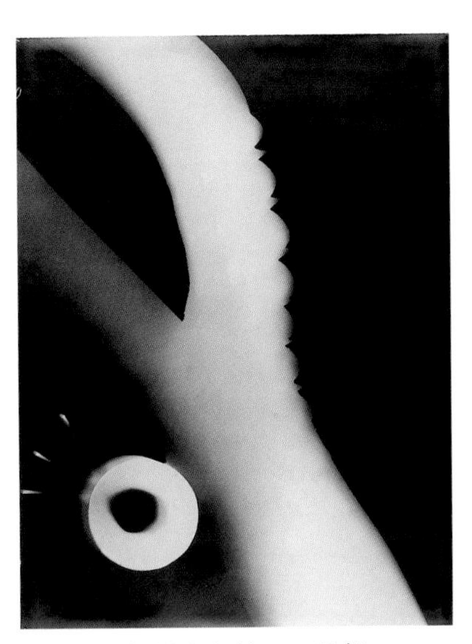

187 László Moholy-Nagy, o.T. (Fotogramm), 1924; Gelatinesilber, 40 x 30 cm; Grafische Sammlung, Museum für Gestaltung Zürich

188 László Moholy-Nagy, Fotogramm, positiv, 1925-27; Gelatinesilber, matt, 23,8 x 17,8 cm; Bauhaus-Archiv Berlin

189 László Moholy-Nagy, Fotogramm, 1922; schwarz/weiß, 40 x 30 cm; Grafische Sammlung, Museum für Gestaltung Zürich

190 László Moholy-Nagy, Fotogramm (Grater), vor 1928; Vintage Silver Print, 23,8 x 17,8 cm; Thomas Walther Collection, New York

191 László Moholy-Nagy, Fotogramm, 1923; schwarz/weiß, 40 x 30 cm; Grafische Sammlung, Museum für Gestaltung Zürich

192 Lyonel Feininger, Villa am Strande, 1920; Holzschnitt, 40,8 x 45,1 cm; Staatliche Museen zu Berlin, Kupferstichkabinett

Max Taut, Lesabendio, Lichtturm Nuse, Scheerbart, 1921; Stiftung Archiv der Akademie der Künste, Berlin, Nachlaß Max Taut

[...]
10. Das Licht will durch das ganze All
Und ist lebendig im Kristall,
11. Das Prisma ist doch groß,
Drum ist das Glas famos.
12. Wer die Farbe flieht,
Nichts vom Weltall sieht.
13. Das Glas bringt alles Helle,
Verbau es auf der Stelle.
14. Das Glas bringt uns die neue Zeit;
Backsteinkultur tut uns nur leid.[3]

Die papiergebliebenen Kathedralen der zwanziger Jahre, die Lichtgebete des Moholy-Nagy sind ein frühmodernes Pfeifen im Walde. Wenn die Stille unerträglich wird, sorgt man selbst für die Geräuschkulisse. Wo die Schwärze und das Nichts den Blick erschrecken, illuminiert man sich die Welt mit gläsernem Glanz und Feuerwerk. Am Ende des 20. Jahrhunderts, wie zum Abschied einer großen Illusion, wirft ausgerechnet die Illusionsfabrik der Kinematografie mit *Matrix* die Frage auf, ob nicht alle Welt nur Projektion ist, das ins Nichts geflunkerte Konstrukt einer »Lichtmaschine«.

Anmerkungen

1 Vgl. das Kapitel »Wellen und Strahlen – Wege ins Licht«.
2 Zit. n. Moholy-Nagy, Sibyl: *Moholy-Nagy, Experiment in Totality.* New York 1930, S. 11.
3 Paul Scheerbart: »Sprüche für das Glashaus«. Zit. n. *Frühlicht: Beilage zur Stadtbaukunst aus alter und neuer Zeit*, H. 3, 1920.

Das Geistige in der Kunst

Kosmos – Geist – Sensibilität
Wassily Kandinsky und Yves Klein

Angela Schneider

Als »Persona des Kosmos, durch die der innere Klang des Universums tönt«, empfanden sie sich beide[1]: Wassily Kandinsky und Yves Klein, die, Russe der eine, Franzose der andere, zu verschiedenen Zeiten und an verschiedenen Orten in Deutschland gewirkt haben. Unterschiedlich ist auch ihr Werk. Auf ihrem künstlerischen Weg jedoch, der Suche nach Unendlichkeit, Leere und kosmischer Energie, nicht zuletzt nach einem neuen geistigen Zeitalter, das die Materie überwinden wird, lassen sich beide Künstler von theosophischen und spirituellen Vorstellungen einerseits und den Erkenntnissen der Wissenschaft andererseits beflügeln.

War Yves Klein seit 1948 selbst Mitglied der Rosenkreuzer und hatte sich intensiv mit Max Heindels Buch *La Cosmologie des Rose-croix* (Die Rosenkreuzer-Weltanschauung) und seinen mystisch-christlichen Lehren beschäftigt, so hatte Kandinsky die Schriften Helena Blavatskys, Annie Besants und C.W. Lead-

194 Wassily Kandinsky, Einbandentwurf für »Über das Geistige in der Kunst«, um 1910; Deckfarbe und Tusche auf Papier, 17,5 x 13,3 cm; Städtische Galerie im Lenbachhaus, München

195 Yves Klein, RP 7, Globe terrestre, 1957; Blau-Pigment und Kunstharz auf Gips, 40,5 x 29,5 x 29 cm; Yves Klein Archives, Paris

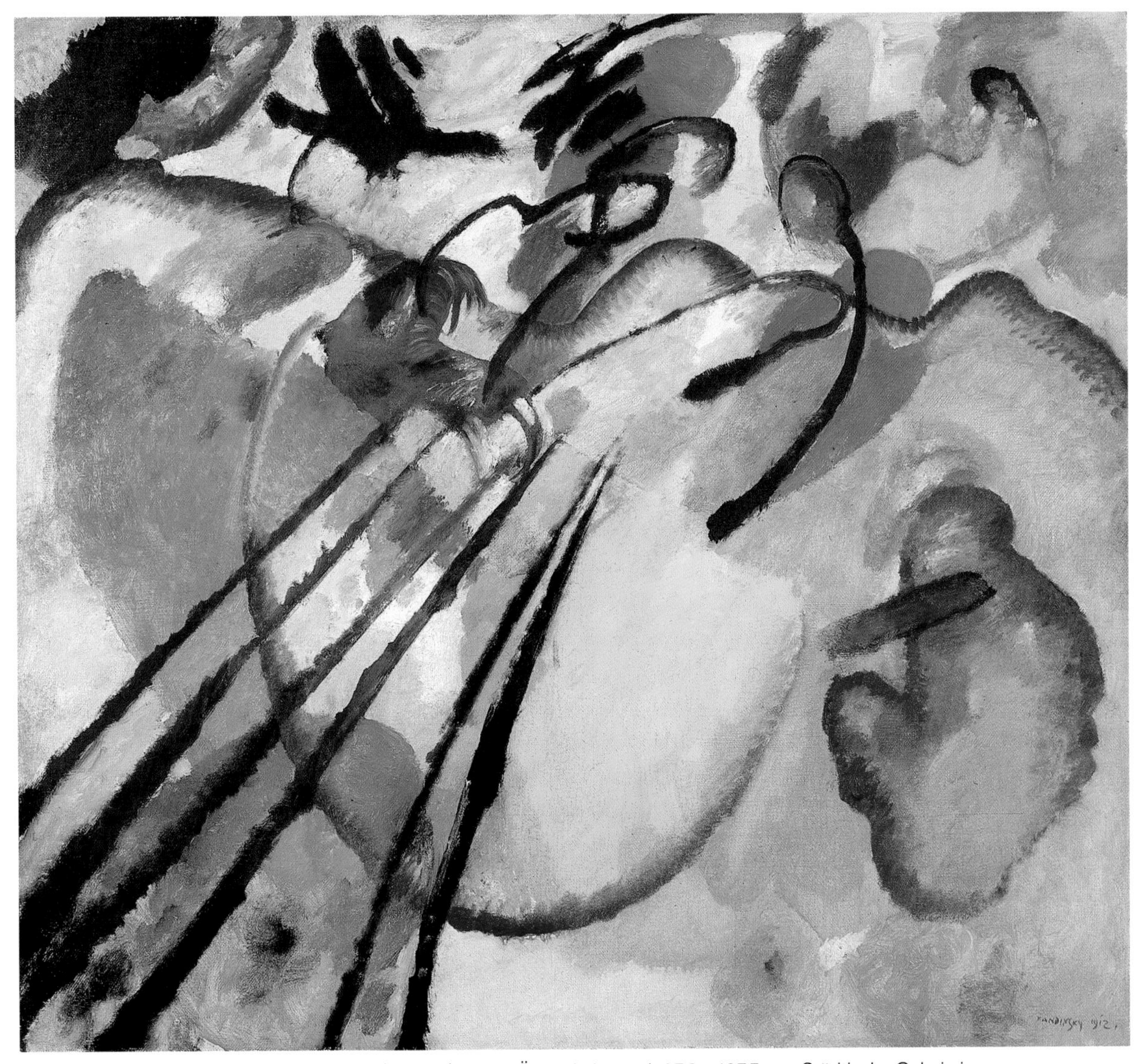

196 Wassily Kandinsky, Improvisation 26 (Rudern), 1912; Öl auf Leinwand, 97,2 x 107,5 cm; Städtische Galerie im Lenbachhaus, München

197 Wassily Kandinsky, Improvisation 30 (Kanonen), 1913; Öl auf Leinwand, 109,2 x 109,9 cm; The Art Institute of Chicago, Arthur Jerome Eddy Memorial Collection, 1931.511

198 Wassily Kandinsky, Kleine Freuden, 1913; Öl auf Leinwand, 109,8 x 119,7 cm; Solomon R. Guggenheim Museum, New York

beaters theosophischen Klassiker *Gedankenformen* und Rudolf Steiners *Theosophie* sowie dessen Aufsätze in der Zeitschrift *Luzifer-Gnosis* gelesen.[2] Ein Besuch von Steiners Vorträgen im Architektenhaus in Berlin ist ebenso verbürgt.[3]

Vertiefte sich Klein dann zusehends in die Philosophie des Zen, die im Europa der Jahrhundertwende kaum bekannt war, so galt Kandinskys Interesse indischen Meditationspraktiken. Zu seiner Bibliothek gehörten Handbücher über Atemtechniken, okkultes Heilen, Chromotherapie und so weiter.[4]

Die Nähe zur Esoterik schloß den Glauben an die Wissenschaft nicht aus. Im Gegenteil, zu Beginn des Jahrhunderts gingen – insbesondere in der Gestalt Rudolf Steiners – rationales Wissenschaftsdenken und mystisch-heilversprechende Weltanschauung eine für die Kunst sehr wirksame Verbindung ein.

Es ist erstaunlich, wie sehr sich sowohl Yves Klein als auch Kandinsky mit dem ›Atomzeitalter‹ identifizierten. »Ich bin glücklich«, so schrieb Klein in *Mon Livre*, seinem künstlerischen Vermächtnis, 1960, »daß ich trotz meiner Fehler und meiner Naivität und trotz der Utopien, in denen ich lebe, mit der Erforschung eines aktuellen Problems beschäftigt bin. Das Atomzeitalter, in dem alles Materielle plötzlich verschwinden und Platz für die abstrakten Dinge schaffen wird [...]«[5], und er notierte an anderer Stelle in sein Tagebuch: »Ein Maler muß beständig ein einziges Meisterwerk malen – sich selbst. Dadurch wird er zu einer Art Atommeiler, einer Art Generator konstanter Strahlung, welche die Atmosphäre mit seiner gesamten malerischen Präsenz imprägniert. Das ist das Gemälde, das echte Gemälde des 20. Jahrhunderts. Alles andere zuvor waren Übungen des Zurechtstutzens und Ergebnis von Introspektion, aber das ist heute veraltet. Malerei dient nur dazu, für andere den malerischen, abstrakten Moment auf faßbare und sichtbare Art zu verlängern.«[6]

Fast ein halbes Jahrhundert zuvor trug sich Kandinsky mit ähnlichen Gedanken, die er 1913 in seiner Autobiographie *Rückblick* festhielt. »Das Zerfallen des

199 Wassily Kandinsky, Komposition VI, 1913; Öl auf Leinwand, 195 x 300 cm; Staatliche Eremitage Sankt Petersburg

Atoms war in meiner Seele dem Zerfall der ganzen Welt gleich. Plötzlich fielen die dicksten Mauern. Alles wurde unsicher, wackelig und weich. Ich hätte mich nicht gewundert, wenn ein Stein vor mir in der Luft geschmolzen und unsichtbar geworden wäre.«[7] Sein Mißtrauen in die materielle Beschaffenheit der Welt hatte Kandinsky bereits 1911 geäußert: »Unsere Epoche ist eine Zeit eines tragischen Zusammentreffens der materialistischen Weltanschauung; für viele, viele Menschen ist es eine Zeit ungeheurer Zweifel; aber für einige Menschen ist es eine Zeit der Vorahnung oder der Vorkenntnis zur Weisheit.«[8]

Eine solche Epoche sah er in seinem 1911 publizierten Buch *Über das Geistige in der Kunst* (Kat.Nr. 194) näher rücken. Dieses endet mit der Ankündigung eines schon begonnenen neuen geistigen Reiches und der Epoche des großen Geistigen.[9] »Ist alles Materie? Ist alles Geist«, so überlegte Kandinsky an anderer Stelle des Buches. »Können die Unterschiede, die wir zwischen Materie und Geist legen, nicht Abstufungen nur der Materie sein oder nur des Geistes? Der als Produkt des Geistes in positiver Wissenschaft bezeichnete Gedanke ist auch Materie, die aber nicht groben, sondern feinen Sinnen fühlbar ist. Was die körperliche Hand nicht betasten kann, ist der Geist.«[10] Trotz aller Ambivalenz zwischen gegenständlicher und ungegenständlicher Kunst – im Almanach des Blauen Reiters 1912 meinte Kandinsky, daß beides zum Ziel führe, die

200 Wassily Kandinsky, Entwurf zu »Komposition VII«, 1913; Öl und Tempera auf Leinwand, 78 x 99,5 cm; Städtische Galerie im Lenbachhaus, München

große Abstraktion als auch die große Realistik, erkannte er doch in der Abstraktion die adäquatere Form, um die geistig wirkenden Kräfte des Kosmos zum Klingen zu bringen.[11]

Die Bilder dieser Jahre – 1911 bis 1913 – zeigen zunehmend freie, bewegliche Formen in einem offenen, nicht verifizierbaren Raum. Eindeutige inhaltliche Festlegungen sind schwierig, Annäherungen im geduldigen meditativen Hineinschauen im Vergleich mit Vorstudien möglich. Kandinskys Weg in die Abstraktion vollzog sich nicht *inhaltsfrei*, sondern war von religiösen und eschatologischen Vorstellungen begleitet. Sintflut, Jüngstes Gericht, Auferstehung und Allerheiligen sind die Titel der Bilder, Boote auf stürmischer See, galoppierende Reiter, Trompeten, liegende Paare, strahlende Sonnen und schwarze Wolken ihre Motive. Nicht zuletzt der hl. Georg, dessen Kampf mit dem Drachen als der Kampf des Guten gegen das Böse, als Überwindung des Materialismus durch geistige Werte interpretiert wurde.[12]

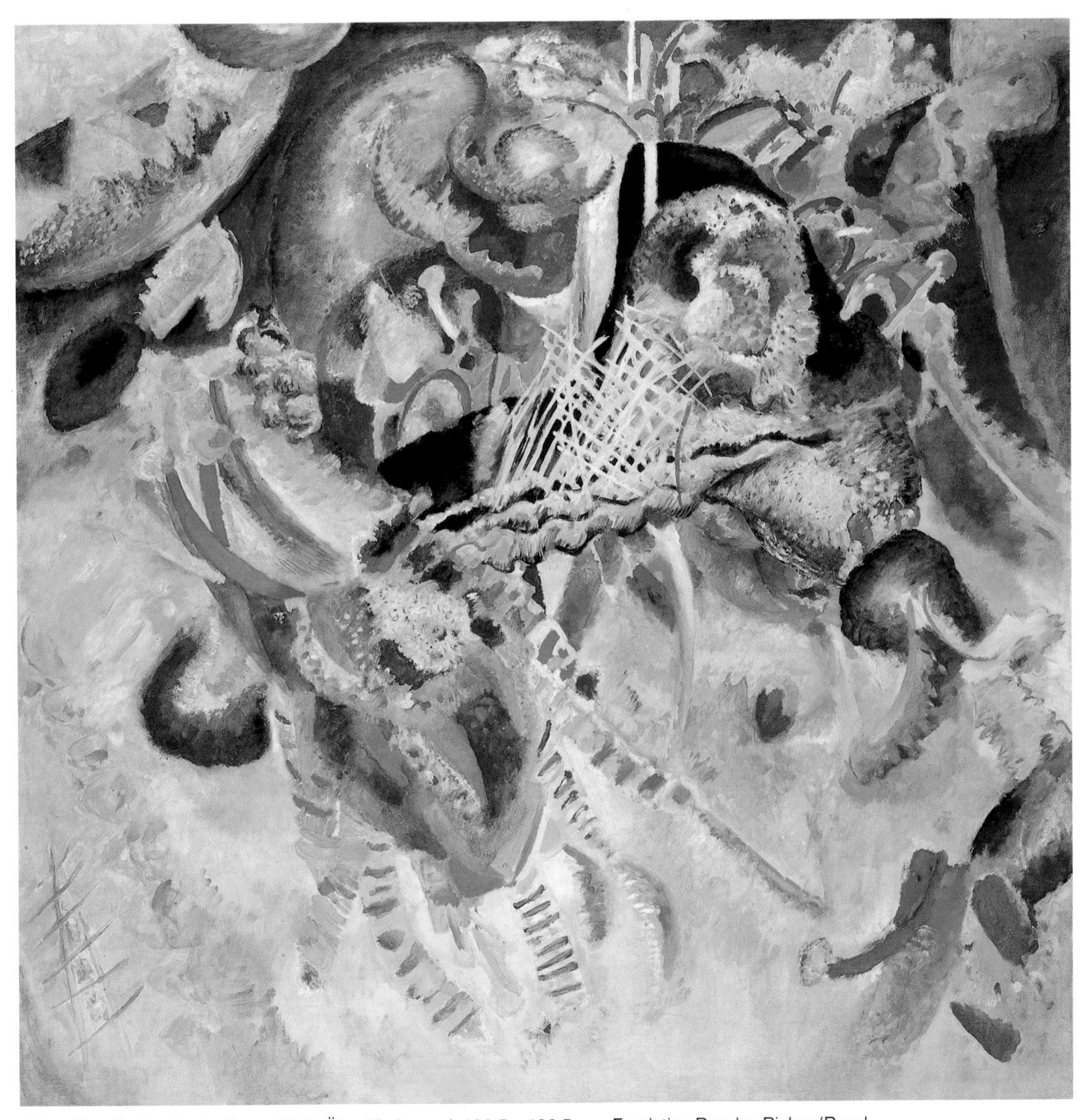

201 Wassily Kandinsky, Fuga, 1914; Öl auf Leinwand, 129,5 x 129,5 cm; Fondation Beyeler, Riehen/Basel

202 Yves Klein, RE 16, Do-Do-Do, 1960; Schwämme, Kiesel, Blau-Pigment und Kunstharz auf Holztafel, 199 x 165 x 18 cm; Yves Klein Archives, Paris

Improvisation 26 (Rudern) (Kat.Nr. 196), Anfang 1912 gemalt und von Kandinsky selbst in seinem Hauskatalog ›Rudern‹ genannt, gibt durch seinen Titel einen thematischen Hinweis. Als Ruder sind die schwarzen, von der Mitte nach links unten verlaufenden Linien identifizierbar und die oben anschließenden geschwungenen Konturen als Ruderer. Wie eine flüchtige Skizze, eine Erinnerung, ein Gedankenflug liegen sie in dem wogenden Farbenmeer. Weitere Benennungen lassen sich aus den Entwürfen herleiten, ohne daß diese wirklich verbindlich wären. Vielmehr sind die Inhalte und Bedeutungen der Formen polyvalent und transitorisch. Ihre materielle Bezogenheit verwandelt sich in eine ungegenständliche Arabeske. Waren die schwarzen Strichbündel oben links ursprünglich Bäume, so sind sie jetzt kaum festlegbar (riesige Vögel oder Regenschauer), bezeichnete die dunkelrote wellenförmige Linie vormals einen hügeligen Horizont, so könnten es jetzt hohe Wellenkämme sein. Die rote Kreisform erweist sich als Bootsrumpf.

Rose-Carol Washton Long stellt **Improvisation 26** in Zusammenhang mit den ›Sintflut‹- Bildern des Jahres 1912, eine mögliche Deutung, wenn man das Ganze als Bild vom Wasser sehen will, in dem die Ruderer um Halt (und Überleben) kämpfen.[13] Im Vergleich zu den großen **Kompositionen VI** (Kat.Nr. 199) und **VII** (vgl. Kat.Nr. 200), die bezeugtermaßen auf das Thema Sintflut zurückgehen, fehlt **Improvisation 26** das Dräuende, Beängstigende und Chaotische.[14] Vielmehr evoziert die strahlende und heitere Farbigkeit einen anderen Aspekt des Themas, den der sonntäglichen Kahnpartie. Das Boot kehrt dann – gleichsam leitmotivisch – in **Kleine Freuden** (Kat.Nr. 198), in **Komposition VI** und **VII** wieder, ohne daß Kandinsky eine stringente Ikonographie unterstellt werden kann. Ist in **Kleine Freuden** das für Kandinsky typische Arsenal an Motiven – neben dem erwähnten Boot die rote Sonne, die schwarze Wolke, die vom Allerheiligenbild und dem Jüngsten Tag her bekannten zusammenstürzenden Mauern, die galoppierenden Reiter und das erste Menschenpaar – trotz aller *Verschleierung* noch erkennbar, so war Kandinsky nunmehr daran gelegen, diese Motivik in eine allgemeine Formensprache zu überführen,

203 Yves Klein, Monochromes blaues Bild »IKB 2«, 1961; Blau-Pigment und Kunstharz auf Leinwand, Sperrholz und Holz, 195 x 140 cm; Sammlung Lenz Schönberg

wie er es ausführlich in seinem Kommentar zur **Komposition VI** erläuterte.

»Der Ausgangspunkt war ein Glasbild [mit dem Thema Sintflut], das ich mehr zu meinem Vergnügen gemacht habe [...], Akte, Arche, Tiere, Palmen, Blitze, Regen usw. Als das Glasbild fertig wurde, entstand in mir der Wunsch, dieses Thema für eine Komposition zu bearbeiten, und es war mir damals ziemlich klar, wie ich es machen soll. Sehr bald verschwand aber dieses Gefühl und ich verlor mich in körperlichen Formen [...]. Statt Klarheit gewann ich Unklarheit. Auf einigen Skizzen löste ich die körperlichen Formen auf, auf anderen versuchte ich, den Eindruck rein abstrakt zu erreichen.

204 Yves Klein, Monogold »MG 25«, 1961; Blattgold auf Hartfaserplatte, 53 x 51 cm; Sammlung Lenz Schönberg

Es ging aber doch nicht. Und das kam nur daher, weil ich dem Ausdruck der Sintflut selbst unterlag, statt dem Ausdruck des Wortes ›Sintflut‹ zu gehorchen.«[15]

Komposition VI wirkt mächtig und düster trotz der »[...] verschieden gefärbten Rosaflecken [...]«[16], die Kandinsky wie in einer Fuge über das Bild verteilt hat. Dunkle und helle Partien stürzen ebenso wie Flecken und Linien in einem dramatischen Gewoge konvulsivisch ineinander. Beschrieben wird ein Zustand vor der Schöpfung, in dem Licht und Finsternis, Himmel und Erde, Wasser und Luft noch nicht voneinander geschieden sind, in dem Innen und Außen, Realität und mystische Weltschau nicht getrennt sind. Nach langem Studium lassen sich dann doch einzelne Motive des heute verlorenen Hinterglasbildes rekonstruieren. Neben dem Boot sei auf die Berge links mit den im Wind sich neigenden Bäumen, aber auch auf den strichartigen Regen und die einfallenden Strahlen verwiesen, während Menschen und Tiere in allgemeine Formbewegungen aufgegangen sind.

»Das Malen ist ein donnernder Zusammenstoß verschiedener Welten«, so resümierte Kandinsky in *Rückblick*, »die in und aus dem Kampfe miteinander die neue Welt zu schaffen bestimmt sind, die das Werk heißt. Jedes Werk entsteht technisch so, wie der Kosmos entstand – durch Katastrophen, die aus dem chaotischen Gebrüll der Instrumente zum Schluß eine Symphonie bilden, die Sphärenmusik heißt. Werkschöpfung ist Weltschöpfung.«[17] Trotz solch pathetischer Formulierungen unterlagen gerade die Kompositionen – **Komposition VI** trug Kandinsky eineinhalb Jahre mit sich herum, ehe sie dann in zwei bis drei Tagen gemalt wurde – einer genauen, durch viele Entwürfe vorbereiteten Planung. »Hier spielt die Vernunft, das Bewußte, das Absichtliche, das Zweckmäßige eine überwiegende Rolle. Nur wird dabei nicht der Berechnung, sondern stets dem Gefühl recht gegeben«[18], so Kandinskys Worte in *Über das Geistige in der Kunst*. Seinen Kommentar zu **Komposition VI** beendete Kandinsky folgendermaßen: »So sind alle und auch die sich widersprechenden Elemente in volles inneres Gleichgewicht gebracht, so daß kein Element die Oberhand bekommt, das Entstehungsmotiv des Bildes (Sintflut) aufgelöst und in ein inneres, rein malerisches, selbständiges und objektives Wesen verwandelt wird. Nichts wäre falscher, als dieses Bild zur Darstellung eines Vorgangs zu stempeln.«[19]

Sixten Ringbom gar vergleicht Kandinskys Weg von der Welt der Sinneseindrücke – den Impressionen – zur Stufe geistiger Bewußtheit – den Kompositionen – mit dem klassischen augustinischen Schema des Sehens und stellt ihn in die Tradition der großen westlichen Mystiker wie zum Beispiel Bernhard von Clairvaux.[20]

1914, nach Ausbruch des Ersten Weltkrieges, verließ Kandinsky Deutschland. Die zuletzt hier entstandenen Bilder wie **Fuga** (Kat.Nr. 201) sind ein Hymnus auf eine neue Welt, in der auf das dionysische Gewitter eine strahlende Klarheit folgt. »Mit seinem Werk« – und damit sei abschließend Werner Hofmann zitiert – »wollte er den Zerfall und das Sichauflösen der materiellen Elemente vorantreiben, denn nicht die Form (Materie) im allgemeinen ist das wichtigste, sondern der Inhalt (Geist).«[21]

Yves Klein schuf sein erstes unendliches und immaterielles Gemälde 1946 achtzehnjährig am Strand von Nizza liegend, indem er den blauen mediterranen Himmel signierte und zu seinem ersten und größten Monochrom[22] erklärte. Seither war er untrennbar mit der Farbe Blau verbunden. Blau ist für Yves Klein mehr als die unendlichen Schattierungen des Himmels. Blau ist für Klein die Inkarnation des kosmischen Allgefühls; es schließt die unendliche Ferne und die greifbare Nähe ein. Nach Max Heindels *Rosenkreuzer-Weltanschauung*, das Klein damals intensiv las, repräsentiert Blau »Raum und Leben«[23]. Später dann kam die Lektüre von Gaston Bachelards *L'air et les songes* (Luft und Raum) hinzu, wo dem Blau des Himmels mit Verweis auf poetische und philosophische Texte, zum Beispiel von Paul Claudel, Paul Eluard, Stéphane Mallarmé und Hugo von Hofmannsthal, ein Kapitel gewidmet ist. Aus diesem zitierte Klein vorzugsweise den inzwischen berühmten Satz: »Am Anfang ist Nichts, dann ein tiefes Nichts und darauf eine blaue Tiefe.«[24]

205 Yves Klein, Anthropometrie »ANT 109«, o.J.; blaues Farbpigment und synthetisches Bindemittel auf Leinwand, 220 x 160 cm; Privatsammlung

Es hatte lange gedauert, bis Klein eine Lösung fand, das Blau, das er 1956 als IKB (International Klein Blue, Kat.Nr. 203) patentieren ließ, zu materialisieren. Erste Versuche fielen in das Jahr 1949, als er in London bei einem Vergolder arbeitete und unmittelbar mit dem blauen Farbpuder in Berührung kam, dessen intensive Leuchtkraft ihn faszinierte. Sobald er die Pigmente mit einem Bindemittel versetzte, verloren sie an Leuchtkraft, und als Pulver belassen, hafteten sie nicht auf der Leinwand.

1955 fand Klein gemeinsam mit Edouard Adam, dem Besitzer eines Künstlerbedarfsgeschäfts eine praktikable Lösung. Anstelle der herkömmlichen Bindemittel verwendeten sie Rhodopas, das normalerweise als Fixativ benutzt wird. Die Leuchtkraft der Farben blieb bei gleichzeitiger Haftung erhalten.

Mit dem so gewonnenen Blau, das für Yves Klein ein Synonym für Energie und kosmische Sensibilität ist, galt es die Welt zu erobern und zu imprägnieren. So entstanden eine Reihe an blau durchtränkten Schwammbildern wie **RE 16, Do-Do-Do** (Kat.Nr. 202), Paravents, ein blauer Regen in Gestalt von 12 zwei Meter langen Stäben und so weiter. In den folgenden Jahren ergänzte Klein diese blau bestückte Welt, in der selbst die Wasserstoffbomben blau eingefärbt werden sollten, durch kleinere Gipsnachbildungen der Nike von Samothrake und des Louvresklaven von Michelangelo.

Yves Klein, der sich selbst als »Maler des Raumes« bezeichnete, war von dem ersten Weltraumgeschoß, dem Sputnik, und dann vor allem von der ersten Erdumkreisung des russischen Kosmonauten Gagarin fasziniert.[25] Dieser hatte, Kleins Vision bestätigend, die Erde aus der Ferne als blaue Kugel gesehen.

206 Yves Klein, Feuerbild »Feu 88«, 1961; Feuer-, Wasser- und Körperabdrucke auf Papier auf Holz, 140 x 300 cm; Sammlung Lenz Schönberg

Ganz der Demiurg, der mit übersinnlichen Kräften ausgestattet ist, dirigierte Klein – dank einer Fotomontage von Harry Shunk – in meditativ östlicher Haltung versunken, selbst den schwebenden Erdball (vgl. Kat.Nr. 195).

Und alle Kosmonauten übertreffend, war Klein in der Lage, sich ohne technische Hilfsmittel im Raum zu bewegen und in den Himmel aufzusteigen, wie die Fotomontagen von Shunk beweisen wollen. Allerdings ging es Klein nicht um einen Flug zu den Planeten, sondern um die allgegenwärtige Sensibilität des Raumes, als dessen permanenter Bewohner er sich fühlte.[26] Thomas Kellein erkennt in dem Foto vom 23. Oktober 1960, das in Kleins Zeitung *Dimanche* reproduziert war, »die Nachformung einer Abbildung aus Heindels Buch, die eine nach außen gekrümmte Körperform als Zukunft des Menschen ausgab«[27]. Offensichtlicher vermischen sich in diesen Fotos christliche Himmelfahrtsphantasien mit zenbuddhistischen Vorstellungen der Leere und Levitation. Zu diesem Zweck der Levitation des Körpers, der Überwindung seiner materiellen Schwerkraft, unternahm Klein regelmäßig Atemübungen.

In dem metaphysisch-religiösen Konzept von Kleins Kunst, so Silvia Eiblmayr, »ist das Geistig-Immaterielle dem männlichen Schöpfer-Künstler zugeordnet, während die sinnliche, materielle Komponente der Malerei im weiblichen Körper repräsentiert ist«[28]. Yves Klein arbeitete in seinen Anthropometrien (offiziell – die Lehre der Messung des Körpers) fast ausschließlich mit Abdrücken weiblicher Körper, von denen wir auf den Bildern meist nur die Brüste, den Bauch und die Schenkel sehen. Der Kopf sowie die Arme und Beine bleiben ausgespart. »Gewiß«, so schrieb er in *Le vrai devient réalité*, »der ganze Körper besteht aus Fleisch, aber die eigentliche Masse sind der Rumpf und Schenkel. Genau hier befindet sich das wirkliche Universum der verborgenen Schöpfung.«[29]

Yves Klein pflegte seine Anthropometrien zuweilen in öffentlichen Vorführungen, die einem geheimen Ritual folgten, herzustellen. Seine Modelle – die lebenden Pinsel – dirigierte er im Smoking über die Leinwand, ohne mit ihnen in Berührung zu kommen. Die Bilder sind Spuren nicht allein der vorangegangenen Aktion, sondern in einem umfassenden Sinn Spur menschlicher Vitalität überhaupt. Diese Suche nach der immanenten, allgemeinen und nicht persönlich gebundenen Lebensvitalität geht auf Kleins Jugendzeit zurück, als er – ein leidenschaftlicher Judokämpfer – in den Abdrücken auf den Judomatten einen geistigen Raum entdeckte, der durch den Körper hervorgerufen wurde.[30] In Japan, und hier sei noch einmal auf Kellein verwiesen, war Klein zudem mit einer Abdrucktechnik bekannt gemacht worden, die dort als Wiedergeburtsidee mit sexuellen Konnotationen verstanden wird.[31] Bedeutender für Kleins Erleben waren die Schatten von Hiroshima, die er während seiner Japanreise 1953 sah. Der atomare Blitz hatte die Menschen augenblicklich als Schatten in die Steinwände der Häuser eingebrannt. Sie waren zugleich an- und abwesend. »Hiroshima«, so Kleins Zuversicht, »– die Schatten von Hiroshima. In der Wüste der atomaren Katastrophe waren sie Zeugnisse, zweifellos fürchterliche Zeugnisse, aber dennoch Zeugnisse der Hoffnung des, wenn auch immateriellen Weiterlebens des Fleisches.«[32]

Kandinskys und Kleins Versuche, die Materie zu überwinden und in den Bereich des Geistigen und Immateriellen vorzudringen, entspringen uralten Menschheitsträumen; sie sind weit mehr als verstiegene künstlerische Konzepte des 20. Jahrhunderts, in dem solcherart Phantasien scheinbar an Realität gewinnen. Neuere naturwissenschaftliche Forschungen machen es wahrscheinlich, daß der Geist nur in Form von Materie existent ist, daß schöpferisches Tun und Bewußtsein an die menschliche Hirnkonstruktion gebunden sind.

»Werkschöpfung und Weltschöpftung«[33], formulierte Kandinsky 1913. Es gibt keine Anzeichen dafür, daß der Kosmos außerhalb unseres Bewußtseins existiert.

Anmerkungen

1 Wyss, Beat: *Der Wille zu Kunst. Zur ästhetischen Mentalität der Moderne.* Köln 1996, S. 166.
2 Ringbom, Sixten: »Überwindung des Sichtbaren: Die Generation der abstrakten Pioniere«. In: *Das Geistige in der Kunst. Abstrakte Malerei.* Stuttgart 1988, S. 132.
3 Ringbom, Sixten: »Kandinsky und das Okkulte«. In: Armin Zweite (Hg.): *Kandinsky und München. Begegnungen und Wandlungen 1896–1914.* Ausst.Kat. Städtische Galerie im Lenbachhaus, München. München 1982, S. 87ff.
4 Ebd., S. 88.
5 Stich, Sidra: *Yves Klein.* Ausst.Kat. Museum Ludwig, Köln. Köln 1995, S. 81.
6 Ebd., S. 104.
7 Kandinsky, Wassily: *Rückblick.* Baden-Baden 1955, S. 16.
8 Zit. n. Washton Long, Rose-Carol: »Expressionismus, Abstraktion und die Suche nach Utopia«. In: Das Geistige in der Kunst (Anm. 2), S. 202.
9 Kandinsky, Wassily: *Über das Geistige in der Kunst.* Hg. von Max Bill. Bern 1970, S. 143.
10 Ebd., S. 34.
11 Kandinsky, Wassily; Marc, Franz (Hg.): *Der Blaue Reiter.* Dokumentarische Neuausgabe von Klaus Lankheit. München 1965, S. 147.
12 Washton Long, Rose-Carol: *Kandinsky. The Development of an Abstract Style.* Oxford 1980, S. 81, 217ff.
13 Ebd., S. 97.
14 Kandinsky, Rückblick (Anm. 7), S. 37.
15 Ebd.
16 Ebd., S. 40.
17 Ebd., S. 25.
18 Kandinsky, Über das Geistige in der Kunst (Anm. 9), S. 142.
19 Kandinsky, Rückblick (Anm. 7), S. 40.
20 Ringbom, Überwindung des Sichtbaren (Anm. 2), S. 146.
21 Hofmann, Werner: *Die Moderne im Rückspiegel. Hauptwege der Kunstgeschichte.* München 1998, S. 272.
22 Zit. n. Stich, Klein (Anm. 5), S. 19.
23 Ebd.
24 Zit. n. *Yves Klein.* Ausst.Kat. Nationalgalerie Berlin. Berlin 1976, S. 17.
25 Stich, Klein (Anm. 5), S. 217.
26 Ebd., S. 219.
27 Kellein, Thomas: *Sputnik – Schock und Mondlandung. Künstlerische Grossprojekte von Yves Klein zu Christo.* Stuttgart 1989, S. 28.
28 Zit. n. Eiblmayr, Silvia: *Der weibliche Körper in der Kunst des 20. Jahrhunderts.* Berlin 1993, S. 55.
29 Zit. n. Stich, Klein (Anm. 5), S. 175.
30 Ebd., S. 17.
31 Thomas Kellein, zit. n. ebd., S. 37.
32 Zit. n. Stich, ebd., S. 179.
33 Kandinsky, Rückblick (Anm. 7), S. 25.

Vorsatzblatt: 199 Wassily Kandinsky, Komposition VI, 1913 (Ausschnitt)

Ein Schrecken ohne Ende? – Barnett Newman und die Tradition romantischer Landschaftsmalerei

Joachim Kaak

Caspar David Friedrich und Barnett Newman – das sind zwei Protagonisten einer lang anhaltenden Auseinandersetzung über das Vermögen der Kunst, die Wirklichkeit des Menschen zu transzendieren und ihn einer Spiritualität zu vergewissern, die mit dem Begriff des Erhabenen ihren gleichermaßen zentralen wie vagen Ausdruck gefunden zu haben scheint.[1] Die Auseinandersetzung über jenes Transzendental-Geistige in der Kunst ist von philosophischen Vereinnahmungen, Mißverständnissen und Anfeindungen gekennzeichnet – und dennoch von größter Produktivität, um nicht zu sagen, Bedeutung.

So fand, um nur ein jüngeres Beispiel zu nennen, 1990 in Amsterdam ein Symposion mit dem Titel *Art meets Science and Spirituality in a changing Economy* statt; eine hochrangig besetzte Veranstaltung mit international bekannten Künstlern, Wissenschaftlern, Managern und Vertretern unterschiedlichster Religionen, darunter dem Dalai Lama. Der nicht geringe Anspruch war, Repräsentanten der drei kulturellen Säulen mit Ökonomen zusammenzubringen, um eine Wiederherstellung anzuregen »of the ›wholeness‹ of society which has been lost in preceding centuries«[2].

Lassen wir einmal die Frage beiseite, ob es je eine ganzheitliche Gesellschaft gegeben und woran diese nun genau Schaden genommen habe, so ist zum einen doch festzustellen, daß die Idee einer an dem Geistigen in der Kunst genesenden Welt unabweisbar mit dem Verlust von Transzendenz beziehungsweise mit der Erfahrung einer als materialistisch empfundenen Wirklichkeit verbunden ist. In diesem Sinne hatte auch Wassily Kandinsky sein 1911 in München erschienenes Buch *Über das Geistige in der Kunst* (vgl. Kat.Nr. 194) verfaßt, in dem diese der Diesseitigkeit enthoben und zu

207 Barnett Newman, Who's Afraid of Red, Yellow and Blue IV, 1969/70; Öl auf Leinwand, 274 x 603 cm; Staatliche Museen zu Berlin, Nationalgalerie

208 Caspar David Friedrich, Der Mönch am Meer, 1808–10; Öl auf Leinwand, 110 x 171,5 cm; Staatliche Museen zu Berlin, Nationalgalerie

209 Caspar David Friedrich, Abtei im Eichwald, 1809/10; Öl auf Leinwand, 110,4 x 171 cm; Staatliche Museen zu Berlin, Nationalgalerie

einem Medium »ewig währender Weisheit« nobilitiert werden sollte.[3]

Zum anderen ist festzustellen, daß mit einer solcherart zu konstatierenden Erwartungshaltung jedwedes Geistige in der Kunst eine unleugbare, historische Größe ist, mit der zu rechnen und/oder die strategisch einzubinden bleibt. Dies hatte zum Beispiel Sigmar Polke erfahren, als er für sein **Vitrinenstück** aus dem Jahre 1966 zunächst einen Blumenstrauß malen wollte, jedoch von höheren Wesen den Befehl erhielt: »Keinen Blumenstrauß! Flamingos malen!«. Mit dem **Bild, das auf Befehl höherer Wesen gemalt wurde**, konterkarierte Polke zwar eine in den sechziger Jahren zunehmende, moralisch-ästhetische Diskussion, wies aber zugleich mit abgründiger Ironie auf die Notwendigkeit transzendentaler Legitimation hin, wenn er feststellte: »Eines Tages werden auch Sie einsehen, daß es besser ist, auf Befehl höherer Wesen zu malen ....«[4]

Zwischen Inspiration und Ironie stellt sich mithin die transzendentale Verweismöglichkeit der Kunst für die zweite Hälfte des Jahrhunderts dar. Eine dritte Möglichkeit deutet sich zudem mit dem Erhabenen als Leitmotiv der Moderne[5] an: ein Ende mit Schrecken. In *The Sublime is Now*, 1948 in *Tiger's Eye* erschienen, sowie einer Reihe weiterer Aufsätze hatte Barnett Newman bekanntermaßen die Grundlagen für sein mit **Onement I** einsetzendes, imposantes Werk erläutert, indem er dem Begriff des Erhabenen zwar eine völlig neue Bedeutung gab, welches ihn aber zugleich auch in eine Tradition mit der romantischen Landschaftsmalerei des Nordens stellen ließ.[6]

Mit Caspar David Friedrich, James Ward, William Turner und anderen hatte die Idee des Erhabenen das Erbe der christlichen Ikonographie angetreten. Ein mit der Aufklärung zunehmender Transzendenzverlust zum ausgehenden 18. Jahrhundert bedurfte des Ersatzes, und so schlug die Kunst eine Brücke von der »Offenbarung zur Erfahrung«, wie Werner Hofmann mit Blick auf die ins Private gewendete Naturperspektive Caspar David Friedrichs schrieb[7], und zu deren repräsentativen Werken neben dem **Tetschener Altar** (vgl. Abb. S. 280) auch **Der Mönch am Meer** (Kat.Nr. 208) und **Abtei im Eichwald** (Kat.Nr. 209) zu zählen sind. Die beiden Gegenstücke berichten von Verheißung und Erfüllung eines religiösen Lebens im Spiegel der Natur. Was sich dem Mönch in der Einsamkeit des Strandes offenbart, findet seine Einlösung in dem Begräbnis bei anbrechendem Morgen: Tod und ewiges Leben als schaudernde Projektion im Angesicht der unendlichen Natur.[8]

Es mag nun ebenjene Verbindung von Bildstrategie und transzendentalem Verweis gewesen sein, die den Boden für jedes weitere Geistige in der Kunst bereitete, denn mit der subjektiven Erfahrung waren

210 Nam June Paik, Zen for TV, 1963/90; Video-Skulptur; Staatliche Museen zu Berlin, Nationalgalerie

Gewinn und Verlust letztlich verhandelbar geworden. Transzendenzerfahrung geriet zu einem beliebigen Sujet, und das Erhabene als eine den Betrachter überwältigende Bildstrategie stand neuen Themen offen. Diese sich ins Allgemeine verflüchtigende Folie mag Robert Rosenblum zu der Annahme geführt haben, daß, abseits der französischen Moderne, Maler wie Barnett Newman oder Mark Rothko sich noch mit derselben Fragestellung konfrontiert sahen, die schon für Caspar David Friedrich und William Turner Aktualität besaß: »how to find, in a secular world, a convincing means of expressing those religious experiences that, before the Romantics, had been channeled into the traditional themes of Christian art.«[9]

Nun scheint diese Fragestellung für Barnett Newman durchaus verbürgt, wenn er in *The Sublime is Now* die Beziehung des Menschen zum Absoluten und dessen Darstellung in der Kunst als ein naturgegebenes Verlangen erkennt.[10] Allerdings gibt der Künstler mit »The self, terrible and constant, is for me the subject matter of painting and sculpture«[11] auch eine unzweifelhafte Antwort, die mit Blick auf das Œuvre weiter auszuführen wäre.[12] Zunächst ist hier jedoch festzustellen, daß *The Sublime is Now* nur die Vermengung von Ästhetik und Erkenntnis in der europäischen Kunst als unzulässig kritisiert, die Frage mithin offenbleibt, was sich hinter dem Begriff des Erhabenen bei Barnett Newman verbirgt.[13]

Yve-Alain Bois hat dies mit der einfachen Formel »Sublime = Tragedy« beantwortet[14], und dies zu Recht, wie ich meine, äußert sich doch der Künstler in *The New Sense of Fate* recht deutlich zur Tragödie im Verhältnis zum überwältigenden Schrecken des Erhabenen. Hier ist es nicht die Unausweichlichkeit des Todes oder der Terror einer von außen herangetragenen Kraft, welche den Menschen zum Scheitern verurteilen. Vielmehr ist es die Unfähigkeit, angesichts einer übermächtigen Gesellschaft soziales Handeln zu verstehen und zu kontrollieren. Newman führt im Rückgriff auf die griechische Tragödie ein politisches und soziales Scheitern menschlichen Handelns aus, welches mit Hiroshima Wirklichkeit geworden ist und daher allen Schrecken des Unbekannten verloren hat. Denn schließlich, so fährt er fort, »wasn't it an American boy who did it? The terror has indeed become as real as life. What we have now is a rather tragic than a terrifying situation. [...] Our tragedy is again a tragedy of action in the chaos that is society.«[15]

Kein Ausblick auf Transzendenz also, sondern die Erfahrung einer katastrophalen Selbstinszenierung, die den Menschen nichts mehr fürchten läßt als sich selbst. Das Erhabene als dramaturgische Kategorie hat sich überholt, da die Tragödie Wirklichkeit geworden ist. Und so beschreibt auch der Titel zu **Who's Afraid of**

Red, Yellow and Blue IV (Kat.Nr. 207) nicht jenen überwältigenden Schrecken, der in der Idee des Erhabenen die Überzeugungsarbeit zu leisten hat, sondern die trotzige Reaktion auf die kühle und als überholt empfundene Rationalität Piet Mondrians. »Why should anybody be afraid of red, yellow and blue?« äußert der Künstler 1969 und wendet sich damit gegen eine Beschränkung der Materialität Farbe auf eine bloße Ideendidaktik.[16] Die entschiedene Zurückweisung aller mit der europäischen Kunst verbundenen Farbmetaphorik ist für Newman Voraussetzung, um der in Subjektivität gründenden (Transzendenz-)Erfahrung ihren eigentlichen und unverbrüchlichen Gegenstand wieder zu geben: das Selbst, schrecklich und konstant.

Blickt man nun noch einmal auf das Erhabene in der Traditionslinie von der Romantik bis zu den Malern des abstrakten Expressionismus, so scheint dieses tatsächlich in der Zuspitzung Barnett Newmans ein Ende mit Schrecken zu finden.[17] Ein jeder Betrachter mag zwar in der unendlichen Weite bei Caspar David Friedrich seinen Gott finden. Bei Barnett Newman hingegen blickt der Mensch nur auf sich selbst. Diese von dem Künstler in größter Humanität formulierte Perspektive muß in der Tat erschauern lassen, scheint sie doch in radikaler Konsequenz fortgedacht zu größerem Schrecken denn je zu führen.

Francis Ford Coppola hat dies in seinem eindrücklichen Film *Apocalypse Now* (Abb. S. 249) mit gebrochener Parallelität zu romantischen Bildvorstellungen und, wie ich meine, in Kenntnis der Diskussion um das Erhabene deutlich gemacht. Die Szene ist bekannt: Mit der Morgenröte erhebt sich der Blick in die Lüfte und verliert sich in der endlosen Weite des Meeres. Über dem Horizont steigt ein neuer Tag auf, noch leer und undifferenziert, und evoziert einen jener erhabenen Momente, in denen der Mensch sich eins dünkt mit dem Universum. Dazu dröhnt aus den unter den Hubschraubern montierten Lautsprechern Wagners *Walkürenritt*. Es ist eine amerikanische Luftlandeeinheit, die in den frühen Morgenstunden gestartet ist, um ein kleines vietnamesisches Dorf dem Erdboden gleich zu machen, die Einwohner zu massakrieren und sich selbst in eine zivilisatorische Agonie zu stürzen.

Plakat zu Francis Ford Coppolas Film »Apocalypse Now«, 1979; Archiv der Stiftung Deutsche Kinemathek, Berlin

Bei Coppola findet jede romantische Vorstellung, daß der Mensch angesichts eines sich verschattenden Gottes nur noch in der Natur Transzendenz gegenwärtigen könne, ein Ende. Sie verglüht in den Napalmbränden Vietnams und mit ihr eine Theorie des Erhabenen, die in der überwältigenden Darstellung der Natur den Menschen seiner Heilsgewißheit versichert sehen wollte. Der Mensch taumelt seiner Götterdämmerung entgegen und zerschlägt in der Allmacht seiner technischen Möglichkeiten die Projektionsfläche romantischen Schwärmens. So geht bereits in der Eingangssequenz des Filmes der Wald in Flammen auf, während Jim Morrison folgerichtig dazu singt: »This is the End«.

Anmerkungen

1 Es würde hier zu weit führen, die mit dem Namen Longinus verbundene und zunächst als stilistische Kategorie reflektierte Idee des Erhabenen und ihre Rezeption vom 17. bis in das 19. Jahrhundert zu erläutern. In seiner in den Jahren 30 bis 25 v. Chr. entstandenen Schrift *Vom Erhabenen* (hg. und übers. von Otto Schönberger, Stuttgart 1988) ist Erhabenheit immer dort gegeben, »wo sich große Gesinnung so ausdrückt, daß sie unser Innerstes bewegt«, vgl. ebd., S. 140. Erst mit Edmund Burke tritt im 18. Jahrhundert der Gedanke eines Dunklen, Schreckenerregenden und Überwältigenden hinzu, der das Verständnis des Erhabenen im Verhältnis zum Schönen als ästhetische Erfahrung nachhaltig prägen wird. Zur Geschichte des Begriffs siehe auch Pries, Christine (Hg.): *Das Erhabene. Zwischen Grenzerfahrung und Größenwahn.* Weinheim 1989.

2 Tisdall, Caroline u.a. (Hg.): *Art meets Science and Spirituality in a changing Economy.* Den Haag 1990, Klappentext.

3 Vgl. Kandinsky, Wassily: *Über das Geistige in der Kunst.* Bern 1965 ([1]1911), bes. S. 42, 143.

4 Die zitierten Texte befinden sich auf den verschiedenen Bildtafeln des Werkes **Vitrinenstück** (Staatsgalerie moderner Kunst, Leihgabe Wittelsbacher Ausgleichsfonds, Sammlung Prinz Franz).

5 So lautet zum Beispiel der Titel eines von Robert Rosenblum in *ARTNews*, Februar 1961, veröffentlichten Aufsatzes zum abstrakten Expressionismus »The Abstract Sublime«, mit dem nach Beat Wyss der Kunstkritiker »den Begriff des Erhabenen als ästhetisches Signet der Moderne« setzte. In: Wyss, Beat: »Ein Druckfehler«. In: Bruno Reudenbach (Hg.): *Erwin Panofsky. Beiträge des Symposions Hamburg 1992.* Berlin 1994, S. 191–199, hier S. 197. Zum Erhabenen als Leitbegriff der Moderne vgl. ferner Armin Zweite: *Barnett Newman. Bilder Skulpturen Graphik.* Ostfildern 1997, S. 24–28.

6 Vgl. u.a. Rosenblum, Robert: *Modern Painting and the Northern Romantic Tradition. Friedrich to Rothko.* London 1988 ([1]1975); Imdahl, Max: »Barnett Newman. Who's afraid of red, yellow and blue III«. In: Pries, Das Erhabene (Anm. 1), S. 233–252. Die enge Verbindung zwischen Newman und Rosenblum sowie der Rekurs des Künstlers auf einen der zentralen Begriffe der Romantik läßt vermuten, daß diese Traditionslinie nicht unerwünscht, ja sogar intendiert war, um das Erhabene radikal neu deuten und die Vorherrschaft der französischen Moderne durchbrechen zu können. Vgl. Wyss, Ein Druckfehler (Anm. 5), S. 197ff.

7 Hofmann, Werner: »Wahnsinn und Vernunft. Über die allgemeine Sonne und das Lampenlicht des Privaten«. In: *Europa 1789. Aufklärung Verklärung Verfall.* Ausst.Kat. Hamburger Kunsthalle 1989. Köln 1989, S. 14–40, hier bes. S. 26f.

8 Vgl. auch Börsch-Supan, Helmut; Jähnig, Karl-Wilhelm: *Caspar David Friedrich. Gemälde, Druckgraphik und bildmäßige Zeichnungen.* München 1973, S. 302–305.

9 Rosenblum, Modern Painting (Anm. 6), S. 195.

10 Newman, Barnett: »The Sublime is Now«. In: John P. O'Neill (Hg.): *Barnett Newman. Selected Writings and Interviews.* New York 1990, S. 171–173, hier S. 171.

11 Ebd., S. 187.

12 Für eine ausführlichere Diskussion dieses Begriffs bei Newman mit Blick auf die vom Künstler immmer wieder hervorgehobene Materialität der Werke vgl. Zweite, Newman (Anm. 5), S. 24ff., 140ff.

13 Barnett Newman zog in dem Aufsatz die Schlußfolgerungen seiner Auseinandersetzung mit Longinus, Kant, Hegel und Burke, also mit ebenjenen Autoren, die das Erhabene als mögliche Transzendenzerfahrung reflektiert hatten. Der Titel faßt m.E. jedoch vorangegangene Überlegungen zusammen, so daß die artikulierte These eher den unveröffentlichten Aufsatz »The New Sense of Fate« (s. Anm. 15) referiert als den unmittelbaren Inhalt.

14 Bois, Yve-Alain: »Barnett Newman's Sublime = Tragedy«. In: *Negotiating Rapture. The Power of Art to Transform Lives.* Ausst.Kat. Museum of Contemporary Art, Chicago. Chicago 1996, S. 138f.

15 Newman, Selected Writings (Anm. 10), S. 168f. *The New Sense of Fate* sollte im März 1948 ebenfalls in der Zeitschrift *Tiger's Eye* erscheinen, wurde jedoch aufgrund seiner Länge nicht publiziert. Statt dessen erschien ebendort *The Object and the Image* als kondensierte Fassung, in welcher Newman den Gegenstand seiner Werke in dem Begriff der »tragic emotion« begründete. *The Sublime is Now* folgte dann im Dezember desselben Jahres.

16 Ebd., S. 192.

17 An dieser Stelle wären nicht zuletzt die Ursachen für die verschiedenen aggressiven Attacken auf Gemälde des Künstlers zu reflektieren, die möglicherweise in der Unausweichlichkeit der Selbstbetrachtung und der Verweigerung einer jeden versöhnlichen Perspektive begründet sind.

Müssen wir mit Goethe beginnen?
Farbe als geistige Ordnung und Energie

Müssen wir mit Goethe beginnen? Farbe als geistige Ordnung und Energie

Joachim Kaak

Müssen wir mit Goethe beginnen oder wäre es besser, gleich Wittgenstein zu referieren? Die Farbenlehre des universellen Altmeisters oder die *Remarks on Colour* jenes mäandernden Geistes aus Oxford, zwei der herausragenden Texte des 19. und 20. Jahrhunderts zu Wesen und Erscheinung der Farben, würden sicherlich einen hinreichend gelehrten Grund für eine Betrachtung des Phänomens geben. Vielleicht ließe sich aber auch die Begeisterung Imi Knoebels für die Werke Kasimir Malewitschs (Kat.Nr. 213) heranziehen, um der Faszination und Dinglichkeit näherzutreten, die vor der physikalischen oder phänomenologischen Folgeerscheinung in das Zentrum malerischen Schaffens führen.

Kasimir Malewitsch hatte mit dem um 1915 entstandenen Werk **Schwarzes Quadrat auf weißem Grund** (Abb. S. 104) nicht nur im nachhinein Imi Knoebel elektrisiert, sondern eine, wie sich noch zeigen wird, grundlegende, malerische Frage zur Disposition gestellt. Darüber hinaus sah Iwan Kljun, ein früher Mitstreiter des Künstlers, mit diesem Werk den Sarg versiegelt, in dem »die Leiche der Malkunst, der Kunst der

211 Willi Baumeister, Figur mit schwarzem Feld (Flächenbalance), 1920; Öl auf Leinwand, 60 x 48,5 cm; Archiv Baumeister

212 Willi Baumeister, Spektrum mit weißem Kreis auf Rosa, 1921/22; Öl auf Leinwand, 73 x 54,3 cm; Archiv Baumeister

213 Kasimir Malewitsch, Suprematistische Komposition, 1915/16; Öl auf Leinwand, 49 x 44 cm; Wilhelm-Hack-Museum Ludwigshafen am Rhein

214 Piet Mondrian, Tableau No. 1, 1921–25; Öl auf Leinwand, 75,5 x 65,5 cm; Fondation Beyeler, Basel / Riehen

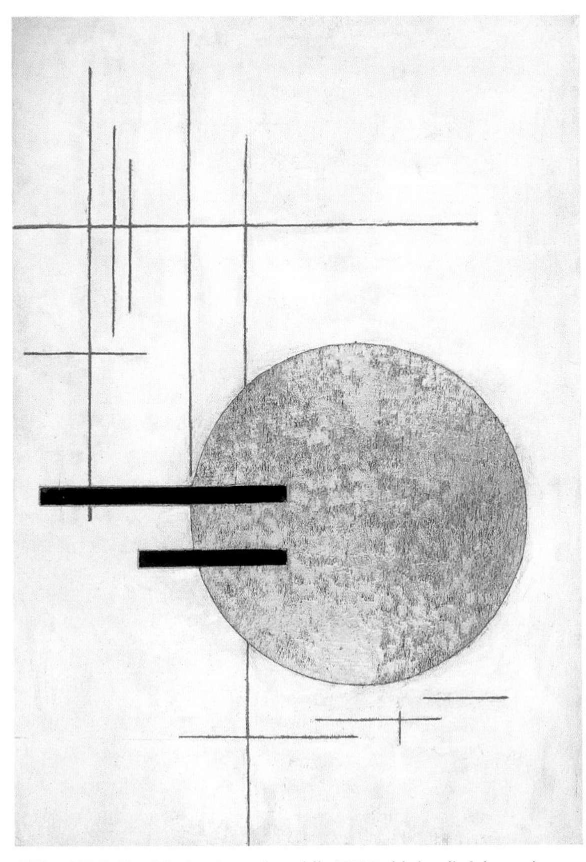

215 Erich Buchholz, der spiegel II, 1922; Holzrelief, bemalt, 80 x 56 cm; Staatliche Galerie Moritzburg Halle, Landeskunstmuseum Sachsen-Anhalt, Dauerleihgabe der Sammlung Bernet, München

216 Erich Buchholz, senkrechte gold, 1922; Holzrelief, bemalt, 52 x 38 cm; Staatliche Galerie Moritzburg, Halle, Landeskunstmuseum Sachsen-Anhalt, Leihgabe Eila Schrader-Buchholz, Königstein/Taunus

abgemalten Natur«[1] begraben lag; ein zugespitzt formulierter Anspruch der unter dem Begriff des Suprematismus bekannt gewordenen, gegenstandslosen Kunst, in der Malewitsch die »unmittelbare Verkörperung eines Empfindens«[2] erkannt sehen wollte. Nach Larissa A. Shadowa waren die Werke der russischen Revolutionskünstler »so etwas wie ›malerische Modelle‹ der neuen Wahrnehmung und Empfindung des Raumes, ›künstlerische Entwürfe‹ der neuen Vorstellungen des Menschen vom Milieu«[3] und von der Welt, in der er lebt, mithin nicht nur ein Abgesang auf die traditionelle, der Natur verhafteten Kunst, sondern eine Kosmogonie von lebensweltlichem Impuls.[4]

Diesen Impuls hatte Imi Knoebel 1982 in einem Interview mit Johannes Süttgen recht prosaisch als Vorbild einer lebensweltlichen Attitüde beschrieben.[5] Die Konzentration auf die grundlegende, malerische Relation von Figur und Grund war für ihn keine formalistische Reduktion, sondern ein Spannungsverhältnis von weitreichenden Ausdrucksmöglichkeiten, welches es zu erreichen und von dem es auszugehen galt. Wie Hubertus Gaßner richtig schreibt, behandelte Knoebel im weiteren »das Quadrat nicht als wert- und gefühlsneutrale geometrische Figur, sondern als Verkörperung eines Erregungszustandes, in dem Subjekt und Objekt, die Welt der inneren Empfindungen und die äußere

217 Alexander Rodtschenko, Sechseckige hängende Konstruktion (aus der Serie »Lichtreflektierende Flächen«), 1920/37; Aluminium, 88 x 55 cm; Galerie Gmurzynska, Köln

Welt des menschlichen Körpers, der Gegenstände und des gesamten Universums, zusammenfinden«[6].

Schwarzes Kreuz (Kat.Nr. 218) scheint hier exemplarisch eine Maxime Malewitschs fortzusetzen, derzufolge die reine Erregung, »die den Menschen zum Handeln veranlaßt«, zwar gegenstandslos, das Ergebnis dieser Handlung jedoch gegenständlich ist und, so möchte man anfügen, somit in Relation zur körperlichen Erfahrung steht. Vier schwarze Platten von gleichem, quadratischem Format sind zu einem, in der Diagonalen verschobenen Kreuz zusammengefügt. Farbe und Form sowie die asymmetrische Erstreckung der beiden Achsen und die recht erhebliche Größe des Werkes lassen in der Tat einen nahezu geheimnisvollen Erregungszustand spürbar werden, der, sich jeder konstruktivistischen Rationalisierung entziehend, den Betrachter gleichermaßen visuell wie haptisch anspricht.

Die Emotionalität der sinnlichen Erfahrung, jene nur schwer zu benennende Wechselwirkung von abstraktem Farbkörper und subjektivem Ausdruck beziehungsweise subjektiver Wahrnehmung, mag dabei einen ersten Eindruck geben von der Vielfalt der Ausdrucksmöglichkeiten *Farbe*, die es mit der semiotischen Zäsur zur letzten Jahrhundertwende zu reflektieren und zu erarbeiten galt. Die Befreiung der Malerei von einer jahrhundertealten Abbildungsfunktion eröffnete die Möglichkeit eines autonomen syntaktischen Systems, dessen Zusammenhänge psychisch-sensualistisch, phänomenologisch oder konstruktiv-kompositorisch zu analysieren waren.

Bekannt sind die Versuche Wassily Kandinskys, den einzelnen Primärfarben nicht nur einen emotionalen Wert zuzuschreiben, sondern diese auch in Korrelation zu setzen zu den geometrischen Grundformen Quadrat (Rot), Dreieck (Gelb) und Kreis (Blau). Ausgehend von dem Quadrat Malewitschs, dessen Schrift *Die gegenstandslose Welt* 1927 auch als Nr. 11 der Bauhausbücher erschienen war (Kat.Nr. 54), ermittelte der Künstler zum Beispiel für diese geometrische Form unterschiedliche Richtungsimpulse, denen er sowohl formale als auch psychologische und schließlich philosophische Qualitäten zuschrieb. Danach erweckt das Oben ein Gefühl von Leichtigkeit, ja Freiheit, während dem Unten ein Gefühl von Verdichtung, Schwere und Gebundenheit zuzuordnen sei.[7] In Verbindung mit einer psychischen Wertigkeit der Farben entwickelte sich so ein abstraktes Vokabular, welches, wie in **Auf Weiß** aus dem Jahre 1923 (Kat.Nr. 226) deutlich nachzuvollziehen, ein universelles Ausdrucksmittel emotional-sensualistischer Zustände zur Verfügung stellte.

Josef Albers, wie Kandinsky in den zwanziger Jahren Lehrer am Bauhaus, verzichtete hingegen auf eine psychologische Konnotation der Farben und reflektierte vielmehr die phänomenologischen Wirkweisen unterschiedlicher Farbstellungen. Auch hier von dem Quadrat als einfachster, zweidimensionaler Form ausge-

218 Imi Knoebel, Schwarzes Kreuz, 1968; Acryl auf Holz, vierteilig, je 100 x 100 cm; Kunstmuseum Bonn, Dauerleihgabe Sammlung Hans Grothe

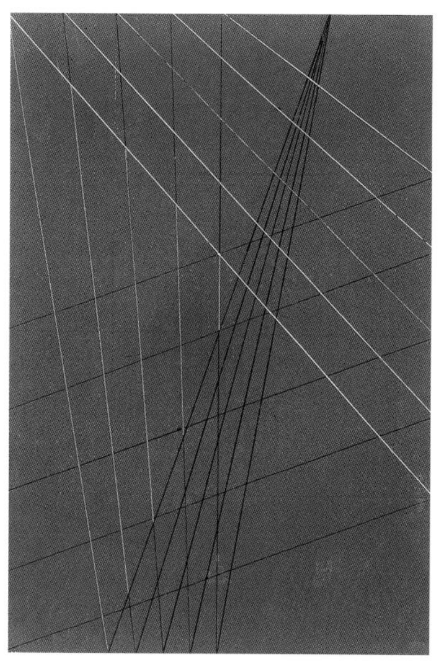

219 Hermann Glöckner, Fünf Strahlen vom obern Viertel, dreimal reflektiert, auf Blau, um 1933–35; Papier, Feder, Tusche, Pappe, 50 x 35 x 0,3 cm; Staatliche Museen zu Berlin, Kupferstichkabinett

220 Hermann Glöckner, Mattgold und Mattgold, 1930–32 (Vorderseite); Tempera, Goldbronze, Pappe, 49,8 x 33,5 x 0,3 cm; Staatliche Kunstsammlungen Dresden, Kupferstich-Kabinett

221 Hermann Glöckner, Keil diagonal nach unten, Braun und Silber, 1935; Tempera, Pappe, Ritzung, 50 x 35 x 0,3 cm; Staatliche Museen zu Berlin, Kupferstichkabinett

222 Hermann Glöckner, Senkrechte Halbierung mit schwarzem Keil, um 1930–32; Collage, Pappe, Tempera, gelackt, 49,5 x 35 X 0,3 cm; Staatliche Museen zu Berlin, Kupferstichkabinett

223 Hermann Glöckner, Sechszackiger Stern, gold und schwarz, um 1933–35; Tempera, Pappe, Lack, 49,5 x 34,8 x 0,3 cm; Staatliche Museen zu Berlin, Kupferstichkabinett

224 Hermann Glöckner, Horizontal geteiltes Feld mit Winkel in Schwarz über Ocker, um 1933–35; Tempera, Pappe, Lack, 49,7 x 35 x 0,3 cm; Staatliche Kunstsammlungen Dresden, Kupferstichkabinett

hend, untersuchen seine unter dem Titel **Homage to the Square** (Kat.Nr. 227) bekannten Werke sowohl den Prozeß illusionistischer Dreidimensionalität als auch die eigendynamischen Bewegungsimpulse der Farbe selbst.

Es würde hier nun zu weit führen, sein bei aller Einfachheit der Mittel ausgesprochen komplexes System detailliert darzustellen.[8] Eine Betrachtung der »Meditationsbilder des 20. Jahrhunderts«[9] erschließt jedoch schnell das lebendige Verhältnis von Auge, Farbe und kompositorischer Struktur, welches, durchaus in Anlehnung an Robert Delaunay und Paul Klee, als erkenntnisleitendes Interesse Albers' deutlich wird. Wie Hans Joachim Albrecht zusammenfassend feststellt, befreit Albers die Wahrnehmung aus jeglicher Naturgebundenheit, »indem er divergierende Deutungsmöglichkeiten in einem Bildzusammenhang zusammenführt. [...] Nicht das gewohnte ›natürliche‹ Leistungsvermögen der Wahrnehmung wird angesprochen, erfüllt oder sogar bis zur Erschöpfung befriedigt. Vielmehr veranlaßt eine gleichbleibende Konstellation physischer Reize einen nachoptischen, psychischen Effekt. Es erfolgt ein Anstoß zum aufmerksamen Sehen – zum Reflektieren dieses Sehens und des Gesehenen.«[10]

225 László Moholy-Nagy, Komposition Z VIII, 1924; Leimfarbe auf Leinwand, 114 x 132 cm; Staatliche Museen zu Berlin, Nationalgalerie

Die Analyse bildimmanenter Strukturen und Wirkweisen unter dem Primat der Farben kennzeichnet daher nicht überraschend eine Vielzahl der Bildtitel von Willi Baumeisters **Figur mit schwarzem Feld (Flächenbalance)** (Kat.Nr. 211) über Erich Buchholz' **senkrechte gold** (Kat.Nr. 216) bis zu Hermann Glöckners **Horizontal geteiltes Feld mit Winkel in Schwarz über Ocker** (Kat.Nr. 224), um nur einige Beispiele zu nennen. Farbe als Sprache, das benennt mithin zunächst das Bemühen um eine geistige Ordnung innerhalb eines unbegrenzten Variantenreichtums und unzähliger Wahrnehmungsweisen. Wilhelm Hausenstein hat dies zu Beginn des Jahrhunderts für Kandinsky treffend beschrieben: »Das Ausdrucksmittel Kandinskys ist die Farbe. Wohlgemerkt die Farbe, nicht die Malerei. Malerei ist für ihn immer noch ein materieller Prozeß. Er aber will die Farbe an sich. [...] Er will ihren Emotionswert, will (daß der / sic!) Erregungsgehalt, der in ihr gefangen ist, durch ein positives Aussprechen der Farbe freigesetzt wird und in der Verbindung der Farbe mit anderen Farben eine Unendlichkeit von Abwandlungen durchläuft. Darum wird Kandinsky, dessen Bilder für den Laien alle gleich aussehen, nie müde – kann er nie müde werden.«[11]

Der Unendlichkeit der Abwandlungen, die Hausenstein als aufmerksamer Beobachter der Moderne 1914 beschreibt, korrespondiert dabei die Fülle der Aussagemöglichkeiten und Bedeutungsinhalte, zu deren Trägerfolie Farbe als ein gleichsam unbeschriebenes Blatt funktionalisiert wird; denn Farbe als Sprache, das ist auch die Konstituierung einer geistigen Ordnung, die unabhängig von der gegenständlichen Welt jenes Transzendental-Geistige zu formulieren erlaubt, welches sich im Vakuum einer säkularisierten Kunst als metaphysische Sehnsucht angesichts einer zunehmend materialistischen Welt etablierte.

Von Malewitsch über Kandinsky und Mondrian (Kat.Nr. 214) bis hin zu Baumeister begleiten daher mehr oder weniger philosophische Traktate das Schaffen der Künstler.[12] Ihnen gemeinsam ist der Glaube an die utopische Kraft der Kunst, deren Heilsversprechen allerdings ebenso vage bleiben wie intuitiv-spielerische Strukturbildungen oder konstruktivistische Systematisierungen zahlreich sind. Aus dem sinnlichen Erfahrungsraum eines impressionistischen Festes der Farben werden ästhetische Manifeste im Vertrauen auf die Universalität der künstlerischen Sprache. Nicht die Wirklichkeit neu, sondern das Unwirkliche und Unbekannte sehen, lautet das großzügige Versprechen.

Es wäre nun sicherlich nicht respektlos, in der Proklamation avantgardistischer Theoreme einerseits und der revolutionär neuen Kunst andererseits eine sich gegenseitig unterstützende Funktion anzunehmen und den weit über die Kunst hinausgreifenden Visionen mit einer gewissen Skepsis gegenüberzustehen. Die weitreichenden Interpretationen Mondrians seiner kühlen, scheinbar jede Subjektivität leugnenden Konstruktionen etwa zeichnen das Bild einer harmonischen, internationalen Gesellschaft, die über alle Grenzen und gegebenen Unterschiede hinweg miteinander kommuniziert.

226 Wassily Kandinsky, Auf Weiß II, 1923; Öl auf Leinwand, 105 x 98 cm; Musée national d'art moderne, Centre Georges Pompidou, Paris, Schenkung Nina Kandinsky

Genau wie die moderne Kunst ihre ursprünglichen Ausdrucksmittel durch die Zertrümmerung alles Gegenständlichen und von sich im Einzelnen verlierenden Ausdrucksformen befreit habe, so werde sich auch das Leben selbst von allen Beschränkungen lösen, lautet in Kürze sein Credo.[13] Die mitunter naiv anmutende Metaphorik hat Clara Weyergraf jedoch als Legitimation einer nur auf wenig Resonanz stoßenden Kunst erkannt.[14]

Der Anspruch einer Dichotomie von Kunst und Leben durchzieht dennoch und dessen unbeschadet wie ein roter Faden die Farbmalerei in der Kunst des 20. Jahrhunderts. Und dies zu Recht, wie es scheint, zeitigt doch das bereits angesprochene, lebendige Verhältnis von Auge und Bild einen unabweisbaren und erhellenden Dialog mit dem Betrachter. Dieses nahezu aufklärerisch zu nennende Motiv offenbart, unabhängig von allen gesellschaftspolitischen Theorien, eine anhaltend kritische und kreative Phänomenologie der Kunst.

In diesem Sinne hat Peter-Klaus Schuster die Werke Günter Fruhtrunks als Versuch charakterisiert, »durch Strenge, Sachlichkeit, Präzision, kalkulierte Irri-

227 Josef Albers, Homage to the Square: Open outwards, 1967; Öl auf Masonit, 121,5 x 121,5 cm; Staatliche Museen zu Berlin, Nationalgalerie

tation und poetische Artistik bis hin zur malerischen Spontaneität im Bild eine Offenheit aufrecht zu erhalten, die das Leben als unausgemacht Zukünftiges ermöglicht und nicht zu einem geschlossenen System verkommen läßt. Diese Offenheit im Bilde zielt auf ein Bewußtsein der Ungesichertheit, das Gefährdung ebenso wie Erneuerung, Abstürze wie Aufstiege impliziert.«[15] Blickt man auf das Werk **Seh-Ebenen** aus dem Jahre 1970 (Kat.Nr. 228), so erweist sich die Terminologie der Beschreibung nicht als eine »von verbalen Ontologien umrankte Stiltapete«[16], sondern tatsächlich als oszillierender Reflex einer gleichermaßen phantasievollen wie prüfenden Seherfahrung.

Günter Fruhtrunk, dessen **Monument für Malewitsch** aus dem Jahre 1954 bekannt ist und der sich in eben jenem Jahr das Leben nahm, als Imi Knoebel den russischen Künstler für sich entdeckte, hatte sich nach dem Zweiten Weltkrieg durch die Bekanntschaft mit Willi Baumeister und Julius Bissier zunehmend der Abstraktion zugewandt. Er schloß sich damit einer neu zu begründenden Tradition an, die sich, wie schon zu Beginn des Jahrhunderts, in ihrer Abwendung von allem Gegenständlichen der Verächtlichmachung, ja dem Vorwurf des Inhumanen ausgesetzt sah.

Rupprecht Geiger, Mitglied der 1950 in München gegründeten Gruppe ZEN 49, antwortete auf diese Vorhaltungen, indem er nicht nur das Erbe Kandinskys und Klees beschwor, sondern zugleich auch die Ziele der abstrakten Malerei kämpferisch formulierte: »Indem wir die Bereiche der begrenzten Schönheit gewisser Objekte verlassen, wenden wir uns auf neuem Weg einer unbegrenzten, gegenstandslosen Schönheit zu. So wird es eher gelingen, die geheimnisvollen Strömungen der Natur, wie sie heute das Weltbild prägen, auf eine gleichnishafte Formel zu bringen. Wir wenden uns an alle Kunstwilligen, der jungen Kunst Verständnis entgegenbringen zu wollen und sagen all jenen den Kampf an, die rückwärtsblickend auf der Stelle treten.«[17] Farbe als meditative, absolute Dimension, als in der Malerei gleichsam gebändigte Energie sollte ein

228 Günter Fruhtrunk, Seh-Ebenen E.T. 3, 1970; Acryl auf Leinwand, 206 x 196 cm; Staatliche Museen zu Berlin, Nationalgalerie

229 Rupprecht Geiger, Bild 736/81, 1981; Acryl auf Leinwand, 185 x 200 cm; Staatliche Museen zu Berlin, Nationalgalerie, Eigentum des Vereins der Freunde der Nationalgalerie

immaterielles Strahlungsfeld ausbreiten, welches den Betrachter auch hier seiner Diesseitigkeit entrückt und zur reinen Wahrnehmung transzendiert (Kat.Nr. 229).

Die im Werk gebändigte Energie einer zugleich befreiten Materialität der Farbe nimmt mit den Werken Blinky Palermos (Kat.Nr. 455) und Gotthard Graubners (vgl. Kat.Nr. 230) schließlich selbst die Gegenständlichkeit an. Die Farbraumkörper Graubners oder die gleichsam, wie in **Tagtraum II**, zur Körperlichkeit verdichteten ›Landschaften‹ Palermos scheinen dabei den Charakter einer momenthaften Begegnung anzunehmen. Sinnliche Präsenz wird auch hier zum Sprachzeichen; nicht jedoch im Sinne einer abstrakten Semantik, sondern als poetischer Entgrenzungsprozeß, in dem die Kunst in die Welt des Betrachters eindringt und diese verwandelt.

Man mag diese »subversive Macht der Moderne, die gestaltend ins Leben eingreift, ohne sich dessen zweckrationalen Bedürfnissen auszuliefern«, einer gewissen Unverbindlichkeit zeihen. Jedoch: »Zur anschaulichen Darstellung von Offenheit, die das Selbstbewußtsein nicht entmündigt, sondern überhaupt erst restituiert, gleichsam als ästhetisches Kraftwerk zur Wiederherstellung und Aktivierung kreativer Existenz, zielt gerade auch eine Kunst der absoluten Reinheit notwendig auf einen Sitz im Leben.«[18] In diesem Sinne, so möchte man anfügen, bietet Farbe als geistige Ordnung und Energie in der Kunst des 20. Jahrhunderts eine anhaltend verführerische Perspektive.

Anmerkungen

1 Zit. n. Shadowa, Larissa A.: *Kasimir Malewitsch und sein Kreis. Suche und Experiment.* München 1982, S. 43.
2 Zit. n. ebd., S. 49.
3 Ebd., S. 50.
4 Zu dem weitreichenden Anspruch der Suprematisten und dem Einfluß ihrer theoretischen Überlegungen u.a. auf László Moholy-Nagy, Johannes Itten, Josef Albers und Paul Klee vgl. ebd., S. 41–68. Die Autorin betont hier zu Recht, daß um Malewitschs Terminus des Gegenstandslosen eine kunstwissenschaftliche Mythologie wuchert, die der weiteren Differenzierung bedarf.
5 Vgl. Süttgen, Johannes: »Aus ›Der ganze Riemen‹ – IMI&IMI 1964–1969«. In: *Imi Knoebel.* Ausst.Kat. Van Abbemuseum, Eindhoven. Eindhoven 1982, S. 94–97, hier bes. S. 96. Der Künstler beschreibt darin seine Entdeckung der Werke Malewitschs, insbesondere von **Schwarzes Quadrat auf weißem Grund**, sowie die Begeisterung, die ihn veranlaßte, seinen Kopf ähnlich wie die russischen Revolutionskünstler kahl zu scheren.
6 Gaßner, Hubertus: »Vierfelderwirtschaft – schwarz-weiß und farbig«. In: *Imi Knoebel. Retrospektive 1968–1996.* Ausst.Kat. Haus der Kunst, München. Ostfildern 1996, S. 47–63, hier S. 51.
7 Vgl. Kandinsky, Wassily: *Punkt und Linie zu Fläche. Beitrag zur Analyse der malerischen Elemente.* Bern 1973 (zuerst 1926), S. 79ff., S. 130ff. Kandinsky widmet sich in diesem Buch zwar vornehmlich den grafischen Grundelementen, sieht die Ausführungen jedoch als »organische Fortsetzung« seines 1911 erschienenen Buches *Über das Geistige in der Kunst* (Kat.Nr. 194), in dem er den Zusammenhang zwischen einer psychisch-sensualistischen Wahrnehmung und einer überzeitlichen, geistigen Wahrheit ausführlich erläuterte.
8 Siehe hier zur Einführung Albrecht, Hans Joachim: *Farbe als Sprache. Robert Delaunay, Josef Albers, Richard Paul Lohse.* Köln 1974, S. 60–113.
9 Zit. n. ebd., S. 113.

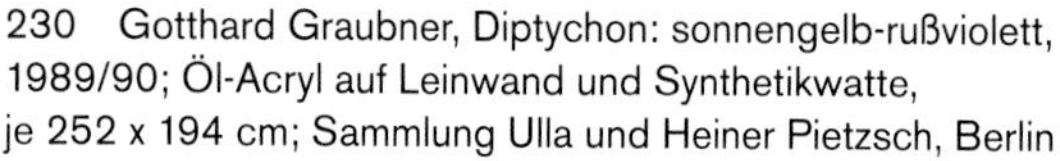

230 Gotthard Graubner, Diptychon: sonnengelb-rußviolett, 1989/90; Öl-Acryl auf Leinwand und Synthetikwatte, je 252 x 194 cm; Sammlung Ulla und Heiner Pietzsch, Berlin

10 Ebd.

11 Hausenstein, Wilhelm: *Die bildende Kunst der Gegenwart.* Stuttgart; Berlin 1914, S. 301f.

12 Es ist hier nicht der Ort, den engen Zusammenhang zwischen Werk und Theorie beziehungsweise den geschichtlichen Kontext der ausufernden Theoreme zu diskutieren. Daher sei an dieser Stelle nur auf einige verfügbare Schriften der genannten Künstler verwiesen: Malewitsch, Kasimir: *Suprematismus – Die gegenstandslose Welt.* Hg. von Werner Haftmann. Köln 1962; Kandinsky, Wassily: *Über das Geistige in der Kunst.* Hg. von Max Bill. Bern 1952; Jaffé, H.L.C.: *Mondrian und De Stijl.* Köln 1967; Baumeister, Willi: *Das Unbekannte in der Kunst.* Köln 1960. Für eine Übersicht der Schriften Baumeisters vgl. auch Hirner-Schüssele, René: *Von der Anschauung zur Formerfindung. Studien zu Willi Baumeisters Theorie moderner Kunst.* Worms 1990, S. 272–276.

13 Vgl. Deicher, Susanne: *Piet Mondrian. Protestantismus und Modernität.* Berlin 1995, S. 13.

14 Weyergraf, Clara: *Piet Mondrian und Theo van Doesburg. Deutung von Werk und Theorie.* München 1979, S. 84f., S. 99f. Ob man nun die Theorien Mondrians als bloße Legitimationsideologie künstlerischer Formprobleme ansehen mag, zur Ikonographie protestantischer Ethik erhebt (vgl. Deicher, Mondrian [Anm. 13]) oder in der Folge der Erkenntnistheorie Spinozas ansiedelt (vgl. Wismer, Beat: *Mondrians ästhetische Utopie.* Baden 1985), muß hier jedoch dahingestellt bleiben.

15 Schuster, Peter-Klaus: »Fruhtrunks Frühwerk«. In: *Günter Fruhtrunk. Retrospektive.* Ausst.Kat. Neue Nationalgalerie, Berlin. München 1993, S. 29–41, hier S. 41.

16 Günter Fruhtrunk, zit. n. ebd., S. 40. Fruhtrunk lehnte mit dieser Formulierung jede Art von Seinsverklärung und Weltauslegung in und durch die Kunst ab.

17 Rupprecht Geiger, zit. n. *Rupprecht Geiger.* Ausst.Kat. Staatsgalerie moderner Kunst, München. München 1988, S. 23.

18 Schuster, Fruhtrunk (Anm. 15), S. 41.

Vorsatzblatt: 228 Günter Fruhtrunk, Seh-Ebenen E.T. 3, 1970 (Ausschnitt)

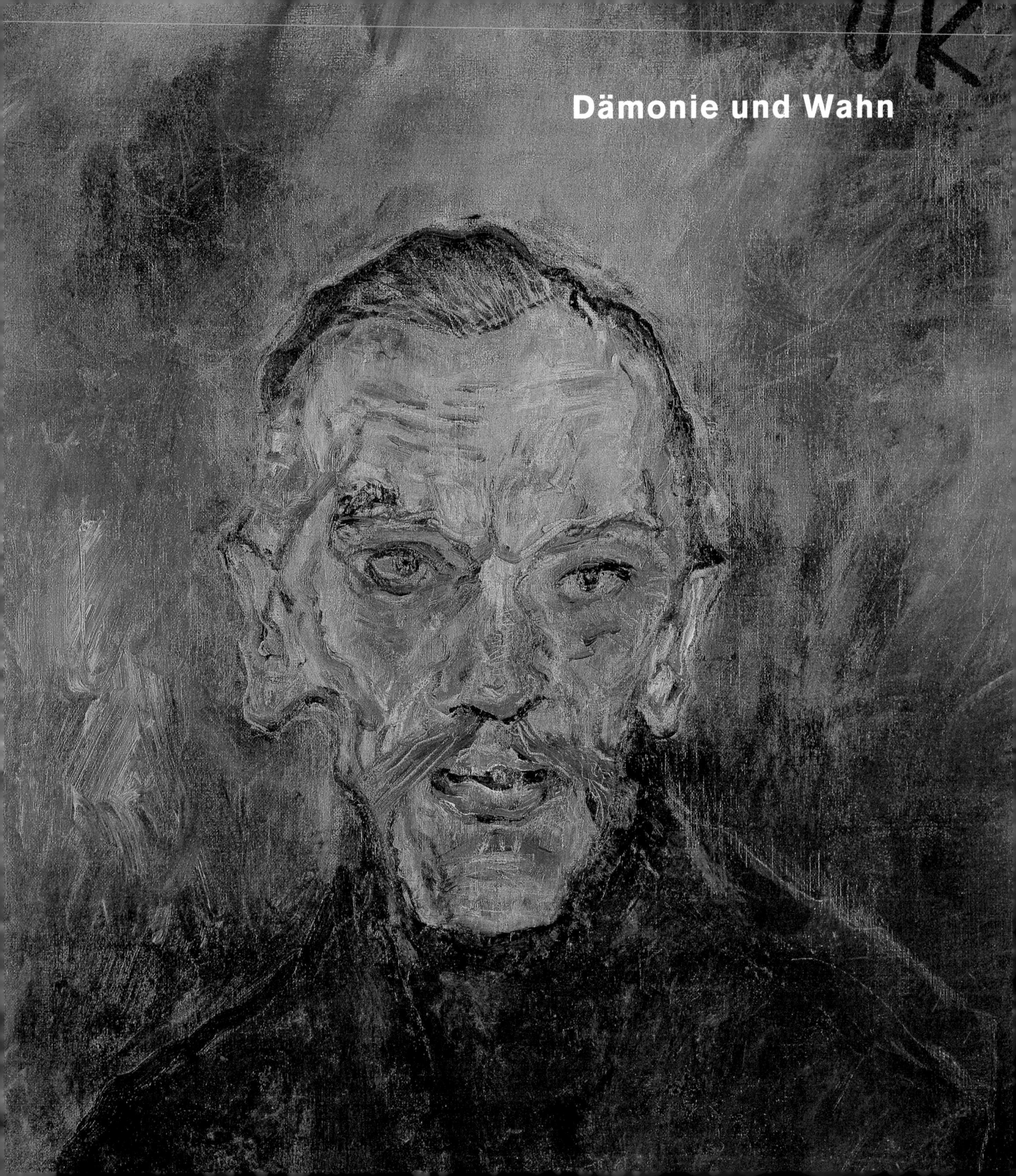

OK
Dämonie und Wahn

Dämonie und Wahn

Moritz Wullen

Goethe, ein verbriefter Skeptiker überspannter Intellektualität, schrieb einmal: »[...] von der Vernunftshöhe herunter sieht das ganze Leben wie eine böse Krankheit und die Welt einem Tollhaus gleich.«[1] Ganz besonders um 1900, nicht zufällig in der ersten Frühzeit der modernen Spiritualisierung von Kunst, entwickelte das Geistige nachgerade hypochondrische Züge. Das Schreckbild eines Abgrunds entstand, in dessen infernalischem Bannkreis sich die höchsten Tugenden in ihr schlimmstes Gegenteil verkehrten. Hier, so wollte es der Wahn des Geistes, degenerierte vernünftige Formung zu dunkler Verklumpung, triumphierte fleischliche Getriebenheit über geistiges Kalkül. Ungut und schwül quoll es von drunten, und als Beklemmung kam hinzu, daß es der eigene Leib war, der in diese Tiefe zog. Die Dämonie des Fleisches: Sie geriet zum Wahn einer Kunst, die sich in ihrer Geistigkeit nie rein genug sein konnte.

Dämonie und Wahn – dies sind denn auch die großen Themen Edvard Munchs, und vielleicht hat er sie überhaupt erst zum Thema gemacht. Munch war erfüllt von der Sehnsucht nach heller, klarer Geistigkeit, und seine Kunst erzählt von einer großen Beklemmung, einem verzweifelten Ringen nach Atem und freier Sicht. »Ich lag zwischen Schlamm und kriechendem Getier – ich sehnte mich danach, an die Oberfläche zu gelangen.«[2] Dann erinnert er sich an die glitzernde, über die Wellen huschende Spiegelung eines Schwans: »Sein leuchtendes Weiß – mich verlangte nach seinen klaren Linien – ich strecke die Hand nach ihm aus – er näherte sich, kam aber nie ganz heran – dann sah ich mein Spiegelbild im Wasser – oh, wie fahl ich aussah – Schmutz in den Augen und Schmutz im Haar – ich erkannte, warum ich mich fürchtete – ich, der ich wußte, was unter der schimmernden Oberfläche lag, konnte nie eins werden, mit einem, der unter Illusionen lebte – dort auf der hellen Wasserfläche, die die reinen Farben der Luft widerspiegelte.«[3] Kraftlos, entmutigt von der unendlichen Ferne der Oberwelt, sinkt die Sehnsucht, umfangen von körperlicher Schwere, wieder ins Dunkel zurück. Es bleibt der leere Trost der melancholischen Erinnerung. In solche Reminiszenzen eingewühlt, sitzen auch die Frauenfiguren Munchs am Aasgaardstrand. Vor ihnen breitet sich das Meer in unendlicher Geräumigkeit, doch ihre Konturen, die breit gedehnten Linien der Küste binden sie fest an ihren öden Ort (vgl. Kat.Nr. 232). Der Geist harrt unerlöst; der Leib gibt ihn nicht frei.

Und selbst die Liebe bringt keine Erlösung. Zwar mag es sein, daß die Harmonie der Herzen den Geist in schwärmerische Fernen führt, doch hinter den Kulissen verstrickt ihn das Begehren nur noch tiefer in die dubiose Leiblichkeit. Munch selbst spricht von einem »unterseeischen« Prozeß: »Der Mann und die Frau ziehen einander an. Das unterseeische Kabel der Liebe leitet die elektrischen Strömungen in deren Nerven. Die Leitungen verbanden ihre Herzen. Das Haar der Frau hat sich um ihn gewunden und sich um sein Herz geschlungen.«[4] Ob es statthaft ist, die Magnetismen der Liebe derart technologisch aufzufädeln, steht dahin; die Begeisterung des 19. Jahrhunderts für das Wunder der Elektrizität ist leicht herauszuhören. Allemal ist Munchs Metaphorik deutlich genug: Die Liebe beginnt mit dem Übersprung eines zarten elektrischen Funkens, doch früher oder später wird sie zur unauflöslichen, schmerzlichen Verwicklung im Fleisch. Das Gemälde **Die Frau (Sphinx)** (Kat.Nr. 233), entstanden zur Zeit der ersten längeren Aufenthalte Edvard Munchs in Berlin, läßt diesen Schrecken ahnen. Es zeigt die Rollenspiele der Frau selbdritt, als »Heilige – Dirne – und eine unglückliche Ergebene«[5], aber selbst mit der Heiligen ist es nicht recht geheuer. An den linken Rand gerückt, von ihren symbolischen Schwestergestalten abgewandt, steht sie unnahbar am Strand und läßt ihr vom Meerwind aufgewehtes Haar als flammende Lohe landeinwärts flattern; dort, am anderen Ende der Szenerie, steht die Gestalt des Mannes, stumm und wie behext.

Von der Glutfarbe des wehenden Haares magisch bewirkt, geht im Nachtschwarz seiner Erscheinung ein blutrotes, pflanzliches Etwas auf – ein verheißungs-, aber auch unheilvoller farblicher Zusammenklang.

Die ›unterseeischen‹ Energien der Liebe verleihen dem Fleisch dämonische Kraft. Schon die bloße schmachtende Berührung kann Höllenpforten öffnen. Stanisław Przybyszewski, polnischer Dichter und wahlverwandter Freund des Künstlers, schrieb über den **Kuß**: »Man sieht zwei Menschengestalten, deren Gesichter ineinander verschmolzen sind. Es gibt nicht einen einzigen erkennbaren Zug; man sieht nur die Verschmelzungsstelle, die wie ein Riesenohr aussieht, das in der Ekstase des Blutes taub wurde, es sieht aus wie eine Lache von flüssigem Fleisch: etwas Widerliches liegt darin.«[6] Wie ein Parasit hängt der Kuß im Fleisch der Liebenden, der Kuß saugt sie zu Tode. Doch im namenlosen Grauen liegt auch der Höhepunkt der Lust beschlossen. Es ist die Lust des Opfers am Biß des Vampirs (vgl. Kat.Nr. 234): »Er fühlte, wie das Blut durch ihre Adern floß. Er lauschte ihrem Herzschlag [...]. Sie senkte ihren Kopf über ihn und er spürte zwei warme, brennende Lippen auf seinem Nacken. Ein Schauder durchfuhr seinen Körper, ein Schauder der Wollust. Und er preßte sie krampfhaft an sich.«[7]

Munchs Dämonie wuchert in Alfred Kubins Phantasien fort. In seinen Zeichnungen nimmt sie monströse Formen an. Kubin selbst sprach immer wieder von seiner Verehrung für Edvard Munch, und sogar eine persönliche Begegnung ist verbürgt. In seiner Autobiographie *Aus meinem Leben* schreibt Kubin: »Munch habe ich auch persönlich kennengelernt. Ich war mehrmals sein und seiner damaligen Braut Thulla Larsens Gast. Munch war ein schwer zugänglicher Mensch, ein Sonderling, der erst nach reichlichem Trunk entgegenkam, mich aber durch seine Zurückhaltung ganz besonders berührte.«[8] Besonders in seiner Anfangszeit, in den frühen Münchener Jahren, da Kubins zeichnerische Hand noch Schwierigkeiten hatte, dem Schwung der Phantasie zu folgen, zählten die unheimlichen Visionen Munchs erklärtermaßen zu seinen »Lieblingen«. Doch anders als bei Munch, dessen Verbohrung in die Fleischlichkeit sich gerade aus seiner Sehnsucht nach dem Geistigen erklärt, wird der Geist bei Kubin endgültig exmittiert. Kubin, so möchte man sagen, ist der Schwadroneur des Perversen. Seine Schilderungen haben die Grandezza haarsträubenden Seemannsgarns, zum besten gegeben von einem, der vorgibt, gerade noch heil von den schrecklichen Gestaden des Fleisches heimgekehrt zu sein, wo das Geistige nur noch in der Verblödungsform dumpfer Dämonie existiert: Feixend hat sich der Teufel auf einem Schornstein plaziert, den Kopf hat er auf seinen Knien abgestellt, und in haarsträubender Vertauschung von ›vorn‹ und ›hinten‹ macht er den Oberleib zum Unterleib (vgl.

232 Edvard Munch, Melancholie, 1907;
Öl und Tempera auf Leinwand, 87 x 156 cm;
Staatliche Museen zu Berlin, Nationalgalerie

233 Edvard Munch, Die Frau (Sphinx), 1893/94;
Öl auf Leinwand, 72,5 x 100 cm; Munch-museet Oslo

234 Edvard Munch, Vampir, 1893/94; Öl auf Leinwand, 91 x 109 cm; Munch-museet Oslo

Kat.Nr. 235). Wo ansonsten der Gedanke sitzt, klafft nun, im Spundloch des Halses, eine genitale Röhre. Den Kamin parodierend, stößt er rauchig-schwarze Samenschwaden aus, und wie im Triumph pflanzt er sich masturbierend fort. Gerade aber diese Lust des Fleisches an sich selbst ist die schlimmste Beängstigung Kubins. Zeugung, Schwangerschaft, Geburt verkommen in seinen Visionen zum tiefsten Jammertal des Geistes. **Die Fruchtbarkeit** (Kat.Nr. 236) ist denn auch eines seiner wüstesten Blätter. Die konventionelle Seejungfrau, die in der unschuldigen Bilderwelt des 19. Jahrhunderts noch keusch auf einem Unterwasserkiesel sitzt und sich damit begnügt, allein mit dem Blick nach den Fischern zu schmachten, ist hier, vom Unmaß ihrer Schwangerschaft aus der Balance gebracht, nach hinten gestürzt und haucht ihr Leben in uteralen Blasen aus. Der Laich dümpelt in die Ferne.

Aus der Südsee meldet sich Emil Nolde 1914 mit den Zeilen: »Die Eingeborenen hier essen allerdings Menschenfleisch, sie schlagen sich gegenseitig zuweilen tot. Ich verstehe dieses Verlangen, bei einem Fest frisches Fleisch essen zu wollen, in diesen Tagen

235 Alfred Kubin, Der Teufel auf dem Dach, 1902; 28,5 x 31,1 cm

236 Alfred Kubin, Die Fruchtbarkeit (Fassung 1), 1900; 37,3 x 27 cm

237 Alfred Kubin, Die Gesegnete, o.J.; 28,5 x 31,1 cm

238 Alfred Kubin, Promenade, um 1904/05; Tuschpinsel, aquarelliert, gespritzt, Einfassungslinie auf Katasterpapier, 24,4 x 32,5 cm; Sammlung Graf von Faber-Castell

239 Alfred Kubin, Ins Unbekannte, o.J.; 31,5 x 39,3 cm

240 Alfred Kubin, Das letzte Abenteuer, 1900; 24,9 x 37,1 cm

Alle außer Kat.Nr. 238: Tusche, Feder, Aquarell und Spritztechnik auf Papier; Leopold Museum – Privatstiftung, Wien

hier auf dem Schiff, wo wir täglich und immer halbfaules Tinfleisch essen, käme ein frischer Braten Menschenfleisch, ich....«[9] Nolde, auf dem Deck des Dampfers *Manilla* im Langstuhl hingestreckt, träumt den Gedanken nicht zu Ende, zumindest läßt er das weitere ungesagt; die kulinarische Abwegigkeit seiner Gedanken schockiert ihn selbst. Tausende Meilen fern von Europa, im tropischen Abseits der Zivilisation und ihrer geistigen Ordnung, steigen in ihm, von Brutklima und urzuständlicher Umgebung wachgerufen, Bilder aus nicht geheurer Tiefe auf. »Ich wollte«, so hatte er zu Beginn seiner Reise geschrieben, »Urwesenhaftes sehen und finden.«[10] Der Oberflächenkult der europäischen Hochkunst ödete ihn an. Ihm ging es statt dessen um lebenskräftige, archaische Gestaltung. Die Hingabe an die elementare Triebkraft der Natur, die Rückkehr zum Urgrund, die Besinnung auf das »naturhaft Tiefste«[11] sollten die notwendige Reform des künstlerischen Ethos vorwärtsbringen. Dabei wußte Nolde durchaus um die Dämonie der Tiefe und ihre fleischlich-kannibalischen Spukgebilde. Kunst und Schicksal Edvard Munchs waren ihm, nicht anders als Kubin, persönlich vertraut. Als problematische Existenz, »in Rausch und Leid dämonisch gestaltend«[12], hatte er ihn in Berlin 1905 kennengelernt, und es war ihm nicht entgangen, daß Munch sein irdisches Dasein nur noch unter alkoholischer

241 Emil Nolde, Weib und Mann I, 1919; Öl auf Leinwand, 57,5 x 73 cm; Stiftung Seebüll Ada und Emil Nolde, Neukirchen

Betäubung ertrug: »Munch sagte nur wenig, ich fast nichts. Am nächsten Vormittag trafen wir uns wieder. Munch war verkatert. Er lebte damals im Trunk. Trinkend, und dabei seine schönste Graphik schaffend und seine Bilder malend – der große Künstler.«[13] Die leibliche Qual des Lebens, Munchs zentrales Kunst- und Daseinsthema, wirkt in den Gedanken Noldes nach. »Der Geist«, konstatiert Nolde 1920, »ist gefesselt an einen bleischweren Körper.«[14] Umso schlimmer, daß der Künstler auf die Tiefenkräfte seiner stofflichen Natur elementarisch angewiesen ist. Der Pakt mit dem Dämonischen ist die faustische *conditio sine qua non* seines Schaffens, seine Existenz schwebt zwischen Hölle und Himmel: »Ich schaute zur Rechten zu schwebenden Himmelswolken hin, zur Linken zum lodernden Höllenschlund.«[15]

Aus infernalischer Tiefe, aus den untersten Schichten hervorgeholt, übervoll und schwer präsentieren sich die weiblichen Erscheinungen in Noldes erotischen Visionen. In **Weib und Mann I** (Kat.Nr. 241) von 1919 ist der Frauentorso eine rohe Kopfgeburt, die Halluzination eines übernächtigten Männerkopfes mit irrem Stich ins Grünliche. Die totale Versuchung: Das ist das

242 Emil Nolde, Legende: Heiliger Symeon und die Weiber, 1915; Öl auf Leinwand, 86 x 100,5 cm; Stiftung Seebüll Ada und Emil Nolde, Neukirchen

243 Emil Nolde, Fürst und Geliebte, 1918; Öl auf Leinwand, 89 x 69 cm; Stiftung Seebüll Ada und Emil Nolde, Neukirchen

Fleisch als Fleisch, bengalisch glühend, ohne Segen aus der Höhe. In der Brutalität des Pinselstrichs scheint der begehrliche Zugriff vorweggenommen. Das Bild, so drängt sich auf, ist nicht nur mit Händen gemalt, es will auch mit Händen gesehen werden, und sollte die grelle Kontrastierung von grünem Kopf und Rotlichtschein je die Polarität von Geist und Materie bedeuten, so wird hier das Geistige entschieden in den Schatten gestellt. Selbst dem spirituellen Augenlicht in Noldes Selbstporträt (vgl. Kat.Nr. 244) von 1917 ist kaum zu trauen. Der basiliskenhafte Blick läßt eher an Geisterhaftes als an Geistiges denken.

Melancholie, Hypochondrie und Wahn bestimmten die Gemütsverfassung einer noch jungen Moderne, die das Geistige wollte, aber doch der Dämonie des Fleischlichen erlag. In ausgewählten, sensitiven Charakteren steigerte sich diese Irritation bis zur paranoiden Verfolgungsangst; die eigene Physis geriet zur Tortur. Linderung wurde in Rauschmitteln und Giften gesucht, und nicht selten schlug die Selbstanästhesie in Selbstzerstörung um. Munch beispielsweise malträtierte seinen Körper mit flagellantischem Eifer: »Zigarren, haufenweise Zigarren. Das Todesfeuer des Nikotins und Tabaks frißt sich seinen Weg in die Kanäle meiner Arterien, tobt umher im Labyrinth des Gehirns [...]. Meine besonders empfindlichen Nerven werden angegriffen, ich fühle es. Und der empfindlichste von allen ist bereits in Mitleidenschaft gezogen. Ich begreife, es ist der Lebensnerv. Er verbrennt. Nun, soll er verbrennen. Denn dann wird der ganze Schmerz aufhören. Die Angst wird verschwinden. Whisky mit Soda. Whisky mit Soda. Verbrenn' den Schmerz, die Angst. Alles. Dann ist alles vorüber.«[16]

Oskar Kokoschka, trotz seiner großen Verehrung für Munch ungleich balancierter und sinnlich situierter als sein Vorbild, kannte die katastrophalen Folgen solcher Masochismen aus seinem nächsten persönlichen Umgangskreis, und sein Porträt des schwindsüchtigen,

244 Emil Nolde, Selbstbild, 1917; Öl auf Sperrholz, 83,5 x 65 cm; Stiftung Seebüll Ada und Emil Nolde, Neukirchen

auf sein nervliches Gerippe reduzierten **Conte Verona** (Kat.Nr. 246), sein Bildnis des in der Irrenanstalt Steinhof bei Wien internierten **Ludwig Ritter von Janikowski** (Kat.Nr. 245) sind gleichsam die Kultbilder einer auflösungs- und verwesungstrunkenen Zeit, die dem Purgatorium des Ersten Weltkriegs mit Heilserwartung entgegensah.[17] Besonderen Anteil nahm Oskar Kokoschka am Schicksal des *poète maudit* Georg Trakl.[18] Mit Chloroform hatte es bei Trakl angefangen, später kamen im Unmaß Morphium und Kokain hinzu. Trakl hatte sich hoffnungslos im Ekel vor sich selbst verrannt. Sexuelle Ausschweifungen, eine inzestuöse Entgleisung in Jugendtagen, seine physische Verwahrlosung ließen ihn sein stoffliches Dasein als Hölle empfinden. Am 3. November 1914 nimmt er sich mit einer Überdosis Kokain das Leben. Das fünf Jahre zuvor entstandene Gedicht »Der Heilige« liest sich wie ein verzweifelter Hymnus auf Dämonie und Wahn:

> Wenn in der Hölle selbstgeschaffener Leiden
> Grausam-unzüchtige Bilder ihn bedrängen
> – Kein Herz ward je von lasser Geilheit so
> Berückt wie seins, und so von Gott gequält
> Kein Herz – hebt er die abgezehrten Hände,
> Die unerlösten, betend auf zum Himmel.
> Doch formt nur qualvoll-ungestillte Lust
> Sein brünstig-fieberndes Gebet, des Glut
> Hinströmt durch mystische Unendlichkeiten.
> Und nicht so trunken tönt das Evoe
> Des Dionys, als wenn in tödlicher,
> Wutgeifernder Ekstase Erfüllung sich
> Erzwingt sein Qualschrei: Exaudi me, o Maria![19]

Eine gewisse Lust an der Not ist diesen Zeilen abzulesen. Trakl nimmt die Seelenqual gleichsam zum Schwunggewicht seines dichterischen Höhenflugs. Sein Leiden im Fleisch war echt, sein ›Qualschrei‹ ist es nicht ganz. Aber auch die Ungeheuerlichkeiten Kubins und Munchs, die venerischen Elementargeister Noldes sind in ihrer Phantastik kaum geeignet, als Warnzeichen real existierender Bedrohungen dem Publikum tatsächlich Schrecken einzuflößen. Die Dämonien der Tiefe und des Fleisches sind viel zu fern, um

245 Oskar Kokoschka, Ludwig Ritter von Janikowski, 1909; Öl auf Leinwand, 60,2 x 57,2 cm; Privatsammlung

246 Oskar Kokoschka, Conte Verona, 1910; Öl auf Leinwand, 70,6 x 58,7 cm; Privatsammlung

247 Otto Dix, Vanitas, 1932; Mischtechnik auf Holz, 100,5 x 70 cm; Zeppelin-Museum Friedrichshafen

gefährlich zu sein – so könnte man zumindest denken, gäbe es da nicht, an der Ausgangspforte des Panoptikums, die Irritation durch Otto Dix. Er zeigt die Dämonie von ihrer alltäglichsten Seite, denn biederer läßt sich Nudität nicht denken (vgl. Kat.Nr. 247). Ober- wie Unterleib strahlen in geseifter Hygiene, und die Proportionen halten sich im unspektakulären Rahmen eines Mädchenpensionats. Aber hinter der sterilen Glätte, hinter dem konfektionierten Ebenmaß des ›Mädchens von nebenan‹ lauert dann doch das Monströse. In der Physiognomie tritt es unverstellt zu Tage: Die Zähne sind gebleckt, die Backen glänzen in feister Erregung. Wollüstiger, hemmungsloser, debiler hat sich Fleisch nie präsentiert, und neben der verwest-mumifizierten Schreckensfigur im Hintergrund, die als Vanitas die Haltbarkeitsgrenze solcher Sinnenreize bedenken läßt, ist es vor allem diese dämonische Debilität, die dem Voyeur den Appetit verschlägt. Dämonie und Wahn – in den Bildern des Otto Dix lauern sie bereits im Mietshaus vis-à-vis, parterre, hinter der Fassade bürgerlichster, trivialster Leiblichkeit.

Anmerkungen

1 Johann Wolfgang von Goethe an C.G. Voigt, 19. Dezember 1798. Zit. n. Tümmler, Hans (Hg.): *Goethes Briefwechsel mit Christian Gottlob Voigt.* Bd. II. Weimar 1951, S. 110.
2 Zit. n. Eggum, Arne: *Edvard Munch. Gemälde, Zeichnungen und Studien.* Stuttgart 1986, S. 83.
3 Ebd.
4 Zit. n. Graen, Monika: *Das Dreifrauenthema bei Edvard Munch.* Frankfurt am Main; Bern; New York 1985, S. 133.
5 Zit. n. ebd., S. 157.
6 Zit. n. Heller, Reinhold: *Edvard Munch. Leben und Werk.* München; New York 1993, S. 79.
7 Zit. n. ebd., S. 82.
8 Zit. n. Peters, Hans Albert (Hg.): *Alfred Kubin. Das zeichnerische Frühwerk.* Ausst.Kat. Staatliche Kunsthalle Baden-Baden. Baden-Baden 1977, S. 7.
9 Der Brief, datiert vom 24. Mai 1914, findet sich abgedruckt in: Nolde, Emil: *Jahre der Kämpfe.* Berlin 1934, S. 239–243, hier S. 241.
10 Ebd., S. 237.
11 Ebd., S. 162.
12 Ebd., S. 209.
13 Ebd., S. 87.
14 Ebd., S. 236.
15 Ebd., S. 222.
16 Zit. n. Heller, Edvard Munch (Anm. 6), S. 120.
17 Vgl. Fischer, Wolfgang G.: »Oskar Kokoschka als Seher des Untergangs oder Die Bühne des Verwesens«. In: Erika Patka (Red.): *Oskar Kokoschka. Symposion der Hochschule für angewandte Kunst in Wien.* Salzburg; Wien 1986, S. 43–71.
18 Vgl. Oskar Kokoschka an Ludwig von Ficker, 17. November 1914. In: Olda Kokoschka; Heinz Spielmann (Hg.): *Oskar Kokoschka. Briefe I (1905–1919).* Düsseldorf 1984, S. 184.
19 Zit. n. Killy, Walther; Szklenar, Hans (Hg.): *Georg Trakl. Dichtungen und Briefe. Historisch-kritische Ausgabe.* Bd. I. Salzburg [2]1987, S. 254.

Vorsatzblatt: 245 Oskar Kokoschka, Ludwig Ritter von Janikowski, 1909 (Ausschnitt)

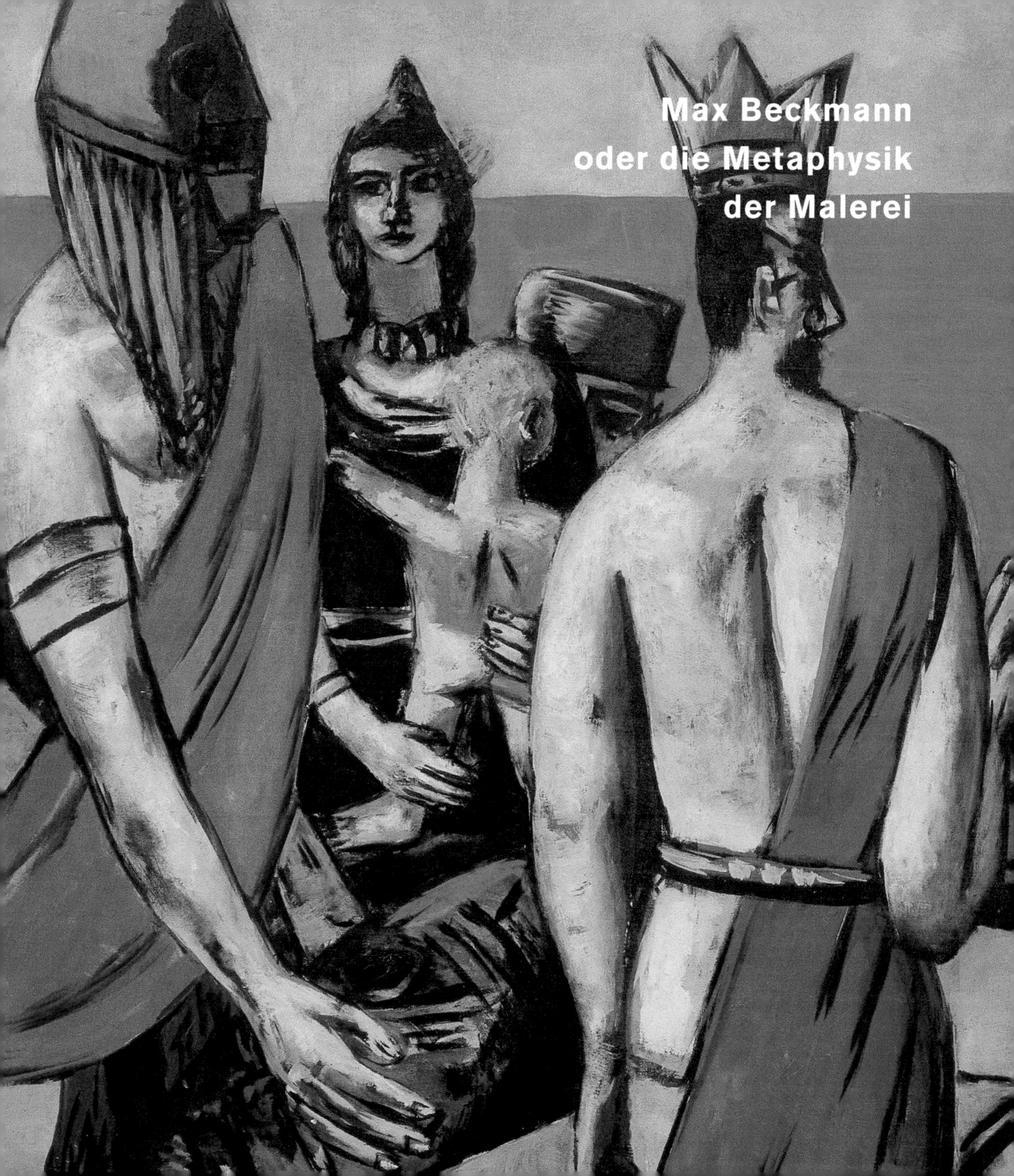

Max Beckmann oder die Metaphysik der Malerei

»Ich suche aus der gegebenen Gegenwart die Brücke zum Unsichtbaren«[1] Max Beckmann oder die Metaphysik der Malerei

Carla Schulz-Hoffmann

In seiner berühmten Londoner Rede von 1938, die er anläßlich der Ausstellung *Exhibition of 20th Century German Art* in den Burlington Galleries hielt,[2] bezog Max Beckmann, ansonsten mit öffentlichen Statements zu seinem künstlerischen Selbstverständnis betont sparsam, unmißverständlich Position. Jeder, der zwischen den Zeilen zu lesen vermochte, wird sein hier erneut formuliertes Credo – allen Insidern in den Kernpunkten weitgehend geläufig – auch als Manifest gegen den Kulturterror des Nationalsozialismus verstanden haben. Die dramatische Zuspitzung der politischen Situation im Nazi-Deutschland, für die die Aktion »Entartete Kunst« mit ihrer rigorosen Diffamierung der Moderne nur ein, wenngleich signifikantes Signal bedeutete und die Beckmann bereits 1937 zum radikalen Bruch geführt hatte[3], erzwang fast diesen entschiedenen Protest. Denn die Vereinnahmung des Realismus – so banal auch immer – zur allein staatstragenden Kunstform und damit dessen folgenreiche Diskriminierung als untauglich für die Moderne traf die wie Beckmann nach gängigen Kriterien ›realistisch‹ orientierten Künstler in der Substanz. So wird die Londoner Rede zur programmatischen Erklärung für eine wirklichkeitsnahe Malerei, die sich auf einen ganz anderen, komplexen Realitätsbegriff gründet: »Worauf es mir in meiner Arbeit vor allem ankommt, ist die Idealität die sich hinter der scheinbaren Realität befindet [...]. Das Unsichtbare sichtbar machen durch Realität [...]. Dann verdichten sich die Formen zu Dingen, die mir verständlich erscheinen in der großen Leere und Ungewißheit des Raumes, den ich Gott nenne [...].«[4] Diese Theorie einer quasi surrealen Bildwirklichkeit propagierte Beckmann schon als junger Künstler und exponierte sich damit in oft mißverständlicher Weise gegen die Avantgarde. Ausgangspunkt war 1911 der unselige, durch die politische Situation des Kaiserreiches begünstigte »Protest deutscher Künstler« gegen eine angebliche Überfremdung deutscher Sammlungen durch französische Kunst, der von reaktionären Kräften um den Worpsweder Maler Carl Vinnen initiiert wurde.[5] An der von Franz Marc noch im selben Jahr zusammengestellten, hochkarätig besetzten Antwortschrift beteiligte sich zwar auch Beckmann, ohne sich allerdings zu einer positiven Haltung gegenüber der Moderne hinreißen zu lassen. Im Gegenteil, er begründet seine Antwort mit der polemischen Bemerkung, daß sie qualitativ zu unbedeutend sei, um ernst genommen zu werden: »Ich selbst bin [...] stets gegen eine Überschätzung intelligenter Epigonentalente wie Matisse, Othon Friesz, Puy etc. aufgetreten, aber nie wäre es mir eingefallen, feierlich dagegen Protest zu erheben [...].«[6]

248 Max Beckmann, Selbstbildnis im großen Spiegel mit Kerze, 1934; Öl auf Leinwand, 100,4 x 64,8 cm; Privatsammlung Süddeutschland

In der darauffolgenden Auseinandersetzung mit Franz Marc[7] wettert Beckmann mit dem Hochmut und der Arroganz der Unreife gegen die »sogenannte neue Malerei«, die er als schwächliche Tapeten- und Plakatkunst oder leere Dekoration und Kunstgewerbe diskriminiert.[8] Dagegen setzt er auf die ewig gültige Relevanz nüchterner Wirklichkeitsanalyse. »Ich glaube, daß ich gerade die Malerei so liebe, weil sie einen zwingt, sachlich zu sein. Nichts hasse ich so wie Senti-

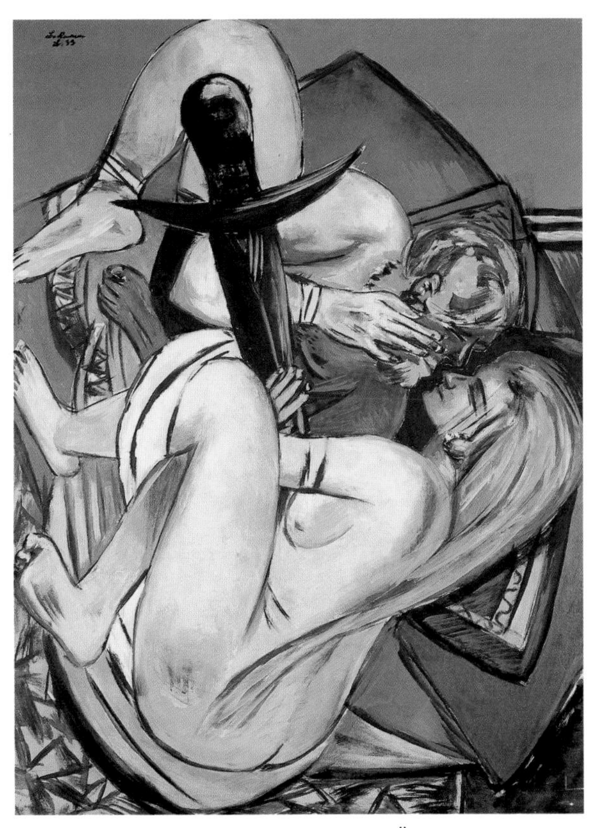

249 Max Beckmann, Geschwister, 1933; Öl auf Leinwand, 135 x 100 cm; Privatsammlung

mentalität. Je stärker und intensiver mein Wille wird, die unsagbaren Dinge des Lebens festzuhalten, je schwerer und tiefer die Erschütterung über unser Dasein in mir brennt, um so verschlossener wird mein Mund, um so kälter mein Wille, dies schaurig zuckende Monstrum von Vitalität zu packen und in glasklare scharfe Linien und Flächen einzusperren, niederzudrücken, zu erwürgen.«[9] Hierin skizziert Beckmann ein schon nahezu klassisches Künstlerbild: Da ist die Erkenntnis existentieller Abhängigkeit von den Niederungen der alltäglichen Realität und zugleich die Hoffnung, diese Zwänge durch künstlerische Arbeit bewältigen zu können, eine Vorstellung, die die Sonderrolle des Künstlers als sinnstiftender Autorität enthält, wie sie weite Bereiche der Moderne prägte. Künstlerschicksal und Künstlermythos fließen in der Überzeugung von der Bedeutung der eigenen Aufgabe in einer Zeit des Niedergangs verbindlicher Werte zusammen. Diese von Beckmann stets propagierte Auffassung unveränderlicher künstlerischer Gesetzmäßigkeiten blendet ihn aus den Avantgardebestrebungen aus und bindet ihn statt dessen an eine klassische Tradition, die er für seine Zeit fortsetzt.

Vor diesem Hintergrund wird der ›Außenseiter‹ Beckmann, der sich in keine der gängigen Schubladen fügt, der die Avantgarde seiner Zeit als Dekorationsware abstempelt oder ignoriert, zum Glied innerhalb einer engverzahnten Kette, deren Teile die Gültigkeit einer realistischen Kunstauffassung auf dem Boden ihrer Zeit belegen. Entsprechend betont Beckmann kurz vor dem Ende des Ersten Weltkrieges: »Aus einer gedankenlosen Imitation des Sichtbaren [...] heraus werden wir jetzt hoffentlich zu der *transzendentalen Sachlichkeit* kommen, die aus einer tiefen Liebe zur Natur und den Menschen hervorgehen kann, wie sie bei Mäleszkircher, Grünewald und Brueghel, bei Cézanne und van Gogh vorhanden ist.«[10]

Anspruch und Rang des künstlerischen Konzeptes sind damit dezidiert festgelegt, und Beckmann läßt keinen Zweifel an dessen singulärer Bedeutung. Aber propagiert er deshalb einen Konservatismus, der sich formalen und stilistischen Experimenten und Neuerungen versperrt? Sicher lehnte er alle Tendenzen ab, die zur abstrakten Kunst führen oder die die Malerei selbst zur Disposition stellen. Aber schon 1914 relativiert Beckmann offiziell seine einseitige Polemik gegen die neue Kunst und präzisiert: »Eine, die ja augenblicklich wieder mal im Vordergrunde steht, ist die flache und stilisierend dekorative, die andere ist die raumtiefe Kunst. [...] Das eine sucht die ganze Wirkung in der Fläche, ist also abstrakt und dekorativ, das andere sucht mit räumlicher und plastischer Form dem Leben unmittelbar nahezukommen. [...] Was mich selbst anbetrifft, so folge ich mit meiner ganzen Seele der raumtiefen Malerei und suche in ihr meinen Stil zu gewinnen, der im Gegensatz zur äußerlich dekorativen Kunst der Natur der Seele der Dinge so tief wie möglich auf den Grund gehen soll.«[11] Wenngleich die subjektive Gewichtung deutlich bleibt, formuliert Beckmann jetzt weniger apodiktisch, eine

Differenzierung, die vielleicht als Reflex auf Wilhelm Worringers 1908 publizierte Untersuchung *Abstraktion und Einfühlung*[12] zu verstehen ist. Dessen hellsichtige Antithese relativierte die vielfach zu eng gesehene Barriere zwischen gegenständlicher und ungegenständlicher Kunst: »Wie der Einfühlungsdrang als Voraussetzung des ästhetischen Erlebens seine Befriedigung in der Schönheit des Organischen findet, so findet der Abstraktionsdrang seine Schönheit im lebensverneinenden Anorganischen, im Kristallinischen, allgemein gesprochen, in aller abstrakten Gesetzmäßigkeit und Notwendigkeit.«[13] Dieser souverän argumentierenden, aber zugleich wertneutralen Sicht konnte sich Beckmann kaum verschließen. Sie lieferte die Grundlagen für eine entspanntere Diskussion über das Verhältnis von Figuration und Abstraktion, waren doch beide, wie auch Wassily Kandinsky und Franz Marc es verstanden[14], letztlich die zwei Seiten einer Medaille. Und so hat Beckmanns Auffassung einer möglichst genauen Wirklichkeitsdefinition nichts mit einem positivistisch beschreibenden Naturalismus zu tun, sondern fordert Authentizität in der Auseinandersetzung des Einzelnen mit sich und seinen existentiellen Bedingungen, wofür nicht zuletzt die zahlreichen direkten und verschlüsselten Selbstbildnisse beredtes Zeugnis sind.

Der Rang künstlerischer Arbeit orientiert sich an der Ernsthaftigkeit, mit der sich der Künstler der eigenen Person stellt, und gleichzeitig an der Fähigkeit, das dort Erkannte schonungslos bildnerisch umzusetzen. Eine im frühen 19. Jahrhundert durch die Romantik formulierte These, die Erkenntnis und Selbsterkenntnis gleichsetzt, wird von Beckmann mit schmerzlicher Schärfe gelebt, so daß letztlich jedes seiner Werke, gleichgültig, welches Thema es vordergründig behandeln mag, auch als Selbstbildnis zu begreifen ist.

Wird man hier einwenden, daß damit jede Form künstlerischer Arbeit, sieht man vielleicht vom dokumentarisch-beschreibenden Zustandsprotokoll ab, zumindest eine Facette ihres Autors widerspiegelt, so ist doch die Radikalität außergewöhnlich, mit der Beckmann die Wahrheit der Bildaussage an die Fähigkeit zur Selbstkritik koppelt und damit qualifiziert, was Wirklichkeit meint. So äußert er 1947 gegenüber Studenten in

250 Max Beckmann, Abfahrt, 1932-33; Öl auf Leinwand, Triptychon, Mitte 215,3 x 115,2 cm, Seitenflügel je 215,3 x 99,7 cm; The Museum of Modern Art, New York, anonyme Schenkung (durch Austausch), 1942

Max Beckmann, Reise auf dem Fisch, 1934; Staatsgalerie Stuttgart

St. Louis: »Wenn Sie einen Gegenstand darstellen wollen, bedarf es zweier Elemente: Erstens muß die Identifikation mit dem Gegenstand perfekt sein, zweitens aber müßte noch etwas völlig anderes im Spiel sein [...]. Tatsächlich ist es eben dieses Element des eigenen Selbst, das wir alle suchen.«[15] Realität erweist sich demnach nur in bezug auf ihn selbst als bildnerisch relevant; nur soweit, wie ich mich selbst in den Dingen erkenne, gewinnen sie für mich Wirklichkeit.

Typisches Beispiel für diese »Metaphysik des Realen« ist das vielfach verschlüsselte **Selbstbildnis im großen Spiegel mit Kerze** von 1934 (Kat.Nr. 248), das den Künstler nur als schwarzes Profil reflektiert, während die realen Stillebenattribute seine Existenz eher verschleiern als klären. Hier scheint sich bereits in der doppelten Entfremdung des Individuums von einer faßbaren Realität der Beginn einer inneren Emigration anzudeuten, während das ursprünglich »Siegmund und Sieglinde« genannte Gemälde **Geschwister** (Kat.Nr. 249) – von Beckmann aufgrund der politischen Verhältnisse umbenannt – sein zentrales Thema des Geschlechterkampfes aufgreift. Der tragische Konflikt zwischen Sinnlichkeit und moralisch-gesellschaftlichen Normen, die unentrinnbare Verstrickung des Individuums in die Bedingtheiten der Existenz werden in komplexen Bilddramen verschlüsselt.

In der **Abfahrt** (Kat.Nr. 250), Beckmanns erstem Triptychon, verbindet sich diese Problematik zu einer der gültigsten Lösungen. Die Gleichzeitigkeit von sinnloser Brutalität und kontemplativer Ruhe und Offenheit wird durch den Gegensatz von Innen- und Außenraum formal bestätigt. Zwar bewegt sich das Geschehen in allen drei Teilen – charakteristisch für Beckmanns Triptychen insgesamt – auf einem relativ flachen, bühnenähnlichen Raumstreifen. Während jedoch im Mittelteil offenes Meer und unbegrenzter Horizont unendliche Freiheit suggerieren, schließen die Architekturversatzstücke in den Seitenflügeln Bildfiguren wie Betrachter ausweglos in bedrängende Enge ein. Der Innenraum wird zum physischen und psychischen Gefängnis. Beklemmend daran, daß trotz aller Aggressivität kein aktives, vitales Moment spürbar wird! Die Figuren wirken in ihrem Handeln wie erstarrt, nicht jedoch wie Gewalt ausübende oder diese erleidende Akteure. Schmerz artikuliert sich lediglich im Blick sowie der

Caspar David Friedrich, Der Wanderer über dem Nebelmeer, um 1818; Hamburger Kunsthalle

Caspar David Friedrich, Kreuz im Gebirge, um 1808; Staatliche Kunstsammlungen Dresden, Gemäldegalerie Neue Meister

angespannten Muskulatur der verstümmelten und gefesselten Frau des linken Flügels. Alle anderen verharren fast reglos in dem ihnen zugeteilten Part, und bezeichnenderweise sind die Gesichter der Gepeinigten von uns abgewandt: Wir erfahren sie also nicht als identifizierbare Individuen, sondern als Typus. Damit wird zugleich jene Blindheit gegenüber einer vorbestimmten, in ihren äußeren Koordinaten festgelegten Existenz thematisiert, der Beckmanns ganze Verachtung galt. Offensichtlich ist jedoch trotz aller Nähe zu den Schrecken des bedrohlich aufsteigenden Nationalsozialismus keine konkrete historische Situation, sondern ein allgemeines Phänomen angesprochen. Dabei fällt eine Differenz zwischen den Seitenflügeln auf: Im Gegensatz zur Folterszene links, auf dem Höhepunkt der Brutalität wie in einem Film still fixiert, ist die Erstarrung rechts Ergebnis anderer Einschränkungen. Die Augen des Uniformierten sind verbunden, ein Mann hängt kopfüber, hilflos mit Bandagen an eine Frau gefesselt. Ein gnomenhaftes nacktes Kind ist diesem traurigen Paar zugeordnet, das emotionslos die erzwungene Nähe zu ertragen scheint. In diesem Beziehungsgeflecht, dessen sexuelle Komponente durch den übergroßen Fisch betont wird, kommt der Frau offensichtlich eine dominante Rolle zu, denn nicht sie ist an den Mann, sondern er an sie gefesselt. Die Frauen, so scheint es, gewinnen zunehmend an Offenheit und Selbstverständlichkeit in einem gleichermaßen unfreien Ausgangskontext.

Eine ganz andere Sprache spricht der Mittelteil. Meer und Himmel, die sich hinter den ›Abfahrenden‹ in unbestimmbare Tiefe ausdehnen, erhalten in ihrer Abstraktheit eine absolute Dimension: An ihnen läßt sich assoziativ unendliche Weite, Tiefe und Unbegrenztheit erfahren, verstärkt noch durch die bedrängenden Innenraumsituationen in den Flügeln. Gerade die Härte des Kontrastes steigert auch den Eindruck vollkommener Stille, in dem sich Meer und Himmel als Meditationsobjekt darbieten. Allerdings beläßt Beckmann auch hier dieses Reich der Freiheit in einer nur dem Auge erreichbaren Sphäre, dem unmittelbaren Zugriff durch das quer versperrende Boot entzogen. Nur das blondhaarige nackte Kind – sicher nicht von ungefähr an den Jesusknaben erinnernd und bedeutungsvoll ins Zentrum gestellt – blickt auf die weite Meeresfläche und wird damit dessen eigentlicher Partner. In ihrer lautlosen Zwiesprache scheint sich als mögliche Realität zu konkretisieren, was sich uns nur als ferne Verheißung und ersehnte Utopie darstellt. »Die Königin trägt den größten Schatz – die Freiheit – als Kind auf ihrem Schoß. Die Freiheit ist das, worauf es ankommt –

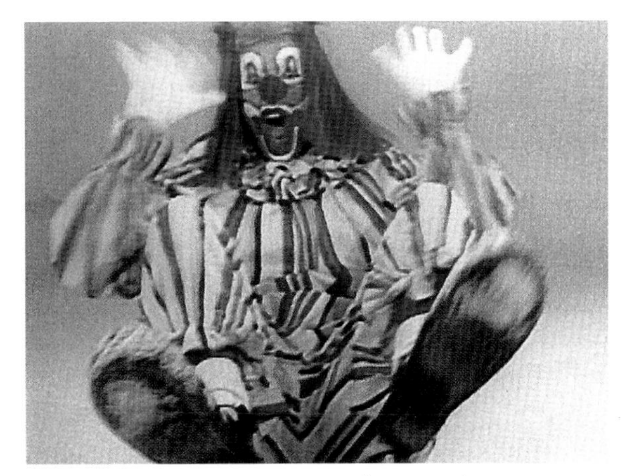

Bruce Nauman, Clown Torture, 1987 (Ausschnitt); Collection Lannan Foundation, Los Angeles

Bruce Nauman, World Peace (Projected), 1996; Bayerische Staatsgemäldesammlungen München, Staatsgalerie moderner Kunst

sie ist die Abfahrt, der neue Beginn.«[16] Man fühlt sich an Caspar David Friedrichs **Wanderer über dem Nebelmeer** oder auch an den vom Betrachter abgewandten Christus im **Kreuz im Gebirge** (Abbn. S. 280) erinnert, in denen die Vision einer zukünftigen Freiheit in vergleichbaren Metaphern anklingt.

In einer der seltenen, werkbezogenen Äußerungen bringt Beckmann am 11. Februar 1938 gegenüber Curt Valentin einen zentralen Aspekt zur Sprache: »Stellen Sie das Bild weg oder schicken Sie's mir wieder lieber Valentin. Wenn's die Menschen nicht von sich aus aus eigener innerer Mitproductivität verstehen können, hat es gar keinen Zweck die Sache zu zeigen. [...]. – Es kann nur zu Menschen sprechen, die bewußt oder unbewußt ungefähr den gleichen metaphysischen Code in sich tragen. Abfahrt, ja, Abfahrt vom trügerischen Schein des Lebens zu den wesentlichen Dingen an sich, die hinter den Erscheinungen stehen. [...] Festzustellen ist nur, daß ›die Abfahrt‹ kein Tendenzstück ist und sich wohl auf alle Zeiten anwenden lässt. – [...].«[17]

Beckmann geht damit zum einen auf ein Problem jeder Kunstvermittlung ein, die nur dann funktionieren kann, wenn Künstler und Betrachter ähnlich konditioniert sind. Zum anderen betont er die vielleicht gerade in seiner Zeit wichtige Tatsache, daß seine Bilder nicht politische Realitäten aufarbeiten, sondern daß sie vor dieser Folie generelle menschliche Bedingtheiten hinterfragen.

Er schont dabei weder sich selbst noch uns, und so registriert man nicht ohne Verständnis eine Reaktion der französischen Presse auf seine Ausstellungsaktivitäten in Paris: »On reçoit le choc de Beckmann comme un punch dans l'estomac.«[18] Diese Aussage erinnert an eine Selbstinterpretation von Bruce Nauman, dessen Wirklichkeitsverständnis erstaunliche Parallelen zu Beckmann aufweist und der bezeichnenderweise 1990 den Max-Beckmann-Preis der Stadt Frankfurt erhielt. Nauman vergleicht seine Arbeitsmethode mit der des blinden Bebop Pianisten Lenny Tristano: »Wenn Lenny gut spielte, hat es einen voll erwischt – bis zur letzten Note [...]. Ich habe von Anfang an versucht, Kunst zu machen, die so auf die Menschen einwirkte, die sofort voll da war. Wie ein Hieb ins Gesicht mit dem Baseballschläger, oder besser, wie ein Schlag ins Genick. Man sieht den Schlag nicht kommen, er haut einen einfach um. Die Idee gefällt mir sehr, diese Art von Intensität, die einem keinen Anhaltspunkt gibt herauszufinden, ob man die Arbeit mag oder nicht.«[19] Nauman formuliert hier einen Zugriff, der Beckmann gefallen hätte und den er weniger drastisch als »metaphysischen Code« beschreibt. Hier wie dort handelt es sich um eine künstlerische Strategie, die radikal die eigene Person hinterfragt, die sich selbst immer wieder neu ins Zentrum extremer Positionsbestimmungen stellt und erst daraus die moralische Grundlage entwickelt, auch sein Gegenüber in diesen Diskurs einzubinden. Während Beckmann sich rücksichtslos im offenen und versteckten Selbstbildnis zeigt, arbeitet Nauman zunächst über den direkten Körpereinsatz in der Performance mit existentiellen Grenzsituationen; und wo Beckmann in seiner Malerei versucht, die Unfreiheit des Individuums in einer fremdbestimmten Welt durch sezierende Präzision zu bannen, setzt Nauman sich und sein Gegenüber unmittelbar physischen und psychischen Extrembelastungen aus, um dadurch vielleicht ein Stück Klarheit im Dickicht endloser Fragen zu gewinnen.

In den verschiedenen Variationen der Arbeiten mit Clowns (Abb. S. 281), die sich die Seele aus dem Leib schreien, die aggressiv auf den Boden stampfen, das Publikum beschimpfen oder sich verzweifelt ihren Verdauungsproblemen hingeben, greift Nauman bekanntlich auf einen der geläufigsten Topoi der abendländischen Kunst zurück, der freilich im Expressionismus, aber besonders bei Max Beckmann zu einer der prägenden und für das eigene Denken spezifischsten Metaphern wurde. Darin geht es ihm wie vorher schon Beckmann oftmals nicht allein um das Rollenspiel »an sich«, das die Existenz des Künstlers hinter einer Maske verbirgt und gleichzeitig sein *alter ego* wird, sondern ebenso um eine radikale Umkehrung, das heißt gerade dort, wo alle als Individuen identifizierbar erscheinen, entgleiten sie uns um so stärker, ein Aspekt, der in den neuen Arbeiten wie **World Peace (Projected)** (Abb. S. 281) zunehmend in das Bewußtsein rückt.

251 Max Beckmann, Sinnende Frau am Meer, 1937; Öl auf Leinwand, 65 x 110 cm; Kunsthalle Bremen

Trotz aller objektiven Härten und vermeintlicher Brutalität unterscheidet sich jedoch der amerikanische Künstler der zweiten Jahrhunderthälfte gerade in diesem Punkt von dem Generationen älteren Europäer Beckmann, dem er sonst in vielen Bereichen vergleichbar erscheint. Die puritanische Strenge, die sezierende Kälte gegen sich selbst und den anderen und der strenge Positivismus sind stets auf eine Allgemeinheit gerichtet, eine Haltung, die einer spezifisch amerikanischen Vision entspricht. Das Erbe des amerikanischen Pioniergeists verbindet sich bei Nauman mit einem moralischen Impetus, der jeden einbindet, niemanden ausgrenzt und der keine Hierarchien akzeptiert. Es ist jener pragmatische Zugriff, der unbarmherzig in der Methode sein mag, weil er einen nicht verschont, der – und bis hierher ist die Parallele zu Beckmann noch evident – die Grundprobleme *ex negativo* ebenso konsequent auszusprechen vermag wie jedes inhaltlich wertende Vorgehen, der dann aber in fast sentimentaler Umkehrung die ganze Welt einbinden will.

Ist es bei Beckmann das Bild des einsamen, so bei Nauman das des unsichtbar anteilnehmenden Künstlers, der gegen alle Widernisse immer noch einen Rest Hoffnung bewahrt hat, in die er sein Gegenüber nur durch geschickte Manipulation einbeziehen kann. Beckmann teilte diese Vorstellung einer unmittelbar realitätsbezogenen Wirkungsmöglichkeit nicht. Sein komplexer Selbstfindungs- und Selbstbehauptungsprozeß bleibt auf eine ferne Zukunft hin orientiert.

Weitere Facetten hierzu enthalten die sich ergänzenden Gemälde **Geburt** und **Tod**. Die **Geburt** (Kat.Nr. 252) findet bezeichnenderweise im Zirkusmilieu statt. Selbstbewußt erotisch liegt die Wöchnerin, halb bedeckt von einer gelben Decke, in dem viel zu kleinen Bett. Beckmann proportioniert damit, gemäß einem mittelalterlichen Bedeutungsmaßstab, die Personen in

252 Max Beckmann, Geburt, 1937; Öl auf Leinwand, 121 x 176,5 cm; Staatliche Museen zu Berlin, Nationalgalerie

Relation zu ihrem Rang oder ihrer Funktion. Blumen und eine brennende Kerze verweisen auf den ewigen Kreislauf des Lebens und stellen damit den Bezug zum geschwisterlichen Gegenstück **Tod** (Kat.Nr. 253) her, in dem die Blumen zum Kranz gebunden sind und den brennenden eine verloschene Kerze beigesellt ist. Ähnlich ist auch der Pfleger mit weißer Schürze und Haube, der Beckmanns Gesichtszüge hat. Eigenartig alterslos und als einzige Figur dem Betrachter frontal zugewandt, blickt das Neugeborene im Arm der Hebamme, für das sich im Werk des Künstlers eine aufschlußreiche Parallele findet: Der 1940 entstandene **Zirkuswagen** (Abb. S. 285) zeigt den zeitungslesenden Direktor in vergleichbarer Frontalansicht und Physiognomie. Beide stehen außerhalb ihrer Umwelt, beide wirken wie ein Selbstbildnis des Künstlers. Es sind aufmerksame, gleichzeitig jedoch kalt sezierende Beobachter einer Sphäre, die jenseits des alltäglichen Geschehens liegt (das Kind blickt aus dem Bild, der Erwachsene liest Zeitung). Damit spielte Beckmann vermutlich auf ein Selbstverständnis des Künstlers als eines die Realität unbeteiligt beobachtenden Außenseiters an, wohingegen die Figur des Pflegers/Arztes, wie sie vergleichbar in **Geburt** und **Tod** erscheint, ihn als (psychische) Krankheiten Heilenden charakterisieren.

Die Szenerie im **Tod** präsentiert sich allerdings insgesamt ungleich komplizierter und vielschichtiger. Die Tote liegt im offenen Sarg, umgeben ebenso von verständlichen wie geheimnisvollen Figuren, in denen unterschiedliche zeitliche Phasen und existentielle Zu-

253 Max Beckmann, Tod, 1938; Öl auf Leinwand, 121 x 176,5 cm; Staatliche Museen zu Berlin, Nationalgalerie

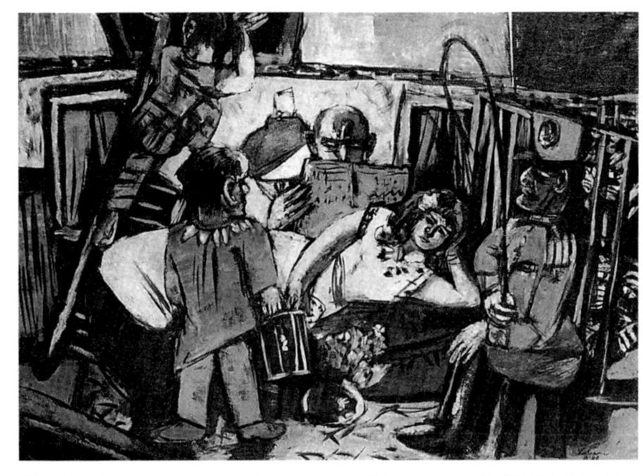
Max Beckmann, Im Artistenwagen (Zirkuswagen), 1940; Städtische Galerie im Städelschen Kunstinstitut, Frankfurt am Main

stände angesprochen sind. Fieberkurve und Krankenpfleger erinnern noch an die Krankenhaussituation, während Kerzen und Kranz der Toten gewidmet sind. Eine Art Totenwächter, eine dunkelhäutige Figur mit sechs Füßen und verloschener Kerze, steht aufrecht vor dem Sarg, neben ihm sitzt, mit ihren Schuhen beschäftigt, eine Krankenschwester. Rechts fliegt eine Frau eng umschlungen mit einem riesigen Fisch, erlöst aus der Verstrickung im Rollenspiel der Geschlechter. In der oberen Bildhälfte stehen die Figuren auf dem Kopf und sind durch Abnormitäten gekennzeichnet: Ein widerwärtiger Männerchor, dessen Mitglieder verdreifachte Köpfe haben, ein verwachsener Engel mit großer Posaune und obszönem Penis, monströse Mischwesen, weder Mensch noch Tier, und Kopffüßler bevölkern einen Bretterboden, eine Bühne, die nach hinten wegrutscht. Diese Anordnung scheint auf ein erstes Stadium nach dem Tod hinzudeuten, jenen Übertritt in eine jenseitige Welt, in der die Gesetze der Schwerkraft aufgehoben sind. Der hinter dem Bretterboden auftauchende schwarze Spalt wäre dann der Beginn jener Dunkelheit eines ›Raumes‹, in den der Tote übergeht und den Beckmann als erhoffte Erlösungsmöglichkeit begreift.

In dieser Metapher läßt sich seine Vorstellung einer metaphysischen Realität wohl am deutlichsten fassen. Die Totalität der Erfahrung, die sich im unendlichen Raum des Todes zu erfüllen verspricht, spiegelt die künstlerische Arbeit allerdings lediglich in Teillösungen, in Reflexen einer unfaßbaren Realität, deren Verbildlichung nur als räumliche Kategorie denkbar wird. Und dieses Experiment ohne Ende bedarf des Gegenstandes. Dieser ist jedoch nicht in seiner realen Funktion, sondern als Mittel der Malerei zur Übersetzung in die Abstraktion der Fläche entscheidend. »Ich brauche daher kaum ungegenständliche Dinge da mir der gegebene Gegenstand bereits unwirklich genug ist, und ich ihn nur durch die Mittel der Malerei gegenständlich machen kann.«[20]

Damit schließt sich der Kreis, und das große Reale verbindet sich spiegelbildlich mit dem großen Abstrakten. So traf vielleicht schon Julius Meier-Graefe den richtigen Ton, wenn er von Beckmann behauptete: »Eher glaube ich, möchte er eine Metaphysik für den Gebrauch der Gegenwart konstituieren.«[21]

Anmerkungen

1 Beckmann, Max: »Über meine Malerei«. Rede, gehalten in der Ausstellung *Exhibition of 20th Century German Art* in den New Burlington Galleries, London, 21. Juli 1938. Zit. n. Rudolf Pillep (Hg.): *Max Beckmann. Die Realität der Träume in den Bildern. Schriften und Gespräche 1911 bis 1950.* München 1990, S. 48.
2 Vgl. Anm. 1.
3 Am 19. Juli, einen Tag nach der Rede Adolf Hitlers anläßlich der Eröffnung des »Hauses der Deutschen Kunst« in München, die Beckmann im Radio gehört hatte, emigrierte er mit seiner Frau nach Amsterdam. Am selben Tag wurde die Ausstellung *Entartete Kunst* im Galeriegebäude am Hofgarten in München eröffnet. Trotz verschiedener Angebote konnte sich Beckmann nach 1945 nicht mehr zu einer Rückkehr nach Deutschland entschließen.
4 Die Rede wurde von Beckmann auf deutsch gehalten und simultan übersetzt. Der Originaltext wurde erstmals publiziert in: Lackner, Stephan: *Ich erinnere mich gut an Max Beckmann.* Mainz 1967. Hier zit. n. Pillep (Anm. 1), S. 48ff.
5 Vgl. Vinnen, Carl (Hg.): *Ein Protest deutscher Künstler.* Jena 1911.
6 Aus dem Beitrag *Im Kampf um die Kunst. Die Antwort auf den ›Protest deutscher Künstler‹ von Max Beckmann*, 1911. Zit. n. Pillep (Anm. 1), S. 11.
7 Ausgangspunkt war der Aufsatz von Franz Marc »Die neue Malerei«. In: *Pan*, Jg. 2, H. 16, 1912, S. 468–471. Die Entgegnung von Max Beckmann, »Gedanken über zeitgemäße und unzeitgemäße Kunst«, in: *Pan*, Jg. 2, H. 17, 1912, S. 499–502. Die Antwort von Franz Marc, »Anti-Beckmann«, in: *Pan*, Jg. 2, H. 19, 1912, S. 555f.
8 »Gedanken über zeitgemäße und unzeitgemäße Kunst«, 1912. Zit. n. Pillep (Anm. 1), S. 12ff.
9 »Schöpferische Konfession«, 1918. In: Edschmid, Kasimir (Hg.): *Eine Schriftensammlung.* Reiss; Berlin 1920, S. 61–67. Hier zit. n. Pillep (Anm. 1), S. 21.
10 Ebd., S. 22.
11 In: Antwort auf die Umfrage »Das neue Programm« der Zeitschrift *Kunst und Künstler.* Zit. n. Pillep (Anm. 1), S. 17.
12 Worringer, Wilhelm: *Abstraktion und Einfühlung. Ein Beitrag zur Stilpsychologie.* München 1908. Neuauflage 1959, hier zit. n. ²1981.
13 Ebd., S. 36.
14 Vgl. u.a. Kandinsky, Wassily, »Über die Formfrage«: »Die gegenwärtige Kunst [...] verkörpert als eine materialisierende Kraft das zur Offenbarung gereifte Geistige«. Dieses läßt sich in zwei Pole gliedern: »Diese zwei Pole sind: 1. die große Abstraktion, 2. die große Realistik. Diese *zwei* Wege, die schließlich *zu einem Ziel* führen.« Zit. n. Andreas Hüneke (Hg.): *Der Blaue Reiter. Dokumente einer geistigen Bewegung.* Leipzig 1989, S. 131.
15 Max Beckmann am 23. September 1947 in einer Ansprache an seine erste Klasse an der Washington University in St. Louis, zit. n. Barker, Walter: »Lehren als Erweiterung der Kunst. Max Beckmanns pädagogische Tätigkeit«. In: Carla Schulz-Hoffmann; Judith C. Weiss (Hg.): *Max Beckmann – Retrospektive.* Ausst.Kat. Haus der Kunst, München. München 1984, S. 175.
16 Gespräch mit Lilly von Schnitzler über das Triptychon **Abfahrt**. Zit. n. Pillep (Anm. 1), S. 46.
17 Zit. n. Göpel, Erhard und Barbara: *Max Beckmann. Katalog der Gemälde.* Bd. 1. Bern 1976, Nr. 200, S. 276.
18 Viersen, Paul: »Trois peintres, trois peintures«. In: *Chronique Artistique, Nouvelle Literaire*, Jg. 4, 1931. Übersetzung (C. Sch.-H.): »Beckmann wirkt wie ein Schlag in die Magengrube.«
19 Bruce Nauman in einem Interview mit Willoughby Sharp, 1970/71. Zit. n. Nauman, Bruce: *Interviews 1967–1988.* Dresden 1996, S. 148f.
20 Zit. n. Pillep (Anm. 1), S. 49.
21 Meier-Graefe, Julius: *Entwicklungsgeschichte der modernen Kunst.* Neu hg. von Benno Reifenberg und Annemarie Meier-Graefe-Broch. Tübingen ³1966, S. 719.

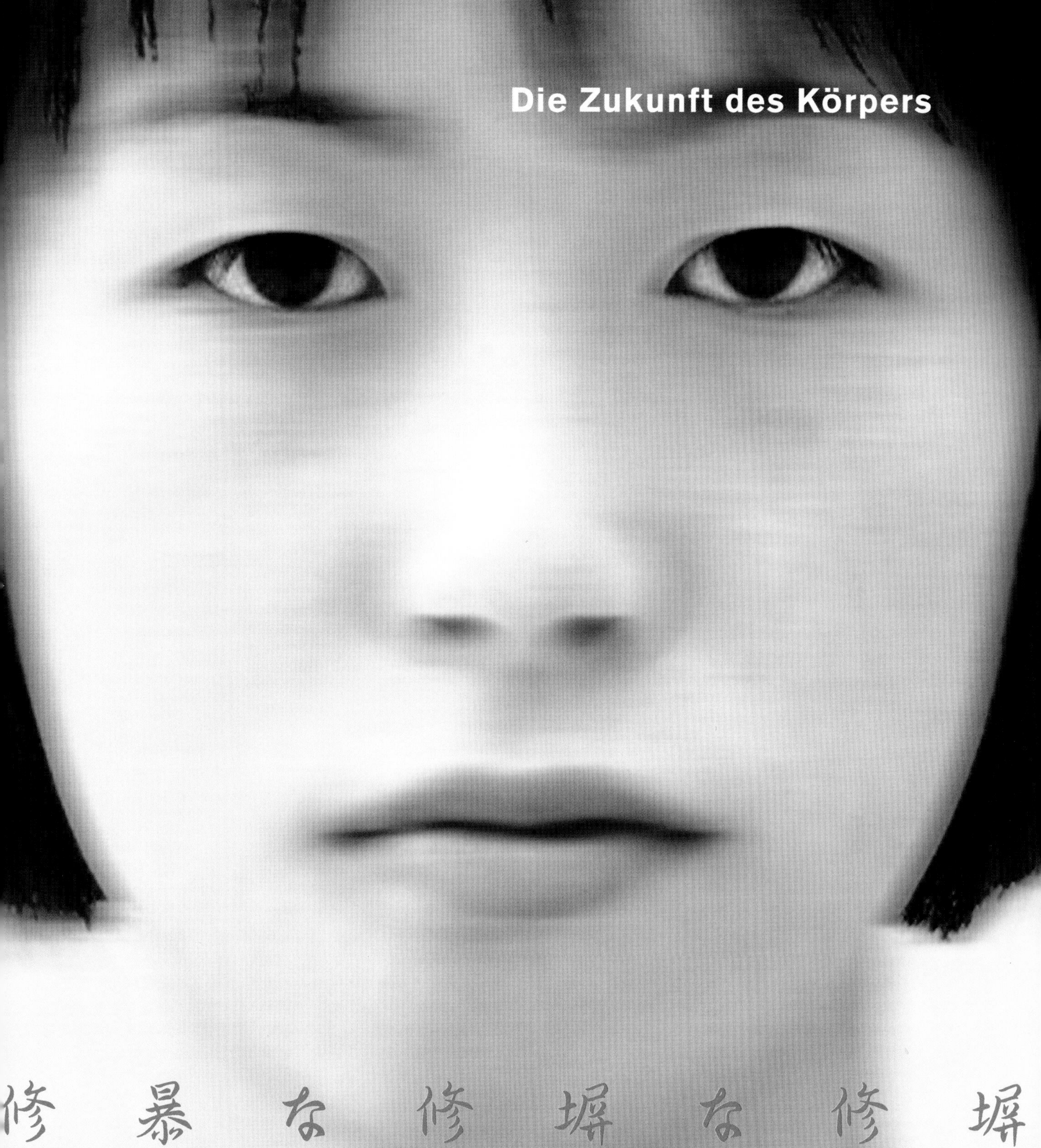
Die Zukunft des Körpers
修 暴 な 修 塀 な 修 塀

Die Zukunft des Körpers

Angela Schneider

Wenn der Literaturwissenschafter Sander L. Gilman die Schönheitschirurgie mit Kants Appell »[h]abe Mut, dich deines eigenen Verstandes zu bedienen« und »laß dir deine Nase neu gestalten« in Zusammenhang bringt, so tut er dies im Sinne der Aufklärung, die den Menschen als autonomes Subjekt definiert.[1] Als ein solches kann er selbst über sich und seinen Körper verfügen und ihn mit Hilfe der modernen Medizin gestalten. Dem liegt nach Gilmans Vorstellung die Auffassung zugrunde, daß das *Selbst*, daß unsere Identität von außen veränderbar sei. Jeder ist, im lapidaren Sinne des Wortes, seines eigenen Glückes Schmied. In der Sucht nach Glück, und sei es durch eine neue Nase, sind Körper und Seele – Materie und Geist – nicht zu trennen.[2]

Die bislang unsere abendländische Kultur bestimmende Unterscheidung zwischen oben – Geist, also das Männliche – und unten – Körper, also das Weibliche – erweist sich zunehmend als untauglich. Kämpften die Frauen im Rahmen der Emanzipationsbewegungen dieses Jahrhunderts um Repräsentationsformen, die von der männlichen Hierarchie unabhängig waren, so lassen neuerdings Technologietheoretiker wie Peter Weibel, Jean Baudrillard oder Marvin Minsky den Körper ganz hinter sich und sehen eine bereits durch und durch körperlose Kultur vor sich : »Für Baudrillard etwa ist das Individuum schon längst nur mehr ›an seinen Körper angeschlossen [...]: angeschlossen an die eigene Geschlechtlichkeit und an die eigene Libido. An die eigenen Körperfunktionen ist man angekoppelt wie an Energiediffenrentiale oder Videomonitore.‹«[3]

Ganz ähnliche Visionen eines zu rekonstruierenden Körpers entwickelte Paul Virilio in seinem Buch *Die Eroberung des Körpers*, in dem es unter anderem um die Bevölkerung unserer Organe mit den neuesten Nanotechniken geht. »*In Ihrem Schädel steht Ihnen der notwendige Raum dafür zur Verfügung, um zusätzliche Systeme und Speicher implantieren zu können.* Auf diese Weise können Sie jedes Jahr nach und nach mehr lernen, neue Wahrnehmungsformen, neues Urteilsvermögen, neue Formen des Denkens und der Einbildung hinzufügen.«[4]

In den späten sechziger und siebziger Jahren waren es vor allem die Künstlerinnen, die den Körper in seinen unterschiedlichen Inszenierungen zu ihrem Thema gemacht haben. Im Rückgriff auf den Surrealismus einerseits und im Kontext der neuen gesellschaftlichen Konzepte der Studentenbewegung andererseits entwarfen sie vielfach Bilder, die eine Tendenz zur Destruktion und zur Auflösung zeigen. »Diese Ästhetik der Zerstörung«, so Silvia Eiblmayr, »weist auf ein Paradigma der Moderne: die tendenzielle oder reale Zerstörung des Bildes selbst, die in der Mitte unseres Jahrhunderts im Kontext der Malerei vollzogen wurde.«[5]

Rebecca Horns **Paradieswitwe** (Kat.Nr. 254), 1975 in Berlin aus der Erinnerung oder besser im imaginierten Gespräch mit einem abwesenden Freund entstanden, erscheint im ersten Augenblick wie eine riesige phallische Form, als ein großes Monster. »Manchmal bin ich zu Tode erschrocken, wenn ich aufwache«, schrieb die Künstlerin.[6] Die zwei Meter hoch aufgetürmten, grün-schwarz glänzenden chinesischen Hahnenfedern erinnern zunächst an einen Fetisch, an rituelle ozeanische Gewänder – die ebenfalls aus Federn bestanden – und führen in Bereiche des Numinosen und Unbekannten mit ausgewiesener sexueller Konnotation. Die Federn, in der Berührung zärtlich und in der Bewegung irritierend, sind wie eine zweite Haut. »Eine Feder«, so die Künstlerin in einem Interview, »ist sehr leicht, wie auch Haar. Wenn ein Lebewesen stirbt, bleiben Federn, Haare, Fingernägel und Knochen. Die Feder ist ein überdauerndes Material [...].«[7]

Öffnet sich das Federkleid langsam, so enthüllt es langsam einen weiblichen Körper. In der Spreizung mutiert der Federfetisch von einer männlichen zu einer weiblichen Form. Männlich und weiblich sind nicht mehr eindeutig voneinander unterschieden. Initiation, Ge-

254 Rebecca Horn, Paradieswitwe, 1975; Eisenkonstruktion und schwarze Hahnenfedern, Höhe 200 cm, Ø 80 cm; Kunstmuseum Bonn, Leihgabe der Bundesrepublik Deutschland

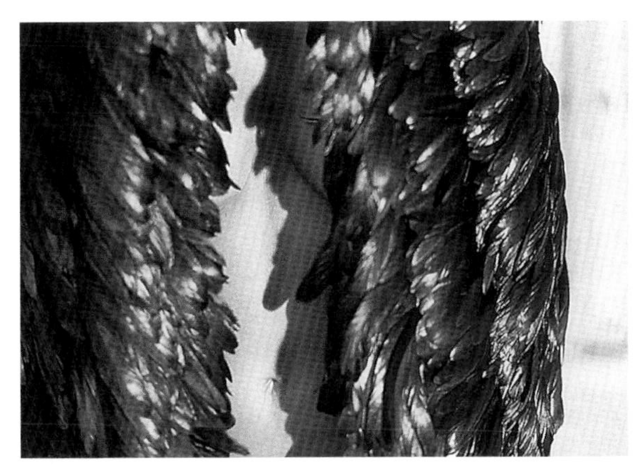

Rebecca Horn, Paradieswitwe, 1975; Performance

255 Rebecca Horn, Hahnenmaske, 1973; Stoff, Federn, Maße variabel; Tate Gallery London

schlechtsakt und Geburt fallen ebenso in eins wie Innen und Außen, Lust und Schrecken. Geschlechtliche Identitäten entstehen, so der Stand der feministischen Diskussion, in der wiederholten Einübung der bestehenden Normen. Diese unterläuft Rebecca Horn subtil, wohl nicht um den Status der Geschlechter aufzuheben, sondern vielmehr, um Eros und Vitalität als Teil des Rätselhaften und als unauflösbaren Rest zu definieren.

Neben den verwirrenden, gelegentlich auch kokettierenden Beziehungen zwischen Berührungsangst und Verführung, Körper und Raum im Werk Rebecca Horns lassen sich die Arbeiten Franz Erhard Walthers bei ähnlicher Thematik aufgrund ihrer eindeutigen Gerichtetheit als männlich bestimmen.

Walthers frühe Arbeiten sind Handlungsabläufe, ihr Material: Eisen, Baumwollstoff, Raum, Zeit und Körper. Mit den vorgegebenen Objekten, den Stoffbehältern oder Eisenwinkeln konstituiert sich durch die Bewegungsabläufe der Teilnehmer das Werk in Raum und Zeit. Die Akteure in Gestalt des Künstlers oder auch anderer Personen gehen aufeinander zu, entfernen sich, verweilen in der angegebenen Position, legen sich hin, stehen wieder auf und so weiter und erfahren so ihren Körper in Bewegung und Ruhe, in der Reflexion auf sein Maß, seine Schwere, sein Gefühl, sein Beisich-Sein, das Walther mit der Idee von Skulptur verbindet.[8] »Ich bin die Skulptur«, bestätigt der Künstler wiederholt.[9]

Tragen die frühen, im offenen Raum sich entfaltenden Aktionen den Charakter einer rituellen animistischen Zeremonie, wie Peter Halley schreibt[10], so sind die Wandformationen, die Walther seit den späten siebziger Jahren entwarf, an einen Ort gebunden. An einen Ort, der veränderbar ist, denn die aus Stoff und Holzteilen zusammengefügte Skulptur (Kat.Nr. 257) kann wie ein Nomadenzelt jederzeit zusammengelegt und andernorts wieder aufgebaut werden. Solchermaßen korrespondiert sie mit

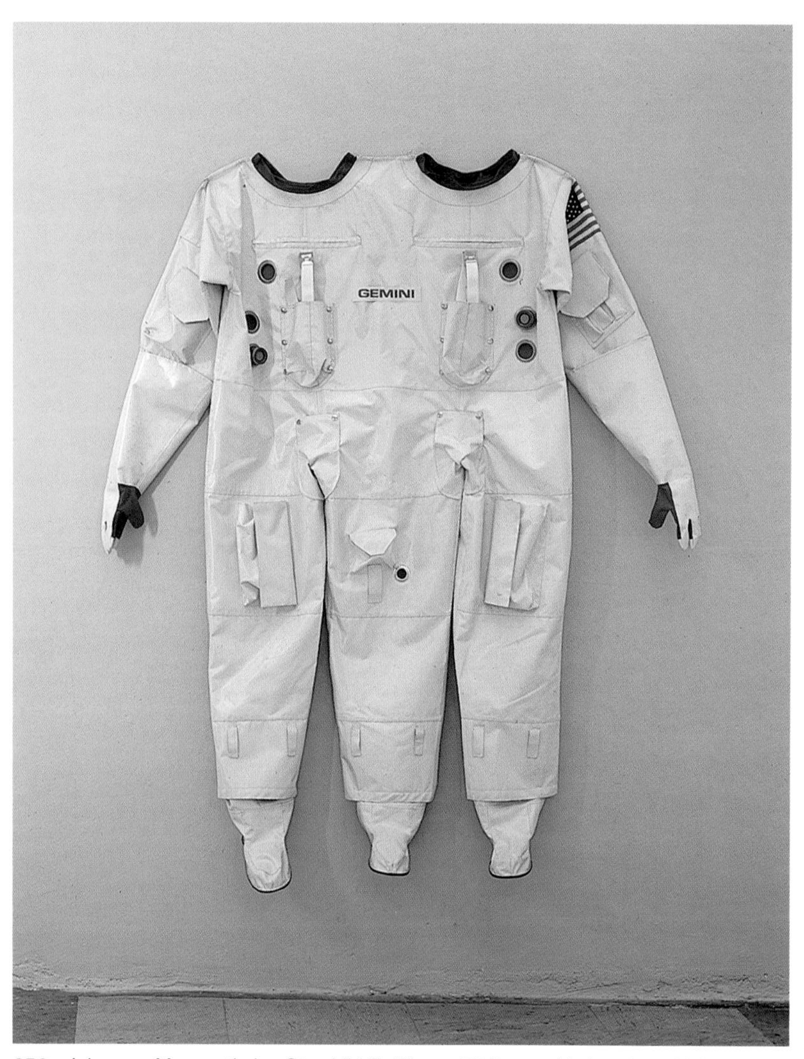

256 Johannes Muggenthaler, Sternbild Zwillinge, 1992; verschiedene beschichtete Stoffe mit diversen Applikationen, ca. 180 x 160 cm; SchmidtBank Hof

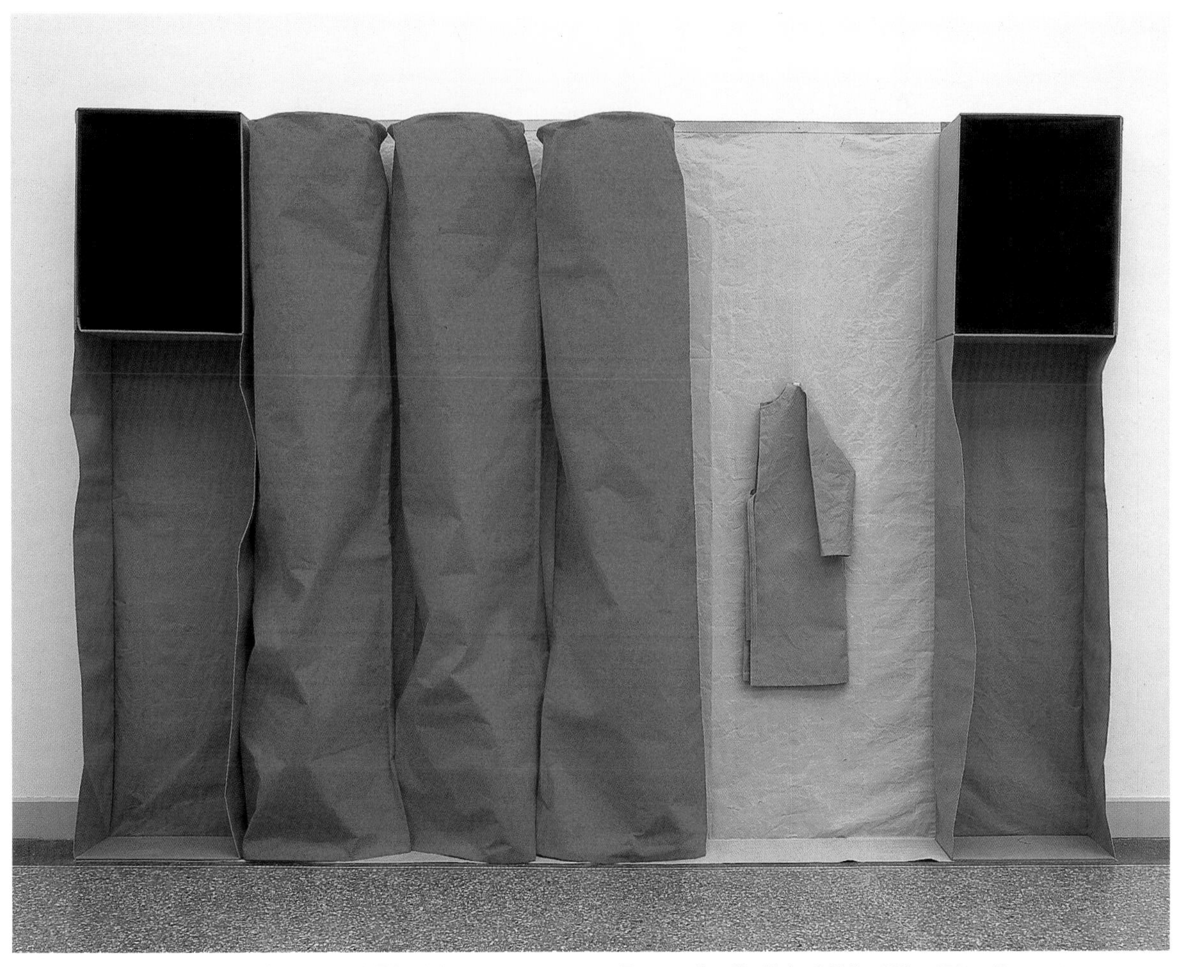

257 Franz Erhard Walther, Skulptur und Bild nicht zu trennen, 1986; Baumwollstoffe, Holz, 8 Teile, 315 x 450 x 40 cm; Besitz des Künstlers

der Mobilität des Körpers. Als ein eigener in sich gegliederter Körper tritt uns die Wandskulptur mit den roten sich nach vorn wölbenden Säulen und den braunen und schwarzen offenen Kästen entgegen. Sie kann begangen und somit benutzt werden, wie der an der Wand befestigte Mantel anzeigt. Seine Anwesenheit deutet auf die potentielle Anwesenheit eines Körpers hin, der derzeit abwesend ist. Diese erweist sich also in erster Linie als Produkt unserer Vorstellung. Der Ausstellungsbesucher wird nicht mehr wie früher Teil des Kunstwerkes, sondern befindet sich ihm gegenüber. Nicht in der Tat, sondern im Blick vollendet sich das Werk. Ein Blick, der – anders als in Rebecca Horns **Paradieswitwe**, wo wir den Lockungen des Weibes ausgesetzt sind – zur systematisierenden Ordnung auffordert. Franz Erhard Walther bezieht sich in seiner Skulptur, wie im Titel angegeben: **Skulptur und Bild nicht zu trennen**, auf die geistige Ordnung der Malerei Barnett Newmans (Kat.Nr. 207) und des Neoplastizismus.

258 Pia Stadtbäumer, Sabine ohne Linken Fuss, Sabine ohne Rechten Fuss, verbunden, 1995; Wachs, schwarz gefärbt, 147 x 58 x 32 cm; Galerie Johnen & Schöttle Köln

Der Körper der sechziger und siebziger Jahre war, wenn man so will, ein politischer Körper[11], ein Körper voller Sensorien und neuer Erfahrungen, während sich eine jüngere Generation in Kenntnis der Errungenschaften der Biotechnologien auf den Weg in eine *post-gender world* begibt, in der »Identitäten sich als Affinitäten in Allianzen und Koalitionen stets neu und anders reproduzieren werden«[12].

Pia Stadtbäumers Figuren sind noch in der »Tradition eines humanistisch geprägten Körperbewußtseins«[13] geschaffen. Sie sind von der Künstlerin nicht als akademisch-ideale Körperbilder, sondern nach Fotografien bestimmter Personen ihres Bekanntenkreises modelliert. Die so gewonnene Individualität erweist sich in den Skulpturen als eine durchaus allgemeine. In der theoretisch unendlichen Reproduzierbarkeit ist sie tauglich für viele Figuren, die durch jeweils andere Attribute voneinander unterschieden sind. Die Kinder **Max und Clara** geben hier ein anschauliches Beispiel. Aber auch **Sabine ohne Linken Fuss, Sabine ohne Rechten Fuss, verbunden** (Kat.Nr. 258) ist nach diesem Muster gebildet, nicht als Statue siamesischer Zwillinge, sondern als Doppelung desselben Moduls. Dabei wird es unerheblich, daß den Figuren je ein Fuß fehlt. Um an der Wand zu lehnen, reicht einer aus. Die fragmentierte Erscheinung der Körper wird immer von der Vorstellung des Ganzen getragen. Sie ist nicht als Leidensmetapher gedacht, sondern vielmehr Zeichen unserer *stückhaften* Existenz.

Das Körperfragment in seiner vielfachen Vergrößerung ist das Thema der Fotoarbeiten von Thomas Florschuetz. Was wir sehen, sind Aufnahmen von Händen, Füßen und behaarten Körperpartien, die häufig nicht eindeutig identifizierbar sind. Die Details erahnen wir, ohne den Kontext mit Sicherheit bestimmen zu können. Das Fragment tritt als statisches Monument auf, als Repräsentant der Gegenwart des Fleisches. Persönliche Erkennungsmerkmale geraten in den Hintergrund, obgleich es sich um Bilder handelt, die der Künstler von seinen eigenen Händen gemacht hat, indem er sie wie in **Plexus-IV** (Kat.Nr. 260) vor eine brennende Lampe hielt. Bei diesen großen *Durchleuchtungen* dominieren die Nacht- und Schattenseiten des Lebens. Unser Blick

259 Kiki Smith, Blood Pool, 1992; Bronze, bemalt, 35,6 x 99,1 x 55,9 cm, Edition 2/2; Sammlung der Künstlerin, Courtesy Barbara Gross Galerie, München / Pace Wildenstein, New York

wird durch den schwarzen Rand, der die Funktion eines Gucklochs übernimmt, auf die scheinbar langsam verglühende Materie, die Finger gerichtet. Florschuetz ist weit entfernt von den aufklärerischen Fotografien Wilhelm Röntgens, der die Materialien des Körpers transparent machen und wissenschaftlich dokumentieren wollte (Kat.Nr. 152). In Florschuetz' Aufnahmen brennt das Blut. »Warum sollten unsere Körper«, so sagt Donna Haraway, »an der Haut aufhören.«[14] Auch Philip S. Sampson plädierte für offene und nicht fixierte Grenzen des Körpers, die sich auflösen, verflüssigen und verschieben.[15]

Es ist vor allem Kiki Smith, die sich seit den späten achtziger Jahren mit Körperfragmenten und Körpersäften beschäftigt, sie in Gläsern aufbewahrt und in gotischen Buchstaben beschriftet. Neben den Klassikern wie Blut und Tränen integriert die Künstlerin in ihr flüssiges Körper-Bild auch Speichel, Schweiß, Sperma, Urin, Eiter und Lymphe, die als unappetitlich, wenn nicht gar als eklig gelten. Blut und Tränen kann man für das

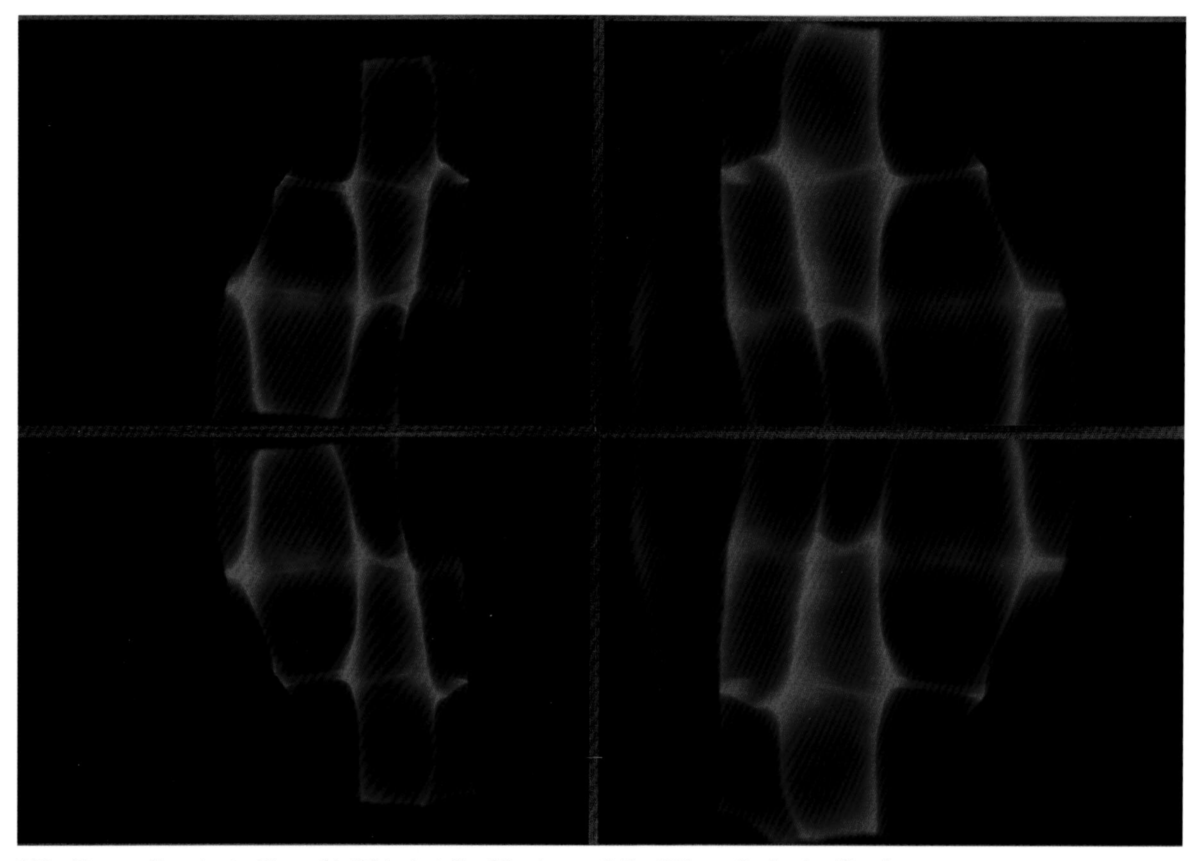

260 Thomas Florschuetz, Plexus-IV, 1994; vierteilig, Cibachrome, 243 x 363 cm; Besitz des Künstlers

Vaterland lassen, sie waren ebenso im Kontext der Heiligenverehrung verehrungs- und anbetungswürdig. Sie sind Teil unserer emotionalen Tradition, während die anderen Flüssigkeiten ein gleichsam niederes Dasein führen. Gleichwohl ist für die Existenz des lebendigen Körpers das Zusammenspiel aller *Säfte* notwendig. »Schritt für Schritt beschrieb Kiki Smith eine imaginäre Reise aus dem Körperinneren an die Oberfläche der Welt«, so Carsten Ahrens[16], oder wenigstens bis an die Oberfläche des Körpers. Auf diesem Weg formte sie auch einzelne Körperteile aus Gips nach, die sie in einer Schale wie eine Opfergabe präsentierte. 1990 entstand das erste Figurenpaar – Mann und Frau –, in dem wie in **Blood Pool** (Kat.Nr. 259) das Innere nach Außen drängt.[17] Die weibliche Figur (in Bronze) liegt in embryonaler Stellung am Boden. Rot und Blau verfärbt und mit offenem Rücken, als sei sie eine Gehäutete, eine aus Blut geformte Gestalt, die die Schrecken der Geburt bis zum Tod mit sich trägt, wund gegenüber der ganzen Welt. Sie liegt dort in Demut mit unverzerrtem Gesicht. Die Würde des Menschen ist unantastbar, sagt das Grundgesetz. Kiki Smith versucht, dem Körper seine Würde, die ihm in den Medien täglich genommen wird, wiederzugeben.

Als Innenbilder des Körpers lassen sich auch Katharina Sieverdings **Kristallisationsbilder** (Kat.Nr. 261), die ebenfalls Anfang der neunziger Jahre entstanden, beschreiben. Die beinahe wie expressionistische

Holzschnitte anmutenden Fotoarbeiten lassen nicht erkennen, was sie darstellen. Die fächerartig ausstrahlenden Linienbündel vermitteln den Eindruck geballter Energiefelder. Tatsächlich handelt es sich um enorm vergrößerte Fotogramme nach Blutkristallisationen, die sich bilden, wenn dem Blut Kupferchlorid beigegeben wird. Die so erzeugten Bilder dienen der alternativen Medizin zur individuellen Bestimmung von Organ- und Lebenskräften. Dabei fallen die Kristallisationen je nach Sauerstoff- beziehungsweise Stickstoffanteil verschieden aus. Solche Organbilder, die in anderer Form auch in der Gen- und Immunitätsforschung erstellt werden, bezeichnen eine unverwechselbare Identität, die das Bewußtsein nicht erreicht. Die zur Erscheinung gebrachten Mikrostrukturen, die ja durchaus Ausdruck einer bestimmten (Blut-)Befindlichkeit sind, lassen sich keinen konkreten körperlichen Erfahrungen zuordnen.

Corps étranger (Der fremde Körper, Kat.Nr. 262) der palästinensisch-englischen Künstlerin Mona Hatoum, 1994 fertiggestellt und 1994/95 in Berlin und München ausgestellt, gibt eine Fahrt durch den Schlund und andere Körperkanäle wieder. **Corps étranger** meint nicht nur den fremden Körper der Kamera, die gewalttätig in den Körper eindringt und schonungslos alles fotografiert, **Corps étranger** bezieht sich auch auf den Körper selbst, dessen Innenansicht uns fremd ist und die wir emotional nicht an unsere Persönlichkeit binden.

Schon als Kind wollte Mona Hatoum die vorbeigehenden Leute *durchleuchten* und durch die Kleider, die Haut, das Fleisch und die Knochen hindurchsehen.[18] In Form einer Performance bringt sie dies in London Anfang der achtziger Jahre mit Hilfe eines Tricks zustande. Die Anwesenden werden mit einer Videokamera gefilmt, die Bilder auf eine Leinwand projiziert und gleichzeitig mit *Fremdaufnahmen* nackter Körper und Körperteile, auch mit Röntgenaufnahmen gemischt, so daß das Publikum, obwohl bekleidet, sich partiell entblößt, gelegentlich sogar als anderes Geschlecht wahrnimmt. Neben dem Spaß der *Vertauschung* der Ge-

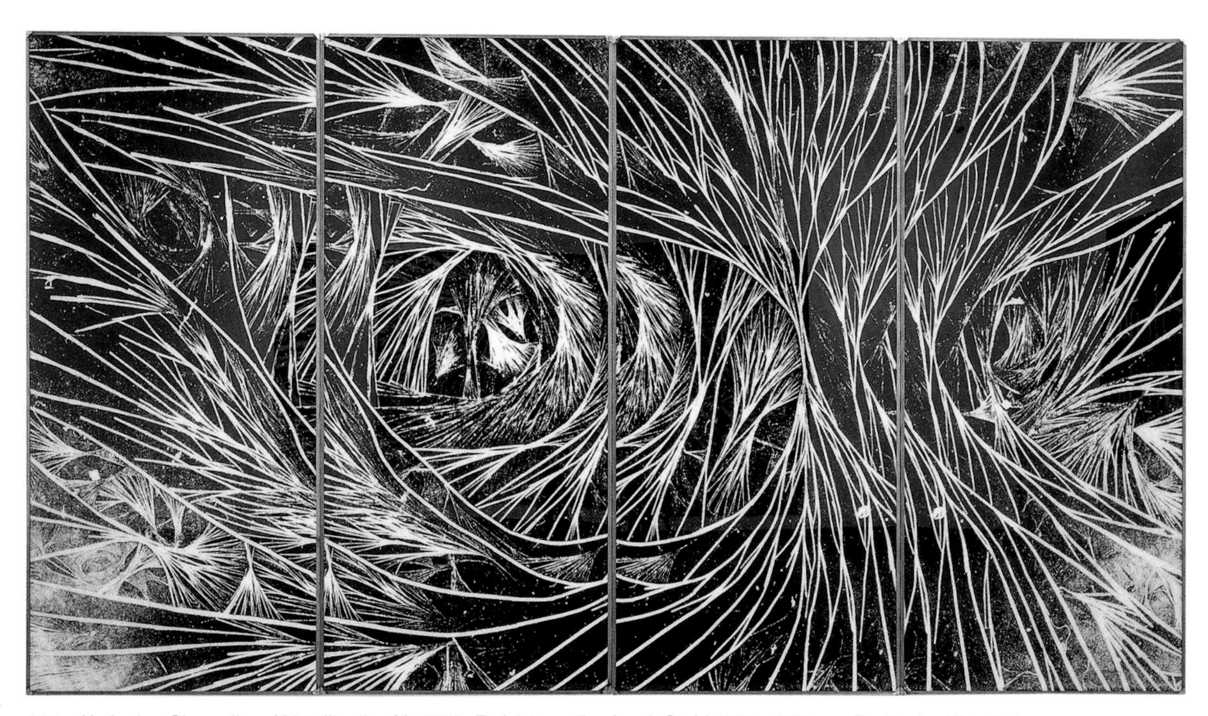

261 Katharina Sieverding, Kristallisation V, 1992; Farbfotografie, Acryl, Stahl, 275 x 500 cm; Besitz der Künstlerin

262 Mona Hatoum, Corps étranger, 1994; Video mit zylindrischer Holzkonstruktion, Video-Projektor, Video-Player, Verstärker, 4 Lautsprecher, 250 x 300 x 300 cm; Musée national d'art moderne, Paris

Mona Hatoum, Corps étranger, 1994 (Ausschnitt); Musée national d'art moderne, Paris

schlechter, der im feministischen Diskurs auch als Einübung der Geschlechter definierbar ist, ging es Mona Hatoum um die Erkundung des Körpers, dessen physische Beschaffenheit in der abendländischen Kultur, so schien es ihr ganz besonders, immer vom *Geist* geschieden war.[19] **Corps étranger** konnte erst vollendet werden, nachdem Mona Hatoum in Paris einen Arzt gefunden hatte, der die für das Werk notwendigen Endoskopien und Koloskopien – heute fast eine Routineuntersuchung – durchführte. In einem runden Gehäuse, in das man eintritt wie in einen Körper, läßt die Künstlerin die Aufnahmen der rosaroten Darmwände auf den Boden werfen. Solcherart geerdet und von dem Echolot der Herztöne und des Atems begleitet, entwickelt die *Innen-Installation* des Körpers einen unwiderstehlichen Tiefensog. Als *vagina dentata* und alles verschlingender Muttermund entfaltet sie eine untergründige weibliche Erotik, die allerdings erst durch den penetrierenden fremden Körper zur Darstellung kommen kann.

Ganz im männlichen Sinn der Trennung von Geist und Materie verspricht Via Lewandowsky seinen Körper der Wissenschaft im Tausch gegen die Präparation seines Gehirns: »Nach meinem Ableben soll dieses dem Schädel entnommen und als *Lewandowskys* Hirn der Vernichtung entzogen werden.«[20] Dieses Gehirn, das heißt seine geistige und immaterielle Existenz, kann man schon jetzt besichtigen als Teil der zusammen mit Durs Grünbein konzipierten Installation **Des Künstlers Hirn**, 1997 (Kat.Nr. 263). Eines Tages soll es in der glä-

263 Via Lewandowsky, Des Künstlers Hirn, 1997; Installation, Höhe 185 cm, Ø 30 cm; Besitz des Künstlers

264 Andreas Müller-Pohle, Face Codes, 1998/99; Serie von zehn Digital-Fotografien (Iris-Giclée-Prints von digitalen Video-Stills), je 80 x 60 cm; Besitz des Künstlers

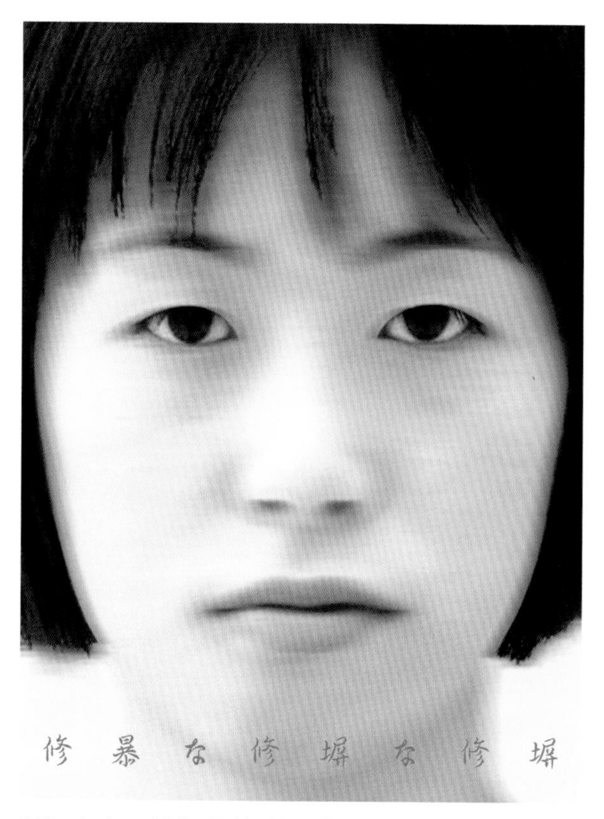

265 Andreas Müller-Pohle, Face Codes, 1998/99; Serie von zehn Digital-Fotografien (Iris-Giclée-Prints von digitalen Video-Stills), je 80 x 60 cm; Besitz des Künstlers

sernen Kuppel des Stahlzylinders liegen, in der jetzt eine Videoprojektion Wasser suggeriert, das in den Abfluß eines Präparationstisches läuft,[21] um das Hirn von aller überflüssigen Materie zu reinigen. Unterhalb dieser »Überlebenskapsel für die individuelle künstlerische Potenz«[22], gleichsam als Halskrause und geistiger Sockel, läuft in blauer Leuchtschrift schnell der Text des Gedichts von Durs Grünbein. Er fordert dazu auf, den Schädel als Ort der Reflexion, des Vergessens und des eigenen Bewußtseins zu nutzen, dessen wir allerdings mit dem Tod – der Dunkelheit – verlustig gehen. »Bist du nicht deines Körpers überdrüssig«, läßt Flaubert den heiligen Antonius sagen, »der auf deiner Seele lastet und sie krümmt wie ein zu enger Kerker. Vernichte also dein Fleisch [...], das Fleisch fliehen wir, wir verabscheuen es.«[23] Via Lewandowskys technisches *Reagenzglas* geht über solcherart poetische Anwandlungen weit hinaus. Es stimuliert unsere Phantasien über furchterregende medizinische Apparaturen, denen wir in Zukunft anheimfallen werden.

Diese Zukunft hat in den digital bearbeiteten Porträtfotos von Andreas Müller-Pohle und des Künstler-Duos (Anthony) Aziz + (Sammy) Cucher bereits begonnen. In Müller-Pohles **Face Codes** (Kat.Nr. 264f.), 1998/99 in Kyoto und Tokio kreiert, verbinden sich Technik und Fotografie zu einer Welt des schönen Scheins. Augen- und Mundpartien wurden einander in der Horizontalen angeglichen und digital synchronisiert.

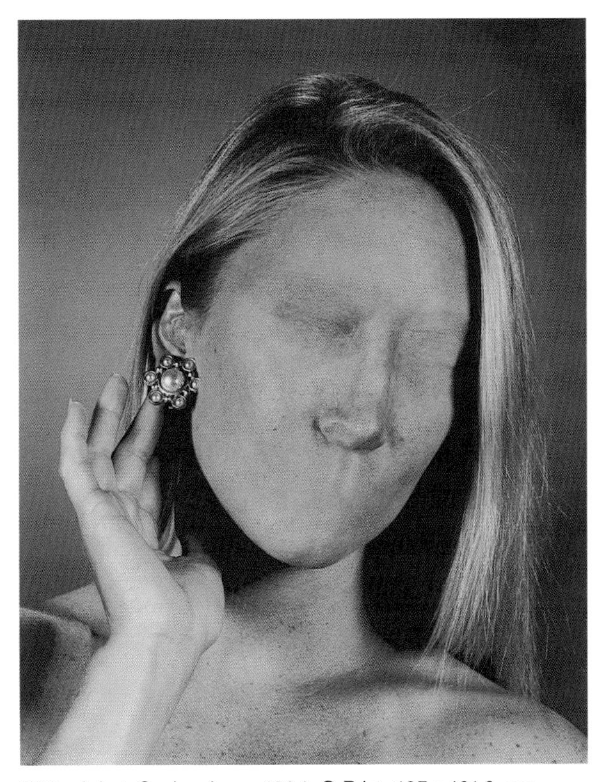

266 Aziz + Cucher, Lynn, 1994; C-Print, 127 x 101,6 cm; Besitz der Künstler

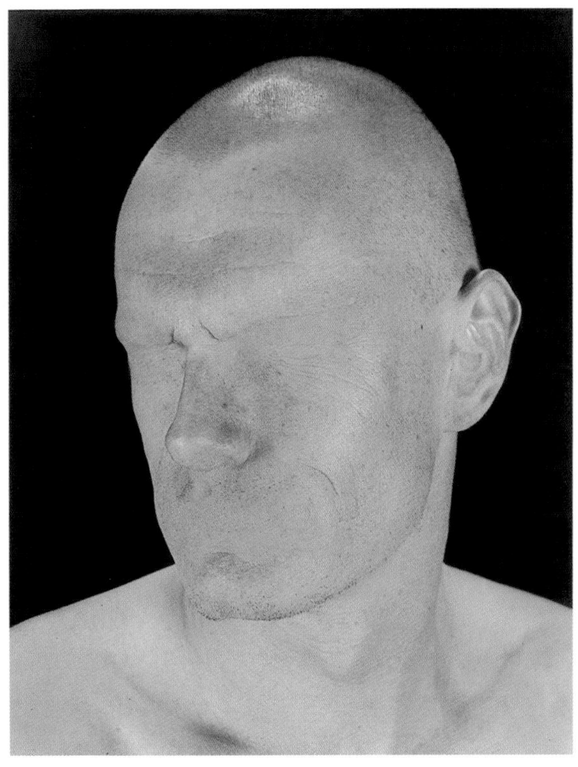

267 Aziz + Cucher, Chris, 1994; C-Print, 127 x 101,6 cm; Besitz der Künstler

»Als Blutspur der Digitalverarbeitung«, so Matthias Groll im neuesten *Kunstforum*, »– der über die Gesichter rasende Scanner ist noch erahnbar – bleiben nicht nur die in japanische Zeichen übersetzten Codierungen, die *Zauberformeln* als Fußnoten erhalten [...]. Die technisierten Portraits konfrontieren das Stereotype mit dem Individuellen. Die Technik selbst blickt durchs Bild.«[24]

»Einige Menschen glauben«, so kommentieren Aziz + Cucher ihre Porträtfotos, und dies mag ebenso für die Arbeiten von Müller-Pohle gelten, »daß diese Technologien unbeschränkte Möglichkeiten für eine Rekonfiguration des Selbst bilden und sagen sogar die Möglichkeit einer ontologischen Veränderung in der Wirklichkeit der Natur voraus. Sie scheinen zu vergessen, daß es im Cyberspace nur um die Repräsentationen geht und daß diese daher durch die Grenzen der Sprache und durch die Unangemessenheit einer Technologie beschränkt werden, die bislang nur *Wortbilder* oder schematische Entwürfe produzieren kann«[25] – wie es die **Face Codes** auf so angenehme Weise tun.

Die Gesichter aus der Serie **Dystopia** (Kat.Nr. 266f.) von Aziz + Cucher reichen in den Bereich des Pornographischen oder zumindest den des Abstrusen. Waren in ihrer Folge **Faith, honor and beauty**, 1992, die Genitalien der Figuren durch Haut unsichtbar und ausgeblendet, so überzieht die alles erstickende Haut nun das Gesicht. Virilio konnte diese Fotografien nicht kennen, als er folgenden imaginären Kommentar verfaßte: »*Wir können den menschlichen Körper entleeren und in Zukunft die unnützen Organe durch die neuen Technologien ersetzen!* Was würde beispielsweise ge-

268 Aziz + Cucher, Interior #2, 1998; C-Print, 152,4 x 101,6 cm; Besitz der Künstler

schehen, wenn man mit einer neuen Haut ausgestattet werden könnte, die sowohl dazu in der Lage wäre zu atmen als auch die Photosynthese durchzuführen, das heißt die Sonnenstrahlen in Nahrung umzuwandeln? Wären wir mit einer solchen ›Haut‹ ausgestattet, benötigten wir keinen Mund mehr, um zu kauen, keine Speiseröhre mehr, um zu schlucken, keinen Magen mehr, um zu verdauen, und keine Lungen mehr, um zu atmen […].«[26]

Anmerkungen

1 Vgl. Gilman, Sander L.: *Creating Beauty to Cure the Soul: Race and Psychology in the Shaping of Aesthetic Surgery.* Chicago 1998; Müller-Lissner, Adelheid: »Habe den Mut, dir eine neue Nase zu geben«. In: *Der Tagesspiegel,* 13. Juli 1999, S. 27.

2 Ebd.

3 Zit. n. Angerer, Marie-Luise: »The Body on the Edge«. In: *Frauen Kunst Wissenschaft*, Jg. 12, H. 20, 1999, S. 6.

4 Virilio, Paul: *Die Eroberung des Körpers*. München; Wien 1994, S. 115.

5 Zit. n. Eiblmayr, Silvia: *Die Frau als Bild. Der weibliche Körper in der Kunst des 20. Jahrhunderts.* Berlin 1993, S. 9.

6 Zit. n. Lippard, Lucy R.: »Rebecca Horn: Ein Touch von …«. In: *Rebecca Horn.* Ausst.Kat. Kölnischer Kunstverein. Köln 1977, S. 72.

7 Zit. n. »Die Bastille-Interviews I: Paris 1993. Rebecca Horn im Gespräch mit Germano Celant«. In: *Rebecca Horn.* Ausst.Kat. Nationalgalerie Berlin. Ostfildern 1994, S. 25.

8 Vgl. *documenta 6.* Ausst.Kat. Bd. 1. Kassel 1977, S. 250.

9 Vgl. den Titel des Ausst.Kat. des Kunstvereins Hannover 1998.

10 Ebd., S. 65.

11 Vgl. Ott, Michael: »Diesseits der Schmerzgrenze. Die Zukunft des Körpers – eine sportwissenschaftliche Tagung«. In: *Süddeutsche Zeitung*, 14. Januar 1999, S. 14.

12 Zit. n. Angerer, The Body (Anm. 3), S. 7.

13 Zit. n. Wilmes, Ulrich: »Androgyne Konfigurationen«. In: *Pia Stadtbäumer.* Ausst.Kat. Kunstforum, Städtische Galerie im Lenbachhaus, München. München 1993, S. 7.

14 Zit. n. Sampson, Philip S.: »Die Repräsentation des Körpers«. In: *Kunstforum*, Bd. 132: Die Zukunft des Körpers I, 1996, S. 101.

15 Ebd.

16 Vgl. Ahrens, Carsten: »All Creatures Great and Small«. In: *Kiki Smith.* Ausst.Kat. Kestner Gesellschaft Hannover. 1998, S. 10.

17 Ebd., S. 36.

18 *Michael Archer, Guy Brett, Catherine de Zeghes, Mona Hatoum.* London 1998, S. 137.

19 Ebd., S. 141.

20 Durs Grünbein und Via Lewandowsky, in: *Formule 2.1.* Ausst.Kat. Künstlerhaus Bethanien, Berlin, 1999, S. 92–97.

21 Ebd., S. 93.

22 Zit. n. Fricke, Christine: »Fenster im Gehirn«. In: *Kunstforum*, Bd. 144: Dialog und Infiltration. Wissenschaftliche Strategien in der Kunst, 1999, S. 78.

23 Zit. n. Virilio, Die Eroberung des Körpers (Anm. 4), S. 89.

24 Zit. n. Groll, Matthias: »Ins Universum der visuellen Schnittstellen«. In: *Kunstforum*, Bd. 146, 1999, S. 364.

25 Zit. n. Aziz + Cucher: »Nachrichten aus Dystopia«. In: *Kunstforum*, Bd. 132 (Anm. 14), S. 173.

26 Zit. n. Virilio, Die Eroberung des Körpers (Anm. 4), S. 123.

Vorsatzblatt: 265 Andreas Müller-Pohle, Face Codes, 1998/99 (Ausschnitt)

Beseelte Materie

Beseelte Materie

Joachim Jäger

Nichts ist erklärbar,
wir kennen nur Scheinbares.
Wols

Das 20. Jahrhundert ist das Jahrhundert der Materie. In keiner Epoche der Menschheitsgeschichte wurde so viel Materielles hergestellt, vervielfältigt, seriell produziert, aber auch verbraucht, vernichtet, zerstört wie im 20. Jahrhundert. »Überflußgesellschaft«, »Wegwerfkultur«, »Milchsee«, »Butterberg« sind nur die offensichtlichsten Metaphern für diese gewaltige Materialisierung des Lebens in den Industrieländern. »Materialkunst« lautete eine nicht unerhebliche Bewegung in der Kunst, bei der die Vielfalt des Produzierten und Aufgelesenen zu neuen Dimensionen des Ästhetischen führte.[1] »Materie«, in welcher Form auch immer, wurde aber auch zum Generalthema in den Naturwissenschaften. Immer größere Anstrengungen werden unternommen, um immer noch kleinere Mengen der »Materie« zu vermessen und zu analysieren. »Teilchenbeschleuniger« schießen Bausteine jenseits des Atoms in unterirdische Umlaufbahnen, Rasterelektronenmikroskope stoßen in ungeahnte Tiefen vor, aufwendige Raumfahrten forschen nach Wasservorkommen auf dem Mond und sondieren die Bodenbeschaffenheit des Mars. Bei dieser allumfassenden Auswertung des Materiellen im 20. Jahrhundert ist der Blick fest auf eine Greifbarkeit und Unmittelbarkeit, auf eine rationale Nachweisbarkeit des Stofflichen gerichtet. Transzendenz, Metaphysik und Alchemie sind zugunsten von Empirie, moderner Chemie und Physik wenn nicht gar abgeschafft, so doch gänzlich in den Hintergrund gerückt.

Viele Künstler sind dieser Entwicklung nicht gefolgt. Ähnlich wie »ganzheitlich« denkende Mediziner, Naturkundler, Astrologen und Wissenschaftler haben auch Künstler im 20. Jahrhundert der reinen Empirie zutiefst mißtraut und statt dessen die Suche nach einer Metaphysik des Stofflichen fortgesetzt. So verschiedene Persönlichkeiten der Kunst in Deutschland wie Willi Baumeister, Paul Klee, Joseph Beuys oder Wolfgang Laib haben in den scheinbar so eindeutigen, wissenschaftlich »erklärten« Dingen nach Spuren eines geheimen Lebens, nach einem »Dahinter« geforscht. In vielfacher Weise brachten sie – der nüchternen Weltsicht des modernen Menschen zum Trotz – die Erfahrung einer belebten, von magischen Energien »beseelten« Materie zur Sprache. Damit verband sich beinahe zwangsläufig eine Zuwendung zum Ursprünglichen und Archaischen, zu den klassischen vier Elementen Feuer, Wasser, Luft und Erde, zu alchemistischen Materialien wie Asche, Schwefel oder Blei, zu einer Rückkehr zu reinen Naturstoffen wie Blütenstaub, Stroh oder Honig. Der Künstler wurde zum Feldforscher und Sammler, zum »Spurensicherer«, zum anachronistischen Materialverwerter – immer mit dem Ziel, dem Rationalismus der Industriegesellschaft eine spirituelle, »geistige« Dimension entgegenzusetzen.

Paul Klee kommt auf diesem Weg eine Schlüsselrolle zu. Die Zweifel an der bloßen Erscheinung des Wirklichen formulierte er am deutlichsten: »Kunst gibt nicht das Sichtbare wieder, sondern macht sichtbar«, heißt das weltberühmte Credo seiner *Schöpferischen Konfession*. Und weiter: »Früher schilderte man Dinge, die auf der Erde zu sehen waren, die man gern sah oder gern gesehen hätte. Jetzt wird die Relativität der Dinge offen gemacht.«[2] Diese Relativität des Dinglichen bezieht sich in Klees Œuvre auf das ganze Panoptikum der menschlichen Hemisphäre, von den Traumwelten der Literatur bis zu den realen Objekten der modernen Zivilisation, und ist doch im Verlauf seines Lebens an eine immer intensiver werdende Suche nach dem Wesentlichen, nach Quintessenzen des Daseins gebunden. Schon bei seinen Aquarellen und Bildern, die nach dem Ersten Weltkrieg und in den Jahren am Bauhaus entstanden sind, wird erkennbar, wie sehr Klee die gegenständlichen Motive und Formen zeichnerisch ab-

269 Paul Klee, Verhext – versteinert, 1934; Wasserfarben gewachst, auf Sperrholz, weiß grundiert und Eiaufstrich, 50,5 x 50,5 cm; Staatliche Museen zu Berlin, Nationalgalerie

270 Paul Klee, Bedrohung, 1938; Pastell auf Jute, 39,5 x 54 cm; Privatbesitz, Schweiz

strahiert und kompositionell zerlegt, um dahinterliegende, allgemeine Ideen und »Gesetze« sichtbar zu machen.

In seinem Jenaer Vortrag von 1924 sprach Paul Klee von den drei formalen Elementen »Linie«, »Helldunkeltöne« und »Farbe«, die sich in seinen Bildern ineinanderfügen und kombinieren, »und zwar immer unter möglicher Wahrung der Kultur des reinen Elementes«[3]. Dies erreicht im Spätwerk des Künstlers besondere Bedeutung: Die Linie wird zu verdichteten Schraffuren oder Zeichen, die als »abstracte Schrift« (Klee) gleichsam über der Bildfläche zu schweben scheinen. Das Helldunkel verwandelt sich in große opake Flächen, die düstere Stimmungen verbreiten; die Farbe schließlich erweist sich als feste, greifbare Substanz: In einem Bild wie **Schwere Botschaft** ist es dicke Kleisterfarbe; in anderen Werken ist es gar Ölfarbe mit Sand versetzt. Besonders offenbar wird diese Materialisierung des Bildes durch die Einbeziehung von einfachen Textilien wie Leinen und Jute (Kat.Nr. 270). Sie fungieren in vielen Arbeiten der dreißiger Jahre als Malgrund und vermögen durch ihre ausgesprochene Kargheit und

271 Paul Klee, Ohne Titel (Todesengel), 1940; Öl auf Leinwand, auf Keilrahmen gespannt, 51 x 66,4 cm; Privatbesitz, Schweiz

Bodenständigkeit, die immer abstrakter werdende Welt der Zeichen im wahrsten Sinne des Wortes zu »erden«.

Dieser elementare Charakter von Klees späten Arbeiten wurde immer wieder mit der bedrückenden Lebenssituation des Künstlers erklärt. Die Entlassung aus dem Lehramt durch die Nationalsozialisten im April 1933, die Anfänge seiner bedrängenden Krankheit im Jahr 1935 sowie die Vorahnungen des bevorstehenden Zweiten Weltkrieges lassen eine Beschäftigung mit Themen wie »Gezeichneter«, »Schwere Botschaft«, »Gefährliches« in der Tat plausibel erscheinen. Doch Klees Drang zum Elementaren geht tiefer, über das rein Biographische hinaus. Er forschte nach übergreifenden Wahrheiten und Gesetzen, die für die wundersamen Kreisläufe des Lebens verantwortlich zu machen wären. In seinem Tagebuch heißt es: »Ich gehe aus von Formeln für Mensch, Tier, Pflanze, Gestein und Erde, Feuer, Wasser, Luft und alle kreisenden Kräfte zugleich«[4] – eine Vorstellung, die den modernen Erkenntnissen der Naturwissenschaft offen zuwiderläuft. Der vielbelesene, von Goethe und Carl Gustav Carus inspirierte Klee griff hier vielmehr auf alchemistische Naturvorstellungen der

272 Paul Klee, die Zeit, 1933; Aquarell und Pinsel in Tusche auf Gipsgrundierung auf Gazestücken auf grundierter Baumwolle auf Sperrholz, 25,5 x 21,6 cm; Staatliche Museen zu Berlin, Nationalgalerie, Leihgabe der Sammlung Berggruen

Romantik zurück, die ebenfalls von der Suche nach »Urgesetzen« bestimmt waren. Man denke an die naturwissenschaftlichen Studien zum Prinzip der Metamorphose bei Carus oder insbesondere an Goethes Idee einer »Urpflanze«: »Die Urpflanze«, schrieb Goethe 1787 an Herder, »wird das wunderlichste Geschöpf der Welt, um welches mich die Natur selbst beneiden soll. Mit diesem Modell und dem Schlüssel dazu kann man alsdann noch Pflanzen ins Unendliche erfinden, die konsequent sein müssen, das heißt, die, wenn sie auch nicht existieren, doch existieren könnten.«[5]

In diesem Sinne läßt sich Klees Umgang mit Jute, substanzhafter Farbe und fragilen Bildelementen verstehen: Sie stehen für einen übergeordneten Schöpfungsakt, der über die eigene Zeit hinausreicht und auf generelle Lebensprinzipien verweist. Gealterte Materialien wie das poröse Leinen oder die von Lebensspuren ›beseelten‹ Oberflächen in einem Werk wie **Verhext-versteinert** (Kat.Nr. 269) verleihen dieser Suche eine unmittelbare Authentizität. Es sind reale Relikte eines zurückliegenden Schaffensaktes, der im Material der Bilder aufgehoben ist und dort gewissermaßen ›weiterlebt‹. Das abgestorbene, ›tote‹ Material, aber auch die Bildtitel sind dabei bewußt gewählte Metaphern, um diese Erinnerung an Vergangenheiten wachzuhalten, um das Eingebundensein in allgemeine Prozesse zu verdeutlichen, um letztlich dem ›Herzen der Schöpfung‹ näher zu sein.

Die Flucht aus dem Diesseits in ein fernes Reich der Urkräfte, die man bei Klees späten Arbeiten miterleben kann, bleibt kein Einzelfall. Zahlreiche Künstler in Deutschland sahen in der Rückkehr zu elementaren Stoffen ebenfalls einen Weg, zum Wesentlichen und Ursprünglichen vorzudringen, darunter vor allem Willi Baumeister, Fritz Winter, Wols, Emil Schumacher und später, in ähnlicher Weise, auch Joseph Beuys. Alle diese Künstler waren von den existentiellen Lebensbedingungen in Deutschland gleichermaßen betroffen, die einen durch Verfolgung, Kriegseinsatz und Isolation, die anderen durch das Erlebnis des total zerstörten Deutschland nach 1945 sowie durch den Schock der Atombombe und das Ausmaß der »Judenvernichtung«. Noch 1964 schreibt Theodor W. Adorno in seinen *Minima Moralia*: »Es ist keine Schönheit und kein Trost mehr außer in dem Blick, der aufs Grauen geht, ihm standhält und im ungemilderten Bewußtsein der Negativität die Möglichkeit des Besseren festhält.«[6] Das alltägliche Leben stand ganz im Zeichen von Verarbeitung und Tod. Allein von daher ergab sich für viele Künstler die Auseinandersetzung mit existentiellen Fragen, mit einer Suche nach Ursprünglichem und Endzeitlichem, eine Rückbesinnung auf die Urkräfte von einfachen Stoffen wie Farbe, Leinen, Erde oder Sand.

Vorstoß zum »Nullpunkt« oder Erforschung des »Unbekannten« nannte Baumeister diesen Weg. Wie Paul Klee wurde auch er 1933 von den Nationalsozialisten aus dem Lehramt entlassen und war seitdem von jeder öffentlichen Arbeit abgeschnitten. Intensiv begann er sich mit Vor- und Frühgeschichte zu beschäfti-

273 Willi Baumeister, Taucher mit Spiegelung III, 1934/50; Öl und Sand auf Karton, 68 x 55 cm; Archiv Baumeister

274 Willi Baumeister, Safer I mit Punkten IX, 1954; Öl und Sand auf Hartfaserplatte, 100 x 81 cm; Archiv Baumeister, Leihgabe im Musée d'Unterlinden, Colmar

gen, nahm an archäologischen Ausgrabungen teil und legte sich selbst eine Sammlung prähistorischer Relikte zu.[7] In der Folge entstanden Werke, in denen amöbenhafte Wesen seltsame Farblandschaften bevölkern und der Künstler urzeitliche Welten beschrieb, das »Urbildliche« (Baumeister) herauszuarbeiten suchte – eine Tendenz, die Werner Haftmann »Hang zum Archaischen«[8] nannte.

Diese Tendenz beginnt sich bereits in den späten »Sportbildern« abzuzeichnen, in denen die Silhouetten der »Läufer« und »Taucher« zu einer zeichenhaften, »offenen« Form reduziert sind, die positiv und negativ zugleich gelesen werden kann (Kat.Nr. 273). Sand und dichte Spachtelmasse verwandeln die Leinwand in haptische Reliefs, die in der Struktur an altes Mauerwerk erinnern und wie bei Klees »Zeit«-Bildern (Kat.Nr. 272) den Bogen zum Urzeitlichen zurückschlagen.[9] In seinen Frottagen, die sich in den Kriegsjahren um mythisch-religiöse Themen und Motive erweitern, erreichen die durchgeriebenen, strukturierten Flächen einen ähnlichen Effekt: Die Bilder wirken belebt, verwittert, in den natürlichen Kreislauf von Geburt und Tod, Wachsen und Verkümmern, Leben und Sterben wie selbstverständlich miteingebunden. **Urformen I** (Kat.Nr. 275) heißt nicht zufällig ein Hauptwerk dieser Zeit. Der Titel belegt erneut die Suche des Künstlers nach einem ›Weltstoff‹, nach einer ›Urform‹ im Goetheschen Sinne, aus der in unendlicher Metamorphose stets neue Formen entspringen können. Nicht nur die eingesetzten Materialien, die fleckigen Farben, der Sand, sind hier gemeint, auch das Bild selbst wird zum Träger des Lebens, wie Baumeister erklärt: »In den Farben und Formen sind elementare Kräfte enthalten, stärkere Urkräfte als in den dargestellten Nachbildungen.«[10]

275 Willi Baumeister, Urformen I, 1946; Öl auf Hartfaserplatte, 81 x 100 cm; Staatsgalerie Stuttgart

»Die Erde ist, wie Plinius sagt, ein Phönix«

Die Erde, der elementarste und älteste aller irdischen Stoffe, war von jeher mit zahlreichen Mythen und Legenden befrachtet. Jahrhundertelang galt die Erde als Ort der Schöpfung, als große Gebärende, als qualmendes »Lebewesen«, wie Horst Bredekamp ausführlich beschrieben hat.[11] Diese Lebensimpulse der Erde haben auch Fritz Winter beschäftigt: Sein mehr als 40 Blätter umfassender Zyklus **Triebkräfte der Erde** (Kat.Nrn. 276–279) ist die bekannteste Huldigung der Erdkräfte und gilt weithin als Symbol der »Inneren Emigration«[12]. Die Blätter entstanden nach einer schweren Verwundung des Künstlers im Krieg, im Winter 1943/44, während eines sechswöchigen Erholungsurlaubs am Ammersee. Wie bei Baumeister und Klee steht das Freilegen von Unbekanntem, Unsichtbarem im Vordergrund. »Die Grundsätze der Kunst liegen nicht im Vorhandenen, sondern im Zuoffenbarenden«, schreibt Winter in einem Feldpostbrief 1943.[13] In den Blättern des berühmten Zyklus' wird Erde als Stoff, als herbe und zugleich lebenswichtige, lebensspendende Materie erfahrbar. Dunkle Farbflächen, oft mit einer amor-

276 Fritz Winter, Triebkräfte der Erde, 1944; Öl, Tempera auf Papier, 48,6 x 40 cm; Galerie der Stadt Stuttgart

277 Fritz Winter, Triebkräfte der Erde, 1944; Öl, Tempera auf Papier, 48,6 x 40 cm; Galerie der Stadt Stuttgart

278 Fritz Winter, Triebkräfte der Erde, 1944; Öl auf Papier, 30 x 21 cm; Kunstsammlungen der Ruhr-Universität Bochum, Sammlung Schulze Vellinghausen

279 Fritz Winter, Triebkräfte der Erde, 1944; Öl auf Papier, 30 x 20 cm; Stiftung Domnick des Landes Baden-Württemberg, Nürtingen

280 Emil Schumacher, Palau, 1984; Öl auf Holz, 170 x 250 cm; Staatliche Museen zu Berlin, Nationalgalerie

phen, maserartigen Musterung, formen den Bildgrund und schaffen auch metaphorisch den Boden, auf dem die Schöpfungen und Visionen des Künstlers gedeihen können. Runde, astartige Formen lassen die Erde greifbar nah erscheinen. Ein Gewirr an Lichtkegeln, Schleiern, Streifen und Strahlen verleiht der Szenerie einen phantastischen, kosmischen Zug. Anklänge an die Bilder von Franz Marc aus dem Ersten Weltkrieg kommen einem in den Sinn[14], aber auch die surrealen und versteinerten Waldbilder von Max Ernst scheinen auf. Doch verglichen mit den leblosen, vereinsamten Szenen bei Max Ernst ist Fritz Winters Erde von Hoffnung getränkt. »Nichts kann einen tiefer erschüttern«, sagte er, »als wenn einem so ganz ohne Habe, so ganz ohne ziviler Mensch zu sein, eine Blüte, ein Blatt begegnet und einem das Große dieser Schöpfung zuteil wird.«[15] Das Bedrohliche der späten Werke von Klee ist gewichen zugunsten einem Staunen über die beeindruckenden, reinigenden Kräfte der Erde. Es sind »Gegenwelten«, »positive Utopien«, wie Carla Schulz-Hoffmann geschrieben hat.[16] Der Boden ist energetisch aufgeladen, die elementare Materie erscheint als warmer, fruchtbarer Schoß der Welt, als ›Lebewesen‹, das übernatürliche Kräfte in sich birgt.

Erde als Energie – dieses Thema wird in den fünfziger und sechziger Jahren vor allem von Emil Schumacher wieder aufgegriffen und weitergeführt. Seine großen Materialbilder (Kat.Nr. 280) sind komplexe Organismen aus Erde, Schutt, Lehm, Sand und Farbe. Dichte Materialschichten haben die Leinwand erobert und in bewegte Landschaften verwandelt. Aufgerissene, zerschundene Oberflächen, die von tiefschwarzen Farbbögen durchzogen sind, erinnern an ausgetrocknete Böden und Steppen, denen durch nahendes Wasser neues Leben eingehaucht wird. Leben im Einklang mit der Natur wird auch hier als haptisch-sinnliches Ereignis präsentiert, das in den Spätwerken bis in leuchtende, rauschhafte Farben gesteigert ist.

Diese verschiedenen Anläufe der Künstler, Mensch und Natur, Zivilisation und Genesis in Einklang zu bringen, werden von dem Amerikaner Walter de Maria auf die Spitze getrieben und gleichzeitig in seinen berühmten Erdräumen konterkariert. Sie entstanden erstmals in Deutschland, nämlich 1968 in der Galerie Heiner Friedrich in München (Abb. S. 311) und 1974 in Darmstadt. Über das Münchner Projekt schrieb Laszlo Glozer ganz lapidar: »Eine Galerie voll Erde. Fünfzig Kubikmeter, gleichmäßig in drei Räumen verteilt, sechzig Zentimeter hoch, reichen gerade bis zum Fenstersims.«[17] Verschwunden ist also die poetische Dimension der Erde: Erde ist hier eine keimfrei gehaltene, pure Substanz. Geblieben ist der symbolische Charakter des Materiellen, die neo-romantische Natursehnsucht, die hier als bewußter Anachronismus inszeniert ist. Denn ›Natur‹ wird in den säuberlichen Erdräumen vollends zur ›Kultur‹. Die Erde ist gleichzeitig nur unter dem Vorzeichen des Künstlichen überhaupt noch wahrnehmbar, in ihrer Bedeutung als ›Urstoff‹ erfaßbar. Damit ist ein Endpunkt der Kunst erreicht, der freilich gleichzeitig das Signal zu einem weiteren Aufbruch gegeben hat: In den Erdräumen liegen bekanntlich die Anfänge der Land art, also die weitere Entgrenzung des Kunstwerks bis zur gegenseitigen Durchdringung von Kunst und Natur, Werk und Landschaft, Mensch und Kosmos.

»Sehen heißt, die Augen schließen« (Wols)

Die Innenwelt der Außenwelt ist das große Thema bei Wols. Mit ihm beginnt ein neues Kapitel der Kunst, denn Leben und Werk sind vollends zur Einheit verschmolzen. Beides würde sich bedingen wie »Schale und Kern«, schrieb Werner Hofmann[18], und Werner Haftmann ging im Katalog zur *documenta II* noch einen Schritt weiter: »Malen wird jetzt direktes Handeln aus

Walter de Maria, 50 m³ (1600 cubic feet) level dirt, 1968; Installation in der Heiner Friedrich Galerie, München; Besitz des Künstlers

der Existenz: Wie die Natur ihr Schicksal in geologische Strukturen, in Diagrammen von Wachstum, Umlauf und Verfall aufzeichnet [...], so ist die Bildfläche für Wols die Schrifttafel, auf der die Chronik seines Schicksals sich einzeichnet.«[19]

Die Zeit, die vergangene Zeit, ist an den Akt des Malens gebunden. Die Leinwand wird zum Auffanggefäß der Energien des Künstlers, das Werk zu einem *action painting* – wenn auch ungleich stiller und introvertierter als bei den nur wenig später stattfindenden Malekstasen von Jackson Pollock (für den der Begriff des *action painting* ursprünglich gedacht war[20]). Immerhin, Werner Hofmann konstatiert bereits bei Wols eine »physische Besitzergreifung« der Leinwand: »Farbe wird – im elementarsten Sinne des Wortes – zum ›Auswurf‹, sie wird ›erbrochen‹.«[21] Das Bild wird

281 Wols, Composition jaune, 1947; Öl auf Leinwand, 73 x 92 cm; Staatliche Museen zu Berlin, Nationalgalerie

damit zum Träger einer ›beseelten Materie‹, in der das vergangene Leben noch ablesbar ist. Wie sehr dieses Thema mit spirituellem Denken aufgeladen ist, verdeutlicht kaum ein Werk klarer als die Arbeit **Schweißtuch der Veronika** (Kat.Nr. 282), also ein Thema, das *per se* mit Lebensspuren verbunden ist. Hier wird die ›beseelte Materie‹ in doppeltem Sinne erfahrbar; der Schöpfungsakt des Künstlers bindet sich an die religiöse Erfahrung des Göttlichen. Aufgeladene, malerische Kringel und Kreise, energetische Farbflecken stehen für diesen einzigartigen ›Kontakt‹, verweisen wie bei Klee oder Baumeister auf einen überzeitlichen Dialog, wie er auch in Wols' Gedichten zum Ausdruck kommt: »Gott. / Kosmos. / Heiliger Geist. / Eins. / Unendlichkeit. / Das Abstrakte, das alles durchdringt, / ist nicht faßbar. / In jedem Augenblick, / in jedem Ding, liegt die Ewigkeit.«[22] Auf die von magischen Energien ›beseelte Materie‹ stößt man ebenso in den Gouachen von Wols (Kat.Nrn. 283–285), in denen seltsame Lebewesen und biomorphe Gebilde ihren Auftritt haben. Zarte Linien und blasse, farbige Lasuren umschreiben sanft geschwungene Körper. In ihrer Abstraktheit scheinen sie fernen,

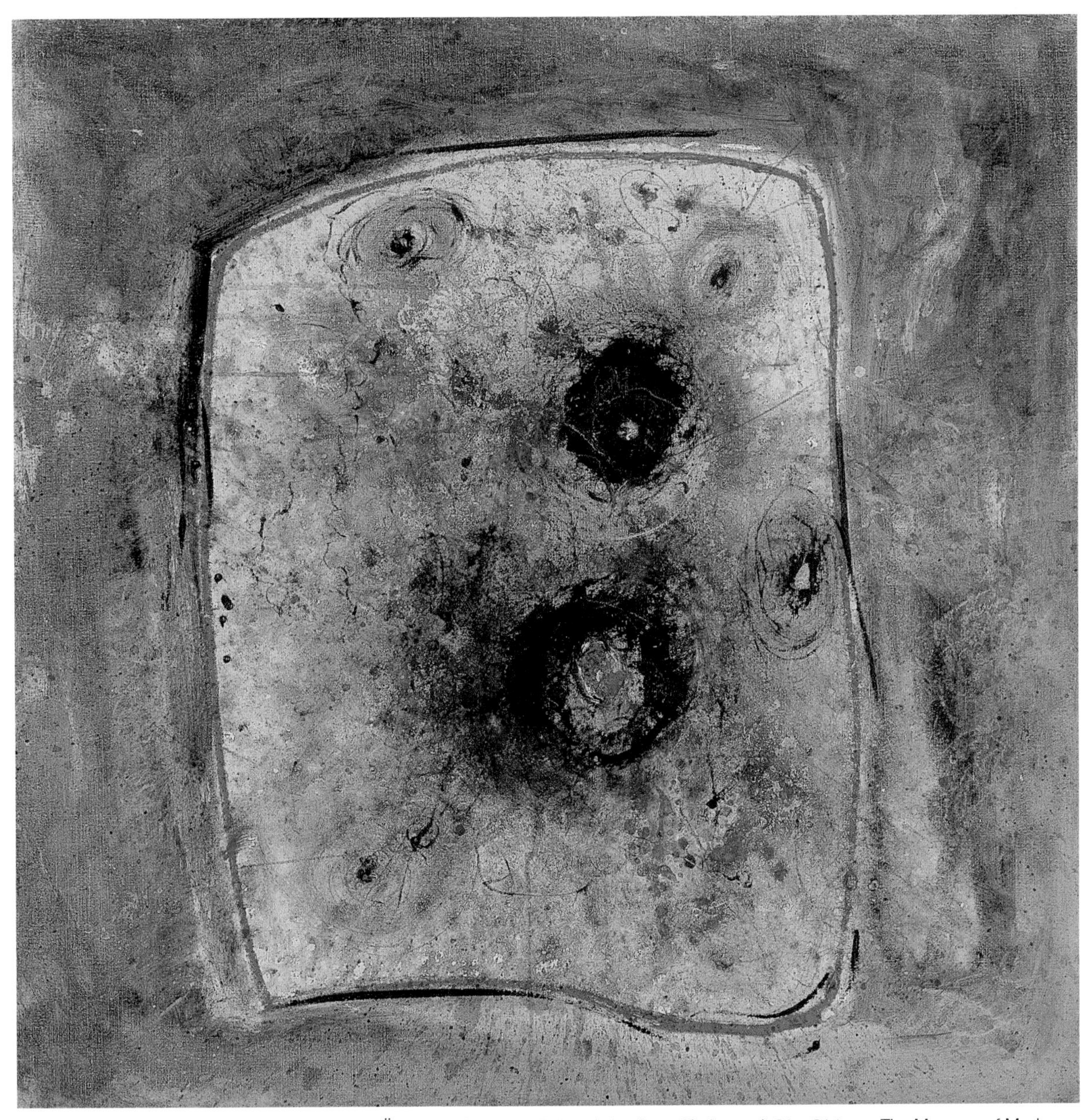

282 Wols, Voile de Véronique, um 1946/47; Ölfarben, Grattage, Tubenabdrücke auf Leinwand, 81 x 81,1 cm; The Museum of Modern Art, New York, Schenkung D. und J. de Menil, 1956

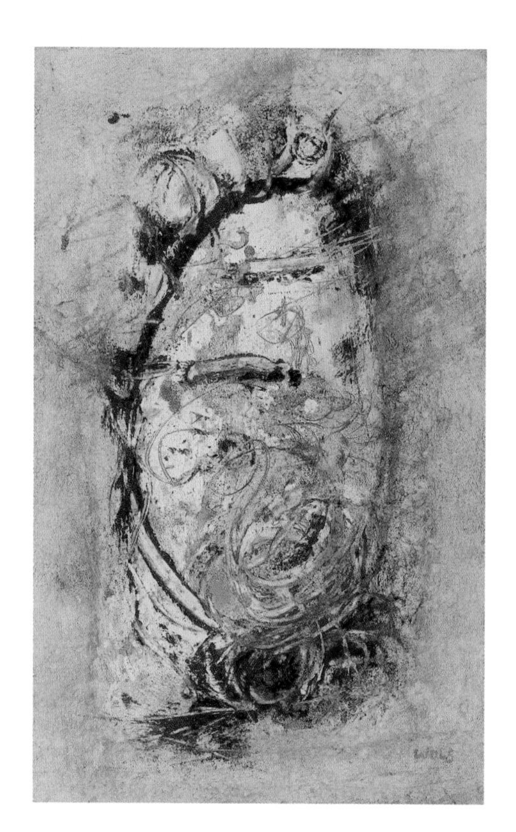

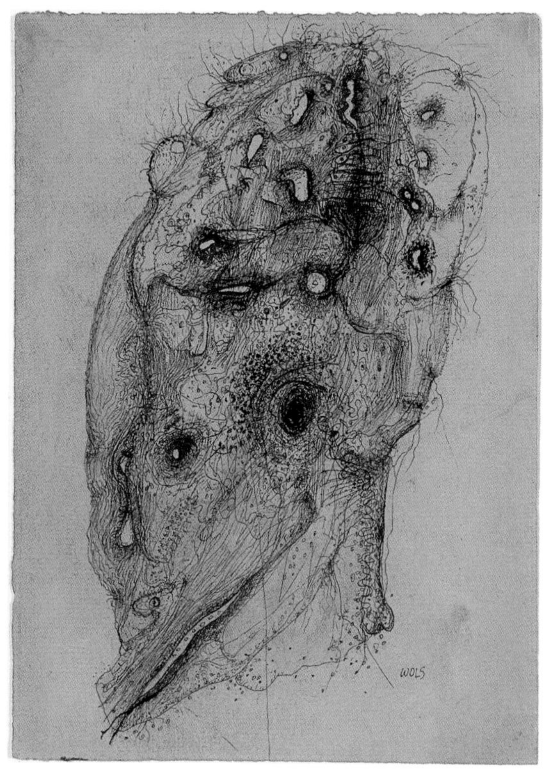

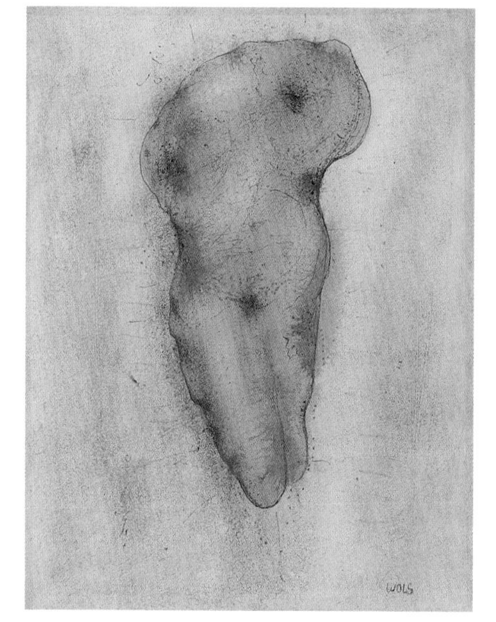

283 Wols, Ohne Titel, 1948; Ölfarbe, Aquarell, Grattage und Tubenabdrücke auf Papier, 16 x 10,1 cm; Privatsammlung, Courtesy Kunsthandel Wolfgang Werner KG, Bremen/Berlin

284 Wols, Tête abimée, um 1944; Tuschfeder, Aquarell, Deckweiß auf getöntem Ingres, 17 x 12,3 cm; Städtische Galerie im Städelschen Kunstinstitut, Graphische Sammlung, Frankfurt am Main

285 Wols, Nu Gris, um 1944; Aquarell, Tuschfeder, Bleistift und Farbstift, 16 x 12,5 cm; Privatsammlung Bremen

surrealen Welten anzugehören. Präzise Konturen und säuberlich markierte, faserige Auswüchse, die wie Tentakel oder Wimpern wirken, verankern das Gezeigte doch gleichzeitig im Reich der Zoologie, lassen an amöbenhafte Kleintiere, an unbekannte Raupen oder Insekten denken. Der Reichtum an Formen und Strichen bringt eine vibrierende Spannung in die Blätter, haucht den skizzierten Kreaturen ein zartes Leben ein. Fast

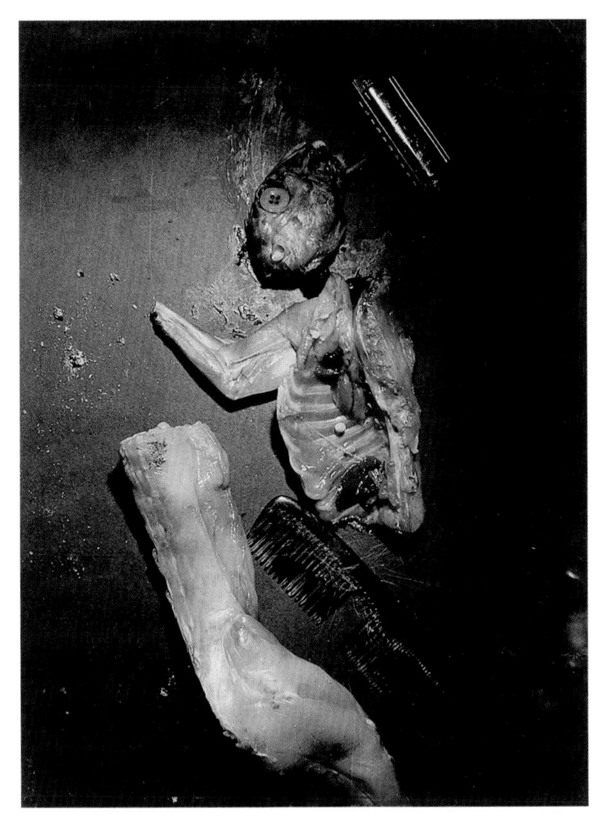

286 Wols, Stilleben mit Kaninchen, Kamm und Mundharmonika, um 1937/38; Fotografie (vintage print), 24,1 x 18 cm; Galerie Berinson, Berlin

287 Wols, Schweineniere, um 1937/38; Fotografie (vintage print), 23,2 x 18 cm; Galerie Berinson, Berlin

scheinen die kleinen Körper zu pulsieren, wie eine Art überirdisches Plasma selbständig zu leben oder eine Matrix abzugeben, die in beständiger Bewegung neues Leben generiert.

Diese Ambivalenzen von Lebendigem und Abgestorbenem, von Imaginärem und Realem, von Gegenwärtigem und Vergangenem, die bei Wols' Werken durchgängig erfahrbar sind, verdichten sich in seinen Fotografien. Sie sind dem Mikrokosmos des Alltags gewidmet und forschen auch hier nach den Magien des Lebens, wobei Wols bewußt das Schmutzige und Eklige des Daseins einbezog. »Ob mit offenen oder mit geschlossenen Augen – immer finden wir. Selbst im Ekel, im Abgrund und im Überdruß finden wir«[23], erklärte er. Die inszenierten Bilder von Tierkadavern (Kat.Nrn. 286, 288) scheinen dabei einem regelrechten *storyboard* zu folgen: Herumliegende, verbrauchte Objekte berichten von verschrobenen Ereignissen, rufen schaurige Missetaten wach und verraten die Präsenz eines menschlichen Täters. Aber anders als in den surrealen Fotos von Man Ray oder Hans Bellmer, die dem frankophilen Wols in Paris begegnet sind, geht es nicht um psychologisch motivierte Phantasmen. Denn das Gezeigte ist zwar inszeniert, aber durch und durch real. Der Grusel liegt allein in der dramatischen Bildregie: einem betont engen Ausschnitt und scharf fokussiertem Licht. Sorgsam drapiert und dekoriert liegen die Tierkadaver aufgebahrt wie kultisch verehrte ›Objekte‹, die von einem mystischen Zauber oder Voodoo umgeben sind. Der Dreck, die realen Fundstücke, das nackte

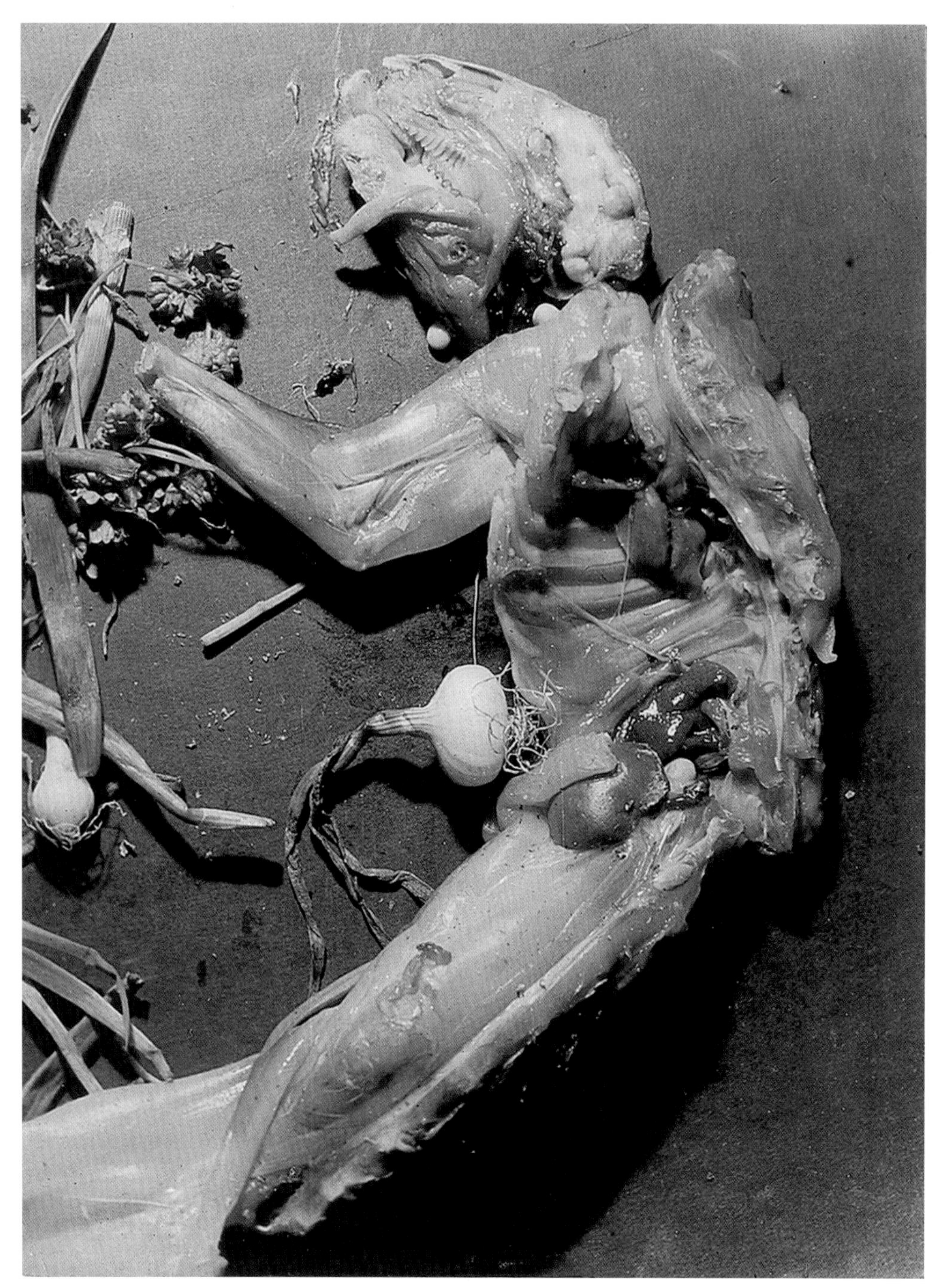

288 Wols, Stilleben mit Kaninchen und Knoblauch, um 1937/38; Fotografie (vintage print), 23,8 x 17,9 cm; Galerie Berinson, Berlin

Fleisch – dies alles verbindet sich in diesen Fotos zu einer überbordenden, melodramatischen Szenerie. Es ist eine Szenerie der Verwesung, eine morbide Poesie des Sterbens, die in der Kunst der fünfziger Jahre beispiellos ist. Sucht man nach Parallelen in der Gegenwart, wären wohl am ehesten die Filme von Peter Greenaway zu nennen: Auch Greenaway hat immer wieder eine unerhörte Verlangsamung des Sterbens angestrebt und dies in eine ähnlich wirkungsvolle, stillebenhafte Bildersprache gegossen.

»Die Materie erreicht man aber nur, wenn man den Tod erreicht« (Joseph Beuys)

Die Beschäftigung mit realer »Materie« erhielt mit der Renaissance der Objektkunst um 1960 einen völlig neuen Nährboden. Das surrealistische Objekt, das unbewußte, tiefenpsychologische Prozesse des Menschlichen und märchenhafte, phantastische Situationen in den Mittelpunkt gerückt hatte, wurde durch Materialbilder, Plastiken oder ›Objekte‹ abgelöst, die vor allem ihre eigene Materialität und Herkunft zur Schau stellten. Autoteile, Kleidungsstücke, Haushaltswaren, aber auch Schrott, Stroh, Asche, Sackleinen – die gesamte Bandbreite des Materiellen war plötzlich kunstwürdig geworden.[24] Damit war auch jenen Künstlern in Deutschland ein weites Feld geöffnet worden, die im Zeitalter der ›Konsumgesellschaft‹ unbeirrt weiter nach einer Spiritualität des Stofflichen forschten, Künstlern wie Günther Uecker, Dieter Roth, Nikolaus Lang, Raffael Rheinsberg, Reiner Ruthenbeck, Wolfgang Laib, Anselm Kiefer und allen voran Joseph Beuys.

Materielles ist bei Beuys durchweg Ausdruck des Geistigen, und dies betrifft gerade auch seine plastischen Arbeiten: Sie sind »Manifestationen des Unsichtbaren« (Beuys)[25] und gleichzeitig Relikte seines Schaffens wie seines Lebens. Ein frühes beeindruckendes Beispiel ist die »Tür« von 1953 (Kat.Nr. 289): Es handelt sich um eine schwarze verkohlte Tür seines abgebrannten Ateliers in Düsseldorf-Heerdt, an der Beuys nachträglich ein Hasenfell und den Schädel eines Reihers befestigt hat.[26] Die schwarze Tür ist dabei nicht nur ein symbolisches Dokument für den schmerzvollen Verlust eines Heimatortes, für ein vernichtetes, nicht

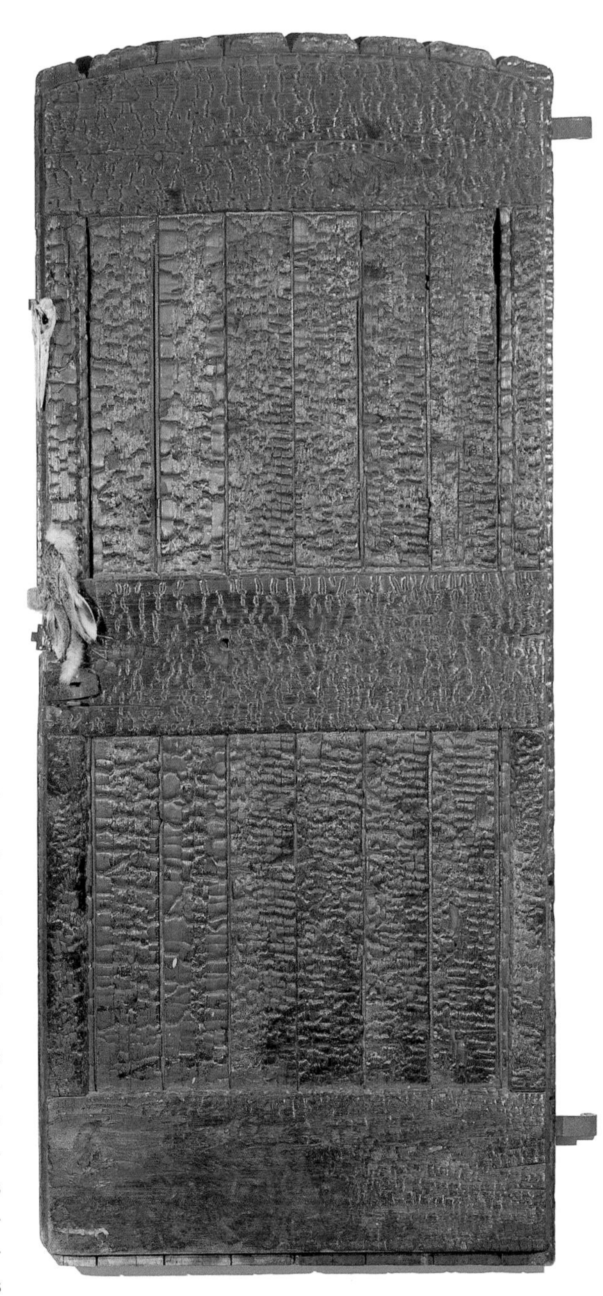

289 Joseph Beuys, verbrannte Tür, Schnabel und Hasenohren, 1953; verbrannte Tür, Vogelskelett, 210 x 108 x 10 cm; Museum moderner Kunst Stiftung Ludwig, Wien, ehemals Sammlung Hahn, Köln

290 Wolfgang Laib, Ohne Titel, 1999; Bienenwachs, drei Holzbretter, 62 x 45 x 730 cm; Privatsammlung

mehr *betretbares* künstlerisches Domizil. Das verkohlte Objekt reflektiert auch eine ›depressive‹ Phase im Leben des damals jungen Künstlers, in der er sich mit grundsätzlichen Fragen nach seinem weiteren Lebensweg beschäftigt und sich bewußt auf ein einfaches Leben zurückgezogen hatte.[27] Erneut binden sich also existentielle Erfahrungen an das Erlebnis von elementarem Material, die Suche nach Lebenssinn an eine Rückkehr zur Natur.

Die Kombination von Tür und Hasenfell beziehungsweise Reiherschädel lenkt dabei den Blick auf die Verknüpfung von Zivilisation und Natur, Mensch und Tier. Über beiden schwebt das Schicksal von Werden und Vergehen, beide sind in generelle Zeitenläufe von Leben und Tod eingebunden. Asche und Feuer wiederum weisen in andere Richtungen, stehen für die Beschäftigung des Künstlers mit ›ganzheitlicher Wissenschaft‹, mit den Ideen der Alchemie, mit denen Joseph Beuys bestens vertraut war.[28] Insbesondere durch die Schriften von Rudolf Steiner lernte Beuys das alchemistische Grundprinzip kennen, das sich aus den drei Urstoffen Sulphur (Schwefel), Sal (Salz) und Mercurius (Merkur) zusammensetzt. Und diese Stoffe treffen nicht zufällig gerade im Prozeß der Verbrennung aufeinander, wie bereits Rudolf Steiner dargelegt hatte: »Das was brennt, ist Sulphur, das, was verdampft, ist Merkureus, das, was zu Asche wird, ist Sal.«[29] Die Tür mit ihrer dominanten Brandfläche ist ein materialisiertes Dokument dieser Metamorphosen, die den Künstler ein Leben lang beschäftigt haben. Nach der »Tür« folgten ab 1968 »Wärmeskulpturen« und ab 1974 regelrechte »Feuerstätten«, die erneut alchemistischen Prozessen gewidmet waren.[30] Verkohltes, Abgestorbenes steht dabei – ähnlich wie später in den Werken der italienischen *arte povera* – immer für einen Zustand der Energie, für einen Lebens-Speicher, der an Kunst und Zivilisation gleichermaßen gebunden ist.

Diese Ideen beschäftigen auch Wolfgang Laib. Er arbeitet mit reinen Substanzen der Natur, mit Milch, mit Blütenstaub, mit Reis und Wachs, in denen er, vergleichbar mit Beuys, Lebensspeicher und energetische Potentiale vermutet. »Stein ist ein Lebewesen«, sagt Wolfgang Laib, »wie Milch, Blütenstaub, Tiere, Menschen oder Berge.« Bei seinen Wachsarbeiten (Kat.Nr. 290) ist diese Dimension schon von Ferne als süßlich-schwerer, betörender Duft wahrnehmbar. Die Betonung des Natürlichen ist abermals an gesellschaftliche Prozesse gekoppelt, denn Laibs Objekte bestehen aus einfachen, kulturell geprägten Formen wie Treppe, Haus oder Schiff, die grundlegende Errungenschaften der Menschheit wachrufen. Das Reine, Pure, Ursprüngliche trifft auf die zivilisierte Welt und bleibt dennoch, anders als bei Beuys, seltsam unberührt und geheimnisvoll. Insbesondere die hoch an der Wand angebrachten

291 Raffael Rheinsberg, Die Antike kennt uns nicht, 1999; Fundstücke aus Schamottesteinen, ca. 400 x 800 cm; Besitz des Künstlers

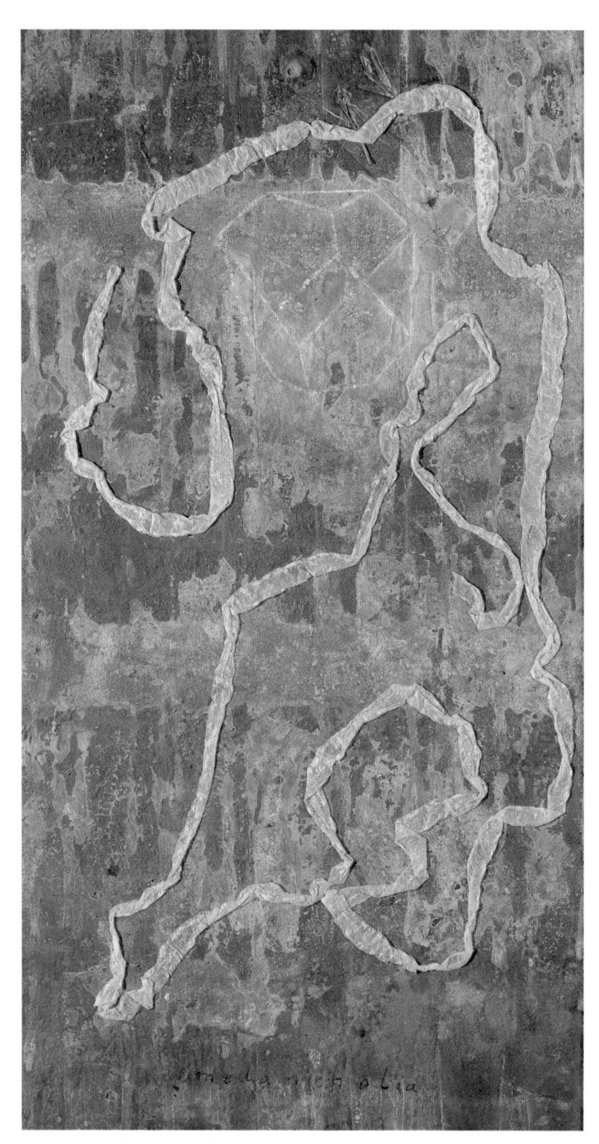

292 Anselm Kiefer, Schwarze Galle, 1989; Gedärm und Kreide auf Blei in verglastem Stahlrahmen, 240 x 130 cm; Besitz des Künstlers, Barjac

Objekte lassen an ferne, unerreichbare Welten denken und verbinden sich mit Assoziationen an Thanatos und Tod. »Natur ist nur eine der Möglichkeiten [...]«, sagt Laib. Im Vordergrund steht vielmehr »eine Suche nach dem Universellen, nach dem Zeitlosen«[31].

Den umgekehrten Weg geht der Berliner Künstler Raffael Rheinsberg. Er zählt nicht zu den Forschern, sondern zu den Entdeckern. Sein Metier sind Fragmente der modernen Zivilisation, »Reisen durch die Gegenstände«, wie er einmal gesagt hat. Seit den siebziger Jahren legt er Sammlungen von immer gleichen, anonymen Dingen an, die er auf Spaziergängen gefunden hat und die noch Spuren eines vergangenen Lebens tragen. Kratzer, Beulen, Rost, Moos verweisen auf ein Leben vor dem Finden, auf den allgemeinen Kreislauf der Dinge im Industriezeitalter, von Herstellung, Gebrauch, Abnutzung, Verrottung. Auch hier ist die formale Distanz wichtig, wie unlängst Lucius Grisebach herausgestellt hat: »Die isolierende Reihung der Gegenstände in Feldern schafft Distanz sowohl zu den ursprünglichen Zusammenhängen, in die die Gegenstände ihrer Funktion nach eingebunden waren, als auch gegenüber den neuen Interessen, die sich ihrer in der Sphäre der Kunst bemächtigen könnten.«[32] Diese Offenheit unterscheidet Rheinsbergs Kunst von einer kulturwissenschaftlichen Archäologie, von jeder Art von Feldforschung. Der Künstler ist zwar Teil einer Bewegung, die man einmal »Spurensicherung« nannte, aber der Begriff gilt für ihn nicht im narrativen Sinne.[33] Anders als bei den Environments von Nikolaus Lang etwa, die verschütteten Kulturgeschichten gewidmet sind (Kat.Nr. 586), steht bei Rheinsberg der individuelle Prozeß des Materials im Vordergrund. Rheinsberg spricht von »einer Art Spurensicherung zur Zeit«[34].

Die Antike kennt uns nicht (Kat.Nr. 291) ist abstrakter, poetischer als viele andere Arbeiten von Rheinsberg. Im Wald der Zeche Zollverein in Essen war Rheinsberg auf ein großes Feld von ausrangierten Schamottesteinen gestoßen, die zur Kokerei der Zeche gehörten. Die Steine haben einen archaischen Zug, und in manchen Formen ist man fast geneigt, Bruchstücke von untergegangenen Kulturdenkmälern vor sich zu sehen. Das helle, ›antikische‹ Weiß der Stücke – die in der Kokerei nie zum Einsatz kamen –, aber auch Spuren der Natur, Erdtöne, eine grünliche Bemoosung und ähnliches verstärken diese Lesart. ›Zeit‹ wird hier nicht nur, wie in dem bekannten, gleichnamigen Werk von Klee oder in den Arbeiten von Beuys, als natürlicher Prozeß der Vergänglichkeit, als Urkreislauf des Lebens erfaßt, sondern auch in seiner kulturellen, zivilisatorischen Dimension. »Jeder Gegenstand hat eine Seele«, sagt Rheinsberg. Gemeint ist hier die Seele der Industriekultur.

Die Annäherung an das Leben vollzieht sich also im Kunstwerk vor allem über den Umweg der Geschichte: Das ›tote‹ Material, sei es Sand, Erde, Farbe, Wachs oder Schamotte, trägt in sich die Spuren und den ›Geist‹ des Vergangenen, der bis heute wahrnehmbar ist. Eine solcherart ›beseelte‹ Materie ist das Produkt eines Prozesses, der auch im Museum nicht ganz zum Stillstand kommt. Der natürliche Verfall des Materials ist auch durch Hochtechnologie kaum zu stoppen. Der Stoff vergeht, aber das Werk lebt weiter. Diese Metamorphose des Stofflichen ist gerade das Grundprinzip im Schaffen von Anselm Kiefer, der seine Bilder schon im Entstehen darauf anlegt, sie möglichst rasch ›alt‹ aussehen zu lassen. Zeit, Geschichte und Verwitterung sind seine wichtigsten Gehilfen. Der Künstler selbst spricht von einem Prozeß des »Reifens«: »Bilder verändern sich, auch ohne eigenes Zutun. Wenn ich morgens komme, ist manchmal über Nacht ein Bild fertig geworden.«[35]

Dieses anachronistische Vertrauen des ›Malers‹ auf die Kräfte der Natur ist dabei an eine ausgeprägte alchemistische Ader gekoppelt. Stroh, Erde, Blei, aber auch Gräser, Zähne, Schlangenhäute und Gedärme gehören zu dem festen Repertoire des Künstlers, das in ständig neuen Fusionen und Amalgamen präsentiert wird. Das Bild wird in diesem Sinne zum Labor, zum Testfeld für elementarische Verwandlungen, die zugleich durch geschichtliche und literarische Verweise kulturell aufgeladen sind. Das Blei, die *prima materia*, aus der die Alchemisten im Mittelalter erhofften, Gold und Silber gewinnen zu können, erfährt die größte Aufmerksamkeit. Es handelt sich um einen »Stoff für Ideen« (Kiefer), um ein Material, das seit jeher dem Planeten Saturn zugeordnet wurde, also mit der Stimmungswelt des Melancholikers in Verbindung steht. So erschließt sich das Programm der Werke wie etwa bei **Schwarze Galle** (Kat.Nr. 292): Die zarte Zeichnung auf dem Blei verweist unmißverständlich auf Dürers **Melencolia** und

293 Anselm Kiefer, WORT GEWITTER EIS UND BLUT, 1991; Bleiarbeit, 242 x 132 cm; Besitz des Künstlers, Barjac

die mäanderartig gelegte Galle auf die spätantike Temperamentenlehre, nach der ›Trübsinn‹ als unmittelbare Folge der dunklen Gallensäfte auftrete.[36] Menschheitsgeschichte und Mythos, mittelalterliche Alchemie und moderne Bildkunst sind bei Kiefer unauflösbar ineinander verwoben. Die Materie, die Suche nach ursprünglichen Energien, ist auch hier Ausgangspunkt des Metaphysischen und des Geistigen. Entscheidend bleibt jedoch die Kraft der Reduktion, wie bereits Adorno zusammenfaßte: »Nicht durch Ideen vergeistigt sich die Kunst, sondern durchs Elementarische.«[37]

Anmerkungen

1 Vgl. zum Beispiel: *Kunst wird Material.* Ausst.Kat. Neue Nationalgalerie Berlin. Berlin 1982. Vgl. den Teil »Prinzip Collage-Montage« im vorliegenden Band.
2 Klee, Paul: »Schöpferische Konfession«. Zit. n. Tilman Osterwold (Hg.): *Paul Klee. Vorbild – Urbild. Frühwerk – Spätwerk.* Salzburg 1986.
3 Klee, Paul: »Jenaer Vortrag«, 1924. Zit. n. *Paul Klee. Späte Arbeiten 1934–40.* Ausst.Kat. Kunsthalle Bielefeld. Bielefeld 1978, S. 5.
4 Klee, Paul: »Tagebücher«, 1008, 1916. Zit. n. *Paul Klee.* Ausst.Kat. Wien 1968, S. 42.
5 Johann Wolfgang von Goethe, zit. n. Hoppe-Sailer, Richard: »Carl Gustav Carus. Einige Anmerkungen zum Verhältnis von Kunst und Wissenschaft im 19. Jahrhundert«. In: *Die Erfindung der Natur. Max Ernst, Paul Klee, Wols und das surreale Universum.* Ausst.Kat. Hannover 1994, S. 68.
6 Adorno, Theodor W.: *Minima Moralia – Reflexionen aus dem beschädigten Leben.* Frankfurt am Main 1964, S. 21.
7 Vgl. Hirner, René: »Anmerkungen zu Willi Baumeisters Hinwendung zum Archaischen«. In: *Willi Baumeister. Zeichnungen. Gouachen. Collagen.* Ausst.Kat. Stuttgart 1989, S. 45f.
8 Werner Haftmann, in: *Willi Baumeister. Gilgamesch.* Köln 1976, S. 6.
9 Vgl. dazu Hirner, Anmerkungen zu Willi Baumeisters Hinwendung zum Archaischen (Anm. 7).
10 Baumeister, Willi: »Das Unbekannte in der Kunst«. Zit. n. Charles Harris u.a. (Hg.): *Kunsttheorie im 20. Jahrhundert.* Bd. 2. Ostfildern 1998, S. 752f.
11 Bredekamp, Horst: »Erde als Lebewesen«. In: *Kritische Berichte*, Jg. IX, Nr. 4/5, 1981, S. 5–37.
12 Vgl. Herzog, Erich: *Fritz Winter. Triebkräfte der Erde.* Ausst.Kat. Westfälisches Landesmuseum für Kunst und Kulturgeschichte, Münster. Münster 1981, S. 7.
13 Zit. n. ebd., S. 13.
14 Vgl. Schulz-Hoffmann, Carla: »Fritz Winter und die abstrakte Malerei in Deutschland«. In: *Fritz Winter.* Ausst.Kat. Galerie der Stadt Stuttgart. Stuttgart 1990, S. 13f.
15 Zit. n. *Fritz Winter.* Ausst.Kat. Bern 1951, S. 16.
16 Vgl. Schulz-Hoffmann, Fritz Winter (Anm. 14), S. 13.
17 Glozer, Laszlo: »Erdskulpturen – Prozesse der Erweiterung – Handlungseinheit als Werk«. In: Ders. (Hg.): *Westkunst. Zeitgenössische Kunst seit 1939.* Ausst.Kat. Museen der Stadt Köln. Köln 1981, S. 310.
18 Werner Hofmann, in: *Das Werk* 46, S. 180–186; neu abgedruckt in: Tilman Osterwold: *Wols. Aquarelle 1937–1951.* Ostfildern 1997, S. 24f.
19 Haftmann, Werner: »Wols«. In: *II. documenta. Kunst nach 1945.* Bd. »Malerei«. Kassel 1959, S. 451.
20 Vgl. Rosenblum, Harold: »The American Action Painters«. In: *Artnews*, 51, 1952, S. 22f.
21 Werner Hofmann, in: Osterwold, Wols (Anm. 18), S. 24f., 29.
22 Wols, zit. n. ebd., S. 12.
23 Zit. n. ebd., S. 22.
24 Vgl. Wagner, Monika: *Sack und Asche. Materialgeschichten aus der Hamburger Kunsthalle.* Hamburg 1997; Raff, Thomas: *Die Sprache der Materialien. Anleitung zu einer Ikonologie der Werkstoffe.* München 1994.
25 Zweite, Armin: *Joseph Beuys. Natur, Materie, Form.* Ausst.Kat. Kunstsammlung Nordrhein-Westfalen. Düsseldorf 1991, S. 14.
26 Vgl. Graevenitz, Antje von: »Beuys' Gedanken zu einem Ofenloch«. In: Hannah Weitemeier (Hg.): *Schwarz.* Ausst.Kat. Kunsthalle Düsseldorf. Düsseldorf 1988, S. 137.
27 Vgl. Stachelhaus, Heiner: *Joseph Beuys.* Düsseldorf 1988, S. 63f.
28 Vgl. zum Beispiel Arici, Laura: »Alchemie«. In: Harald Szeemann (Hg.): *Beuysnobiscum.* Dresden 1997, S. 32f.
29 Harlan, Volker: »Materialien und Alchemie des Plastikers Joseph Beuys«. Vortrag auf der Tagung *Materialität, Immaterialität und Archäologie der Materialien.* Stiftung Lucerna 1998, S. 5.
30 Vgl. Draxler, Helmut: »Das brennende Bild. Eine Kunstgeschichte des Feuers in neuerer Zeit«. In: *Kunstforum International*, Bd. 87, 1987, S. 172f.
31 Wolfgang Laib, zit. n. Farrow, Clare: *Wolfgang Laib. Eine Reise.* Stuttgart 1996, S. 40.
32 Grisebach, Lucius: »Das Leben der Menschen in den Dingen«. In: *Raffael Rheinsberg. Arbeiten zur Zeit.* Nürnberg 1993, S. 10.
33 Vgl. Metken, Günter: *Spurensicherung. Kunst als Anthropologie und Selbsterforschung.* Köln 1977.
34 Zit. n. Rheinsberg (Anm. 32), S. 40.
35 Zit. n. »Nachts fahre ich mit dem Fahrrad von Bild zu Bild«. In: *SZ Magazin*, München, 16. November 1990, S. 28.
36 Vgl. Schuster, Peter-Klaus: »Saturn, Melancholie und Merkur«. In: *Anselm Kiefer.* Ausst.Kat. Nationalgalerie Berlin. Berlin 1991, S. 154.
37 Adorno, Theodor W.: *Ästhetische Theorie.* Frankfurt am Main 1974, S. 293.

Vorsatzblatt: Anselm Kiefer, Himmel – Erde, 1991 (Ausschnitt); Besitz des Künstlers, Barjac

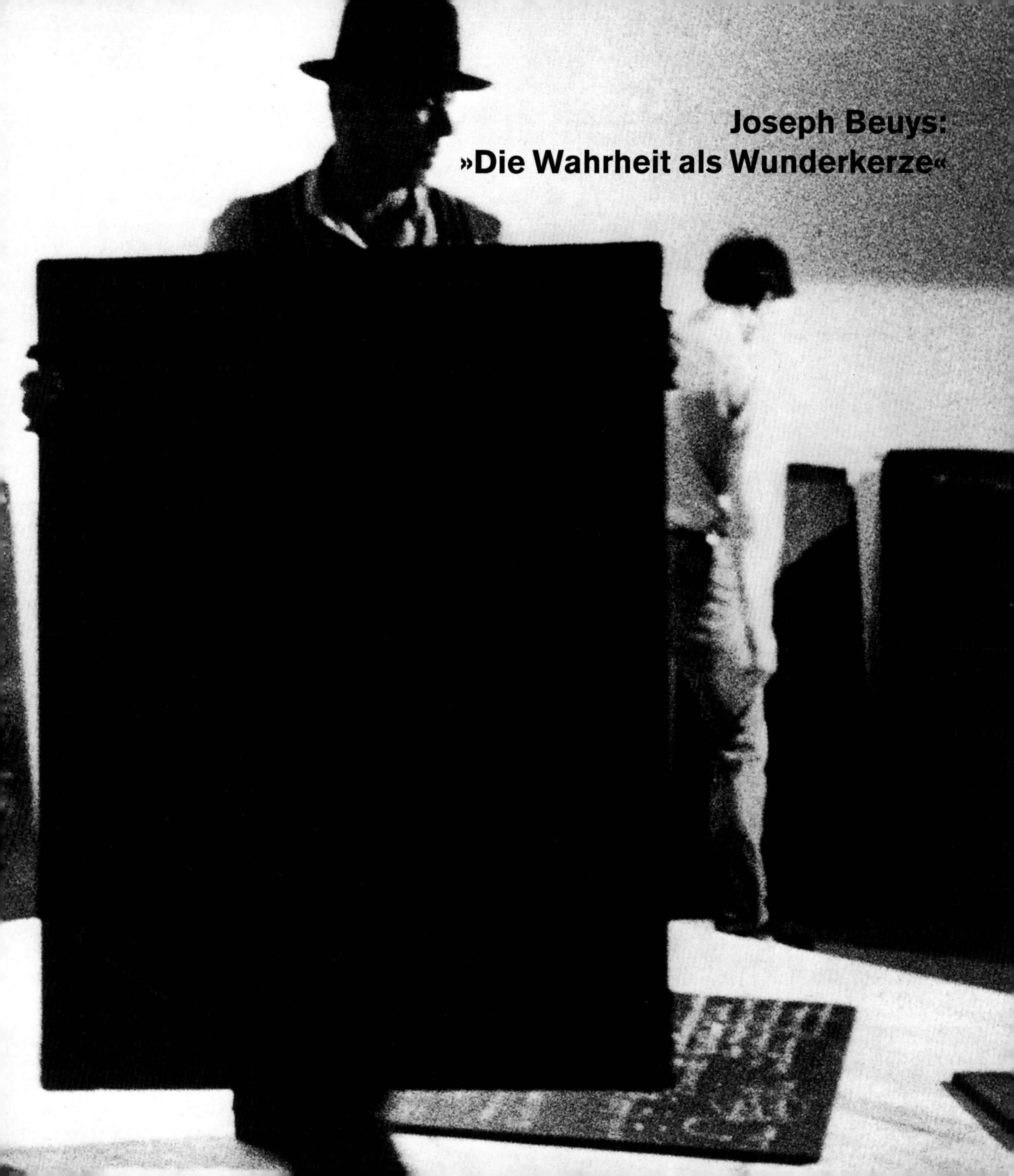

Joseph Beuys:
»Die Wahrheit als Wunderkerze«

Joseph Beuys: »Die Wahrheit als Wunderkerze«

Eugen Blume

Joseph Beuys, der 1974[1] vom ICA in London eingeladen worden war, um an einer Ausstellung teilzunehmen, die sich unter dem Titel *Art into Society, Society into Art* mit »Kunst im politischen Kampf«[2] auseinandersetzte, erschien am Eröffnungstag mit einem Spazierstock und drei auf Staffeleien stehenden Schultafeln. Auf einem in Berlin veranstalteten, der Ausstellung vorausgegangenen Colloquium[3] hatte Beuys erklärt, er brauche keinen besonderen Ausstellungsraum, er wolle lediglich permanent anwesend sein »[...] to suggest possibilities for further study [...]. From morning to evening I would have to be there«[4]. Die Ausstellung einer temporären Universität, wie man dieses Projekt nennen muß, war die logische Fortführung des infolge seiner Entlassung als Akademielehrer gemeinsam mit Heinrich Böll, Klaus Staeck, Georg Meistermann, Willi Bongard und anderen 1973 gegründeten Vereins zur Förderung einer *Freien Internationalen Hochschule für Kreativität und Interdisziplinäre Forschung* und des 1972 auf der *documenta V* eingerichteten Informationsbüros zum erweiterten Kunstbegriff, das Beuys 100 Tage lang betrieben hatte. Beuys beabsichtigte, überall freie Universitäten einzurichten, besonders an der europäischen Peripherie, etwa in Belfast, Dublin oder Edinburgh. Die Gründung von Parteien, einem ›Büro für direkte Demokratie‹, sein öffentliches Bekenntnis zur grundlegenden Umgestaltung der Gesellschaft jenseits von Kommunismus und Kapitalismus legte die Vermutung nahe, Beuys wolle in die Politik überwechseln. Der in den siebziger Jahren in Düsseldorf lebende belgische Künstler Marcel Broodthaers (vgl. Kat.Nr. 554) hatte in einem offenen Brief 1972 diesen massiven Vorstoß ins Politische kritisch hinterfragt. In Anspielung auf Beuys' ungebrochenen Hang zum Gesamtkunstwerk klagte er ihn in diesem Schreiben, das er mit »Lieber Wagner« begann, der angeblichen Desertion in die Politik und damit des Verrats an der Kunst an. Ein wiederholt in diesem Brief auftauchendes Schlüsselwort heißt »Magie«.

Joseph Beuys, Tafel aus »RICHTKRÄFTE« (Die Wahrheit als Wunderkerze), 1974–77; Staatliche Museen zu Berlin, Nationalgalerie

Magie als unverzichtbare Ingredienz einer jeden Kunst war für Broodthaers nirgends so abwesend wie in der Politik. Dieser Vorwurf muß Beuys getroffen haben, denn kein anderer Künstler hatte wie er auf das Geheimnis gesetzt und sich vom Begriff Politik so entschieden distanziert. Beuys forderte sogar, »daß der Begriff der Politik so schnell wie möglich eliminiert werden muß und ersetzt werden muß durch die Fähigkeit des Gestaltens, durch die menschliche Kunst. Ich will nicht Kunst in die Politik hineintragen, sondern die Politik zur Kunst machen«[5]. Die Teilnahme an einer Ausstellung, die noch ganz im Duktus der 68er Bewegung der politischen Kunst gewidmet war, nutzte Beuys, um den Vorwurf seiner angeblichen Konvertierung ins Politische endgültig auszuräumen. Noch vor der Eröffnung begann er im April/Mai, vom Museum of Modern Art in Oxford ausgehend, ein Konvolut von Zeichnungen unter dem Titel **The secret block for a secret person in Ireland** auf die Reise durch England, Schottland und Irland zu schicken. Der geheime Werkblock begleitete

294 Joseph Beuys, RICHTKRÄFTE, 1974–1977; Rauminstallation auf Podest aus Holzplanken, 100 mit Kreide beschriftete Tafeln, 3 Staffeleien mit je einer Tafel, mit brauner Ölfarbe bestrichener Spazierstock, schwarzer Holzkasten mit beleuchtetem Glasbild (Foto: Ute Klophaus), 228,5 x 1186 x 521 cm; Staatliche Museen zu Berlin, Nationalgalerie; Joseph Beuys beim Aufbau von »RICHTKRÄFTE« 1977 in der Nationalgalerie, Berlin

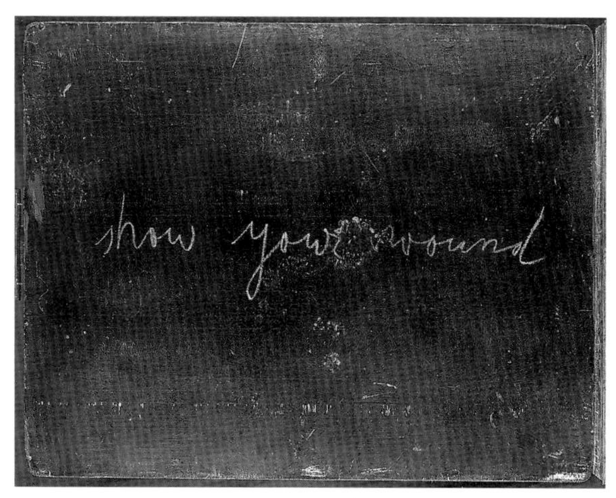

Joseph Beuys, Tafel aus »RICHTKRÄFTE« (show your wound), 1974–77; Staatliche Museen zu Berlin, Nationalgalerie

Joseph Beuys, Tafel aus »RICHTKRÄFTE« (make the secrets productive!), 1974–77; Staatliche Museen zu Berlin, Nationalgalerie

nicht nur als fernes Echo die Ausstellung in London, sondern war auch der Ausgangspunkt, das Energiezentrum seiner Freien Internationalen Universitäten.[6]

In einem Gespräch mit Dieter Koepplin, das anläßlich der Ausstellung des **secret block** 1977 in Basel geführt wurde, hatte Beuys erklärt, daß er nach der archaischen Offenbarungskultur, der römischen Rechtskultur und der gegenwärtig herrschenden Wirtschaftskultur einen vierten Zustand anstrebe.[7] Diesen vierten Zustand erläuterte er 1974 in London in Gesprächen mit den Besuchern und den damit einhergehenden Zeichnungen und Diagrammen auf Schultafeln. »Es hat mich von Anfang an die anthropologische Grundidee des Menschen beschäftigt; der Mensch also als ein Wesen, das einen ganz und gar irdischen Charakter hat, das sich aber nicht beschreiben läßt ohne eine übersinnliche Dimension. Der Mensch als geistiges Wesen ist als rein biologisches vorstellbar, das also zwischen Geburt und Tod aufgrund biologischer Gesetzmäßigkeit irgendwie entsteht und irgendwie vergeht. Besonders das Leben des Menschen und sein Geist sind für mich bestehende, bleibende Werte, die über den Raum-Zeit-Charakter irdischer Verhältnisse hinausweisen. Das könnte z.B. den Sinn von Geborenwerden und Sterben aufklären. Das sind Dinge, die die Menschen unbedingt als geistigen Erlebnisbereich in ihren Besitz nehmen müssen. Denn ohne diese Beschreibung des Menschen über irdische Verhältnisse, d.h. über biologische oder mechanistische Gesetzmäßigkeiten hinaus, ergibt das Leben keinen Sinn. Das gilt ganz besonders auch im Rahmen der Umwandlung der Gesellschaften auf eine Form hin, die jenseits von Kommunismus und Kapitalismus liegen muß. Diese anthropologische Grundfrage nach dem Wesen des Menschen ist die entscheidende. Ohne diese Anthropologie läßt sich kein ökologisches Gesellschaftssystem entwickeln, das die Bedürfnisse der Menschen sowohl physisch als auch geistig zufriedenstellen kann.«[8] Die Betonung des Übersinnlichen ist nicht allein auf Beuys' Herkunft aus dem niederrheinischen Katholizismus zurückzuführen, der zweifellos in ihm früh einen Sinn für die Kraft spiritueller Bilder, wie sie sich in der kirchlichen Liturgie hier und dort unverbraucht erhalten hatten, wach werden ließ. Augenscheinlich kommt Beuys' Fähigkeit der Inszenierung geheimnisvoller Rituale aus diesen Erlebnissen, aber sein spirituelles Weltverständnis ist nicht aus dem konfessionellen Glauben heraus, sondern grundlegend von Rudolf Steiners Anthroposophie geprägt worden. Der reichen, von Steiner entfalteten Gedankenfülle, die ihm in den als

295 Joseph Beuys, Jason (Vitrine *mit Doppelobjekten*), 1980; Batterien, Multiple »Telefon« (1974), zwei Glasflaschen, zwei Schallplatten, Bronzestück, Hasenkiefer, zwei emaillierte Blechschüsseln, zwei Röntgenaufnahmen, zwei irische Torfbriketts (Irish Energies), Steinkohle, 205,7 x 230 x 49,5 cm; Privatsammlung

nachgelassene Schriften herausgegebenen Vorträgen zugänglich war, hat Beuys eine kongeniale und aktualisierte Bildlichkeit verschafft. Beuys glaubte an die von Steiner beschriebene ›karmische‹ Zukunft: »Der Leib unterliegt dem Gesetz der Vererbung; die Seele unterliegt dem selbstgeschaffenen Schicksal. Man nennt dieses von dem Menschen geschaffene Schicksal mit einem alten (buddhistischen) Ausdruck sein ›Karma‹. Und der Geist steht unter dem Gesetze der ›Wiederverkörperung‹, der wiederholten Erdenleben.«[9] Beuys hat die Wiedergeburt, die Erweckung geistiger Energien hoher Individuationen in seiner Gestalt zu verkörpern versucht. Mehrfach inszenierte er einen Übertragungsritus – etwa in der Erzählung eines Traumes, in dem ihm Steiner erschien und ihn aufforderte, sein Werk fortzusetzen, in der Erweiterung des *Ulysses* »im Auftrag von James Joyce«, der zeichnerischen Ergänzung des *codice madrid* von Leonardo da Vinci, in der Identifikation mit dem Klever Baron Anacharsis Cloots, in der Rolle des Ignatius von Loyola in der Aktion *Manresa* und vor allem in der immer wieder mit ihm assoziierten Gestalt von Jesus Christus.

In London erschien Beuys mit einem weiten pelzgefütterten Militärmantel, den er zuvor schon bei seiner ersten Amerikareise getragen hatte, und einem Spazierstock, den er mit der Krücke nach unten hielt, als eine wiedergeborene Figur aus einer anderen Zeit, als glaubender Hirte, der die Verbindung zu den magischen Kräften der Natur aufrechterhält. Die nach unten gehaltene Krümmung zeigte an, woher Beuys seine Energien bezog. Die Bewegungen des Holzes führten in die Erde hinein, betonten die inkarnativen Fähigkeiten, die Beuys an dem gleichsam zu seinem Wappentier erkorenen Hasen schätzte, von dem er ein Stück Fell an der Weste trug. Die nach oben aufsteigende Krümmung führte zum Licht, zum Geist. Die Erde entspricht nach Steiner dem physischen, sich aus anorganischen Stoffen der mineralischen Welt zusammensetzenden Leib des Menschen. Mit der einfachen Geste des verkehrt herum gehaltenen Stockes verwies Beuys, noch bevor er die artifizielle Bühne der Galerie betrat, auf die evolutionäre Erdgebundenheit des Menschen. Seine Absicht, im Verlauf der Ausstellung Ideen zu diskutieren, zum Geistigen vorzustoßen, beginnt also im Mineralischen, in der erstarrten kristallinen Form, die erst in einem geistigen Prozeß ›verflüssigt‹, gestaltet werden sollte. In der Vorstellung der physischen Weltentwicklung hatte bei Rudolf Steiner die Herausbildung der Erde die vierte Stufe inne, die gleichzeitig mit der Entwicklung des Ich-Bewußtseins einherging.

Am Anfang des vierten Äons, so schildert Steiner die allmähliche Ausdifferenzierung des Lebens auf der Erde in einem Vortragszyklus aus dem Jahre 1908, habe sich nur der Mensch auf der Erde befunden. Als solcher sei er aber noch ganz und gar geistig gewesen und habe sich wie eine feine geistige Hülle über die Erde gelegt. Aus dieser geistigen ›Muttersubstanz‹, die Beuys später die »kosmische Placenta« nennen wird, habe sich allmählich und stufenweise die Tierwelt herausgebildet, bis zuletzt die vollkommenste physische Schöpfung, die Menschengestalt, die Erde habe betreten können.[10]

Vor diesem gedanklichen Hintergrund betrat Beuys die Galerie und bestrich als Zeichen einer beginnenden Transformation seinen als Energiestab fungierenden Spazierstock mit brauner Farbe (Braunkreuz). Tafeln aus Londoner Schulen dienten ihm ganz in der Tradition Steiners (vgl. Kat.Nr. 159) als Projektions- und Zeichenfläche für das, was er gemeinsam mit dem Publikum zu erreichen gedachte: eine aus dem Denken kommende Freiheit. Dieses »höhere Denken«, das die Begriffe Imagination, Inspiration und Intuition einschloß, wurde selbst zur ästhetischen Kategorie, war selbst bereits eine unsichtbare Plastik, die sich in der Sprache und den Zeichnungen auf den Tafeln materialisierte. Die von Beuys einberufene Konferenz umfaßte nahezu alle Themen des *erweiterten Kunstbegriffs*, ›Basisstoff‹ war aber Beuys' plastische Theorie. Die während der Diskussionen beschriebenen und bezeichneten Tafeln warf Beuys auf den Boden. In dieser demonstrativen Geste gab er die Ideen und Begriffe wieder der Erde zurück, die ihm ganz zu Beginn als Quelle der Inspiration gedient hatte. Das Publikum stand gleichsam auf den Ideen, auf dem geerdeten Denken, im wörtlichen Sinne auf dem Boden der Tatsachen. »Es wird nach und nach erkannt, was gemeint ist mit diesem Begriff Plastik, schon im Denken, was gemeint ist mit Sprache als Plastik oder wenn Plastik auf diese Ebene (Denken→ Sprache) in Handlung übergreift (→Handlung), wenn sie sich ganz verstofflicht, wenn sie ganz zur Materie hin tendiert.«[11]

Am Ende blieb ein Feld von schwarzen Tafeln, waren das Denken, die Energien der im Raum verklungenen Sprachen, die Anwesenheit verschiedener Individuen, die Bewegungen in einem Bild eingefroren, dessen aleatorischer Rhythmus an die erstarrte Naturgewalt in Caspar David Friedrichs **Die gescheiterte »Hoffnung«** erinnerte. Friedrichs romantische Desillusion einer möglichen, von der Aufklärung emphatisch verkündeten Naturbeherrschung wird in der Kunst gleichsam dialektisch aufgehoben. Die Kunst ist bei Beuys – ganz im Sinne von Theodor W. Adornos *Ästhetischer Theorie* – als einzige in der Lage, eine Gestalt zu schaffen, die auf die anfängliche, noch nicht beherrschte Natur zurückzuverweisen vermag (vgl. S. 184ff., »Der Künstler als Erlöser«). Sie ist beherrschte und unbeherrschte Natur in einem. Allein in ihr erfüllt sich das in den religiösen Mythen beschriebene schöpferische Prinzip. Beuys hat den während der Ausstellung in London lebendigen ›Denkraum‹ als eine stumme Skulptur 1975 in René Blocks Galerie in New York, ein Jahr später zur Biennale in Venedig und schließlich endgültig 1977 in der Nationalgalerie in Berlin aufgebaut. Warum hatte Beuys die unendliche Beweglichkeit des Denkens in einem Bild aufgehoben und der Erstarrung den einen dynamischen Prozeß antizipierenden Namen »Richtkräfte für eine zukünftige Gesellschaft« (Kat.Nr. 294) verliehen?[12] Das Monument RICHTKRÄFTE verschließt sich der rein ästhetischen Aufnahme; es ist ein Werk, das in erster Linie geistige Prozesse, Denken in Gang setzen will. Der informative Gehalt ist nur noch äußerst fragmentarisch erhalten, der Text der Tafeln nur noch an wenigen Stellen zu entziffern. Über dem Feld erheben sich drei Staffelleien, wovon die linke lediglich die Umlaute »ö ö« und den an ihr befestigten Spazierstock und die rechte über einer gezeichneten Form den Satz »make the secrets productive!« (Abb. S. 326) zeigt. Die mittlere Tafel blieb leer. Durch Denken sollte die in RICHTKRÄFTE erstarrte Aktion reanimiert werden. In dieser ›Auferstehung‹, die jeder Betrachter im Geiste vollziehen muß, will er in Erfahrung bringen, was hier verhandelt wird, tritt eine weitere Kraft hinzu, die für Beuys die wesentlichste Gestaltungskraft der westlichen Kultur ist, die von Steiner als Christus-Impuls benannte Energie des nachösterlichen Christus. »So kann man auch sagen: Jede menschliche Tätigkeit ist

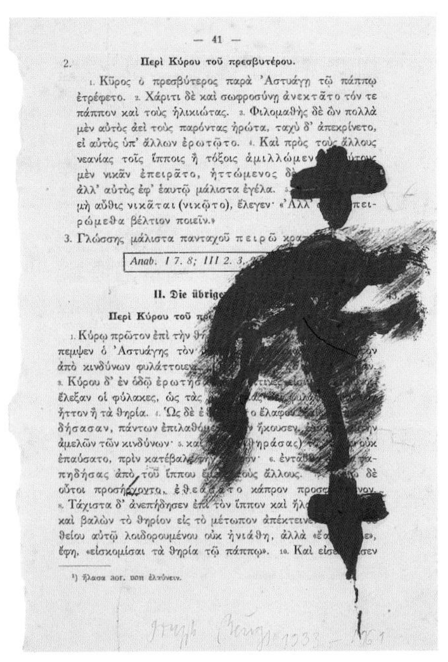

— 41 —

2. **Περὶ Κύρου τοῦ πρεσβυτέρου.**

1. Κῦρος ὁ πρεσβύτερος παρὰ Ἀστυάγῃ τῷ πάππῳ ἐτρέφετο. 2. Χάριτι δὲ καὶ σωφροσύνῃ ἀνεκτᾶτο τόν τε πάππον καὶ τοὺς ἡλικιώτας. 3. Φιλομαθὴς δὲ ὢν πολλὰ μὲν αὐτὸς ἀεὶ τοὺς παρόντας ἠρώτα, ταχὺ δ' ἀπεκρίνετο, εἰ αὐτὸς ὑπ' ἄλλων ἐρωτῷτο. 4. Καὶ πρὸς τοὺς ἄλλους νεανίας τοῖς ἵπποις ἢ τόξοις ἁμιλλώμεν[illegible] μὲν νικᾶν ἐπειρᾶτο, ἡττώμενος δ[illegible] ἀλλ' αὐτὸς ἐφ' ἑαυτῷ μάλιστα ἐγέλα. 5.[illegible] μὴ αὖθις νικᾶται (νικῷτο), ἔλεγεν· «Ἀλλ' [illegible] πειρώμεθα βέλτιον ποιεῖν.»

3. Γλώσσης μάλιστα πανταχοῦ πειρῶ κρα[illegible]

Anab. I 7. 8; III 2. 3. [illegible]

II. Die übrige[illegible]

Περὶ Κύρου τοῦ πρ[illegible]

1. Κύρῳ πρῶτον ἐπὶ τὴν θ[illegible] πεμψεν ὁ Ἀστυάγης τὸν [illegible] ἀπὸ κινδύνων φυλάττοιε[illegible] 3. Κύρου δ' ἐν ὁδῷ ἐρωτήσ[illegible] ἔλεξαν οἱ φύλακες, ὡς τὰς [illegible] ἧττον ἢ τὰ θηρία. 4. Ὡς δὲ ἐ[illegible] ο ἔλαφο[illegible] δήσασαν, πάντων ἐπιλαθό[illegible] ἤκουσεν, [illegible] ἀμελῶν τῶν κινδύνων· 5. καὶ [illegible] θηράσας) [illegible] οὐκ ἐπαύσατο, πρὶν κατέβαλε [illegible] ον· 6. ἐνταῦ[illegible] πηδήσας ἀπὸ τοῦ ἵππου [illegible] ους ἄλλους. [illegible] δὲ οὗτοι προσήλαυνο, ἐθεάσατο κάπρον προσ[illegible] 8. Τάχιστα δ' ἀνεπήδησεν ἐπὶ τὸν ἵππον καὶ ἤλ[illegible] καὶ βαλὼν τὸ θηρίον εἰς τὸ μέτωπον ἀπέκτειν[illegible] θείου αὐτῷ λοιδορουμένου οὐκ ἠνιάθη, ἀλλὰ «ἔα[illegible]», ἔφη, «εἰσκομίσαι τὰ θηρία τῷ πάππῳ». 10. Καὶ εἰσ[illegible]σεν

[1]) ἤλασα aor. von ἐλαύνειν.

296 Joseph Beuys, ohne Titel, 1933–61; Ölfarbe (Braunkreuz), bedrucktes Papier (Seite eines Griechisch-Lehrbuches), 21,6 x 14,4 cm; Privatsammlung

297 Joseph Beuys, Braunkreuz/(SCHAMANEN)-Tanz, 1964; Ölfarbe, Bleistift, Zeichenkarton, 47,8 x 33,7 cm; Privatsammlung

298 Joseph Beuys, FRONT, 1961; Ölfarbe (Braunkreuz), Zeichenkarton, 58 x 34 cm; Privatsammlung

299 Joseph Beuys, Hirte (Selbstbildnis), 1973; Collage, Ölfarbe (Braunkreuz), Bleistift, Zeichenkarton, 29,6 x 21,3 cm; Privatsammlung

begleitet von diesem im Menschen lebenden höheren Ich, in dem der Christus lebt. Ganz einfach. Als eine hochentwickelte Form menschlicher Möglichkeiten, ganz besonders mit Bezug auf seine Zukunftsentwicklung.«[13] »Ein Gott bringt sich selbst zum Opfer, um das Stoffliche, die Erde selbst zu vergeistigen. Durch diese Liebestat wird es der Erde möglich sein, geistig aufzuerstehen.«[14] Die Entwicklung der Menschheit gerät nach dem Sündenfall in eine existentiell bedrohliche Abwärtsbewegung, die erst durch das Erscheinen von Christus, dem Sonnengeist, in eine Aufwärtsbewegung gewendet wird.[15] Beide Bewegungen hatte Beuys mit seinem Spazierstock angezeigt, beide Bewegungen sind auch in RICHTKRÄFTE dargestellt: das niedergeworfene Feld der Ideen und die ›auferstandene‹ »Wahrheit als Wunderkerze« (Abb. S. 324). Die drei aufgestellten Tafeln erinnern nicht von ungefähr an die drei Kreuze in Golgatha, und »make the secrets productive!«, der Aufruf auf der rechten Tafel, bezieht sich auf die lebendige Anwesenheit des Göttlichen in jedem Menschen. Die Anwesenheit dieser spirituellen Substanz hat Beuys in Zeichnungen, Drucksachen, Objekten, Skulpturen, Aktionen mit seinem Signum »Braunkreuz« (Kat.Nrn. 296–299) markiert. Wie eine Spur durchzieht das Kreuz in den unterschiedlichsten Formen und Bedeutungen, vom christlichen Erlösungs- und Opferkreuz bis zum Fadenkreuz, das gesamte Werk von Beuys. Im Braunkreuz erfährt das Kreuzzeichen zudem eine Erhöhung durch die Farbe, die zwischen dem rostigen Braun von eisenhaltigen Erden und dem dunklen Rot des geronnenen Blutes changiert. Das erdgebundene Braun verweist auf die Transsubstantiation, auf die reale Anwesenheit einer geistigen Substanz, der Verwandlung von Materie in Geist, wie sie Beuys in dem poetischen Objekt **Zwei Fräulein mit leuchtendem Brot** beschrieben hat. Sein Kreuzzeichen geht weit über ein nur auf die Kreuzigung Christi bezogenes Symbol hinaus. Das Kreuz steht auch für tierweltliche und pflanzliche Mythen, verbindet das Bild der Bienenkönigin mit dem ›bewegten Kreuz‹, und die friedensstiftende Rose ist ganz im Sinne der Rosenkreuzermystik das rotierende Kreuz. In der 1974–79 entstandenen Vitrine »Doppelobjekte« (Kat.Nr. 295) ist an verschiedenen Gegenständen eine diesen innewohnende geistige Energie mit dem »Braunkreuz« sichtbar gekennzeichnet. Das **Telefon** von 1974 etwa oder die beiden Röntgenaufnahmen zweier menschlicher Thoraxe. Das Telefon verdient zweifellos in seinem von Beuys immer wieder analog genutzten Sender-Empfänger-Prinzip, als ein Instrument der Sprachübertragung, des Gedankenaustausches, letztlich als Beförderer geistiger Prozesse das Braunkreuz. Die Durchleuchtungen eines weiblichen und männlichen Brustkorbes sind an der weißen Rückwand der nach einem Entwurf von Beuys gebauten Vitrine befestigt wie zwei Heiligenbilder, die in den *für Fußwaschungen* gedachten Schüsseln eine thematische Entsprechung finden. Die aus dem Dunkel der Atmungsorgane hervorleuchtenden Braunkreuze buchstabieren den Satz »Schmerzraum: erst hinter dem Knochen wird gezählt«[16]. Die Anordnung der gleichzeitig disparat und verbunden erscheinenden Objekte bleibt rätselhaft, ihre jeweilige Doppelung ist wie eine dem Tod nachfolgende Auferstehung, welche die Gestalt nur geringfügig, aber den Geist wesentlich verändert hat. Die beiden als stumme Objekte niedergelegten Schallplatten beinhalten eine Totenmesse (*Schottische Symphonie, Op. 50, Requiem of Art, fluxorum organum II* von Henning Christiansen), Texte vom Tod und Klavierstücke von Erik Satie. Ihr Klang begleitet den in die moderne Wissenschaft hineingetriebenen alchemistischen Charakter dieser Vitrine. Ihre Bestandteile liefern gleichsam den Beweis, den ›Abdruck‹ des Geistigen in der Materie. Die links stehenden Batterien assoziieren ein weiteres Thema im Œuvre von Beuys, die seit 1954 entstehenden »Fonds«, die in der Ausstellung durch **FOND VII/2** von 1967–1984 (Kat.Nr. 300) repräsentiert sind. Der **FOND**, der aus sieben unterschiedlich hohen, mit Kupferplatten abgedeckten Filzstapeln besteht, verkörpert »eine Art Kraftwerk, eine statische Aktion«[17]. Auf den Kupferplatten liegen Werkzeuge, Spannvorrichtungen für Stromkabel, die dem gesamten Aufbau den Charakter einer physikalischen Versuchsanordnung geben, die wieder in Gang gesetzt werden kann. Zumindest wird hier »die ästhetische Grenze, die normalerweise Kunstraum von Betrachterraum trennt, überbrückt und fordert

300 Joseph Beuys, FOND VII/2, 1967–84; Installation: Filzstapel, Kupfer, 196 x 455 x 643 cm; Musée national d'art moderne, Paris

dazu auf, in den ›ästhetischen Raum‹ einzugreifen und an ihm teilzuhaben«[18]. In der archaisch anmutenden Gestalt seiner Installationen erinnert Beuys bewußt an die Pionierzeit der wissenschaftlichen Erfindungen, an die noch geheimnisvoll erscheinenden Apparaturen von Alessandro Voltas Elektrophor und Volta-Säule, Johann Wilhelm Ritters Ladungssäule bis Nikola Teslas Tesla-Transformator, den Beuys in seiner Aktion *Manresa* verwendet. In dieser Frühzeit moderner Wissenschaftserfindungen ist die Ratio noch mythisch gebunden, die Fähigkeit der Übersetzung von Naturphänomenen in poetisch-mythische und soziale Bilder ausgeprägt. Im Aufbau ähneln die mit Filz und Kupfer geschichteten FONDS der Ladungssäule von Johann Wilhelm Ritter. Die im Filz gespeicherte Wärme wird an die Kupferplatten abgegeben, die wiederum elektrischen Strom erzeugen. Die Erfindung der Elektrizität revolutionierte das mechanistische Denken und führte zu den heutigen, elektronisch gesteuerten Informationssystemen. Beuys übertrug im Sinne einer »poetischen Physik« die Phänomene der Wärmespeicherung, Entladung, Energieübertragung auf psychosoziale Bewegungsformen. Ihre ästhetische Qualität besteht in der ihnen zugrunde liegenden Gestaltungsfähigkeit.

Wenn von Geist und Materie als Thema der Kunst die Rede ist, könnte man in Andy Warhol und Joseph Beuys zwei entgegengesetzte Pole vermuten. Beuys ist der Transsubstantiation verpflichtet und entschiedener Gegner des Kapitalismus und der aus ihm hervorgegangenen alles beherrschenden Wirtschaftskultur, Warhol hingegen ist deren Apologet. Trotzdem verband beide eine über bloßen Respekt hinausgehende Beziehung. Die beiden Porträts, die Warhol als Siebdrucke auf Leinwand geschaffen hat, sind Ausdruck seiner Verehrung. Für Beuys hat die bedingungslose Akzeptanz der amerikanischen Warenwelt und der von Warhol bekundete Wunsch, egalitär als Maschine unter Maschinen existieren zu wollen, mit der kristallinen Erstarrung des Denkens als einem notwendigen Nullpunkt zu tun, aus dem heraus eine geistige Auferstehung erst möglich wird. Warhol hat dies durch die totale Profanisierung von Kunst zu erreichen versucht. Beispielsweise hat er in der Beliebigkeit seiner Porträts, die das Idol gleichrangig neben erkaufte Auftragswerke stellte, eine Auslöschung des Sujets betrieben. Nur einigen der späten Porträts hat er eine über das als Ready-made gleichgeschaltete Idol hinausgehende Bedeutung unterlegt. Das Beuys-Porträt, das er in verschiedenen Fassungen vorträgt, glorifiziert den ›Mythos Beuys‹ im wörtlichen Sinne etwa durch Diamantstaubbeschichtungen (**Portrait Joseph Beuys**, 1980; Kat.Nr. 302) und verweist fast plakativ mit Hilfe der Camouflage-Technik (**Camouflage Joseph Beuys**, 1986; Kat.Nr. 301) auf das Geheimnis dieser Persönlichkeit.

Anmerkungen

1 Gemeinsam mit Albrecht D., KP Brehmer, Hans Haacke, Dieter Hacker, Gustav Metzger, Klaus Staeck und dem Fotografen Martin Ruetz.

2 Die Ausstellung *Kunst im politischen Kampf* im Kunstverein

301 Andy Warhol, Camouflage Joseph Beuys, 1986; Siebdruck, Acryl auf Leinwand, 283 x 211 cm; Galerie Bernd Klüser, München

302 Andy Warhol, Portrait Joseph Beuys, 1980; Siebdruck, Diamantstaub auf Acrylfarbe, auf Leinwand, 254 x 203 cm; Staatliche Museen zu Berlin, Leihgabe der Sammlung Marx

Hannover war der Londoner Ausstellung vorausgegangen und hatte für großes Aufsehen gesorgt.

3 Das Treffen fand in Dieter Hackers 7. Produzentengalerie in Berlin statt. Vgl. Rosenthal, Norman: »The Colloquium in Berlin April 26–27, 1974«. In: *Art into Society, Society into Art. Seven German Artists*. Ausst.Kat. Institute of Contemporary Arts, London. Berlin 1974, S. 5ff.

4 Ebd., S. 8.

5 Krüger, Werner: »Kandidat für den nächsten Bundestag: Gespräch mit dem Bildhauer Joseph Beuys«. In: *Kölner Stadtanzeiger*, 7. August 1976. Zit. n. Adriani, Götz; Konnertz, Winfried; Thomas, Karin: *Joseph Beuys. Leben und Werk*. Köln 1981, S. 335.

6 Die Ausstellung wurde anschließend in Edinburgh, im ICA in London, Dublin und Belfast gezeigt.

7 Beuys, Joseph; Tisdall, Caroline; Koepplin, Dieter: *Joseph Beuys: The secret block for a secret person in Ireland*. Basel 1977, S. 23.

8 Joseph Beuys im Gespräch mit Elisabeth Pfister, 10. November 1984. In: Mennekes, Friedhelm: *Joseph Beuys: Christus denken*. Stuttgart 1993, S. 83.

9 Steiner, Rudolf: *Die Theosophie der Rosenkreuzer*. Dornach 1979, S. 93.

10 Zumdick, Wolfgang: *Über das Denken bei Joseph Beuys und Rudolf Steiner*. Basel 1995, S. 75. Der Vortragszyklus heißt: Rudolf Steiner: »Die Apokalypse des Johannes. Ein Zyklus von zwölf Vorträgen, 17. bis 30. Juni 1908«. Dornach 1990.

11 Rywelski, Helmut: »Interview mit Joseph Beuys«. In: *art intermedia*, Buch 3, 1970, S. 9. Zit. n. Christos M. Joachimides: *Joseph Beuys – Richtkräfte*. Berlin 1977, S. 6.

12 Beuys hat mehrere Environments geschaffen, die aus einem kollektiven Arbeitsprozeß hervorgegangen sind. Besonders verwandt erscheint der Raum »Das Kapital«, 1970–77 in Schaffhausen; vgl. Kramer, Mario: *Joseph Beuys – Das Kapital Raum 1970–1977*. Heidelberg 1991.

13 Pfister, Gespräch (Anm. 8), S. 87.

14 Der Autor referiert in diesen Sätzen Rudolf Steiners Auffassung von der Rolle Christi. Zumdick, Beuys und Steiner (Anm. 10), S. 86.

15 Vgl. Mennekes, Friedhelm: »Theologische Anmerkungen zum Christus-Impuls bei Joseph Beuys«. In: Ders., Christus denken (Anm. 8), S. 197ff.

16 Beuys hatte diesen Titel seinem aus Bleiwänden bestehenden Environment in der Galerie Konrad Fischer in Düsseldorf verliehen.

17 Joseph Beuys, in: Jappe, Georg: »Fond III von Joseph Beuys«. In: *Frankfurter Allgemeine Zeitung*, Nr. 35, 11. Februar 1969, S. 2.

18 Hohlfeldt, Marion: »Kommentar zu Fond VII/2«. In: *Joseph Beuys*. Ausst.Kat. Kunsthaus Zürich. Zürich 1993, S. 186.

Vorsatzblatt: Joseph Beuys beim Aufbau von »RICHTKRÄFTE« 1977 in der Neuen Nationalgalerie, Berlin

Gerhard Richter Natur/Struktur

Gerhard Richter Natur/Struktur

Angela Schneider

Achtundvierzig Portraits (Kat.Nr. 303) und **Atelier** (Kat.Nr. 304) bezeichnen im Werk Gerhard Richters, das immer noch wegen seiner scheinbaren ›Wahllosigkeit‹ irritiert, zwei extreme Positionen. Die penible Malerei nach Fotografien und die groß angelegte furiose Abstraktion verfolgen dennoch dasselbe Ziel. Sie geben uns ein Bild von der Welt, und für dieses Bild, so Richter, »[...] ist Malerei immer nur ein Mittel«[1]. Richter geht es um Sichtbarmachung von Unbekanntem und um »Aufklärung und Erkenntnis der Wahrheit«[2]. »Natur/Struktur«[3], sagt er. Man könnte auch von Materie und Geist sprechen als sich gegenseitig bedingenden Antipoden, die, im dialektischen Spannungsfeld, die Bezugspunkte unserer Welt sind.

Achtundvierzig Portraits sind 1972 für den deutschen Pavillon der Biennale entstanden und wurden vom Künstler so ausgestellt, daß sie in einer Reihe hingen, Franz Kafka in der Mitte. Sie waren wie in einer Ruhmeshalle oder einem Mausoleum installiert.[4] Spätere Hängungen zeigten die Porträts in vier Reihen übereinander und betonten so den lexikalischen Charakter. In dieser kompakteren Inszenierung erinnern sie zudem an ein Werk, das Richter 1967 bei Rudolf Zwirner in Köln gesehen hatte, an Andy Warhols **Thirteen Most Wanted Men**, die 1964 auf der New Yorker Weltausstellung in fünf Reihen übereinander gehängt waren.

Richters Vorlagen stammen aus verschiedenen Lexika. Ihre Auswahl war zufällig, soweit denn eine Wahl überhaupt zufällig sein kann.[5] Zwölf Komponisten, neunzehn Dichter und Schriftsteller, elf Physiker, vier Philosophen, ein Psychoanalytiker und ein Naturforscher bilden ein intellektuelles Spektrum, kein Walhalla, vielmehr eine humanistische Gelehrtenrepublik, wie wir sie aus der Antike und der Renaissance kennen. Dabei fällt auf, daß Richter in seinen geistigen Kosmos keine Frauen aufgenommen hat. Außerdem fehlen Bildhauer und Maler, des Künstlers eigene Disziplin. Zwanzig Jahre später resümiert Richter: »Die Welt des Geistes und der Kunst, in der wir aufwachsen, ist uns die wichtigste, sie ist über alle die Jahrzehnte unser Zuhause und unsere Welt. Wir kennen die Namen dieser Künstler und Musiker und Dichter, Philosophen und Wissenschaftler, kennen ihre Werke und ihr Leben. Sie [...] sind uns die Geschichte der Menschheit.«[6]

Die hier abgebildeten Männer allerdings sind Zeugen nur eines bestimmten Teils unserer Geschichte, die das späte 19. und die erste Hälfte des 20. Jahrhunderts umfaßt. Ihr Leben ist unseren Erfahrungen noch zugänglich und als Identifikationsmodell tauglich. Wenn wir erst nachschauen müssen, um wen es sich eigentlich handelt, verliert der Dargestellte an Lebendigkeit und wird auf sein ›Lexikondasein‹ zurückgeworfen. Plötzlich wird er austauschbar. Das in der malerischen Vergrößerung porzellanen erscheinende Gesicht zeugt wohl von Bildung und Formung, bleibt aber, auch durch den eng gefaßten Bildausschnitt, anonym. Kein ›Attribut‹ deutet darauf hin, was die Dargestellten tun. Es stellt sich eine Egalität ein, die das Heroische meidet; zumal die Titanen der Zeit – Wagner, Freud, Marx und Mao – im Laufe des Entstehungsprozesses aussortiert wurden. Mit einer Ausnahme, dem Porträt Albert Einsteins. Sein Gesicht läßt unmittelbar erkennen, daß er mit der Welt im Zweifel ist, daß er ihren Erscheinungen nicht traut.

Es ist kein Zufall, daß von den **Achtundvierzig Portraits** elf Physiker und vier Philosophen sind – Wissenschaftler, die die Materialien und Gesetze der Natur und des Kosmos analysiert und neu strukturiert haben. In anderer, aber durchaus vergleichbarer Weise gilt dies auch für die Komponisten und Schriftsteller, die aus Tönen beziehungsweise Wörtern neue Welten schaffen, die mit dem vorhandenen Material anders umgehen und so zu anderen Inhalten gelangen. Man denke zum Beispiel an Anton Weberns atonale Musik und Kafkas Romane. Auch Richter selbst, der Maler, geht ganz naturwissenschaftlich von der »Struktur des

Herbert George Wells
1866–1946

Alfredo Casella
1883–1947

Arrigo Boito
1842–1918

Frederic Joliot
1900–1958

Gustav Mahler
1866–1911

Mihail Sadoveanu
1880–1961

Igor Strawinsky
1882–1971

Jean Sibelius
1865–1957

José Ortega y Gasset
1883–1955

Otto Schmeil
1860–1943

James Chadwick
1891–1974

Max Planck
1858–1947

William James
1842–1910

Peter Tschaikowsky
1840–1893

Hans Pfitzner
1869–1949

Manuel de Falla
1876–1946

303 Gerhard Richter, Achtundvierzig Portraits, 1971/72; Öl auf Leinwand, je 70 x 55 cm; Museum Ludwig, Köln

James Franck
1882–1964

Thomas Mann
1875–1955

Franz Kafka
1883–1924

Albert Einstein
1879–1955

Paul Claudel
1868–1955

Nicolai Hartmann
1882–1950

Patrick M. St. Blackett
1897–1974

Louis Victor de Broglie
1892–1987

Paul Adrien Maurice Dirac
1902–1984

Alfred Mombert
1872–1942

John Dos Passos
1896–1970

Alfred Adler
1870–1937

Paul Valéry
1871–1945

Enrico Fermi
1901–1954

François Mauriac
1885–1970

Björnstjerne Björnson
1832–1910

Isidor Isaac Rabi
1898–1988

Oscar Wilde
1856–1900

André Gide
1869–1951

Anton Webern
1883–1945

Saint-John Perse
1887–1975

Giacomo Puccini
1885–1924

Karl Manne Siegbahn
1886–1978

Emile Verhaeren
1855–1916

William S. Maugham
1874–1965

Graham Greene
1904–1991

Wilhelm Dilthey
1833–1911

Anton Bruckner
1824–1896

Rainer Maria Rilke
1875–1926

Paul Hindemith
1895–1963

Hugo von Hofmannsthal
1874–1929

Rudolf Borchardt
1877–1945

304 Gerhard Richter, Atelier, 1985; Öl auf Leinwand, dreiteilig, je 260 x 200 cm; Staatliche Museen zu Berlin, Nationalgalerie

Erscheinungsbildes der Materie – der Form«[7] aus. Auch er erzeugt, indem er den Gesetzmäßigkeiten der Form folgt, neue Inhalte, die keine literarischen und vorgefaßten Konzepte illustrieren. Der Künstler produziert wie die Natur. »[...] es gibt nur, was es gibt.«[8]

Malerei wird zur *prima materia*, die Unbekanntes und Unsichtbares zur Darstellung bringt, die wie ein Forschungsvorhaben Neues zutage fördert. Das Labor ist das Atelier. **Atelier** ist auch der Name des Bildes, das diesen Prozeß anschaulich vorführt, in dem explosive Energien, gesteuerter Zufall und abgezirkelte Ordnung einander gegenüberstehen. Ordnung beziehungsweise eine Struktur schaffen die beiden Säulen, die das Gemälde in drei gleich große, aber inhaltlich unterschiedliche Tafeln teilen. Gemeinsam erzählen sie eine Geschichte von sich ausbreitenden Explosionen, von ineinanderstürzenden Räumen, von ungezügelten, vorwärtstreibenden Energien und von leuchtenden Farbflächen. **Atelier** ist beides: Außenbild und Innenbild, kosmisches Chaos vor einer vielleicht zu rettenden Welt und Zeugnis von Lust und Vergnügen an der schöpferischen Kraft, selbst wenn sie zum Terror gerät. **Atelier** ist in einem mühsamen Prozeß von Auftragen und Abkratzen der Farbe entstanden und nicht etwa schnell dahingesetzt worden. Dies sich in seiner Schönheit ergießende Inferno führt uns zurück in die Welt der Überlegungen und des Geistes. Es feuert uns an, noch einmal über die Bedingungen unserer Existenz nachzudenken, wie die ›Geisteshelden‹ es ein Leben lang getan haben.

Anmerkungen

1 Richter, Gerhard: *Texte, Schriften und Interviews.* Hg. von Hans-Ulrich Obrist. Frankfurt am Main; Leipzig 1993, S. 80, 207.
2 Ebd., S. 167.
3 Ebd., S. 166.
4 Vgl. Buchloh, Benjamin H. D.; Gidal, Peter; Pelzer, Birgit (Hg.): *Gerhard Richter.* Ausst.Kat. Kunst- und Ausstellungshalle Bonn. Bd. II. Stuttgart 1993, S. 37.
5 Vgl. ebd., S. 38ff.
6 Richter, Texte, Schriften und Interviews (Anm. 1), S. 239.
7 Richter, Texte, Schriften und Interviews (Anm. 1), S. 118.
8 Ebd.

Vorsatzblatt: 304 Gerhard Richter, Atelier, 1985 (Ausschnitt)

Sehnsucht nach dem Kosmos

Sehnsucht nach dem Kosmos oder wieviele Wege führen ins Paradies?

Martina Dillmann

> Wir träumen von Reisen durch das Weltall: ist denn das Weltall nicht in uns? Die Tiefen unseres Geistes kennen wir nicht. – Nach innen geht der geheimnisvolle Weg. In uns, oder nirgends ist die Ewigkeit mit ihren Welten, die Vergangenheit und Zukunft.
>
> Novalis, »Blüthenstaub«, 1798

Eines der herausragendsten Ereignisse des 20. Jahrhunderts war der Beginn der Raumfahrt in den fünfziger und sechziger Jahren mit dem Einsatz des ersten künstlichen Erdsatelliten »Sputnik« und dem unbemannten Raumflug. 1969, 40 Jahre nach der utopisch anmutenden Mondlandung in Fritz Langs Film *Frau im Mond*, war die Utopie Wirklichkeit geworden. Einsteins Relativitätstheorie hatte das physikalische Weltbild grundlegend verändert und mit ihm das menschliche Bewußtsein für Distanz, Raum und Zeit. Die Erfolge der Weltraumfahrt weckten das Bedürfnis nach Aufhebung globaler geographischer und kommunikativer Distanzen. Die Expansion in den Weltraum als Möglichkeit eines zukünftigen erweiterten Lebensraums schien in greifbare Nähe gerückt. Kulturell spiegelten sich diese Veränderungen vielseitig, so zum Beispiel in dem großen Erfolg der Science-fiction-Serien in den sechziger Jahren mit den Forschungsreisen der »Orion« und der »Enterprise« in ferne Galaxien und Kulturen.

Weltoffenheit, Optimismus und die Suche nach dem Heil in der Ferne waren Motive jener Science-fiction-Welt, die sich auch in der Kunst der sechziger Jahre manifestierten. Der Eroberung des Weltalls stand die Eroberung der Welt durch die raumgreifenden Konzeptionen junger Nachkriegskünstler wie Yves Klein, Piero Manzoni und Christo gegenüber. Während Klein davon träumte, die Erde blau zu färben und sie mit immateriellen Wänden aus Wasser und Dächern aus Luft zu klimatisieren, entwarf Claes Oldenburg bereits in den fünfziger Jahren gebäudegroße Skulpturen. Die

Zero-Mädchen vor der Galerie Schmela in Düsseldorf, in der Mitte – mit Hut – Joseph Beuys, 1961

Vision des Fliegens führte schließlich bei der Gruppe ZERO zu Konzepten groß angelegter Freizeitparks unter Einbeziehung von Himmel, Wasser, Wind und Feuer.

Die Gruppe ZERO

Zero, das waren im Kern Otto Piene, Heinz Mack und später auch Günther Uecker, die sich Ende der fünfziger Jahre in Düsseldorf als eine Art offene Künstlergemeinschaft formierten. Sie opponierten gegen die alten Kunstwertigkeiten, die sie im Informel und Tachismus repräsentiert fanden. In ihrem Bemühen, »aus dem Dreck, dem Schutt, dem aufgezwungenen Drama des Krieges herauszukommen in eine reinere, heilere Welt«[1], setzten sie der pessimistischen Weltsicht des Informel eine hoffnungsvolle idealistische Lebensauffassung entgegen. Piene schreibt 1961 in »Wege zum Paradies«: »Ich träume von einer besseren Welt. Sollte ich von einer schlechteren träumen? Ja, ich wünsche mir eine weitere Welt. Sollte ich mir eine engere wünschen?«[2]

Zero – damit bezeichneten die Künstler einerseits eine Phase des Schweigens und der Stille, eine Art Zwischenzone, »in der ein alter Zustand in den neuen unbekannten übergeht.«[3] Andererseits verwiesen sie damit auf den Neubeginn einer künstlerischen Karriere ohne den Ballast der Vergangenheit.

Bereits 1946 hatte Lucio Fontana, den Piene als »geistigen Vater« von Zero bezeichnete, in seinem *Manifesto Blanco* eine dynamische Kunst gefordert, bei der Klang, Licht und Bewegung mit einer räumlichen und farblichen Gestaltung in Verbindung gebracht werden sollten. Konsequenz dessen waren die *concetti spaziali*, aufgeschlitzte Leinwände, mit denen er den Raum hinter der Leinwand für eine neue Erfahrung öffnete.

Vorerst machte sich dieses Bedürfnis nach Erweiterung der traditionellen Kunstgattungen vorwiegend in Gemeinschaftsaktionen bemerkbar, die häufig zu Ausstellungseröffnungen stattfanden und das Publikum zum Mitspielen einluden. Den Event-Charakter erhielten die legendären ersten Ausstellungen in Pienes Düsseldorfer Atelier zwischen 1957 und 1960 vor allem durch

Zero
ist die Stille. Zero ist der
Anfang. Zero ist rund. Zero dreht sich.
Zero ist der Mond. Die Sonne ist Zero.
Zero ist weiss. Die Wüste Zero. Der Himmel
über Zero. Die Nacht -. Zero fliesst. Das Auge
Zero. Nabel. Mund. Kuss. Die Milch ist rund. Die
Blume Zero der Vogel. Schweigend. Schwebend. Ich
esse Zero, ich trinke Zero, ich schlafe Zero, ich wache
Zero, ich liebe Zero. Zero ist schön. dynamo dynamo
dynamo. Die Bäume im Frühling, der Schnee, Feuer,
Wasser, Meer. Rot orange gelb grün indigo blau violett
Zero Zero Regenbogen. 4 3 2 1 Zero. Gold und
Silber, Schall und Rauch Wanderzirkus Zero.
Zero ist die Stille. Zero ist der Anfang.
Zero ist rund. Zero ist
Zero

Zero der neue Idealismus

Das Manifest *Zero der neue Idealismus*, 1963

ihre zeitliche Begrenzung auf einen Abend. Ziel der teilweise groß angelegten Spektakel mit Zelt- und Fahnenobjekten, in denen Zero-Mädchen in Papphüllen Seifenblasen in die Luft pusteten (Abb. S. 340) oder Luftballons in den Nachthimmel stiegen, war die Vermittlung eines der Zero-Philosophie entsprechenden Gefühls der zuversichtlichen Weltsicht und unbegrenzten Möglichkeiten. Zero als universelle Lebenshaltung vermittelt sich in poetischer und ironischer Form in dem 1963 entstandenen Zero-Manifest (Abb. S. 341).

Mit der 7. Ausstellung *Das rote Bild*, die 1958 in Pienes Düsseldorfer Studio stattfand und zu der die Publikation *Zero 1* erschien, zeichnete sich erstmals ein künstlerisches Konzept ab. Mit dem »Roten Bild« als Leitmotiv verwies Zero auf das Essentielle seiner Kunst – die Konzentration und Reduktion auf die monochrome

Heinz Mack, Dynamische Struktur in Weiß, 1959; Staatliche Museen zu Berlin, Nationalgalerie

Farbe in ihrer Eigenschaft als dynamischer Lichtträger. Neben Arbeiten von Mack, Piene und Uecker, der zum ersten Mal an einer Zero-Ausstellung teilnahm, waren Werke von dreiundvierzig weiteren Künstlern zu sehen, darunter Yves Klein, Rupprecht Geiger und Gotthard Graubner.

Pienes Rasterbilder und Macks Strukturbilder (Abb. S. 342) verzichten auf eine individuelle künstlerische Handschrift zugunsten einer versachlichten, aus regelmäßigen Rastern bestehenden Bildstruktur. Durch die Reduktion der Form- und Farbenvielfalt wird die Leuchtkraft der Farbe gesteigert. Die Wahrnehmung des Betrachters wird auf der Suche nach Binnenformen und Erhebungen in ständiger Bewegung gehalten. Das Scheinen der Farbe wird zum »dynamischen Vibrieren, Gleißen, Strahlen«[5]. Die materielle Qualität von Leinwand und Farbe tritt zugunsten des immateriellen Lichts zurück.

Entscheidender Anreger für die konsequente Verfolgung farblicher Reduktion bei der Gruppe Zero war Yves Klein, der sich bereits in den vierziger Jahren mit monochromen Bildkonzeptionen beschäftigt hatte. 1956 entwickelte er mit dem »International Klein Blue« (IKB, Kat.Nr. 203) ein leuchtend tiefes Ultramarin, das in der Erfahrung einer unfaßbaren intensiven Raumtiefe für ihn »die Inkarnation des kosmischen Allgefühls« darstellte. Klein setzte sich intensiv mit der Theosophie und östlichen Religionen auseinander. Während für ihn die Bedeutung der reinen Farbe in ihrer Mittlerfunktion zwischen Mensch und Universum lag, gründete sie bei Zero auf einer physikalischen Analyse ihrer Wirkungsweise. Demnach erhält die Farbe ihre eigentliche Qualität erst durch ihren »Lichtwert«, »der die Farbe eigentlich Farbe sein läßt«[6]. Die Konsequenz der Ausrichtung nach dem »Lichtwert« ist die Aufhellung der Farbpalette, die sich von Gold-, Silber- und Gelbtönen schließlich zur Verwendung des für Zero charakteristischen reinen Weiß vollzieht. Das Erlebnis der Farbe bedeutete nicht – wie bei Klein – eine Ausrichtung des Betrachters auf eine jenseitige immaterielle Welt, sondern eine bewußte Öffnung gegenüber dem gegenwärtigen irdischen Dasein.

Eher zufällig hatte Piene herausgefunden, daß sich seine für die Rasterbilder verwendeten Siebe, durch eine Lichtquelle angestrahlt, zur Projektion von bewegten Licht-Schatten-Spielen eigneten. Daraus entstand 1959 die erste Aufführung des »Archaischen Lichtballetts«, in dem der Künstler mit Rastersieben und Handlampen agierte. Angeregt durch die motorisierten Objekte von Jean Tinguely (Kat.Nr. 358), folgte kurze Zeit später das »Klassische« oder »Automatische« Lichtballett, in dem durch Motoren bewegte Lichtmaschinen die Filterung des Lichts übernahmen. Das Ergebnis war ein sich überlagerndes, durchkreuzendes und raumfüllendes Lichtspiel, in das der Betrachter direkt eingebunden wurde.

Was sich bereits in der Mehransichtigkeit der Lichtreliefs und Kuben von Mack und den Nagelbildern von Uecker angekündigt hatte, fand mit den Lichträumen seine gestalterische Umsetzung: die Integration von Licht, Raum, Zeit und Bewegung.

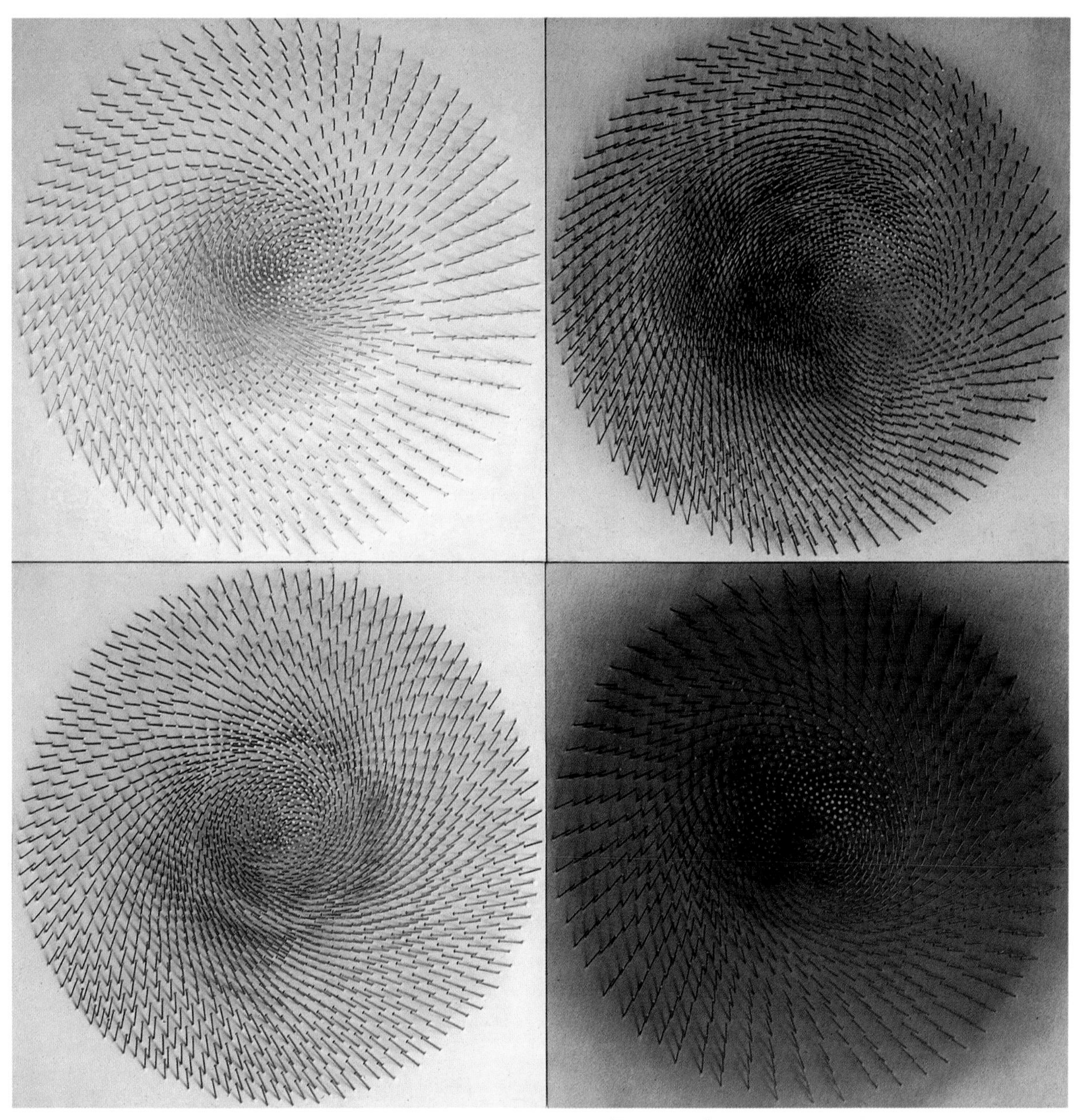

305 Günther Uecker, Osakaspiralen: Morgen, Mittag, Nachmittag, Nacht (Zeitspiralen), 1969; Nägel und Farbe auf Leinwand auf Holz, vierteilig, je 150 x 150 x 10 cm; Sammlung Lenz Schönberg

Die Befreiung des Lichts von seiner Funktion der Beleuchtung hin zu einem gleichberechtigten gestalterischen Mittel fußte auf den Experimenten der Bauhaus-Künstler Ludwig Hirschfeld-Mack und Kurt Schwerdtfeger, die bereits in den zwanziger Jahren in den Farbe-Licht-Spielen Licht und Bewegung in ihrem Wechselspiel untersuchten. In dem **Licht-Raum-Modulator** (Kat.Nr. 185) von László Moholy-Nagy manifestierte sich der Übergang von der statischen zur kinetischen Gestaltung.

Die Teilnahme an der *documenta III* mit dem **Lichtraum (Hommage à Fontana)** 1964 (Abb. S. 344) bildete einen der Höhepunkte der künstlerischen Zusammenarbeit von Zero. Obwohl Mack, Piene und Uecker bis dahin bereits durch zahlreiche Ausstellungen im In- und Ausland bekannt geworden waren und sich ein reger künstlerischer Austausch mit anderen, in ähnlicher Richtung arbeitenden Künstlergruppen wie der niederländischen Gruppe Nul oder der italienischen Gruppo N entwickelt hatte, bewirkte die Zero-Teilnahme an der *documenta III* die endgültige Öffnung der deutschen Nachkriegskunst zur internationalen Kunstszene.

Für den Lichtraum in Kassel mit sieben rotierenden Objekten trug jeder Künstler entsprechend der Idee des *Salon de Lumière*, so nannten sie die gemeinsam konzipierten Lichträume, eigene Arbeiten bei: Mack die Lamellenfelder aus Aluminium, Uecker das Nagel-

Der »Zero-Lichtraum«, *documenta III*, Kassel 1964

Otto Piene, Salon de Lumière, 1960–89; verschiedene Lichtplastiken mit Gesamtzeitschaltung und Ton; Besitz des Künstlers; Foto: Günther Thorn

307 A. R. Penck, Welt, sauer wie Zitrone, 1977; Dispersionsfarben auf Leinwand, 144 x 179 cm; Galerie Michael Werner, Köln und New York

feld als Licht-Struktur-Element und Piene das Rastermotiv in seinen durchlöcherten Scheiben und Kugeln. Zu Ehren Fontanas projizierten sie eines seiner *Concetti spaziali* an die Wand. Die gemeinsamen Anschauungen von Mack, Piene und Uecker führten in den kollektiv gestalteten Arbeiten **Silbermühle** und **Lichtmühle** zu ihrer gestalterischen Verdichtung.

Die Versachlichung der Bildstruktur in der Malerei fand durch die Verwendung technischer Mittel in den Lichträumen ihre Fortsetzung. In ihrem Streben nach einer harmonischen Einheit zwischen Technik, Mensch und Natur wurde die Technik aber stets nur als Instrumentarium betrachtet. Ziel war es, mit dem Lichtraum ein Analogon zur Natur zu schaffen, einen Naturraum, der es dem Betrachter ermöglichte, in »aktiver Entspannung in Selbstentäußerung bei sich«[7] zu sein. Das Streben nach einer Spiritualisierung der Materie durch Licht und Bewegung fand in den Lichträumen erstmals seine künstlerische Umsetzung. Analogien zur Natur äußerten sich ebenfalls in den Einzelobjekten sowohl inhaltlich als auch in der Verwendung von Materialien: in den Rauch- und Feuerbildern von Piene, in den sich zu Strudeln und Wirbeln formierenden Nagelformationen von Uecker und in der Einbindung größerer räumlicher Dimensionen in den Arbeiten von Mack.

»Wann ist unsere Freiheit so stark, daß wir den Himmel zwecklos erobern, durch das All gleiten, das große Spiel in Licht und Raum leben, ohne getrieben zu sein von Furcht und Mißtrauen?«[8] Bereits 1961 formulierte Piene in *Zero 3* das Bedürfnis nach einer Kunst, die über die Dimension des Lichtraums weit hinausgehend das Weltall miteinbeziehen sollte. 1965 ergibt sich mit dem Projekt »Zero on Sea« die Möglichkeit der Gestaltung einer Uferpromenade in Scheverdingen. Obwohl das Projekt scheitert, weist es mit seiner Einbeziehung des Naturraums, von Wasser, Himmel und Wind als gestalterischen Elementen auf die zukünftige Werkentwicklung von Mack und Piene.

1966 löste sich die Gruppe ZERO auf. Während Ueckers introspektiver Blick nach der Trennung von Zero zu einer Fortführung der weißen Nagelkonstruktionen führt (Kat.Nr. 305), erfüllt sich für Piene der Traum vom Fliegen durch die Übersiedelung in die USA. Mit seiner Tätigkeit als Direktor des Centers for Advanced Visual Studies in Cambridge ergeben sich die idealen technischen Voraussetzungen. Parallel zur Weiterentwicklung seines Lichtballetts (Kat.Nr. 306, ohne Abb.; 1999; verschiedene Lichtplastiken mit Gesamtzeitschaltung und Ton; Besitz des Künstlers; vgl. Abb. S. 345) entwickelt er ab 1968 die Sky-art-Projekte. Helium- oder luftgefüllte Formen am Himmel, die durch den Wind bewegt und bei Nacht angestrahlt werden, überqueren Plätze und Straßen und verbinden Städte in ihrer Überwindung von Flüssen. Macks Wüsten- und Antarktisprojekte gelten der Integration von Kunstobjekten in unberührte Naturräume. 1968 realisiert er in Tunesien das **Sahara-Projekt**. Reflektierende Metallobjekte werden dem gleißenden Sonnenlicht ausgesetzt. Die Überstrahlung der Objekte führt zu einer Verschmelzung von Kunstobjekt und Licht als Naturphänomen.

A. R. Penck: »Welt, sauer wie Zitrone«

> Ich für meine Person habe keinerlei Traurigkeit, aber ich lache, lache, daß es lustig zu sehen ist. Es ist nämlich so, daß ich die Erde, auf der wir alle sind, kleine und große Menschen, von einem etwas zu hohen Punkt aus gesehen habe und daß sie mir – rette sie wer kann! wie eine Zitrone erschien...
>
> Pirandello in einem Brief an seine Schwester, 1887

1961/62 hatte Penck mit seinem ersten **Weltbild** ein Bildsystem aus Strichmännchen geschaffen, die zum ›Markenzeichen‹ seines Werkes wurden. Pencks Weltvorstellung der sechziger Jahre war durch die Überzeugung geprägt, daß sich Verhalten abstrahieren und systematisch darstellen läßt: Der Künstler geht davon aus, »[...] daß jeder körperlichen Gestik, jeder Bewegung, jeder Gebärde eine seelische und eine geistige Haltung entspricht«[9]. Penck entwickelte daraufhin ein Zeichensystem, welches Strukturen gesellschaftlicher Verhaltensweisen aufzeigte.

In den frühen Welt- und Systembildern (Kat.Nr. 308) ist der Mensch Opfer der Vereinnahmung des Systems. Eingebunden in die Interessen nationaler und globaler Mächte sieht man ihn im **Großen Weltbild** von 1965 (Abb. S. 347) mit Schwertern kämpfend und mor-

A. R. Penck, Großes Weltbild, 1965; Museum Ludwig, Köln

308 A. R. Penck, Ein mögliches System (A=Ich), 1965; Öl auf Leinwand, 95 x 200 cm; Museum Ludwig, Köln

dend, während die Erde gleichzeitig nur mit größter Anstrengung vor dem Auseinanderbrechen bewahrt werden kann. Die Gefahren der Überbevölkerung veranschaulicht Penck durch die verschobenen Größenverhältnisse von Figur und Planet.

1977, drei Jahre vor seiner Ausreise aus der DDR, hat sich Pencks Weltbild gewandelt. Das Gemälde **Welt, sauer wie Zitrone** (Kat.Nr. 307) zeichnet sich durch plakative Farbigkeit und spielerische Leichtigkeit aus. Das Weltall ist erleuchtet. Die Strichmännchen sind zugunsten einer abstrakten, dynamischen Zeichenwelt aufgegeben worden. Um die Welt kreisen ornamenthafte Zeichen, die die Erde nicht mehr stützend zusammenhalten müssen, sondern im Raum frei schweben. Dennoch läßt der humorvolle Titel auf die Zwiespältigkeit von Gefühlen seitens des Malers schließen. 1977 ist das Jahr des künstlerischen Umbruchs. Das immer stärker werdende Bedürfnis nach spontanexpressivem Ausdruck gerät in Konflikt mit den rationalen Systematisierungsbestrebungen seiner Arbeiten. »1977 war für mich das Jahr der Krise. Das Möglichkeitsfeld war uninteressant geworden [...] Ich wurde krank und verlor die Beziehung zu irgendwas.«[10]

Der Verlust des geozentrischen Weltbildes – die Erkenntnis, daß nicht die Erde, sondern die Sonne sich im Mittelpunkt des Weltalls befindet – hatte im 19. Jahrhundert zu tiefgreifenden Veränderungen im menschlichen Bewußtsein geführt. Für den Schriftsteller Luigi Pirandello erschloß sich die Erde plötzlich aus der Perspektive des Weltalls und wurde »von einem etwas zu hohen Punkt aus« als Zitrone erfahrbar. Möglicherweise vollzieht Penck mit **Welt, sauer wie Zitrone** in ähnlich ironischer Weise eine Neuorientierung aus den Möglichkeiten imaginärer Entfernung. Der aus der Ferne Schauende sucht die räumliche Distanz, um Klarheit zu gewinnen: Die daraus folgende Erkenntnis führt nach seiner Rückkehr zu einer Veränderung im Umgang mit den irdischen Begebenheiten.

Pencks Kosmos ist nichtsdestotrotz ein irdischer, sind doch seine frühen Weltbilder weniger Manifestationen der Selbstreflexion und Ergebnis philosophischer Betrachtungen zum Kosmos als Analysen kollektiver menschlicher Verhaltensweisen, auf deren bisweilen fatale Folgen er hinweist. Trotz der Reduktion und Abstraktion des Gegenständlichen in seiner Zeichensprache versteht er sich als Realisten, »weil die

309 Thomas Ruff, Sterne, 11h 00m – 75°, 1990; Farbfotografie auf Plexiglas, 250 x 180 cm; ZKM | Zentrum für Kunst und Medientechnologie Karlsruhe, Museum für Neue Kunst

310 Thomas Ruff, Sterne, 17h 20m – 40°, 1990; Farbfotografie auf Plexiglas, 250 x 180 cm; ZKM | Zentrum für Kunst und Medientechnologie Karlsruhe, Museum für Neue Kunst

ganze Theorie der Philosophie, in der ich damals steckte auf die Figur, auf das Menschenbild bezogen war, auf Vorgänge, Prozesse, die mit Menschen zusammenhängen«[11]. Penck sieht sich selbst als ein System von Verhaltensweisen, das seine Erkenntnisse aus dem Umgang mit seiner Umwelt gewinnt. Sein Blick aus dem Weltall bleibt stets auf die Erde gerichtet.

Die »Sternenbilder« von Thomas Ruff

Die Serie »Sternenbilder« (Kat.Nrn. 309f.) von Thomas Ruff ähnelt auf den ersten Blick einer 54-teiligen Fotoserie von Imi Knoebel. Dessen **Sternenbilder für Olga-Lena** (1970/74) zeigen jedoch Spuren von Manipulation – einen kleinen weißen Punkt, den der Künstler nachträglich auf die Ausschnitte angebracht hat. Damit weist er auf die Gleichzeitigkeit von unterschiedlich alten Lichtsignalen hin und integriert das Element von Raum und Zeit in das statische Bild. Ruffs Ausschnitte des Firmaments dagegen reduzieren sich auf das, was sie sind – Abbildungen eines Sternenhimmels.

Ruffs Blick in den Kosmos ist distanziert, kühl und emotionslos. Die Wahl des Bildausschnitts reduziert die Unendlichkeit des Universums auf paradoxe Endlichkeit. In der Aufhebung der Tiefenwirkung durch die Beschränkung der fotografischen Mittel werden die Sterne zum dekorativen Schwarz-Weiß-Ornament.

Die Porträt- und Häuserserien des Künstlers aus den achtziger Jahren zeichnen sich durch technische Perfektion, Detailgenauigkeit, Makellosigkeit der Oberfläche und eine kühl-distanzierte Betrachtungsweise des Sujets aus. In den »Sternenbildern« geht Ruff in der Entpersönlichung seiner früheren Arbeiten noch einen Schritt weiter. Indem er das Bildmaterial des fotografisch erfaßten Sternenhimmels des *European Southern Observatory* verwendet und nur die Wahl des Ausschnitts und des Formats bestimmt, gibt er seine künstlerische Urheberschaft auf.

In der genauen Wiedergabe der Sternenkonstellationen und ihrer Koordinaten wird die Fotografie zum reinen Mittel der Dokumentation. Damit entspricht sie Ruffs Vorstellung von den begrenzten Möglichkeiten des Mediums, das nur die Oberfläche von Dingen wiedergeben kann. Mit der Wahl des Kosmos als Bildthema gibt Ruff alle früheren Bezüglichkeiten zu Mensch und Ort auf. Der immaterielle Charakter der Fotografie findet im immateriellen Charakter des Motivs seine höchste Steigerung.

Anmerkungen

1 Otto Piene zit. n. Wißmann, Jürgen: *Otto Piene*, Recklinghausen 1976, S. 9.
2 Mack, Heinz; Piene, Otto (Hg.): *ZERO 1,2,3.* Hg. 1958 (1 u. 2) und 1961 (3). Zusammenfassender Neudruck Köln und MIT. Cambridge/Mass. 1973, S. 146.
3 Ebd., S. XX.
4 Ebd., S. 146.
5 Ebd., S. 17.
6 Ebd., S. 18.
7 Kuhn, Anette: *Zero. Eine Avantgarde der sechziger Jahre.* Frankfurt am Main 1991. S. 81.
8 ZERO 1,2,3 (Anm. 2), S. 147.
9 A. R. Penck, zit. n. *A. R. Penck. EX.PER.I.MEN.TAT.OR.* Niedenstein 1995/96, S. 18.
10 A. R. Penck, zit. n. *A. R. Penck.* Ausst.Kat. Nationalgalerie Berlin. Berlin 1988, S. 92.
11 A. R. Penck. EX.PER.I.MEN.TAT.OR (Anm. 9), S. 12.

Vorsatzblatt: 310 Thomas Ruff, Sterne, 17h 20m – 40°, 1990 (Ausschnitt)

Ironie, Kontingenz und tiefere Bedeutung

Ironie, Kontingenz und tiefere Bedeutung

Dieter Scholz

»Heutzutage muß die Komik fein sein, so fein, daß man sie gar nicht mehr sieht; wenn dann die Zuschauer sie dennoch bemerken, so freuen sie sich zwar nicht über das Stück, aber doch über ihren Scharfsinn, welcher da etwas gefunden hat, wo nichts zu finden war. Überhaupt ist der Deutsche viel zu gebildet und zu vernünftig, als daß er eine kecke starke Lustigkeit ertrüge.«[1] Diese Klage führt ein Dichter mit dem Namen »Rattengift«, der von einem »Lustspiel« träumt, das »auf höhere Ansichten gegründet« und »frei und eigentümlich durchzuführen« wäre.[2]

»Rattengift« ist eine der Figuren, denen Christian Dietrich Grabbe 1822 in seinem Dreiakter *Scherz, Satire, Ironie und tiefere Bedeutung* seine Sprache leiht, um die menschliche Welt ihrer Ernsthaftigkeit zu berauben, auf daß eine gelassene, reflektierte und heitere Haltung sich Bahn breche. Zentrales Mittel ist die Ironie als eine uneigentliche Sprechweise, bei der das Gesagte das Gegenteil vom Gemeinten bedeutet. Diese literarische Technik ist seit der Romantik erweitert und bezeichnet nun auch eine poetische Grundhaltung, die Widerstreite ins Bewußtsein hebt und, indem sie die Grenze oder Schwelle zwischen Gegensätzlichem exponiert, in der Schwebe hält: »Ironie ist Universelles Experiment«, ein »klares Bewußtsein der ewigen Agilität, des unendlich vollen Chaos«[3].

Beweglicher Vorbehalt und Selbstrelativierung stehen so am Beginn der Moderne. Sehr rasch allerdings verdrängt ein linearer Fortschrittsglaube die anfängliche Offenheit und wird zum prägenden Kennzeichen einer Epoche, deren Gewißheiten erst im Zeichen der Postmoderne wieder fragwürdig werden. »Jenes romantikspezifische ›Schweben‹ über den Gegensätzen«[4] findet seinen Widerhall im Anerkennen der Kontingenz. Dieser Begriff bezeichnet seit Aristoteles »alles Mögliche« und wird bei Leibniz definiert als »das, dessen Gegenteil keinen Widerspruch einschließt«[5]. Durch Zufall oder freie Wahl wird ein Geschehen erzeugt, welches sich auch auf eine ganz andere Art hätte ereignen können.

Für den Philosophen Richard Rorty kommt es 1989 darauf an, »*alles*, unsere Sprache, unser Bewußtsein, unsere Gemeinschaft, als Produkte von Zeit und Zufall«[6] zu behandeln. Dem Typus des Metaphysikers, dem es um Antworten geht, stellt Rorty in seinem Buch *Kontingenz, Ironie und Solidarität* die Figur der »liberalen Ironikerin« entgegen, die mit Fragen und Experimenten auf der Unabschließbarkeit besteht, »immer im Bewußtsein der Kontingenz und Hinfälligkeit ihrer abschließenden Vokabulare, also auch ihres eigenen Selbst«[7].

Eine ebensolche Geisteshaltung findet sich bei Sigmar Polke, dessen Werk sich durch systematische Stilwechsel ebenso auszeichnet wie durch eine eigenartige Mixtur aus Planung und Zufall, Ironie und tieferer Bedeutung.

Als Polke 1968 das Bild **Moderne Kunst** (Kat.Nr. 311) malt, greift er darin ein Element auf, das er bereits zu Beginn seiner künstlerischen Laufbahn vier Jahre zuvor entwickelt hat und immer wieder benutzt als sichtbares Zeichen einer ironischen Distanz. Es ist der weiße Rahmen, den Polke um das schwarze Farbfeld malt, auf dem sich verschiedenste Pinselspuren finden. Was dargestellt wird, ist bereits vermittelt: Polke produziert keine Pinselstriche, sondern ein Bild dieser Striche. Ihm geht es um die Massenmedien, ihren Einfluß auf die Vorstellung und die verwendeten Gestaltungsmittel. Jede Zeitung gibt der in ihr veröffentlichten Abbildung eine Unterzeile bei, welche das komplexe und offene Bild durch Sprache vereindeutigen soll. Polke spielt mit dieser Konvention, indem er die Kategorisierung »Moderne Kunst« ins Bild setzt für das Sammelsurium bildlicher Zeichen, die aus dem formalen Repertoire der modernen Kunst stammen, so aber nie verwendet wurden. Die scharfen Ecken zitieren Hard-Edge-Malerei, die monochromen Flächen das Colorfield-Painting, sich überkreuzende

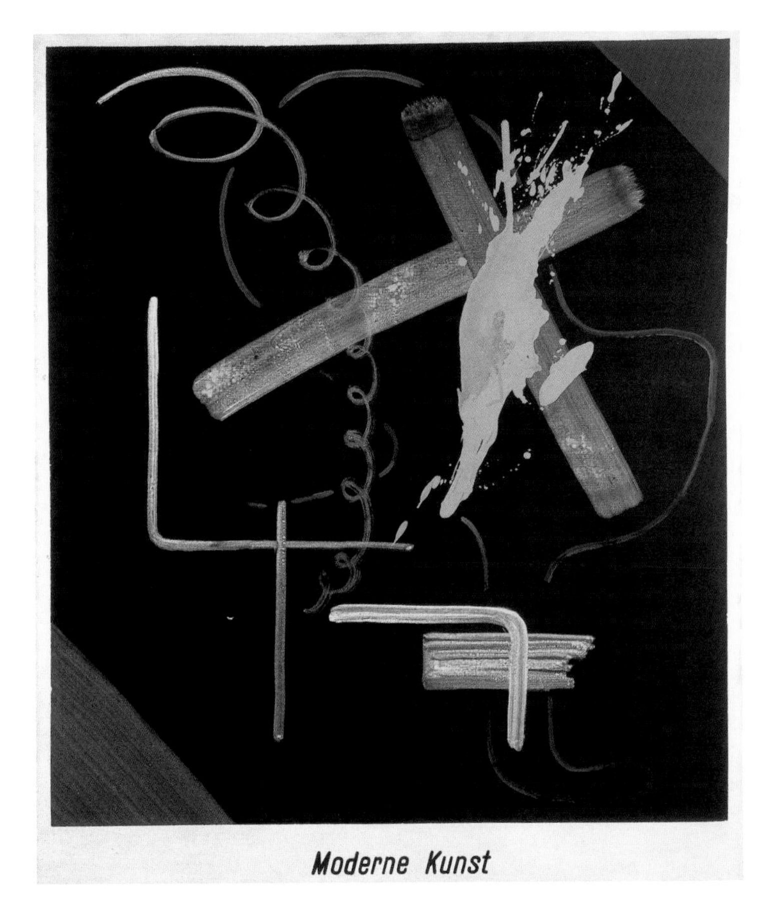

311 Sigmar Polke, Moderne Kunst, 1968; Dispersion auf Leinwand, 150 x 125 cm; Dauerleihgabe der Sammlung René Block/J.W. Froehlich in der Hamburger Kunsthalle

Linien und Balken spielen auf konstruktivistische Verfahren an, weiße Spirale und gelbe nierentischartige Form parodieren den Duktus organischer Formen, ein violetter Farbspritzer steht für Tachismus und Informel.[8]

Polke gibt hier, wie auch im **Streifenbild IV** (Kat.Nr. 312), ein Bild der modernen Kunst, wie es sich über die Vermittlung von Reproduktionen bei der Öffentlichkeit festgesetzt hat. Standardsätze wie »Das ist doch keine Kunst« oder »Das kann doch jeder« werden durch die absichtsvoll dilettantische Malweise (es handelt sich nicht um ›klassische‹ Öl-, sondern um billige Dispersionsfarbe) scheinbar bestätigt und gleichzeitig durch die normative Unterzeile scheinbar zurückgewiesen. In dieser Gegenläufigkeit äußert sich ein ironischer »Vorbehalt«[9] des Künstlers gegenüber der Kunst. Wenn Polke auf derart vielschichtige Weise Regeln und Image der modernen Kunst hinterfragt, erweist er sich als ein postmoderner Rahmenanalytiker im Sinne des Soziologen Erving Goffman, der davon ausgeht, das Ich sei »eine veränderliche Formel, mit der man sich auf die Ereignisse einläßt«[10].

Auch mathematische Formeln sind für Polke veränderlich. Gezielt läßt er in **Lösungen I** (Kat.Nr. 313) auf einfache Rechenoperationen ›falsche‹ Ergebnisse folgen, um deutlich zu machen, daß es sich bei dem gebräuchlichen System wissenschaftlicher Logik um willkürliche Festsetzungen und soziale Vereinbarungen handelt, die auch ganz anders hätten getroffen werden können. Bereits zu Beginn seiner Arbeit gemeinsam mit Gerhard Richter, Konrad Lueg (später als Galerist Konrad Fischer bekannt) und Manfred Kuttner unter dem ironischen Etikett »Kapitalistischer Realismus« angetreten, stellt Polke in den »Lösungen« der bürgerlich-kaufmännischen Ratio eine Form von Irratio gegenüber, die jenseits von bloßer Antithetik in den offenen Bereich imaginativer Möglichkeiten greift.

Die Region des Geistigen versucht Polkes **Blauer Gedankenkreis** (Kat.Nr. 314) zu vermitteln. Ist das Bild einerseits als süffisanter Kommentar auf die Formstrenge der Arbeiten von Künstlerkollegen wie Blinky Palermo und Reiner Ruthenbeck aufzufassen, können andererseits Verbindungen hergestellt werden zur christlichen Ikonographie des heiligen Scheins, zu Umlaufbahnen von Atom und Elektron sowie zu theosophischen Spekulationen über »Gedankenformen«[11]. Eine weltliche Variante der Bewußtseinserweiterung läßt sich demgegenüber erreichen durch die Einnahme von halluzinogenen Pilzen, die **Alice im Wunderland** (Kat.Nr. 316) verspeist, oder durch den Zug an einer Wasserpfeife, wie ihn die Raupe tut, welche Alice dort trifft. Das Motiv ihrer Begegnung entnimmt Polke einer Kinderbuchillustration[12] und verbindet es mit einem Stoffdruck von Sportlern, deren Bälle in ein psychedelisches Punktemuster übergehen. Die kontinuierliche Verschiebung zwischen groß und klein ereignet sich außerhalb jeder alltäglichen Vernunft.

Der Bezugsrahmen aus Physik und Paraphysik verdichtet sich im Gemälde **Tischerücken** (Kat.Nr. 317); der Titel zitiert eine spiritistische Praxis. Vier Ebenen konstituieren dieses Werk: Die sich überlagernden weißen Kringel auf dem rotbraunen Dekostoff, den Polke als Untergrund wählt, deuten ähnlich sich langsam in der Luft bewegenden, kunstvoll geblasenen Rauchringen das Thema der räumlichen Verlagerung an. Darüber wird weiße Dispersionsfarbe geschüttet, aus deren indeterminierter Verlaufsform Gestalten entstehen. Im Rahmen spiritistischer Sitzungen gilt ein solches »Schleierplasma« als mediale Botschaft, ebenso der sich bewegende Tisch, dessen Verschiebung durch ein schwarzes Liniendiagramm dargestellt ist, das Polke einem parapsychologischen Handbuch entnimmt.[13] Der Mahagonirahmen schließlich, unter dem Stoff herabhängt, ragt in seinem unteren Abschluß wie eine Tischkante dreidimensional in den Raum.

312 Sigmar Polke, Streifenbild IV, 1968; Acryl auf Leinwand, 150 x 125 cm; Sammlung Frieder Burda

In diesem Bild treffen sich Geist und Materie, Ironie, Kontingenz und tiefere Bedeutung. Okkulte Phänomene werden von Polke zwar als der rationalistischen Wissenschaft ebenbürtig ernstgenommen, gleichzeitig aber immer wieder ironisch gebrochen, etwa in der Werkreihe »Höhere Wesen befahlen« (1966–69).

In Kontakt mit jenseitigen Mächten scheint auch ein weibliches Medium[14] zu stehen, das **Die Schere** (Kat.Nr. 315) durch geistige Kraft zum Schweben bringt. Indem Polke den Körper aus einem Punkteraster entstehen und sich in Licht auflösen läßt, hält er den Prozeß der Bildwerdung ebenso offen. Ein gröberes, durch beigemischten Eisenglimmer zum Funkeln gebrachtes Raster ist durch einen braunen Fleck gestört.[15] Darüber verläuft eine vertikale Naht, die davon zeugt, daß Polke das Bild kurz nach der Entstehung aufgeschnitten hat, um durch den Schlitz hindurch für ein Foto zu posieren.[16] Mit Hilfe der Schere, dem Werkzeug der Collagisten, Monteure und ›Spatialisten‹ vom Zuschnitt eines Lucio Fontana, tritt der Maler lachend hinter dem Bild hervor und entlarvt sich selbst mit feiner Ironie als ›Aufschneider‹, zugleich als Wesen, das einer Welt jenseits des Gemäldes angehört. Wie die Raster überlagern sich die beiden Leitgedanken, daß ein Bild Einblick in eine höhere Wirklichkeit gibt und doch nichts weiter als ein Bild ist, eine Fläche, auf der künstlich ein illusionärer Raum hergestellt ist.

Die materiale Oberfläche als einen Projektionsraum des Geistes vorzustellen und die soziale Konstruktion der Wirklichkeit durchsichtig zu machen, darum geht es Polke auch in einem Gemälde mit dem programmatischen Titel **Die Dinge sehen wie sie sind** (Kat.Nr. 318). Statt der Leinwand findet in der linken

1 + 1 = 3
2 + 3 = 6
4 + 4 = 5
7 + 3 = 8
5 + 1 = 2
3 + 4 = 9
6 + 2 = 7
8 + 7 = 4
1 + 5 = 2

313 Sigmar Polke, Lösungen I, 1967; Lack auf Nessel, 150 x 125 cm; Sammlung Reiner Speck, Köln

314 Sigmar Polke, Blauer Gedankenkreis, 1974; Lack auf Leinwand, 180 x 150 cm; Sammlung Uli Knecht

Bildhälfte ein Polyestergewebe Verwendung, das – mit Kunststoffsiegel und Kunstharzlack behandelt – transparent ist und die Sicht freigibt auf die Rahmenkonstruktion des Bildes. Ganz handfest ermöglicht der ›Rahmenanalytiker‹ Polke den Durchblick und stellt doch infrage, ob sich die vorgebliche Programmatik des Titels einlösen läßt. Da die Schrift seitenverkehrt ist, müßte das Bild mit Hilfe eines Spiegels oder rückwärtig gelesen werden, und je nach Perspektive zeigt sich ein anderes Bild. Das Gegenteil des präsentierten Bildes ist also kein Widerspruch, sondern komplementärer Bestandteil der kontingenten Bildgestalt. Zwanzig Jahre braucht Polke für diese Verkehrung; das Motiv geht zurück auf ein Blatt in einem 1972/73 entstandenen Skizzenbuch.[17] Bereits dort ist es fraglich, ob die sich vielfältig durchkreuzenden Quader eine ›richtige‹ Sicht der Dinge überhaupt zulassen.

Auch Reiner Ruthenbeck sieht die Dinge, wie sie (nicht) sind. Gewöhnliche Tische bringt er durch konstruktivistische Balken, Quader und Kugeln in ein labiles Gleichgewicht, Tücher – Leinwänden gleich – läßt er mit Hilfe kreuzförmig verspannter Metallstäbe vor der Wand schweben und erzeugt so den Eindruck der Schwerelosigkeit. Ein Haufen aus zerknüllten Papieren dagegen liegt hingeworfen am Boden (Kat.Nr. 319). Das leichte Papier scheint schwer zu lasten, jenes gewichtigere Objekt hingegen die Schwerkraft zu überwinden. Ruthenbeck selbst kommentiert: »Ich möchte Polarität und Einheit gleichzeitig zeigen, Gegensätze, die zu einer formalen Einheit zusammengefaßt werden. Dabei möchte ich aber ausdrücklich betonen, daß es mir nicht um eine Illustration von Polarität oder Einheit geht.«[18] Das Bewußtsein der Kontingenz gründet hier jedoch nicht im Zweifel, sondern in spiritueller

Gewißheit. So sind Ruthenbecks leichte und lapidare Formfindungen auch in Zusammenhang zu sehen mit der transzendentalen Meditation, die er seit 1972 regelmäßig praktiziert.

Das Transzendentale beschäftigt auch Anna und Bernhard Blume, die zur selben Zeit beginnen, in kleinbürgerlichen Nachkriegsinterieurs einen Aufstand der Dinge (Vasen, Kartoffeln etc.) zu inszenieren. Pseudodokumentarisch geben sie vor, übernatürliche Konfrontationen mit Schwarz-Weiß-Fotos belegen zu können, in denen sich amateurhafte Schnappschuß-Ästhetik mit futuristischer »Fotodynamik« und spiritistischer »Transzendental-Fotografie«[19] verbindet.

Eine 1992 entwickelte vielteilige Serie (Kat.Nr. 320) interpretieren die beiden Urheber mit folgenden Worten: »Die Photoaktions-Serie ›Transzendentaler Konstruktivismus‹ zeigt die Künstler Anna und Bernhard Blume zumeist als Medien und Opfer unwillkürlicher Konstrukte. Die weißlichen Gebilde aus einem intelligiblen Material wollen sich zu logischen Figuren formen oder zu erweiterten Organen einer reineren Vernunft, die doch nicht völlig zu sich selbst gekommen ist.«[20]

Diese Selbstaussage macht deutlich, daß es nur bedingt um das formale Vorbild konstruktivistischer Kunst geht, deren geometrisches Vokabular mittels sorgfältig ausbalancierter Flächengliederungen, Grauwerte und Unschärferelationen weiter- und zugleich *ad absurdum* geführt wird. Referenzpunkt ist vielmehr die philosophische Frage nach der Konstruktion von Wirklichkeit, die Immanuel Kant dahingehend beantwortet hat, daß Erkenntnis als ein kreativer Akt des Subjekts aufzufassen sei, wobei sich jedoch die Welt den Menschen nur in den Medien ihrer Wahrnehmung erschließe.

Von der Transzendentalphilosophie haben sich die Blumes ebenso wie »von anderen Gottesbegriffen verabschiedet«. Mit einer Wendung Jean-François Lyotards sprechen sie vom »Ausverkauf der sogenannten Legenden und großen Erzählungen«[21] und bekräftigen, daß ihre Fotoserie »noch einmal und sehr ausdrücklich

315 Sigmar Polke, Die Schere, 1982; Acryl und Eisenglimmer auf Leinwand, 295 x 295 cm; Sammlung Raschdorf, Düsseldorf

316 Sigmar Polke, Alice im Wunderland, 1971; Mischtechnik auf Dekostoff, 300 x 290 cm; Sammlung Raschdorf, Düsseldorf

317 Sigmar Polke, Tischerücken, 1981; Dispersion auf gemustertem Stoff in Holzrahmen, 180 x 220 cm; Sammlung Reiner Speck, Köln

den Mythos des ›transzendentalen Subjekts‹ (Kant) mit seinen halluzinatorischen Konstrukten inszeniert, parodiert, simuliert und destruiert«[22]. Der »Transzendentale Konstruktivismus« ist ein Dekonstruktivismus, die Haltung postmodern.

Polke, Ruthenbeck und die Blumes studierten Anfang der sechziger Jahre gemeinsam an der Düsseldorfer Kunstakademie, setzten sich intensiv mit dem dort lehrenden Joseph Beuys auseinander und zählten zu den aufmerksamen Besuchern der frühen Fluxus-Veranstaltungen. Von diesen prägenden Einflüssen aus entwickelten sie ihre je eigene Mixtur aus Ironie, Kontingenz und tieferer Bedeutung – im Zeitalter von ›love and peace‹.

»Hate and war« heißt es dagegen in einem Titel der Punkband *The Clash* 1977, als Martin Kippenberger die Szene betritt. Auch er macht Musik, zählt zu den Mitbegründern der Punk- und New Wave-Kneipe S.O. 36 in Berlin-Kreuzberg und führt »Kippenbergers Büro« als ein Zentrum diversester Aktivitäten. In Abgrenzung zu den »Jungen Wilden«, deren neoexpressive Malerei auf virtuosen Farbrausch setzt, spielt Kippenberger die Rolle eines Provokateurs »um der Kunst willen«[23], der absichtsvoll Disharmonien erzeugt. In schneller Produktion (»Heute denken – morgen fertig«, so ein Bildtitel von 1983) entwickelt er Serien kleinformatiger Tafeln, in denen äußerst heterogene Elemente beisammenstehen.

Die 21-teilige Folge **Blaß vor Neid steht er vor Deiner Tür** (Kat.Nr. 321) entfaltet sich zwischen einem wild gestikulierenden Redner, der »Zuhörer scharfmachen« will, und einer ähnlich beleibten Gestalt, die sich auf einem Feldweg den Schweiß von der Stirne wischt – ein Motiv, das Kippenberger direkt von den Dosen der Biermarke Tuborg übernimmt. Es sind gemalte Kneipenwitze, in Öl verewigt. Aus dem Gang nach Canossa

318 Sigmar Polke, Die Dinge sehen wie sie sind, 1992; Polyestergewebe, zweiteilig, genäht, Kunststoffsiegel, Kunstharz, 300 x 225 cm; Städtische Galerie Karlsruhe, Sammlung Garnatz

wird ein Sackhüpfen, der sprichwörtliche Ölschinken schrumpft zum »Selbstmörderischen Ölschweinchen«. Sauber gemalt sitzt ein Dreckspatz, der »Sonntags immer« duscht, neben einer wilden Farblache, die prätentiös als »Die Schlacht um Paderborn« ausgegeben wird. »Kippermann« nimmt die Historienmalerei aufs Korn und spart seinen Freundeskreis nicht aus. »Georg macht keine Witze« dürfte auf Georg Herold gemünzt sein, der ein Paradestück altdeutscher Malerei, Albrecht Dürers Hasen von 1502, mit Dachlatten nachbaute. Auch das Malmaterial selbst wird nicht verschont, wenn Kaugummi und Pattex-Klebstoff dick aufgetragen werden – an anderer Stelle klebt Kippenberger Zigarettenkippen ins Bild[24] –, und »Werner, ein stolzer Wurm« findet sich als pastose Farbwurst unmittelbar neben der realistischen Darstellung des auf einer Staffelei Gekreuzigten, wofür die Beuys-Losung »Jeder Mensch ein Künstler« zu »Jeder Künstler ist ein Mensch« verkehrt wird.

Wenn Kippenberger in **Ich heize durch pupen!** (Kat.Nr. 322) ein grob gemaltes Aktmodell im Schriftzug kommentiert und durch den Rahmen im Bild anzeigt, daß ein Pin-up-Foto gemeint ist, verwendet er dieselben Strategien innerbildlicher Relativierung wie

320 Anna und Bernhard Johannes Blume, Transzendentaler Konstruktivismus, 1992/94; drei Zweier-Sequenzen, je 126 x 82 cm; Besitz der Künstler

319 Reiner Ruthenbeck, Weißer Papierhaufen, 1979; 600 Blatt, 50 x 50 cm, Ø ca. 200 cm; Besitz des Künstlers

Sigmar Polke. In dem 1984 von Kippenberger gemeinsam mit Werner Büttner und Albert Oehlen verfaßten Katalogbuch *Wahrheit ist Arbeit* wird im übrigen ausführlich aus der »Rahmenanalyse« des Soziologen Goffman zitiert, wobei das Interesse auf »Mehrdeutigkeit, Irrtum und Rahmenstreitigkeiten«[25] liegt.

Die drei Autoren stehen dabei direkt in der Nachfolge Polkes. Oehlen hatte bei ihm studiert, und Kippenberger ist sich sicher, »daß ich derjenige bin, der die 80er Jahre erfaßt hat. Es ist wie bei Sigmar Polke. Das wußte auch jeder, das ist der Mann der 70er Jahre.«[26]

Eine andere Orientierung gibt Jörg Immendorff, dessen ungelenke Polit-Malerei für Oehlen »den Effekt Propaganda selber schon torpediert«[27]. In diesem Sinne gestaltet Kippenberger seine **Sympathische Kommunistin** (Kat.Nr. 323) in einer Mischung aus Popart und Sozialistischem Realismus und **Nieder mit dem Imperialismus** (Kat.Nr. 324) als eine seitenverkehrte Paraphrase des 1919 von El Lissitzky entworfenen Plakats **Schlagt die Weißen mit dem roten Keil**. Aus dem Keil ist ein phallisches Pflanzholz geworden, das auf einen blauen Farbtopf zielt. Dessen Sphäre ist mit »I« für Imperialismus, Ironie oder Ich gekennzeichnet, während das »K« der grauen Farbschnur demgegenüber für Kommunismus, Kippenberger, Kontingenz oder K-Gruppe[28] stehen mag.

Begriffe und Farbsymbolik machen eine Aussage und sind zugleich nur noch als entleerte Formeln zitiert. Kippenbergers Kunst relativiert und ist als Kunst dennoch nicht relativierbar. »Meinungen sind immer noch das Letzte«, sekundiert der Kritiker Diedrich Diederichsen, »heutzutage gibt es nichts Peinlicheres als unpeinliche Kunst.«[29]

»Hier Versprechen – Here Misuxderstaxdixg« steht über der seitlichen Lochscheibe im gläsernen **Schneewittchen Sarg** (Kat.Nr. 326) zu lesen, der leer ist. Lediglich zwei Schaumgummirollen warten hier noch auf den Prinzen. Die Kunst der libertären Ironiker von Polke bis Kippenberger hält keine transzendentalen Versprechen mehr bereit, sie lebt eher noch vom Versprecher. Die Schreibweise von »misunderstanding« legt die Spur im 20. Jahrhundert zurück zum »Oberdada« Johannes Baader, der sich 1919 in einem Flugblatt als »Präsident des Erdballs« bezeichnete, um im selben Schriftstück jede Herrscherattitüde durch die Schreibung »Prxsldentrx« zu durchkreuzen.[30] Mit tiefsinniger Ironie formuliert Albert Oehlen: »Hinterlasse nur Spuren, wenn du bereit bist, sie wiederzufinden.« (Kat.Nr. 325)

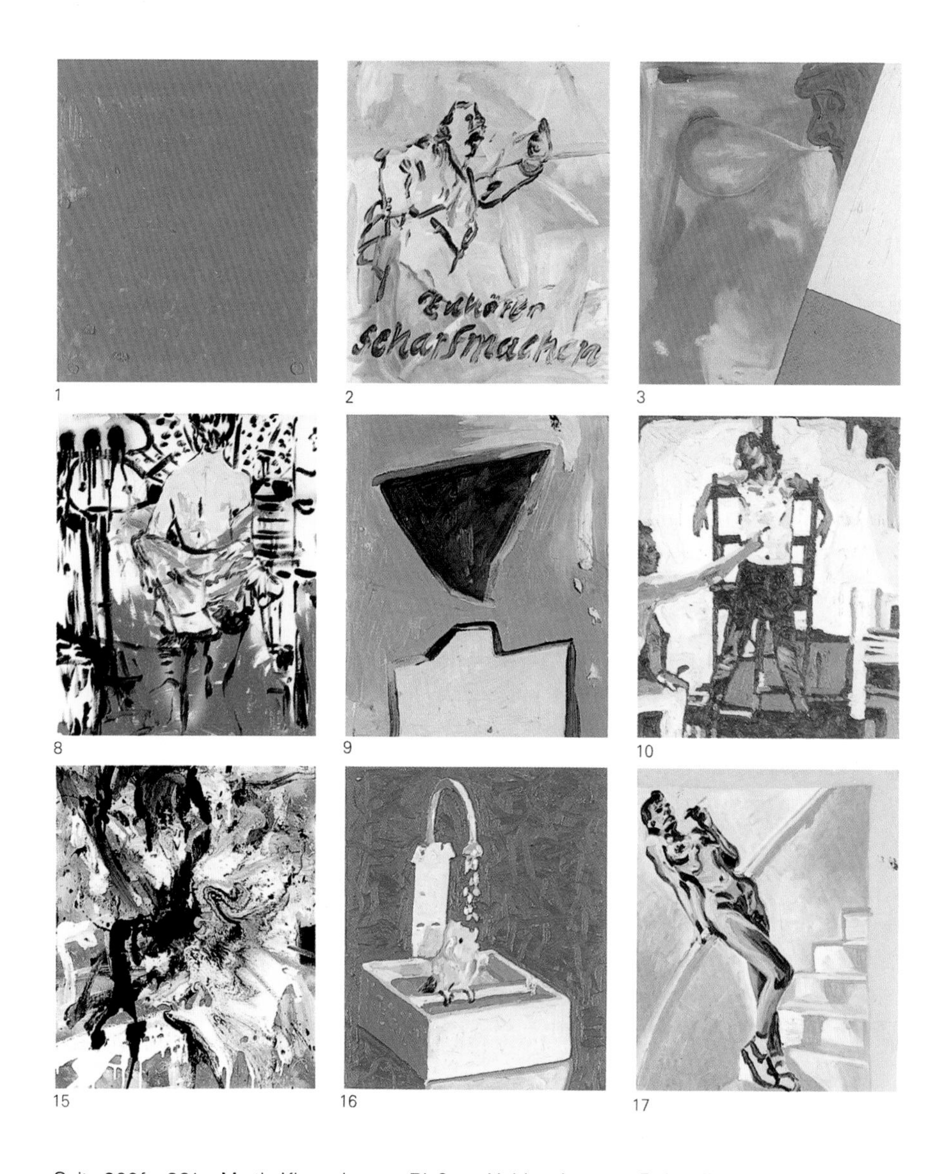

Seite 360f.: 321 Martin Kippenberger, Blaß vor Neid steht er vor Deiner Tür, 1981; Mischtechnik auf Leinwand, 21 Teile, je 60 x 50 cm; Sammlung Uli Knecht

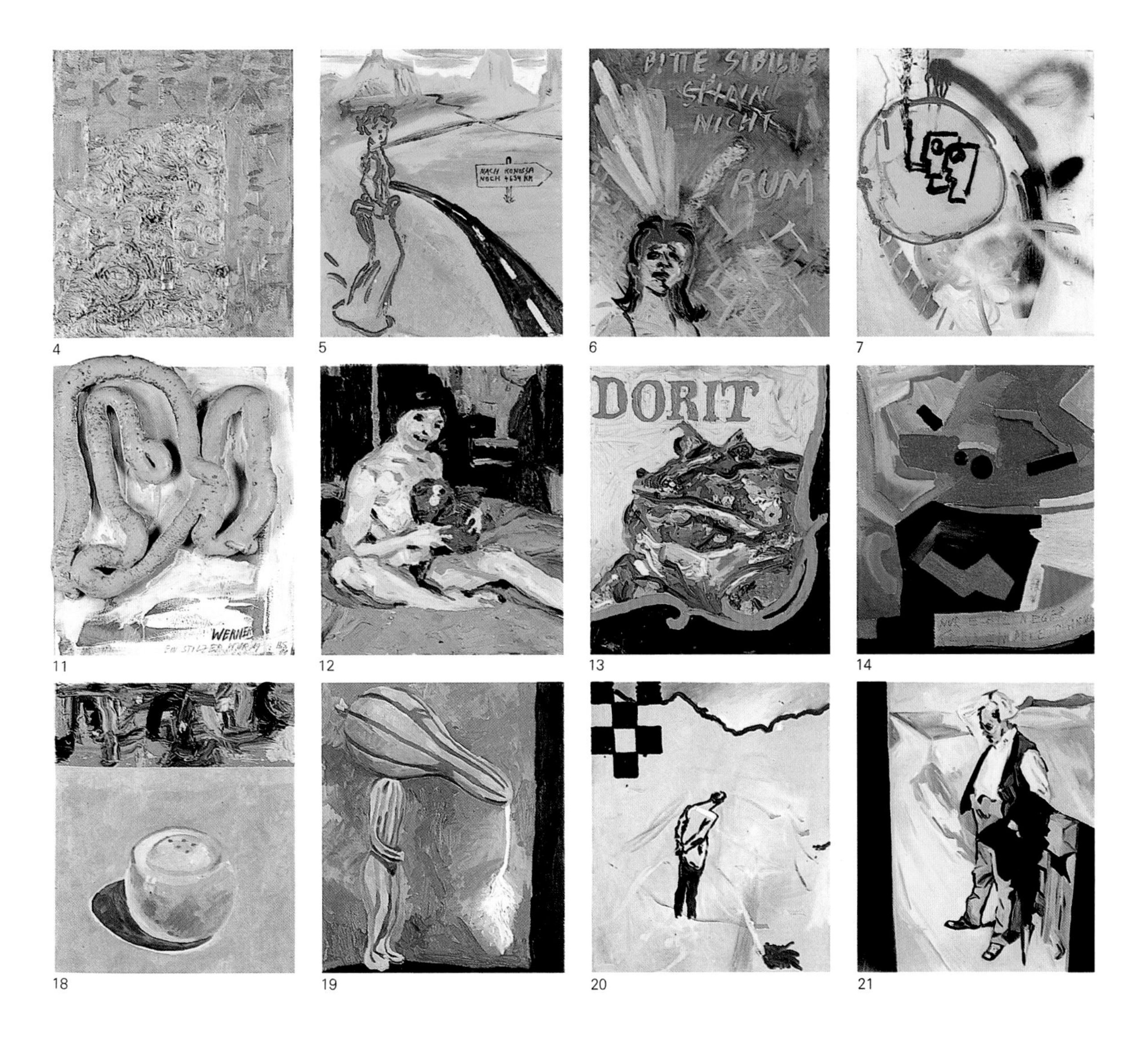

1 Fünf kleine Italiener als Kaugummi getarnt; 2 Zuhörer scharf machen; 3 Georg macht keine Witze; 4 Uhu ist lecker – Patex schmeckt auch; 5 Elke hüpf und spring; 6 Bitte, Sibille spinn nicht rum; 7 Unter Einfluß von Spaghetti Nr. 7 gemalt; 8 Perdita Rogalski mit hochgesteckten Haaren; 9 Selbstmörderisches Ölschweinchen; 10 Jeder Künstler ist ein Mensch; 11 Werner, ein stolzer Wurm; 12 Nie wieder allein; 13 Dorit, aus der Familie Hermann; 14 Nur echte Neger kennen Beleidigung; 15 Die Schlacht um Paderborn; 16 Samstags immer; 17 Giesi's Schwester Jenny Capitain; 18 Der asexuelle Salzstreuer; 19 Afro-asiatischer Spaßmacher; 20 Kippermann als Neckermann bei der abendlichen Vorbesichtigung der Zick-Zack-Anlage in Nordafrika; 21 Ohne Titel

322 Martin Kippenberger, Ich heize durch pupen!, 1983; Öl auf Leinwand, 120 x 100 cm; Nachlaß Martin Kippenberger, Courtesy Galerie Gisela Capitain

323 Martin Kippenberger, Sympathische Kommunistin, 1983; Öl, Lack auf Leinwand, 180 x 150 cm; Privatsammlung Schweiz

Anmerkungen

1 Grabbe, Christian Dietrich: *Scherz, Satire, Ironie und tiefere Bedeutung*, 1822. Stuttgart 1970, S. 47.

2 Ebd.

3 Friedrich Schlegel, zit. n. Pikulik, Lothar: *Frühromantik. Epochen – Werke – Wirkungen.* München 1992, S. 111f.

4 Japp, Uwe: »Ironie«. In: Walter Killy; Volker Meid (Hg.): *Literatur Lexikon. Begriffe, Realien, Methoden.* Bd. 13. Gütersloh; München 1992, S. 440–443, hier S. 442.

5 Brugger S.J., W.; Hoering, W.: »Kontingenz«. In: Joachim Ritter; Karlfried Gründer (Hg.): *Historisches Wörterbuch der Philosophie.* Bd. 4. Darmstadt 1976, Sp. 1027–1038, hier Sp. 1031.

6 Rorty, Richard: *Kontingenz, Ironie und Solidarität.* Frankfurt am Main 1992, S. 50.

7 Ebd., S. 128.

8 Vgl. Hentschel, Martin: *Die Ordnung des Heterogenen. Sigmar Polkes Werk bis 1986.* Bochum 1991, S. 330–333.

9 Thomas Mann: »Schön ist Entschlossenheit. Aber das eigentlich fruchtbare, das produktive und also das künstlerische Prinzip nennen wir den Vorbehalt. [...] Wir lieben ihn im Geistigen als Ironie«. Zit. n. Japp, Ironie (Anm. 4), S. 442–443.

10 Goffman, Erving: *Rahmen-Analyse. Ein Versuch über die Organisation von Alltagserfahrungen.* Frankfurt am Main 1980, S. 617.

11 Vgl. Besant, Annie; Leadbeater, Charles W.: *Gedankenformen.* Leipzig 1908 (zuerst 1905).

12 Hentschel, Die Ordnung des Heterogenen (Anm. 8), S. 227), identifiziert John Tenniel als ihren Verfertiger.

13 Schrenck-Notzing, Adelbert Freiherr von: *Physikalische Probleme des Mediumismus. Studien zur Erforschung der telekinetischen Vorgänge.* München 1920, S. 41. Vgl. Reiner Speck: »Okkulte Intelligenzen«. In: *Sigmar Polke.* Ausst.Kat.

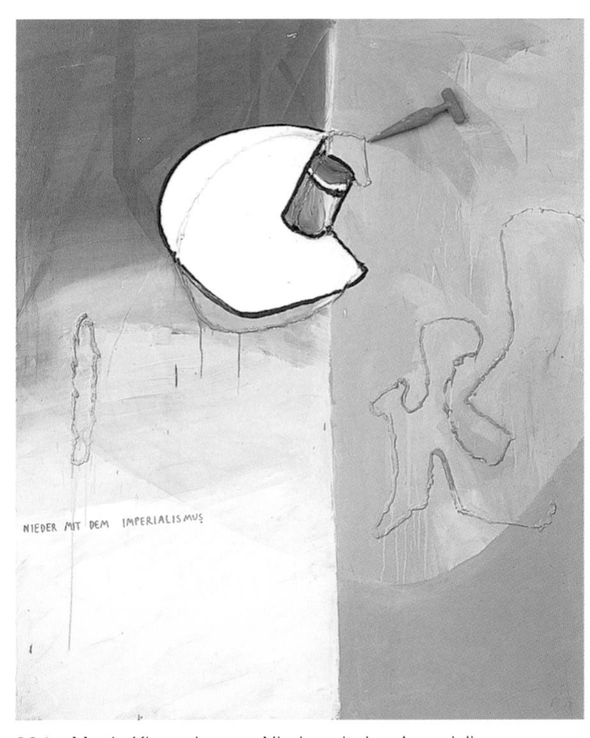

324 Martin Kippenberger, Nieder mit dem Imperialismus, 1983; Acryl, Öl, Plastik auf Leinwand, 182 x 152 cm; Sammlung Reiner Speck, Köln

325 Albert Oehlen, Spuren, 1998; Ink Jet Plot, 187,5 x 132 cm; Sammlung Grässlin, St. Georgen

Kunsthaus Zürich. Zürich 1984, S. 82–88, hier S. 84f.

14 Die Bildvorlage entstammt ebenfalls dem Buch von Schrenck-Notzing, vgl. ebd., S. 86.

15 Polke knüpft später mit seiner Bildserie der »Druckfehler« daran an, vgl. *Sigmar Polke. Transit.* Ausst.Kat. Staatliches Museum Schwerin. Ostfildern 1996, S. 50–79.

16 *Sigmar Polke. Das haben wir noch nie so gemacht.* Ausst.Kat. Museum Boymans-van-Beuningen Rotterdam und Städtisches Kunstmuseum Bonn 1983/84. Das Gemälde ist auf dem Umschlag seitenverkehrt reproduziert, damit Polkes Abbild vom Buchrücken her aus dem Bücherregal herausblicken kann.

17 Vgl. *Sigmar Polke. Die drei Lügen der Malerei.* Ausst.Kat. Kunst- und Ausstellungshalle der Bundesrepublik Deutschland, Bonn. Ostfildern 1997, S. 60, Abb. 25f.

18 Reiner Ruthenbeck, in: *Künstler. Kritisches Lexikon der Gegenwartskunst.* Ausgabe 5. München 1989, S. 15.

19 Vgl. *Okkultismus und Avantgarde. Von Munch bis Mondrian 1900–1915.* Ausst.Kat. Schirn Kunsthalle Frankfurt am Main. Ostfildern 1995, S. 497–523.

20 Blume, Anna und Bernhard: »Statement«. In: Carl Haenlein (Hg.): *Anna und Bernhard Blume. Transsubstanz und Küchenkoller. Großphoto-Serien 1985–1994.* Ausst.Kat. Kestner-Gesellschaft Hannover 1996, S. 82.

21 Ebd., S. 29.

22 Honnef, Klaus (Hg.): *Anna und Bernhard Blume. Transzendentaler Konstruktivismus/Im Wald.* Ausst.Kat. Kunsthalle Bremen. Köln 1995, S. 12.

23 Diederichsen, Diedrich: »Kunst muß nähen. Gebäude mit Schlitzen – Drei Bilder von Martin Kippenberger«. In: *Martin Kippenberger. Miete Strom Gas.* Ausst.Kat. Hessisches Landesmuseum Darmstadt 1986, S. 85–96, hier S. 85. Diederichsen unterscheidet zwischen »Kunst um der Provokation willen« und »Provokation um der Kunst willen« (ebd.).

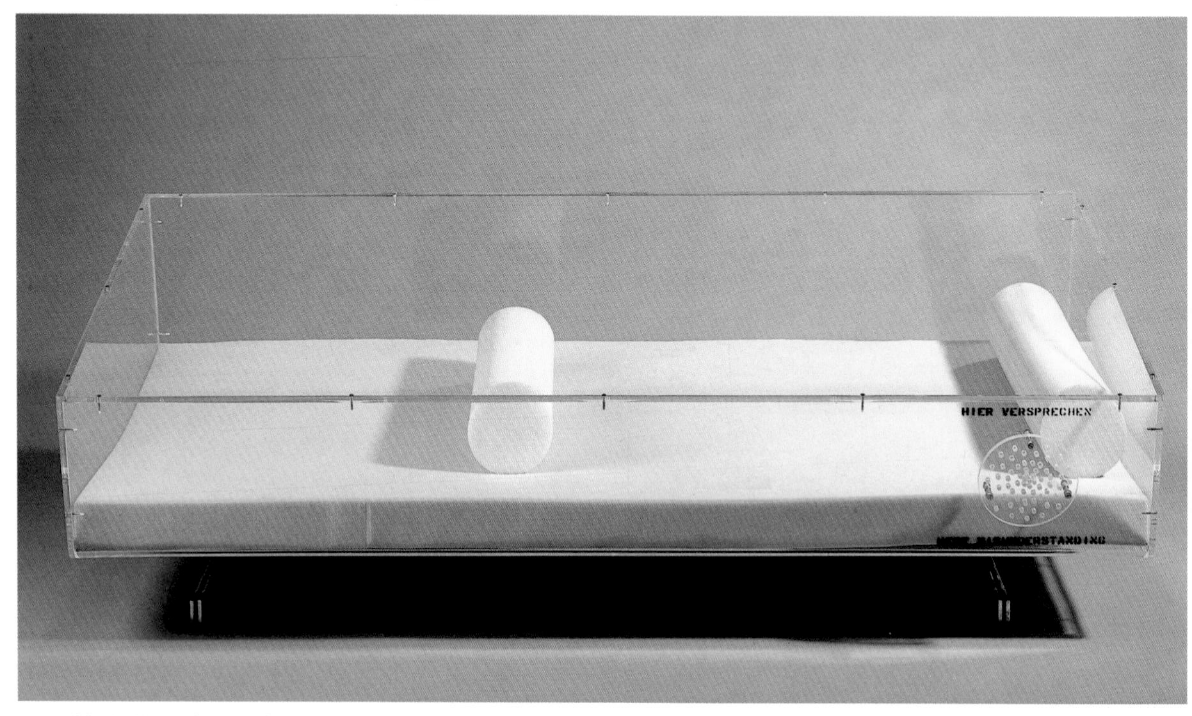

326 Martin Kippenberger, Schneewittchen Sarg; Plexiglas, Schaumgummi, Eisen, 56 x 80 cm; Sammlung Reiner Speck, Köln

24 Vgl. Schappert, Roland: *Martin Kippenberger. Die Organisation des Scheiterns.* Köln 1998, S. 9–15.

25 Büttner, Werner; Kippenberger, Martin; Oehlen, Albert: *Wahrheit ist Arbeit.* Ausst.Kat. Museum Folkwang Essen 1984, S. 91–92. Zitiert wird das Ende des 9. Kapitels von Goffman.

26 *B. Gespräche mit Martin Kippenberger.* Ostfildern 1994, S. 17. Kippenberger erweist Polke auch bildlich seine Reverenzen. 1987 publiziert er ein Foto, das ihn selbst mit Polke und Achim Duchow zeigt, unter dem Titel »Alte Freunde« in *Le radius kronenbourg.* Ausst.Kat. Villa Arson. Nizza 1987, S.66. Zwei Jahre später stellt er ein Foto nach, das Polke bei der Suche nach Material in einem Abfalleimer zeigt. Vgl. Schappert, Kippenberger (Anm. 23), S. 13, 143. Eine Collage von 1993 trägt den Titel **Sigmar Polke, MK**. Vgl. Angelika Taschen; Burkhard Riemschneider (Hg.): *Kippenberger.* Köln 1997, S. 37.

27 Dickhoff, Wilfried: *Albert Oehlen im Gespräch mit Wilfried Dickhoff und Martin Prinzhorn.* Köln 1991, S. 63f.

28 Diedrich Diederichsen deutet die Künstlergruppe um Kippenberger als nach dem Prinzip der K-Gruppe modelliert, vgl. ders.: »Virtueller Maoismus: Das Wissen von 1984«. In: Werner Büttner; Martin Kippenberger; Albert Oehlen: *Malen ist Wahlen.* Ausst.Kat. Kunstverein München. Ostfildern 1992, S. 31–38, hier S. 31f.

29 Diederichsen, Diedrich: *Elektra. Schriften zur Kunst.* Hamburg 1986, S. 28f. Kippenberger prägt selbst den Begriff der »I.N.P.-Bilder« und führt als »ist nicht peinlich« Bilder wie **Nieder mit der Inflation** und **Nieder mit dem Sachsenbonus**, vgl. Wilfried W. Dickhoff (Hg.): *Martin Kippenberger. Die I.N.P.-Bilder.* Ausst.Kat. Galerie Max Hetzler, Köln 1984, Kat.Nr. 18 und 28.

30 Vgl. Scholz, Dieter: *Pinsel und Dolch. Anarchistische Ideen in Kunst und Kunsttheorie 1840–1920.* Berlin 1999, S. 404 und Abb. 86.

Vorsatzblatt: 315 Sigmar Polke, Die Schere, 1982 (Ausschnitt)

Cogito, ergo sum

Cogito, ergo sum

Ruth Langenberg

> Zur Selbstverständlichkeit wurde, daß nichts, was die Kunst betrifft, mehr selbstverständlich ist, weder in ihr noch in ihrem Verhältnis zum Ganzen, nicht einmal ihr Existenzrecht.
>
> Theodor W. Adorno[1]

Von wohl kaum einem anderen Künstler des 20. Jahrhunderts wurde die »Selbstverständlichkeit«, daß Kunstwerke vom Künstler geschaffene Objekte seien, derart radikal in Frage gestellt wie von Marcel Duchamp. In seiner Nachfolge haben insbesondere konzeptuelle Kunstrichtungen seit den sechziger Jahren das Denken über Kunst, die Konzeption, die Idee selbst zum Kunstwerk erklärt. Vor allem in der amerikanischen Konzeptkunst wurde die Bestimmung des Werkes als räumlich-sinnliche Erfahrung durch gedankliche Prozesse ersetzt. Das Medium Sprache, durch das Gedanken am unmittelbarsten ausgedrückt werden können, erlangt dabei besondere Bedeutung. Häufig wird das sprachlich formulierte Konzept zum Ersatz für das Bild (verstanden als ikonisches Zeichen). Der Ausstieg aus dem Bild, die Infragestellung der traditionellen Gattungen Malerei, Plastik und Architektur, letztlich die Infragestellung des Kunstwerks als Objekt schienen der Idee den Vorrang gegenüber dem sinnlich Wahrnehmbaren einzuräumen und so das ›Schöne‹ endgültig aus der Kunst zu verbannen.

Trotz dieser ›Bedrohung‹ der Materie durch den Geist kam es nicht zum anberaumten ›Ende‹ der Kunst, wohl aber zu Verschiebungen des Verhältnisses zwischen Geist und Materie. Die dabei mögliche Spannbreite soll anhand der hier vorzustellenden Künstler aufgezeigt werden. Alle sind in ihrer Vorgehensweise als konzeptuell zu bezeichnen; die gedankliche Reflexion ist konstitutiv für ihr Werk und geht dem Schaffensprozeß zumeist voraus.

Am deutlichsten unterscheiden sie sich von Künstlern wie Baumeister, Schumacher oder Wols (vgl. den Aufsatz von Joachim Jäger), für die die Materie Ausgangspunkt und wesentlicher Bestandteil des kreativen Prozesses ist.

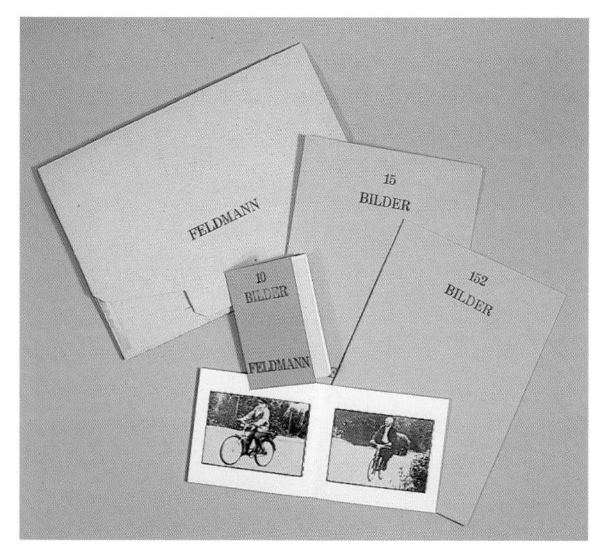

327 Hans-Peter Feldmann, Bilder-Hefte, 1968–74; Offsetdruck, 8 x 10 bis 12 x 15 cm; Privatsammlung

Hans-Peter Feldmann

Vergleichbar der Geste Duchamps erheben die Fotografien Hans-Peter Feldmanns Objekte des täglichen Lebens zum Kunstwerk. In den ab 1968 entstandenen kleinen **Bilder-Heften** (Kat.Nr. 327) sind Schwarzweißfotografien versammelt, die banale Alltagsgegenstände zeigen oder Fotos aus Zeitungen, Illustrierten, Postkarten reproduzieren. So entsteht im Medium des Buchs, dem traditionellen Medium der Reflexion, eine Meta-Ebene, auf der die uns umgebende Welt und ihre Bilder nach klaren Kriterien wie Frauenbeinen, Stühlen oder Krankenwagen geordnet ist. »In diesen Heften werden die Bilder zu einer neuen Über-Wirklichkeit, die einen neuen Zugang zu der Wirklichkeit vermittelt/ermöglicht,

328 Rosemarie Trockel, Ohne Titel (Die Seele ist ein dummer Hund), 1988; Acryl und Perlencollier auf Kartonschachtel über Sockel, 36 x 47 x 104 cm; Musée d'Art Moderne et Contemporain de Strasbourg

die nur in der Form der Bilder besteht.«[2] In erotischen Anspielungen oder Landschaftsfotos werden von den Medien geprägte ›Gefühlsmodelle‹ wiederholt. Die von Feldmann selbst fotografierten Gegenstände sind im Unterschied dazu in äußerster Schlichtheit, meist vor neutralem Hintergrund aufgenommen, als ginge es darum, eine wissenschaftliche Ordnung herzustellen. Das Gesammelte wird zum imaginären Museum aus Bildern unserer täglichen Umgebung. Die Titel der unkommentierten Hefte wie **Bilder-Hefte** erinnern an tautologische Arbeiten von Konzeptkünstlern wie Joseph Kosuth, in denen Wort und Bild dasselbe bezeichnen. Die Hefte in kleinem Format sind unprätentiös. Feldmann hat sie mit einfachem Kartoneinband und Klammerheftung in einer Auflage von 1000 Exemplaren produziert. Dadurch reihen sie sich selbst wieder in die Warenwelt ein, zu der sie eine kritische Distanz hergestellt haben.

Rosemarie Trockel

Auch Rosemarie Trockel stellt den Bildbegriff durch den Warencharakter in Frage. In ihren seit 1985 entstehenden Strickbildern werden Bild, Denken und Subjektivität von der Seite des Materials, der Ware her dekonstruiert. Die gestrickte Fläche assoziiert Bekleidung und damit ›kunstferne‹ Ware. Die Zuordnung von Material (Wolle) und Technik (Stricken) zum Bereich der Frau, zur Handarbeit, konterkariert Trockel jedoch, da das Gestrickte am Computer entworfen und von einer Maschine ausgeführt wurde.

Der Satz *Cogito, ergo sum* (Kat.Nr. 330) wird in diesem ›Gewebe‹ zur nur noch ironisch aufzufassenden Aussage. Das Dictum von Descartes, das die letzte Sicherheit des Subjekts im Denken begründet, gerinnt als Zitat zum Ready-made, zur Ware unter Waren. Der freie Geist gerät bei Trockel in einen Bereich zwischen »Sein und Design«[3]. Die unsichere, kindlich wirkende Schrift unterläuft zudem den Anspruch letzter Gültigkeit und Gewißheit. Ein ebensolcher Absolutheitsanspruch ist mit dem schwarzen Quadrat Kasimir Malewitschs (vgl. Abb. S. 104) verbunden, das in der unteren rech-

329 Rosemarie Trockel, Freude, 1988; Wolle (beige/blau), 210 x 175 cm; Neues Museum – Staatliches Museum für Kunst und Design in Nürnberg, Leihgabe der Stadt Nürnberg

330 Rosemarie Trockel, Cogito, ergo sum, 1988; Wolle, Leinwand, 220 x 150 cm; Sammlung Froehlich, Stuttgart

ten Ecke zitiert wird. Das Bild im Bild verliert als Muster im Stoff nicht nur sämtliche metaphysischen Konnotationen, sondern auch das Ideal der ›Reinheit‹ der abstrakten Fläche.

Auch in der Arbeit **Freude** (Kat.Nr. 329) wird der Bildbegriff – wiederum unter Verwendung des Quadrats – reflektiert. Trockel zitiert hier Sigmar Polkes Arbeit **Carl Andre in Delft** (1968), die ihrerseits ironisch auf die ›Quadratmuster‹ von Carl Andre anspielt, indem Polke eine Tischdecke mit aufgedruckten Delfter Kacheln auf einen Keilrahmen spannt und zum Bild erklärt.[4] Machte bereits Polke das Quadrat zum Kachelmuster, so wird bei Trockel das potenzierte Zitat selbst zum Thema: Der spiegelverkehrt wiedergegebene Schriftzug des Worts »Freude« verweist auf ein unbekanntes, reproduziertes Original. »Freude« als Beschreibung einer Gemütsverfassung wird in diesem Zusammenhang zum kopierbaren, von individueller Subjektivität losgelösten Muster, das in ironischer Beziehung zu den Assoziationen an Häuslichkeit in den Kacheln sowie an Freiheit und Unbeschwertheit im Schiffsmotiv steht.

Um die Ironisierung des ›Seelischen‹, das gemeinhin als das den Menschen Auszeichnende gilt, geht es auch in der Arbeit **Ohne Titel (Die Seele ist ein dummer Hund)** (Kat.Nr. 328). Bereits dadurch, daß der Satz auf das banale Objekt einer Verpackungsschachtel geschrieben ist, wird er Teil der Warenwelt, die der Idee der Seele als etwas nicht zu Veräußerlichendem, in höchstem Maße Individuellen entgegensteht. Zudem wird in dem Satz selbst das ›Höchste‹ des Menschen auf eine ›tierische‹ Ebene gezogen. Auch der Kopf auf der Schachtel ist kein ideal geformter Sitz des menschlichen Geistes, sondern eine komische Fratze, gebildet aus einer wie zufällig hingeworfenen Kette, die eine gemalte Linie zum Kopf ergänzt. Der Kopf, Ort des Denkens, wird zur Karikatur, entstanden aus einem Spiel mit Ware und Zufall.

Explizit macht Trockel das zufällige Entstehen und die Mehrdeutigkeit von Formen in den beiden Strickbildern von 1991 zum Gegenstand (Kat.Nrn. 331f.). Die schwarzen, undifferenzierten Formen, die Tiere in der Art von Schmetterlingen oder Fledermäusen assoziieren, beruhen auf Bildern, wie sie zum Rorschach-Test verwendet werden. Diese entstehen durch das Zusammenklappen eines Papierblattes, auf das Farbe aufgetragen wurde. Das auf weicher Farbmaterie beruhende Bild ist hier allerdings in eine technisierte Form übergegangen, worauf die Umrisse hinweisen, die offensichtlich durch datenverarbeitende Prozesse entstanden sind. Im Rorschach-Test sollte durch die Mehrdeutigkeit der Formen auf seelische Zustände geschlossen werden; bei Trockel mutieren sie in ihrer übernatürlichen Vergrößerung zu Produkten des ›technischen‹ Geistes, was wiederum durch das Gestrickte unterlaufen wird. Das Schöpferische der künstlerischen Tätigkeit verliert sich in Prozessen, die von Zufall, Technologie und Ware bestimmt sind. In den zufälligen Formen auf der monochromen Fläche werden Tachismus und monochrome

Malerei zu gleichermaßen auswechselbaren Bildsprachen.

In den Arbeiten Trockels wird die Materie zur Ware und damit ›entseelt‹ – zugleich verlieren sich Geistiges und Ideale in die Materie, in die sie verwoben sind. Das Subjekt kann nicht mehr als Einheit verstanden werden; es wird aufgelöst in ein Spiel von Verweisungszusammenhängen, in denen keine letzte Fixierung von Bedeutung möglich ist. Geist und Subjekt werden zu Funktionen in einem Referenzsystem, gebildet aus heterogenen Bereichen wie dem Häuslichen, Weiblichen, Kindlichen, Philosophischen, Technologischen und den ›Produkten‹ der Hochkultur, insbesondere der abstrakten Malerei.

Das schwarze Quadrat in *Cogito, ergo sum* kann auch als Anspielung auf selbstreferentielle Kunst im allgemeinen verstanden werden, bezieht sich doch die Quadratform auf sich selbst – anders als das Hochrechteck, das auf Vertikalität und Horizontalität als Raumparameter verweist.[5] Die Form eines schwarzen Quadrats bildet auch die Grundlage der frühen Arbeiten Joseph Kosuths (vgl. Abb. S. 370).

331 Rosemarie Trockel, o.T. (R.T. 189), 1991; Wolle, 260 x 170 cm; Privatsammlung Köln

332 Rosemarie Trockel, o.T. (R.T. 190), 1991; Wolle, 260 x 170 cm; Privatsammlung Köln

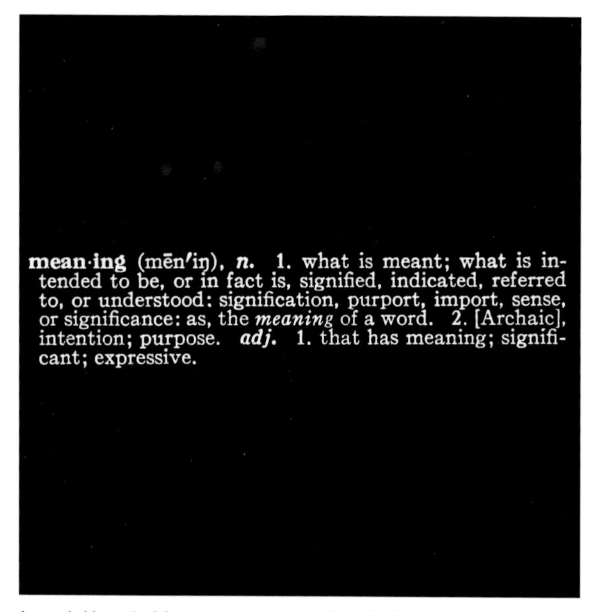

Joseph Kosuth, Meaning, um 1967; The Menil Collection, Houston

"The fear of death is an intellectual error ['*Denkfehler*']." The author, who set much store by the passage, asked the performer at rehearsal to make a slight pause before the word "*Denkfehler*". On the night, the actor entered wholeheartedly into his part, and was careful to observe the pause; but he involuntarily said in the most solemn tones: "The fear of death is a *Druckfehler* [a misprint]."

333 Joseph Kosuth, It was it, No. 5, 1986; Textfotografie, aufgesetzte Neonschrift, 81 x 214 cm; Staatliche Museen zu Berlin, Nationalgalerie

Joseph Kosuth

In den zwischen 1966 und 1974 entstehenden *Investigations* geht es Kosuth, der zur ›Gründergeneration‹ der konzeptuellen Künstler zählt, um die Frage nach dem Wesen von Kunst. Dieses bestimmt er als ihre Idee, die durch Sprache ausgedrückt wird. Auch das Kunstwerk als solches besteht in der *Idee*, nicht in der materiellen Form. Die ›Dematerialisierung‹ durch Sprache wird in denjenigen Arbeiten verstärkt, in denen Schrift in körperlos wirkende Leuchtschrift umgesetzt wird.[6]

Ab 1974 findet eine Anthropologisierung der ›Untersuchungen‹ Kosuths statt: Die Fragestellungen betreffen nicht mehr ›Sprachspiele‹ im Bereich der Kunst, sondern die kulturelle Verankerung von Sinnerzeugung durch Sprache. Um die Entstehung von Sinn, von Bedeutungen und Begriffen im gesellschaftlichen Kontext zu untersuchen, bezieht sich Kosuth auf Autoren wie Sigmund Freud, Robert Musil, Friedrich Nietzsche und Franz Kafka sowie auf Ludwig Wittgenstein, der bereits in seinen früheren Arbeiten eine zentrale Rolle spielte. Sie sind zum einen historische Zeugen eines bestimmten Gebrauchs von Sprache, der für unsere eigene Weltsicht prägend wurde, zum anderen geht es diesen Autoren wie Kosuth selbst um die Mechanismen der Entstehung von Bedeutung.

Die Serie **It was it**, zu der die ausgestellte Arbeit gehört (Kat.Nr. 333), basiert (ebenso wie die Serie *Zero + Not*) auf Zitaten aus Freuds *Psychopathologie des Alltagslebens*. Der Auszug ist in fotografischer Reproduktion vergrößert wiedergegeben; den mittleren Teil überlagern zwei Zeilen weißer Neonschrift, die durch einen roten Strich getrennt sind. In der oberen der beiden Zeilen liest man: »Noises of a particular order«, in der unteren den Titel der Serie: »It was it«.

Bereits das Verwenden eines Zitats zeugt von einer Sprachauffassung, die davon ausgeht, daß Sprache, Wissen und Denken immer auf dem Gebrauch von schon Vorgefertigtem, auf Ready-mades beruhen. So bezeichnet Kosuth Freuds Denksystem als »conceptual ready-made«[7].

Das Zitieren tritt in dieser Arbeit zudem in potenzierter Form auf: Freud selbst zitiert aus dem Buch *Frank Wedekind und das Theater*, in dem wiederum aus dem Einakter Wedekinds *Die Zensur* zitiert wird.[8]

Die Pointe der Freudschen Passage besteht darin, daß ein Schauspieler auf der Bühne beim Rezitieren des bedeutungsschweren Satzes »Die Furcht vor dem Tode ist ein Denkfehler« statt des letzten Wortes »Druckfehler« sagt. Freud geht es bei diesem und anderen Beispielen um Fehlleistungen wie Vergessen, Verwechseln, Vertauschen, Verschieben von Sinn, die nicht zufällig zustande kommen, sondern durch bestimmte Vorgänge des Unterbewußten determiniert sind.

Zur Struktur der Bedeutungserzeugung im Freudschen Sinne schafft Kosuth eine visuelle Analogie: Den Grund für Fehlleistungen sieht Freud in Prozessen des Überlagerns, das Früheres, ›Unterlegenes‹, überdeckt, aber doch nie ganz zum Verschwinden bringt und zu Vergessen und Sinnverschiebung führt. In der Arbeit Kosuths geschieht dies durch das Überschreiben in Neon. Das zeitlich Spätere überlagert das Frühere, verändert es, löscht es jedoch nicht aus. Gleichzeitig wird auf die akustische Ebene angespielt, da das Sprechen des Schauspielers von besonderen Geräuschen (»Noises of a particular order«) überlagert wird.

Der Prozeß der Schichtung betrifft auch die historische Dimension der Vorgehensweise Kosuths: Historisch Abgelagertes wird durch die Rezeption eines Künstlers aus dem 20. Jahrhundert aktiviert, der den älteren Text dekonstruiert, indem er ihn aus dem ursprünglichen Zusammenhang nimmt und ihn in einen neuen Kontext stellt.

Kosuth veranschaulicht damit grundsätzliche Prozesse von Sinnerzeugung, die in der Verknüpfung und Überlagerung von Texten bestehen, nicht aber in einem metaphysisch verborgenen Sinn ›hinter‹ den Worten.[9] So schreibt Kosuth: »There is no ›hidden‹ meaning in the metaphysical sense that the interpretive needs of an auratic art suggests. Rather, it is a *layering* of levels of meaning and *the relations between them* [...].«

Rémy Zaugg

Daß Sprache kein eindeutiges Ausdruckssystem darstellt, ist auch die Grundüberzeugung des Schweizer Künstlers Rémy Zaugg. In den meisten seiner Arbeiten reflektiert er den Bildbegriff durch Schrift, die in Druckbuchstaben auf die Bildfläche aufgetragen ist. In seiner neuen Arbeit **Das Wort, die Geburt, das Atmen** (1996–99; Kat.Nr. 334) allerdings geht es nicht nur um die Thematisierung des Bildes, seiner Materialität und seiner Wahrnehmung, sondern um solch existentielle Kategorien wie das Geborenwerden und das Atmen.

Auf drei unterschiedlich große, monochrome Tafeln ist in weißer Schrift jeweils ein unvollständiger, mit »Und« beginnender Satz in Ich-Form geschrieben. Der erste Satz spielt auf Gottes originäres Erschaffen der Welt durch das Wort an – ein Thema, das auch bei Roman Opalka eine besondere Rolle spielt. Hier jedoch ist mit dem Aussprechen des Worts der Zweifel verbunden, die Welt könne in dem Moment des Sprechens *nicht* mehr existieren, so daß die eigentliche Funktion der Sprache, Dinge der Welt zu bezeichnen, obsolet würde. Auch im Satz der zweiten Tafel geht es um einen ursprünglichen Beginn – die Geburt –, und auch hier wird die Möglichkeit angedeutet, die eigene Existenz könne ein ›Mißverständnis‹ sein. Im dritten Satz geht es um die grundlegende physische Funktion des Menschen, das Atmen, wobei ein Zusammenhang zwischen dem eigenen Atmen und der Veränderung der Farbe des – die Luft zum Atmen einschließenden? – Himmels suggeriert wird.

Alle drei Sätze beginnen mit einem Unmöglichkeit implizierenden Konjunktiv, der im sich jeweils anschließenden Einschub eigentlich die analoge Form erwarten ließe, sofern die Satzfragmente solche Urteile überhaupt gestatten. Das auf allen drei Tafeln vage beschworene Unheil wirkt gerade deshalb so intensiv, weil die drei Sätze eben nicht als ›normale‹ Aussagen der Möglichkeit oder Unmöglichkeit formuliert sind. Diese Enttäuschung der Erwartungshaltung bewirkt eine Irritation, ein Stolpern. Den unvollständigen Sätzen fehlt ein semantischer und grammatikalischer Kontext, der zum Funktionieren von Sprache notwendig ist: Durch das einleitende »Und« und die fehlenden Satzteile bleiben die Aussagen nach beiden Richtungen hin offen.

Für Zaugg ist die Sprache selbst ambivalent; sie dient offensichtlich nicht der eindeutigen Bezeichnung, sondern ist in sich vieldeutig, vermag Wesentliches, Existentielles nicht zu fassen. Daraufhin stellt sich zwangs-

334 Rémy Zaugg, Das Wort, die Geburt, das Atmen, 1996–99; Triptychon, Siebdruck auf lackiertem Aluminium, 236 x 210,7 x 4 cm, 254,7 x 227,4 x 4 cm, 212,9 x 190,1 x 4 cm; Besitz des Künstlers

läufig die Frage, ob ihr diese Rolle überhaupt zukommen kann, wenn alles Denken stets in Sprachspielen gefangen ist. Auch das Subjekt verliert die Möglichkeit reflexiver Distanz, das sprechende Ich dieser Sätze unterliegt der Offenheit der Sprache, es vermag sich selbst und seine Beziehung zur Welt nicht durch sie zu definieren. Bezugnehmend auf die Beliebigkeit (»Arbitrarität«), die der Sprachwissenschaftler Ferdinand de Saussure konstatiert, schreibt Zaugg: »Dieses ›fast etwas Beliebige‹ verwirrt mich. Ihm gilt es näher zu kommen. Die durch den Kontext diktierten Standpunkte und die Identität der Dinge und der Welt haben sich vervielfacht. Der Sinn wuchert. Der Sinn der Welt, der Sinn der Dinge und die Standpunkte des Menschen fluktuieren. Der Sinn ist komplex geworden, Courbet würde ihn nicht wiedererkennen.«[10]

In allen drei Tafeln hinterfragt Zaugg die Beziehung von Sprache zu den Grundlagen menschlicher Existenz. Selbstverständlich scheinende Kategorien wie das Sprechen, das Existieren, das Atmen verlieren ihre Sicherheit, sie werden zum Teil einer fragmentarischen sprachlichen Konstruktion, deren Bezug zur Realität unbestimmt ist. Welchen Rang Zaugg der Sprache beimißt, zeigt sich daran, daß er sie als dritten Begriff der Geburt und damit dem Beginn der Existenz selbst sowie dem absolut lebensnotwendigen Atmen beiordnet. Zugleich assoziiert er mit der Sprache (und damit implizit auch mit ihren Unzulänglichkeiten) die Nichtexistenz der Welt als die schwerwiegendste der drei Drohungen.

Auch Kategorien der Kunst werden unklar: So stellt sich beispielsweise im dritten Bild die Frage, ob die Farbe Blau des Bildgrundes zum Satz und zur Realität in Beziehung steht – kann sie als ›Zeichen‹ für Himmel verstanden werden? Auch steht die Offenheit des Werks im Gegensatz zum dreiteiligen, geschlossenen Aufbau des Triptychons, zumal in der Mitteltafel, die in der christlichen Kunst den Höhepunkt bildet und sehr häufig die Geburt Christi aufnimmt, die Existenz selbst in Frage gestellt wird. Das Bild verliert seine Funktion, Welt zu bezeichnen, und stellt statt dessen Formen sprachlichen und ikonischen Bezeichnens in Frage.

335 Roman Opalka, 2 Details aus »1–∞«, 1965/77; Acryl auf Leinwand, 196 x 135 cm; Staatliche Museen zu Berlin, Nationalgalerie

Die kühle Distanziertheit dieser Haltung wird durch die Oberfläche betont, die durch äußerste Glätte und die Nüchternheit der Druckbuchstaben jegliche Subjektivität vermeidet. Die monochrome Fläche erzeugt kein Gefühl des Erhabenen, sondern die Unsicherheit des Nicht-Festlegbaren, sich ständig Entziehenden.

Roman Opalka

Während es Kosuth und Zaugg um die ›Entmaterialisierung‹ der Materie geht, versteht sich Roman Opalka als »konzeptueller Maler«, der mit den traditionellen Mitteln Leinwand, Ölfarbe und Pinsel arbeitet.

Seit 1965 schreibt Opalka mit dem Pinsel in weißer Farbe Zahlenreihen auf graugrundierte Leinwände, immer fortlaufend seit dem mit der Ziffer 1 einsetzenden ersten Bild. Seit 1972 fügt er der Leinwandgrundierung von Bild zu Bild ein Prozent Weiß hinzu, so daß eines Tages die weißen Zahlen auf einer weißen Leinwand nicht mehr zu erkennen sein werden. Die Bilder visualisieren damit nicht nur einen zeitlichen Ablauf, sondern sind zugleich aufs engste mit der Lebenszeit des Künstlers verbunden, der das Fortschreiben der Zahlenreihen fast täglich – häufig unter extremer körperlicher Anstrengung – vollzieht. Arbeits- und Lebenszeit manifestieren sich in jeder einzelnen geschriebenen

Zahl. In ihnen wird die Irreversibilität der subjektiven Lebens- wie auch der universalen Zeit in bildlicher Form konkret. Das Bild steht in »mimetischem«[11] Verhältnis zur Zeit, wobei subjektive und universale Zeit gleichermaßen einbezogen sind. Das Werk als Ganzes versteht Opalka analog zum Organismus, dessen einzelne Teile aufeinander bezogen sind und der sich in der Zeit fortlaufend verändert.[12] Die einzelnen Bilder, von Opalka als *Details* (Kat.Nr. 335) bezeichnet, sind Teile des Ganzen, von denen jedes »die Dynamik eines Ganzen«[13] trägt; jedes ist zugleich ein »logisches Bild zur Definition der irreversiblen Zeit«[14]. Trotz der Offenheit der Zeitlichkeit, in der das Werk sich bewegt, betrachtet Opalka jede Arbeit und jedes Stadium als ›vollendet‹, da sich in jeder Zahl ein abgeschlossener Zeitraum manifestiert. Er vergleicht seinen Ansatz mit dem göttlichen Schöpfungsakt: Mit dem Wort Gottes wie mit dem Setzen der Zahl 1 setzt ein fortlaufender, unumkehrbarer Prozeß ein.[15] Beendet wird dieser Lebens- und Schaffensprozeß allein durch den Tod des Künstlers – auf dieses Ende hin bewegt sich sein Werk zu. »In meinem Heureka ist der Tod das Werkzeug des Konzepts, die objektive Definition der Vollkommenheit. Mein Tod ist der logische und emotionale Beweis für die Vollendung des Werkes. Mein Tod ist es, der mein letztes Detail abschließt und vollendet.«[16] Eine deutliche Nähe besteht zu Martin Heideggers Verständnis des »Seins« als »Sein zum Tode«.

336 Hanne Darboven, 1970, 1970 (Ausschnitt); 42teilig, Tinte auf Papier, je 21 x 29,7 cm; Elisabeth Kaufmann, Basel

Opalkas Schaffen bezieht seine Spannung aus der Verknüpfung einer mit minimalen Mitteln auskommenden, kühlen Ästhetik mit dem Leben des Künstlers. Zeit wird in einem formalisierten Schema, ohne Beziehung zu Erlebnisinhalten, aufgefaßt, die Emotionslosigkeit ist durch die Nicht-Farben Weiß und Grau betont. Zugleich besteht eine engste Beziehung zum Subjekt durch die Verbindung der Zahlen zu seiner Lebenszeit. »Mein Vorgehen ist das Minimalste des Minimalen; aber es geht um das Leben, seine Umsetzung in ein Werk, seine Verkörperung für eine maximale Kunst: die Zeit eines Daseins ohne Wiederholung und ohne Umkehr.«[17] Zusätzliche Dokumentationsformen unterstreichen die Verbindung zur Person des Künstlers: dem auf Tonband aufgenommenen Sprechen der Zahlen (in Opalkas polnischer Muttersprache), das zeitgleich mit deren Aufschreiben geschieht, sowie durch die Fotografie, die Opalka nach Beendigung eines jeden Details von seinem Gesicht macht.

Hanne Darboven

Wie bei Opalka besteht auch bei Darboven die künstlerische Tätigkeit vorwiegend im stoisch gleichmäßigen Aufschreiben von Zahlenreihen. Auch ihr geht es um das Anschaulichmachen der völlig unanschaulichen vierten Dimension der Zeit mittels der abstrakten, rein gedanklichen Form der Zahl. Jedoch ist die Erfassung von Zeit bei Darboven distanzierter, weil sie in ihren

6666661777777/6170 14K
5555522777777/5270 14K
4444333777777/4370 14K
3334444777777/3470 14K
2255555777777/2570 14K
1666666777777/1670 14K

Hanne Darboven, 1970, 1970 (Ausschnitt); Elisabeth Kaufmann, Basel

Arbeiten immer schon abgelaufene Zeiträume behandelt – hier das Jahr 1970 (Kat.Nr. 336). Ausgehend von den Tagesdaten werden unter Auslassung der Zahlen, die für das Jahrtausend und Jahrhundert stehen, Quersummen gebildet, die »K-Werte« (K steht für »Konstruktion«). Dabei werden zweiteilige Tages- und Monatsdaten als Ganzes, die Bestandteile der Jahreszahl aber als Einzelziffern addiert. So bildet beispielsweise das Datum 12.1.70 den K-Wert 20. Dieser K-Wert wird entsprechend seinem Nennwert vervielfacht dargestellt, ebenso jede einzelne Zahl. Zeitliche Prozesse des Werdens und Vergehens sind in der sich verdichtenden Zahlenmenge zur Mitte der aufgereihten Blätter und ihrem Abschwellen zum Ende hin nachvollziehbar.

Die abgelaufene Zeit wird auf rein mathematischer Grundlage verarbeitet. Wie bei Opalka wird in keiner Weise auf Inhaltliches, das sich während des Jahres ereignet hat, Bezug genommen. Darboven: »Ich schreibe, aber beschreibe nichts.«[18] Faszinierend sind die Schönheit der Rationalität, die schiere Menge und rhythmisierte Gleichförmigkeit des Aufgeschriebenen. Der Zeitraum eines Jahres wird simultan überschaubar; er steht in Beziehung zu den zeitlichen Prozessen des Schreibens sowie des Lesens durch den Betrachter, Vorgänge, die sich genauer Meßbarkeit entziehen.

Anmerkungen

1 Adorno, Theodor W.: *Ästhetische Theorie.* Hg. von Gretel Adorno und Rolf Tiedemann. Frankfurt am Main 1973, S. 9.

2 Lippert, Werner: *Hans-Peter Feldmann: Das ›Museum‹ im Kopf.* Köln 1989, S. 47.

3 Weibel, Peter: »Vom Ikon zum Logo«. In: *Rosemarie Trockel.* Ausst.Kat. Kunsthalle Basel. Basel 1988, S. 36–47, hier S. 40.

4 Vgl. Lehner, Sabine Dorothée: »Mottenbisse im Gewand der Kunst«. In: *Künstler. Kritisches Lexikon der Gegenwartskunst.* München 1998, S. 6.

5 Vgl. Buchloh, Benjamin H.D.: »Von der Ästhetik der Verwaltung zur institutionellen Kritik. Einige Aspekte der Konzeptkunst von 1962–1969«. In: Marie-Louise Syring (Hg.): *Um 1968 – Konkrete Utopien in Kunst und Gesellschaft.* Köln 1990, S. 86–99, hier S. 93.

6 Zur Bedeutung von Leuchtschrift bei Joseph Kosuth vgl. Domesle, Andrea: *Leucht-Schrift-Kunst. Jenny Holzer, Joseph Kosuth, Mario Merz, Mauricio Nannucci, Bruce Nauman.* Berlin 1998, S. 85ff.

7 »Joseph Kosuth: A arte faz o mundo«, Interview mit Alexandre Melo. In: *Expresso*, Lissabon, 19. September 1987. Wieder abgedruckt in: Kosuth, Joseph: *Interviews 1969–1989.* Stuttgart 1989, S. 113–122, hier S. 117.

8 Freud, Sigmund: *Zur Psychopathologie des Alltagslebens. Über Vergessen, Versprechen, Vergreifen, Aberglaube und Irrtum.* Gesammelte Werke, Bd. 4. Frankfurt am Main 1969, S. 264.

9 Weiterführende Verbindungen zu Jacques Derridas Vorgehen der »Dekonstruktion« können hier nicht ausgeführt werden, vgl. dazu Domesle, Leucht-Schrift-Kunst (Anm. 6), S. 257ff.

10 Zaugg, Rémy: »Retrospektive, ein Fragment«. In: *Rémy Zaugg. Retrospektive, ein Fragment.* Ausst.Kat. Nürnberg. Nürnberg 1997, S. 13–52, hier S. 17.

11 Opalka, Roman: *Anti-Sisyphos.* Mit einem kritischen Apparat von Christian Schlatter. Übersetzt von Hubertus von Gemmingen. Ostfildern 1994, S. 26 (zuerst in: *Roman Opalka. OPALKA 1965/1 – ∞.* Paris 1992).

12 Ebd., S. 46.

13 Ebd.

14 Ebd., S. 87. Dieter Honisch verweist bezüglich der Beziehung vom Teil zum Ganzen auf den Unismus von Opalkas polnischem Landsmann, dem konstruktivistischen Künstler Strzeminski, sowie auf den Einfluß fernöstlicher Philosophie. Vgl. ebd., S. 16.

15 »Obgleich Agnostiker, zögere ich nicht, mich auf die Idee Gottes zu beziehen. Ich befasse mich mit ihr ausschließlich aufgrund ihres Vermögens, an den Anfang das Wort zu setzen, das die Emotion des Ganzen in sich trägt. Mein Werk scheint der gleichen Logik zu folgen, insofern es eine Einheit ist, die sich auf die Totalität ihrer Erfüllung erstreckt; all ihre Elemente sind Details, die ihre Ganzheit manifest werden lassen.« Opalka, Anti-Sisyphos (Anm. 11), S. 22.

16 Ebd., S. 169.

17 Ebd., S. 181.

18 Darboven, in: Burgbacher-Krupka, Ingrid: *Hanne Darboven: Konstruiert. Literarisch. Musikalisch.* Ostfildern 1994, S. 115.

Vorsatzblatt: 330 Rosemarie Trockel, Cogito, ergo sum, 1988 (Ausschnitt)

»Get Wired!«

»Get Wired!«
Vergeistigung durch Video

Andrea Domesle und Joachim Jäger

> Die materielle Welt wird als Gefängnis betrachtet, der Körper als Kerker und der Geist als Fenster. Die Technik unterstützt den Geist bei seinen Unabhängigkeitsbestrebungen vom Körper, von der Schwerkraft, von der Natur.
>
> Peter Weibel

»Get Wired«, »Expanded Cinema«, »Video ergo sum« hießen die großen Schlagworte, die den Aufbruch in ein neues Kunstzeitalter signalisierten, in die Ära der Videokunst. Wulf Herzogenrath machte sich zu ihrem Mentor, kuratierte die legendäre Videokunst-Abteilung der *documenta VI* 1977 und verschaffte dem neuen Medium früh zahlreiche Auftrittsmöglichkeiten in Köln. Heinrich Klotz, Begründer des »Zentrums für Kunst und Medientechnologie« in Karlsruhe, rief gar eine »Zweite Moderne« aus, die sich um die »Medienkünste« gruppierte. Auch Peter Weibel, Künstler und Medien-Philosoph sowie jahrelang Motor der *Ars Electronica* in Linz, sieht in den Neuen Medien die »Zukunft der Kunst«. Vilém Flusser schließlich reflektierte früh den gesellschaftlichen Wandel, der sich durch die elektronischen Medien vollzogen hatte, und sprach von einem »post-alphabetischen« Zeitalter: »Nicht mehr Texte, sondern Bilder informieren uns über die Welt und unsere Stellung in ihr. Eine gewaltige Gegenrevolution des Bildes gegen das Alphabet ist im Gange. Bei dieser Gegenrevolution handelt es sich um eine neue und vorher nie dagewesene Art von Bildern. Wollen wir uns in einer derartig kodifizierten Welt orientieren, müssen wir uns über die Neuartigkeit ihrer Bilder klar werden. Sie sind nicht ›prä-‹, sondern ›post-alphabetisch‹.«[1]

Bewegte Bilder sind in der Tat zu einer eigenen Form der Kommunikation geworden. Sie erzählen frischer, »realer« von der Wirklichkeit als das einzelne Bild, vermitteln eindringlicher mögliche Visionen virtueller Welten. Nachrichten im Fernsehen setzen deshalb längst auf eine »Visualisierung« durch eingespielte »Reportagen«, Talk-Shows verlangen nach filmischen Unterbrechungen, und interaktive Sportkanäle rühmen sich damit, das Geschehen von mehreren Positionen aus gleichzeitig zu zeigen. Das einzelne Medium – Bild, Sprache oder Text – erscheint als zu langsam und eindimensional, um dem vielschichtigen Datenstrom im Informationszeitalter noch gewachsen zu sein. Signifikantes Zeichen für diesen »Zivilisationsprozeß« sind die immer kürzeren Schnittzeiten und Themensprünge der Filme – nicht ohne Komplikationen für das Publikum. Während die älteren Zuschauer oft beklagen, der schnellen Sprache nicht mehr gewachsen zu sein, erfreut sich die Jugend an zunehmend rasanteren Bildfolgen, Klangcollagen und Motivwechseln.

In der Allgegenwart bewegter Bilder des Fernsehens liegt ein Hauptimpuls für die Entstehung der Videokunst. Die technische Entwicklung, wie etwa die Erfindung des »Portapaks«, der transportablen Video-Ausrüstung im Jahre 1965, ermöglichte zwar die problemlose unabhängige Aufnahme im Freien und erschloß damit neue Welten, ist aber, wie Weibel sagt, nur eine »Unterstützung« auf dem Weg vom Körper zum Geist, vom realen zum virtuellen. Mit diesem Weg verbinden sich neue Möglichkeiten der künstlerischen Inszenierung, der Körperwahrnehmung, der Reflexion über das Medium selbst.

Wegweisend war Bruce Nauman, der in der zweiten Häfte der sechziger Jahre den Übergang von eigener Erfahrung zum elektronischen Bild thematisierte und eine Spannung zwischen dem Künstler als Stellvertreter eines authentischen menschlichen Daseins und der bruchstückhaften Wiedergabe im Film inszenierte. In seinen Aktionen folgte er etwa vorgegebenen Linien oder den Kanten eines Quadrates, spielte Ball oder behandelte seinen Körper als Material, indem er seinen Mund verzerrte, auseinanderzog, malträtierte. Das Bild jedoch gibt die aufgezeichneten Handlungen nur ausschnitthaft, teilweise gekippt oder vergrößert

337 Ulrike Rosenbach, Glauben Sie nicht, daß ich eine Amazone bin, 1975; video still, s/w; Besitz der Künstlerin

338 Rebecca Horn, Bleistiftmaske, 1972; Stoff, 21 Bleistifte, Maße variabel; Tate Gallery London

wieder. Eine kontinuierliche Bewegung, der Körper im Einklang mit Raum und Zeit, ist hier nicht mehr vorhanden. Das ›unzulängliche‹ filmische Bild verweist immer wieder auf die Welten außerhalb des Bildfeldes.

Auch zwei in Deutschland wirkende Frauen agierten mit ihren Körpern vor der Kamera, jedoch in extremer Nahsicht. Dabei entdeckten sie durch das Medium neue Qualitäten. Friederike Pezold arbeitet seit 1973 an einer »Neuen Zeichensprache eines Geschlechts nach den Gesetzen von Anatomie, Geometrie und Kinetik«. »Brustwerk«, »Schamwerk«, »Augenwerk« und so weiter sind auf den Helldunkelkontrast reduziert und bieten sich humorvoll, leicht zuckend als Bausteine einer neuen Sprache an. Die Amerikanerin Nan Hoover ließ die konzentrierten Bewegungen ihres Gesichtes oder ihrer Hand sich in einer lichterfüllten, meditativen Landschaft auflösen.

Marina Abramović und Ulay wiederum hatten in ihren Performances der siebziger Jahre physische und psychische Erfahrungen bis zu extremen Grenzen ausgelotet. Auch wenn die Aufzeichnung nicht die Aktion ersetzen kann und für beide Künstler eher ein Dokumentationsmittel darstellt, läßt sich wie bei **Light / Dark** (1977) durch den gezielten Einsatz filmischer Mittel die Wahrnehmung des Betrachters in ganz bestimmter Weise lenken, die psychische Situation in das Medium übertragen. Dieser Prozeß zeichnet sich schon in der Dokumentation von Joseph Beuys' Aktion **Eurasienstab** (1968) ab. Obwohl gerade bei Beuys eine starke Bindung des Aufführungspotentials an seine Person zu beobachten ist und er in der Aktivierung von Ritualen und Mythen energetische Spannung im Raum erzeugte, hat sich im Film eine Ahnung hiervon bewahrt. Diese Erfahrung nützte Rebecca Horn zur Aufzeichnung ihrer frühen Performances (1972; Kat.Nr. 338). Zur Erweiterung der Empfindungsmöglichkeiten ihres Körpers entwickelte sie Tastinstrumente wie Federmasken und Körperfächer, deren Zusammenwirken im Film eine poetische Kraft entfaltet: Die maskierte und kostümierte Künstlerin erscheint wie ein Wesen aus archaischer Zeit.

Auch Ulrike Rosenbach knüpft an Mythen an, um verschüttetes Wissen für ihre persönliche wie künstlerische Identität zu aktivieren. In der Video-Performance **Glauben Sie nicht, daß ich eine Amazone bin** (1975; Kat.Nr. 337) zielte sie auf Klischeebilder der Frau. Der Aktionismus ist im Video in den Hintergrund getreten. Die Pfeile, die die Künstlerin auf die Reproduktion eines mittelalterlichen Madonnenbilds abschießt, treffen ebenso ihr eigenes eingeblendetes Bild. Die Videoaufnahme bezeichnet die Künstlerin als »psychisches Feedback«[2]. Indem sie einen Mischer verwendet, um Bilder zu überlagern – einer der wenigen damals zur Verfügung stehenden technischen Tricks –, wird die Selbstsuche zu einer Metamorphose des Bilderflusses; der **Female Energy Change** – so ein Werktitel von 1976 – findet auf dem Monitor statt.

339 Klaus vom Bruch, Das Duracellband, 1980; Video, Farbe, 10 min.; Besitz des Künstlers

Klaus vom Bruch ist berühmt für seine scharfen Schnitte. Er collagiert eigenes aufgezeichnetes Filmmaterial, historische Dokumente und Mitschnitte aus dem TV-Programm. Der Mensch und stellvertretend für diesen der Künstler, erscheint schicksalshaft eingezwängt in die Technik: beim **Alliiertenband** (1982) in die Kriegsmaschinerie, bei **Azimut** (1985) in den elektronischen Kommunikationsraum. Die Technik, aber auch die geschichtlichen Ereignisse werden als Übermacht empfunden, angesichts derer der Künstler in Untätigkeit und Sprachlosigkeit verfällt. Während sich der Künstler als Manipulierter inszeniert, ist er als Schöpfer der Videotapes selbst ein Manipulierender. Das wird besonders im **Duracellband** (Kat.Nr. 339) deutlich, welches das Verhältnis von Geist und Materie auf mehrschichtige Weise zeigt. Zwischen den aufeinanderschlagenden Hälften einer Batterie erscheinen u.a. der Kopf von Cocteau, ein Atombombenpilz und Opfer von Nagasaki. Mit den Insignien der vernichtenden Energie thematisiert Klaus vom Bruch gleichzeitig sein ästhetisches Prinzip als »kritische Masse«. Durch die ständige Wiederholung sowie durch das harte Aufeinanderprallen der Gegensätze entsteht eine Reizüberflutung, die für den Betrachter zur Zerreißprobe wird.

Marcel Odenbachs Band **Die Distanz zwischen mir und meinen Verlusten** von 1983 zeichnet sich durch den überlegenen Einsatz der Technik aus. Die Bildfläche ist mit Ausnahme von horizontal oder vertikal gesetzten Streifen schwarz, der ›Raum‹ hinter der Oberfläche damit als Erinnerungsraum ausgewiesen, in dem persönliches Bildmaterial sowie unmittelbar zurückliegende Zeitzeugnisse nur bruchstückhaft erscheinen. Die unterlegte Tonspur, bestehend aus der Vertonung von Goethes »Erlkönig« durch Franz Schubert und Totengesängen aus Burundi, strukturiert das Band. Odenbach, dessen Bildnis nicht erscheint, hat doch eine Art »Selbstporträt«[3] geschaffen: Er führt seine konfliktbeladene Identitätsfindung im Spannungsfeld von Geschichte, Kultur und Sexualität vor.

Neben Gary Hill ist der in Deutschland bisher präsentere Bill Viola der wohl bedeutendste Vertreter der zweiten Generation von Videokünstlern, welche die Zeichenfunktion von Bild und Sprache problematisieren und somit jene zentrale Fragestellung der Moderne auf elektronische Bilder ausweiten. In **The Reflecting Pool** (1977–79) hängt Viola als zeit- und raumenthobene Lichtgestalt über einem geheimnisvollen Wasserspiegel, der ohne ihn zu reflektieren ungestört weiterplätschert; Schemen ziehen als Erinnerungsbilder vorüber. Mit dem Wasserspiegel hat Viola eine Metapher für das Abbilden gefunden, unsere geläufigen Wahrnehmungskategorien werden hinterfragt, gezeigt werden eher die Träume und Wünsche der Menschen als diese selbst. Virtuelle Bilder werden strukturell wie Traumbilder behandelt. Eine weitere Metapher Violas ist die Fata Morgana, bei der die Grenze unserer Welterfahrung und die Subjektivität des Blicks offenbar werden. In **Chott el-Djerid. A Portrait in Light and Heat** von 1979 überträgt er das Phänomen der Luftspiegelung, das in der genannten Oase aufgezeichnet wurde, als Grundstruktur in das Videobild.

Die an kommerzielle Musikclips angelehnten Videos von Pipilotti Rist und Tracey Emin zeugen vom neuen Selbstbewußtsein der jungen Frauen, ihre ganz persönlichen Welten werden ungeniert vorgeführt. Pipilotti Rist brilliert mit technischer Virtuosität der Computertechnologie. Sie erzählt surreale Geschichten, in denen die Körper von aller Erdenschwere losgelöst und von einem bonbonbunten, pulsierenden Bilderstrudel mitgerissen werden. In **Pickelporno** (1992) entfaltet der Bildrhythmus gar erotische Qualitäten. Tracey Emin schildert in ihrem Video **Why I never became a dancer** von 1995 Begegnungen mit Männern. Indem sie schließlich allein in einem leeren Raum tanzt, inszeniert sie lustvoll die Selbstbehauptung im »realen« Leben.

Die anfänglichen Hoffnungen auf einen Sendeplatz der Videokunst in einer vernetzten Medienlandschaft hatten sich sehr schnell zerschlagen. Als neue Kunstgattung jedoch konnte sie sich durchaus emanzipieren. Zunächst an den Fernsehmonitor gebunden, entstanden bald auch Videoskulpturen, Installationen oder wandfüllende Projektionen. Heute läßt sich eine Tendenz zur Bespielung ganzer Räume beobachten, in die als Bildgründe zusätzliche Projektionsflächen eingezogen sind. Der Betrachter steht im Dunkeln mitten im bewegten, tönenden Bild – im Kosmos der Künstler.

Anmerkungen

1 Flusser, Vilém: »Die Gegenrevolution der Bilder«. In: Michael Roßnagl: *siemens medien Kunstpreis* 97. München 1997, S. 17.
2 Ulrike Rosenbach, in: Bussmann, Georg; Kempas, Thomas: *Körpersprache*. Ausst.Kat. Frankfurter Kunstverein, 1975, n. pag.
3 Marcel Odenbach beim Telefonat, Juni 1999.

Vorsatzblatt: 342 Kazuma Morino, Runners, 1998 (Ausschnitt)

Die visuelle Konfusion des Geistes

Moritz Wullen

Am Ende des Millenniums gerät das Konzept ›Geist‹ in die Krise. Über Jahrhunderte hinweg hat es dem menschlichen Denken schützend sekundiert. ›Geist‹, pauschal besehen, war die Fiktion eines Kontinuums, das, an und für sich göttlich und unendlich, sich im Medium des menschlichen Bewußtseins punktuell und temporär doch zu Endlichkeiten festigte, die als ›Sinn‹ geführt und operationalisiert werden konnten. Die Welt der Sinngeschehnisse, so turbulent sie auch dem philosophischen Verstand erschien, war durch die Vorstellung eines solchen Kontinuums doch beschirmt von einer großen Ruhe, in der, so will es ein wohlfeiles Zitat, »[...] alles sich zum Ganzen webt, Eins in dem andern wirkt und lebt!«[1] – und das war trostreich zu wissen.

Derlei Trost wird heutzutage rar, und Diskontinuitätserfahrungen werden zur Regel. In nie gekanntem Ausmaß sieht sich die Gesellschaft mit Prozessen konfrontiert, die partout nicht mehr ein Ganzes bilden, sondern mit einem horriblen Maß an Eigensinn sich in unübersichtlich verstreuten Systemen über spontane Wechselwirkungen selbst organisieren. Die meisten Lenkungsversuche erweisen sich als fruchtlos, im schlimmsten Fall als katastrophal. Schon die bedachtsamste, minuziöseste Manipulation ökologischer und zivilisatorischer Systeme provoziert Richtungsänderungen, für die es keine Prognosen, geschweige denn Reaktionspläne gibt. Ob eine Operation sinnvoll ist oder nicht, entscheidet nicht der ›Geist‹, sondern jedes System für sich, nach der Binnenlogik seines eigenen Kontinuums. Der Weltgeist zerstreut sich; an seine Stelle treten die turbulenten Geister der Systeme.

Systemtheorie, Synergetik und Chaostheorie konstruieren die wissenschaftliche Plattform, von der aus der Untergang des alten Weltszenarios verfolgt werden kann.[2] Im Feuerwerksgepränge der Jahrtausendwende wie zum Abschied funkelnd, sinkt der Geist in unbekannte Tiefen ab. Zurück bleibt chaotisch bewegtes Wellengekräusel, darin Strudel sinnlos um sich selbst rotieren und einige Verwirbelungen ihre letzten Pirouetten drehen. Der Anblick mag betrüben und Nostalgien wecken, doch ändern läßt sich daran wenig, und es kommt wohl einzig darauf an, gewappnet zu sein. Am ehesten ist es vielleicht die Kunst: Bereits 1911 – die Frühe des Zeitpunkts ist stupend – forderte Wassily Kandinsky die Entkoppelung der Kunst von jeglicher äußerer Sinnbestimmung, ihre Besinnung auf ihre eigene, »innere Notwendigkeit«[3]. In seiner bahnbrechenden Erörterung *Über das Geistige in der Kunst* (Kat.Nr. 194) reduziert sich Kunst auf die Kunst, Kunst als Kunst zu konstruieren, und kein anderer als Kandinsky steht Pate, wenn Ad Reinhardt Jahrzehnte später verkündet: »Art is art-as-art and everything else is everything else.«[4]

Kandinskys frühe Essays zur Kunst bieten einen erstaunlich sicheren Vorgriff auf die systemtheoretische Wende der Gegenwart, doch die Vorzeitigkeit seiner Reflexionen bringt es auch mit sich, daß er sein Argument der »inneren Notwendigkeit« nicht bis zur letzten Konsequenz bedenkt. Bei Guillaume Apollinaire kündigt sie sich bereits an, mit der Behauptung nämlich, die Kunstschriftstellerei habe zur Kunst keine nähere Beziehung als der Name des Herrn Legros zu dessen Statur, mit der es sich in Wahrheit klein und kümmerlich verhält.[5] Und noch deutlicher, wenn auch mehr als fünfzig Jahre später, tritt sie mit dem berühmten Diktum Gerhard Richters zutage: »Bilder, die deutbar sind und die Sinn enthalten, sind schlechte Bilder.«[6] Die Rede ist von jener Konsequenz, die sich aus dem Postulat der »inneren Notwendigkeit« für das Verhältnis zwischen Bild und Text, Kunst und Kunstbegriff ergibt. Denn stimmt es, daß die Visualität der Kunst nur noch ihrer eigenen Gesetzlichkeit gehorcht, zerbricht auch das Kontinuum von Sprach- und Bilderwelt, und wird es überhaupt müßig, von Kunst zu reden. Anscheinend kommt es so und nicht anders: Die Kunst, ohnedies schon abgekoppelt von der Wirklichkeit, löst wiederum in sich die Koppelung von Wort und Bild, Kunstbegriff und Kunst, um

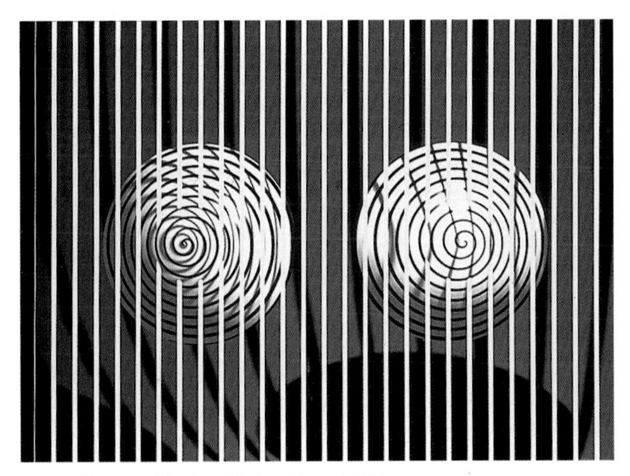

341 Kazuma Morino, Stripe Box, 1998

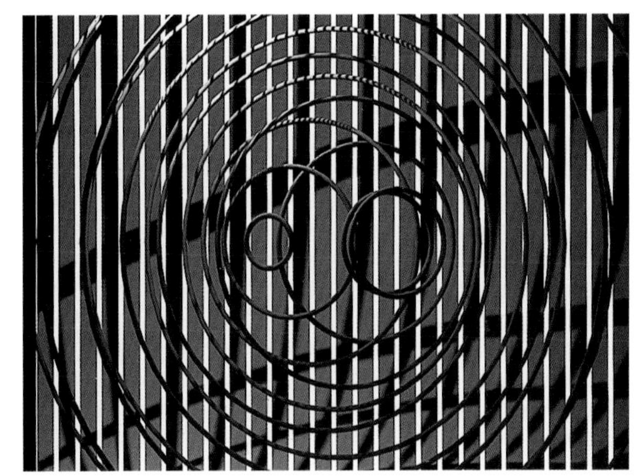
Kazuma Morino, Stripe Box, 1998

sich dann auf Seiten der Bilder zu schlagen. Fortan existiert sie nicht mehr als ›Kunst‹, sondern nur noch als sprachliche Lücke, als Klammer ohne inhaltliche Füllung. Was bleibt, sind visuelle Turbulenzen, bunte Geister, frei von Geist.

Die Animationen der 1998 auf der *Ars Electronica* in Linz mit einem Preis bedachten Japaner Kazuma Morino und Nobuo Takahashi öffnen berauschende Einblicke in diese freigesetzte Welt der visuellen Sensationen.[7] In grandiosen Zooms wird das Betrachterauge in den Mahlstrom einer computergenerierten Visualität geschleust, wo hinter jeder Form- und Farbverwirbelung ein nächster Sog sich öffnet, in welchem Vielgestaltigstes und Buntestes ebenso halt- und schwerelos in- und umeinanderschwirrt wie die Wirbel, deren Teile Teil sie sind. So wird jeder Clip zum Trip, zur Rutschfahrt durch die fraktale Bodenlosigkeit eines Systems, das sich nur noch in der Wiederholung seiner selbst verorten kann.

Da ist mit Sprache freilich wenig anzufangen. Schon der Versuch bloßer Beschreibung scheitert an der Selbstgenügsamkeit der turbulenten Bilderflut. Bestenfalls lassen sich das Programm, die Gestaltungsstrategie in Worte fassen, und dies auch nur provisorisch. In Kazuma Morinos **Stripe Box** (Kat.Nr. 341), dem animierten Logo seiner »Stripe Factory«, wird das Basismuster zum Anfang des Clips in aller Schlichtheit präsentiert: Schwarze und weiße Streifen durchziehen vertikal das Bildformat, und der Wahrnehmungszufall entscheidet, welche Figur/Grund-Konstellation das Auge dem Kontrast unterstellt. Je nach Lesart sieht man helle oder dunkle Zwischenräume, schwarze oder weiße Stangen. Doch gerade diese Neigung des menschlichen Auges, kontrastierende Flächen nicht gleichwertig zu sehen, sondern in Zonen unterschiedlicher räumlicher Gültigkeit asymmetrisch aufzubrechen, führt in den Folgesequenzen zu höchst irritierenden Verwicklungen. Erst unmerklich, dann mit wachsender Penetranz gerät das Muster aus den Fugen, und mit jeder Verzerrung fächert sich die Asymmetrie der Ausgangsposition in zahllose weitere Asymmetrien auf, bis am Ende die Raumverhältnisse bis zur Unumkehrbarkeit verschroben sind. Nächstes ist nun zur gleichen Zeit Fernstes, und vorne ist, wo hinten ist. Als gäbe es die Zeit nicht mehr, realisiert die Dimension des Raumes zu jedem Augenblick die Totale ihrer Möglichkeiten. Die Hypertrophie des Raumes parallelisiert sich in einer Atrophie der Zeit. Selten war Visualität von der zeitbasierten, linear organisierten Sinnstruktur der Sprache weiter entfernt. Der Sprache bleibt nur der Offenbarungseid. Sprachlich vermittelbar ist höchstens, daß es sprachlich nichts mehr zu vermitteln gibt.

Wo nicht einmal ein deskriptiver Zugriff möglich ist, läßt sich schon gar nicht eine Deutung wagen.

342 Kazuma Morino, Runners, 1998

Kazuma Morino, Runners, 1998

Reichlich unwahrscheinlich wird die Existenz eines ›Geistes‹, unter dessen Fittichen sich das Spektakel in die Sinnsphären der Sprache kontinuieren ließe. Jeder Clip ist ein ›Loop‹, eine visuelle Leerlauforgie, die letztlich nur auf sich selbst verweist. Kazuma Morinos **Runners** (Kat.Nr. 342) exerzierten es vor: Sie laufen und laufen und laufen und kommen doch nicht von der Stelle. Jeder Schritt erzeugt ein Vakuum, das nur nach einem neuen Schritt verlangt. Zirkularität wird hier auf die Spitze getrieben. Zu keinem Zeitpunkt ergibt sich eine lineare Schiene, auf der das Sprachsystem den Lauf der **Runners** begleitend kommentieren könnte. Freilich gibt es da sprachlicherseits einen Pawlowschen Reflex, denn der visuelle Eindruck ist stark, und ebenso ausgeprägt ist das Bedürfnis, der Erregtheit auf dem Wege der Mitteilung Luft zu verschaffen, aber im Grunde ist einerlei, was sprachlich geschieht. Die Hauptsache ist, daß sich das irritierte Sprachsystem durch irgendeine Aktion wieder ausbalanciert. Hierfür bieten sich die Formulierungs- und Interpretationsroutinen der Kunstliteratur ganz besonders an. So kann gesagt werden, was gesagt werden kann, zu den Phänomenen eines Cyberkosmos, in dem visualisiert wird, was eben visualisiert werden kann. Von einer Renaissance der Op-art könnte die Rede sein, von einem Revival des Pop oder von einer cliptauglichen Adaption futuristischer Beschleunigungs- und Lichteffekte. Vielleicht sogar böte sich im speziellen Fall von **Runners** die Gelegenheit, eine Ikonographie der nihilistischen Panik zu konstruieren: vom verzweifelten Todesspurt des Gangsters Michel in Jean-Luc Godards *Au bout de souffle* bis hin zu Tom Tykwers *Lola rennt.* Auch Paul Virilios Kultbuch *Rasender Stillstand* wäre ins Gespräch zu bringen, denn schließlich spielen die Schriften Virilios seit den achtziger Jahren eine Schlüsselrolle im *self-updating* der traditionellen Kunstgelehrsamkeit.[8] Doch wie man es auch anstellt, werden doch stets nur die Möglichkeiten eines Sprachspiels realisiert. Die Visualität bleibt unerreicht, der **Runner** läuft und läuft und läuft.

Auch hilft es wenig, die Künstler selbst zu fragen. Zunächst einmal sagen sie nicht viel. Kazuma Morino etwa beschränkt sich weitestgehend auf Auskünfte

343 Nobuo Takahashi, Ellipsoid, 1998

zu den technischen Aspekten seiner Produktion, und wenn er eher zufällig als bedacht in Richtung einer Deutung steuert, beschränkt er sich auf die Nennung visueller Evidenzen: »Figuren – Puppen – aus geometrischen Formen laufen umher und vermischen sich mit anderen Objekten. Dieses Werk drückt die Schönheit von interagierenden Objekten im Ablauf der Zeit aus. Ein laufender Mensch ist eine schöne Gestalt, und das hat mich schon jahrelang beschäftigt – es war das Laufen an sich, das meine Aufmerksamkeit gefesselt hat.«[9] Und selbst wenn etwa Nobuo Takahashi seinen Clip **Ellipsoid** (Kat.Nr. 343) als Gleichnis selbstorganisierender Prozesse in der modernen Gesellschaft verstanden wissen will, ist zu fragen, was damit eigentlich gewonnen ist.[10] Selbstbezüglichkeit als Metapher für Selbstbezüglichkeit ist nicht mehr und nicht weniger als – Selbstbezüglichkeit. Überhaupt gilt heutzutage mehr denn je der Ausspruch Heinrich Dillys: »Künstleraussagen gleichen Beteuerungen von Rauchern, deren Entscheidung, mit dem Rauchen aufzuhören, über die sprachliche Realisierungsebene selten hinauskommt.«[11]

Stripe Box, **Runners** und **Ellipsoid** demonstrieren *ad oculos*, mit welcher Irrwitzigkeit sich die von Kandinsky beschworene Ablösung der Visualität aus dem Sinnkontinuum des überlieferten Weltgeists in den letzten Jahrzehnten beschleunigt hat. Die selbstbezügliche Abkapselung des *visualizing* zu einem geschlossenen System findet in der Expansion der Kommunikationstechnologie günstigste Voraussetzung. So benötigen die modernen bildbasierten Medien weitaus mehr Visualität, als nach dem externen Kriterium des Informations- oder Nachrichtenwerts brauchbar ist. Würde sich zum Beispiel die TV-Aktivität auf die Übertragung tatsächlich ›sinnvoller‹ Bildgeschehnisse beschränken, wäre die Mattscheibe für die meiste Zeit des Tages schwarz, und es erforderte viel Geduld herauszufinden, ob der Apparat überhaupt noch funktioniert. Dies zu verhindern, werden Clips mit einkaufsbummelnden Passanten eingeschaltet, wenn von der Erhöhung der Verbrauchersteuer die Rede ist. Damit wird zum Verständnis finanzpolitischer Problemlagen zwar wenig beigetragen, doch ist zumindest das Funktionieren des TV-Systems visuell dokumentiert. Die Geschlossenheit des Bilderstroms wird so zum Vehikel der Selbstverwirklichung eines gleichfalls geschlossen operierenden Medienapparates und *vice versa*. Nicht anders verhält es sich mit der Beziehung zwischen *visualizing* und Computertechnologie. Letztere ist alles andere als sinngesteuert, und sie macht, was machbar ist. So entstehen Möglichkeitsräume, die meist erst im nachhinein über Softwareanwendungen künstlich gefüllt werden können. Aufwendige Spielgrafiken sind hierfür ein geeignetes Medium, und sie werden damit zum Motor einer Visualität, die nur darauf wartet zu visualisieren, was visualisiert werden kann.

Die absurden Verkettungen dieser Selbstbezüglichkeiten lassen sich *ad infinitum* weiterführen. Nirgendwo findet der nervöse Geist die ersehnte letzte Sinnberuhigung. Der Geist, falls es ihn überhaupt noch gibt, vergeht in einer Konfusion der Bilder, und vor seinem Abtritt wird er wohl Fichtes Figur des resignierten Geistes zitieren, der da spricht: »Ich selbst weiß überhaupt nicht, und bin nicht. Bilder sind: sie sind das Einzige, was da ist, und sie wissen von sich, nach Weise der Bilder: – Bilder die vorüberschweben, ohne daß etwas sei, dem sie vorüberschweben; die durch Bilder von den Bildern zusammenhängen, Bilder, ohne etwas in ihnen Abgebildetes, ohne Bedeutung und Zweck. Ich selbst bin eins dieser Bilder; ja, ich bin selbst dies nicht, sondern nur ein verworrenes Bild von den Bildern.«[12]

Anmerkungen

1 Goethe, Johann Wolfgang von: *Faust*. In: *Goethes Werke*. Weimarer Ausgabe. Bd. 14. Weimar 1887, S. 30.
2 Zur Bedeutung des Begriffes »Turbulenz« in diesen Wissenschaften vgl. Reiter, Carla: »The Turbulent Nature of a Chaotic World«. In: *New Scientist*, 31. 5. 1984.
3 Kandinsky, Wassily; Marc, Franz (Hg.): *Der Blaue Reiter*. München 1912, S. 78.
4 Ad Reinhardt in seinem Essay »ART-AS-ART«, nachgedruckt in: *Ad Reinhardt*. Ausst.Kat. Museum of Contemporary Art, Los Angeles. New York 1991, S. 121.
5 Vgl. Apollinaire, Guillaume: »Du sujet de la peinture moderne«. In: *Les Soirées de Paris*, 1.12.1912.
6 Richter, Gerhard: »Notizen 1964–1965«. In: Ders.: *Texte, Schriften und Interviews*. Frankfurt am Main; Leipzig [2]1994, S. 25–33, hier S. 29.
7 Vgl. Leopoldseder, Hannes (Hg.): *Cyberarts98*. Linz 1998.
8 Vgl. Virilio, Paul: *Rasender Stillstand*. Frankfurt am Main 1998.
9 Cyberarts98 (Anm. 7), S. 140.
10 Vgl. ebd., S. 148.
11 Singgemäß wiedergegebene, mündliche Glosse Heinrich Dillys im Rahmen des Doktorandenkolloquiums an der Universität Stuttgart im Sommersemester 1996.
12 Fichte, Johann Gottlieb: *Die Bestimmung des Menschen*. Berlin 1800, S. 173.

Garten der Künste

Garten der Künste

Fritz Jacobi

Die Skulpturen auf der Terrasse und der Rasenfläche an der Südseite der Neuen Nationalgalerie verkörpern einen wesentlichen Aspekt in der Plastikentwicklung des 20. Jahrhunderts: die Herausbildung eines freien, abstrakten Gestaltzeichens. Seit dem Jahrhundertbeginn löste sich die Skulptur durch eine intensivierte Beschäftigung mit den essentiellen Gegebenheiten von Körper und Raum mehr und mehr von einer unmittelbar gegenständlichen Bedeutung und konzentrierte sich verstärkt auf elementare Grundformen eines leiblich-materiellen Seins. Diese gleichermaßen aus Analyse und Synthese heraus entstehende Verdichtung eröffnete der Bildhauerkunst ganz neue Bezirke für die Realisierung innerer Formvorstellungen, und in zunehmen-

345 Alexander Calder, Têtes et Queue, 1965; Stahl-Stabile, 550 x 850 x 500 cm; Staatliche Museen zu Berlin, Nationalgalerie

dem Maße wurden die abstrahierbaren Wertigkeiten körperlicher Existenz zum Gegenstand der Gestaltung. Die Form selbst avancierte zu einem eigenständigen Ausdrucksträger, der unter anderem durch die Freisetzung skulpturaler Energien und deren Durchdringung mit der Immaterialität des Raumes oder durch eine verstärkte symbolische Verknappung neue Wirkungspotentiale entfaltete. Die Werke von Henry Moore, Alexander Calder, George Rickey, Richard Serra – die beiden letzteren erhielten Aufträge durch die Nationalgalerie – und Ulrich Rückriem sind markante Beispiele für diese veränderte Auffassung von Skulptur und veranschaulichen – auch in ihrer jeweiligen Materialität – fast eine Programmatik, in der Gemeinsamkeiten und Unterschiede verankert sind.

So einigt die beiden gleichaltrigen Avantgardisten der Moderne, Henry Moore und Alexander Calder, bei aller Verschiedenheit die bleibende Beziehung zur Welt des Organischen, der lebendigen Materie. Die voluminös-stämmige Ausformung von Moores **Der Bogenschütze** (Kat.Nr. 344) von 1964/65 bezeugt nachhaltig das Bekenntnis des Bildhauers, er habe die »Gesetzlichkeiten von Form und Rhythmus beim Studium von Naturgebilden wie Kieselsteinen, Felsen, Knochen, Bäumen, Pflanzen usw. entdeckt«[1]. Auch Calders Stabile **Têtes et Queue** (Kat.Nr. 345) von 1965 erinnert an phantasievoll verwandelte Naturformen, was ebenso auf seine bekannten, blattartig im Raum schwingenden Mobiles zutrifft. Im Gegensatz zu Moore und dessen Plastizität arbeitet Calder jedoch mit der klar geschnittenen, montierten, oft farbig gefaßten Stahlfläche, mit der er die spielerische Leichtigkeit des Schwebens und das statuarische Verzweigtsein seiner Konstellationen Gestalt werden läßt.

George Rickey und Richard Serra gehören einer anderen Formenfamilie an und sind – ebenfalls in sehr unterschiedlicher Weise – einer konstruktiven Gestalt-

346 Richard Serra, Berlin Block for Charlie Chaplin, 1978; geschmiedeter Eisenblock, 200 x 200 x 200 cm; Staatliche Museen zu Berlin, Nationalgalerie

347 George Rickey, Vier Vierecke im Geviert, 1969; Edelstahl, Quadrate je 150 x 150 x 12 cm, Gesamthöhe 620 cm; Staatliche Museen zu Berlin, Nationalgalerie

gebung verpflichtet. Beeinflußt durch Calder, mit dem ihn auch der behutsame Rhythmus seiner flügelartigen Gebilde verbindet, werden Rickeys kinetische Skulpturen wie die **Vier Vierecke im Geviert** (Kat.Nr. 347) von 1969 von einer technoiden Präzision und geometrischen Erhabenheit geprägt, getragen von seiner Beobachtung: »Natur ist selten bewegungslos.«[2] Das absolute Gegenstück zu dieser Anmut der Veränderung stellt Richard Serras wuchtiger **Berlin Block for Charlie Chaplin** (Kat.Nr. 346) von 1978 aus geschmiedetem Eisen dar, der – den Betrachter bewußt beunruhigend – in leichter Schräglage in den Boden hineingerammt zu sein scheint. 1979 erläuterte er das sich gegen die Architektur behauptende Werk: »Die Plattform von Mies van der Rohe ist eine rechteckige Konstruktion, ebenso wie das Gebäude, ein Quadrat auf einem Quadrat. Es erschien mir deshalb unmöglich, eine weitere Konstruktion über dieser Konstruktion zu errichten. Ich wollte nicht ein weiteres Artefakt hinzufügen, sondern etwas, was aus sich heraus sein Volumen, sein Gewicht hielt und Schwerkraft erfahrbar machte. Ich beschloss deshalb, einen massiven Würfel an einer Seite 7,5 cm tief in die Betonplattform abzusenken.«[3]

Diese völlige Beschränkung auf den elementaren Block zeichnet auch Ulrich Rückriems Arbeiten aus, nur daß er – wie bei **Granit (Normandie), gespalten, geschnitten** (Kat.Nr. 348) von 1984 – seine Quader aus dem Steinbruch herauslösen läßt und durch Schnitte in eine monolithisch erscheinende Mehrteiligkeit verwandelt. Diese Rückführung der Skulptur auf archaische Urformen entwickelt – in den urbanen Raum der Gegenwart gestellt – eine meditative und zugleich verfremdende Wirkung. So lautet denn auch sein Anliegen, das zugleich der Grundintention zahlreicher moderner Bildhauer entspricht: »Was ich mache, ist das Minimale, das Einfache, und ich glaube, daß das wichtig ist, daß es die Menschen dazu bringt, genauer hinzugucken, wenn es wenig zu sehen gibt.«[4]

348 Ulrich Rückriem, Granit (Normandie), gespalten, geschnitten, 1984; Granit, gespalten, geschnitten, fünfteilig, 330 x 240 x 70 cm; Staatliche Museen zu Berlin, Nationalgalerie

Anmerkungen

1 Moore, Henry: *Schriften und Skulpturen.* Frankfurt am Main 1959, S. 37.
2 Rickey, George: »The Morphology of Movement«, 1963. Zit. n. *George Rickey.* Ausst.Kat. Nationalgalerie Berlin. Hannover 1973, S. 14.
3 »Die Filme von Richard Serra. Interview von Richard Serra und Clara Weyergraf mit Annette Michelson 1979«. In: Harald Szeemann (Hg.): *Richard Serra. Schriften, Interviews 1970–1989.* Bern 1990, S. 93.
4 Ulrich Rückriem 1977 im Interview mit Paul Hefting. In: Hannelore Kesting (Red.): *Texte über Ulrich Rückriem 1964–1987.* Mönchengladbach 1987, S. 133.

Vorsatzblatt: 344 Henry Moore, Der Bogenschütze, 1964/65 (Ausschnitt); Bronze, 325 x 224 x 365 cm; Staatliche Museen zu Berlin, Nationalgalerie

Am Klang entlang

Am Klang entlang

Klanginstallationen von Hans Peter Kuhn, Ulrich Eller und Rolf Julius für die Neue Nationalgalerie

Gabriele Knapstein

In einem zwischen Materialität und Immaterialität anzusiedelnden Feld entfaltet sich die Kunstform der Klanginstallation, die mit ihrer spezifischen Verknüpfung von Sichtbarem und Hörbarem eine bedeutende Position in der Intermedia-Kunst des 20. Jahrhunderts einnimmt. Vor dem Hintergrund der Gattungsgrenzen überschreitenden Ansätze der künstlerischen Avantgarden dieses Jahrhunderts entwickelte sich die Klanginstallation – mit vergleichbaren Formen der Klangkunst wie Klangskulptur, Sound Environment oder Musikperformance – seit den späten sechziger Jahren zu einer eigenständigen künstlerischen Form: »Die Klanginstallation ist ein Hybridwesen: In ihr kommen musikalische, bildnerische und räumliche Elemente zusammen. Sie ist aber nicht eine Kombination, ein paralleles Zusammenwirken mehrerer künstlerischer Gattungen, sondern etwas Eigenständiges in einem Leerraum zwischen tradierten Kunstgattungen, zwischen Musik, Bildender Kunst und Architektur. [...] Die Bedeutung der kommunizierten Inhalte entsteht bei dieser Kunst weitgehend erst während der Interaktion mit dem Rezipienten, und zwar durch die aktive Aneignung der vom Künstler angebotenen Elemente.«[1]

Bewegt man sich »am Klang entlang« durch die Ausstellung in der Neuen Nationalgalerie, trifft man auf drei

349 Hans Peter Kuhn, Noch Ohne Titel, 1999; Installation für die Ausstellung *Das XX. Jahrhundert – Ein Jahrhundert Kunst in Deutschland* (Computersimulation)

Hans Peter Kuhn, Tricolor, 1998; Metronom, Barcelona

Situationen, die in unterschiedlicher Weise zur Erkundung von Wechselwirkungen zwischen akustischer und visueller Erfahrung einladen: Wer das Gebäude betritt, passiert die Klang- und Lichtinstallation von Hans Peter Kuhn, die sich unterhalb des flachen Daches über die gesamte Breite der Eingangsfront entwickelt; in der von Glaswänden eingefaßten oberen Halle durchläuft man die aus einzelnen skulpturalen Elementen bestehende Klangarbeit von Ulrich Eller; und in den unteren, dem Garten zugewandten Räumen des Museums gibt es die **Musik für den Blick nach draußen** von Rolf Julius zu entdecken.

Das Klangmaterial, das Hans Peter Kuhn in seinen Sound Environments und Performances, in Tanz- und Theatermusiken, in Hörstücken und Installationen verwendet, entstammt dem unerschöpflichen akustischen Reservoir, das der Alltag zu bieten hat: Straßenlärm und Tierstimmen, Wasserplätschern und Reibegeräusche, Gläserklirren und Geräusche technischer Anlagen. Die aufgenommenen Klänge und Geräusche werden von Kuhn bearbeitet und transformiert, um ihre »Oberfläche« hörbar zu machen: »Gegenüber synthetischen Klängen haben Originalgeräusche eine sehr vielfältige, zerklüftete Struktur. Ihr zeitlicher Ablauf ist immer überraschend, unvorhersehbar. Das macht sie so spannend. Ich nutze diese Eigenschaft aus, indem ich diese im mikroskopischen Bereich liegende Oberflächenbeschaffenheit vergrößere und damit dem Zuhörer zugänglich mache.«[2] Für seine überwiegend ortsbezogenen Installationen wählt Hans Peter Kuhn aus einem Fundus von Klängen und Geräuschen, die er im Studio bearbeitet hat, während des Aufbaus diejenigen aus, die im Zusammenspiel mit der gegebenen räumlichen Situation und den visuellen Elementen der Arbeit ein dynamisches raum-zeitliches Gebilde ergeben. Häufig arbeitet er mit der Spannung, die sich zwischen hoher Geschwindigkeit auf Seiten der akustischen Ereignisse einerseits und gebändigter Dynamik auf Seiten der visuellen Erscheinung andererseits aufbaut: so, wenn Klänge über einen Teppich aus Glasbruch und Leuchtstoffröhren jagen (Abb. S. 393) oder wenn in der für die Neue Nationalgalerie konzipierten Installation **Noch Ohne Titel** die Geräusche von Lautsprecher zu Lautsprecher springen, während die gebrochene Linie der schwebenden weißen Leuchtstoffröhren die Strenge der Architektur konterkariert (Kat.Nr. 349).

»Innenkreis und Außenkreis. Zwei Obertöne einer Form. Die andere Sprache des Materials.«[3] Mit wenigen Worten beschreibt Ulrich Eller hier das Prinzip der **ZweiTonFormen**, von denen er sieben unterschiedlich große Varianten in der oberen Halle der Nationalgalerie präsentiert (Kat.Nr. 350). Durch Anreiben des äußeren und inneren Randes der runden Stahlbleche mit ihren kreisförmigen Ausschnitten im Zentrum hat der Künstler die Obertöne des Materials abgenommen. Die beiden Obertöne eines jeden Stahlblechs hat er dann kompositionell bearbeitet, um sie schließlich über einen im inneren Kreis sitzenden Lautsprecher wiederzugeben. Aufgrund der unterschiedlichen Größen der sieben flach über dem Boden installierten und im Raum verteilten Stahlbleche hat jede **ZweiTonForm** ihren eigenen Klang, der im Durchlaufen der Installation hörend geortet werden kann: »Der sich ausbreitende Gesamtakkord im Raum wird so als Summe seiner Singulärerscheinungen nachvollziehbar. Die optisch flache Anordnung der Arbeit entspricht der Vorstellung der tonalen Schwebung. Jeder Einzelkreis wird so beschallt, daß den Aktionszeiten mindestens genauso lange Stillezeiten gegenüberstehen, wobei die Gesamtlautstärke der räumlichen Ausdehnung des Stücks entsprechen soll. Bei permanenter Inbetriebnahme aller Kreise ergibt sich durch ihre aleatorische Klangstruktur ein in andauernder Veränderung sich befindender Gesamtakkord. Zu hören ist das, was man sieht, eine Transformation der Materialformen in ein akustisches Geschehen.«[4]

Ulrich Eller, ZweiTonForm, erster Versuchsaufbau mit einer gefundenen Stahlscheibe, 1992

Die musikalischen Aktionen und Klangarbeiten von Rolf Julius zeichnen sich durch äußerste Sparsamkeit und Zurückhaltung im Umgang mit Klängen, Farben und Materialien aus. »Musik ist überall«, schreibt Julius, »Musik ist unter den Steinen [...]. Musik ist in den Mauerritzen – du kannst sie vorsichtig herauskratzen [...]. Sieh dich um – versuche, alte Musik zu finden – du mußt dich nach ihr bücken – sie ist in der Stadt auf deinem Weg, schräg hinter dir – heb die Musik auf, die du findest.«[5] Mit seinem Instrumentarium von Mikrofonen, Kassettengeräten, kleinen Lautsprechern, Litzen und Summern macht sich Julius daran, die Musik an unterschiedlichsten Orten aufzuspüren: »Musiklinie – Konzert für einen Strand«, »Konzert auf dem Ernst-Reuter-Platz«, »Konzert für einen gefrorenen See« und »Musik

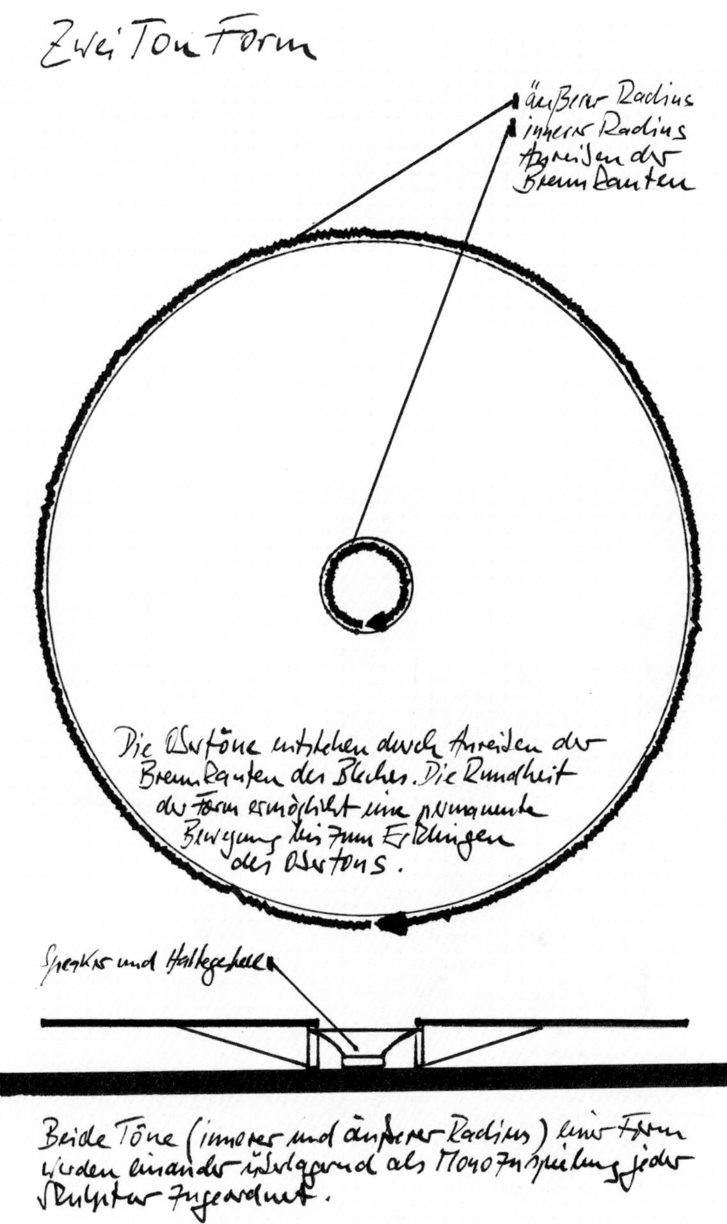

350 Ulrich Eller, ZweiTonForm, 1999; Installation für die Ausstellung *Das XX. Jahrhundert – Ein Jahrhundert Kunst in Deutschland* (Skizze)

von einer alten Mauer« lauten die Titel einiger musikalischer Aktionen, die Julius 1981/82 im Stadtraum von Berlin durchgeführt hat. Seine Klangarbeiten beziehen sich stets auf ihre jeweiligen Umgebungen; er komponiert Musiken für einen bestimmten Ort, für eine bestimmte landschaftliche oder räumliche Situation. Mehrfach hat er Fenstersituationen gewählt, um an der Grenze zwischen Innen- und Außenraum »einige sehr kleine Ergänzungen vorzunehmen zu dem, was bereits da ist«[6]. Auch in der Neuen Nationalgalerie befestigt er kleine Lautsprecher und Litzen an den Fensterscheiben, die seine **Musik für den Blick nach draußen** (Kat.Nr. 351) transportieren. Die Konzentration auf die flüchtigen akustischen Ereignisse kann dazu beitragen, die Aufmerksamkeit auf den Blick in den Skulpturengarten zu lenken:

> »Klänge, die warten
> Töne, die übrigbleiben
> Musik, die man vergißt«[7]

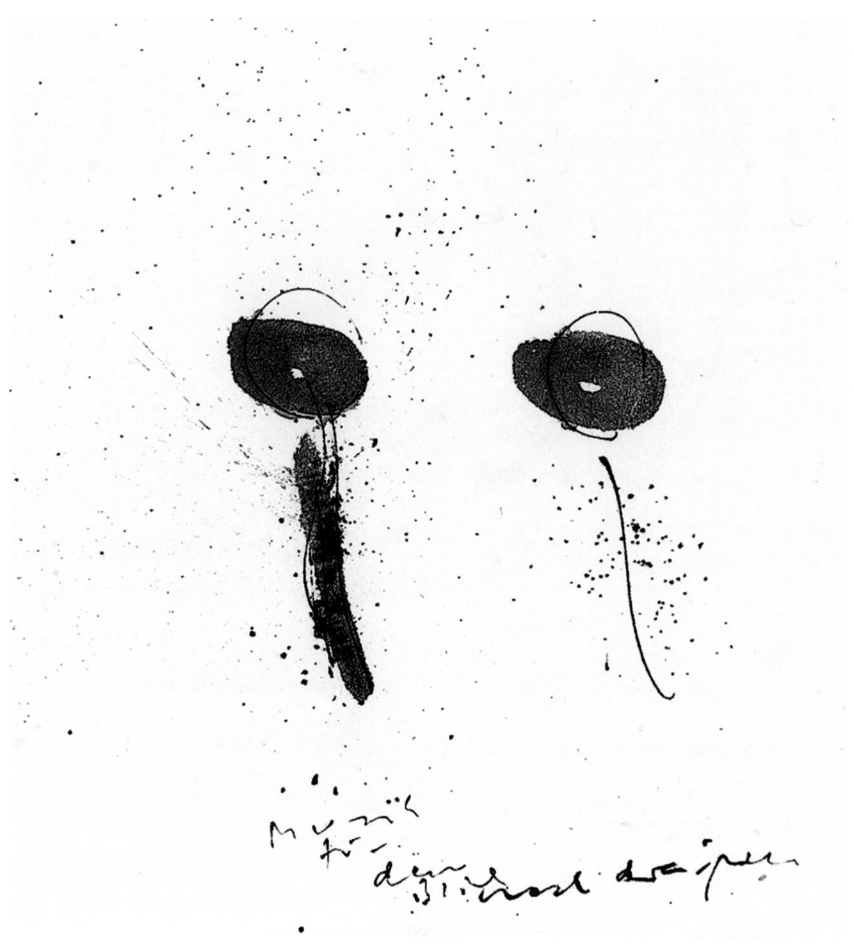

351 Rolf Julius, Musik für den Blick nach draußen, 1999; Installation für die Ausstellung *Das XX. Jahrhundert – Ein Jahrhundert Kunst in Deutschland* (Skizze)

Rolf Julius, Stein allein, 1993

Anmerkungen

1 Föllmer, Golo: »Mitten im Leben – Klanginstallation, Klangkunst, Alltagsklänge«. In: René Block; Angelika Stepken (Hg.): *In Medias Res.* Ausst.Kat. Atatürk-Kulturzentrum Istanbul. Berlin 1997, S. 37-42, hier S. 37, 40f. Zur Entwicklung der Klangkunst im 20. Jahrhundert vgl. Block, René; Hertling, Nele (Hg.): *Für Augen und Ohren.* Ausst.Kat. Akademie der Künste Berlin. Berlin 1980; Maur, Karin v. (Hg.): *Vom Klang der Bilder. Die Musik in der Kunst des 20. Jahrhunderts.* Ausst.Kat. Staatsgalerie Stuttgart. München 1985; La Motte-Haber, Helga de (Hg.): *klangkunst. sonambiente – festival für hören und sehen.* Ausst.Kat. Akademie der Künste Berlin. München; New York 1996.

2 Hans Peter Kuhn, zit. n. »Klänge in der Zeit«. Ein Gespräch mit Hans Peter Kuhn. In: *Theaterschrift*, H. 12, 1997, S. 106–123, hier S. 112.

3 Eller, Ulrich: »ZweiTonForm«. In: Ders., Lucie Schauer, Bernd Schulz (Hg.): *Ulrich Eller.* Ausst.Kat. Neuer Berliner Kunstverein. Saarbrücken 1992, S. 78f., hier S. 79. In der Überschrift meines Katalogbeitrags paraphrasiere ich den Titel der Arbeit »Am Geräusch entlang« von Ulrich Eller, vgl. ebd., S. 92f.

4 Ulrich Eller, zit. n. seinem Konzept für die Ausstellung *Das XX. Jahrhundert – Ein Jahrhundert Kunst in Deutschland* vom 1. Juli 1999.

5 Julius, Rolf: »Musik ist überall – Music is everywhere«, 1983. In: Bernd Schulz; Hans Gercke (Hg.): *Rolf Julius. Small Music (Grau).* Ausst.Kat Heidelberger Kunstverein. Heidelberg 1995, S. 78.

6 Nakagawa, Shin: »Fragmente für Julius«. In: Schulz, Gercke (Anm. 5), S. 150–160, hier S. 153.

7 Partituren von Rolf Julius, zit. n. Gercke, Hans (Hg.): *Julius.* Ausst.Kat. Heidelberger Kunstverein. Heidelberg 1982, S. 19.

Vorsatzblatt: 349 Hans Peter Kuhn, Noch Ohne Titel, 1999 (Ausschnitt)

P R I N Z I P

COLLAGEMONTAGE

5000
caesar buonarroti
XYZ

Prinzip CollageMontage

Eugen Blume und Roland März

Das 20. Jahrhundert geht zu Ende, das Säkulum der Aufbrüche, Umbrüche und Zusammenbrüche: »Aber das Interessanteste sind doch die Zusammenbrüche. Alle geistigen Systeme, alle Ideologien sind in diesem Jahrhundert zusammengebrochen. Es war das Jahrhundert der Monster. Alles in diesem Jahrhundert war monströs. Alles ist explodiert. Die Formen, die Farben, Schwitters, die Collagen [...] und überhaupt, der Gegenstand ist verschwunden, überall in der Literatur und in der Malerei, die erzählte Geschichte, die gemalte Figur, alles ist in Fragmente zerfallen.«[1] Mit den *papiers collés* der Kubisten Georges Braque und Pablo Picasso kam 1912 das Prinzip Collage[2] auf, die Initialzündung und das folgenreichste Gestaltungsprinzip für die Avantgarde und die an der Technik orientierte Moderne im 20. Jahrhundert. Prinzip ist Anfang und Ursprung, die Demontage der bildnerischen Konvention seit der Renaissance war der entscheidende Ausgangspunkt, von dem aus das Weltbild der *harmonia mundi*, die Aura und Struktur des organischen Kunstwerkes[3], das *L'art pour l'art* und die traditionelle Institution Kunst zerstört wurden. Die Kubisten attackierten die Zentralperspektive und die Illusion, das gemalte Trompe-l'œil-Stilleben des 17. Jahrhunderts (Abb. S. 402) sei handgreifliche Wirklichkeit, durch die Integration einer bereits zivilisatorisch gebrauchten Realität von Wachstuchrest und Zeitungsfragment. Das Provokante dieses Ursprungs hat sich heute längst verloren, schon die Dadaisten George Grosz und John Heartfield persiflierten Picassos *papiers collés* als vollendete Kunst. Trotzdem war die Collage von Anbeginn mehr als bloße ›Technik‹ und Zitatmontage, die sich im Verlaufe des Jahrhunderts unter dem Dachbegriff der ›Montage‹ zum universellsten Gestaltungsprinzip mit völlig konträren Absichten im Dialog der Künste entwickelte. Den nächsten Schritt in die Wirklichkeit von Zeit und Raum mittels der Collage vollzogen die Futuristen mit ihrer Simultaneität divergierender Blickpunkte, Sichtachsen und Zeitebenen in einer ›offenen‹, dynamischen Werkstruktur, die sich intermedial zu den benachbarten Künsten Literatur, Film und Theater öffnete. Der Futurismus hat die Montage, das Erbe der industriellen Revolution im 19. Jahrhundert, für die Moderne wieder aktualisiert und kreativ gemacht: »Montage setzt die Fragmentierung der Wirklichkeit voraus und beschreibt die Phase der Werkkonstitution«[4], von Marcel Duchamps Readymade zur Montage im Konstruktivismus. Die Apotheose von Mensch, Maschine und Stadt, zusammengefügt aus vorgefertigten Einzelteilen zu einem neuen, funktionellen Ganzen, sie orientierte sich an divergierenden Entwürfen für eine ›Zukunft‹, in der Kunst und Leben identisch werden sollten. In der manifesten Verschränkung von kunstimmanenter Collage und der ins Gesellschaftliche ausgreifenden Technik und Tendenz der multimedialen Montage[5] erwies sich

Anonymus, Stilleben mit Wandtasche, Ende 17. Jahrhundert; Kunstsammlungen zu Weimar

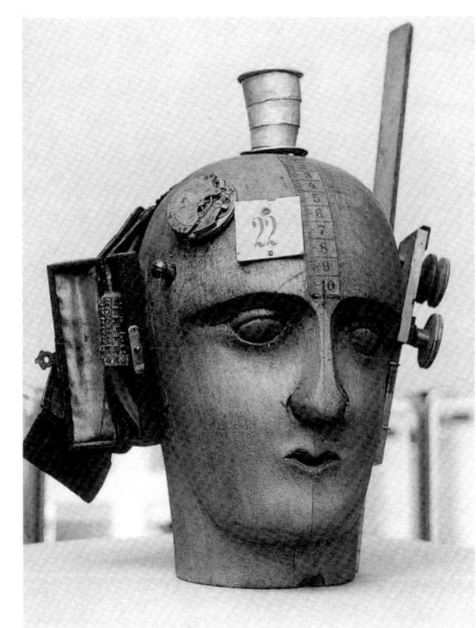

Giuseppe Arcimboldo, Allegorie des Feuers, 1566; Kunsthistorisches Museum Wien

Raoul Hausmann, Mechanischer Kopf, 1920; Musée National d'Art Moderne, Paris

die Liaison von Collage und Montage als das variabelste Prinzip des Denkens, Handelns und Kombinierens einer zerstückelten Wirklichkeit zu neu gefügten Synthesen mit Sprüngen und indifferenten ›Schwebezuständen‹ in den grenzüberschreitenden Künsten des 20. Jahrhunderts. Gezielte Kontradiktionen[6], die im Lauf der Zeit aufeinandertrafen: unorganisch – organisch, diskontinuierlich – kontinuierlich, mehransichtig – einansichtig, gleichzeitig – einzeitlich, multimateriell – einstofflich. Das bildnerische Collagieren und Montieren mit gebrauchten und neu gefertigten Versatzstücken, praktiziert nach den Gesetzen des Zufalls und bewußter intellektueller Kombinatorik, führte sukzessive aus der Fläche in den Raum: *papiers collés* – Décollage – Assemblage – Découpage – Déchirage – Frottage – Fotomontage – Fotogramm – akkumuliertes *objet trouvé* und Ready-made – Combine Painting – Happening – Environment – Videoinstallation – Fügungen aus realen und fiktiven Räumen. Über den Merzbau von Kurt Schwitters hinaus, gehört auch die collagierte Architektur der Postmoderne in diesen Kontext. Collage und Montage repräsentieren den erweiterten, für die Rezeption interaktiven Kunstbegriff der Moderne. Ihr Handlungsbedarf kennt keinerlei Tabus im Umgang mit den banalen Materialien der modernen Zivilisation. Die Verschwisterung beider Prinzipien wird durch den neuen, kritisch-intellektuellen wie charismatischen Typus des Künstlers der Moderne repräsentiert, der »braucht keine regeln, kein formprinzip: ja sein prinzip ist geradezu, alles mögliche außerhalb der bisherigen möglichkeiten, formen und nutzungen zu versuchen. das werk repräsentiert eine fähigkeit, keinen stil.«[7] Der moderne Künstler inszeniert sich selbst, mit Maske und mit seinen technischen Instrumentarien: ›Monteur‹ Heartfield mit Schere, ›Konstrukteur‹ Lissitzky mit Zirkel, ›Anti-Künstler‹ Duchamp als ungreifbares Wesen oder ›Schamane‹ Beuys mit dem toten Hasen, ihm die Bilder erklärend (Abbn. S. 400f.).

Technik und Montage – ein Januskopf aus Fortschrittsgläubigkeit und Zerstörung, konstruktiv und zersetzend für das gesamte 20. Jahrhundert. Die alles zerhackende Maschinerie der Vernichtung hatte im Ersten Weltkrieg mit der Technikeuphorie der Futuristen kurzen Prozeß gemacht. Jahrhunderte zuvor hatte der Manierist Giuseppe Arcimboldo mit seiner Allegorie des Feuers (Abb. S. 403), einem Kompositkopf aus Wachsstock, brennendem Holzstoß und Geschützen, ›einträchtige Zwietracht‹ in fürstlicher Wunderkammer gesät. Im Manierismus der »transkategoriale Zwitter« (Werner Hofmann) bei Arcimboldo, im Dadaismus der mechanische Kopf »Der Geist unserer Zeit« (Abb. S. 403) von Raoul Hausmann als assemblierte Metapher für das Vakuum ›Nichts‹, das der Weltkrieg hinterließ. Der Holzkopf einer Schaufensterpuppe, hirnlos und leer – der von moderner Technik dominierte Mensch. Hausmanns sarkastischer Kommentar: »Wozu Geist haben in einer Welt, die mechanisch weiterläuft.« Den Maschinenpessimismus und die Automatisierung des Menschen im 20. Jahrhundert haben die Dadaisten mit Duchamp und Picabia, aber auch mit den Slapsticks in Charlie Chaplins Film *Modern Times* (Abb. S. 404) geteilt. In seinem Film *Metropolis*, eine Vision der Stadt der Zukunft, zeigte Fritz Lang die Entfremdung des Arbeiters von der Maschine auf. Im Teufelskreis des Räderwerks ›Technik‹ gibt es kein Entrinnen, nur das groteske Hantieren, doch vergeblich: »Die Maschine hat sich des Menschen bemächtigt« – so Ghandi, »der Mensch ist zur Maschine gemacht worden, er funktioniert, er lebt nicht mehr.«

Charlie Chaplin in *Modern Times*, 1938

Paul Citroën, *Metropolis*, 1923; Prentenkabinet der Universiteit Leiden

Die positive Analogie der Montage in der Technik zu den Künsten findet sich bei Bertolt Brecht: »Es ist also tatsächlich etwas ›aufzubauen‹, etwas ›Künstliches‹, ›Gestelltes‹.« Montage erscheint als konstruktiv kritisches Gesellschaftsmuster, in der kontrastierenden Struktur und im argumentativen Verfremdungseffekt war der Fotomonteur Heartfield dem Epischen Theater Brechts nahe. Der montierende Künstler arbeitet seitdem »in Serie« und in Sequenzen. Den zwanziger Jahren hat es in Europa an montierten Entwürfen einer ›Neuen Welt‹ nicht gemangelt. Bei Paul Citroën der Lobpreis der Stadt im Simultané einer amerikanisierten Architektur (Abb. S. 404), im Rhythmus weitergeführt in Walter Ruttmanns Film *Berlin – Symphonie einer Großstadt.*

Der Film *time as activity (Berlin)* von David Lamelas gibt die Antwort von heute aus der Luftperspektive. Patchwork Metropolis Berlin, zusammengeflickt aus Sedimenten von Krieg, deutsch-deutscher Teilung und Einsprengseln aus Resten von Natur. Die Stadt als montierter Organismus, gesehen aus der Distanz, eine Vision zwischen Realität, Verfall und Neuaufbau. Revolutionäre Entwürfe als Paradigmen im frühen 20. Jahrhundert: Wladimir Tatlins grandioser ›Turm‹ (Abb. S. 405), 400 Meter hoch konzipiert, Auftragswerk von 1919, 1920 in Moskau modelliert, im nachrevolutionären Rußland an Lenins Votum und an den kommunistischen Realitäten gescheitert. Das »Weltwunder der Neuzeit« (Hans Richter), das nie gebaute, kollektive Symbolum für geistige Energie und gesellschaftlichen Fortschritt, wurde unlängst für die Brache Berliner Schloßplatz von Harald Szeemann in Vorschlag gebracht. Die Spirale erscheint hier als poetische Metapher und Symbol der Unendlichkeit einer Idee, Tatlins ›Turm‹ steht für »das Kunstwerk als nichtfunktionelle Maschine« (Boris Groys). Utopia ohne Ende, Freiheit und Staat, Erde und Kosmos miteinander verbindend. Montage und »Gesamtkunstwerk«[8], eine Kette der uneingelösten Utopien von Marcel Duchamp bis Joseph Beuys, »[...] flüchtn in die realität, und zerschellen dann, wie billich daran [...]« (Arno Schmidt).

Wladimir Tatlin, Modell für ein Denkmal der Dritten Internationale, 1920

Auf die Automatisierung des Menschen und den harten, unerbittlichen Rhythmus der Zeit (Abb. S. 406) hat Hans Arp mit der **Turmuhr** (Kat.Nr. 354) seine Antwort mit der biomorphen Maschine gegeben: die fließende Zeit in einem organisch strukturierten Kontinuum. Versuchte der europäische Konstruktivismus vom Bauhaus bis De Stijl noch mittels der Bildmontage den aufbauenden Eingriff in die architektonische und soziale Umwelt, so setzten Duchamp und die Surrealisten (Abbn. S. 407) auf die Autonomie assoziativer Montagekopplung: »das ideale modell einer collage ist duchamps ready-made aus einem fahrradteil auf einem hocker. es entspricht lautréamonts bestimmung der poesie als der möglichkeit, daß eine nähmaschine einem regenschirm auf einem seziertisch begegnet. max ernst übersetzte lautréamonts modell in die abstrakte formel: ›durch annährung von zwei scheinbar wesensfremden elementen auf einem ihnen wesensfremden plan die stärksten poetischen zündungen provozieren.«[9] Zur Paradoxie des Surrealismus gehört, daß seine auratische Irrationalität und vexierbildhafte Rätselhaftigkeit nicht etwa Resultat der *écriture automatique* und des Traumes war, sondern mit der intellektuell gesteuerten Kombinatorik der Bildmontage diverser

Verfahren hervorgebracht wurde. In den dreißiger Jahren geriet auch die montierende Avantgarde mehr und mehr in die Krise. Die »Fabrikation der Fiktionen« (Carl Einstein) hatte am Vorabend des Zweiten Weltkrieges ihren Bankrott angemeldet. Die katastrophalen politischen Zeitläufte polarisierten die Lager der Monteure und ihrer Theoretiker. Auf der einen Seite die linken Materialisten mit Theodor W. Adorno, Walter Benjamin und Carl Einstein, auf der anderen André Breton, der Wortführer des Surrealismus. Walter Benjamin pries die »soziale Durchschlagskraft der Photomontage« John Heartfields (Abb. S. 407), während der abtrünnige Surrealist Louis Aragon Max Ernst kritisierte, »der mit aller erdenklichen Phantasie die Elemente einer Poesie kombiniert, die Selbstzweck ist«. Unversöhnliche Positionen der Montage standen sich gegenüber: Politischer Zeiteingriff versus Sur-reale Zeitenthobenheit. Agitation oder Autonomie der Kunst? Mit Walter Benjamin kann gesagt werden, daß sowohl der ›Sür-Realismus‹ als auch die zeitkritische Montage die »letzte Momentaufnahme der europäischen Intelligenz« im Europa der dreißiger Jahre darstellten, bevor der getarnte Traum wie die politische Demontage im Inferno des Zweiten Weltkrieges zerstoben.

Der zweite der Weltkriege in diesem Jahrhundert stellte alle geschichtliche Gewalt in den Schatten. Nie zuvor waren Kampfmaschinen mit einer derartig hohen Zerstörungskraft entwickelt worden. Bombenteppiche legten deutsche Städte in Schutt und Asche. Deutsche Soldaten verbrannten die Erde Osteuropas. Der Rassenwahn mordete kaltblütig Millionen in den Gaskammern der Konzentrationslager. Nach dem Krieg flüchtete die westliche Kunst in die jenseits der Geschichte siedelnde Abstraktion, deren metaphysische Verkündungen nochmals eine Reinigung vom Abfall der unerträglichen Wirklichkeit versprachen. Nach Amerika vertriebene Dadaisten und Surrealisten infiltrierten ihre Montage- und Collagetechniken in die amerikanische Kunst. Gegen vergeistigte Farbfeldmalerei und Informel agierten bald die *combine paintings* von Robert Rauschenberg und die sich in totaler Affirmation chamäleonhaft der Warenwelt verschwisternde Pop-Kunst von Andy Warhol, Claes Oldenburg, Roy Lichtenstein, Tom Wesselmann und James Rosenquist. Durch die amerikanische Kultur mehrfach gebrochen, kehrte ein in Europa erfundenes Prinzip zu Beginn der sechziger Jahre nach Deutschland zurück, allerdings nicht ohne die Materialinspiration, die von Kurt Schwitters ausging. 1959 inszenierte die Independent Group um den Werbegraphiker Richard Hamilton und Eduardo Paolozzi in London die Ausstellung *This is tomorrow* in Anlehnung an Duchamps berühmte Surrealismus-Ausstellungen 1938 und 1942 in New York als Prä-Pop und Totalcollage. Von Deutschland unbemerkt, rehabilitierte Hamilton mit seiner second-hand-Ikone **Was ist es nur, das die Wohnungen von heute so ganz anders, so reizvoll macht?**, 1956 (Abb. S. 408), das bewährte Prinzip Collage. Steht in Chaplins *Modern Times* (Abb. S. 408) der Künstler noch als anarchischer Antipode, als tragikomischer Clown fremd in der Wohncollage des herrschenden Kleinbürgertums, ist bei Hamilton der im Fit-

354 Hans Arp, Turmuhr, 1924; Holzrelief, bemalt, 53,5 x 53 x 6 cm; Öffentliche Kunstsammlung Basel, Kunstmuseum, Schenkung Marguerite Arp-Hagenbach 1968

Elektrische Uhr, AEG

Max Ernst, Die schwankende Frau, 1923; Kunstsammlung Nordrhein-Westfalen, Düsseldorf

Marcel Duchamp, Fahrrad-Rad, 1913/64; Museum Ludwig, Köln

John Heartfield, 5 Minuten vor zwölf, 1942; Stiftung Archiv der Akademie der Künste, Berlin, Kunstsammlung (John-Heartfield-Archiv)

neßstudio der Nachkriegsmoderne gestählte Pop-Künstler zwischen Fernseh- und Tonbandgerät, Staubsauger und Pin-up-girl bereits heimisch geworden.

Marcel Duchamp, genialer Erfinder, Prophet der Avantgarde und eine Quelle der Pop-art, wird erst 1962 in Deutschland bekannt. Sein wichtigstes Werk, eine geheimnisvolle Montage hinter Glas, ist gleichsam der Reliquienschrein der Moderne. Die Zeitschrift *Vogue* warb mit einem elegisch hinter dem **Großen Glas** vorbeischreitenden Model für die Sommermode im Juli 1945 (Abb. S. 409). Das dem **Großen Glas** zugrunde liegende elitäre Konzept gerinnt zur schieren Dekoration. Unbeabsichtigt gelang *Vogue* ein prophetischer Blick in die Zukunft einer alles vereinnahmenden Szenerie aus Kunst und Kommerz. Der »Ausstieg aus dem Bild« erzeugt collagierte Environments, die *Nouveaux Réalistes* decollagieren die Plakatwände des gesinnungslosen Designers, des verhaßten Widergängers freier Kunst. Der Schrott des sich schnell verbreitenden Wirtschaftswunders bietet Material genug für Jean Tinguelys ironische Paraphrasen auf eine alles durchdringende Maschinengläubigkeit (Kat.Nr. 358). Arman und Spoerri (Kat.Nrn. 510f.) pressen »bei vierzig Grad über Dada«[10] Alltagsmüll und Reste melancholischer Künstlersymposien in die Gestalt von Kunstwerken, die an den weißen Wänden der neuerbauten Museen für zeitgenössische Kunst der Wohlstandsgesellschaft den Charme armer Materialien nahe bringen. »Die neuen Realisten betrachten die Welt als Gemälde, das große grundlegende Werk, dessen Fragmente, voll von umfassender Bedeutung, sie sich aneignen.«[11]

Charlie Chaplin in *Modern Times*, 1938

Richard Hamilton, Just what is it that makes today's homes so different, so appealing?, 1956; Kunsthalle Tübingen, Sammlung Prof. Dr. Georg Zundel

Der Kunst steht bald schon in den sich rasant verbreitenden elektronischen Massenmedien ein Bilderreservoir zur Verfügung, das sich in collagierten, bewegten Bildern zu kaleidoskopartigen Gebilden auswächst. Das *enfant terrible* und der Gründungsvater der Medienkunst ist der Koreaner Nam June Paik, dessen Karriere in Deutschland mit präparierten Klavieren und Fernsehern, selbstgebauten Robotern und Fluxusmusiken begann. Wie nirgends sonst auf der Welt erfährt die zeitgenössische Kunst durch das von den Amerikanern rehabilitierte deutsche Bürgertum eine, trotz gelegentlich aufkeimenden Widerstands, bis dahin nicht gekannte Förderung ihrer neuesten Erfindungen. Deutschland wird zum alles aufnehmenden Transitgebiet, das in der *documenta* alle vier oder fünf Jahre eine inmitten kleinstädtischer Biederkeit inszenierte Bilanz der Westkunst zieht. Durch die alle Konventionen sprengenden Prinzipien Ready-made und CollageMontage war alles der Kunst ausgesetzt. Jahr um Jahr wuschen ihre Adepten die letzten Nuggets aus dem Fluß des Lebens, bis nur noch der Fluß selbst übrig geblieben war. Hatte die Kunst endgültig das Leben erreicht? »Ich bin für die Kunst von Teddybären und Gewehren und geköpften Kaninchen, explodierender Schirme, vergewaltigter Betten, von Stühlen, deren braune Knochen zerbrochen sind, von brennenden Bäumen, Kanonenschlagresten, Hühnerknochen, Taubenknochen und Kisten, in denen Männer schlafen. Ich bin für die Kunst leicht angefaulter Begräbnisblumen, aufgehängter blutiger Hasen und schrumpliger gelber Hühner, von Baßtrommeln und Tambourins und Plastikplattenspielern [...]. Ich bin für eine Kunst, die heruntergekämmt ist, die von beiden Ohren herabhängt, die auf die

Das »Große Glas« von Marcel Duchamp auf dem Cover der *Vogue*, New York, Juli 1945

Lippen und unter die Augen gelegt wird, die von den Beinen rasiert wird, die auf die Zähne gebürstet wird, an den Oberschenkeln befestigt wird, über den Fuß gezogen wird«[12], schrieb Claes Oldenburg 1961. Die seit 1900 ersehnte Annäherung von Kunst und Leben findet nicht wirklich statt, nur Trivialkunst wie Comics, Film und Rockmusik erreichen ein Massenpublikum. Der universelle Charakter der elektrisch verstärkten Klangmontagen der Rockmusik, ihr populärer Widerstandsgestus und ihr in freier Liebe und drogenverstärkten Halluzinationen geträumter Traum von einer freien Gesellschaft verschafft der Jugend der sechziger und siebziger Jahre eine nur ihr zugehörige Kunstform. Aus den Mischungen von politischen Balladen Bob Dylans, den exotischen Inszenierungen der in Phantasieuniformen auftretenden Beatles, der harten Riffs der sich auf den schwarzen Blues berufenden Rolling Stones (Abbn. S. 410), Jimi Hendrix' ekstatischem Gitarrenvirtuosentum, der sich elitär gebenden und von Andy Warhol geförderten Velvet Underground, der sich in wilden Performances auslebenden Who und unzähliger anderer Bands bis zu Patti Smith und dem Punk der Sexpistols hatte sich ein Sound gebildet, welcher einen nur der jungen Generation verständlichen Code beinhaltete. Die Jugendrevolte entsagte allen vorgeprägten Zukunftsvisionen. Mit »God« decollagierte John Lennon die Weltbilder der Väter und Gurus: »I don't believe in Magic/ I don't believe in I-Ching/ I don't believe in Bible/ I don't believe in Tarot/ I don't believe in Hitler/ I don't believe in Jesus/ I don't believe in Kennedy/ I don't believe in Buddha/ I don't believe in Mantra/ I don't believe in Gita/ I don't believe in Yoga/ I don't believe in Kings/ I don't believe in Elvis/ I don't believe in Zimmerman/ I don't believe in Beatles/ I just believe in Me«. Es ist die Zeit des *streetfighting man* und der *sympathy for the devil*, der »individuellen Mythologien«, des *La rivoluzione siamo noi*. Trivialkultur und Hochkunst verschmelzen zu einer gemeinsamen Zeitstimmung von Beuys' »Das Lachen der Beatles gilt mehr als die Anerkennung von Marcel Duchamp«[13] bis zu Paul Theks »Zikkurat, das Grab – Tod eines Hippie« auf der *documenta V* in Kassel und Öyvind Fahlströms raumgreifenden Comics.

Das intelligente Spiel der sich auf Dada berufenden, aus Amerika kommenden Fluxus-Künstler tritt noch einmal gegen eine satte, in unbewältigter Vergangenheit verharrende Bürgerwelt an. In mit Artefakten der eigenen Innerlichkeit angefüllten Räumen, in zur Schau gestellten katholischen Selbstbestrafungen, die sich in Collagen aus nackten Leibern, Blut und Eingeweiden in den Wahnspielen der Wiener Aktionisten und den politisch-poetischen Happenings der Fluxus-Künstler öffentlich vollziehen, vollführten die Künstler der sechziger und siebziger Jahre noch einmal ihre folgenlos bleibenden Passionsspiele. In der 1968 in Frankreich und Deutschland losbrechenden Studentenrevolte fanden sie ihr politisches Pendant, ohne daß die abermals ersehnte Vereinigung von Kunst und Leben in Erfüllung ging. Terrorgruppen der RAF, deren Führer sich aus verlorenen Kindern deutscher Pfarrhäuser rekrutierten, legitimierten ihre Gewalt mit kommunistischen Befreiungsphantasien und hoff-

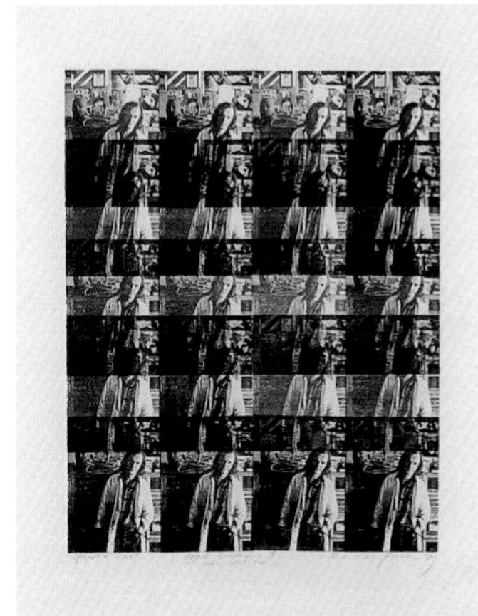

355 Robert Rehfeldt, UNE ARTISTE, 1979; Selbstporträt, Klischeehanddruck, 75 x 54 cm

The Beatles, Sgt. Peppers Lonely Hearts Club Band, 1967, Gestaltung: Peter Blake, Jann Haworth; Plattencover

The Rolling Stones, Let It Bleed, 1969, Gestaltung: Robert Brownjohn; Plattencover (Vorder- und Rückseite)

ten auf den Polizeistaat als Vorstufe zur Revolution. In die Gewaltmontage fügte Beuys die Kunst als Befriedungsinstrument: »Dürer, ich führe persönlich Baader + + Meinhof durch die Dokumenta V, dann sind sie resozialisiert!« (vgl. Kat.Nr. 570).

Auf der anderen Seite, in der von der westlichen Welt ausgeschlossenen DDR, erschien das Prinzip CollageMontage zunächst nur in der tradierten Form des gemalten Simultanbildes (Bernhard Heisig, Willi Sitte, Werner Tübke, Kat.Nrn. 124f., 129ff., 144f.) zu Themen deutscher Leidensgeschichte von Revolution, Faschismus und Krieg. Die im klassischen Sinne eigentliche Collage fristete in der DDR ein Schattendasein[14], deren wichtigste Vertreter Hermann Glöckner, Albert Wigand, Willy Wolf, Robert Rehfeldt (Kat.Nr. 355), Dieter Tucholke, Wolfgang Petrovsky und Manfred Butzmann waren. Lutz Dammbeck verließ als erster Künstler in der DDR die tradierten Collage- und Montageformen. Mit seinem 1985 entstandenen intermedialen Herakles-Projekt schuf er eine selbstreferentielle Montage aus Film, Projektionen, Fotografie, Environment, Tanz und Musik, die der Rolle des Subjekts in der Geschichte zwischen Macht und Ohnmacht, Anpassung und Verweigerung nachspürt. Gegen Ende der DDR fand die Künstlergruppe »Autoperforationsartisten« zu Aktionen, deren auf performativen Montage- und Collage-Prinzipien beruhender protestantischer Charakter die Endzeitstimmung der DDR-Gesellschaft spiegelten (Kat.Nr. 557).

Resigniert verharrten die avantgardistischen Monteure in zynischer Destruktion oder konvertierten in einen kommerziellen Opportunismus, einzig Joseph Beuys holte noch einmal zu einer alles umfassenden letzten Idee des Gesamtkunstwerks als soziale Plastik aus. In seiner eklektizistischen Montage philosophischer, theosophischer, ökologischer, alternativökonomischer und anthroposophischer Weltvorstellungen tritt der Künstler ein letztes Mal mit

Andy Warhol, Close Cover Before Striking (Pepsi-Cola), 1962; Museum Ludwig, Köln

Andy Warhol, 129 Die in Jet! (Accident d'Avion), 1962; Museum Ludwig, Köln

einer aus der Kunst kommenden Befreiungsstrategie ins Rampenlicht gesellschaftlicher Bewegungen. Marcel Broodthaers, der belgische Collageur in der Tradition René Magrittes, der philosophische Monteur poetischer Objekte, Filme und Räume, hatte Beuys, den er mit Wagner anredete, in einem offenen Brief 1972 gewarnt: »Ich bin kaum mit der Position einverstanden, die Du beziehst, und auf jeden Fall erkläre ich meine Ablehnung, wenn Du in einer Definition der Kunst die der Politik mit einschließen willst.«[15] Hinter diesen Satz stellt Broodthaers das Wort »Magie« mit einem Fragezeichen. Was immer miteinander verbunden wurde, es mußte als Kernpunkt ein durch nichts ersetzbares Geheimnis transportieren. Politik hat kein Geheimnis.

John Cage, der als erster in seine Kompositionen Umweltklänge als Zufallsmontage integrierte, Stücke für Radioapparate schrieb, die Collagetechnik in präparierte Klaviere investierte, antwortete, nach der Bedeutung des Prinzips Collage gefragt: »Das Prinzip Collage ist in allen Bereichen des Jahrhunderts äußerst wichtig, mhhh?... in unseren Herzen. Bloß eines der Technik innewohnenden Probleme ist, daß es allgemein unmöglich ist, die Collage zu verwenden. Sie macht es derart einfach, einen glanzvollen Effekt zu produzieren. Sie bügelt alle Schwierigkeiten aus. So, daß du deine Arbeit beendest, bevor du begonnen hast.«[16]

In den neunziger Jahren spitzt sich der inflationäre Gebrauch des Prinzips CollageMontage zu und verliert sich in beliebigen Manipulationen. Die jüngste Generation collagierender Künstler bastelt am verbrauchten Prinzip und wird offenbar nie in den ›Müllhimmel‹ von Kurt Schwitters kommen. »Wer nicht mit dem Computer im Kinderzimmer aufgewachsen ist, wird seine Epoche ›auf dem Weg zur infantilen Gesellschaft‹ sehen.«[17] Das Feuilleton resümiert am Ende des Jahrhunderts: »Die perspektivenlose Stimmung am Jahrtausendende dürfte aber nicht zuletzt damit zusammenhängen, daß man sich derzeit so wenig von den Künsten erwartet.«[18] War das Ende des 19. Jahrhunderts geprägt durch einen schöpferisch dekadenten Aufbruch in die avantgardistische Moderne, so sieht sich das 20. Jahrhundert am Ende vor einem collagierten Trümmerhaufen der Euphorien und Ideologien, der Utopien und Visionen. Das elektronische Zeitalter führte zu einer globalen Vernetzung der digitalen Informationssysteme, zu gesteigerter Quantität der Massenmedien, zu immer schneller agierender Computertechnik, zu Satellitenfernsehen und Satellitentelefonen, Cyberspace und Internet (Abb. S. 412). Der Soundtrack der nicht mehr konsumierbaren, nur noch horizontal verlaufenden, alles verdrängenden Informationsflut sind die elektronisch kompilierten Beats der Technomusik. Die Sensationen bleiben äußerlich, und darin »kommt es zu polyphokalen Überlagerungen von visuellen und akustischen Wahrnehmungsreizen.

Wir leben in Informationskonglomeraten, wenn es hochkommt, in Palimpsesten.«[19] Die Welt ist zu einer einzigen, nicht mehr zu entwirrenden Collage disparat ablaufender politischer, wirtschaftlicher, kultureller und ökologischer Prozesse amalgamiert, deren nicht mehr faßbare Bilder täglich millionenfach neu geschnitten und montiert den Erdball umkreisen. Wo bei alledem bleibt die Kunst? Die Wirklichkeit hat das Prinzip CollageMontage längst überrundet, seine einstmals schockierenden Erfindungen sind in der Banalität geistloser Werbestrategien zu Grunde gerichtet. Die immer schneller historisch werdenden Modernen, Postmodernen und Postpostmodernen haben sich am Ende des 20. Jahrhunderts durch eine visionslose Dekonstruktion bis zum Exzeß erschöpft. Im 20. Jahrhundert war das Prinzip CollageMontage dominant, an dieses war es gebunden und vergeht mit ihm. Was könnte an dessen Stelle im nächsten Jahrhundert treten?

Johan Lorbeer, Büro, 1999; Still Life Performance, Performance zur Eröffnung der Ausstellung *Das XX. Jahrhundert – Ein Jahrhundert Kunst in Deutschland*

Anmerkungen

1 Simon, Claude: »Ich bin ein Monster. Gespräch mit Monsieur und Madame Claude Simon«. In: *DIE ZEIT*, Nr. 53, 22. Dezember 1998, S. 37.
2 Vgl. *prinzip collage*. Neuwied; Berlin 1968.
3 Vgl. Bürger, Peter: *Theorie der Avantgarde*. Frankfurt am Main 1974, S. 92–98. Vgl. hier auch zur Montage-Theorie von Walter Benjamin und Theodor W. Adorno sowie zur Debatte mit Georg Lukács.
4 Ebd., S. 98. Zur Montage vgl. S. 98–116.
5 Vgl. Jürgens-Kirchhoff, Annegret: *Technik und Tendenz der Montage in der Bildenden Kunst des 20. Jahrhunderts*. Gießen 1978; Nerdinger, Winfried: »Die Montage der Wirklichkeit«. In: Werner Busch (Hg.): *Funkkolleg Kunst. Eine Geschichte der Kunst im Wandel ihrer Funktionen*. Bd. II. München; Zürich 1991, S. 765–792.
6 Vgl. Hofmann, Werner: *Die Moderne im Rückspiegel. Hauptwege der Kunstgeschichte*. München 1998.
7 Prinzip collage (Anm. 2), S. 48.
8 Vgl. Szeemann, Harald (Hg.): *Der Hang zum Gesamtkunstwerk*. Europäische Utopien seit 1800. Aarau; Frankfurt am Main 1983.
9 Prinzip collage (Anm. 2), S. 13.
10 Überschrift des im Mai 1961 in Paris veröffentlichten zweiten Manifests des Nouveau Réalisme.
11 Ebd., zit. n. Glozer, Laszlo (Hg.): *Westkunst. Zeitgenössische Kunst seit 1939*. Ausst.Kat. Museen der Stadt Köln. Köln 1981, S. 246.
12 Oldenburg, Claes: »The Store«, 1961. Zit. n. Westkunst (Anm. 11), S. 266f.
13 Zit. n. Schneede, Uwe M.: *Joseph Beuys. Die Aktionen*. Ostfildern 1994, S. 82.
14 Vgl. März, Roland: *Collagen in der Kunst der DDR*, Leipzig 1978; *Die Kunst der Collage in der DDR*. Ausst.Kat. Kunstsammlungen Cottbus. Cottbus 1988.
15 Zit. n. Glozer, Westkunst (Anm. 11), S. 325.
16 Cage, John: *Musicage. Cage Muses, John Cage in Conversation with Joan Retallack*. Hannover; London 1996, S. 94.
17 Hofmann, Moderne (Anm. 6), S. 365.
18 Seibt, Gustav: »Keinerlei Vorschläge fürs nächste Jahrtausend. Warum ist zur Zeit so wenig von der Zukunft die Rede?« In: *Berliner Zeitung*, 3./4. Juli 1999, S. 9.
19 Hofmann, Moderne (Anm. 6), S. 364.

Werbeplakat *Die Welt*, 1999

Automatenbilder

Oskar Schlemmer, Das Triadische Ballett

Roland März

Der Maler und Plastiker Oskar Schlemmer (1888–1943) war auch als Bühnengestalter[1] einer der großen schöpferischen Reformatoren des modernen Lebens und Theaters. Der apollinische ›Idealist der Form‹, begleitet vom *alter ego* seiner Person, dem musikalischen Clown und dem Tänzer-Menschen (Abbn. S. 414) ›auf den Brettern, die die Welt bedeuten‹. Darin erwies sich Schlemmer als ein Erbe deutscher Romantik mit ihrem Hang zu ›Ernsten Spielen‹ und zum Gesamtkunstwerk. Heinrich von Kleists Essay »Über das Marionettentheater« und Novalis' Maxime »Mathematik ist Religion« haben ihm bei der Wiedergeburt des Tanzes aus dem Geiste des Dionysos den Weg gewiesen: die ›Figur im Raum‹ auf metaphysischem Grund.

Als Meisterschüler Adolf Hölzels an der Stuttgarter Akademie und inspiriert durch Wassily Kandinskys

Oskar Schlemmer als Musikalischer Clown, um 1928; Bühnen Archiv Oskar Schlemmer

Oskar Schlemmer als Tänzer türkisch II, 1922; Bühnen Archiv Oskar Schlemmer

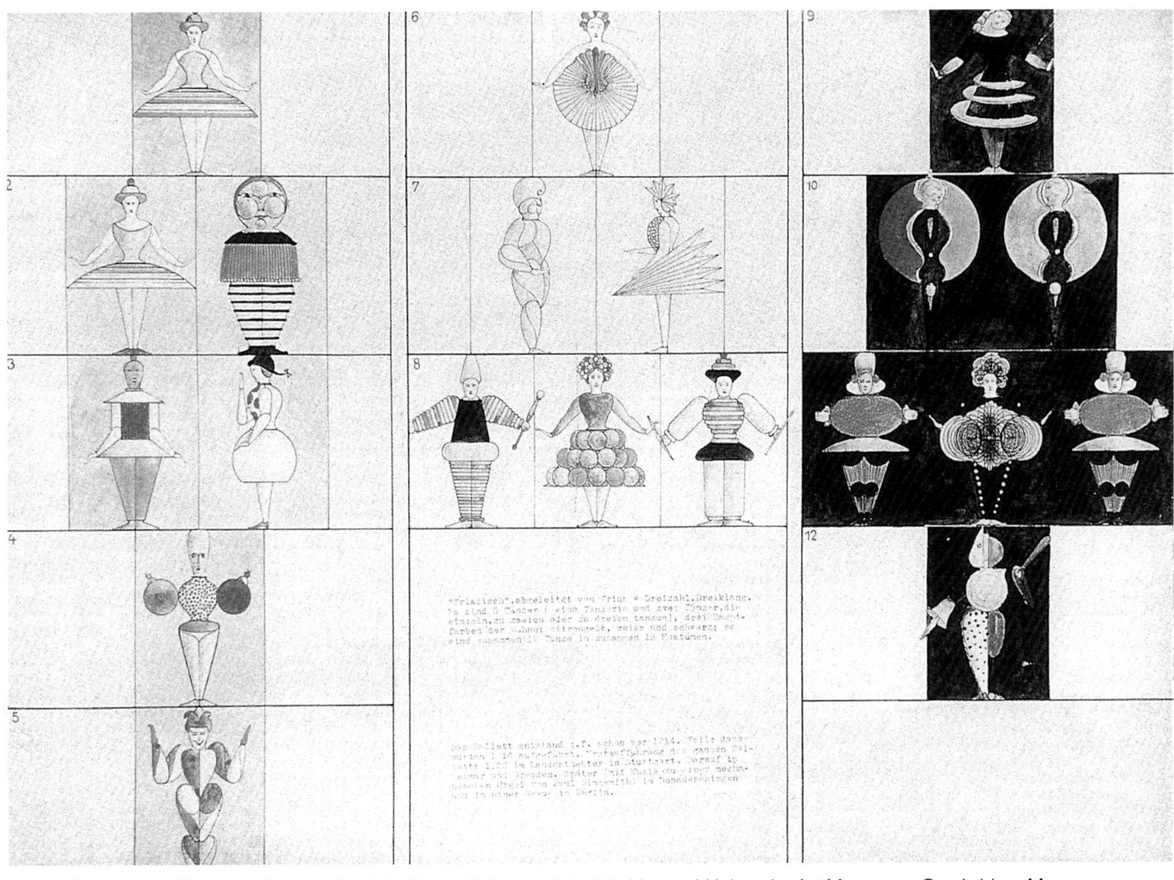

Oskar Schlemmer, Figurinenplan zu »Das Triadische Ballett«, 1924/26; Harvard University Art Museums, Cambridge, Mass.

Komposition **Gelber Klang** erarbeitete Oskar Schlemmer bereits 1912 mit dem Tänzerpaar Albert Burger und Elsa Hötzel erste Entwürfe für ein modernes Tanzspiel, das rigoros mit dem traditionellen klassischen Ballett brechen sollte. Das neue Programm: Abstraktion, Raumenergie und Rhythmik in einer dreigliedrigen Tanzfolge. Anläßlich einer Wohltätigkeitsveranstaltung von Schlemmers Regiment fand 1916, mitten im Weltkrieg, im Stuttgarter Stadtgarten eine Aufführung der ersten Vorstufe zum Triadischen Ballett statt. Ein groteskes Kammerspiel, futuristisch aufgemacht, die Puppenfiguren kubistisch kostümiert. Doch der erste Versuch war schon weit mehr, müssen doch »die Kostüme des ›Triadischen Balletts‹ als die Produkte äußersten Verlangens nach Frieden, nach universaler Harmonie verstanden werden«[2]. Die Sehnsucht nach einem universalen Frieden bei Oskar Schlemmer, bei Otto Dix die katastrophalen Folgen der *Demontage Krieg* (Kat.Nr. 387). Zwei extreme Modellfälle der montierten Kunstfigur. Als der Krieg zu Ende war, entwarf Schlemmer in Cannstatt bei Stuttgart auf der Grundlage der **Tanz Figurinen**[3] im Skizzenbuch (Abbn. S. 416f.) die ersten Kostüme für das **Triadische Ballett**, die er später in Figurenplänen (Abb. S. 415) mit der Abfolge der einzelnen Auftritte in drei Teilen modifizierte. Schlemmer wußte um die enge Bindung des Tanzes an die Musik. 1920 begann die Zusammenarbeit mit dem Komponisten Paul Hindemith, durch Schlemmers Berufung an das Bauhaus in Wei-

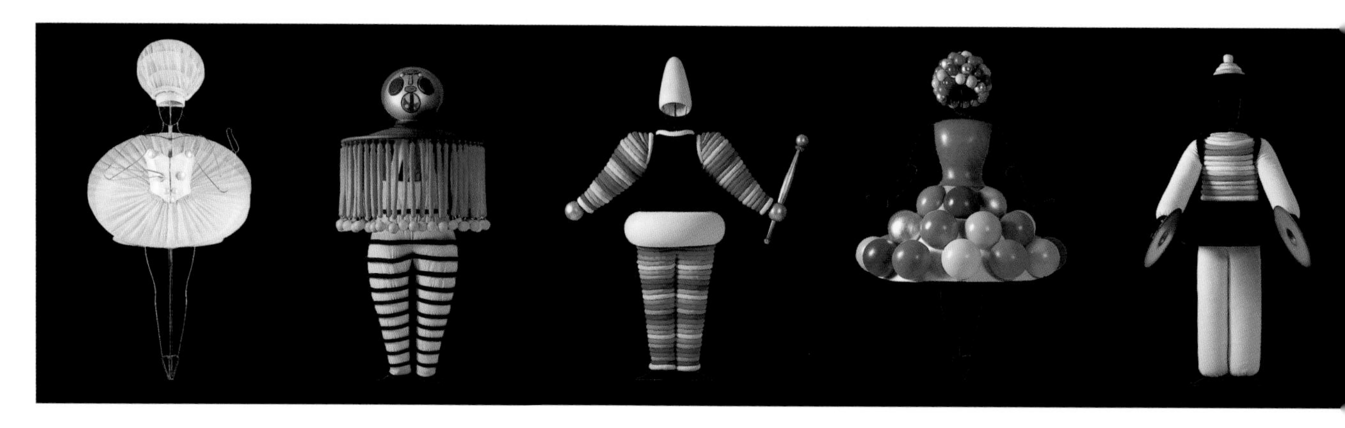

356 Oskar Schlemmer, Figurinen aus »Das Triadische Ballett«; Rosa Reihe: Tänzerin in Weiß (1926); Gelbe Reihe: Taucher; Rosa Reihe: Tänzer türk verschiedene Materialien, Höhe 190 bis 214 cm; Bühnen Archiv Oskar Schlemmer, Sammlung C. Raman Schlemmer

mar verzögerte sich jedoch die Uraufführung des Balletts. Als ›Generalprobe‹ fand zum Fasching 1922 in Weimar die Präsentation des Bühnenwerkes **Das figurale Kabinett** (Kat.Nr. 357) mit dem tanzenden Dämon inmitten metallischer Figuren statt, »halb Schießbude – halb Metaphysikum abstractum, Gemisch, das ist Variiertes aus Sinn und Unsinn, methodisiert durch Farbe, Form, Natur und Kunst, Mensch und Maschine, Akustik und Mechanik. Organisation ist alles, das Heterogenste zu organisieren das Schwerste«[4]. Wenige Monate später gelangte das Triadische Ballett 1922 am Württembergischen Landestheater Stuttgart zur Uraufführung. Tanzgestaltung und Figurinen: Oskar Schlemmer, der neben Albert Burger und Elsa Hötzel unter dem Pseudonym Walter Schoppe als ›zweiter Tänzer‹ in Erscheinung trat, eine Jean-Paul-Figur aus dem *Titan* und *Siebenkäs*. Triadisches Ballett – Tanz aus drei Abteilungen mit zwölf Tanzszenen in achtzehn verschiedenen Kostümen[5] von drei Tänzern getragen. Die Musikbegleitung ein *compositum* aus klassischer und zeitgenössischer Musik, aus Marco Bossi, Claude Debussy, Joseph Haydn, Wolfgang Amadeus Mozart, Georg Friedrich Händel, Mario Tarenghi und anderen. Symphonischer Aufbau des Balletts: in choreographischer Dramaturgie vom ›Heiter-Burlesken‹ der ›Gelben Reihe‹ über das ›Festlich-Getragene‹ der ›Rosa Reihe‹ zum ›Mystisch-Phantastischen‹ der ›Schwarzen Reihe‹. Freier, nicht von Schlemmer inszenierter Auftritt von zehn Figurinen vor schwarzem Grund: **Tänzerin in Weiß – Taucher – Tänzer türkisch I – Kugelrock – Tänzer türkisch II – Spirale – Scheibenkostüm – Goldkugel – Drahtkostüm – Der Abstrakte** (Kat.Nr. 356). Im Tagebuch schrieb Oskar Schlemmer: »Das Triadische Ballett, Tanz der Dreiheit, Wechsel der Eins, Zwei und Drei, in Form, Farbe und Bewegung, soll durch die Planimetrie der Tanzfläche und die Stereometrie der sich bewegenden Körper, jene Dimensionalität des Raumes erzeugen, die

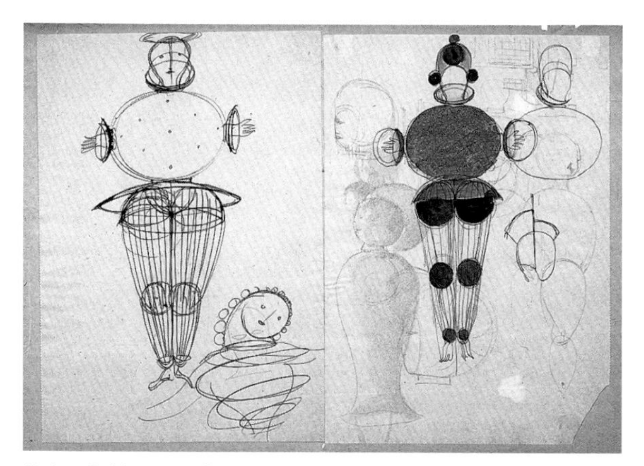

Oskar Schlemmer, Skizzenbuch »Tanz Figurinen«, Goldkugel und Spirale, Das Triadische Ballett, um 1919, Bühnen Archiv Oskar Schlemmer, Sammlung UJS

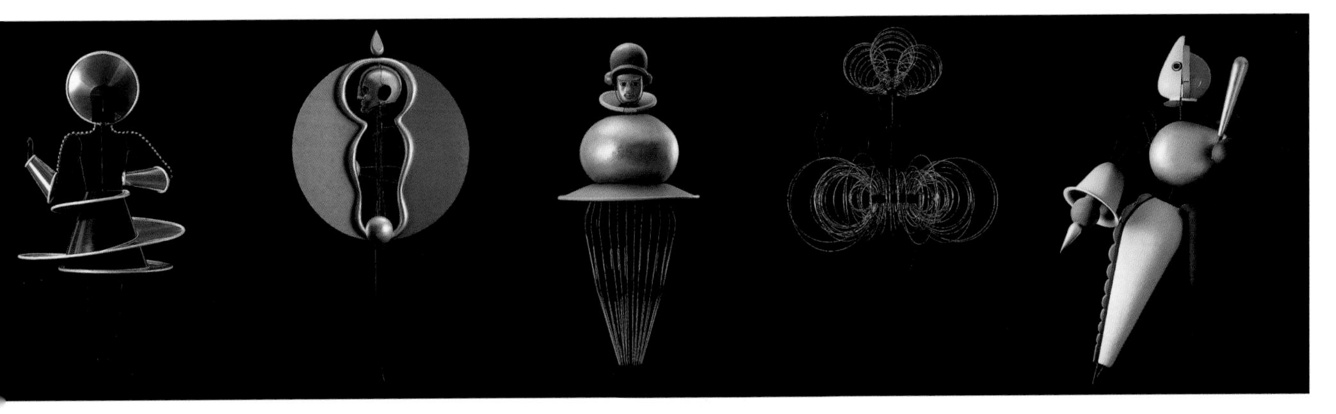

elrock, Tänzer türkisch II; Schwarze Reihe: Spirale, Scheibenkostüm, Goldkugel, Drahtkostüm, Der Abstrakte, 1922 (Rekonstruktionen 1967–1995);

durch Verfolgung elementarer Grundformen wie Gerade, Diagonale, Kreis, Ellipse und deren Verbindungen untereinander notwendigerweise entstehen muß. So wird der Tanz, seiner Herkunft nach dionysisch und ganz Gefühl, apollinisch-streng in seiner endlichen Gestalt, Sinnbild des Ausgleichs von Polaritäten.«[6] Ein Ballett mit geometrisch reduzierten Kunstfiguren, heiter und burlesk, ohne grotesk zu sein, ›maskiert – und vor allem verschwiegen‹. Die von Oskar und Carl Schlemmer ausgeführten Figurinen sind als raumplastisch montierte Skulpturen aus elementaren Formen (Kegel, Kugel, Scheibe, Spirale, Zylinder) zusammengesetzt, die in ihren Einzelteilen an Brummkreisel, Luftballon und Reifrock erinnern. Erfinderisch und präzise ist die Montage der Kostüme als ›Ganzmaske‹ aus diversen Materialien (Textilien, Metalle, Glas, Zelluloid, Pappmaché) realisiert, oft farbig bemalt und bronziert.

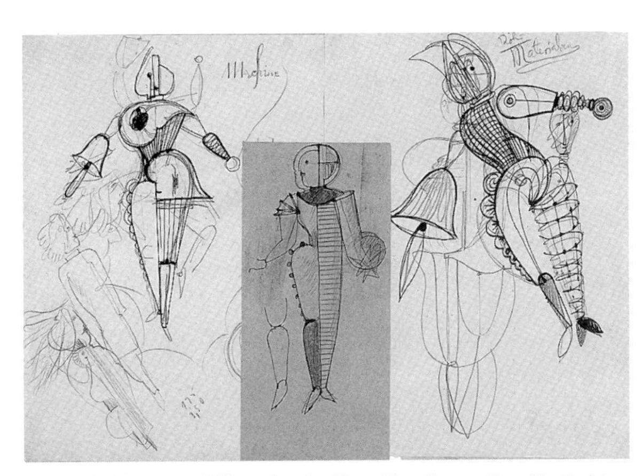

Oskar Schlemmer, Skizzenbuch »Tanz Figurinen«, Der Abstrakte, Das Triadische Ballett, Kostümstudien und Maschine, 1919; Bühnen Archiv Oskar Schlemmer, Sammlung UJS

Das Zerlegen und erneute Zusammensetzen der anthropomorphen Figur hatte Oskar Schlemmer bereits 1919 bis 1921 in seinem polychromen **Relief JG** und der **Abstrakten Figur, Freiplastik G** beispielhaft in der Fläche, dann in den Raum tretend, vorgeführt. Diesen Kontrapunkt des Organischen und streng Geometrischen hat Schlemmer in den getanzten Figurinen seines Triadischen Balletts im Dialog mit dem veränderbaren Bühnenraum ständig weiterentwickelt: »Wesentlich ist mir auch die sogenannte ›Bodengeometrie‹, die Figurenformen, die die Wege der Tanzenden bestimmen und die identisch sind mit den Figurinenformen. Beide sind elementar-primär.«[7] Paradigma dafür sind die **Figurinen im Raum** (Abb. S. 419) mit den drei fotomontierten Figurinen ›Der Abstrakte‹, ›Die Goldkugel‹ und die ›Drahtfigur‹ aus der ›Schwarzen Reihe‹ des Triadischen Balletts. Dieses Ballett aber »ist eigentlich ein Antitanz, ein ›tänzerischer Konstruktivismus‹«[8], der sich vom expressionistischen Ausdruckstanz der Mary Wigman diametral entfernte.

Oskar Schlemmer hatte 1923 von Lothar Schreyer die Leitung der Bauhausbühne in Weimar übernommen und seitdem an der choreographischen Vervollkommnung des Triadischen Balletts gearbeitet. Nach Stuttgart folgten weitere modifizierte und reduzierte Aufführungen: 1923 während der Bauhaus-Ausstellung in Weimar und in Dresden, 1926 in Donaueschingen (Abb. S. 418) mit der Musik Hindemiths für mechanische Orgel und eine Teilaufführung in einer Revue des Metropol-Theaters in Berlin, 1927 fragmentarisch in Dessau, 1932 in Paris die letzte Präsentation zu Lebzeiten Schlemmers. Im Jahre 1925 veröffentlichte der Bauhausmeister im Buch *Die Bühne im Bauhaus* seinen grundlegenden Aufsatz »Mensch und Kunstfigur«: »Das Bestreben, den Menschen aus seiner Gebundenheit zu lösen und seine Bewegungsfreiheit über das natürliche Maß zu steigern, setzte anstelle des Organismus die mechanische Kunstfigur: *Automat und Marionette*. Dieser hat Heinrich v. Kleist, jenem E.T.A. Hoffmann Hymnen gesungen«.[9] Das Triadische Ballett bildet das mechanisch-organische Zentrum der Schlemmerschen Bühnenarbeit, dennoch hat der experimentierfreudige Bauhaus-Künstler in den Jahren 1926 bis 1929 mit den pantomimischen Tänzen und Demonstrationen (**Glastanz – Metalltanz – Reifentanz – Raumtanz – Formentanz – Gestentanz – Kulissentanz – Stäbetanz**) dem Rahmenthema seiner Kunst ›Figur im Raum‹ weitere phantasievolle Spielräume erschlossen.

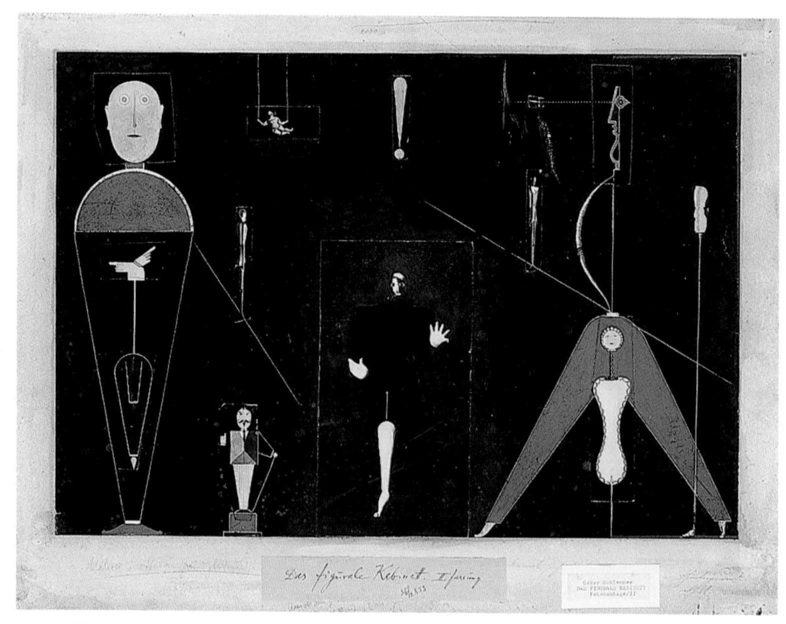

357 Oskar Schlemmer, Das figurale Kabinett (Entwurf einer 2. Fassung), 1922; Gouache, Collage und Fotomontage auf Karton, 36,2 x 53,2 cm; Bühnen Archiv Oskar Schlemmer, Sammlung UJS

Tänzer türkisch, Drahtkostüm (Neuanfertigung 1926) und Abstrakter vor dem von Schlemmer entworfenen Bühnenvorhang, Donaueschingen, 1926; Bühnen Archiv Oskar Schlemmer

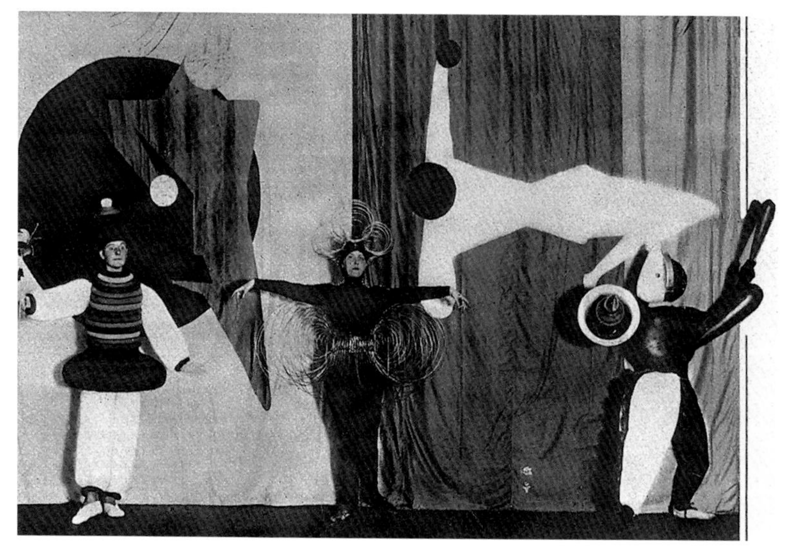

In den bedrückenden Jahren nationalsozialistischer Herrschaft befaßte sich Oskar Schlemmer 1935 bis 1937 ein letztes Mal mit einer Neufassung des Triadischen Balletts für das Corso-Theater in Zürich – ein Projekt, das aus Kostengründen und wegen der politischen Umstände nicht mehr zustande kam. Seine Idealprojektion der raumzeitlich endlosen Spirale, die Schlemmer mit dem ›Kinetisch konstruktiven System‹ (1922) von Lászlό Moholy-Nagy und Wladimir Tatlins **Turm** (Abb. S. 405) teilt, ist hier in der ›Jahrhundertausstellung‹[10] nach einem Entwurf des Künstlers (Abb. S. 420) zum ersten Mal wieder aufgegriffen worden. Gewiß ein Wagnis, zumal im Lichte der historischen Halle des Hamburger Bahnhofs (Abb. S. 421) der metaphysische Background für das spiralige Bühnenpodium nicht gegeben ist. Der Harlekin und die Figurine im geschweiften Rock, burlesk und heiter wie Arlecchino und Colombina aus der Commedia dell'arte, bizarr und fremd der **Abstrakte** und der **Scheibentänzer**, geheimnisvoll auftauchend aus dem Schattenreich ritterlicher Mimikry. Und plötzlich sind auch die ›Außerirdischen‹ von einem anderen Stern da. Das Komische und das Tragische als Gegensatz, gegenwärtig geworden in Oskar Schlemmers Mummenschanz der universalen Harmonie des Irdischen mit dem Kosmischen. Und eines muß man sich bei Schlemmers Figuren des Triadischen Balletts immer hinzudenken: den Tänzer-Menschen, ›das Fluidum Mensch ist also immer mit im Spiel‹.

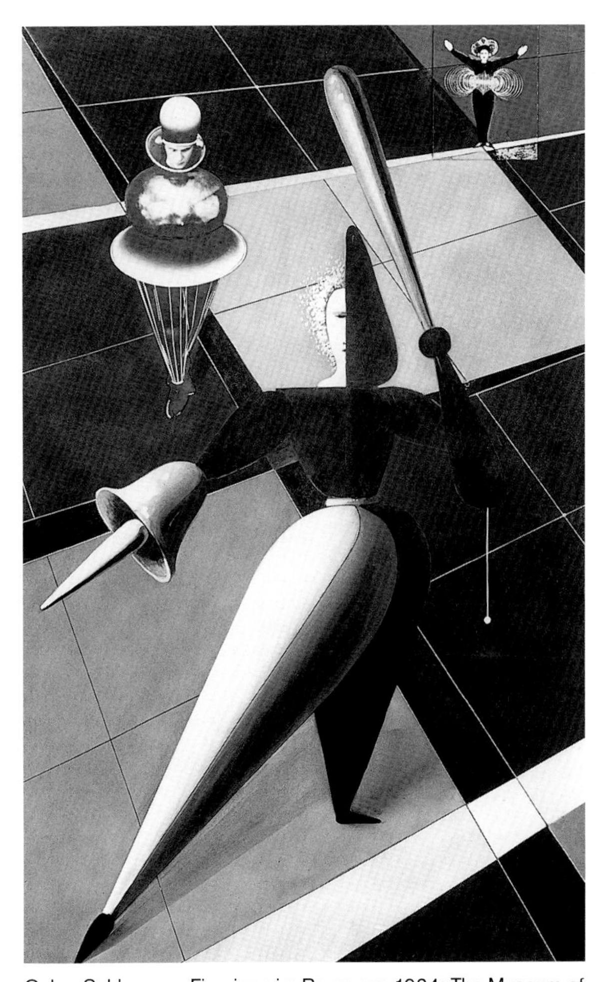

Oskar Schlemmer, Figurinen im Raum, um 1924; The Museum of Modern Art, New York, Stiftung Herr und Frau Douglas Auchincloss, 1956

Anmerkungen

1 Grundlegend zum Thema: Scheper, Dirk: *Oskar Schlemmer – Das Triadische Ballett und die Bauhausbühne.* Berlin 1988 (Schriftenreihe der Akademie der Künste, Bd. 20). Weiterführend: *Oskar Schlemmer. Tanz – Theater – Bühne.* Ausst.Kat. Eine Ausstellung in Zusammenarbeit mit U. Jaïna Schlemmer und C. Raman Schlemmer – Bühnen Archiv Oskar Schlemmer. Kunstsammlung Nordrhein-Westfalen, Düsseldorf. Stuttgart 1994. Vgl. auch *Oskar Schlemmer. Tanz – Theater – Bühne. Vortragsreihe zur Ausstellung.* Wien 1997 (Schriftenreihe der Kunsthalle Wien) sowie den Katalog der von C. Raman Schlemmer organisierten Ausstellung *Oskar Schlemmer* im Musée Cantini, Marseille, 1999.

2 Michaud, Eric: »Das ›Triadische Ballett‹ zwischen Krieg und Technik«. In: Schlemmer, Tanz – Theater – Bühne, 1994 (Anm. 1), S. 46f.

3 Das Skizzenbuch **Tanz Figurinen** wurde in der vorliegenden Form erst nach der Stuttgarter Aufführung **Das Triadische Ballett** in Weimar angelegt.

4 Schlemmer, Oskar: »Das figurale Kabinett I«. In: *Die Bühne im Bauhaus,* 1925. Zit. n. Schlemmer, Tanz – Theater – Bühne, 1994 (Anm. 1), S. 302.

5 Von den 18 Figurinen + 1 Variante sind elf im Original erhalten (neun in der Staatsgalerie Stuttgart, zwei im Bühnen Archiv Oskar Schlemmer). In der ›Jahrhundertausstellung‹ werden ein

Oskar Schlemmer, Spiralenbühne, um 1936; Bühnen Archiv Oskar Schlemmer, Sammlung C. Raman Schlemmer

Original und neun Rekonstruktionen (1967–1995) aus dem Bühnen Archiv Oskar Schlemmer, Sammlung C. Raman Schlemmer gezeigt. 1970 Rekonstruktionsversuch für die von Margaret Hastings realisierte Fernsehfassung, 1977 Neufassung des Triadischen Balletts durch den Berliner Choreographen Gerhard Bohner im Auftrag der Akademie der Künste. Für das Jahr 2000 ist eine Neuinszenierung des Bayerischen Staatsballetts München in Vorbereitung.

6 Oskar Schlemmer, Tagebuch, September 1922. In: Andreas Hüneke (Hg.): *Oskar Schlemmer. Idealist der Form. Briefe, Tagebücher, Schriften 1912–1943.* Leipzig 1990, S. 96. Oskar Schlemmer hat sich mehrfach über **Das Triadische Ballett** geäußert, vgl. den Text im Programm vom 30. September 1922, in: Schlemmer, Tanz – Theater – Bühne, 1994 (Anm. 1), S. 160; im Programm der Donaueschinger Musiktage vom 5. Juli 1926, in: Oskar Schlemmer, Idealist der Form (Anm. 6), S. 165 f.; »Rückblick auf mein *Triadisches Ballett*«, um 1935, in: Bühnen Archiv Oskar Schlemmer, unveröffentlichtes Manuskript.

7 Oskar Schlemmer an Hans Hildebrandt, Weimar, 4. Oktober 1922. In: Ebd., S. 97.

8 Maur, Karin von: *Oskar Schlemmer. Der Maler. Der Wandgestalter. Der Plastiker. Der Zeichner. Der Graphiker. Der Bühnengestalter. Der Lehrer.* Ausst.Kat. Staatsgalerie Stuttgart im Württembergischen Kunstverein. Stuttgart 1977, S. 198.

9 In: Hüneke, Schlemmer (Anm. 65), S. 153.

10 Diese Version wurde nach Angaben von U. Jaïna Schlemmer, Stuttgart, und C. Raman Schlemmer, Oggebbio, und vom Berliner Architekten Ulrich Paul Kahlfeldt realisiert.

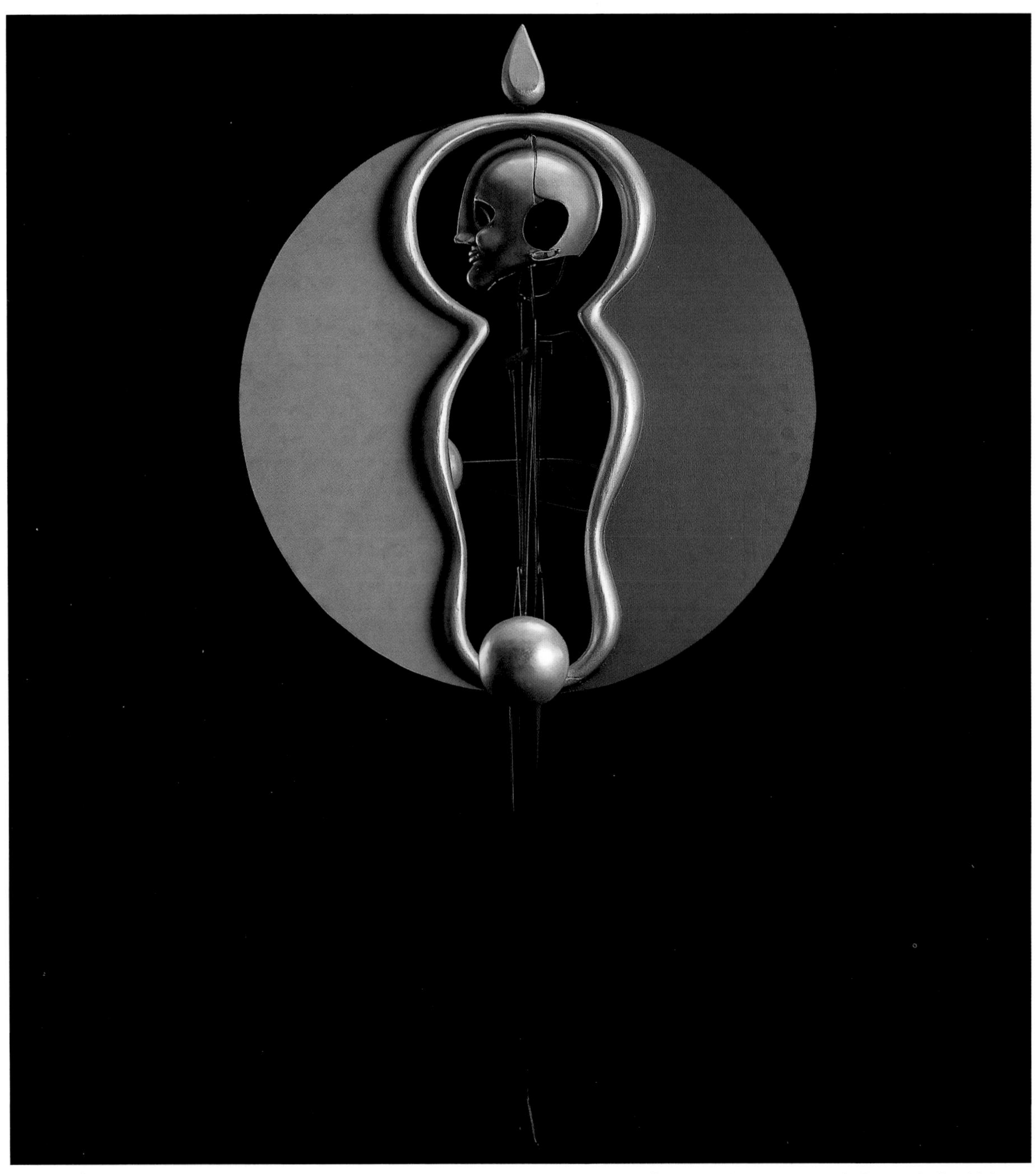

Oskar Schlemmer, Das Triadische Ballett, Schwarze Reihe, Scheibenkostüm, 1922 (Rekonstruktion 1967–85); Rundscheibe, Holz und Pappmaché, mit Ausstanzungen für Körper, bronziert; Kugeln für die Hände, versilbert und gelb, 206 x 80 x 108 cm; Bühnen Archiv Oskar Schlemmer, Sammlung C. Raman Schlemmer

Mensch und Maschine

Eugen Blume

Ja, die Maschine ist schön, sie muß schön sein für den, der das Leben in seiner Fülle und Gewaltmäßigkeit liebt.

Ernst Jünger

The reason I'm painting this way is because I want to be a machine. I think it would be terrific if everybody was alike.

Andy Warhol

Die Abteilung ›Industrie‹ in der Ausstellung *Gebt mir vier Jahre Zeit,* Berlin, 30.4.–20.6.1937

Die Maschine ist das *alter ego* der Moderne. Ihre immer komplexer werdende Gestalt dominiert alle Bereiche der Gesellschaft. Das nach ihr benannte mechanische Zeitalter geht einher mit geistiger Fragmentierung, hierarchischer Unterwerfung unter die durch Maschinen geschaffenen Bedingungen und grenzenlosem Fortschrittsglauben. Im 20. Jahrhundert siegen die totalitären Ansprüche der Technik in Gestalt einer alles steuernden Technokratie. Selbst antimoderne Ideologien wie der Nationalsozialismus und der Stalinismus setzen trotz Biologismus, Rassenwahn und Führerkult auf die totale Technisierung der Gesellschaft. Der Führer als Gott der Maschinen (Abb. S. 422).

Erst am Ende des 20. Jahrhunderts, in der sogenannten vierten technischen Revolution, dämmert die Überwindung des mechanistischen Denkens herauf. Nun erst beginnt, wie Marshall McLuhan optimistisch behauptete, das Zeitalter der Freiheit, in dem die alten Dichotomien von Kultur und Technik, von Kunst und Handel und von Arbeit und Freizeit beendet sind.[1]

Warhols Wunsch, eine Maschine zu sein, ist Symptom dieser Hoffnung. In ihm ist die Antithese zu Julien Offroy de La Mettries *L'homme machine* von 1748 formuliert, denn Warhol beabsichtigt, eine Maschine zu werden, ein von der Maschine ununterscheidbares Wesen, jenseits aller biologischen Abhängigkeiten. Das Ziel ist eine Universalmaschine, der nicht nur alle Apparate eingegliedert sind, sondern in welcher der Mensch sich selbst in einem komplexen elektronischen Maschinenwesen transzendiert, sich endgültig über sein animalisches Naturwesen erhebt. Warhols Aphorismus ist ein Reflex auf die fortschreitende Technisierung und die Verteidigung der ewigen Modernität des Künstlers, ganz im Sinne von Theodor W. Adornos Vorstellung: »Modern ist Kunst, die nach ihrer Erfahrungsweise, und als Ausdruck der Krise von Erfahrung, absorbiert, was die Industrialisierung unter den herrschenden Produktionsverhältnissen gezeitigt hat.«[2] Die elektronische

358 Jean Tinguely, Meta-Harmonie, 1978; Eisen, Fundstücke, Computer, 290 x 600 x 150 cm; Museum moderner Kunst Stiftung Ludwig, Wien

Maschine, die uns nach McLuhan in ein Zeitalter der Illumination führt – »genau wie das Licht zugleich Energie und Information ist, vereinigt die elektrische Automation Erzeugung, Verbrauch und Wissenschaft in einem komplexen Prozeß«[3] –, bildet in ihrer globalen Vernetzung von Informationsstrukturen unser Zentralnervensystem nach. Im Technikrausch des zu Ende gehenden 20. Jahrhunderts fabulieren Computerspezialisten intelligente Maschinen, die nicht nur sämtliche verfügbare Informationen in sich vereinigen, sondern auch in kürzester Zeit Entscheidungen zu treffen vermögen; die mit anderen Worten die Linearität der ›mechanischen‹ Maschinen überwunden haben und in ungeheurer Geschwindigkeit Ergebnisse ›produzieren‹. In dem Hollywood-Film *Terminator II*, ein triviales Pendant zu Fritz Langs *Metropolis*, wird das Höllenbild einer derartig sich selbst erneuernden seelenlosen Maschinenwelt visualisiert. Hochkomplexe Androiden, die nicht nur imstande sind, jede Gestalt anzunehmen, sondern auch als unzerstörbar gelten, haben in ihrem anthropomorphen Habitus die prometheische Scham – »Scham vor der beschämend hohen Qualität der selbstgemachten Dinge«[4] –, die nach Günther Anders das Verhältnis von Mensch und Maschine kennzeichnet, durch Auslöschung der menschlichen, anfälligen und zu schwachen Spezies endgültig überwunden. Der Preis ist eine finstere, von Maschinen beherrschte, in ein atomverstrahltes Purgatorium gestürzte Welt.

Die Maschine als kulturprägende Kraft – die Erfindung der Druckmaschine revolutioniert das gesamte westliche Denken – wird erstmals in der Renaissance nicht nur Gegenstand künstlerischen Interesses, sondern der Künstler selbst wird zum Visionär einer fiktiven Maschinenwelt. Der Futurismus feiert die Elektrizität, die Geschwindigkeit, die Automobile und Flugzeuge und begrüßt den technisierten Krieg. Fernand Léger

359 Andreas Slominski, Ohne Titel, 1994; Tandem, diverse Materialien, ca. 125 x 260 x 90 cm; Sammlung Schröder

führt die Maschine in die Malerei ein und unterwirft in seinem Film *Ballet Mécanique* alles der entfesselten Dynamik kreisender Maschinenteile. Marcel Duchamps 1912 entstehende Maschinenwesen, z. B. die Zeichnung **La mariée mise à nu par ses célibataires**, führen zu einem poetischen Bild absurder Junggesellenmaschinen, gefangen hinter Glas. Oskar Schlemmer entwirft in den Figurinen zum **Triadischen Ballett** (vgl. Kat.Nr. 356) ästhetisierte Mischwesen aus Mensch und Maschine. In der Architektur wird das Haus zur Wohnmaschine. Le Corbusier feiert die Geometrie und definiert Städtebau als »Beschlagnahme der Natur durch den Menschen«. In der späten Moderne, ernüchtert durch Kriege, durch Tschernobyl, ist die euphorische Hinwendung einem kritischen Gestus gewichen. Die Maschine als Erzeuger von Entfremdung, Gewalt und

360 Nam June Paik, Monument, 1986; Monitorinstallation, 386 x 433 x 55 cm; Staatliche Museen zu Berlin, Nationalgalerie

Aus: Heinz Emigholz, Die Basis des Make-Up II

361 Heinz Emigholz, Die Basis des Make-Up, 1974–99 (Ausschnitt); 275 Fotodrucke, gerahmt, je 60,4 x 50,4 cm; Zwinger Galerie, Berlin

Zerstörung wird zur negativen Gestalt, die Huldigung wandelt sich in ein Gefühl der Bedrohung, die Konstruktion wird zur Dekonstruktion. Die Maschine ist Metapher eines alles beherrschenden kalten Mechanismus. Mit seiner Antimaschine **Hommage à New York** von 1960, einer sich selbst zerstörenden Maschine, einer »Bewegung im nichts« (Daniel Spoerri), gelingt Jean Tinguely eine ironische Antithese zum Futurismus und Konstruktivismus, zur cartesianischen Verirrung. Tinguelys Maschinen (**Meta-Harmonie**, 1978, Kat.Nr. 358) widersprechen heftig Le Corbusiers These: »In Freiheit neigt der Mensch zur reinen Geometrie«. »[...] die automaten von tinguely sind / gegen festgelegtes / gegen aussagen endgültige lösungen / gegen stillstand entweder oder / sie sind zerstörend weil sie ständig zerstören / sie sind aufbauend weil sie immer aufbauen / sie entscheiden sich nicht / sie machen keine vorschläge / sie behaupten nichts [...]« (Daniel Spoerri).[5]

In der Gegenüberstellung von Andreas Slominskis **Ohne Titel** von 1994 (Kat.Nr. 359) und Nam June Paiks **Monument (Family of Robots)** von 1986 (Kat.Nr. 360) ist die ganze Spannbreite unserer gegenwärtigen westlichen Kultur niedergeschrieben. Paiks Monument feiert die unendlichen Bildinventare elektronischer Massenmedien, die dem Konsument in Form einer sich schier unendlich erneuernden Montage gegenübertreten. Die nicht mehr beherrschbare Quantität der Informationen verschmilzt zu einem bedeutungslosen Ornament. Der Hochindustrialismus ermöglichte dem Künstler den Zugriff auf eine nicht aus der Kunst kommende Technik. Das Jahrtausende währende Monopol des Künstlers wird durch die Erfindung der bilderzeugenden Apparate gebrochen. Paik ist Beispiel einer der elektronischen Zeitenwende gewachsenen Moderne. Er führt das durch Technik entzauberte Bild zurück in den Kontext magischer Bildwelten und verfällt am Ende selbst deren Inflation, die alles ins Bedeutungslose hinabstürzt. Als Skulptur unterwirft sich **Monument** bewußt dem Paradox der pseudomorphischen Maschinenkunst.

Slominskis mit Plastiktüten überladenes Fahrrad hingegen stört in seinem ambivalenten Rollenspiel zwischen Ready-made und sozialkritischer Skulptur das

362 Katharina Sieverding, Weltlinie XV, 1999; Farbfotografie, Acryl, Stahl, 375 x 375 cm; Besitz der Künstlerin

befriedete Dasein ästhetischer Museumskunst. Seine auf Nomadentum und Asozialität verweisende primitive Fortbewegungsmaschine irritiert eine auf ästhetische Wahrnehmung ausgerichtete Erwartungshaltung. Der Nutzer des mit armseliger Habe aufgesattelten Gefährtes bleibt anonym. Es steht bereit als soziale Möglichkeit, als Schattengewächs eines überdrehten Wohlstandes. In ihrer ironischen Distanz ist diese Skulptur korrigierender Prolog einer Nabelschau von Museumskunst im ausgehenden deutschen 20. Jahrhundert.

Der Filmemacher Heinz Emigholz hat über mehrere Jahre ein Tableau aus 275 Zeichnungen entwickelt, in dem autobiographische Elemente mit historischen und fiktiven Ereignissen dieses Jahrhunderts zu einer eigenwilligen Bildsprache verwoben sind. **Die Basis des Make-Up**, 1974–99 (Kat.Nr. 361), ist ein surrealistisch destabilisierter Bildatlas, eine zeichnerische, nonverbale Konstruktion, die in jedem einzelnen Bild Signets einer nicht zu entschlüsselnden Erzählung entwirft. Wie in einer geheimen Bilderschrift ist unser Jahr-

363 Katharina Sieverding, Kontinentalkern I/XXIV, 1983; Farbfotografie, Acryl, Stahl, 400 x 750 cm; Besitz der Künstlerin

364 Wolf Vostell, Heuschrecken, 1969/70; Leinwandfoto überarbeitet und mit Fotosäure verwischt, 1 Videokamera, 20 Fernsehgeräte, Knochen, Haare, Schuhe und Tennisschläger, 280 x 800 x 200 cm; Museum moderner Kunst Stiftung Ludwig, Wien

hundert scheinbar enzyklopädisch ausgebreitet. Die nicht lineare und asynchrone Montage der Ereignisse stellt vor allem die Glaubwürdigkeit unseres Geschichts- und Erinnerungsbildes infrage. Emigholz bedient sich eines von allen psychografischen Momenten befreiten Comic-Zeichenstils, dessen Uniformierung der Hand noch einmal fotografisch reproduziert wird, um gleichsam letzte Spuren zu tilgen. **Die Basis des Make-Up** heißt ein 1974 entstandener 35mm-Film, der Emigholz' collagierte Notizbücher ablichtet und der die gedankliche Basis des Autors bereits vor ihrer Veräußerlichung in einem wie auch immer gearteten Werk preisgibt. Die fotografierten Zeichnungen ziehen ihre disparate Ideenwelt aus diesen Notizbüchern, deren Verfertigung selbst wieder Gegenstand einer Zeichenmontage wird. Emigholz schildert die Gleichzeitigkeit von äußerer Bildwelt, die durch die Allmacht elektronischer Bildmedien ins Unendliche ausufert, und innerer, gedanklicher Revision des Gesehenen.

Aus dem Dunkel heraus beherrscht ein gewaltiges Kriegsgerät den Bildraum der mehr als sieben Meter langen Fotografie aus dem Zyklus **Kontinentalkern I,** 1983 (Kat.Nr. 363) von Katharina Sieverding. Unter der in unwirkliches Blau getauchten Kriegsmaschine steht der Satz: »Die letzten Knöpfe sind gedrückt«. Aus der bereits historisch wirkenden B-29 wurde am 6. August 1945 über Hiroshima die erste zu Kriegszwecken eingesetzte Atombombe abgeworfen. Der Pilot Claude Eatherly wurde durch einen einzigen Knopfdruck zum Schöpfer eines vordem nicht gekannten Infernos. Der amerikanische Physiker Robert Oppenheimer, der ›Vater der Atombombe‹, hatte vehement dafür plädiert, daß sie über einer dichtbesiedelten Stadt abgeworfen wird, als Strafe und Exempel. Das

365 Astrid Klein, Über die Zeit II, 1989; Fotografie, gerahmt, 190 x 127 cm; Sammlung Schröder

366 Astrid Klein, Über die Zeit I, 1989; Fotografie, gerahmt, 180 x 127 cm; Courtesy Hirschl & Adler Modern, New York

Bild der Wirksamkeit dieser Waffe verhinderte einen Einsatz der um ein vielfaches effizienteren späteren Kernwaffensysteme. Im Kalten Krieg, in der Politik der Abschreckung, blieben die Knöpfe ungedrückt, aber die Vorstellung der wenigen Sekunden zwischen Knopfdruck und Auslöschung wirkte als apokalyptisches Psychogramm, und gleichzeitig stärkte sie, wie Günther Anders schreibt, den Nihilismus, die »Apokalypse-Blindheit«[6]. Unter dem Schutzmantel der Bombe ließ der aufblühende Wohlstand vergessen, daß erstmals die Möglichkeit der Selbstvernichtung der menschlichen Rasse gegeben war. Das bipolar gespaltene Europa war als Austragungsort eines letzten Krieges ausgemacht. Die Entwarnung erfolgte erst nach vierzig Jahren. Katharina Sieverding setzt sich mit einer der schwerwiegendsten Zäsuren innerhalb des technischen Fortschritts, mit einer neuen Dimension der Zerstörung und damit des Krieges auseinander. In ihren jüngsten Fotoarbeiten unter dem Titel **Weltlinie XV**, 1999 (Kat.Nr. 362), greift sie das Thema Gewalt der Kriegsmaschinerie erneut auf und zeigt das geheimnisvolle und unwirkliche Bild des auf der sogenannten Stealth-Technik basierenden Bombers F-117A, eines vom feindlichen Radar nicht auszumachenden Flugzeugs der neuen Generation. Kriegsmaschinen bewirkten im Ersten Weltkrieg ein vordem nicht vorstellbares Ausmaß an Zerstörungen und menschlichen Opfern. Die wirkliche Schlagkraft der Militärmaschine hat am Ende dieses Jahrhunderts eine nicht mehr rational zu fassende Dimension angenommen. Das Kriegsgerät ist in seiner kontinuierlich wachsenden Perfektion und Vernichtungskraft über jedes vorstellbare Feindbild hinausgewachsen.

Gewalt ist auch ein häufiges Thema der Arbeiten von Wolf Vostell. Mit seiner großformatigen Montage **Heuschrecken** (Kat.Nr. 364) von 1969/70 hat er der ideologischen Gesinnung der 68er Bewegung ein Altarbild geschaffen. In der Haupttafel begegnen sich die beiden Hauptziele der politischen Revolte: eine befreite Sexualität gepaart mit anarchischem Aufbegehren gegen bürgerliche Ordnungsmacht. Das rechte Bild zeigt auf einem vergrößerten Zeitungsfoto unbewaffnete Prager Studenten, die gegen einen russischen Panzer vorgehen. Auf der linken Seite antwortet ein sich liebendes Paar, ganz im Sinne von John Lennons berühmtem Song *Give Peace a Chance* und der Losung »Make Love not War«. In die Dichotomie von Liebe und Gewalt bezieht Vostell den Rezipienten ein, dessen Gestalt auf einer Predella aus zwanzig Fernsehgeräten in dem Moment erscheint, in dem er als passiver Betrachter vor das Bild tritt. Die Monitore stehen auf einem Asphaltboden, auf dem verglühte menschliche Überreste sowohl an die Napalmbombardements in Vietnam denken lassen als auch an die Phosphorbomben, die Dresden kurz vor Kriegsende zerstört haben. Ein spanischer Text verweist auf dieses furchtbare Ereignis: »Unter dem Schutt der Stadt findet man Tausende von Kinderleichen wieder. Der Asphalt kocht, und die Temperatur erreicht an bestimmten Stellen 1000 Grad.« Wie ein vergrößertes Detail aus einer Zeitungsseite, die täglich disparate Informationen als absurde Montage ineinanderfügt, sind das nackte Fleisch der Liebenden und die gepanzerte Kriegsmaschine verwoben. Es ist ein Geschichtsbild, das durch die Videoinstallation den

367 Astrid Klein, Über die Zeit IV, 1989; Fotografie, zweiteilig, gerahmt, 130 x 175 cm, 48 x 175 cm; Niedersächsische Sparkassenstiftung Hannover

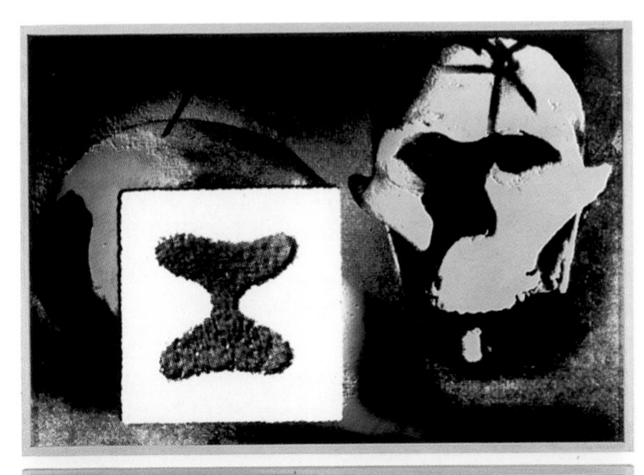

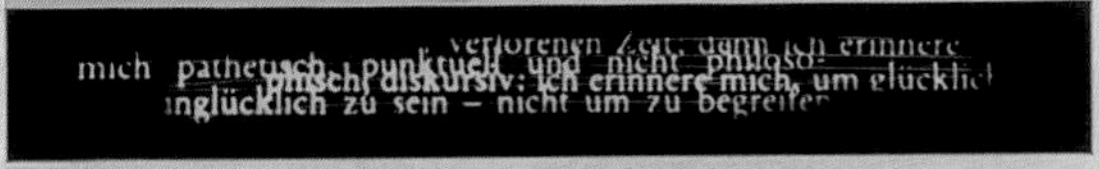

368 Astrid Klein, Über die Zeit III, 1989; Fotografie, zweiteilig, gerahmt, 118 x 175 cm, 28 x 175 cm; Dorothea Zwirner

369 Andreas Gursky, Singapore Stock Exchange I, 1997; C-Print, 170 x 275 cm; Staatliche Museen zu Berlin, Nationalgalerie, Leihgabe der Sammlung Marx

Betrachter aus seiner Zeit heraustreten läßt. »Schopenhauers principia individuationis, Raum, Zeit, Kausalität, treten in der Kunst, dem Bereich des bis zum Äußersten Individuierten, ein zweites Mal auf, jedoch gebrochen, und solche Brechung, erzwungen durch den Scheincharakter, verleiht der Kunst den Aspekt von Freiheit.«[7]

In mehrfacher Hinsicht liegt allen besprochenen Werken ein Thema zugrunde, die Zeit. Zeit als modifiziertes Phänomen; Zeit, die von Maschinen diktiert wird. Astrid Klein hat in dem fotografischen Zyklus **Über die Zeit I-IV**, 1989 (Kat.Nr. 365–368), Schattenbilder einer verrinnenden Anwesenheit zu großformatigen Tafeln montiert. Die Behauptung, etwas über Zeit in Bildern sagen zu können, ist paradox. Das Bild erscheint als Erinnerungsspur an ein mögliches Geschehen, das keiner Logik unterworfen ist und seinen Sinn nur in einer permanent anwesenden Ahnung seines Verlaufs findet. Geschichtliches scheint ebenso auf wie Anonymes. Vor der Allmacht des Vergangenen, vor einem Zeitraum schier unendlichen Ausmaßes, gelingen nur fragmentarische Bilder. Alles Überlieferte, Relikte verwehter Subjekte, Bauten, dazwischen Leid und Freude gleichermaßen, Fahnen und Text, als fiktiver Kommentar, bleibt hilflos zurück. Die Vergangenheit zu rekonstruieren ist unmöglich. Zeit als positivistisches, lineares Ordnungsmaß wird außer Kraft gesetzt. Das künstlerische Bild als Beitrag zum Thema Zeit durchbricht allein durch seine Disparität, durch seine Anwesenheit in der Zeit und durch sein aus dem abgebildeten Gegenstand dem Betrachter auferlegtes retrospektives Sinnen über Zeit alle Möglichkeiten eines geordneten Zeitempfindens. Es schafft ein eigenes Zeitbewußtsein. Die Zeit ist in der Starre des Bildes geronnene Zeit, die erst in der freien Assoziation in eine kreisende Bewegung gerät. Astrid Kleins Fotoarbeiten, denen in den Printmedien gefundene Fotografien zugrunde liegen, die sie in einem langwierigen Prozeß bearbeitet, lassen keine eindeutige Erzählform zu. Diese Bilder sind wie einge-

370 Andreas Gursky, Autosalon Paris, 1993; C-Print, 210 x 175 cm; UBS AG, Schweiz

brannte Schatten nach dem Atomschlag. Die hominide Schädelform, die hingelegte Figur, die sich auflösende Gestalt, das Gebäude, die schwebenden Amöbenformen sind wie Röntgenbilder einer verloschenen Kultur. Der Betrachter wird zum Archäologen seiner Nachzeit, sein Blick ist der Blick nach der Auslöschung.

Ganz anders ist die Sicht von Andreas Gursky, der zu der sogenannten Becher-Schule gehört. Er ist einer der wichtigsten Wegbereiter der in den achtziger Jahren entstehenden großformatigen Bildfotografie. Erstmals tritt damit Fotografie wieder aus ihrer autonomen Entwicklung als künstlerische Fotografie heraus und nähert sich aus dieser emanzipierten Position der bildenden Kunst. Gurskys große Farbkompositionen gleichen raffiniert entwickelten Gemälden. Sein auf eine vielteilige Welt gerichteter Blick läßt die Wirklichkeit als eine unendliche Montage erscheinen. **Autosalon Paris** von 1993 (Kat.Nr. 370) wirkt wie eine Collage, die Überschneidung von Mensch und Maschine, die dicht um geöffnete Automobile gedrängte Masse, erscheint aus

371 Jürgen Klauke, Selbstfindung, 1989/90; Fotoarbeit, zweiteilig, gerahmt, 127 x 330 cm; Kunsthalle Bielefeld

der fotografischen Distanz unwirklich. Der Gegenstand dieser Fotografie tritt vollständig hinter seine ästhetische Gestalt zurück. Die Arbeiten von Gursky haben trotz ihres scheinbaren Realismus einen unwirklich erscheinenden Abstand zur Wirklichkeit. Letztendlich bleibt es unerheblich, ob sie einen Autosalon, die Innenansicht einer Börse oder die Gleichzeitigkeit von außen und innen eines Hochhauses in Hongkong zeigen. Ausschlaggebend ist das künstlerische Konzept, die farbige und großformatige Reproduktion schildert eine Realität, die es in Wirklichkeit in dieser Weise nicht gibt. Erst der Fotograf verwandelt das Gesehene in eine ästhetische Attraktion. Die großen Bildbühnen, die Gursky schafft, sind nicht inszeniert wie etwa bei dem Kanadier Jeff Wall, der Geschichten in seinen Bildern nacherzählt. Fotografie wird bei Gursky zu einem selbstreferentiellen Bildphänomen, zu einem Bild, das nicht mehr das ›Vorbild‹ meint, sondern sich selbst als gewordenes ästhetisches Gebilde. Die gesellschaftlichen Einblicke, die erschreckende Dimension von Massenereignissen, die kritische Distanz zum Gegenstand stellen sich erst in einer zweiten Ebene ein.

Selbstfindung, 1989/90 (Kat.Nr. 371), heißt eine zweiteilige Fotoarbeit von Jürgen Klauke. Lang hingestreckt liegt ein Mensch in einem maschinenartigen Gebilde, das er aus eigener Kraft in Bewegung zu halten scheint. Die Durchleuchtung gibt dem Bild eine existentielle Dimension, die nicht eindeutig zu identifizierende Handlung wird zur Spanne zwischen Leben und Tod. Die Vergeblichkeit allen Tuns, die Schwäche der Endlichkeit scheint das Thema dieses Bildes. Klauke beschreibt den gnadenlosen *circulus vitiosus* des Maschinenzeitalters. Mit Hilfe eines Apparates gelingt eine ›Lichtanatomie‹, die das Elend des an seiner materiellen Gebundenheit zugrunde gehenden modernen Menschen dramatisch herausstellt. Das Bild ruft jene Szene aus Thomas Manns *Zauberberg* ins Gedächtnis, die eine Durchleuchtung gleichsam zum initiatischen Erlebnis werden läßt: »Und Hans Castorp sah, was zu sehen er hatte erwarten müssen, was aber eigentlich dem Menschen zu sehen nicht bestimmt ist und wovon auch er niemals gedacht hatte, daß es ihm bestimmt sein könne, es zu sehen: er sah in sein eigenes Grab. Das späte Geschäft der Verwesung sah er vorweggenommen durch die Kraft des Lichtes, das Fleisch, worin er wandelte, zersetzt, vertilgt, zu nichtigem Nebel gelöst, und darin das kleinlich gedrechselte Skelett [...].«[8]

Der in Berlin lebende amerikanische Fotograf John Schuetz hat eine besondere Technik entwickelt, mit deren Hilfe er die in den zwanziger Jahren entstan-

372 John Schuetz, When Frank O'Hara came to Berlin, 1995; vier Lichtmontagen auf Ektacolor-Papier, je 120 x 87 cm; Berlinische Galerie, Landesmuseum für Moderne Kunst, Photographie und Architektur; und Sammlung Veilchen

dene Fotomontage auf einer neuen Ebene fortsetzt. Er schneidet Details aus diaartigen Fotografien, die er sorgfältig auf kleinen Glasplatten zu einem neuen Bild zusammensetzt, das unter seiner Anleitung im Fotolabor vergrößert wird. Der auf diese Weise entstandenen Montage geht eine langwierige Arbeit mit der Kamera voraus. Das Basismaterial seiner Montagen bilden Fotografien, deren Motive er selbst bereits im Hinblick auf das Ergebnis genauestens ausgesucht und fotografiert hat. Nur in Ausnahmen, wie in der Serie von Lichtbildmontagen **DLDP (Deadlight-Deadpan)** von 1996, verwendet Schuetz fremdes Material (in London gefundene, verworfene fotografische Platten). Es entstehen zumeist Zyklen, die sich in einer Abfolge von bis zu zwanzig Motiven auf ein Thema konzentrieren. Die für das Kapitel »Mensch und Maschine« ausgewählte Folge von vier Montagen **When Frank O'Hara came to Berlin**, 1995 (Kat.Nr. 372), vereinigt maschinenartige Fragmente von Kinderspielzeugen zu seltsamen, turmartigen Gewächsen, die an wissenschaftliche Aufnahmen etwa in der Mikrobiologie oder Chemie erinnern. Ihre Gegenständlichkeit wächst gleichsam in die abstrakte Komposition, in eine verspielte Welt von aus der Gravitation entlassenen Elementen hinein. In ewiger Schwerelosigkeit treiben bunte Erinnerungsfetzen, die möglicherweise dem amerikanischen Dichter und zeitweiligen Angestellten des Museum of Modern Art in New York, Frank O'Hara, zugehören. Mit seiner Montage findet Schuetz ein klimatisches Bild für eine ihn faszinierende Figur und deren ambivalenten Haushalt zwischen Poesie und Kritik, zwischen Irrationalem und Rationalität.

Anmerkungen

1 Vgl. McLuhan, Marshall: *Die magischen Kanäle.* Dresden; Basel 1994, S. 521.
2 Adorno, Theodor W.: *Ästhetische Theorie.* Frankfurt am Main 1998, S. 57.
3 Ebd., S. 527.
4 Anders, Günther: *Die Antiquiertheit des Menschen. Über die Seele im Zeitalter der zweiten technischen Revolution.* Bd. I. München 1988, S. 23.
5 Zit. n. Glozer, Laszlo (Hg.): *Westkunst. Zeitgenössische Kunst seit 1939.* Köln 1981, S. 248.
6 Vgl. Anders, Antiquiertheit (Anm. 4), S. 233ff.
7 Adorno, Ästhetische Theorie (Anm. 2), S. 207.
8 Mann, Thomas: *Der Zauberberg.* Frankfurt am Main 1997, S. 304.

Das Schweigen von Alexander Kluge wird überbewertet

Rebecca Picht und Jan Speckenbach

Die Debatte um Montage ist ein Streit um Realismus.

Seit es die Möglichkeit gibt, im bewegten Bild einen Zeitraum kontinuierlich zu reproduzieren, wird um den dokumentarischen und fiktionalen Charakter des Films gerungen. Scheinbar entgegengesetzt zum Film entwickelt die Malerei im Übergang vom 19. auf das 20. Jahrhundert fragmenthafte Abbildung und Collage: Sie löst sich von der narrativen Darstellung, während der Film sie etabliert. Doch die Vorgehensweise ist für beide Medien die gleiche – Material wird angehäuft und neu geordnet: Das Prinzip ist Montage.

Die Debatte um Montage im Film wird in den zwanziger Jahren im Kreis um Sergej Eisenstein heftig geführt und spielt in den fünfziger Jahren im Anschluß an André Bazin eine wichtige Rolle. Stellvertretend stehen diese beiden Positionen für Befürwortung und Ablehnung der Montage: Eisensteins Pro-Montage-Pathos und Bazins Anti-Montage-Ethos markieren die beiden Pole, an denen sich Theorie und Praxis in der Auseinandersetzung um eine gültige Filmsprache immer wieder neu entzünden. Dabei formulieren alle Tendenzen einen Anspruch auf realistische Argumentation. Die Vorstellungen aber, was Realismus im bewegten Bild sein kann, weichen stark voneinander ab. Die einen machen die Subjektivität der Filmbilder zum Mittel ihrer Aussage, die anderen fordern die Objektivität des Kamerablicks. Die einen praktizieren eine Kollision der Bilder, um in der Synthese ihres Zusammenpralls einen Erkenntnisprozess zu provozieren (in der Filmtheorie explizit als ›Montage‹ bezeichnet), die anderen favorisieren Montage als Illusion einer Kontinuität (oft als ›Schnitt‹ definiert). Doch die Trennung beider Tendenzen, so konträr sie auch scheinen mögen, ist ein Mißverständnis: Schneiden müssen alle.

Der Schnitt beginnt schon bei der Aufnahme. Er beginnt immer beim Material. So kann die Montage zunächst als eine Orientierung im kadrierten Bild verstanden werden. Im Zeitgefüge eines Films folgt sie einer Ökonomie der Aufmerksamkeit, aus der Diktatur der *story* entsteht die Herrschaft des Rhythmus. Raffung und Dehnung, Verdichtung und Steigerung erzielen jenseits der Erzählung narrative Wirkung. Der Schnitt ist mehr als nur eine den Inhalt stützende Form, er schafft eine strukturelle Kontingenz. Der abstrakte Experimental-

1 - 6

7 -12

film hat in vielen Beispielen diese filmimmanente Gesetzmäßigkeit genutzt und im Schnitt die Statik des Mediums Film vorgeführt: Bildelemente werden in Bewegung gesetzt, die Dynamik der Variation verwandelt sich in eine sujetlose Dramaturgie. Punkt, Linie, Fläche und Textur werden im bewegten Bild überraschend gegenständlich. Als tanzende Formen verwandeln sie sich im Wechsel der Erscheinung zu Repräsentanten: Kommerz und Kunst folgen im Film derselben Diktion.

Die Glaubhaftigkeit der montierten Sequenzen steigert sich in der Konventionalisierung der Einstellungen: Eine narrative Struktur, festgefügt in die Logik der Kameraposition und der Schnittfolge, wird zur Regel. Sie entwickelt sich aus einer Rationalisierung der Filmsprache für das jeweilige Genre. Aus der Verknappung entsteht ein Code, der alles Überflüssige von der Leinwand verbannt: Nur so viel Dekor, daß der Schauplatz eindeutig definiert ist, gerade so wenig Worte, daß die Charakterisierung der Personen und die Stringenz der Handlung gewährleistet sind, keine Geste zuviel – Anschlußreaktionen müssen nachvollziehbar sein. Ein paar schweifende Blicke zur Erläuterung der Psychologie der Protagonisten, wohlproportionierte Einstellungen zur klaren Einschätzung der räumlichen Situation, schließlich am Höhepunkt der Spannungskurve Verfolgungsjagd, Schlußkuß, Sieg und Niederlage. Emotion wird schematisiert, Kommunikation kristallisiert zum Klischee. So wird die Organisation des Bilderstroms unsichtbar, weil sie sich aus der Norm zwingend fügt.

Montage als Kontinuität der Erzählung und Montage als Dekonstruktion der Realität erzeugen einen Antagonismus von Zusammenhang und Auflösung. Erst was zerrissen, zerteilt, zerschnitten wird, kann für die Beschreibung einer Welt dienen, die nicht mehr als Einheit empfunden wird, erst die Addition der Einstellungen macht diese als Fragmente greifbar, erst die Reihung raubt den Bildern ihren Wert und reduziert sie zum Montageglied: Auch die konventionellste Bilderfolge hat damit den Charakter einer Collage. War das einzelne Bild authentisches Dokument, wird es als Einstellung zum Zitat einer Realität, zum Ready-made. In der Multiplikation von Sequenz und Ausschnitt offenbart sich die Logik des Seriellen: Ein Heimatfilm ist damit nichts anderes als ein dadaistisches Gedicht.

Gegen die Kontinuität der Einstellung bedeutet der Schnitt einen plötzlichen Riß, ein *black out*. Er fordert die Imaginationsgabe des Zuschauers zur Ergänzung der Lücke und provoziert die Fiktionalisierung des Filmbildes. Der Schnitt ist ein *special effect*. Er bedeutet die immer wieder neue Verwandlung der indexikalisch-

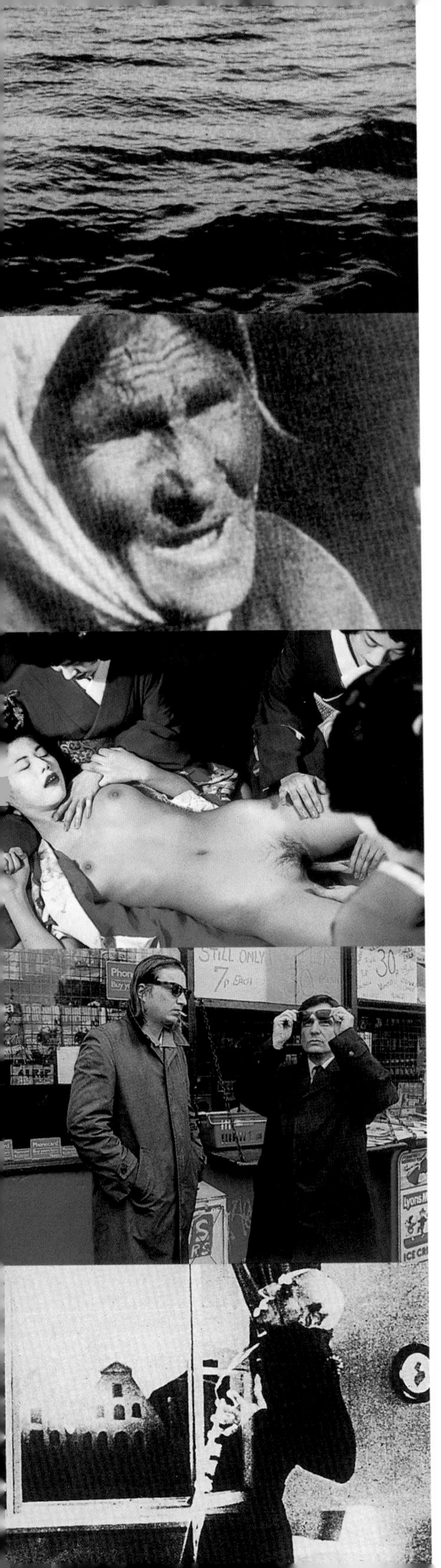

13 - 18

fotografischen Natur des Filmbildes in ikonische oder symbolische Aspekte. Nach dem Schock der Authentizität, dem das 19. Jahrhundert im Namen der Fotografie ausgeliefert ist, wird im 20. Jahrhundert der Film, das bewegte Bild, zum Primärmedium für eine Neufiktionalisierung der Welt.

Die Debatte um Montage als Streit um Realismus ist ästhetisch und moralisch aktuell. Dem Begriff des Virtuellen und dem des Simulakrum muß in der Auseinandersetzung mit den neuen Medien die Instanz des Schnitts hinzugefügt werden. Die bewegten Bilder, seien sie Werbung, Clip und Videokunst oder Fernsehen, Kino und Internet, sind Montagemedien. Ihnen als solchen gerecht zu werden und sie als solche zu bemessen, ist die Herausforderung. Der Schnitt strahlt Gravitationswirkung auf die Bilder aus. Er ist ein Materie absorbierendes Zentrum.

Bildlegenden

1 Robert Wise, Helen of Troy (Die schöne Helena; Der Untergang von Troja), 1955; Deutsches Institut für Filmkunde, Frankfurt am Main
2 Carl Theodor Dreyer, La passion de Jeanne d'Arc (Die Passion der Jungfrau von Orléans), 1928; Deutsches Institut für Filmkunde, Frankfurt am Main
3 Hans Deppe, Grün ist die Heide, 1951; Deutsches Institut für Filmkunde, Frankfurt am Main
4 Alfred Hitchcock, Psycho, 1960
5 Howard Hawks, To Have and Have Not (Haben und Nichthaben), 1945; pwe Kinoarchiv, Hamburg
6 Guy Hamilton, Goldfinger, 1964
7 Ingmar Bergman, Persona, 1966
8 Lawrence Kasdam, Silverado, 1985; pwe Kinoarchiv, Hamburg
9 David W. Griffith, An Unseen Enemy, 1913
10 John Landis, The Blues Brothers, 1979
11 Walther Ruttmann, Opus 2, 1923; Stiftung Deutsche Kinemathek, Berlin
12 Alexander Kluge, Abschied von Gestern, 1966; Deutsches Institut für Filmkunde, Frankfurt am Main
13 Michael Snow, Wavelength, 1967
14 Dziga Vertov, Tschelowek s Kinoapparatom (Der Mann mit der Kamera), 1929
15 Nagisa Oshima, Ai No Corrida (Im Reich der Sinne), 1975; pwe Kinoarchiv, Hamburg
16 Aki Kaurismäki, I hired a Contract Killer, 1990
17 Friedrich W. Murnau, Nosferatu. Eine Symphonie des Grauens, 1922; Stiftung Deutsche Kinemathek, Berlin
18 Michelangelo Antonioni, Zabriskie Point, 1970

Film Essay **Black Maria** (Kat.Nr. 373) Rebecca Picht / Jan Speckenbach entstanden 1999 in Kooperation mit dem Zentrum für Kunst und Medientechnologie Karlsruhe

GAS 595

Zeit-Bilder

Inka Graeve

1838, ein Jahr vor der offiziellen Bekanntgabe des fotografischen Verfahrens nahm einer seiner Erfinder, Louis Jacques Mandé Daguerre, mehrere Ansichten des berühmten Pariser Boulevard du Temple auf. Vom gleichen Standort, aber zu unterschiedlichen Tageszeiten fotografiert, gaben sie in bis dato nicht gekannter Realistik ein Bild des Straßenzugs wieder. Aber obwohl der Boulevard zu den verkehrsreichsten Orten der Innenstadt zählte, zeigten die Aufnahmen aufgrund zu langer Belichtungszeiten noch keine bewegten Objekte, keine Fuhrwerke oder Fußgänger. Daguerre muß sich der Ungenügsamkeit seiner Darstellung bewußt gewesen sein, denn während die erste, morgens fotografierte Ansicht menschenleer war, findet der Betrachter auf einer später aufgenommenen eine Person, die einige Minuten in einer Position verharrend fixiert werden konnte. Daguerres Aufnahmen des Boulevard du Temple, mit denen die Erfindung eines neuen Mediums enthusiastisch gefeiert, aber auch verteufelt wurde, machten deutlich, daß die Fotografie wie kein anderes Medium imstande war, »in unnachahmlicher Treue« (Alexander von Humboldt) ein detailliertes, wirklichkeitsnahes ›Abbild‹ der Welt zu geben, und dies, obwohl wesentliche Momente wie Bewegung und Farbe noch fehlten.

Seit den frühesten Anfängen wurde das fotografische Medium in direkte Konkurrenz zum menschlichen Wahrnehmungsvermögen gesetzt, da es in der Lage war, einen Wirklichkeitsausschnitt genauer, umfassender und demokratischer wiederzugeben, als ihn das Auge aufgrund der notwendigen Auslese von Fakten zu erfassen vermochte. Ihre unzweifelhafte Überlegenheit aber, so glaubten ihre Befürworter, erwies die Fotografie darin, daß sie – nach einigen Jahren forcierter Entwicklung – Bewegungsmomente von Sekundenbruchteilen registrieren und so dem Betrachter das ›Optisch-Unbewußte‹ erfahrbar machen konnte.[1] Zwanzig Jahre nach Daguerres Erfindung waren bereits die ersten Momentaufnahmen städtischen Lebens gelungen, die Bewegungsmomente ohne Verwischungen festhielten. Die Momentfotografie avancierte in der Folge zu einem wichtigen Instrumentarium, um nicht nur Bewegung in ihre Einzelteile analytisch zu zerlegen, sondern zugleich durch Synthese Bewegung in ihrem Verlauf sichtbar zu machen. In den siebziger Jahren wurden zwei unterschiedliche, bis ins 20. Jahrhundert hineinwirkende Ansätze entwickelt, um Bewegungsverläufe darzustellen: die Chronofotografie des französischen Arztes und Physiologen Etienne-Jules Marey, der mittels Mehrfachbelichtung mehrere Bewegungsphasen auf einer fotografischen Platte festhielt, und die Phasenfotografie des in Kalifornien lebenden Engländers Eadweard Muybridge.

374 Ottomar Anschütz, Weitspringer, von der Seite, 1888; neun Fotografien, je 13,9 x 9,4 cm; Hochschule der Künste Berlin, Hochschularchiv

Bereits Anfang der siebziger Jahre hatte Muybridge (1830–1904) im Auftrag des Pferdezüchters und späteren Begründers der Stanford University, Leland Stanford, die ersten Versuche unternommen, um den fotografischen Beweis zu liefern, daß ein schnell trabendes Pferd zu einem bestimmten Zeitpunkt mit keinem Huf den Boden berührt. Ab 1877 entwickelte Muybridge dann ein System, bei dem er mit Hilfe mehrerer, in Reihe nebeneinander stehender Kameras, die automatisch ausgelöst wurden, den Bewegungsablauf aufnehmen konnte. Auf diese Weise wurde die sich in einem bestimmten Moment vollziehende Bewegung in 12, später meistens 24 Einzelbilder analytisch zerlegt. Zur Veranschaulichung wurden die einzelnen Aufnahmen anschließend auf einem Karton in horizontal oder vertikal verlaufenden Reihen montiert, so daß die Einzelbewegung wie auch der Bewegungsverlauf erkennbar wurden. Das Innovative an Muybridges Aufnahmen war, daß sie dem damaligen Betrachter Bewegungsmomente sichtbar machten, die mit dem bloßen Auge nicht wahrnehmbar waren. Sie erbrachten damit den ›Beweis‹, daß das Kamerabild die Wirklichkeit zuverlässiger wiederzugeben vermochte, als sie das Auge begreifen konnte. 1879 entwickelte Muybridge das Zoopraxiscope, eine Variante des bereits bekannten Schnellsehers oder Lebensrads, in dem die auf eine Scheibe montierten Einzelbilder durch Drehung wieder als Bewegungsabfolge wahrgenommen werden konnten, woraus sich die (noch recht mangelhafte) Illusion bewegter Bilder ergab. Muybridge führte seine Versuchsreihen ab 1883 an der Universität von Pennsylvania fort, wo er nun vor allem den Menschen in Bewegung aufnahm (Kat.Nr. 375). Er erweiterte seine nur aus einem Blickwinkel aufgenommenen Ansichten um Bildserien, die eine Bewegung von unterschiedlichen

376 Max Skladanowsky, Boxendes Känguruh, Der Jongleur, aus »Das Wintergarten Programm, 1895; Bundesarchiv, Filmarchiv Berlin

Seite 441: 375 Eadweard Muybridge, Frau mit Fächer eine Treppe herabsteigend; aus »Animal Locomotion« (Tafel 141); 1887; Lichtdruck, 40,9 x 23,6 cm; Hochschule der Künste Berlin, Hochschularchiv

377 Ernemann Imperator, 1909; Filmmuseum Potsdam

Standorten aus fixierten, und entwickelte tableauähnliche Bildmontagen, auf denen ein Bewegungsablauf aus zwei oder drei verschiedenen Blickwinkeln simultan zu sehen war: »Indem das Tableau zwei Strukturebenen aufweist, die Mikrostrukturen der einzelnen Elemente und die Makrostruktur der Gesamtbildfläche, erfordert es einen Betrachtungsmodus, bei dem sich ganzheitliches und partikuläres Schauen wechselseitig ergänzen«[2]. Obwohl seine Aufnahmen und die aus ihnen resultierenden Montagen primär wissenschaftlicher Natur waren, zählen sie zu den ersten Versuchen, die

378 Marcel Broodthaers, Une Seconde d'Eternité, 1970; 16 mm s/w, 1 Sek.; Privatsammlung

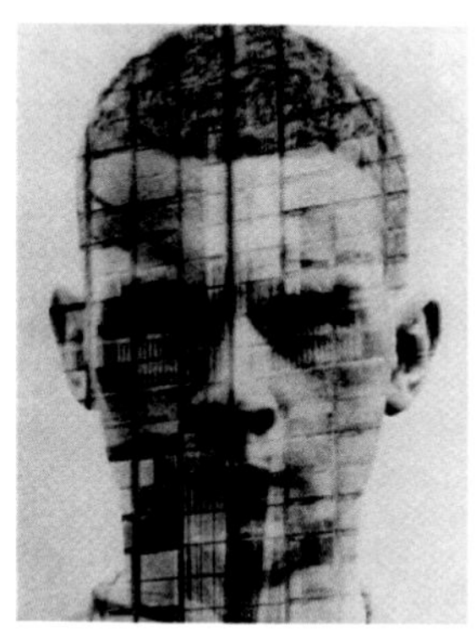

379 Hajo Rose, Selbstportrait, 1931; Bromsilberabzug, 24 x 17,9 cm; Thomas Walther Collection, New York

380 Edmund Kesting, Dore Hoyer, 1939; Fotografie, Silbergelatinepapier, 29,8 x 23,8 cm; Berlinische Galerie, Landesmuseum für Moderne Kunst, Photographie und Architektur

Victor Obsatz, Portrait No. 29 (Double Exposure: Full Face and Profile), 1953; Philadelphia Museum of Art, Archiv Duchamp, Schenkung Jacqueline, Peter und Paul Matisse zum Gedenken an ihre Mutter Alexina Duchamp

381 Richard Kauffmann, »Durchdringe Dich selbst« oder »Ich umarme mich« (Porträt Hannah Höch), 1922 (Neuprint Markus Hawlik, 1987); Fotografie, Doppelbelichtung, Silbergelatinepapier, 31,2 x 24,3 cm; Berlinische Galerie, Landesmuseum für Moderne Kunst, Photographie und Architektur

Mehransichtigkeit eines Objekts in der zweidimensionalen Fläche darzustellen.

Auf der Grundlage der durch Publikationen bekannten Versuchsreihen Muybridges begann der deutsche, in Lissa ansässige Fotograf Ottomar Anschütz (1846–1907) Bewegungsbilder aufzunehmen. Sein Interesse galt zunächst Momentaufnahmen militärischer Manöver. 1884 erregte er mit seinen Fotografien fliegender Störche besonderes Aufsehen. Wie Muybridge entwickelte auch Anschütz Serienaufnahmen mit 12 bis 24 Kameras, konnte aber durch lichtstärkere Objektive, die Verwendung der Gelatinetrockenplatte und eine größere Entfernung zu seinem Aufnahmeobjekt eine detailliertere Durchzeichnung der Figuren erreichen. Anschütz vergrößerte seine »nach dem Leben aufgenommenen« Serienaufnahmen einzeln auf Kabinettkartenformat, so daß der Betrachter sie als Bildreihen ansehen konnte (Kat.Nr. 374), und vertrieb sie im Kunsthandel. Wie Muybridge arbeitete auch Anschütz an der Entwicklung eines Vorführgerätes, mit dem der zuvor in Einzelbilder analytisch zerlegte Bewegungsvorgang wieder als homogener Bewegungsablauf wahrgenommen werden konnte. Er erfand das Tachyskop, einen elektrischen Schnellseher, und projizierte seine Bilder auf eine Leinwand. 1894 fand in Berlin erstmals eine öffentliche Vorführung statt, die heute als unmittelbarer Vorläufer des Films gilt.

Sowohl Muybridge als auch Anschütz wollten mit Hilfe der Momentfotografie die traditionellen Wahrnehmungskonventionen von Bewegung überprüfen. Sie revolutionierten durch ihre Aufnahmen die Bewegungsdarstellung in den bildenden Künsten. So wie die durch die Industrialisierung bedingte Veränderung der Wahrnehmung durch das Moment von maschineller Geschwindigkeit eine für das menschliche Wahrnehmungsvermögen immer ungenauere Vorstellung eines Raum- und Zeitkontinuums vermittelte, konnte das fotografische Medium aufgrund der Geschwindigkeit (in Form der Belichtungszeit) ein Bild der Wirklichkeit schaffen, das mit bloßem Auge nicht wahrzunehmen war. Die Gewißheit, mit dem Auge die Welt erfahren zu können, wurde durch das technische Bildmedium immer mehr in Frage gestellt, die menschliche Zeiterfahrung durch die der Maschinen abgelöst.[3] Der wissenschaftliche Anspruch, den Muybridge und Anschütz postulierten, wurde aber vor allem von Künstlern nicht bedingungslos geteilt, der fotografische ›Beweis‹ nicht widerspruchslos akzeptiert. Die Überlegenheit der Kunst sah der Bildhauer Auguste Rodin gerade in der Möglichkeit, die Illusion von Bewegung durch die Synthese mehrerer Bewegungsmomente in einer Geste, im »fruchtbaren Moment«, verschmelzen zu können, so wie es auch das Auge tat, während die Momentfotografie die Bewegung erstarren ließe.[4] Rodin zählte zu den frühesten Kritikern, die dem für die Fotografie postulierten Wahrheitsanspruch den Anspruch künstlerischer Wahrhaftigkeit gegenüberstellten.

Kein Medium veränderte das menschliche Wahrnehmungsvermögen jedoch stärker als der Film, der am Ende des 19. Jahrhunderts endgültig das Medienzeitalter einläutete. Max Skladanowsky (1863–1939), unterstützt durch seinen Bruder Emil, zählte neben den Gebrüdern Lumière zu den Erfindern der Kinematographie, auch wenn sich sein »Bioscop« nicht gegen den technisch weit überlegenen »Cinématographe« behaupten konnte. Die Erfindung des Films, bei der unterschiedliche medienhistorische Entwicklungslinien zusammenliefen, nutzte wichtige technische und optische Erfindungen des letzten Drittels des 19. Jahrhunderts und vollendete die fotografischen Versuchsreihen von Muybridge und Anschütz, indem er die Statik des fotografischen Bildes überwand. Betrachtet man den ersten Film, den die Skladanowskys gedreht und im Programm des Berliner Varietés Wintergarten im November 1895 vorgeführt hatten, so fällt vor allem auf, daß die Bewegungsdarstellung das wichtigste Moment aller acht Kurzfilme war. Die Gebrüder Skladanowsky hatten verschiedene Varieténummern, wie den Jongleur oder das

382 Otto Umbehr (Umbo), Simultanes Porträt, 1927; Doppelbelichtung, Bromsilberabzug 17,9 x 13 cm; Thomas Walther Collection, New York

383 Edmund Collein und Heinz Loew, Standing portrait and Silhouette in profile, 1927–28; Doppelbelichtung, 11,7 x 9 cm; Thomas Walther Collection, New York

384 Bernd und Hilla Becher, Hochöfen/Ruhrgebiet, 1979; zwei von vier Fotografien, je 40 x 30 cm; Institut für Auslandsbeziehungen, Stuttgart

boxende Känguruh (Kat.Nr. 376); in einer studioähnlichen Situation aufgenommen, da sie glaubten, das Varieté sei der geeignete Ort für die Vorstellung ihrer neuen Erfindung. Die Darsteller springen, hüpfen, tanzen, jonglieren und boxen; sie sind in jeder Sekunde von rasanter Bewegung erfüllt. In den zeitgenössischen Rezensionen der »lebendigen Fotografien« ist daher auch häufig von »zappelnden« Bildern die Rede, ein Eindruck, der noch durch das starke Flimmern der Filmbilder unterstützt wurde. Den ersten Filmen lag bezeichnenderweise noch keine Regieanweisung zugrunde. Während jedoch die Gebrüder Lumière gewöhnliche Szenen aus dem Alltag aufnahmen, wie beispielsweise die Einfahrt eines Zuges in einen Bahnhof, und dabei bewußt auf einen Schockmoment beim Publikum zielten – die Vorstellung, der Zug würde in das Kino einfahren und die Zuschauer überrollen –, wiederholte der erste, rund fünfzehnminütige, von Orchestermusik begleitete Film der Skladanowskys, der als Schlußnummer gezeigt wurde, die bereits vorgeführten Attraktionen. Noch war die Filmtechnik nicht imstande, mit der lebenden Darstellung zu konkurrieren, und so verschwand der Film schon einige Wochen später aus dem Programm des Wintergartens. In der folgenden Dekade blieb das Kino eine Varieté- und Jahrmarktattraktion, bis die ersten festen Vorführhäuser und der auf einer abgeschlossenen Handlung basierende Spielfilm den Beginn einer eigenständigen Filmsprache markierten.

Während sich der Film aufgrund seiner bewegten Bilder schon früh als eigenständiges Ausdrucksmedium etablierte, litt die Fotografie als statisches Bildmedium immer wieder unter dem Vergleich zu den traditionellen Bildkünsten. Sie wurde zwar als das technisch überlegenere Registrierverfahren anerkannt, doch ein eigenständiges künstlerisches Potential wurde ihr aufgrund ihrer Mechanik abgesprochen. Erst das »neue Sehen« der zwanziger Jahre etablierte eine fotografische Bildsprache, die sich, von malerischen

385 Bernd und Hilla Becher, Fördertürme, 1979; vier Fotografien, je 40 x 30 cm; Institut für Auslandsbeziehungen, Stuttgart

Vorbildern befreit, aus den der Fotografie immanenten Möglichkeiten entwickelte und eine eigene Medientheorie hervorbrachte. Neben extremen Auf- und Untersichten, ungewöhnlichen Bildausschnitten, Close-ups und Fragmentierungen war es vor allem das aus der filmischen Überblendung entwickelte Prinzip der Doppel- und Mehrfachbelichtung (Kat.Nrn. 379–383), das als dem Medium immanentes Stilmittel eingeführt wurde und das Moment der Zeit beziehungsweise Zeiterfahrung und der Vielansichtigkeit (wie Mehrdeutigkeit) thematisierte.

Erst seit Ende der sechziger Jahre wurden Fotografie und Film durch konzeptuell arbeitende Künstler im Rahmen eines erweiterten Kunstbegriffs als gleichberechtigte künstlerische Ausdrucksmittel in den gestalterischen Prozeß einbezogen, wie beispielsweise in den Typologien industrieller Baukörper des Künstlerpaares Bernd (geb. 1931) und Hilla (geb. 1934) Becher (Kat.Nr. 384f.). Das fotografische Bild, statisch oder bewegt, wurde nicht mehr als Konkurrent, sondern als zeitgemäße Erweiterung der visuellen Wahrnehmung erfahren, seine formalen Grundelemente und der immer noch gültige Wahrheitsanspruch künstlerisch untersucht und kritisch reflektiert.

Eine Gegenüberstellung vom bewegten und statischen Bild, eine Reflexion über das Medium Film, das Kino und seine Rezeptionsbedingungen stellt die Arbeit **Une Seconde d'Eternité** (Eine Sekunde Ewigkeit) des belgischen Künstlers Marcel Broodthaers (1924–76) von 1970 dar (Kat.Nr. 378). Broodthaers, der in seinem künstlerischen Werk verschiedene Medien wie Literatur, Fotografie und Malerei miteinander verband, gehörte zu den ersten Künstlern nach dem Zweiten Weltkrieg, die das Medium Film in den künstlerischen Prozeß integrierten. In dem durch die Lektüre der Werke Charles Baudelaires inspirierten Film, der auch *Ma Signature* heißt, bedient sich der Künstler/Regisseur der formalen Grundeinheit des Films, den 24 Einzelbildern einer filmischen Sekunde, und zeichnet in 24 Schritten seine Initialien, wobei jeder Schritt wie bei einem Zeichentrickfilm einzeln festgehalten wurde. In einer Endlosschleife vorgeführt, zeigt der Film in kaum wahrnehmbarer Schnelligkeit die sich immer wiederholende Entstehung des Monogramms des Künstlers. Broodthaers verweigert sich unter Verwendung von Stilmitteln aus der kinematographischen Frühzeit nicht nur durch die kurze Dauer seines Films, sondern auch durch den Verzicht auf eine sinnfällige Handlung der herkömmlichen Erzählstruktur des kommerziellen Kinos. Das Gesehene erläutert sich nicht selbst, sondern kann nur als Verweis auf etwas anderes verstanden werden. Die »Darstellung« von Zeit als Darstellung einer Sekunde Kino, so Broodthaers später, sei das eigentliche Thema seines Films, aber auch »die eines Sinns und Un-Sinns der Beziehung zwischen zwei Sprachen, jener der Wörter und jener des Films«[5]. Dem bewegten Objekt stellte der Künstler in seiner Präsentation in der Berliner Galerie Skulima das unbewegte Objekt gegenüber. Er ergänzte die bewegten Filmbilder durch eine Kopie des Filmstreifens, die, um einen Karton geklebt die Endlosschleife wiederholend, als statisches Objekt jedes Einzelbild sichtbar macht und damit die Illusion der Bewegung, die der Film durch den stroboskopischen Effekt erzielt, wieder aufbricht und zugleich auf seine Grundform, das fotografische Einzelbild, zurückführt. Kino interpretierte Broodthaers als eine narzißtische Erfindung, so wie alles künstlerische Schaffen auf einer narzißtischen Grundhaltung beruhe, die unter anderem in der Signatur des Künstlers zum Ausdruck komme.[6] In der Verabsolutierung der eigenen, sich immer wiederholenden Initialen reflektiert sich der Künstler (in seiner Eitelkeit) und zeichnet zugleich ein Selbstporträt.

Das Thema Zeit ist zentral im Werk des Medienkünstlers Jochen Gerz (geb. 1940), der seit 1968 mit Fotoserien arbeitet. Gerz verbindet seine Fotografien, die sich der eindeutigen Lesbarkeit und Identifizierbarkeit verweigern, mit Texten, die jedoch nicht erläuternd, sondern gleichberechtigt und assoziativ neben die Bilder treten. Die Arbeit **(Whereas) comprehension of time (is) imperfect** (Das menschliche Verständnis von einem zeitlichen Ablauf ist *imperfekt*) aus der Serie »Die Entwicklung des Schreibens« entstand 1972 und besteht aus 35 Fotografien und einem Textbild, die als Tableau angeordnet sind (Kat.Nr. 386). Das Motiv ist in allen 35 Bildern das gleiche. Gerz fotografierte im Botanischen Garten von Paris das Licht- und Schattenspiel,

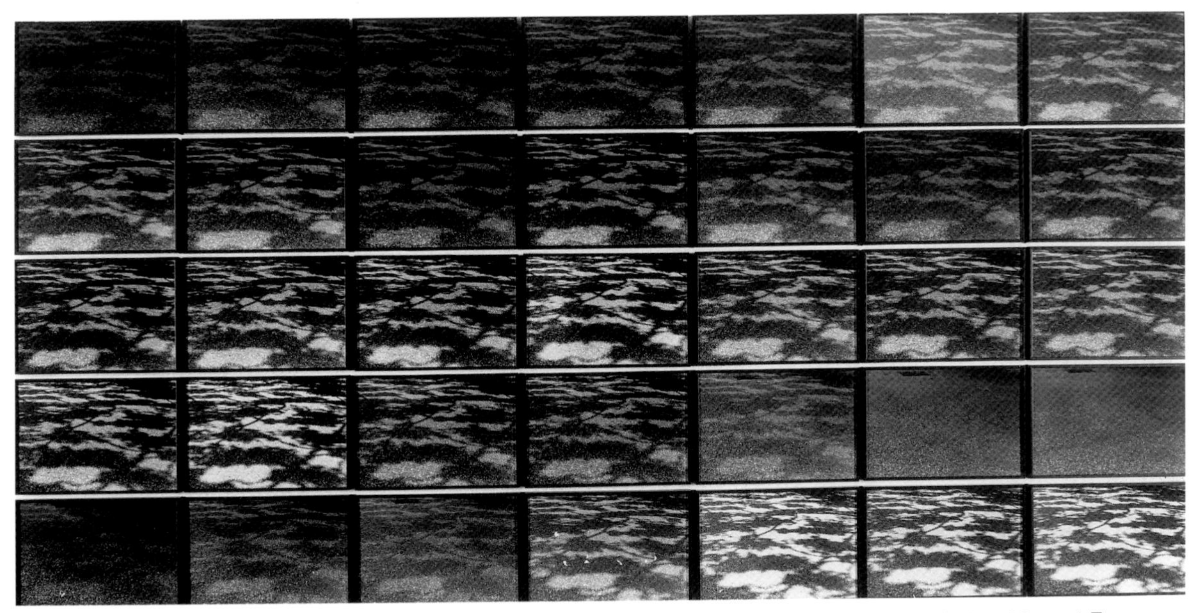

386 Jochen Gerz, (Whereas) comprehension of time (is) imperfect, 1972; 35 schwarz/weiß Fotografien, je 21 x 32 cm, 1 Text; Privatsammlung, Paris

das die Blätter und Äste eines Baumes auf die Erde projizierten. Immer den gleichen Ausschnitt fixierend, verändert sich das Bild lediglich durch die unterschiedliche Sonneneinstrahlung und löst sich bei bedecktem Himmel bis zur Unkenntlichkeit in ein neblig-verschwommenes Nichts auf. Gerz entzieht sich der momenthaften Abbildhaftigkeit der Fotografie, dem »entscheidenden Augenblick«. Sein Motiv scheint in seiner Unscheinbarkeit und Beiläufigkeit kaum der Aufnahme wert. Der Künstler thematisiert hier nicht nur eine der grundlegenden Bedingungen der Fotografie, die Abhängigkeit der Entstehung eines Bildes vom Licht, sondern stellt zugleich unsere konventionelle Zeit-Raum-Vorstellung in Frage. Die als Serie konzipierte Arbeit veranschaulicht im Gegensatz zu den Arbeiten von Muybridge und Anschütz das Vergehen von Zeit gerade nicht in einem kontinuierlichen Fluß, sondern verweist auf eine Zeitvorstellung, die Unterbrechungen und Brüche, aber auch Simultanität zuläßt. Die Lesrichtung der Arbeit ist dabei sowohl horizontal als auch vertikal oder diagonal, vorwärts wie rückwärts, und ermöglicht als Tableau auch die Auflösung des Einzelbildes in eine einzige ornamentale Komposition. »Es heißt«, so sagt Gerz, »sich nicht mehr sicher sein, ob die Zeit das Geländer ist.«[7] Gerz nutzt dabei das Medium Fotografie, um einen Zeitbegriff einzuführen, der nur noch durch die moderne Apparatur oder die Sprache dargestellt werden kann.

Anmerkungen

1 Benjamin, Walter: »Kleine Geschichte der Photographie«. In: Ders.: *Das Kunstwerk im Zeitalter seiner technischen Reproduzierbarkeit.* Frankfurt am Main 1977, S. 50.
2 Müller-Pohle, Andreas: »Serie – Zyklus – Sequenz – Tableau«. In: *European Photography*, Bd. 1, Göttingen 1980, S. 7.
3 »Die Ästhetik des Verschwindens. Fragen an Paul Virilio von Florian Rötzer«. In: *Kunstforum*, Bd. 108, 1990, S. 200.
4 Rodin, Auguste: »Die Bewegung in der Kunst, Gespräch mit Paul Gsell«. In: *Sprung in die Zeit. Zeit und Bewegung als Darstellungsprinzipien in der Fotografie.* Ausst.Kat. Berlinische Galerie. Berlin 1992, S. 223f.
5 Broodthaers, Marcel: *Cinéma.* Ausst.Kat. Hamburger Bahnhof, Berlin. Berlin 1997, S. 126f., 326f.
6 Ebd., S. 326.
7 Gerz, Jochen: »Bei den Yoopies. 3 Hierophanien«. In: Ders.: *Texte.* Bielefeld 1985, S. 157.

387 Otto Dix, Die Skatspieler, 1920; Öl und Collage auf Leinwand, 110 x 87 cm; Staatliche Museen zu Berlin, Nationalgalerie. Gemeinsames Eigentum des Vereins der Freunde der Nationalgalerie und des Landes Berlin

Demontage Krieg

Roland März

1914–1918. Der erste totale Krieg, die »Urkatastrophe unseres Jahrhunderts«[1], eine Materialschlacht ungekannten Ausmaßes, die die Natur vergewaltigte und die Soldateska zu fratzenhaften Torsi zerstückelte. Der ›Kriegsfreiwillige‹ Otto Dix, der mit der Bibel und Friedrich Nietzsches *Fröhlicher Wissenschaft* ins Feld zog, hat den ersten der Weltkriege als ›Naturereignis‹ und ›Teufelswerk‹ erlebt. Seine Kunst bekam in den Schützengräben und in den Lazaretten entsetzlich deformierte Wirklichkeit ›zu fressen‹. Der Krieg als der große Zerstörer: Stirb und Werde! Die Demontage der Wirklichkeit durch den Krieg war für Dix der Ansatz zur veristischen Collage. Krieg und Nachkrieg als collagierte Hölle, der Maler später: »Du kannst nie in den Himmel kommen, wenn du nicht in tiefster Hölle [warst] [...].«[2] 1920 malte und klebte Dix in Dresden vier Bilder mit Kriegskrüppeln, schockierender Auftritt des Materialhalbmenschen, der das Desaster überlebte. **Die Skatspieler** (Kat.Nr. 387)[3]: In einem Kaffeehaus spielen drei Offiziere Karten mit dem Altenburger Sächsischen Doppelbild. Fanatisches Festhalten des »Skatklubs ehemaliger 342er« am Reststück Leben, *sexus, plexus, perplexus* im Hirn, es klappern die Prothesen. Die ewig Gestrigen und künftigen Militaristen, Täter und Opfer in einer Gestalt. Das Bruchstück ›Prothesenmensch‹, 1920 noch bettelnd auf der Prager Straße, bald darauf vor der Gesellschaft versteckt. Otto Dix sah sich als der »Anti-Anton von Werner«[4], der den Mythos vom ›deutschen Helden‹ zerstörte. Dix' veristische Schockmontage aus Spielkarten, Zeitungen, Aluminiumfolie und Textilimitation aus Papier gibt den hart montierten

Ernst Friedrich, Krieg dem Kriege, 1924, Berlin; Nummern abgeschossener Flugzeuge

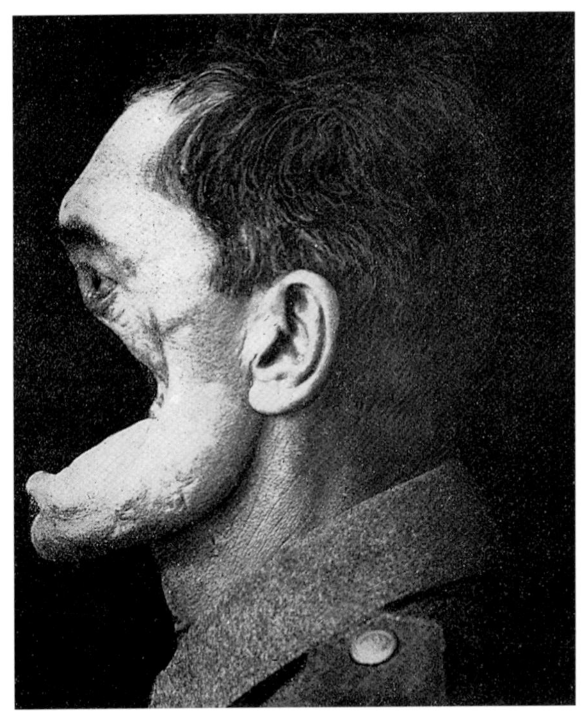

Ernst Friedrich, Krieg dem Kriege, 1924, Berlin; Die ›Badekur‹ der Proleten: Fast das ganze Gesicht weggeschossen

388 Ernst Friedrich, Krieg dem Kriege, 1924, Berlin; Bucheinband

Ernst Friedrich, Krieg dem Kriege, 1924, Berlin; Nach dem Kriege: Der deutsche Kronprinz als ›Schwerstarbeiter‹ …

Ernst Friedrich, Krieg dem Kriege, 1924, Berlin; … und der kriegsverletzte Proletarier bei seinem täglichen ›Sport‹

Befund der Zeitmisere, ein rigoroses Jasagen zu den scheußlichen Folgen der ›Hölle‹ Weltkrieg aus dem Geiste Dadas.

1924 – das Antikriegsjahr in Deutschland. Der Pazifist und Publizist Ernst Friedrich, 1925 Gründer des internationalen Anti-Kriegsmuseums[5] in der Berliner Parochialstraße 29, veröffentlichte seine Dokumentation **Krieg dem Kriege** in vier Sprachen. Schonungslose Fotos aus dem Weltkrieg, kritisch kommentiert in der Beschriftung und mit der entlarvenden Gegenüberstellung von Dokumenten, so des Tennis spielenden Kronprinzen und des Schwerstarbeiters ›Kriegskrüppel‹ an der Maschine. Die Sequenzen sind als Montageform des aufklärerischen Protestes arrangiert, im Blickpunkt das schockierende Pandämonium mit den zerschossenen Gesichtern der Soldaten, in der Ausstellung in Auswahl montiert als Diaprojektion. Die anhaltende Agonie der Opfer der entsetzten Öffentlichkeit vor Augen, der Autor von der Polizei und den Staatsanwälten verfolgt, dreizehn Verurteilungen, drei Jahre im Gefängnis und Konzentrationslager. Ernst Friedrichs ›Antlitz des Krieges‹, mit der immer hoffenden, doch vergeblichen Botschaft: »Nie wieder Krieg!«

Anmerkungen

1 Kennan, George F.: *Die letzten Tage der Menschheit. Bilder des Ersten Weltkrieges.* Ausst.Kat. Deutsches Historisches Museum Berlin. Berlin 1994, S. 7.

2 Dix, Otto: »Über Kunst, Religion, Krieg. Gespräch mit Freunden am Bodensee. Dezember 1963«. Zit. n. Diether Schmidt: *Otto Dix im Selbstbildnis.* Berlin 1981, S. 256.

3 Vgl. März, Roland: »Otto Dix. *Die Skatspieler.* Eine Neuerwerbung für die Nationalgalerie«. In: *Jahrbuch Preußischer Kulturbesitz,* Bd. XXXII, 1995, S. 351–391.

4 [Otto Dix im Gespräch mit Hans Kinkel, 1961]. In: Roland März; Rosemarie Radeke (Bearb.): *Von der Dada-Messe zum Bildersturm. Dix + Berlin.* Berlin 1991, n. pag.

5 Im März 1933 von der SA gestürmt, Sturmlokal und Folterkammer der SA. Neugründungen des Museums 1982 in Berlin-Kreuzberg (heute im Bezirk Wedding, Brüsseler Straße) und 1984 in der Bartholomäuskirche in Berlin-Friedrichshain.

Collage – Montage – Décollage

Prolog international

Roland März

Europäische Kunst um 1910: »Wiederholung oder Erfindung – man mußte sich entscheiden.«[1] Die revolutionären und folgenreichen ›Setzungen‹ zum absoluten Ding und Materialobjekt erfolgten mit dem Mut zur Voraussetzungslosigkeit außerhalb Deutschlands, mit Umberto Boccionis futuristischer Pathosformel »Forme Uniche di Continuità Nello Spazio« (vgl. Kat.Nr. 390) in Italien, den kubistischen *papiers collés* von Georges Braque und Pablo Picasso (vgl. Kat.Nrn. 395; 397) in Frankreich und Spanien, den Eck- und Konterreliefs Wladimir Tatlins (Kat.Nr. 398) in Rußland, mit den Ready-mades und der Junggesellenmaschine **Großes Glas** Marcel Duchamps in Paris und in New York. Der radikalste von ihnen aber war Duchamp: »C'est fini, la peinture«, das kunstlose Präsentieren ›wirklicher Wirklichkeit‹: Faszination Flugzeugpropeller. Allenthalben vollzog sich auf verschiedenen Wegen die Entwicklung einer völlig neuen *Materialkunst* bildnerischer Gestaltung, die aus den Bruchstücken und *objets trouvés* des Wirklichen figurierte – eine bis heute andauernde Entwicklung, die vom flächigen Klebebild mit seinem ›abgerissenen‹ Gegenbild ›Décollage‹ über die Assemblage[2] als Materialrelief an der Wand immer mehr ins Räumliche der inszenierten Objektkunst[3] und der montierten Environments führte.

389 Umberto Boccioni, Elastizität, 1912; Öl auf Leinwand, 100 x 100 cm; Civico Museo d'Arte Contemporanea, Mailand

Berlin, 12. April 1912: In Herwarth Waldens Galerie Der Sturm fand die Eröffnung der Ausstellung *Die Futuristen* statt, die anschließend durch Deutschland wanderte. »Es lebe der Futurismus!« – mit diesen Worten warf ihr Wortführer Marinetti aus dem fahrenden Auto in der Leipziger und in der Friedrichstraße sein Manifest als Flugblatt unter die Menge: »Die Hauptelemente unserer Kunst werden der Mut, die Kühnheit und die Empörung sein [...]. Ein Rennautomobil, dessen Wagenkasten mit großen Rohren bepackt ist, die Schlangen mit explosivem Atem gleichen, ein heulendes Automobil, das auf Kartätschen zu laufen scheint, ist schöner als der ›Sieg bei Samothrake‹. [...] Nur im Kampf ist Schönheit. Kein Meisterwerk ohne ein aggressives Moment.«[4] Mit der Antike und den späten, ausgehöhlten Klassizismen hatte »die Ewigkeit stiller Größe zu lange blöd gelächelt« (Carl Einstein), die Zauberformel für die Zukunft hieß jetzt Dynamik, Simultaneität und Technikkult, Aufbruch, Fortschritt und Modernität: ›Wir wollen wieder teilhaben am Leben‹. Die expressionistische Avantgarde in Deutschland begrüßte den Futurismus der Italiener als »Markstein in der Geschichte der modernen Malerei« (Franz Marc), im *Sturm* schrieb der Dichter Alfred Döblin: »Der Futurismus ist ein großer Schritt. Er stellt einen Befreiungsakt dar. Er hat keine Richtung, sondern eine Bewegung. Besser: Er ist die Bewegung des Künstlers nach vorwärts.«[5]

In diesen Tagen erschien das *Technische Manifest der Bildhauerei* von Umberto Boccioni: »Wir lehnen die ausschließliche Verwendung eines einzigen Materials ab. Wir behaupten, daß auch 20 verschiedene Materialien in einem einzigen Werk zur Entwicklung der bildnerischen Emotion verwendet werden können [...]. Glas, Holz, Pappe, Eisen, Zement, Roßhaar, Leder, Stoff, Spiegel, elektrisches Licht usw. usw.«[6] Boccionis

390 Umberto Boccioni, Urformen der Bewegung im Raum, 1913; Bronze, 121 x 38,2 x 87,8 cm; Städtische Kunsthalle Mannheim, Dauerleihgabe des Landes Baden-Württemberg

391 Pablo Picasso, Frauenkopf, 1912; Kohlezeichnung und Collage, 62,5 x 47,4 cm; Sprengel Museum Hannover

Bildhauermanifest hat die Entwicklung der polymateriellen Skulptur in Europa maßgeblich beeinflußt. Der vitale Dynamismus Boccionis war eine geistige Synthese aus Friedrich Nietzsches *Dithyramben des Dionysos* und Henri Bergsons *Philosophie der Intuition*, seine Hauptwerke **Elastizität** (Kat.Nr. 389) und **Urformen der Bewegung im Raum** (Kat.Nr. 390) standen 1913 im Blickfeld von Waldens *Erstem Deutschen Herbstsalon* in Berlin. Bildnerische ›Elastizität‹, die sich in Spiralen und Wellenkurven zusammenzieht und wieder öffnet, Lobpreis auf die Impulse von Industrie, Stadt und Wissenschaft. ›Dinamica‹ verhieß Zukunft, manifest hat Umberto Boccioni, der 1916 im Kriege fiel, der modernen Kunst die vierte Dimension der Zeit hinzugefügt. Seine Bronze **Urformen der**

392 Georges Braque, Pfeife, Glas, Würfel und Zeitung, 1914; Aquarell, Bleistift und Collage, 50 x 65 cm; Sprengel Museum Hannover

Bewegung im Raum ist das *symbolum* einer unaufhörlichen Bewegung, die sich selbst zu überholen scheint, und: ist dieser »windeseilig voranstürmende Dynamiker [...] mit seinen flammenflügelartigen Muskelverlängerungen, seinen Kugellagergelenken, seinen vor- und zurückweichenden Auswüchsen so nicht selber eine Synthese aus Nike, Rennwagen und zukünftigem Ungetüm? Eine plastische Ikone im Vorjahr des Ersten Weltkrieges, deren Maschinenpathos sich bald in Schrecken verkehrt?«[7]

Die futuristische Dynamik zielte ins Zentrum großstädtischen Lebens und attackierte zugleich die zeitenthobene »Konzeptionelle Realität« (Guillaume Apollinaire) des analytischen Kubismus, wie sie in Pablo Picassos **Violinspielerin** (Kat.Nr. 394) aufscheint: Die Zergliederung der Violinistin und der Geige ist bis an den Rand der Vernichtung des Motivs getrieben. Ihre klangbildnerische Korrespondenz ist das Ergebnis strengster formaler, neukantischer Logik, die auf die äußerste Hermetik und Tektonik des Bildes setzt: »Der Kubismus malt nicht. Die Palette Picassos ist seltsam metaphysisch, seltsam okkult: Weiß, Schwarz, Grau, Sepia, Ocker, Asphalt, dazwischen kommt wohl spärlich Rosa, trübes Blau, trübes Grün [...]. Picassos

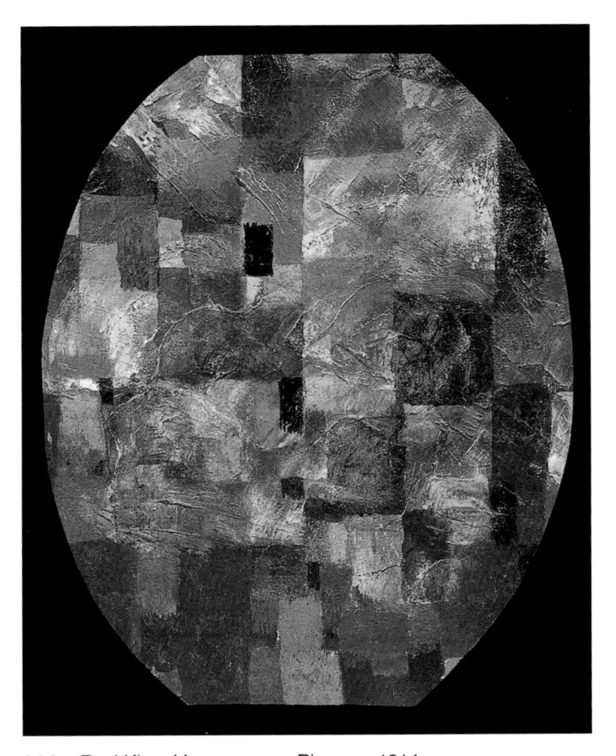

393 Paul Klee, Hommage an Picasso, 1914; Öl auf Pappe, 37 x 30,5 cm; Privatsammlung

394 Pablo Picasso, Violinspielerin, 1911; Öl auf Leinwand, 92 x 65 cm; Staatliche Museen zu Berlin, Nationalgalerie, Leihgabe aus Privatbesitz

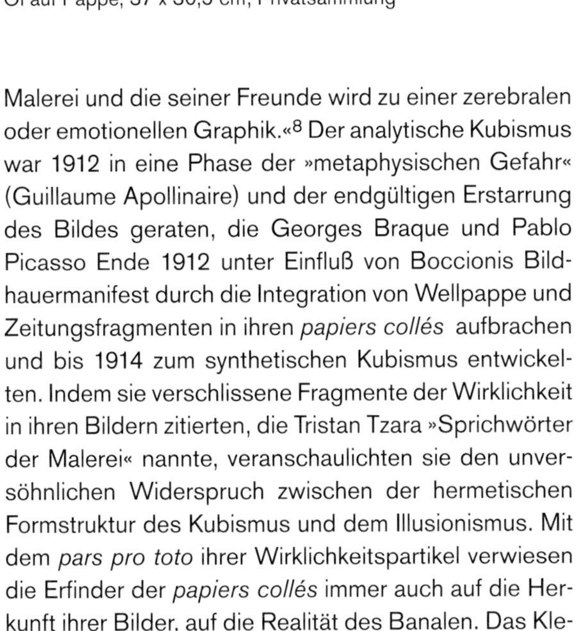

Malerei und die seiner Freunde wird zu einer zerebralen oder emotionellen Graphik.«[8] Der analytische Kubismus war 1912 in eine Phase der »metaphysischen Gefahr« (Guillaume Apollinaire) und der endgültigen Erstarrung des Bildes geraten, die Georges Braque und Pablo Picasso Ende 1912 unter Einfluß von Boccionis Bildhauermanifest durch die Integration von Wellpappe und Zeitungsfragmenten in ihren *papiers collés* aufbrachen und bis 1914 zum synthetischen Kubismus entwickelten. Indem sie verschlissene Fragmente der Wirklichkeit in ihren Bildern zitierten, die Tristan Tzara »Sprichwörter der Malerei« nannte, veranschaulichten sie den unversöhnlichen Widerspruch zwischen der hermetischen Formstruktur des Kubismus und dem Illusionismus. Mit dem *pars pro toto* ihrer Wirklichkeitspartikel verwiesen die Erfinder der *papiers collés* immer auch auf die Herkunft ihrer Bilder, auf die Realität des Banalen. Das Klebebild wurde damit zum Prüfstein ästhetischer Integration und zum Modellfall weiterer Entwicklung. Picassos Kubismus war schon vor 1914 im Bewußtsein vieler Künstler der Avantgarde in Deutschland, gesehen bei Henry Daniel Kahnweiler und Wilhelm Uhde in Paris, bei Hermann Rupf in Bern und in den Ausstellungen der Galerie Thannhauser in München sowie der Ausstellung des Internationalen Sonderbundes 1912 in Köln. Angesichts der Bilder Picassos stellte Paul Klee die Frage: »Zerstörung, der Konstruktion zu liebe?«, um sie sogleich zu beantworten: »daß so ein Bild nachher aussieht wie eine Kristallisation oder wie kombinierte geschliffene Steine ist kein Spaß, sondern die natürliche Folge des kubistischen Formdenkens, welches hauptsächlich in der Reduktion aller Proportionen besteht und zu primitiven Projektionsformen wie Dreieck, Viereck und Kreis führt.«[9] Der Schweizer Klee und

395 Georges Braque, Stilleben mit Gitarre, 1914; Collage, Zeichnung, Aquarell und Gouache, 48,3 x 31,8 cm; Ulmer Museum Ulm, Eigentum des Landes Baden-Württemberg

396 Wladimir Tatlin, Komposition, Monat Mai, 1916; Tempera, Öl und Gouache auf Holz, 52 x 39 cm; Staatliche Museen zu Berlin, Nationalgalerie

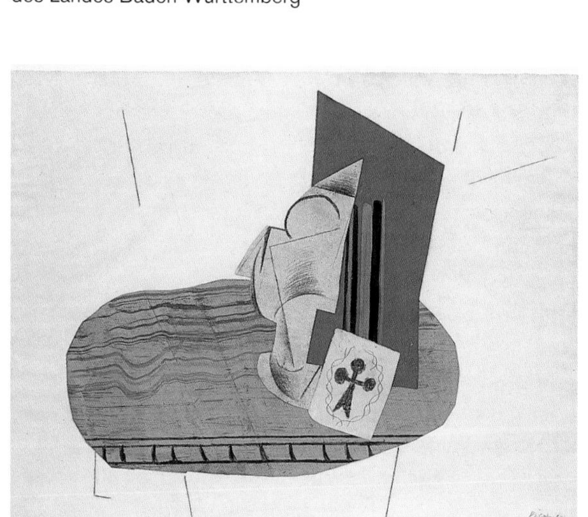

397 Pablo Picasso, Glas und Kreuz-As, 1914; Bleistift und papiers collés auf Papier, 48 x 63 cm; Staatliche Museen zu Berlin, Nationalgalerie, Leihgabe der Sammlung Berggruen

der Deutschamerikaner Feininger sind die einzigen Maler gewesen, die den ›zerschnittenen‹, heterogenen Bildorganismus des Kubismus, durchsetzt von Delaunays polychromen Prismen, für die Definition ihrer eigenen, synthetisierenden Kunstintention wirklich begriffen haben. Mit seiner **Hommage an Picasso** (Kat.Nr. 393) brach Paul Klee die Ovalform der Kubisten auf, ein im Farbigen rhythmisiertes Klangbild der Picasso-Überwindung.

Die russische Avantgarde hat schon vor der Oktoberrevolution 1917 ihre ganz eigene, östliche Antwort auf die wegbereitenden Erfindungen des Kubismus und Futurismus im Westen gegeben. Anläßlich der *Letzten futuristischen Gemäldeausstellung ›0,10‹* 1915 in Petrograd proklamierten Iwan Puni und Xana Boguslawskaja in einer Flugschrift das Ende der traditionellen Malerei: »Das Bild ist eine neue Konzeption abstrahierter realer

Elemente, denen die Bedeutung entzogen wurde.«[10] Ein Rest von altrussischer Ikonenmalerei und kubistischer Analyse ist im Zuschnitt des Holzes, der geometrischen Elemente und der Einbeziehung von Schrift in Tatlins **Komposition, Monat Mai** (Kat.Nr. 396) gestaltet, der sich nach seiner Begegnung mit Picasso im Februar 1914 in Paris von jeder ›Bedeutung‹ und damit vom Sujet in der Kunst verabschiedet hatte. Keine Gitarren- und Violinspieler mehr, 1914/15 begann der Einzug der Bildreliefs, Bildskulpturen und Konterreliefs. Tatlin orientierte sich künftighin ›am realen Material, in einem realen Raum‹, in dem er ›verborgene Energien‹ entdeckte. Das bildnerische Zauberwort hieß jetzt ›Faktura‹, greifbar an heterogenen Materialien wie Holz und Eisen, Gips und Teer, Glas und Leder. Die freie Formenbildung wurde im Material ausfindig gemacht und erfindungsreich im Raum ausgespannt. Von diesen bizarren Eckreliefs Tatlins sind viele verschollen oder zerstört, die meisten lediglich in Rekonstruktionen überliefert.[11] Sein **Eck-Konterrelief** (Kat.Nr. 398) von 1915 ist aus kantigen Teilen von Eisen, Zink und Aluminium auf einen Draht in der Ecke zwischen zwei Wände verspannt, eine losgelöst schwebende Assemblage, die an die Takelage eines Schiffes oder ein außerirdisches Raumschiff erinnert. Boccionis davonstürmende, futuristische Figur (vgl. Kat.Nr. 390) bleibt immer noch der Typus der Sockelskulptur, während Tatlins abstraktskulpturale Figurationen als Vorformulierung seines Flugapparates ›Letatlin‹ die montierten Gebilde in die Freiheit des Raumes entlassen und zugleich fesseln. Von hier aus war es nur noch ein Schritt zum **Modell für ein Denkmal der Dritten Internationale** (Abb. S. 405), diesem grandiosen Entwurf sozialutopischer Architektur im Nachklang der Oktoberrevolution in Rußland. Tatlins Antwort aber auch auf den Technikkult der Zeit.

Auf der *Ersten Internationalen Dada-Messe* demonstrierten George Grosz und John Heartfield 1920 in Berlin mit der plakativen Losung: »Die Kunst ist tot, es lebe die neue Maschinenkunst Tatlins«. Legendenbildung und Mißverständnis in einem, huldigten doch die Dadaisten Tatlin, ohne Kenntnis des Werkes, völlig einseitig als ›neuem Maschinenkünstler‹ aus der Perspektive der proletarischen Revolution. Es sollten Jahrzehnte vergehen, bevor die völlig neue Konstruktion der Tatlinschen ›Materialkomplexe‹ in Deutschland wirklich begriffen wurde.

398 Wladimir Tatlin, Eck-Konterrelief, 1915 (Rekonstruktion Martyn Chalk); Eisen, Aluminium, Zink, 78,8 x 154 x 76 cm; Sammlung Annely Juda Fine Art, London

»Russen in Berlin«[12] – Tatlins Mitstreiter Iwan Puni kam 1920 als Emigrant nach Berlin, das in den folgenden Jahren zum »Durchgangsbahnhof« (Ilja Ehrenburg) für die Künstler der russischen Avantgarde wurde. Auf der *Großen Berliner Kunstausstellung* und in Herwarth Waldens Sturm-Galerie erregten Punis Bildskulpturen beträchtliches Aufsehen. Anders als Tatlin, blieb Puni immer ein Poet des ›Gegenstandes‹ und der ›synthetischen Malerei‹ verbunden. Sein **Relief mit Zange** (Kat.Nr. 401) vereint Kugel, Schrauben und Zange auf einem ›Waschbrett‹ ohne Übermalung zur Assemblage aus Ready-mades, der Hammer verwandelt sich auf dem roten Rechteck zum visuell prägnanten Zeit-Zeichen, das den Suprematismus Malewitschs berührt. Und schließlich die **Bildskulptur** (Kat.Nr. 400), die Puni anläßlich seiner Einzelausstellung in der Sturm-Galerie 1921 in Berlin nach einer Zeichnung rekonstruierte, eine Materialassemblage aus rhythmisch ange-

399 Iwan Puni, Relief mit Hammer, 1915; Gouache auf Karton, Hammer, 80 x 65 x 9 cm; Sammlung Herman Berninger, Zürich

400 Iwan Puni, Bildskulptur, 1915; Holz, Karton, Collage, bemalt mit Gouache, 73 x 40 x 8 cm; Sammlung Herman Berninger, Zürich

401 Iwan Puni, Relief mit Zange, 1915; Holzbrett, Eisenzange, rote Kugel, 55 x 32 x 9 cm; Sammlung Herman Berninger, Zürich

ordneten, bemalten Elementen aus Holz und Karton, »die die Ausdrucksqualitäten der ›Bildreliefs‹ von Tatlin mit den gegenstandslosen Farbflächen des Suprematismus vereinen«[13]. Iwan Puni, der 1923 Berlin verließ und nach Paris ging, unterzeichnete 1921 mit Raoul Hausmann, Hans Arp und László Moholy-Nagy den *Aufruf zur elementaren Kunst*: »Elementar ist die Kunst, weil sie nicht philosophiert, weil sie sich aufbaut aus den ihr allein eigenen Elementen«, mit dem Ziel, »die Kunst als etwas Reines, von der Wirklichkeit und der Schönheit Befreites, als etwas Elementares im Individuum entstehen zu lassen.«[14]

Im Anfang waren die *papiers collés* von Braque und Picasso. Sie bereiteten nicht nur die Konterreliefs Tatlins und die Bildskulpturen Punis, sondern auch die Skulptomalereien Alexander Archipenkos mit vor. Mit der *recherche des formes* im **Tanzduo** von 1912 erfolgte die Bildung kristalliner Strukturen aus dem Inventar des Kubismus, die Perforierung des plastischen

Kerns und die Schaffung von dynamisierten Hohlräumen in der Skulptur. In dieser Linie aufgebrochener, tektonischer Formulierung schuf Rudolf Belling in Berlin seinen **Dreiklang** (Kat.Nr. 402), 1919 in kubisch kantigen Strukturelementen aus Gips, 1924 aus Birkenholz auf Mahagoni gebeizt und poliert, Stoß an Stoß zusammengefügt. Rhythmische Gliederung dreier stark abstrahierter Tänzerinnen, aus gemeinsamer Plinthe sich entfaltend. Die Kompression von positiver und negativer, geschlossener und offener Form: »Für mich ist Plastik zunächst Raumbegriff [...]. Darum verarbeite ich die Luft ebenso wie festes Material und erreiche, daß der Durchbruch, früher ›tote Form‹ genannt, denselben Formwert darstellt wie seine Eingrenzung, das bearbeitete Material.«[15] Diese Inkunabel der modernen Plastik in Deutschland symbolisiert die erstrebte Synthese von Architektur, Malerei, Plastik und Musik und war in der Programmatik der Novembergruppe als ein Beitrag zum zeitgenössischen ›Gesamtkunstwerk‹ konzipiert, doch nicht realisiert worden: sechs Meter hoch, aus Ziegeln gemauert und farbig verputzt, Schauplatz für die Aufführung der modernen Musik von Paul Hindemith, Arnold Schönberg und Igor Strawinsky. Auch bei Rudolf Belling das harmonische ›Bauen‹ eines neuen, synästhetischen Erlebnisraumes für den Menschen: ›Skulptur ist die Synthese von Raum und Plastik.‹ Boccioni – Tatlin – Belling: raumenergetische Entfaltung durch Fügung aus kristallin sich durchdringenden, gekrümmten und ausgespannten Elementen. Montierte Bewegung, die aus zeitgenössischer Urbanität in die Unendlichkeit des kosmisch empfundenen Raumes vordringt.

402 Rudolf Belling, Dreiklang, 1919 (1924); Birkenholz, auf Mahagoni gebeizt und poliert, 91 x 77 x 77 cm; Staatliche Museen zu Berlin, Nationalgalerie

Anmerkungen

1 Einstein, Carl: *Die Kunst des 20. Jahrhunderts.* Leipzig 1988, S. 5.
2 Vgl. Waldman, Diane: *Collage und Objektkunst vom Kubismus bis heute.* Köln 1993.
3 Vgl. Rotzler, Willy: *Objektkunst. Von Duchamp bis in die Gegenwart.* Köln 1975.
4 *Die Futuristen.* Ausst.Kat. Der Sturm, Berlin. Berlin 1912, S. 23. Zit. n. *Expressionisten. Die Avantgarde in Deutschland 1905–1920.* Ausst.Kat. Staatliche Museen zu Berlin, Nationalgalerie und Kupferstichkabinett. Berlin 1986, S. 111.
5 *Der Sturm*, Jg. 3, Nr. 110, 1912, S. 41. Zit. n. Expressionisten (Anm. 4), S. 112.
6 *Boccioni und Mailand.* Ausst.Kat. Kunstmuseum Hannover mit Sammlung Sprengel. Mailand 1983, S. 55.
7 Schneckenburger, Manfred: »Abstraktion und kubistische Lautverschiebung«. In: Ingo F. Walther (Hg.): *Kunst des 20. Jahrhunderts.* Bd. II. Köln 1998, S. 434.
8 Hausenstein, Wilhelm: »Vom Kubismus«. In: *Der Sturm*, Jg. 4, Nr. 170/171, 1913, S. 70.
9 Klee, Paul: »Die Ausstellung des modernen Bundes im Kunsthaus Zürich«. In: Christian Geelhaar (Hg.): *Paul Klee. Schriften, Rezensionen und Aufsätze.* Köln 1976, S. 107.
10 Zit.n. *Iwan Puni (1892–1956).* Ausst.Kat. Berlinische Galerie, Berlin. Ostfildern 1993, S. 70.
11 Vgl. Chalk, Martyn: »Zur Rekonstruktion Tatlinscher Werke«. In: Jürgen Harten (Hg.): *Tatlin. Ein internationales Symposium.* Köln 1993, S. 93–100.
12 Vgl. Mierau, Fritz: *Russen in Berlin. Literatur, Malerei, Theater, Film 1918–1933.* Leipzig 1987.
13 Jean Claude Marcadé, zit. n. Puni (Anm. 10), S. 102.
14 Zit. n. ebd., S. 87.
15 Zit. n. Beloubek-Hammer, Anita: »Rudolf Belling«. In: Roland März u.a. (Hg.): *Kunst in Deutschland 1905–1937.* Ausst.Kat. Nationalgalerie Berlin. Berlin 1992, S. 105.

DADA

Roland März

Im Anfang war das Wort »Dada«, zufällig gefunden in einem Wörterbuch: französisch »Steckenpferd« oder auch rumänisch »Ja! Ja!«, Schlüsseljahr 1916, mit der vernichtenden Materialschlacht vor Verdun, 600 000 Tote. In Zürich fand sich ein Kreis pazifistischer Emigranten zusammen, und mit Hugo Ball und Richard Huelsenbeck erlebte Dada im »Cabaret Voltaire« seine tumultuarische Premiere. Der Dadaismus[1] begann als Revolte gegen den Wahnsinn von Krieg und Völkermord, anarchischer Akt der Verzweiflung an einer destruktiven Welt, in der »alles funktioniert«, so Hugo Ball, »nur der Mensch selber nicht mehr«. Doch kein kindlicher Zufall ohne tieferen Sinn der Verstörung und Zerstörung: »Der Krieg beruht auf einem krassen Irrtum: Man hat die Menschen mit den Maschinen verwechselt. Man sollte die Maschinen dezimieren, statt die Menschen. Wenn später einmal die Maschinen selbst und allein marschieren, wird das mehr in der Ordnung sein. Mit Recht wird dann alle Welt jubeln, wenn sie einander zertrümmern.«[2]

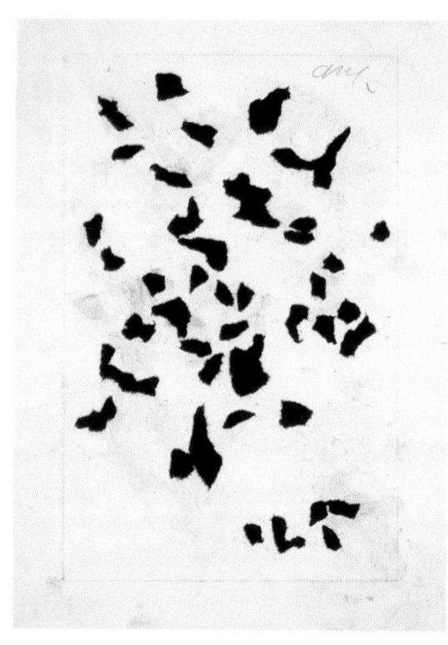

403 Hans Arp, Papierbild, 1916; verschiedene Papiere auf Blattsilber auf weißem Papier auf Karton, 25,3 x 12,5 cm
404 Hans Arp, Papiers déchirés, 1933; schwarzer Farbkarton und Kleisterfarbe auf weißem Papier, 27,1 x 19,7 cm
Öffentliche Kunstsammlung Basel, Kupferstichkabinett, Schenkung Marguerite Arp-Hagenbach

Zürich – Cabaret Voltaire

»Unter diesem Namen hat sich eine Gesellschaft junger Künstler und Literaten etabliert, deren Ziel es ist, einen Mittelpunkt für die künstlerische Unterhaltung zu schaffen […]«[3], provokanter Auftritt der »Vogelscheuchen gegen den Verstand« (Hans Arp) mit Collagen, bruitistischen Lautgedichten und Antikunst-Soireen, das Erbe des italienischen Futurismus. Der Dadaist als *agent provocateur*, Clown und *homo ludens* im Totalangriff gegen die ewigen ›heiligen‹ Werte, die da hießen Geschichte, Kultur, Religion, Vaterland und Zivilisation. Die Protagonisten: Hugo Ball und Emmy Hennings, Richard Huelsenbeck, Hans Arp, Marcel Janco, Christian Schad und Tristan Tzara. In der Spiegelgasse nebenan der russische Emigrant Uljanow alias Lenin, 1917 Organisator der Oktoberrevolution. Mit Lenin, dem Revolutionär, und Voltaire, dem ›Antipoeten‹, ›König der Maulaffen‹, und den dadaistischen Antikünstlern lag der Umsturz einer verkommenen Kultur und Gesellschaft in der Luft. Hugo Ball: »Was wir zelebrieren, ist eine Buffonade und Totenmesse zugleich, […] das Narrenspiel aus dem Nichts.« Dada war von Anbeginn eine internationale, den Erdball umspannende Geisteshaltung, ästhetisch und politisch, destruktiv und konstruktiv und sich selbst negierend.

Tabula rasa, »dada hat die venus von milo klistiert und laokoon und söhnen nach tausendjährigem ringkampf mit der klapperschlange ermöglicht endlich abzu-

405 Christian Schad, Ohne Titel (Schadographie Nr. 7), 1919; Fotogramm, 7,4 x 6,6 cm; Kunsthaus Zürich

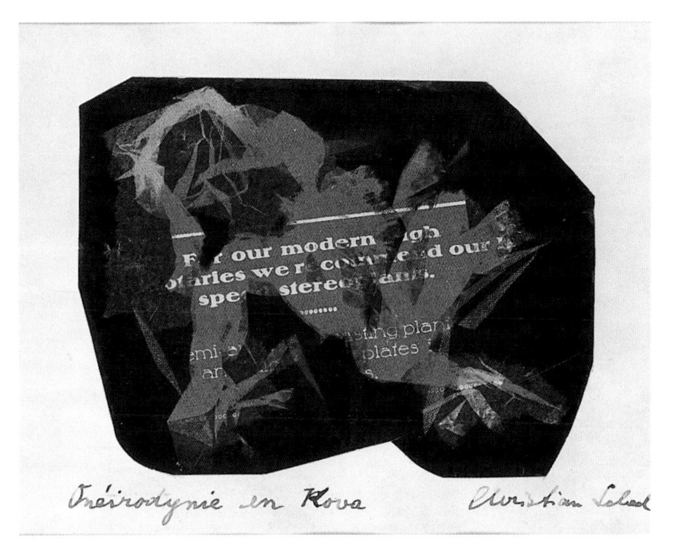

406 Christian Schad, Onéirodynie en Kova (Schadographie Nr. 15), 1919; Fotogramm, 9 x 12,1 cm; Kunsthaus Zürich, Vereinigung Zürcher Kunstfreunde

treten«[4], der radikale Bruch mit der Antike und ihrem Bildungsschlendrian, dem sogleich die Abrechnung mit dem Expressionismus als ›metaphysisches Beefsteak‹, »gegen die Geschwollenheit der malenden Herrgötter (Expressionisten)«[5] mit Franz Marcs ›fetten‹ Stieren und Ludwig Meidners ›irrsinnigen‹ Kosmogonien folgte. Mit der Schmähung der ›Wilden‹ tilgten die Dadaisten zugleich ihre expressionistische Herkunft. Der Elsässer Hans (Jean) Arp antwortete auf die ›gemalten Weltauf- und -untergänge‹ der Expressionisten mit einer seiner frühen Collagen (vgl. Kat.Nr. 403) und der gemeinsam mit Sophie Taeuber geschaffenen **Duo-Collage** (Kat.Nr. 409) mit bauender Planimetrie aus der »großen Senkrechte« (Richard Huelsenbeck) und klaren geometrischen Flächen. Die ›Ordnung‹ contra ›Unordnung‹ des Weltkrieges gesetzt, Arps ›geistige Übungen‹, auf der Suche nach elementarer Kunst, die vom ›Wahnsinn der Zeit heilen soll‹. Gleichzeitig entstanden die Klebebilder aus zerrissenen Papieren, nach den Gesetzen des Zufalls geordnet, Arps Entdeckung, die er zu Beginn der dreißiger Jahre mit den *papiers déchirés* (vgl. Kat.Nr. 404) weiterführte. Berühmt aber wurde Arp

407 Christian Schad, Composition en N, 1920; Holzrelief, bemalt, mit Objekt-Montage, 70 x 47,5 x 8 cm; Kunsthaus Zürich, Vereinigung Zürcher Kunstfreunde

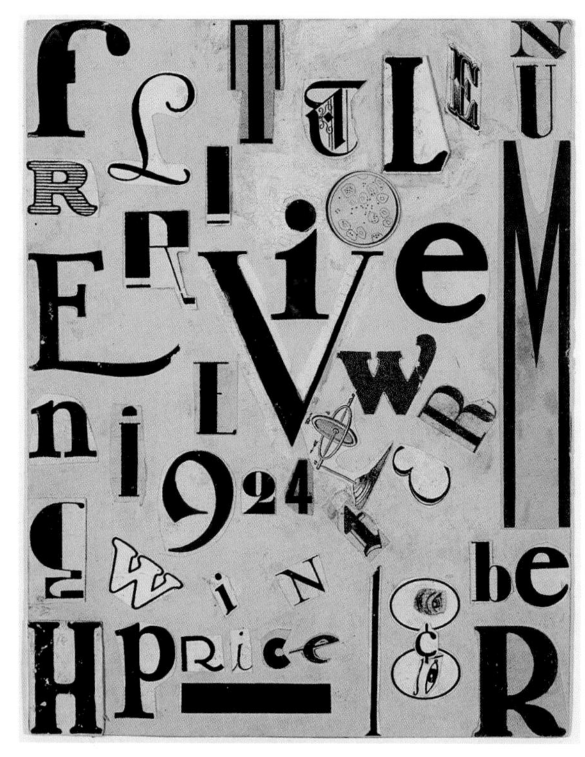

408 Tristan Tzara, Little Review, 1924; Collage, 24 x 19 cm; Galerie Berinson, Berlin

409 Hans Arp, Sophie Taeuber-Arp, Duo-Collage, 1918; Collage, 82 x 62 cm; Staatliche Museen zu Berlin, Nationalgalerie

durch seine Reliefs aus ›irdischen Formen‹, in denen der Jünger des mittelalterlichen Mystikers Jakob Böhme Pflanzen, Steine und die Urform des Eies (vgl. Kat.Nr. 410) in die geheimnisvolle Sphäre einer höheren Realität hob: Naturgestalt in der Verwandlung zwischen klarer Geometrie und organischem Wachstum. »La planche à œufs« – die obskure Versammlung von Umrißmenschen, die Eier als Zielscheiben: »das Eierbrett, ein Spott- und Gesellschaftsbild für die oberen Zehntausend, bei welchem die Teilnehmer, vom Scheitel bis zur Sohle mit Eigelb bedeckt, den Kampfplatz verlassen, [...] sollte dem Bürger die Unwirklichkeit seiner Welt, die Nichtigkeit seiner Bestrebungen, selbst seiner so einträglichen Vaterländereien, veranschaulichen.«[6] Der typographische Gedankenkünstler und Editor Tristan Tzara (vgl. Kat.Nr. 408), der Dada von Zürich nach Paris brachte, schrieb über Hans Arps biomorphe, kurvilineare Schichtreliefs aus farbig bemalten, mit der Laubsäge geschnittenen und verschraubten Formen aus Brettern: »Eine Explosion von tausend Zweigen, deren Formenreichtum und Deutungen sich großartig in einer einfachen pflanzlichen Einheit versammelten.«[7] Mit seinen poetischen Abstraktionen berührte der Maler, Plastiker und Dichter Arp die Kunst des Surrealismus, ahnend, wissend, »Dada ist der Urgrund aller Kunst, denn Dada ist ohne Sinn wie die Natur«[8].

Der Maler Christian Schad entdeckte 1919 in Genf beim Experimentieren mit *objets trouvés* auf lichtempfindlichen Papieren die neue Kunstform des Fotogramms[9], Fotografien ohne Kamera, die Tristan Tzara »Schadographien« (Kat.Nrn. 405f.) nannte. Es sind ›negative‹ Collagen, die durch die Belichtung komponierter Drucksachenfragmente und Stoffreste auf Fotopapieren in der Dunkelkammer entstanden. Schads

410 Hans Arp, Das Eierbrett, 1922; Holzrelief, bemalt, 76,2 x 96,5 x 5 cm; Privatsammlung

Prinzip Collage als »Einbruch der reinen Technik in die Kunst« (Walter Serner), Reales immaterialisiert sich im Licht. Die ›positive‹ Seite derart collagierter Fotogramme repräsentieren die sieben Holzreliefs, die 1920 entstanden. **Composition en N (**Kat.Nr. 407) ist eine Objektmontage aus Resten von Metall, Stoff und Zeitungen, Eisenringen und Münzen auf einer nachtschwarz lackierten Holzplatte, das »N« des Grundrisses steht für »noir«. Arp ›erfand‹ seine Reliefs, Schad klebte und nagelte sie aus Fundstücken zusammen, »um mit diesen banalen Realitäten Traditionsfeindlichkeit zu demonstrieren«[10]. Hier schon die kühle Präzision bildnerischer Arbeit, die Christian Schad in den zwanziger Jahren zum feinfrostigen ›Porträtisten mit dem Skalpell‹ einer sich zu Tode langweilenden Gesellschaft am Abgrund avancieren ließ.

Berlin – »Club DADA«

Der ›Weltdada‹ Richard Huelsenbeck brachte am Vorabend der Novemberrevolution den Zündstoff des Zürcher Dadaismus in das ausgehungerte Berlin. In der Metropole war der Boden vorbereitet durch Franz Jungs Zeitschrift *Freie Strasse* sowie Wieland Herzfeldes Malik-Verlag und die Zeitschrift *Neue Jugend.* Dada schlug ein wie eine anarchistische Bombe, radikalisierte die pazifistischen Geister und gewann in der Reichshauptstadt sofort eine scharfe politische Dimension. 1918: Gründung des »Club DADA« als ›Standarte des Internationalismus‹, mit Huelsenbeck an der Spitze, dem George Grosz mit dem **Dadabild** (Kat.Nr. 413) huldigte. *Erstes Dadaistisches Manifest* vom April 1918: »Jasagen-Neinsagen: das gewaltige Hokuspokus des Daseins beschwingt die Nerven des echten Dadaisten – so liegt er, so jagt er, so radelt er – halb Pantagruel, halb Franziskus und lacht und lacht. Gegen die ästhetisch-ethische Einstellung! Gegen die blutleere Ab-

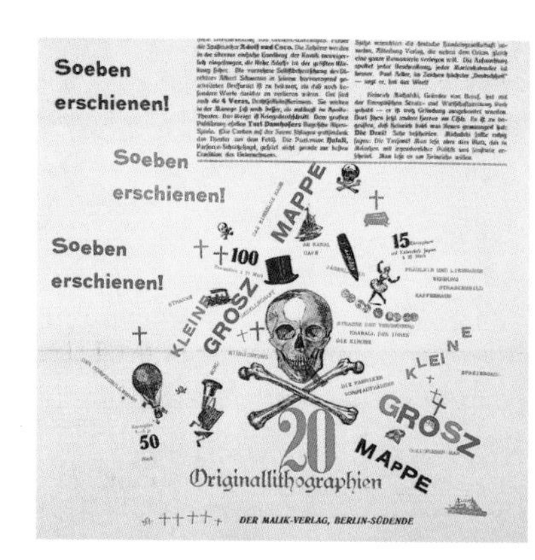

411 John Heartfield, Typographische Anzeige der »Kleinen Grosz-Mappe«, 1917 (aus: Neue Jugend, S. 4); 63,7 x 51,6 cm; Stiftung Archiv der Akademie der Künste, Berlin, Kunstsammlung, Heartfield

412 George Grosz, Trauermagazin, 1918/19; Feder, Tusche über Bleistift, 48,5 x 32 cm; Privatsammlung

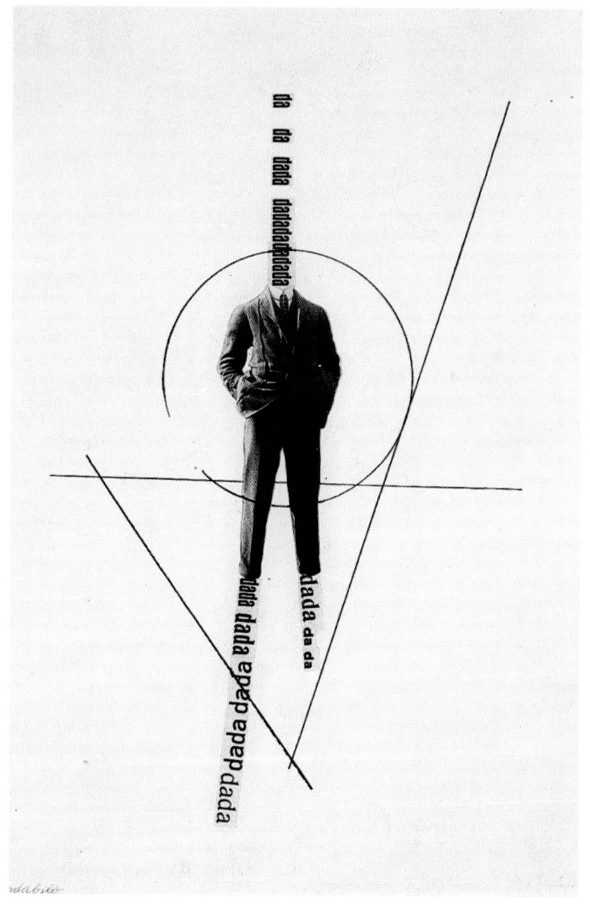

413 George Grosz, Dadabild, um 1919; Feder in Tusche, Foto- und Textcollage, 37 x 30,3 cm; Kunsthaus Zürich, Graphische Sammlung

straktion des Expressionismus! Gegen die weltverbessernden Theorien literarischer Hohlköpfe! Für den Dadaismus in Wort und Bild, für das dadaistische Geschehen in der Welt. Gegen dies Manifest sein heißt, Dadaist sein!«[11] Ein Plädoyer auch für Groteske und Satire, Nonsens und Paradoxie als schlagkräftige Instrumentarien der Dadaisten. Bei aller Gemeinsamkeit gab es von Anbeginn Fraktionen: die Linken mit dem ›Propaganda-Marschall‹ Grosz, dem ›Monteurdada‹ Heartfield und dem ›Progressdada‹ Herzfelde, das nihilistische Intellektuellen-Duo ›Oberdada‹ Baader und ›Dadasoph‹ Hausmann, die *liaison amoureuse*

414 Otto Dix, Matrose Fritz Müller aus Pieschen, 1919; Öl auf Leinwand, Collage, 110 x 110 cm; GAM Gallerie Civica d'Arte Moderna e Contemporanea, Turin

415 George Grosz, Der Fall G., 1918; Aquarell über Rohrfeder, 47 x 31 cm; Staatliche Museen zu Berlin, Kupferstichkabinett

Hausmann & Höch als ›Gärtnerin aus Liebe‹, umgeben von Satelliten wie Walter Mehring und Erwin Piscator. Aus Dresden hielt der sächsisch-thüringische ›dadaDix‹ (vgl. Kat.Nr. 414) über George Grosz Kontakt zu den Berlinern. Als Einzelkämpfer machte Carl Einstein mit seiner Zeitschrift *Blutigen Ernst:* »ein verlorener Krieg und dann, noch schlimmer, eine abgetriebene Revolution, haben Skeptiker geschaffen!«[12]

Anfangs standen die satirischen Aquarelle und Zeichnungen von George Grosz im Blickpunkt einer entsetzten Öffentlichkeit: **Der Fall G.** (Kat.Nr. 415) und **Trauermagazin** (Kat.Nr. 412), die apokalyptische Höllenfahrt einer außer Rand und Band geratenen Gesellschaft (vgl. Kat.Nr. 45) mit dem Tod als Zeremonienmeister und trunksüchtigen Totschlägern in der Metropole. Maxime des ›Grafen Ehrenfried‹: Murks ihn ab, den häßlichen Deutschen! Die Grosz-Mappe **Soeben erschienen!** (Kat.Nr. 411) präsentierte John Heartfield mit einer revolutionierenden Collage aus dem typographischen Setzkasten in der *Neuen Jugend.* Im *Dadai-*

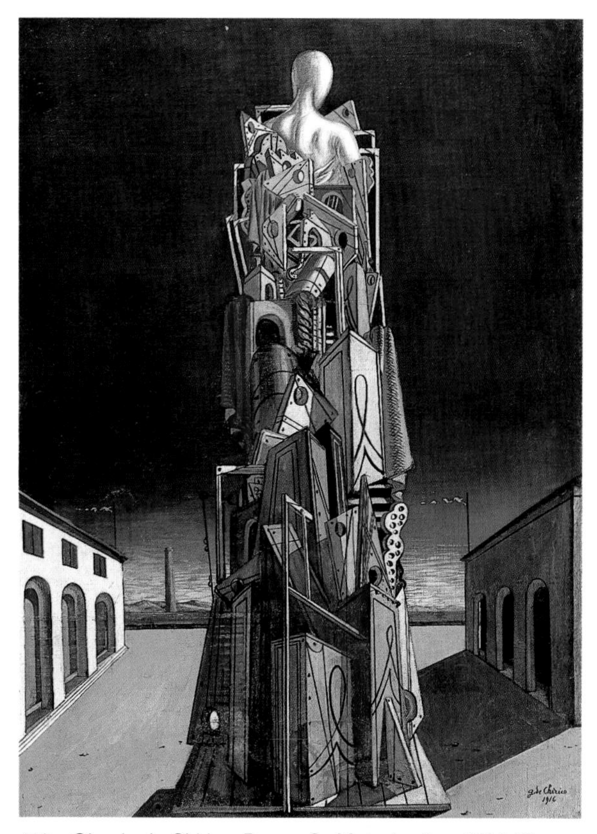

416 Giorgio de Chirico, Der große Metaphysiker, 1924-26; Öl auf Leinwand, 110 x 80 cm; Staatliche Museen zu Berlin, Nationalgalerie

417 Raoul Hausmann, P (Dada), 1921; Collage, 31,2 x 22 cm; Hamburger Kunsthalle

stischen Manifest hieß es programmatisch: Dada will die Benutzung des *neuen Materials in der Malerei.* Die Entdeckung der Fotografie zum Zwecke satirischer Zerstörung der bereits zerschlagenen Zeitwirklichkeit nach Weltkrieg und Novemberrevolution war die Tat der Berliner Dadaisten Hausmann, Heartfield und Höch. Von der Fotocollage zur agitatorischen Fotomontage Heartfields (vgl. Kat.Nrn. 522–536) bis hin zu Klaus Staeck (vgl. Kat.Nrn. 537–545) und dem ›Sidestep‹ des Fotografen Thomas Ruff (vgl. Kat.Nrn. 546–548) heute. Die Partikel fotografischer Realität in den dadaistischen Erzeugnissen von Raoul Hausmann (vgl. Kat.Nr. 419) und Hannah Höch (vgl. Kat.Nr. 423) haben den letzten Rest traditioneller Art des Malens und Zeichnens in den Materialisationen von Grosz verdrängt und an deren Stelle die Dada-Collage aus schon gebrauchten Artefakten der Trivialität gesetzt. Paradebeispiel dafür ist der **Schnitt mit dem Küchenmesser Dada durch die letzte Weimarer Bierbauch-Kulturepoche Deutschlands** (Kat.Nr. 425) von Hannah Höch, ein collagiertes Schüttelsieb für das Nachkriegschaos in der jungen Republik von Weimar. Links oben der Physiker Albert Einstein, der als Kronzeuge Dadas die Kunst relativiert: »He, he, Sie junger Mann, Dada ist keine Kunstrichtung«. Unten die Gala der Dadaisten, der brüllende Raoul Hausmann, John Heartfield, von der Tänzerin Niddi Impekoven gebadet, George Grosz und Wieland Herzfelde als siamesische Zwillinge, der ›Oberdada‹

418 George Grosz, Tatlinistischer Plan (Akt), 1920; Aquarell über Feder, 41 x 29,2 cm; Museo Thyssen-Bornemisza, Madrid

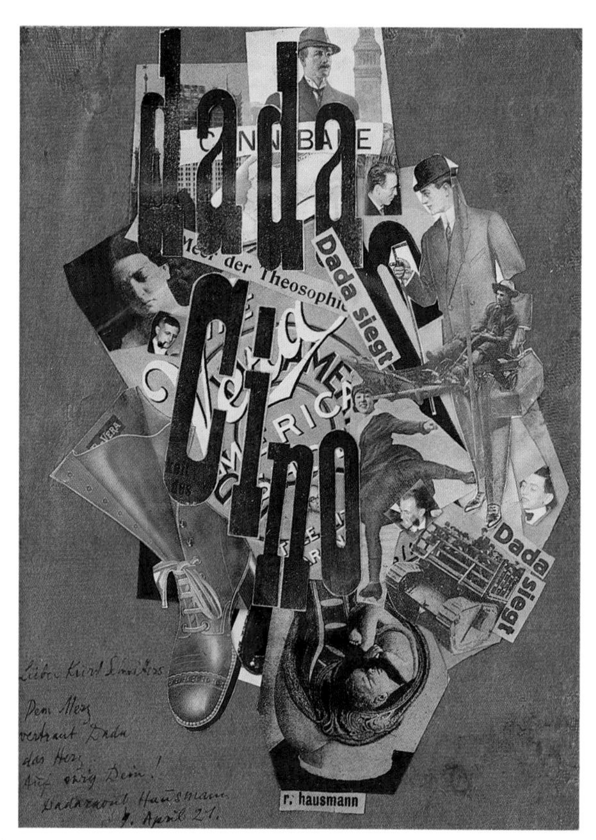

419 Raoul Hausmann, Dada im gewöhnlichen Leben (dada cino), 1920; Collage und Fotomontage auf blauem Papier, 32 x 22,5 cm; Privatsammlung

OFFEAHBDC
BDQ „qjyE!

420 Raoul Hausmann, OFFEAH, 1918; Plakatgedicht, Druck auf orangefarbenem Papier (Reprint), 32,8 x 47,8 cm; Berlinische Galerie Berlin, Landesmuseum für Moderne Kunst, Photographie und Architektur, Künstler-Archive

Johannes Baader, flankiert von Karl Radek, Lenin und Marx. Als Krönung der Aufmarsch der Politiker mit dem sozialdemokratischen Präsidenten Friedrich Ebert, dem letzten deutschen Kaiser Wilhelm II., Generalfeldmarschall Paul von Hindenburg und dem blutrünstigen Innenminister Gustav Noske, allesamt Repräsentanten der antidadaistischen Bewegung. Schon in den Werken der italienischen Futuristen (vgl. Kat.Nrn. 389f.) war ›filmische Fahrt‹, das »dada cino« (Kat.Nr. 419) Raoul Hausmanns als Simultané ist nicht nur eine Hommage an den ›Ehrendada‹ Charlie Chaplin, sondern auch eine Referenz an die medialen Grenzüberschreitungen im Berliner Dadaismus, der »versuchte, die Effekte, die das Publikum heute im Film sucht, mit den Mitteln der Malerei (beziehungsweise der Literatur) zu erzeugen«[13]. Dadaistische Fotocollage war aber nie Unikat, sondern fast immer für den massenhaften Druck bestimmt, für die illustrierte Flut von Flugzetteln, Zeitschriften und Büchern wie *Der Dada, Dada siegt!, Dada Almanach* oder den nicht erschienenen Weltatlas Dadaco. Der Aktionismus dieser Bewegungen gipfelte in den Auftritten Johannes Baaders, der im Berliner Dom eine Predigt mit dem Zwischenruf »Jesus ist ihnen Wurst« unterbrach und in die Nationalversammlung sein Flugblatt »Die grüne Leiche. Dada ist gegen Weimar« warf. Verhöhnung des dahingegangenen Kaiserreiches und seiner Repräsentanten, aber auch der sozialdemokratischen Neupolitiker ›Ebert-Noske-Scheidemann‹. ›Bum-bum-DADA‹ ging auf Tournee durch Deutschland bis nach Prag.

Berlin 1920 – die *Erste Internationale Dada-Messe* war Höhe- und zugleich Endpunkt der Berliner Dada-Aktivitäten. Die kommunistische Fraktion mit Grosz, Heartfield, Schlichter sowie Hausmann sah sich an einem Wendepunkt. Mit Giorgio de Chiricos *pittura metafisica* des **Großen Metaphysikers** (Kat.Nr. 416), einer gemalten Assemblage aus melancholischem Gerümpel der Piazza d'Italia versuchte man die Wiedergeburt der figürlichen Malerei: »Wir führen den histori-

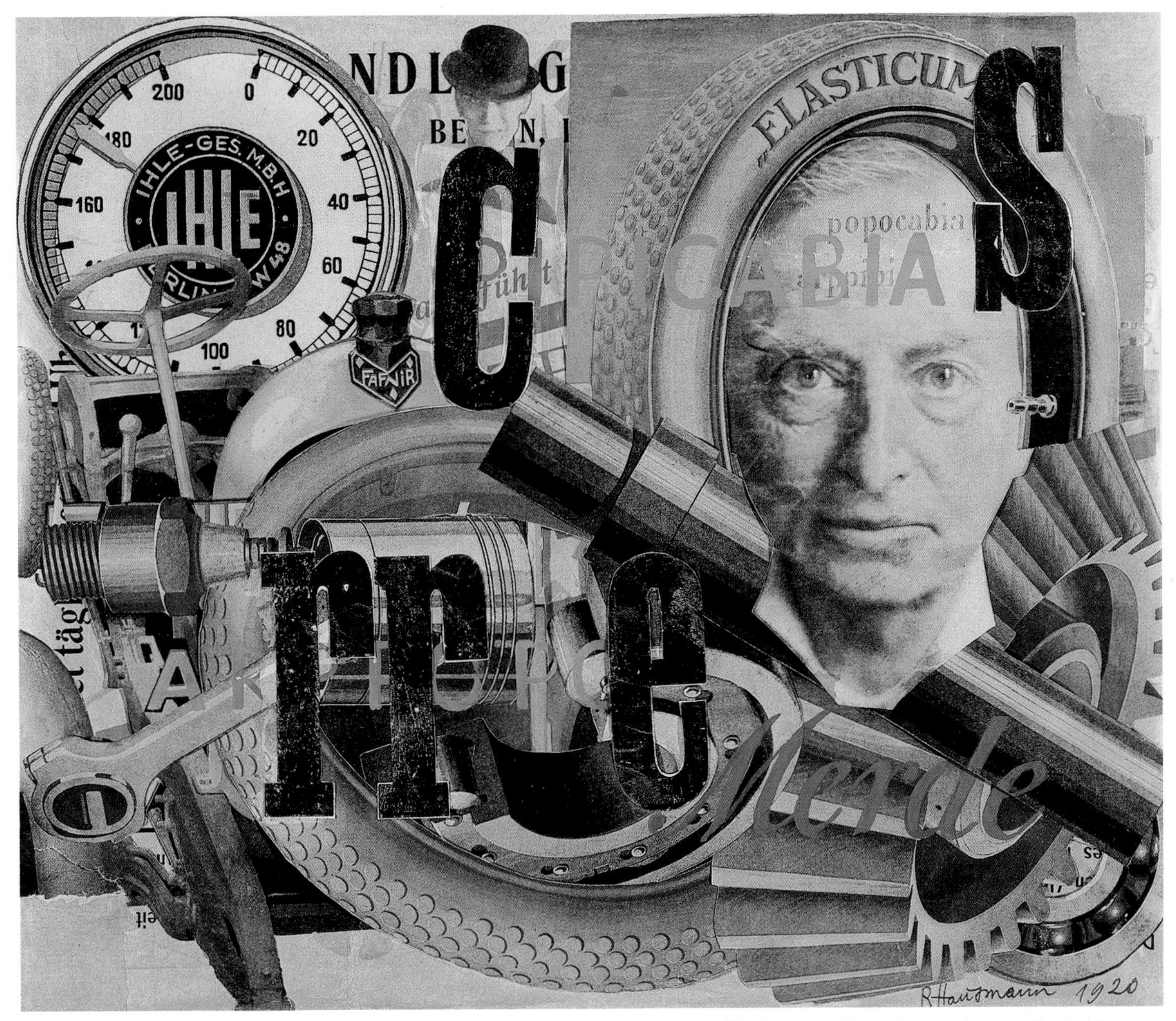

421 Raoul Hausmann, Elasticum, 1920; Collage und Gouache auf Titelblatt des Katalogs der *Ersten Internationalen Dada-Messe*, 31 x 37 cm; Galerie Berinson, Berlin

schen Materialismus in die figürliche Malerei ein [...]. Die Malerei ist eine Sprache, die die optischen Vorstellungen der Masse zur Eindeutigkeit zu steigern hat [...]. Die Malerei ist kollektiv.«[14] Dadas Fehltritt in Richtung sozialistischer Realismus.

Der Tatlinistische Plan (Kat.Nr. 418) von George Grosz gibt mit dem Manichino im Interieur mehr als eine Reminiszenz an die *pittura metafisica*: Entfremdung, Kälte und Verlorenheit in einer verwalteten und technifizierten Welt, in der auch der Sexus käuflich ist. An der Tafelmalerei der kollektiven Leere aber mußten Grosz & Compagnons scheitern, die ›Gesetze der Malerei‹ für eine kommunistische Gesellschaftsutopie nahmen dem Berliner Dadaismus endgültig die individualistische Spitze. Grosz, der erbarmungslose Verist, distanzierte sich bald darauf von der Kommunistischen Partei

422 Hannah Höch, Entführung: Aus einem ethnographischen Museum, 1925; Fotomontage, 19,5 x 20 cm; Staatliche Museen zu Berlin, Kupferstichkabinett

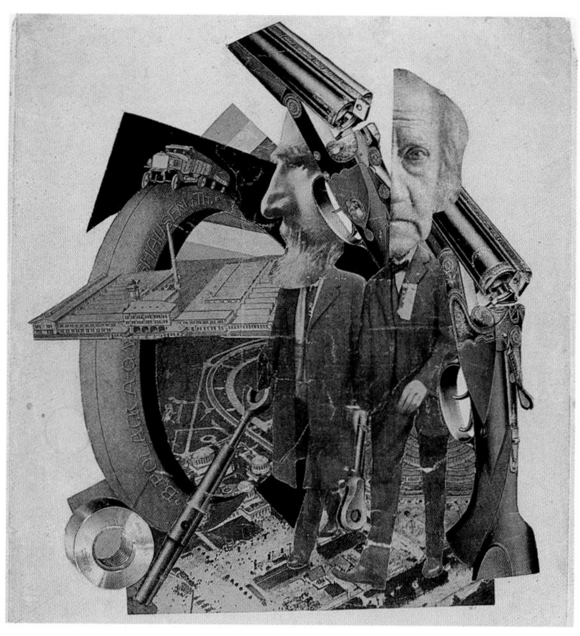

423 Hannah Höch, Hochfinanz, 1923; Fotomontage und Collage, 36 x 31 cm; Galerie Berinson, Berlin

Deutschlands; Heartfield und Herzfelde blieben ihr als Propagandisten treu. Hausmann, der »Scharfrichter der bürgerlichen Seele«[15], ging zur Fotografie und zum Optophon über, Höch näherte sich mit ihren ethnographischen Collagen (vgl. Kat.Nr. 422) der surrealistischen Poesie. Im Schlußgang scheiterte Berlin Dada an dem, was zu vermeiden war, am ›Jasagen‹, am parteiischen Politisch-Sein.

Köln – Baargeld›loser‹ Ernst

Spät, aber nicht zu spät kam Dada im Laufe des Jahres 1919 in das apathische Köln. Auch hier ein Kreis pazifistischer Künstler, die – wie Max Ernst – mit Lebensfreude und Wut ›auf die Schweinerei dieses blödsinnigen Krieges‹ reagierten. Doch neben dem ›Dadamax‹ Ernst stand von Anbeginn ein anderer, sehr spät wiederentdeckter Dadaist mit wunderlichem Namen: Johannes Theodor Baargeld[16] (Pseudonym für Alfred F. Gruenwald), der Autodidakt, Bergsteiger, Nichtmaler und Jurisprudenzler, der 1927 am Montblanc tödlich

424 Hannah Höch, New York, um 1922; Collage, 29,5 x 18,5 cm; Staatliche Museen zu Berlin, Kupferstichkabinett

425 Hannah Höch, Schnitt mit dem Küchenmesser Dada durch die letzte Weimarer Bierbauch-Kulturepoche Deutschlands, 1919; Collage, 114 x 90 cm; Staatliche Museen zu Berlin, Nationalgalerie

426 Johannes Theodor Baargeld, Ordinäre Klitterung: Kubischer Transvestit vor einem vermeintlichen Scheidewege, 1920; Collage, 30,9 x 14,4 cm; Privatsammlung

427 Max Ernst, Physiomythologisches Diluvialbild (Fatagaga), 1920; Collage, Mischtechnik, 11,2 x 10 cm; Sprengel Museum Hannover

verunglückte. Erst Ende 1919 stieß auch Hans Arp aus Zürich zu den Kölnern, während die Spartakisten Otto Freundlich sowie Angelika und Heinrich Hoerle Dada am Rhein wegen der Nähe zur bourgeoisen Ästhetik und zum Kunstbetrieb rasch den Rücken kehrten.

Die ›Unterwegsgestalt‹ Baargeld präsentierte sich allzugern als androgynes Wesen in selbstironischer Mixtur aus Konterfei und Venus von Milo. Neuer Kopf contra antike Schönheit. Max Ernsts Kommentar: »Die vollkommenste Plastik ist der Klavierhammer Dada.« Wie die Berliner, so benutzte auch Baargeld Fotomaterial für seine Klebebilder, allerdings »auf dem Boden der entschiedenen Geschlechtsmesse ohne Geschlechtszwang«. **Ordinäre Klitterung: Kubischer Transvestit vor einem vermeintlichen Scheidewege** (Kat.Nr. 426) – auch das ein spöttisches Rollenporträt und zudem Abrechnung mit der ›Sackgasse‹ Kubismus in Gestalt des Malers Albert Gleizes. Baargeld & Ernst kämpften eine Zeit lang Seite an Seite, gaben gemeinsam die Zeitschriften *Der Ventilator* und *Die Schammade* heraus, im Unterschied zu Berlin Dada kamen sie mit weniger lauthalsen Manifestationen aus, probten aber mit ihren Attacken gegen Kirche und Staat den ›tollen Umsturz‹, der ebenso ausblieb wie der Einsturz des Kölner Domes. Der geistige Motor und erfindungsreichste Schau-Spieler von Köln Dada aber war der ›Dadamax‹ Ernst. Launig und listig bediente er sich der Collage[17] als »Form der Skepsis« (Werner Spies): »Collage-Technik ist die systematische Ausbeutung des zufälligen oder künstlich provozierten Zusammentreffens von zwei oder mehr wesensfremden Realitäten auf einer augenscheinlich dazu ungeeigneten Ebene – und der Funke Poesie, welcher bei der Annäherung dieser Realitäten überspringt.«[18] Den Materialfundus bildeten die Holzstiche in den Alben des späten 19. Jahrhunderts (vgl. Kat.Nr. 430) und illustrierte Kataloge der Lehrmittelanstalten – bei Ernst das präzise Zerschneiden und das nahtlose Wiederzusammenfügen der Vorlagen und damit das Gegenbild zu den harten Brüchen in den *papiers collés* der Kubisten und Berliner Dadaisten. Seine FATAGAGA-Collagen leiten sich von »FAbrication de TAbleaux GArantis GAsométriques« (Fabrikation garantiert gasometrischer Bilder) her – eine davon ist gemeinsam mit Hans Arp entstanden, das **Physiomythologische Diluvialbild** (Kat.Nr. 427) mit dem Porträt von Sophie Taeuber, in dem zum ersten Mal das Leitmotiv des Vogels auftaucht. Max Ernst blieb immer der Poet der Collage, der ironisch und rätselhaft fremd ›alles in der schwebe‹ (Kat.Nr. 429) hielt und diese in den Collage-Romanen *La femme 100 têtes* und *Une semaine de bonté* zur ›filmisch‹ sequentierten ›Literatur‹ führte. Er war »der unübertroffene Zauberer der kaum spürbaren Verrückung« (René Crevel) und der Präzisionstechniker der Multimaterialität, der seinem Prinzip Collage auch noch das halbautomatische Durchreibeverfahren der Frottage und die Bildmontage aus Klischeedrucken hinzufügte – alles ›nahtlose‹ Verfahren, die sich mittels der kombinatorischen Methode des Disparaten auch auf die Malerei übertragen ließen. Köln Dada[19] – ein kurzes, episodisches Spiel mit dem Hauptdarsteller Max Ernst, der seit 1921 in Kontakt mit Paris Dada um Tristan Tzara stand und im Frühjahr 1922

428 Max Ernst, Enfant, 1921; Collage, 11,2 x 14,5 cm; Sprengel Museum Hannover

429 Max Ernst, hier ist noch alles in der schwebe ..., 1920; Fotografische Vergrößerung mit weißer Gouache gehöht und handschriftlichem Text, 32 x 38,8 cm; Fondation Jean Arp und Sophie Taeuber-Arp e.V.; Rolandseck

die Stadt am Rhein verließ, um in der französischen Metropole zum Surrealisten zu werden. »Seit Max Ernst nach Paris gezogen ist«, so Kurt Schwitters, »herrscht in Köln Totenstille.«

Hannover – KurtMERZSchwitters

Der »Ein-Mann-Dadaismus« (Werner Schmalenbach) MERZ aus dem gutbürgerlichen Hannover hatte seine

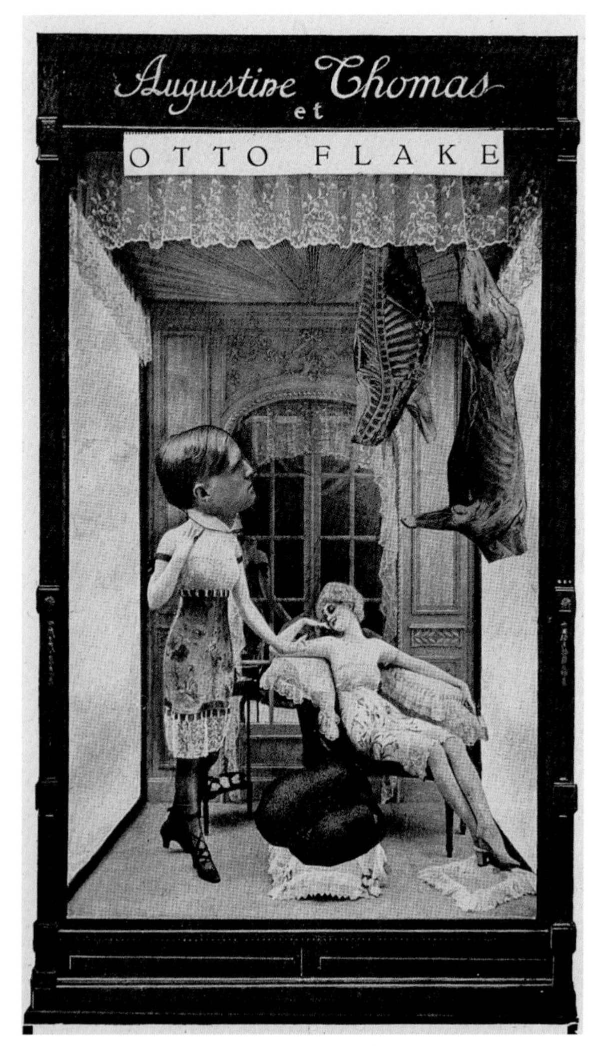

430 Max Ernst, Augustine Thomas et Otto Flake, 1920; Collage, 23 x 13,5 cm; Sprengel Museum Hannover

Premiere nach der ›glorreichen Revolution‹ 1919 in Herwarth Waldens Sturm-Galerie in Berlin. Den Begriff hatte Schwitters zufällig im Fragment »Kommerz- und Privatbank«, eingeklebt in eine seiner Collagen, gefunden, damals schrieb er: »Die Bilder Merzmalerei sind abstrakte Kunstwerke [...]. Das Entformen der Materialien kann schon erfolgen durch ihre Verteilung auf der Bildfläche. Es wird noch unterstützt durch Zerteilen, Verbiegen, Überdecken oder Übermalen. Bei der Merzmalerei wird der Kistendeckel, die Spielkarte, der Zeitungsausschnitt zur Fläche, Bindfaden, Pinselstrich oder Bleistiftstrich zur Linie, Drahtnetz, Übermalung oder aufgeklebtes Butterbrotpapier zur Lasur, Watte zur Weichheit.«[20] Das **Merzbild Einunddreissig** (Kat.Nr. 431) gehört zu den Inkunabeln der frühen Merzkunst von Schwitters, malerisch geklebte Poesie, die sich aus dem Zentrum der Rotation nach allen Seiten entfaltet. Von daher hat Schwitters konsequent sein ›Prinzip MERZ‹ verfolgt: »MERZ erstrebt im Prinzip nur die Kunst.« Hans Arp war es, der Schwitters mit der Collage vertraut gemacht hatte, beide waren sie Doppelbegabungen, Künstler und Dichter zugleich, Arp mit *Le Siège de l'air, poèmes* und Schwitters mit seiner anstößigen Gedichtsammlung *Anna Blume*: »Oh Du Geliebte ... meiner siebenundzwanzig Sinne ... Ich liebe Dir!«

Alles, was dem *homo ludens* Schwitters in den folgenden Jahrzehnten in die Hände geriet, wurde für ihn zur Merzkunst, das Schwemmholz vom Ostseestrand geriet ihm zur **Kathedrale** (Kat.Nr. 441). Er bevorzugte dabei Abfälle aus dem Müll, denen das ›Persönlichkeitsgift‹ entzogen war. Die schier endlose Reihe seiner Klebebilder, die er »Merzzeichnungen« nannte (vgl. Kat.Nrn. 434–439), reichen von der respektlosen Persiflage von Raffaels **Sixtinischer Madonna** bis zu streng gebauten Kompositionen in der Nähe des Konstruktivismus. 1921 gesellte sich Robert Michel, Freund von Johannes Molzahn, eine Zeitlang zu Schwitters in Hannover. Bereits 1918/19 waren futuristische Collagen wie das **Mann-Es-Mann-Bild** (Kat.Nr. 433) – eine der Collagen, die Walter Gropius am Weimarer Bauhaus ausstellte – entstanden, die im knirschenden Räderwerk mit ihrem ›Tik-Tak‹ den Rhythmus des technischen Zeitalters ironisierten. Doch Schwitters blieb unter den Dadaisten der ungeliebte Einzelgänger, den Richard Huelsenbeck »den abstrakten Spitzweg, den Caspar David Friedrich der dadaistischen Revolution« nannte. Schwitters selbst unterschied zwischen den politischen »Huelsendadas« (Huelsenbeck, Grosz, Heartfield, Herzfelde) und den poetischen »Kerndadas« (Arp, Picabia). Hausmann und Höch waren mit Schwit-

431 Kurt Schwitters, Merzbild Einunddreissig, 1920; Assemblage, Öl auf Papier, Holz, Metall, Stoff, Watte, Karton, Holzrahmen, 98 x 66 cm; Sprengel Museum Hannover, Leihgabe der Sammlung NORD/LB in der Niedersächsischen Sparkassenstiftung

432 Kurt Schwitters, Die breite Schnurchel, 1923; Holzrelief, 36 x 56 x 12 cm; Staatliche Museen zu Berlin, Nationalgalerie

ters befreundet, selbst Paul Klee (vgl. Kat.Nr. 440) huldigte ihm. Zum strittigen Thema ›Prolet-Kunst‹ erklärte er 1923: »Kunst ist weder proletarisch noch bürgerlich [...]. Das, was wir vorbereiten, ist das Gesamtkunstwerk, welches erhaben ist über alle Plakate, ob sie für Sekt, Dada oder kommunistische Diktatur gemacht sind.«[21] Seitdem folgte bei Schwitters eine stärkere Wendung zum Konstruktiven, so im **Relief mit Kreuz und Kugel** (Kat.Nr. 443) und dem **Merzbild mit grünem Ring** (Kat.Nr. 442).

Schwitters' erweiterter, alle Gattungen umschließender Kunstbegriff des Gesamtkunstwerkes MERZ umfaßt neben den Merzzeichnungen (Collagen) und den Merzbildern (Assemblagen) auch die Merzplastik, Merzdichtung, Merzbühne, Merzarchitektur und die Merzwerbezentrale. All diese Unternehmungen gipfelten im **Merzbau** (Kat.Nr. 444), Schwitters' Inkarnation des Gesamtkunstwerkes, immer wieder durch Fremdeinwirkung zerstört und immer wieder neu aufgebaut. Ein Jahr vor seinem Tode resümierte Kurt Schwitters 1947 im englischen Exil: »Ich war Dadaist, ohne die Absicht zu haben einer zu sein. Wahrscheinlich bin ich MERZ.«[22]

1922 – in Weimar stritten Dadaisten und Konstruktivisten miteinander, in Düsseldorf formierte sich die *Konstruktivistische Internationale*, und im *Buch neuer Künstler* resümierte Lajos Kassák: »Da habt ihr die Helden der Vernichtung und da habt ihr die Fanatiker des Aufbaus [...]. Unser Zeitalter ist das der Konstruktivität.« Das Ende des Dadaismus war nur noch eine Frage der Zeit. Was war Dada? »Eine Kunst? Eine Philosophie? Eine Politik? Eine Feuerversicherung? Oder Staatsreligion?«[23] War Dada wirklich nur das ›Reklamebureau Bum=bum=dada‹? All das, nichts davon und viel viel mehr, ein Plädoyer für das befreiende Lachen, die »schöpferische Indifferenz« (Salomo Friedlaender) als Lebensform und die Vernichtung jedweder Ideologie und Schwindelei der Mächtigen. Die Dadaisten haben das größte Gefühl der Freiheit genossen, weil sie nicht durch den deutschen Idealismus korrumpiert waren. Die aktionistischen Impulse und die Mate-

433 Robert Michel, Mann-Es-Mann-Bild B 127, 1918/19; Zeichnung, Tusche und Collage, 91,5 x 79,5 cm; Sprengel Museum Hannover, Nachlaß Robert Michel

434 Kurt Schwitters, Ohne Titel (El Willy Hahn), nach 1924; Collage, 17,5 x 14,1 cm; Sprengel Museum Hannover, Leihgabe Nachlaß Kurt Schwitters

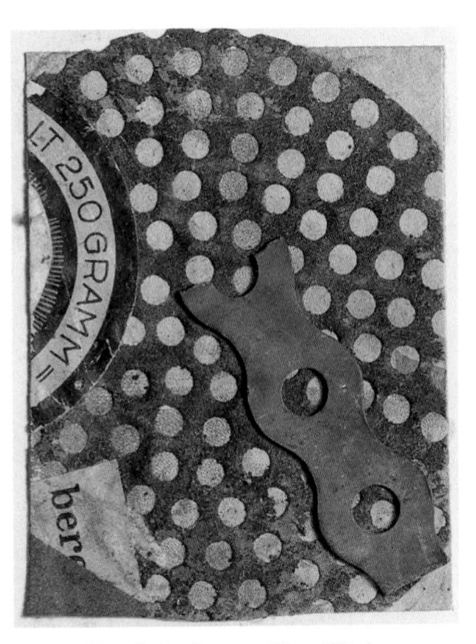

435 Kurt Schwitters, Ohne Titel (250 Gramm), 1928; Assemblage, 8,6 x 6,4 cm; Sprengel Museum Hannover, Leihgabe Nachlaß Kurt Schwitters

436 Kurt Schwitters, Mz 180, Figurine, 1921; Collage, 17,3 x 9,2 cm; Sprengel Museum Hannover, Leihgabe Nachlaß Kurt Schwitters

437 Kurt Schwitters, Mz 151, Wenzel Kind und Madonna mit Pferd, 1921; Collage, 17,2 x 12,9 cm; Sprengel Museum Hannover

438 Kurt Schwitters, Ohne Titel (Ashoff, Ellen), 1922; Collage, 24,3 x 18,3 cm (Passepartout 48,9 x 39,8 cm); Sprengel Museum Hannover, Leihgabe Nachlaß Kurt Schwitters

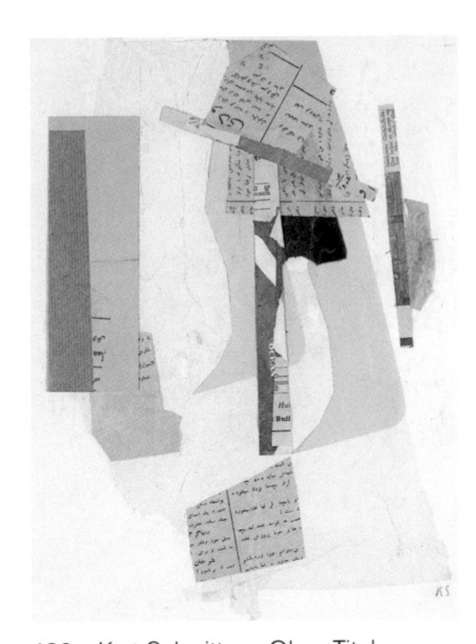

439 Kurt Schwitters, Ohne Titel (Buff – mit Koranteilen), 1936; Collage, 33,1 x 25,1 cm; Sprengel Museum Hannover, Leihgabe Nachlaß Kurt Schwitters

rialkunst der dadaistischen Bewegung wurden durch Surrealismus, Fluxus, Nouveau Réalisme und Pop-art (vgl. Kat.Nrn. 463–519) bis in die Gegenwart getragen. ›Mouvement Dada‹ wird nie siegen, lebt aber weiter da da da … und dort, Treibmine für das kommende Jahrhundert der Nullen.

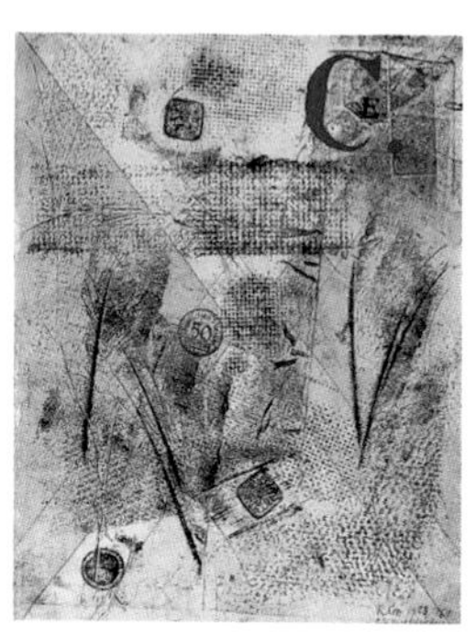

440 Paul Klee, C für Kurt Schwitters, 1923; Öl Transfer-Malerei, Wasserfarben, 27,5 x 22,2 cm; Privatsammlung

441 Kurt Schwitters, Kathedrale, 1923; Holzrelief, 39 x 17 x 7 cm; Staatliche Museen zu Berlin, Nationalgalerie, Eigentum des Vereins der Freunde der Nationalgalerie

442 Kurt Schwitters, Merzbild mit grünem Ring, 1926; Assemblage, Holz, bemalt, 60 x 51 cm; Privatsammlung

Anmerkungen

1 Vgl. Bergius, Hanne: *Das Lachen Dadas. Die Berliner Dadaisten und ihre Aktionen.* Gießen 1989; Meyer, Raimund; Bolliger, Hans (Hg.): *Dada. Eine internationale Bewegung 1916–1925.* Ausst.Kat. Kunsthalle der Hypo-Kunststiftung München. Zürich 1993; Korte, Hermann: *Die Dadaisten.* Reinbek bei Hamburg 1994.
2 Ball, Hugo: *Die Flucht aus der Zeit.* Zürich 1992, S. 38.
3 Pressenotiz, Zürich, 2. Februar 1916. Zit. n. Ball, Die Flucht aus der Zeit (Anm. 2), S. 79.
4 Zit. n. Hancock, Jane; Poley, Stefanie: *Hans Arp 1886–1966.* Ausst.Kat. Württembergischer Kunstverein Stuttgart. Baden-Baden 1986, S. 11.
5 [Hugo Ball in bezug auf Hans Arp, 1. März 1916]. In: Ball, Die Flucht aus der Zeit (Anm. 2), S. 81.
6 Zit. n. Mann, Bernd (Hg.): *Hans Arp. Die Reliefs. Œuvre-Katalog.* Stuttgart 1981, S. 27.
7 Zit. n. Arp (Anm. 4), S. 65.
8 Zit. n. ebd., S. 13.
9 Vgl. Neusüss, Floris M.: *Das Fotogramm in der Kunst des 20. Jahrhunderts. Die andere Seite der Bilder – Fotografie ohne Kamera.* Köln 1990; zu Christian Schad vgl. S. 22–37.
10 Christian Schad, in: *Christian Schad 1894–1982.* Ausst.Kat. Kunsthaus Zürich. Zürich 1997, S. 74.
11 Zit. n. Riha, Karl (Hg.): *Dada Berlin. Texte, Manifeste. Aktionen.* Stuttgart 1977, S. 25.
12 Einstein, Carl: »Über Deutschland« (1921). Zit. n. ders.: *Prophet der Avantgarde.* Hg. von Klaus Siebenhaar u.a. Berlin 1991, S. 37.

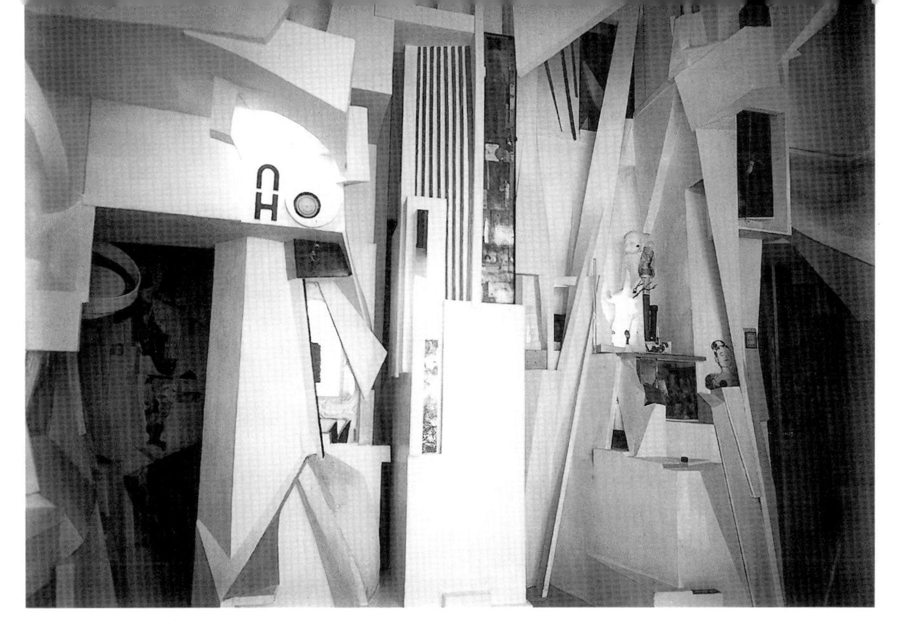

Kurt Schwitters, Merzbau, 1933

wärtigen Zimmer auf derselben Etage mit Blick auf den hannoverschen Stadtwald, die Eilenriede. Die in dem ersten Atelier zu diesem Zeitpunkt bereits vorhandenen ›Vermerzungen‹, so nannte er seine Aktivitäten mit dem Ziel einer totalen künstlerischen Neugestaltung seiner Umwelt, gingen durch diesen Umzug verloren. Lediglich einige von mehreren inzwischen entstandenen **Merzsäulen** hat er in den neuen Raum hinüberretten können. Sie stellten das Ausgangsmaterial, aus dem seit 1923 der eigentliche erste Merzbau entstand. Eine sehr wahrscheinlich bereits in jenem Jahr angefertigte Fotografie zeigt eben diese Ausgangssituation (Abb. S. 482). Wieder steht eine schlanke Säule im Mittelpunkt. Auf ihrer Spitze trägt sie einen Puppenkopf mit übergelegtem Tuch. Deutlich lassen sich auch einige der an der Säule angebrachten Objekte und an ihren Sockel geklebten Schriftzüge identifizieren. So taucht mehrfach der Schriftzug »MERZ« auf. Andere typographische Elemente hat Schwitters der ersten Ausgabe seiner in jenem Jahr begonnenen und später in unregelmäßigen Abständen fortgesetzten Reihe der *Merzhefte* entnommen. Sogar eine komplette Collage, die den programmatischen Titel **Der erste Tag** trägt, hat er an der Vorderseite des Sockels befestigt. Im Hintergrund des Zimmers, über der Eingangstür, ist ein weiteres Werk, die 1914 entstandene naturalistische Landschaft **Überschwemmte Wiesen**, erkennbar.

Konnte Kurt Schwitters das Zimmer zunächst auch weiterhin als Atelier nutzen, so verwandelte sich die architektonische Struktur des Raumes mit den Jahren immer mehr zu einem eigenständigen Kunstwerk. Die Säulen und Wandgestaltungen wuchsen zu einer einzigen, das Atelier allein beanspruchenden Konstruktion zusammen. Für die Arbeit an den **Merzzeichnungen** und den größerformatigen **Merzbildern** mußte Schwitters wiederum in ein neues Zimmer ausweichen. Das anfangs eher dadaistische Formenrepertoire, in das er zahlreiche Höhlen für die Künstlerfreunde sowie Grotten zu aktuellen und historischen Persönlichkeiten und Ereignissen integrierte, verschwand allmählich unter einer weißen, partienweise farbig gestalteten Struktur aus Holz und Gips, die der Künstler mit einer wechselnden Beleuchtung zusätzlich akzentuierte. Doch erst während der frühen dreißiger Jahre erfuhr der Merzbau innerhalb einer relativ kurzen Zeit seine intensive und radikale Veränderung hin zu dem Zustand, in welchem er sich dann in den detailreichen Fotografien von 1933 dokumentiert. Eine dieser Aufnahmen (Abb. S. 482) zeigt den bereits von 1923 bekannten Ausschnitt des ehemaligen Ateliers (Abb. S. 483). Die

Rudolf Belling und Walter Würzbach, Scala-Restaurant, Berlin 1921

damals freistehende Säule ist jetzt fast vollständig von der eingebauten Konstruktion überwuchert. Lediglich ihr Puppenkopf ragt noch hervor. Insgesamt hatte Kurt Schwitters zu diesem Zeitpunkt drei Wände des Zimmers vollständig durchgestaltet. Von allen Seiten und von der Decke dringen kompliziert ineinander verschachtelte Säulen und Kuben in den noch freien Platz vor. Den rechten Winkel scheint Schwitters dabei bewußt zu meiden. Statt dessen schrauben sich schmale Rippenformen zur Decke empor, stürzen von dort zurück in den leeren Raum und verbinden so in einer Art Torbogen die verschiedenen Zentren des Merzbaus. Die meisten der zuvor sorgfältig angelegten Höhlen und Grotten sind inzwischen unter der Holz- und Gipskonstruktion verschwunden, andere hinter Glasscheiben der Betrachtung freigegeben.

Integrierte Spiegel und eine variable Lichtgestaltung verwirren die Sinne der Besucher zusätzlich. Die von mehreren Augenzeugen geäußerte, irrtümliche Beobachtung, die Struktur habe sogar die Zimmerdecke durchbrochen und sich auf das darüberliegende Stockwerk ausgedehnt, mag hier seine Ursache haben. Tatsache ist aber auch, daß der Merzbau keineswegs auf den Raum des Ateliers begrenzt blieb. Bis Kurt Schwitters Anfang 1937 Deutschland endgültig verlassen mußte und nach Norwegen emigrierte, hatte sich der Bau auf weitere Zimmer ausgedehnt. Dem Freund Christof Spengemann berichtete er später: »Mein Merzbau war praktisch nicht ein einzelner Raum, sondern über das ganze Haus verteilt. [...] Teile des Merzbaus waren im Nebenzimmer, auf dem Balkon, in 2 Räumen des Kellers, in der 2ten Etage, auf dem Boden.«[2]

Das Formenrepertoire und die utopischen Theorien der expressionistischen Architektur waren für Kurt Schwitters eine wesentliche Orientierung und Bestätigung bei seiner Arbeit am Merzbau, fand er hier doch manche seiner eigenen architektonischen Vorstellungen vorformuliert. Die Gruppe um den Architekten Bruno Taut war ein typisches Phänomen jener von politischen Unruhen und gesellschaftlichen Umbrüchen bewegten Jahre unmittelbar nach dem Ersten Weltkrieg. Taut hatte die Gläserne Kette Ende 1919 als eine, in ihrem Charakter eher an Geheimbünde gemahnende, Vereinigung expressionistischer Architekten ins Leben gerufen. Die wenigen Möglichkeiten, die Wirkung ihres exzentrischen Formenvokabulars zu erproben, beschränkten sich zunächst auf Entwürfe für die Bühne und den expressionistischen Film sowie auf dekorative Gestaltungen, so auch für das Scala-Restaurant in Berlin (Abb. S. 484). In einer Zeit, die ihnen mithin kaum praktische Bauaufgaben stellte, propagierten die Mitglieder der Gläsernen Kette ihre phantastischen Entwürfe in emphatischen Manifesten als die Architektur für eine neue Gesellschaft. Die gotische Kathedrale war das unerreichbare Vorbild aller expressionistischen Architekturentwürfe. Mit ihr vor allem verbanden sie die Hoffnung auf eine befriedete Menschheit, die sich jedoch nur durch einen Neubeginn an den bislang unberührten, ursprünglichen Orten würde entwickeln können. Ihre utopischen Entwürfe planten sie deshalb auch bevorzugt für die entlegenen Plätze und menschenleeren Regionen der Hochgebirge.

Auch der Merzbau war eine solche an einem, wenn auch nicht geographisch entlegenen, so doch der Öffentlichkeit entzogenen Ort errichtete Kathedrale, allerdings eine Kathedrale mit einem sehr individuellen Anspruch. Für Kurt Schwitters war der Merzbau zugleich seine »Kathedrale des erotischen Elends«, oder abgekürzt »K.d.e.E.«. Ähnlich gerieten auch den expressionistischen Architekten zahlreiche ihrer ›erigierten‹ Turmbauten zu Metaphern des Erotischen. Der Merzbau wurde über die Jahre zu einem Kunstraum, in den Schwitters sich aus der Öffentlichkeit zurückziehen konnte. Er war zugleich Höhle und Turm, beides Architekturformen, die auch von den Mitgliedern der Gläsernen Kette als Räume der Kontemplation und der freiwilligen Isolation vorgesehen waren.

Die in den Höhlen und Grotten des Merzbaus gesammelten zahlreichen Objekte und Textfragmente gaben Hinweise auf das aktuelle politische Zeitgeschehen und die herrschende gesellschaftliche Situation jener Jahre, auf Schwitters' private Lebensumstände, seine Freundschaften und künstlerischen Aktivitäten. Für Kurt Schwitters erfüllte der Merzbau damit auch die Funktion eines komplexen, verrätselten Tagebuches, in dem er seine Beobachtungen und, wie er einmal bemerkte, alle Dinge, die ihm entweder wichtig oder unwichtig waren, zusammentrug. Der direkten Konfrontation und Auseinandersetzung mit den politischen Ereignissen seiner Zeit allerdings ist er immer ausgewichen. Mit ihnen führte er lediglich einen stellvertretenden Dialog, indem er sich ihrer Relikte in Gestalt von Plakaten, Zeitungsausschnitten und allerlei Abfällen bemächtigte, um sie im Merzbau künstlerisch zu verwerten.

Während der Künstler Schwitters also auf die großen politischen und gesellschaftlichen Entwicklungen keinen Einfluß nehmen konnte und auch nie wollte, schuf er sich gleichzeitig mit dem Merzbau einen eigenen, abgeschlossenen Kosmos. Hier wurde die Welt für Schwitters regierbar, und sie ließ sich von ihm nach den selbst aufgestellten Regeln beliebig arrangieren und manipulieren. Es ist dies jener spielerische Umgang mit dem Material, den Kurt Schwitters immer wieder für seine Kunst beanspruchte: »Ein Spiel mit ernsten Problemen. Das ist die Kunst«[3], teilte er 1946 dem Künstlerfreund Raoul Hausmann mit, und im gleichen Jahr heißt es in einem Brief an den langjährigen Weggefährten Christof Spengemann trotzig: »Wir spielen, bis uns der Tod abholt.«[4]

Kurt Schwitters, Merzbau, 1933

Anmerkungen

1 Schwitters, Kurt: »Ich und meine Ziele«. In: Ders. (Hg.): *MERZ 21 erstes Veilchenheft.* Hannover 1931, S. 115.
2 Kurt Schwitters an Christof Spengemann, 18. September 1946. In: Ernst Nündel (Hg.): *Kurt Schwitters. Wir spielen, bis uns der Tod abholt. Briefe aus fünf Jahrzehnten.* Frankfurt am Main; Berlin; Wien 1975, S. 229f.
3 Kurt Schwitters an Raoul Hausmann, 8. August 1946. In: Ebd., S. 216.
4 Kurt Schwitters an Christof Spengemann, 24. Juli 1946. In: Ebd., S. 210.

Wir bauen eine neue Welt – konstruktive Konzepte

Friedegund Weidemann

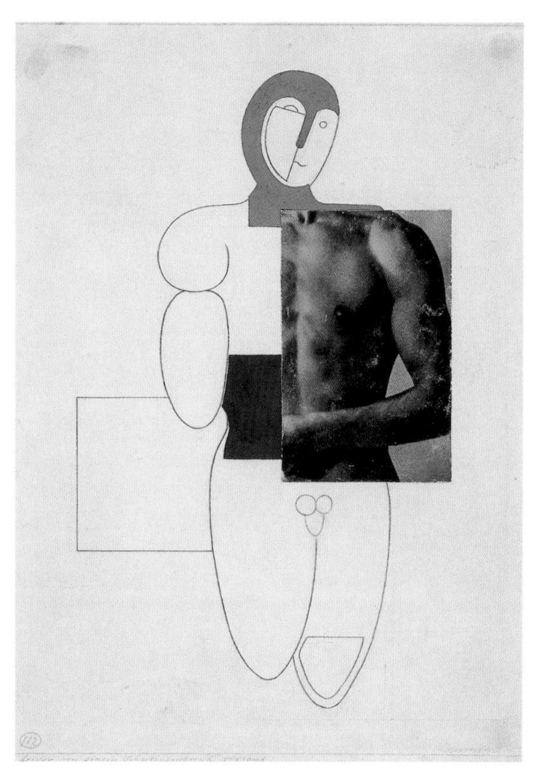

445 Willi Baumeister, Athlet, 1923; Tempera, Fotocollage auf Zeichenkarton, 31,3 x 23,2 cm; Staatsgalerie Stuttgart, Graphische Sammlung

446 Willi Baumeister, Maschinenmensch mit Schraubenwindung II, 1929/30; Öl auf Leinwand, 80,5 x 65 cm; Staatsgalerie Stuttgart

Keine Kunstrichtung im 20. Jahrhundert hat eine solch nachhaltige und viele Bereiche des Lebens umfassende Wirkung gehabt wie der Konstruktivismus.[1] Schon vor dem Ersten Weltkrieg hatten die kubo-futuristischen Bilder Kasimir Malewitschs sowie die ersten Materialgestaltungen Wladimir Tatlins und Alexander Rodtschenkos in Rußland eine konstruktivistische, den Gegenstand in geometrische Formelemente zerlegende Kunstsprache eingeleitet. Mit den tiefgreifenden Erschütterungen des Ersten Weltkrieges und den folgenden revolutionären Erhebungen verbanden sich künstlerische und soziale Befreiungsbewegungen zum Konzept einer Gesellschaftsutopie. Die Kluft zwischen Kunst und Leben bzw. Volk sollte im gemeinsamen Bau einer ›neuen Welt‹ überwunden werden. Diese, im Industriezeitalter eine Welt des technischen Fortschritts, konnte nur mit technoiden Mitteln errichtet werden. Die schöpferische Gestaltung in der Komposition des Künstlerindividuums alter Prägung wandelte sich in eine den modernsten wissenschaftlichen Erkenntnissen und

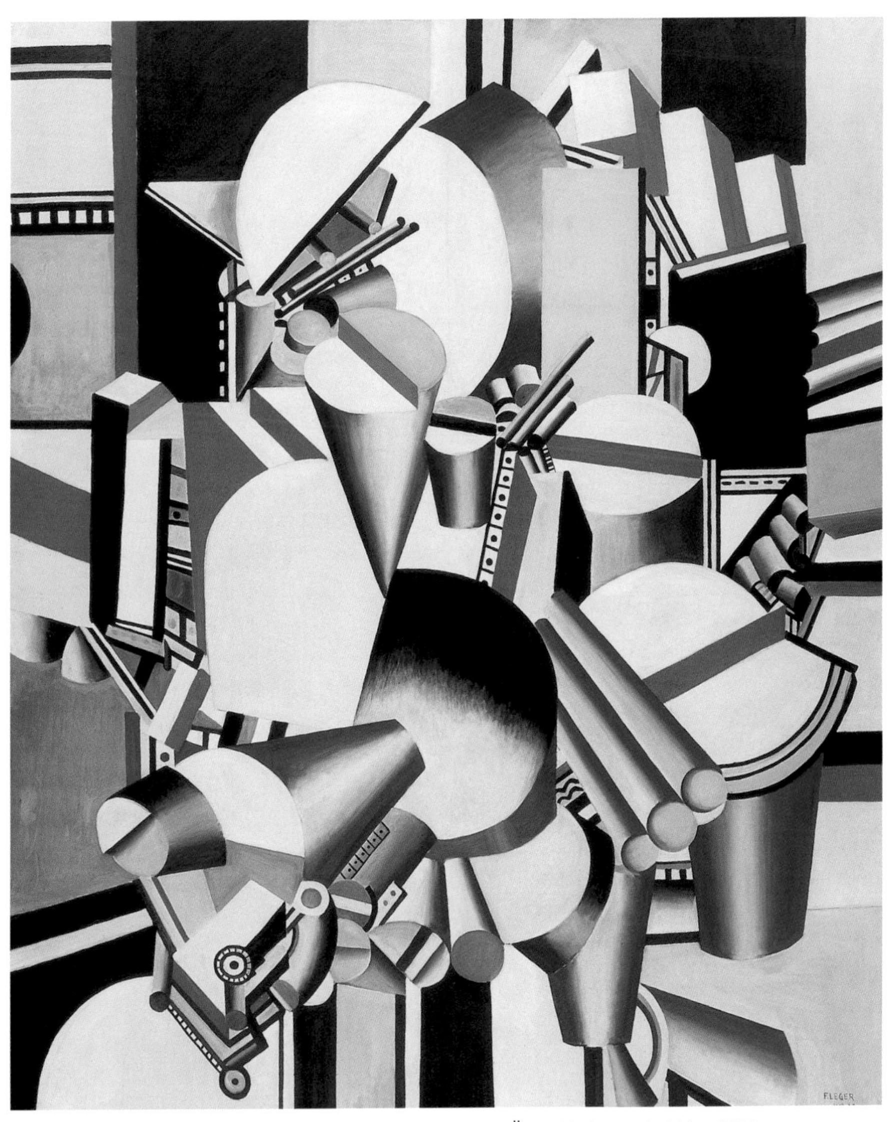

447 Fernand Léger, Mechanische Elemente, 1918–23; Öl auf Leinwand, 211 x 167,5 cm; Öffentliche Kunstsammlung Basel, Kunstmuseum, Schenkung Raoul La Roche 1956

neuen Welt der Form, einer neuen Welt der Gegenstände.«2

Die allen Konstruktivisten gemeinsame Methode war eine analytisch-synthetische: Das aus der Zerlegung des Gegenstandes entstehende Material erhielt erst durch die Konstruktion mit Zirkel und Lineal Gestalt. Der mathematisierten exakten Form entsprach der Einsatz von reinen Primärfarben: Rot, Gelb und Blau zu Schwarz und Weiß. Das experimentierfreudige Interesse an Ausdrucksmitteln, die dem Aufbruch in das Industriezeitalter adäquat waren, richtete sich auf junge Techniken wie Collage und Montage mit Wirklichkeitsmaterialien, Fotogramm und Film für alle Arten der angewandten Kunst.

In Frankreich entdeckte Fernand Léger, vom Kubismus ausgehend, den Kontrast als Phänomen der Dynamik einer Welt im Umbruch. Dissonante Kräftezentren sollten aufeinander wirken und ein Maximum an Ausdruckskraft erzielen. Die mechanische Tötungsmaschinerie des Krieges erlebte er als Abstraktion in Reinform: »Denn etwas Kubistischeres als einen Krieg wie diesen gibt es nicht, wo ein Mann mehr oder weniger akkurat in mehrere Stücke zerfetzt und in die vier Himmelsrichtungen geschleudert

dem kollektiven Rhythmus der maschinellen Produktion Rechnung tragende funktionale Konstruktion des Materials durch den neuen Künstlertypus, den Konstrukteur (vgl. Kat.Nr. 352): »[...] hier hat der Künstler angefangen, sich selbst umzugestalten. Der Künstler verwandelt sich aus dem Reproduzenten in den Schöpfer einer

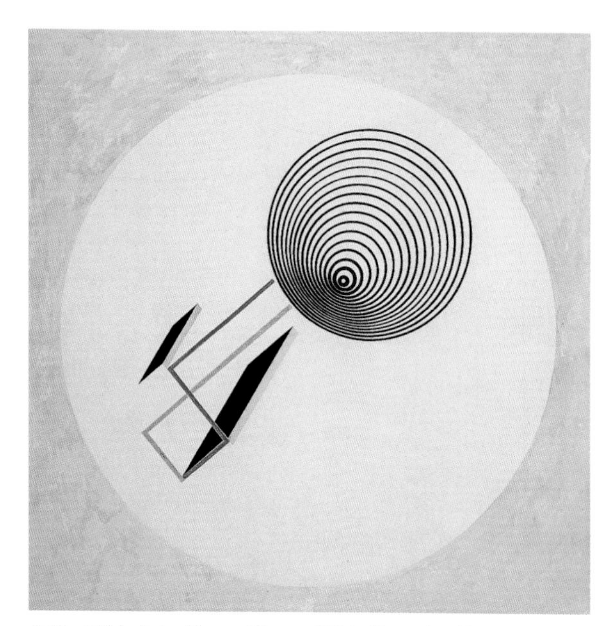

448 El Lissitzky, Proun 93, um 1923; Gouache, Farbstifte, Bleistift, Feder in schwarzer Tusche, 49,9 x 49,7 cm; Staatliche Galerie Moritzburg Halle, Landeskunstmuseum Sachsen-Anhalt

wird.«[3] In seinen Arbeiten nach Kriegsende verband sich diese Erfahrung mit dem Glauben an die mechanischen Kräfte des Lebens. Wie der Arbeiter, der für ihn das Inbild des tätigen Menschen war, wollte er aus mechanischen Elementen ein schönes Objekt schaffen. In der umfangreichen Reihe **Les Eléments méchaniques** erfuhren »[...] die schönen Metallgegenstände, hart, fest und brauchbar, blanker Stahl in tausend Spielarten neben reinem Blau und unvermischtem Zinnober, alles bestimmt von der Kraft geometrischer Formen«[4], eine bildkünstlerische Umsetzung. In dem 1918 begonnenen und 1923 vollendeten Hauptbild (Kat.Nr. 447) seiner mechanischen Periode türmt sich in monumentaler Architektonik ein Gebilde aus metallisch blauen, plastisch modulierten Röhren, Rädern, Kegeln, Zylindern, Halbkugeln und Fragmenten aus der Mitte in die Tiefe und Höhe des Raumes, vor einem in schwarze, rote, gelbe und weiße Streifen aufgeteilten flachen Hintergrund. Die gleichzeitige Wahrnehmung kontrastierender, sich rhythmisch wiederholender Elemente in Farbe und Form intensiviert die räumlich-dynamische Wirkung. Die sorgfältig verteilte Farbe vermittelt plastische Ausgewogenheit. »Ich habe meine Gegenstände im Raum verteilt und sie in Zusammenhang gebracht, indem ich sie von der Leinwand aus nach vorne wirken liess [...]. Diese Wirkungsgewalt kann ich nur erreichen durch die unerbittliche Anwendung absoluter Kontraste: flache Teile in reinen Farbtönen, modellierte Teile in grau, realistische Objekte.«[5] Aus der Synthese gegenständlicher und abstrakter Formen entwarf Léger sein konstruktivistisches Konzept.

Der mit Léger befreundete Willi Baumeister folgte, vorbereitet durch seinen Stuttgarter Lehrer Adolf Hoelzel, ebenfalls den Prinzipien der allgemeinen Kontrastlehre. Nach dem Krieg wandte er sich mit seinem Studienfreund Oskar Schlemmer in einer neuen Technik, der Skulptomalerei, architekturbezogenen Bildern zu, die Baumeister »Mauerbilder« nannte. In seine späteren Collagen, in die figuralen Abstraktionen zu den Themen Mensch und Maschine oder Sport, übernahm er deren gestufte Ordnung gestreifter und glatter, offener und geschlossener geometrischer Formen, denen das Figürliche nur als Umriß angegliedert ist (Kat.Nr. 445f.).

In Rußland boten sich den Konstruktivisten nach der Oktoberrevolution 1917 erstmals, wenn auch nur für einen kurzen Zeitraum, ideale Voraussetzungen, ihre avantgardistischen Vorstellungen eines auf alle Bereiche der Kultur erweiterten Kunstbegriffes zu verwirklichen. In Moskau und Witebsk entstanden an den Kunsthochschulen WCHUTEMAS Zentren konstruktivistischen Schaffens mit gesellschaftlicher Wirksamkeit. El Lissitzkys praktische und theoretische Arbeiten waren für die internationale Ausweitung des Konstruktivismus von großer Bedeutung. Ausgehend von Malewitschs suprematistischen Elementarformen und vorbereitet durch Tatlins Konterreliefs (vgl. Kat.Nr. 398) schuf er ab 1919 das große Werk seiner aus weißem Grund mehrdimensional in den Raum vorstoßenden »Prounen« (»Projekt zur Verfechtung des Neuen«). Als Modell eines universellen Raumes beruht Proun (Kat.Nr. 448, 453f.) auf einer rationalen Gesinnung. ›Nicht Weltvisionen, sondern – Weltrealität‹ hieß das

449 Alexander Rodtschenko, Der Krieg der Zukunft, 1930; Collage und Gouache auf Pappe, 51 x 35 cm; Galerie Berinson, Berlin

450 Marianne Brandt, Es ist Geschmackssache, 1926; Collage, Feder, 65,1 x 50 cm; Galerie Berinson, Berlin

451 László Moholy-Nagy, Zwischen Himmel und Erde, 1923; Collage mit Fotogramm und Bleistift, 65 x 50 cm; Galerie Berinson, Berlin

452 Herbert Bayer, Entwurf für einen Kiosk zum Zeitungsverkauf, 1924; Tempera, Collage auf Papier, 64,5 x 34,5 cm; Bauhaus-Archiv, Berlin

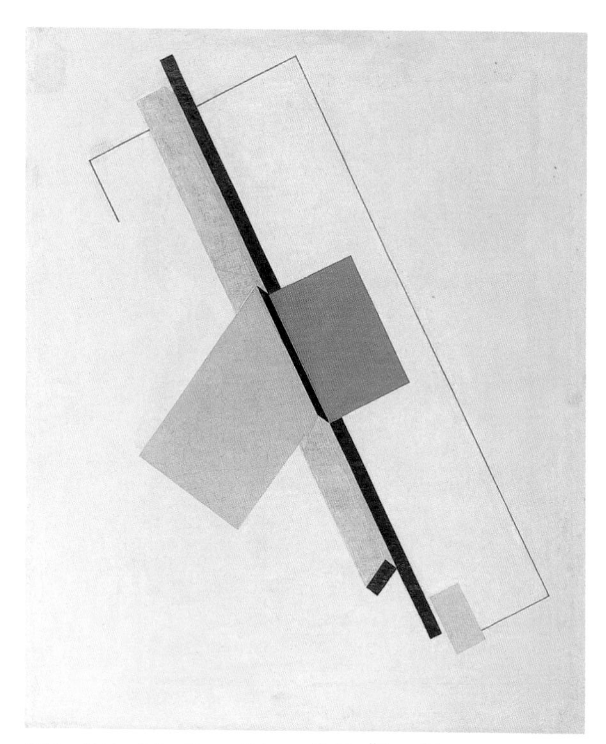

453 El Lissitzky, Proun 55, um 1923; Öl und Tempera auf Leinwand, 58 x 47,5 cm; Staatliche Galerie Moritzburg Halle, Landeskunstmuseum Sachsen-Anhalt

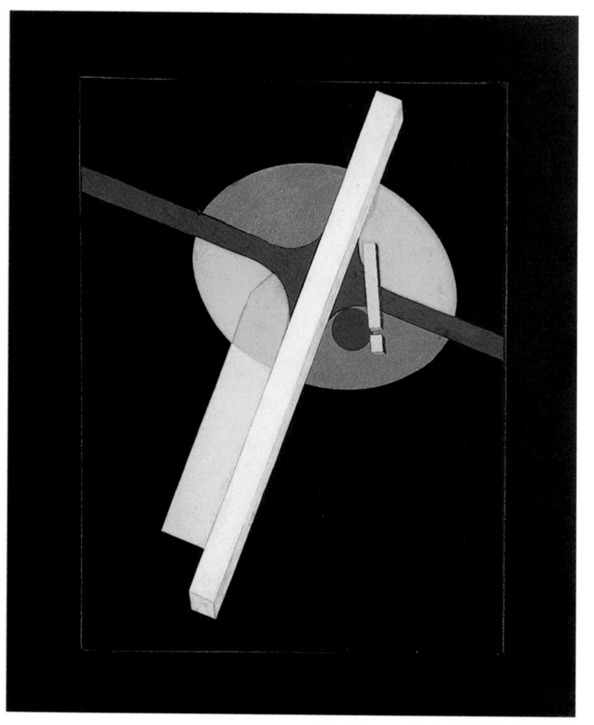

454 El Lissitzky, Studie für Proun, 1922; Collage, Aquarell, Kreide, Grafit, 47,9 x 39 cm; Stedelijk Museum Amsterdam

Ziel. Der von ihm 1923 auf der *Großen Berliner Kunstausstellung* eingerichtete »Prounen«-Raum sollte exemplarisch für Räume zur Präsentation neuer Kunst sein. Lissitzky rief Proun ins Leben »mit dem Ziel der schöpferischen Gestaltung der Form (folglich der Beherrschung des Raumes) durch die ökonomische Konstruktion des verwandelten Materials [...]. Proun beginnt auf der Fläche und geht zum räumlichen Modellaufbau vor und weiter zum Aufbau aller Gegenstände des allgemeinen Lebens.«[6] Gestaltungselemente von metaphorischer Bedeutung sind dabei Diagonale und Spirale auf weißem oder schwarzem Grund, die in die strenge Flächenordnung permanente Bewegung und unendliche Räumlichkeit bringen.

Ebenfalls anfangs von Malewitsch beeinflußt, wandte sich Alexander Rodtschenko 1919 in Weiterführung von Tatlins Konterreliefs dreidimensionalen Raumkonstruktionen zu. Später entwickelte er, vielfach in Zusammenarbeit mit Wladimir Majakowski, einen neuen Stil der konstruktiven Fotomontage, eine Kombination fotografischer und typografischer Elemente zur Herstellung von Drucksachen, der auch außerhalb Rußlands stilbildend wurde. In seine Collagen für Plakate, in die er naturgetreue Abzeichnungen von Fotografien montierte, übernahm er Neuerungen der Kinematographie zur Imitation von Realität (vgl. Kat.Nr. 449).

In Berlin trafen sich Anfang der zwanziger Jahre die europäischen Konstruktivisten der verschiedenen Richtungen. Neben den Ausstellungen des Sturm war es vor allem die von Lissitzky hier 1922 eingerichtete *Erste Russische Kunstausstellung* in der Galerie van Diemen, die zu kontroversen Diskussionen führte. Diese spiegelten sich in den Zeitschriften *Wjeschtsch* und *G* mit internationaler Ausstrahlung wider, an denen

Lissitzky wesentlich mitwirkte, sowie in Theo van Doesburgs *De Stijl*. Der *Kongreß der Internationalen Progressiven Künstler* 1922 in Düsseldorf führte zur Abtrennung der konsequent konstruktiven von den geometrisch abstrakten Künstlern. Der international bedeutendste Vertreter der ungarischen »Konstruktivistak« um Lajos Kassáks Zeitschrift *Ma* war László Moholy-Nagy, der nach dem Scheitern der Räterepublik über Wien nach Berlin emigrierte, bevor er 1923 von Walter Gropius ans Bauhaus berufen wurde. Sein Eintritt ins Bauhaus kennzeichnet dessen Wandel vom Bauhüttencharakter mit handwerklicher Ausrichtung zum Prinzip ›Kunst und Technik – eine neue Einheit‹. Er war der Prototyp des neuen Künstlers im technischen Zeitalter, der gleichermaßen bildende Kunst, Fotografie, Typografie, Bühnenbild, Film und industrielle Formgebung behandelte und mit kinetischen Licht-Raum-Konstruktionen aus verschiedenen Materialien experimentierte. Am Bauhaus unterrichtete er eine allgemeine Elementenlehre und erforschte Maßverhältnisse, Materialwerte und Lichtmodulationen. Schon in seinen frühen Collagen suchte er nach der Transparenz und Vitalität eines architektonischen Gefüges mittels »dynamisch-konstruktiver Kraftsysteme, d. h. die Ineinander-Konstruierung der in dem physischen Raume sich real gegeneinander spannenden Kräfte und ihre Hineinkonstruierung in den gleichfalls als Kraft (Spannung) wirkenden Raum«[7]. In der **Komposition mit blauem Kreissegment, rotem Kreuz und gelbem Quadrat** (Kat.Nr. 457) durchdringen transparente Kreuzformen zwei sich überlagernde elementar-geometrische Flächen aus Kreissegment und Quadrat und verleihen der Konstruktion eine virtuell-räumliche Spannung. Auch auf dem Gebiet der Fotomontage eröffneten seine mit dem Kontrast von Negativ- und Positivformen operierenden, bisweilen hintergründig satirischen Arbeiten neue Möglichkeiten (vgl. Kat.Nr. 451). Marianne Brandt, bis 1925 seine Schülerin am Bauhaus, begann 1926 in Paris ebenfalls mit Fotocollagen, die noch erkennbar unter dem Einfluß des Meisters stehen (vgl. Kat.Nr. 450). Die gründlichen Untersuchungen aller bildnerischen Elemente am Bauhaus stellten auch Herbert Bayer, erst Student, ab 1925 Leiter der Druckerei und Reklame-

455 Blinky Palermo, Schmetterling II, 1969; zweiteiliges Wandobjekt, Öl auf Nessel über Holzkörper bzw. über Preßspanplatte, 303,5 x 93 x 4,5 cm; Museum für Moderne Kunst, Frankfurt am Main, ehemalige Sammlung Ströher, Darmstadt

456 László Moholy-Nagy, Collage 1 K 33 (Brücken), 1920; Collage, Aquarell auf Karton, 35,5 x 25,3 cm; Staatliche Museen zu Berlin, Kupferstichkabinett

457 László Moholy-Nagy, Komposition mit blauem Kreissegment, rotem Kreuz und gelbem Quadrat, 1922/23; Collage, aquarelliert, auf schwarzem Glanzpapier, 43,2 x 36,2 cm; Privatsammlung, Courtesy Kunsthandel Wolfgang Werner KG, Bremen/Berlin

werkstatt, das Rüstzeug für sein konstruktives Schaffen. 1924 begann er Modelle für große Reklamepavillons zu entwerfen – als eine mögliche Umsetzung der Forderung, Kunst und Leben miteinander zu vereinen. Typografie, Fotografie und architektonische Elemente bilden in diesen Collagen eine funktionale Einheit, denen die menschliche Figur als Staffage beigeordnet ist (vgl. Kat.Nr. 452).

Stalinistische und faschistische Diktaturen brachen die Entwicklung raumgestalterischer Formgesetzlichkeiten in Europa ab. Das konstruktivistische Ideengut wanderte mit den emigrierten Künstlern in die USA und lebte dort unter anderem in dem von Moholy-Nagy 1937 in Chicago gegründeten New Bauhaus weiter. Aus den USA nach Europa ausstrahlende neue Kunstrichtungen nach 1945 wie Lichtkinetik, Op-art oder Minimal Art verdanken dem Konstruktivismus wichtige Anregungen. Die Beuys-Schüler Blinky Palermo und Imi Knoebel z. B. ordnen Fläche und Raum mit instrumental vereinfachten Formen, die sie dem Reservoir des Konstruktivismus entnehmen. Malewitschs **Schwarzes Quadrat auf weißem Grund** stellte für beide ein Schlüsselerlebnis dar. Die Wandobjekte Palermos (vgl. Kat.Nr. 455) bestehen aus geometrisch klar bestimmten, jedoch nicht hermetisch abgeschlossenen Formen, die als ›Prototypen‹ vervielfältigungsfähig und variabel einsetzbar sind. Die zeichenhafte Flächenform in kontrastierenden Grundfarben erhebt sich durch die an den Rändern hell entweichende Farbe in räumlich-transzendente Sphären metaphorischer Bestimmung. Auch Knoebel geht es mit der puzzleartigen Anordnung verschieden großer und farblich unterschiedlich gewichteter Formen (vgl. Kat.Nr. 458) um die Aufhebung der Grenzen des realen Raumes und um den Vorstoß in die Dimensionen von Zeit und Raum. In seinen zumeist seriellen Objekten fügt er in variablen Systemen ein Ensemble von zwischen Fläche und Raum schwebenden Elementen zu einem poetischen Klang, der sich aus dem rational-konstruktivistischen Grund erhebt.

Doch nicht nur in der bildenden Kunst wurde das konstruktivistische Formengut aufgegriffen und weitergeführt. Das alltägliche Umfeld des modernen Großstädters heute ist geprägt von einer funktionalen Ästhe-

458 Imi Knoebel, Ohne Titel, 21 Elemente, 1978; Acryl auf Holz, 360 x 340 cm; Museum moderner Kunst Stiftung Ludwig, Wien

tik. In Architektur, Werbung und Industrieformgebung, in allen Arten der angewandten Kunst von der Typografie und Plakatgestaltung bis zum Design leben konstruktivistische Konzepte fort.

Anmerkungen

1 Den Begriff verwendete erstmalig Warwara Stepanowa 1921 bei einem Vortrag in Moskau.
2 Lissitzky, El: *Proun und Wolkenbügel. Schriften, Dokumente, Briefe.* Dresden 1977, S. 24.
3 Fernand Léger an Jeanne Lohy, 28. März 1915. In: Dorothy Kosinski (Hg.): *Fernand Léger 1911–1914. Der Rhythmus des modernen Lebens.* München; New York 1994, S. 67.
4 Léger, Fernand: »Maschinenästhetik«. In: *Fernand Léger. Mensch, Maschine, Malerei.* Bern 1971, S. 75f.
5 Zit. n. Rotzler, Willy: *Konstruktive Konzepte.* Zürich [3]1995, S. 116.
6 Lissitzky, Proun und Wolkenbügel (Anm. 2), S. 28.
7 Moholy-Nagy, László; Kemény, Alfred: »Dynamisch-konstruktives Kraftsystem«. In: *Der Sturm,* Jg. 13, H. 12, 1924, n. pag.

Das Schweigen von Marcel Duchamp wird überbewertet

Marcel Duchamp, John Cage, Joseph Beuys

Eugen Blume

> Ich bin hier, und es gibt nichts zu sagen. Wenn unter Ihnen die sind, die irgendwo hingelangen möchten, sollten sie gehen, jederzeit. Was wir brauchen ist Stille; aber was die Stille will ist, daß ich weiterrede.[1]
>
> John Cage

Wenn es in der Moderne ein paradigmatisches Schlüsselwerk gibt, dessen Entstehungsgeschichte und Vollendung gleichsam den gesamten Verlauf avantgardistischer Kunst in sich einschließt, so ist es zweifellos das **Große Glas** von Marcel Duchamp. Es ist ein Zufall, daß Duchamps erste Überlegungen und Ideenskizzen hierfür während eines zweimonatigen Aufenthalts im August und September 1912 in München entstanden waren. Eine eher skurrile Freundschaft zu dem Tier- und Landschaftsmaler Max Bergmann, den er 1910 in Paris kennengelernt hatte, führte ihn in die bajuwarische Hauptstadt. Duchamp suchte nicht die Nähe zu Wassily Kandinsky und dem Blauen Reiter, der sich eben in diesem Jahr gegründet und seinen berühmten Almanach herausgegeben hatte, in welchem Duchamp sogar namentlich genannt wird, sondern eher die Ferne vom französischen Kubismus und die Einsamkeit. »Mein Münchner Aufenthalt war der Schauplatz meiner völligen Befreiung, als ich den allgemeinen Plan zu einem großformatigen Werk entwarf, das mich auf lange Zeit hin beschäftigen sollte.«[2] Auf die vermittels einer Postkarte nach München gesandte Bitte von Guillaume Apollinaire hin, der ihn in sein Buch *Peintres Cubistes* aufnehmen wollte, ließ sich Duchamp bei Heinrich Hoffmann, dem späteren Leibfotografen Hitlers, ablichten (vgl. Kat.Nr. 549). In München beginnt die Geschichte von **La mariée mise à nu par ses célibataires, même**, die Duchamp 1923 mit dem definitiven Entschluß, sie unvollendet zu lassen, unterbricht und die mit der Aufstellung des **Großen Glases** im Museum, zunächst von

Joseph Beuys Das Schweigen von Marcel Duchamp wird überbewertet, 1964; Stiftung Museum Schloß Moyland, Sammlung van der Grinten

1943 bis 1946 im Museum of Modern Art in New York und danach 1954 im Philadelphia Museum of Art, dem heutigen Standort, beendet ist. Das **Große Glas** war niemals in Deutschland zu sehen, nur als Abbildung in dem 1931 in Potsdam auf deutsch erschienenen Buch von Amédée Ozenfant *Leben und Gestaltung*, aber es wurde gleichsam zum verborgenen Mysterium der Neoavantgarden. Es ist, wie Duchamp sagt, nicht einmal ein Bild, es ist eine Ansammlung von Ideen.[3] Mit seinem Werk ist er seiner Zeit so weit voraus, daß er auch noch der nächsten Generation zur Herausforderung wird. Duchamp ist das Zauberwort, die Verkörperung der exilierten europäischen Avantgarde, die in ihrer Verschwisterung mit der amerikanischen Lebensart, dem stagnierenden Nachkriegseuropa neues künstlerisches Leben versprach. Am 11. Dezember 1964 hat Joseph Beuys, der seit 1963 zu der von dem Amerikaner

459 Marcel Duchamp, de ou par Marcel Duchamp on Rrose Sélavy (Boîte-en-valise), Paris 1963; Schachtel mit grünem Lederimitat bezogen, 68 Repliken, Fotografien, Reproduktionen von Duchamps Werken, 40 x 38 x 9 cm; Sammlung Folker Skulima, Berlin

460 Joseph Beuys, Das Schweigen, 1972; fünf verzinkte Filmspulen, Ø je 4 x 38 cm, Transportkarton, 22 x 42,5 x 42,5 cm; Privatsammlung Berlin

George Maciunas gegründeten internationalen Fluxus-Bewegung gehörte, in einer im Fernsehen live übertragenen Fluxus-Demonstration behauptet: **Das Schweigen von Marcel Duchamp wird überbewertet** (Abb. S. 494). Erst zwei Jahre zuvor war den deutschen Fluxus-Künstlern durch Robert Lebels 1959 in Paris und 1962 in Deutschland erschienene Monografie, die ihnen Daniel Spoerri nahebrachte, das Œuvre von Duchamp bekannt geworden. Mit dem konzeptuellen **Großen Glas** hatte Duchamp bereits 1912 begonnen, einen offenen Kunstbegriff zu inaugurieren, der gleichsam die sich aus dem Kubismus und Expressionismus heraus entwickelnde abstrakte Kunst übersprungen hatte. Beuys wollte in seiner Aktion dem seit 1923 machtvollen Schweigen Duchamps, das auch als Absage an die Kunst verstanden werden konnte, seinen erweiterten Kunstbegriff entgegenstellen. Für Beuys barg gerade das von Duchamp erfundene Ready-made-Prinzip alle Möglichkeiten, die eine Erweiterung des Kunstbegriffs geradezu logisch forderten. Der in den Ready-mades involvierte Verweis auf die entfremdeten Produktionsverhältnisse hieß für Beuys nichts anderes, als daß es eine anthropologische Kunst zu gründen galt. Wenn jeder gemachte Gegenstand ein Kunstwerk sein konnte, so mußte jeder Mensch ein Künstler sein.

Die Handlungen, die Beuys während seiner Aktion ausführte, blieben rätselhaft, hatten keinen direkten Bezug zu dem mit brauner Farbe und geschmolzener

Schokolade geschriebenen Satz. Sie waren vielmehr als Gegenposition zu einem fälschlich als Stagnation und Kritik auch gegenüber dem eigenen Kunstwollen verstandenen Schweigen zu verstehen. Beuys' Aktion setzte für die jüngere Generation ein Zeichen, das über die von den klassischen Avantgarden gesetzten Paradigmen hinauswies. Sie nimmt eine Schlüssel- und Scharnierfunktion ein, die die radikalsten Positionen des Dadaismus in die sechziger Jahre hinein verlängerte und aktualisierte. Beuys hatte sich 1964 darüber geäußert, wie er seine Aktion in bezug auf Duchamp verstanden wissen wollte: »Der Satz über Duchamp ist sehr schillernd und ambivalent. Er enthält Kritik an Duchamps Anti-Kunstbegriff und ebenso an seinem späteren Verhalten und dessen Kultivierung, als er die Kunst aufgab und nur noch dem Schachspiel und der Schriftstellerei nachging. Nebenbei hatte sich Duchamp gegenüber Fluxus-Künstlern sehr negativ geäußert, indem er vorgab, sie brächten keine neuen Ideen, denn er hätte alles schon vorweggenommen. In diesen konkret auf Duchamp bezogenen Rahmen spielt auch die Interpretation des Schweigens hinein, wie sie von Ingmar Bergman in dessen gleichnamigem Film gesetzt worden ist. So gesehen enthält der Satz eine komplexe Assoziationsbreite. Man kann ihn natürlich auch als Rätsel belassen, da er zu viele verschiedene Impulse in sich vereinigt.«[4]

Erst 1973 erhob Beuys **Das Schweigen** (Kat.Nr. 460) zum Thema seines gleichnamigen Multiples, das aus fünf versiegelten Filmrollen des 1962 entstandenen Films von Ingmar Bergman besteht. 1967 war ihm **Infiltration-Homogen für Cello**, ein in Filz eingenähtes, stummes Instrument, vorausgegangen. Beuys versuchte, der subversiven Kraft des Schweigens ein Bild zu geben. Seine Raumarbeit **Plight** von 1985, in deren Zentrum ein geschlossener Flügel steht, könnte man auch als Reminiszenz an John Cages stummen Flügel in dessen radikalster Komposition **4'33"** verstehen. Cage, für den Beuys früh an der Düsseldorfer Akademie Auftrittsmöglichkeiten organisiert hat und den er mehrfach als eine der wichtigsten Personen in seinem Leben bezeichnete, hat wie kein anderer Künstler das Schweigen als produktive Kraft angesehen.

In der Dreierbeziehung Marcel Duchamp, John Cage und Joseph Beuys ist das Schweigen, wie Zufall und Ready-made, ein zentraler Begriff. Duchamps Schweigen ist Mythos und Provokation in einem und hat eine politische Dimension im weitesten Sinne. Das Empfinden von Schweigen bleibt vor den plastischen Arbeiten von Beuys der stärkste Gefühlseindruck. Schweigen, Stille und Leere sind für Cage aus dem

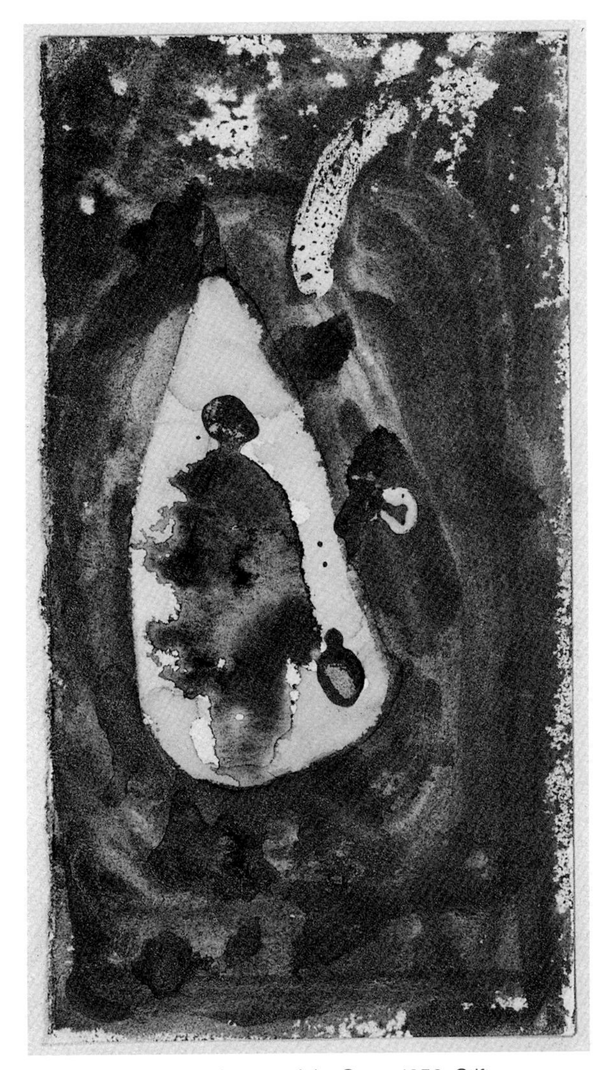

Joseph Beuys, Der Lehrer von John Cage, 1959; Stiftung Museum Schloß Moyland, Sammlung van der Grinten

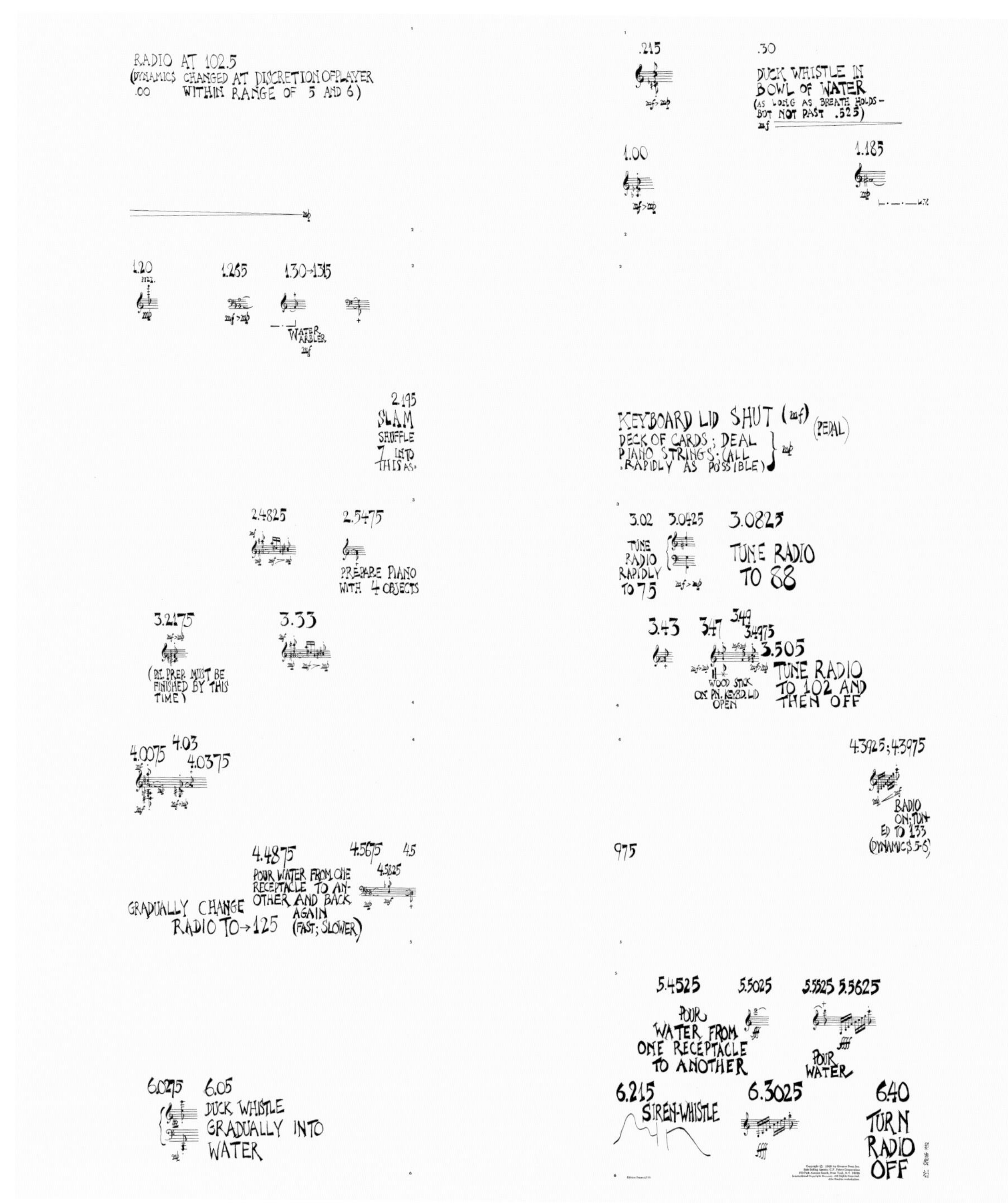

461 John Cage, Water Music, 1952; Partitur, Hg. von C.F. Peters Corporation, New York, London, Frankfurt 1960

462 Manfred Leve, John Cage und David Tudor in »Music Walk« in der Galerie 22, Düsseldorf, Oktober 1958; Serie von 22 Fotografien, je 24 x 30 cm; Besitz des Künstlers

Zen-Buddhismus kommende Kategorien, die für sein gesamtes Werk wichtige Konstanten bleiben.

Angeregt durch die weißen Bilder von Robert Rauschenberg entstand 1952 sein berühmtes Musikstück **4'33"**, und inspiriert durch die Lektüre von Antonin Artauds 1938 geschriebenen Essay »Le théâtre et son double« fanden im selben Jahr die beiden ersten Happenings in der Geschichte der Kunst statt, **Theater Piece No. 1** und **Water Music** (Kat.Nr. 461). Beide performativen Ereignisse hatten großen Einfluß auf die späteren aktionistischen Kunstformen des Neo-Dada und Fluxus. Im Stück **4'33"** sitzt der Pianist vor dem geöffneten Flügel, ohne die Tasten zu berühren. Die sich zufällig einstellenden Umweltgeräusche werden zur eigentlichen Musik, das Kunstwerk zur leeren Negativform, die vom Leben ausgefüllt wird. Die Partitur von **Water Music** fordert auf, Wasser von einem Becher in den anderen zu gießen, das Piano zu präparieren, unter Wasser Flöte zu spielen, ein Radio und ein Kartenspiel zu benutzen und andere Handlungen auszuführen. Die zehn Blätter sind so aneinandergefügt, daß das miteinbezogene Publikum innerhalb von ›Zeitklammern‹ bestimmte Bewegungen ablesen kann. Im Happening sah Cage im Gegensatz zum herkömmlichen Theater die Möglichkeit, »daß der Text nicht alle anderen Handlungen vorschreiben muß, so daß sich Klänge, Aktivitäten usw. unabhängig voneinander entfalten können, ohne aufeinander zu verweisen [...] Wir haben diesen Gedanken auf die Poesie, die Malerei usw. und das Publikum ausgeweitet.«[5]

Duchamp hatte in seinem **Erratum musical** von 1913 Noten in beliebiger Reihenfolge aus einem Hut gezogen. Das so entstandene Musikstück unterlag den Gesetzen des Zufalls, der für John Cage später zur vorherrschenden, indeterminierten Kompositionsmethode wurde, die man seit den fünfziger Jahren auch in Deutschland kontrovers diskutierte.

Das 1959 entstandene Bild **Der Lehrer von John Cage** (Abb. S. 497) ist der früheste Hinweis auf den Komponisten, der sich in einem Werk von Beuys finden läßt. Cage hatte ein Jahr zuvor bei seinem ersten Auftritt in Deutschland während der Darmstädter Ferienkurse für Neue Musik drei Vorträge gehalten. Am 14. Oktober 1958 trat er gemeinsam mit David Tudor in der Galerie 22 in Düsseldorf auf, wo unter anderem die Premiere seiner Komposition *Music Walk* stattfand. Der Fotograf Manfred Leve hat dieses Ereignis festgehalten (Kat.Nr. 462). Am 6. Oktober 1960 kam es zur ersten Begegnung zwischen Cage und dem jungen koreanischen Musiker Nam June Paik, der im Atelier der Künstlerin Mary Bauermeister seine Performance **Etude for Piano (Homage to John Cage)** aufführte. Ein Jahr später, während der Eröffnung einer Zero-Ausstellung in der Galerie Schmela in Düsseldorf, lernten sich Paik und Beuys kennen.

Anmerkungen

1 Cage, John: »Vortrag über nichts«. In: Ders.: *Silence.* Frankfurt am Main 1996, S. 6.
2 Duchamp, Marcel: »Notizen für einen Vortrag 1964«. Zit. n. Tomkins, Calvin: *Marcel Duchamp. Eine Biographie.* München; Wien 1999, S. 121.
3 Marcel Duchamp im Gespräch mit Michel Sanouillet, 1954. Zit. n. Stauffer, Serge: *Marcel Duchamp, Interviews und Statements.* Stuttgart 1992, S. 51.
4 »Krawall in Aachen – Interview mit Joseph Beuys«. Zit. n. Adriani, Götz; Konnertz, Winfried; Thomas, Karin: *Joseph Beuys. Leben und Werk.* Köln 1981, S. 138f.
5 »John Cage über seine Performances«. In: Richard Kostelanetz: *John Cage im Gespräch. Zu Musik, Kunst und geistigen Fragen unserer Zeit.* Köln 1989, S. 92.

»Die Fluxus-Leute«*

Fluxus in Deutschland

Gabriele Knapstein

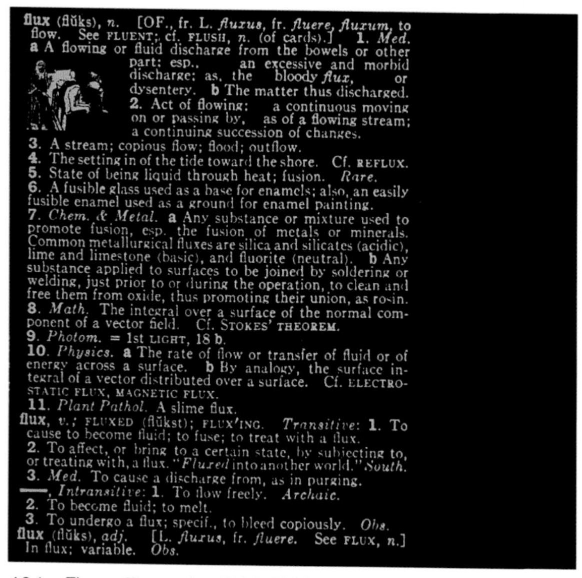

flux (flŭks), *n.* [OF., fr. L. *fluxus*, fr. *fluere*, *fluxum*, to flow. See FLUENT; cf. FLUSH, *n.* (of cards).] **1.** *Med.* **a** A flowing or fluid discharge from the bowels or other part; esp., an excessive and morbid discharge; as, the bloody *flux*, or dysentery. **b** The matter thus discharged. **2.** Act of flowing: a continuous moving on or passing by, as of a flowing stream; a continuing succession of changes. **3.** A stream; copious flow; flood; outflow. **4.** The setting in of the tide toward the shore. Cf. REFLUX. **5.** State of being liquid through heat; fusion. *Rare.* **6.** A fusible glass used as a base for enamels; also, an easily fusible enamel used as a ground for enamel painting. **7.** *Chem. & Metal.* **a** Any substance or mixture used to promote fusion, esp. the fusion of metals or minerals. Common metallurgical fluxes are silica and silicates (acidic), lime and limestone (basic), and fluorite (neutral). **b** Any substance applied to surfaces to be joined by soldering or welding, just prior to or during the operation, to clean and free them from oxide, thus promoting their union, as rosin. **8.** *Math.* The integral over a surface of the normal component of a vector field. Cf. STOKES' THEOREM. **9.** *Photom.* = 1st LIGHT, 18 b. **10.** *Physics.* **a** The rate of flow or transfer of fluid or of energy across a surface. **b** By analogy, the surface integral of a vector distributed over a surface. Cf. ELECTROSTATIC FLUX, MAGNETIC FLUX. **11.** *Plant Pathol.* A slime flux.

flux, *v.*; FLUXED (flŭkst); FLUX'ING. *Transitive:* **1.** To cause to become fluid; to fuse; to treat with a flux. **2.** To affect, or bring to a certain state, by subjecting to, or treating with, a flux. "*Fluxed* into another world." *South.* **3.** *Med.* To cause a discharge from, as in purging.
—, *Intransitive:* **1.** To flow freely. *Archaic.* **2.** To become fluid; to melt. **3.** To undergo a flux; specif., to bleed copiously. *Obs.*

flux (flŭks), *adj.* [L. *fluxus*, fr. *fluere*. See FLUX, *n.*] In flux; variable. *Obs.*

464 Fluxus-Prospekt, 1962; Faltblatt mit Umschlag, Offset auf Papier, 20 x 21 cm; Staatliche Museen zu Berlin, Kunstbibliothek

463 Fluxus * Internationale Festspiele Neuester Musik, 1962; Plakat Städtisches Museum Wiesbaden, Offset auf Papier, 28 x 20 cm; Staatliche Museen zu Berlin, Kunstbibliothek

465 Festum Fluxorum Fluxus, 1963; Plakat Staatliche Kunstakademie Düsseldorf, Offset auf Papier, 48,5 x 23,5 cm; Staatliche Museen zu Berlin, Kunstbibliothek

Die Einladungskarte zum »Kleinen Sommerfest« der Galerie Parnass in Wuppertal kündigte für den 9. Juni 1962 ein musikalisches Programm unter dem Titel »Après John Cage« an, das von George Maciunas und Benjamin Patterson präsentiert werden sollte. Der amerikanische Musiker Benjamin Patterson war 1960 nach Köln übergesiedelt und gehörte dort zum Kreis der Musiker und Künstler, die im Atelier von Mary Bauermeister, in der Galerie Haro Lauhus und im Atelier von Wolf Vostell »intermediale« und »experimentelle« Kunst vorstellten.[1] George Maciunas, der aus Litauen stammte und in den fünfziger Jahren in New York Architektur, Grafik-Design, Musikwissenschaft und Kunstgeschichte studiert hatte, bevor er sich als Veranstalter von Konzerten, Lesungen, Filmabenden und Ausstellungen zu profilieren begann, lebte seit 1961 in Wiesbaden, wo er als Designer für die U.S.-Army arbeitete.

George Maciunas, Wolf Vostell, Tomas Schmit, Frank Trowbridge, Bengt af Klintberg, Arthur Köpcke, Daniel Spoerri, Nam June Paik in: Dick Higgins, Constellation No. 7

Joseph Beuys in: Sibirische Symphonie 1. Satz

Tomas Schmit, Nam June Paik, Arthur Köpcke, Wolf Vostell, Daniel Spoerri, Emmett Williams, Frank Trowbridge, Bengt af Klintberg in: George Maciunas, In Memoriam to Adriano Olivetti

George Maciunas in: George Brecht, Drip Music (Dript Event)

Alle: 466 Manfred Leve, Festum Fluxorum Fluxus, Düsseldorf 1963; Serie von 102 Fotografien, je 18 x 24 cm; Besitz des Künstlers

Oben: 467 George Brecht, Water Yam, Fluxus Edition, New York 1963; Schachtel aus Holz- und Hartfaserplatten mit ca. 70 Event-Partituren, 24,4, x 22,5 x 4,8 cm; 468 François Dufrêne, Alain Jouffroy, Wolf Vostell, TPL, Verlag der Kalender, Wuppertal 1961; 60 Seiten, Serigrafie, Satz, 29,2 x 30,5 x 1,9 cm; 469 George Maciunas (Hg.), Fluxus 1, Fluxus Edition, New York 1964; 12 Umschläge mit Event-Partituren, flachen Objekten, Drucksachen und reproduzierten Fotografien, Aluminiumschrauben, 22,5 x 24,3 x 5 cm

Mitte oben: 470 George Brecht, Robert Filliou, La Cédille qui Sourit, 1969; Ausst.Kat. Städtisches Museum Mönchengladbach, Pappschachtel mit 26, teilweise gebundenen Textblättern, 4 Abbildungsblättern, 2 Briefbögen, 4 Schraubhaken in Streichholzschachtel, 16,4 x 21 x 2,3 cm; 471 George Maciunas (Hg.), Fluxus Preview Review, 1963; Offset auf Papier, 187 x 10 cm; 472 Alison Knowles, Bean Rolls, Fluxus Edition, New York 1964; Blechdose, Papierrolle mit Texten über Bohnen, Bohnen, 8 x 8 x 7,7 cm; 473 Wolf Vostell, 2 dé-coll/age-happenings, Edition René Block Galerie, Berlin 1965; 26 Seiten, Siebdruck auf Pappe, Eisenklammer, 28 x 11 x 18 cm; 474 Ay-O, Finger Box, Fluxus Edition, New York 1964; Kartonschachtel, mit bedrucktem Papier beklebt, mit Schaumgummi gefüllt, ca. 8,5 x 9,5 x 8,5 cm; 475 Wolf Vostell, 310 Ideen T.O.T., Edition Howeg, Zürich 1972; Karteikasten aus Pappe, aufgeklebte Fotografien, 310 Karteikarten, 10 x 3,8 x 8,5 cm

Mitte unten: 476 George Brecht, Water Yam, Fluxus Edition, New York 1963/69; Plastikschachtel mit ca. 100 Event-Partituren und Umschlag mit Cloud Scissors, 13 x 18,1 x 3 cm; 477 Robert Filliou, Ample Food for Stupid Thought, Something Else Press, New York 1965; Holzkasten mit 96 Postkarten, 15 x 19 x 5,3 cm; 478 Robert Watts, Events, Fluxus Edition, New York 1964; Plastikschachtel mit ca. 100 Handlungsanweisungen, Spielkarten, Fluxus-Briefmarken, kleinen Objekten, 13 x 18,2 x 3 cm

Unten: 479 Ben Vautier, Flux Box Containing God, Fluxus Edition, New York 1966; Plastikschachtel, 9,3 x 12 x 2,6 cm; 480 George Brecht, Closed on Mondays, Fluxus Edition, New York 1969; Plastikschachtel, 9,3 x 12 x 1,6 cm

Alle: Staatliche Museen zu Berlin, Kunstbibliothek

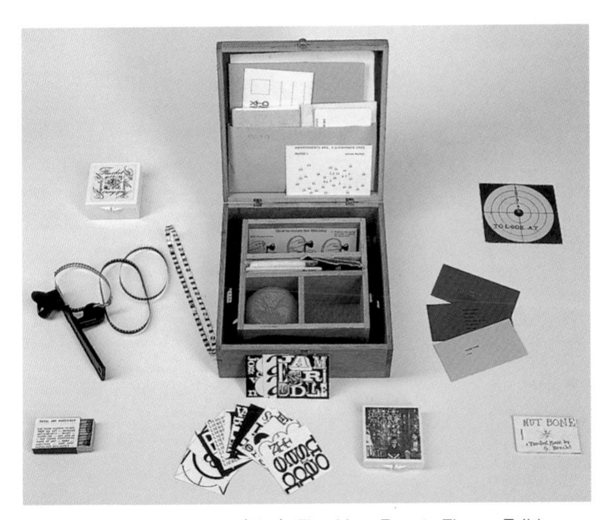

481 George Maciunas (Hg.), Flux Year Box 2, Fluxus Edition, New York 1968; Holzkasten mit Filmstreifen, Handprojektor, Textarbeiten und Partituren auf Papier, kleine Objekte und Schachteln, 20,3 x 20,3 x 8,8 cm; Staatliche Museen zu Berlin, Kunstbibliothek

482 Actions/Agit Pop/Décollage/Happening/Events/Antiart/L'Autrisme/Art Total/Refluxus, 1964; Programmheft Technische Hochschule Aachen, 32 Seiten, Hektografie, Umschlag Offset, 29,7 x 21 cm; Staatliche Museen zu Berlin, Kunstbibliothek

Auf der Einladungskarte der Galerie Parnass wurde er als »Chefredakteur der neuen Kunst-Zeitschrift FLUXUS« vorgestellt. Während der Veranstaltung in Wuppertal wurden Fluxus-Prospekte verteilt, die einen englischen Lexikoneintrag zur Bedeutung und Verwendung des Wortes »flux« sowie eine Übersicht über den Inhalt der ersten sieben Ausgaben der geplanten Publikation enthielten (Kat.Nr. 464). Zwar ist die Zeitschrift *Fluxus*, angekündigt als »eine internationale Zeitschrift neuester Kunst, Antikunst, Musik, Antimusik, Dichtung, Antidichtung, etc.«, in der geplanten Form nie erschienen, doch blieb der vom lateinischen Verb »fluere« (fließen) abgeleitete Begriff »Fluxus« erhalten: Dem Fluxus-Manager George Maciunas diente er fortan als Label für die von ihm in Europa und in New York initiierten Konzerte und Festivals, Publikationen und Multiples. Bis heute wird er als Bezeichnung für die internationale Aktionskunst-Bewegung der sechziger Jahre verwendet, die sich »nach John Cage« einer Gattungsgrenzen überschreitenden Arbeitsweise verschrieben hatte.

Mit dem Auftritt von George Maciunas und Benjamin Patterson in Wuppertal und dem ersten Fluxus-Festival im September 1962 in Wiesbaden (vgl. Kat.Nr. 463) fanden in Deutschland nicht nur die ersten ausdrücklich mit dem Begriff »Fluxus« verbundenen Veranstaltungen statt, im Westen Deutschlands war die internationale Fluxus-Bewegung darüber hinaus bis in die späten siebziger Jahre mit zahlreichen Aktivitäten präsent, und viele mit Fluxus verbundene Künstler aus den USA, aus Japan, aus West- und Osteuropa lebten für längere Zeit im Rheinland oder in Berlin. Wie in New York waren es auch in Köln, Düsseldorf und Darmstadt zunächst die Szene und die Förderer der musikalischen Avantgarde, die der Fluxus-Bewegung erste Auftrittsmöglichkeiten boten: Im Studio für Elektronische Musik

483 24 Stunden, 1965; Plakat Galerie Parnass Wuppertal, Offset auf Papier, 50,6 x 65 cm; Staatliche Museen zu Berlin, Kunstbibliothek

des WDR und im Atelier von Mary Bauermeister in Köln, in der Galerie 22 von Jean-Pierre Wilhelm in Düsseldorf oder während der *Internationalen Ferienkurse für Neue Musik* in Darmstadt trafen Künstler wie Nam June Paik, Emmett Williams und Wolf Vostell auf Komponisten und Musiker wie John Cage, David Tudor, Cornelius Cardew oder La Monte Young, die in ihren Stücken und in ihren Auftritten mit Collage-Techniken und Zufallsverfahren, mit Ready-made-Klängen und aktionistischen Elementen arbeiteten (vgl. Kat.Nr. 462).

Nam June Paik, der seit 1956 in Deutschland lebte und in München und Freiburg Musikgeschichte und Komposition studiert hatte, bevor er nach Köln zog, um dort im Studio für Elektronische Musik des WDR zu arbeiten und seine ersten Aktionsmusik-Stücke zu entwickeln, vermittelte dem aus New York übergesiedelten George Maciunas Kontakte zu den Galeristen Rolf Jährling in Wuppertal und Jean-Pierre Wilhelm in Düsseldorf, zu Mary Bauermeister und Karlheinz Stockhausen in Köln, zu Wolf Vostell, Benjamin Patterson sowie Emmett Williams. Diese Kontakte ermöglichten Maciunas im Sommer 1962 die ersten öffentlichen Auftritte mit seinen Programmen »neuester Musik« in der Galerie Parnass in Wuppertal, in den Düsseldorfer Kammerspielen (»Neo-Dada in der Musik«) und im Städtischen Museum in Wiesbaden (»Fluxus * Internationale Fest-

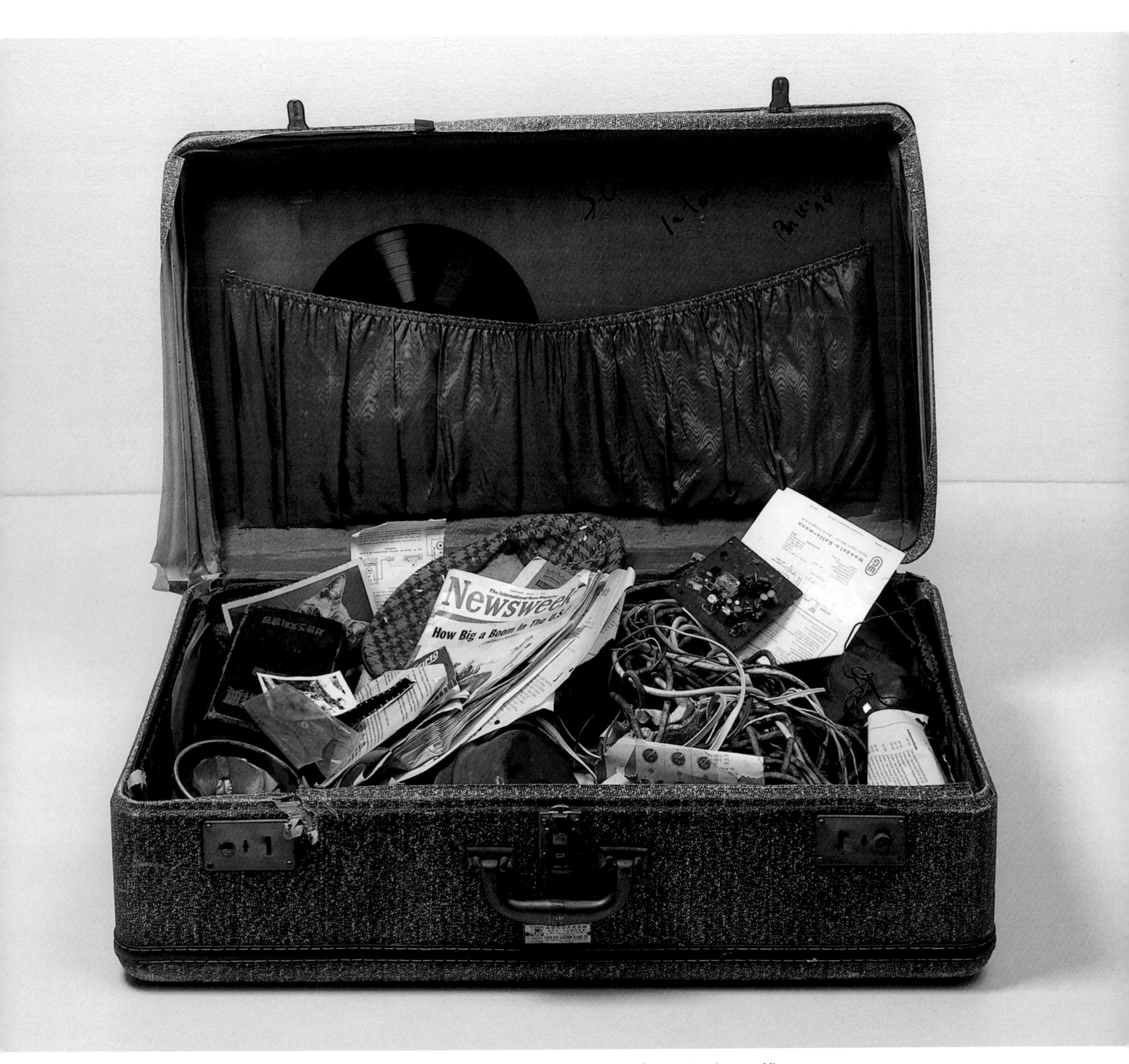

484 Nam June Paik, Box for Zen (Serenade), 1963; Koffer mit verschiedenen Gegenständen zur Klangerzeugung, 35 x 55 x 80 cm; Privatsammlung Berlin

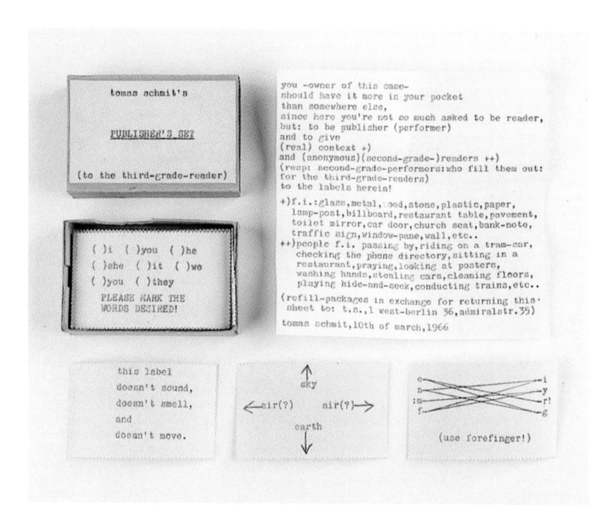

485 Tomas Schmit, Verlegerbesteck, Selbstverlag, Berlin 1966; Pappschachtel mit Waschzettel und 105 Klebezettelchen, 5 x 8 x 2 cm; Galerie + Edition Hundertmark, Köln

486 Tomas Schmit, Tischtheater, Selbstverlag, Berlin 1968; Pappschachtel mit 5 Spielbrettern, beidseitig hektografiert, 17 x 33 x 3 cm; Galerie + Edition Hundertmark, Köln

spiele Neuester Musik«). Im Zuge dieser Veranstaltungen zeichneten sich die Umrisse der von Maciunas fortan propagierten Fluxus-Ästhetik immer deutlicher ab. So schrieb der Fluxus-Manager im August 1962 an Paik: »Ich denke, letztlich müssen sich die Fluxus-Festivals und die Publikation mehr in Richtung Neo-Dada – Aktionsmusik – oder zumindest konkreter Musik bewegen. Andernfalls werden wir auf die Stufe von Darmstadt zurückfallen, oder nicht? Deshalb denke ich, in Zukunft sollten alle nicht-aktionistischen, nicht-neodadaistischen, nicht-konkreten Stücke aus dem Programm gestrichen werden, auch wenn sie sehr schön sein mögen.«[2] Zwar berücksichtigte Maciunas die musikalische Avantgarde auch weiterhin in seinen Konzertplanungen – so standen zum Beispiel in Wiesbaden Kompositionen für Klavier von John Cage, Sylvano Bussotti, Terry Riley und Karlheinz Stockhausen auf dem Programm –, doch zeichnete sich die Tendenz zu einer Aktionsmusik »nach John Cage« im Verlauf des Wiesbadener Festivals und der sich anschließenden Fluxus-Tournee in die Städte Amsterdam, London, Kopenhagen, Paris und Düsseldorf immer deutlicher ab.

Die von den Performern Nam June Paik, Benjamin Patterson, Emmett Williams, Tomas Schmit, Wolf Vostell, Dick Higgins, Alison Knowles, Daniel Spoerri, Robert Filliou, Arthur Köpcke, George Maciunas und anderen Mitspielern in all diesen Fluxus-Konzerten aufgeführten Stücke beruhen in der Regel auf ›Partituren‹, auf kurzen sprachlichen Aktionsanweisungen oder auf grafischen Partituren, die immer wieder neu interpretiert und in verschiedenen Varianten aufgeführt werden können. Während des »Festum Fluxorum« in der Staatlichen Kunstakademie Düsseldorf beispielsweise wurde George Brechts Stück **Drip Music (Drip Event)** einmal von George Maciunas alleine aufgeführt, indem der Performer Wasser aus einer Kanne in ein leeres Gefäß tröpfeln ließ (vgl. Kat.Nr. 466). Anschließend dirigierte Maciunas ein aus sieben Performern bestehendes Ensemble, das mit Hilfe von Pipetten eine mehrstimmige »Tropf-Musik« zu Gehör brachte. Brechts Partitur läßt verschiedene Realisierungen zu; die Anweisung lautet schlicht: »For single or multiple performance. A source of water and an empty vessel are arranged so that the water falls into the vessel. Second version: Dripping.« Für die im Kreis der Fluxus-Künstler hochgeschätzte »Grenzlinienkunst« Brechts charakteristisch ist die Tatsache, daß auch eine ready-made-artige Umsetzung dieser Partitur im Alltag denkbar ist, für die es weder einer Bühne noch eines Performers bedarf, sondern lediglich eines tropfenden Wasserhahns und eines aufmerksamen Zuhörers.

Bei aller Unterschiedlichkeit der musikalischen Konzepte und aktionistischen Ansätze, wie sie von den einzelnen Fluxus-Künstlern entwickelt worden sind, geht es in den Stücken stets um die Inszenierung und

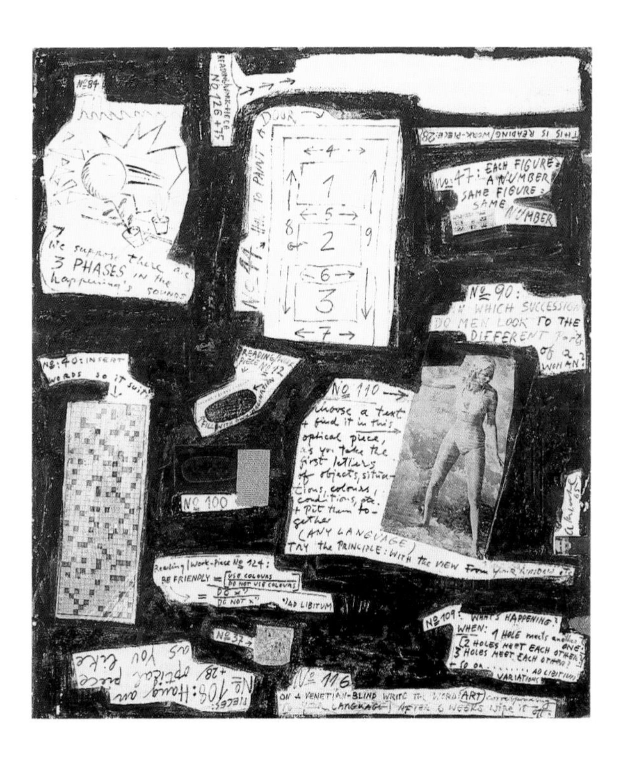

487 Arthur Köpcke, Reading/Work-Pieces (a.), 1965; Lese-Arbeitsstücke, Lack, Collage auf Holzplatte, 106 x 90 cm; Privatsammlung Berlin

Abb. unten: 488 Arthur Köpcke, Reading Pieces. Work Pieces. Reading/Work Pieces, 1965 (piece 1-2, 27-31); 51 Seiten, Hektografie, Collage, Buntstift, 30 x 21,8 cm; Staatliche Museen zu Berlin, Kunstbibliothek

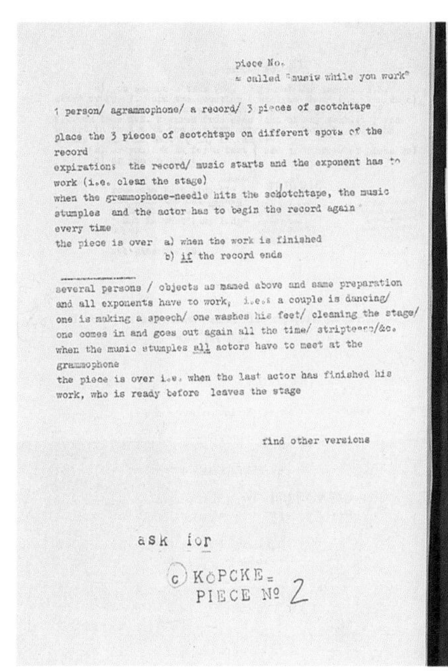

piece No.
= called "music while you work"

1 person/ agrammophone/ a record/ 3 pieces of scotchtape

place the 3 pieces of scotchtape on different spots of the record
expiration: the record/ music starts and the exponent has to work (i.e. clean the stage)
when the grammophone-needle hits the schotchtape, the music stumples and the actor has to begin the record again every time
the piece is over a) when the work is finished
b) if the record ends

several persons / objects as named above and same preparation and all exponents have to work, i.e.: a couple is dancing/ one is making a speech/ one washes his feet/ cleaning the stage/ one comes in and goes out again all the time/ stripteese/&c.
when the music stumples all actors have to meet at the grammophone
the piece is over i.e. when the last actor has finished his work, who is ready before leaves the stage

find other versions

ask for

(c) KÖPCKE = PIECE No 2

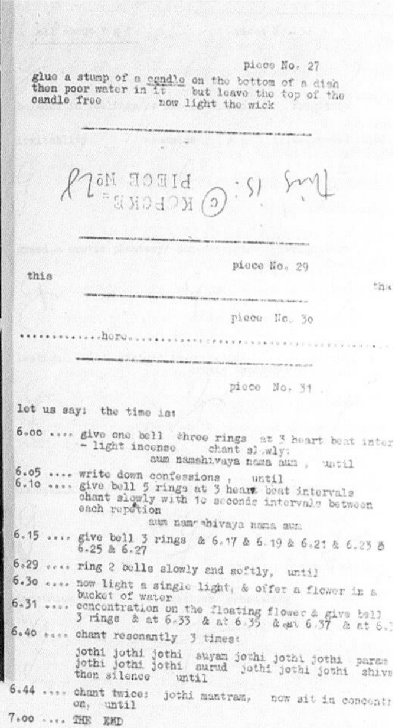

piece No. 27
glue a stump of a candle on the bottom of a dish then poor water in it but leave the top of the candle free now light the wick

This is: (c) KÖPCKE = PIECE No 28

piece No. 29
this

piece No. 30
.............here..

piece No. 31
let us say: the time is:

6.00 .... give one bell three rings at 3 heart beat inter
- light incense chant slowly:
aum namashivaya nama aum , until
6.05 .... write down confessions , until
6.10 .... give bell 5 rings at 3 heart beat intervals
chant slowly with 10 seconds intervals between each repetion
aum namashivaya nama aum
6.15 .... give bell 3 rings & 6.17 & 6.19 & 6.21 & 6.23 & 6.25 & 6.27
6.29 .... ring 2 bells slowly and softly, until
6.30 .... now light a single light, & offer a flower in a bucket of water
6.31 .... concentration on the floating flower & give bell 3 rings & at 6.33 & at 6.35 & at 6.37 & at 6.
6.40 .... chant resonantly 3 times:
jothi jothi jothi suyam jothi jothi jothi param
jothi jothi jothi surud jothi jothi jothi shiva
then silence until
6.44 .... chant twice: jothi mantram, now sit in concentr on, until
7.00 .... THE END

Erkundung von akustischen und visuellen Ereignissen, die jenseits der Grenzen eines herkömmlichen Begriffs von ›Musik‹ und ›Theater‹ angesiedelt sind. Das gilt für die Aufführung der Komposition **Constellation No. 7** von Dick Higgins (»Any number of performers agree on a sound, preferably vocal, which they will produce. When they are ready to begin to perform, they all produce the sound simultaneously, rapidly, and efficiently, so that the composition lasts as short a time as possible.«) ebenso wie für die Realisierung des Stücks **In Memoriam to Adriano Olivetti** von George Maciunas, für welches beliebige, auf der Papierrolle einer Olivetti-Rechenmaschine ausgedruckte Zahlenreihen als Partitur dienen (vgl. Kat.Nr. 466). Für die Performer geht es darum, die in den Partituren angegebenen, häufig unspektakulären Aktionen »so einfach und so gut wie möglich zu machen und ohne übertriebene Kontrolle – aber auch ohne unnötige Nachlässigkeit«[3]. Während des Fluxus-Konzerts in der Staatlichen Kunstakademie Düsseldorf, das in dieser Ausstellung mit einer von Manfred Leve stammenden Serie von Fotografien ausführlich dokumentiert wird, wurden viele ›klassische Fluxuskompositionen‹ aufgeführt. Trotz ihrer Heterogenität lassen sich die präsentierten Stücke auf folgenden gemeinsamen Nenner bringen: »Im Grunde können wir solche Arbeiten als Fluxus bezeichnen, die von ihrer Anlage her intermedial sind: visuelle Poesie und poetische Bilder, Aktionsmusik und musikalische Aktion und auch Happenings und Events, sofern sie Musik, Literatur und bildender Kunst konzeptuell verpflichtet sind.«[4]

Diese Charakterisierung des Arbeitsfeldes von Fluxus gilt gleichermaßen für die Aktionen, deren flüchtige Präsenz heute in fotografischen, filmischen und schriftlichen Dokumenten überliefert ist, wie für die Objekte, die im Zusammenhang mit diesen Aktionen oder als Auflagenobjekte entstanden sind. Ein wichtiger Ausgangspunkt für die verlegerische Tätigkeit von George Maciunas war sein Bestreben, die Aktionsan-

489 Tomas Schmit, poem V »shake well before reading«, 1963; Peanut-Butter-Glas mit Buchstaben, Papier, Asche, Abfall, Höhe 13 cm, Ø 8 cm; Galerie + Edition Hundertmark, Köln

490 Tomas Schmit, ein paradieschen, 1970; Holzbrettchen, Letraset, 5 Radieschen auf Stiften, 13 x 10 cm; Galerie + Edition Hundertmark, Köln

491 Dieter Roth, Hut, 1969; Siebdruck in vier Farben auf farbigem Papier, bearbeitet, 65 x 90 cm; Privatsammlung Berlin

492 Ludwig Gosewitz, Geburtsfigur, 30.6.1960 (Inga Loeper), 1980; Bleistift, Wasserfarbe auf Papier, 54 x 22 cm; Privatsammlung Berlin

weisungen und Partituren der Fluxus-Künstler zu publizieren, um sie wie herkömmliche musikalische Partituren zur Verfügung zu stellen.

So gehörten die in einer Box mit dem Titel **Water Yam** 1963 veröffentlichten gesammelten Event-Partituren von George Brecht (Kat.Nr. 467) und die im selben Jahr publizierten **Compositions 1961** von La Monte Young zu den ersten Fluxus-Editionen. Ihnen folgten im Laufe der Jahre weitere, in Plastikboxen verpackte Partitursammlungen von Künstlern wie Eric Andersen, Takehisa Kosugi oder Robert Watts (Kat.Nr. 478). Außerdem verlegte Maciunas Spiele und zum spielerischen Gebrauch gedachte Objekte, etwa von Benjamin Patterson, Ay-O (Kat.Nr. 474) und Alison Knowles (Kat.Nr. 472), sowie Anthologien, die Partituren, kleine Objekte, Fundstücke und Ideen von zahlreichen Fluxus-Künstlern enthalten (Kat.Nrn. 469, 481). Diese Editionen bot er auf langen Listen, zum Beispiel auf der mehr als eineinhalb Meter langen **Fluxus Review Preview**-Papierrolle (Kat.Nr. 471), zu geringen Preisen zum Kauf

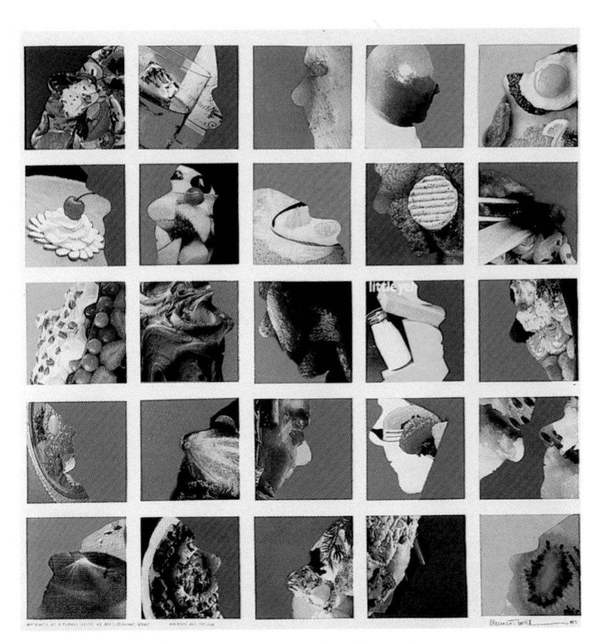

493 Emmett Williams, Portraits of a Fluxus Artist as Hors-d'Œuvre d'Art, 1983; Montage, Papier, 59,4 x 59,4 cm; Privatsammlung Berlin

494 Alison Knowles, Peas and Beans, 1969; Holzkasten mit Objekten, 63 x 44 x 8,5 cm; Privatsammlung Berlin

an, damit sie von jedermann erworben und benutzt werden konnten.[5]

Auch unabhängig von Maciunas' verlegerischen Aktivitäten und seinen vergeblichen Bemühungen, ein straff organisiertes Fluxus-Kollektiv zu formieren, entstanden Objekte, Spiele und Schachteln beziehungsweise Bücher mit Aktionsanweisungen von Künstlern, die auf die eine oder andere Weise mit Fluxus verbunden waren und deren Arbeiten ebenfalls zu Interaktion und Teilnahme herausfordern. Stets geht es darum, den Benutzer anzuregen, ihn einzuladen, die mit verschiedensten Fragen bedruckten Postkarten aus der Edition **Ample Food for Stupid Thought** von Robert Filliou zu verschicken (Kat.Nr. 477), mit den Klebezetteln aus dem **Verlegerbesteck** von Tomas Schmit zu arbeiten (Kat.Nr. 485) oder die **Reading/Work-Pieces** von Arthur Köpcke (Kat.Nrn. 487, 488) durch eigene Aktivität und Imagination im Sinne des Künstlers fortzuführen: »jede kommunikation ist eine collage von signalen unterschiedlichen charakters – ich kommuniziere, indem ich aktivitäten ins leben rufe, die aufgaben, forderungen stellen, um nach neuen zusammenhängen, strukturen, relationen, proportionen unter den mitteln zu suchen, um neue bedeutungen, gewißheiten zu entdecken.«[6]

Aktions-Poesie – zum Beispiel Tomas Schmits **poem V** mit dem Hinweis »shake well before reading« (Kat.Nr. 489) – und Objekt-Gedichte – wie Robert Fillious **No Fire No Ashes** (Kat.Nr. 504) – gehören ebenso zum Repertoire der »Fluxus-Leute« wie Musik-Objekte – etwa Joe Jones' **Mechanical Music** (Kat.Nr. 495) – und verschiedenste für musikalische Aktionen genutzte ›Instrumente‹ – zum Beispiel die in Nam June Paiks **Box for Zen (Serenade)** versammelten Gegenstände (Kat.Nr. 484) und die Steine der **Green Stone Music** von Henning Christiansen (Kat.Nr. 496). Die künstlerischen Verfahren Collage und Montage dienen hier als Mittel, um auch aus dem Zusammenbringen von ärmsten Materialien und einfachsten Fundstücken noch poetische Funken zu schlagen. Das gelegentliche Aufblitzen von Poesie verdankt sich einer zugleich spielerischen wie aufmerksam beobachtenden Haltung, mit der alltägliche Gegenstände und Vorgänge erforscht und in neue Zusammenhänge gestellt werden. Dies gilt für die Objektarrangements von George Brecht (Kat.Nrn. 501–503) ebenso wie für die mit Bohnen und mit Texten über Bohnen (oder auch Erbsen) bestückten Objekte von Alison Knowles (Kat.Nrn. 472, 494), die über ihre Arbeit schreibt: »Die Gegenstände, die ich in meinen Kunstwerken verwende, sind ganz gewöhnlicher Natur, oft vergänglich und stets durch den Gebrauch verändert. Interaktionen mit dem Arbeitsprozeß erfolgen ganz automatisch, da die Materialien für sich selbst sprechen. Seien sie nützlich oder ausrangiert – alle noch so zufälligen Gegebenheiten sind von Nutzen. Fragmente fügen sich zusammen und bilden eine Form. Das gleiche gilt auch für die physischen Gegenstände in einer Performance. Jeder Gegenstand hat bereits seinen eigenen Klang, wenn ich ihn entdecke. Er wird untersucht, bis ich ihn ganz genau kenne.«[7]

Für Tomas Schmit, Ludwig Gosewitz, Emmett Williams und für den mit vielen Fluxus-Künstlern befreundeten Dieter Roth gehören Zeichnungen, Grafiken und Bücher zu den bevorzugten künstlerischen Medien, um Seh- und Denkgewohnheiten in Frage zu stellen und um Forschungen unterschiedlichster Art zu visualisieren oder in Worte zu fassen: Die Bandbreite der Forschungen reicht von wahrnehmungstheoretischen Fragestellungen bei Tomas Schmit über astrologische Studien bei Ludwig Gosewitz (Kat.Nr. 492) bis hin zu poetischen Untersuchungen und drucktechnischen Montageverfahren bei Emmett Williams und Dieter Roth (Kat.Nrn. 493, 491).

Den von Roth verwendeten Techniken des Übereinanderdruckens verschiedener Bildmotive, des Übermalens, Verklebens und Zusammenpressens von Bildern und flachen Gegenständen lassen sich die von Wolf Vostell entwickelten Verfahren der »dé-coll/age« an die Seite stellen. Für den mit Fluxus eng verbunde-

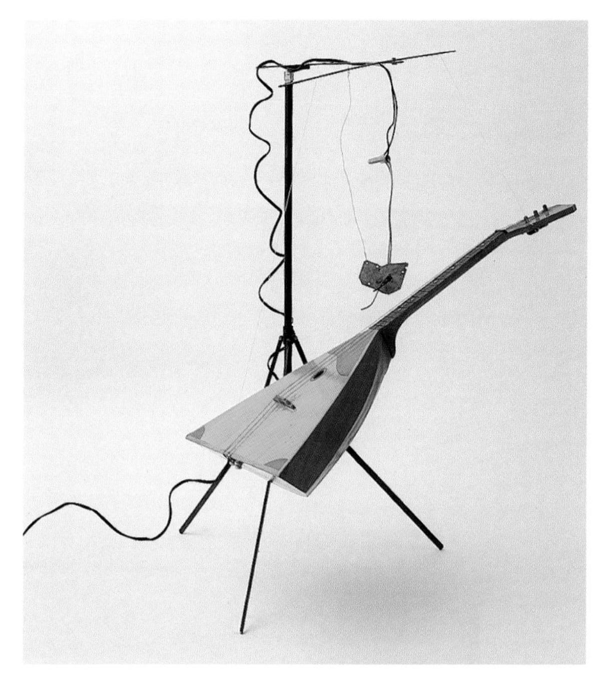

495 Joe Jones, Mechanical Music, 1970; Balalaika, Metallständer, ca. 50 x 68 x 68 cm; Privatsammlung Berlin

496 Henning Christiansen, Green Stone Music, 1964 (1982); Kasten mit Steinen, grün bemalt; 8,5 x 25 x 33 cm
497 Henning Christiansen, Wasser Musik; Water Music; Rote Tintenfisch Musik; alle 1963 (1982); 3 Flaschen mit Tusche und Steinen, Versteinerungen, je 32,5 x 8,5 cm

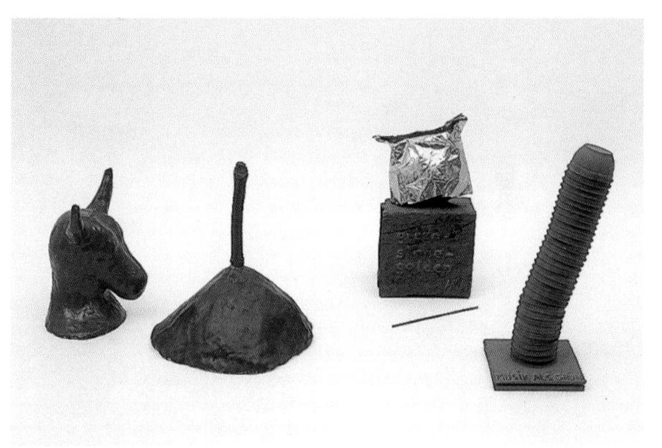

498 Henning Christiansen, Die dumme Kuh – To be or not, 1967–82; bemalter Gips, zwei Teile, Höhe 22/29 cm
499 Henning Christiansen, Green-Stone-Golden, 1982; Holzblock, Stein, Metallfolie (Kaffeetüte), Stäbchen, 26 x 16 x 14 cm
500 Henning Christiansen, Musik als Grün (Pferdeschwanz), um 1969; Holzfuß, Joghurtbecher, Höhe 30 cm
Alle: Privatsammlung Berlin

501 George Brecht, Untitled, 1973; Objektkasten, Assemblage, 22 x 17 x 5 cm

Alle: Privatsammlung Berlin

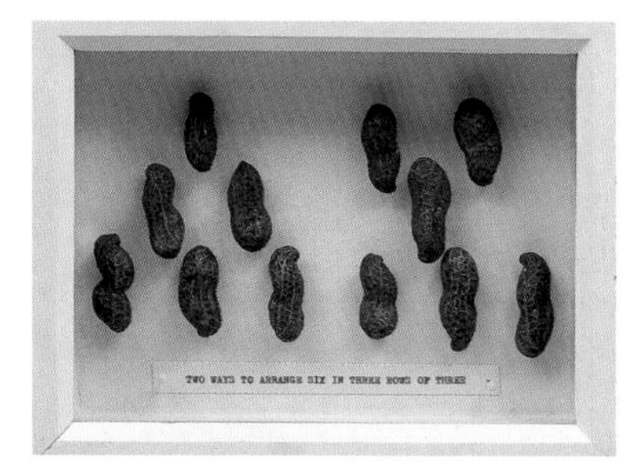

502 George Brecht, Two Ways to Arrange Six in Three Rows of Three, 1974; Kasten, bemalte Erdnüsse, 21 x 15 x 6 cm

503 George Brecht, Wheel Yam for Emmett (from the Book of the Tumbler on Fire, chapter VII), 1965; Objektkasten, Assemblage, 26 x 39 x 6 cm

504 Robert Filliou, No Fire No Ashes, 1970; Objekt aus Brennholz, Keramik, Stoff auf Holzplatte, 55 x 55 x 14 cm; Privatsammlung Berlin

nen Happening-Künstler nahm das seiner eigenen Aussage zufolge 1954 in einer französischen Tageszeitung entdeckte Wort »décollage« die Bedeutung eines umfassenden Gestaltungsprinzips an, das er in Plakatabrissen und Buchillustrationen, in Bearbeitungen von Zeitungs- und Fernsehbildern sowie in Happenings zur Anwendung brachte (vgl. Kat.Nrn. 468, 473, 507): »Formen der dé-coll/age – abreißen verwischen auswischen entfärben doublieren verzerren verwackeln übereinanderdrucken fernsehverwischungen.«[8] In Konkurrenz zu der von Maciunas geplanten Fluxus-Zeitschrift gab Vostell ab Juni 1962 die Zeitschrift *décoll/age* heraus, die in loser Folge bis 1969 erschienen ist. Er veröffentlichte Partituren, Texte und Aktionsdokumente von Fluxus- und Happening-Künstlern, darunter auch Arbeiten des amerikanischen Happening-Künstlers und Collagisten Al Hansen, der häufig zusammen mit den Fluxus-Künstlern aufgetreten ist und der Anfang der achtziger Jahre nach Köln übersiedelte (vgl. Kat.Nr. 506).

Zu den vereinzelten frühen Auftritten von »Fluxus-Leuten« im Museum zählt die 1969 im Städtischen Museum Mönchengladbach gezeigte Ausstellung von George Brecht und Robert Filliou, die dort ihr in den Jahren 1965–68 in Südfrankreich verfolgtes Projekt *La Cédille qui Sourit* vorstellten. Ausstellung und Katalogkassette (Kat.Nr. 470) suchten dem Publikum die Prinzipien der »Fête Permanente« beziehungsweise des »Eternal Network« nahezubringen, die die beiden Künstler in ihrer Laden-Werkstatt in Villefranche-sur-Mer entwickelt hatten: »Wir dachten uns das **Cédille qui Sourit** als ein internationales Zentrum permanenter Kreation, und das wurde es dann auch. Wir machten Spiele, erfanden und enterfanden Objekte, korrespondierten mit den Niedrigen und Mächtigen, tranken und redeten mit unseren Nachbarn, stellten Schwebegedichte und Rebusse her und verkauften sie postalisch, fingen eine Anthologie von Mißverständnissen und eine von Witzen an, von denen wir einige zusammen mit unseren Ein-Minuten-Drehbüchern zu verfilmen begannen [...].«[9]

Dieses gemeinsame Projekt betrachteten sie – ganz im Sinne von Fluxus – als Teil und Ausgangspunkt eines von allen Mitwirkenden zu gestaltenden und sich permanent verändernden Geflechts, das sie folgendermaßen charakterisieren: »es gibt immer einen der schläft und einen der wacht / einen der im Schlaf träumt einen der im Wachen träumt / einen der ißt einen der hungert / einen der kämpft einen der liebt / einen der Geld macht einen der blank ist / einen der reist einen der festsitzt / einen der hilft einen der hindert / einen der sich freut einen der leidet einen indifferenten / einen der anfängt einen der aufhört / das Geflecht ist immerwährend«[10]

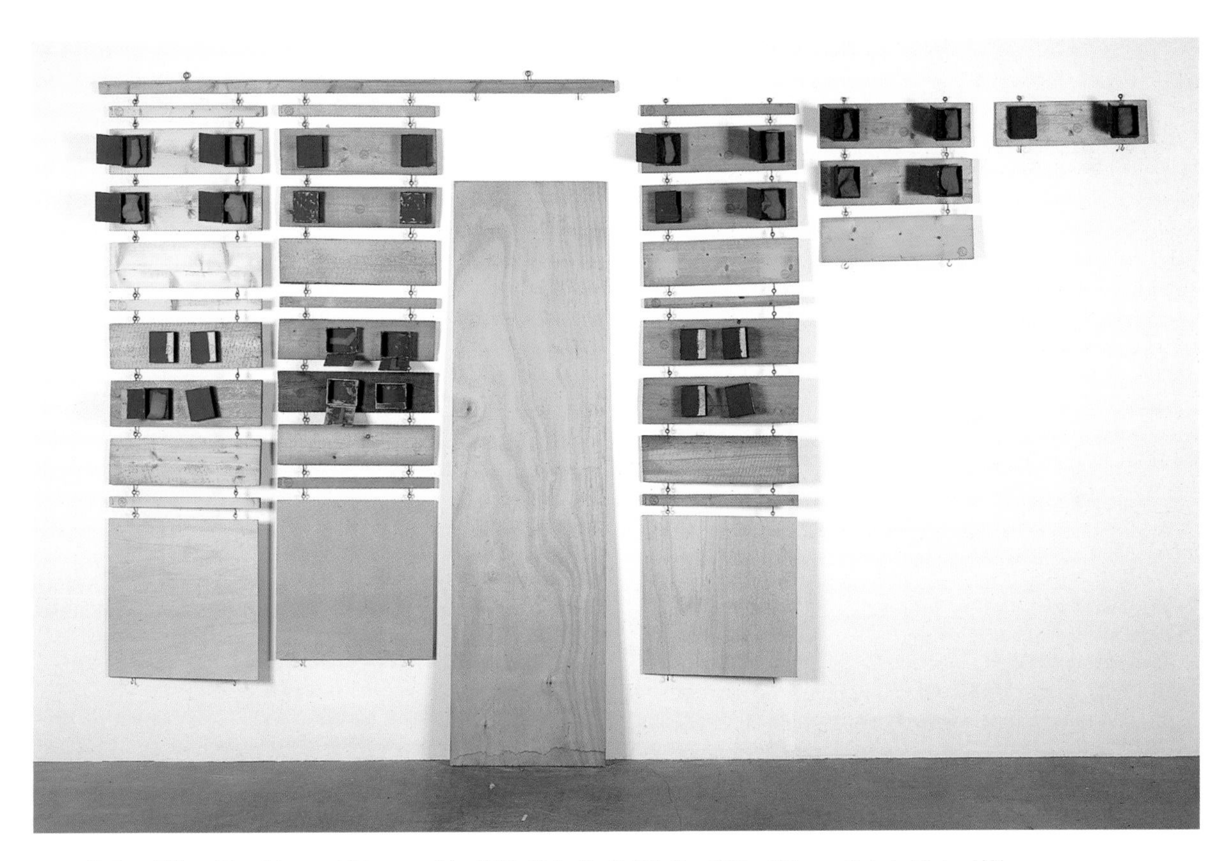

505 Robert Filliou, Bien fait – mal fait – pas fait, 1969; Holz, Textil, 36teilig, 285 x 430 cm; Galerie Michael Werner, Köln und New York

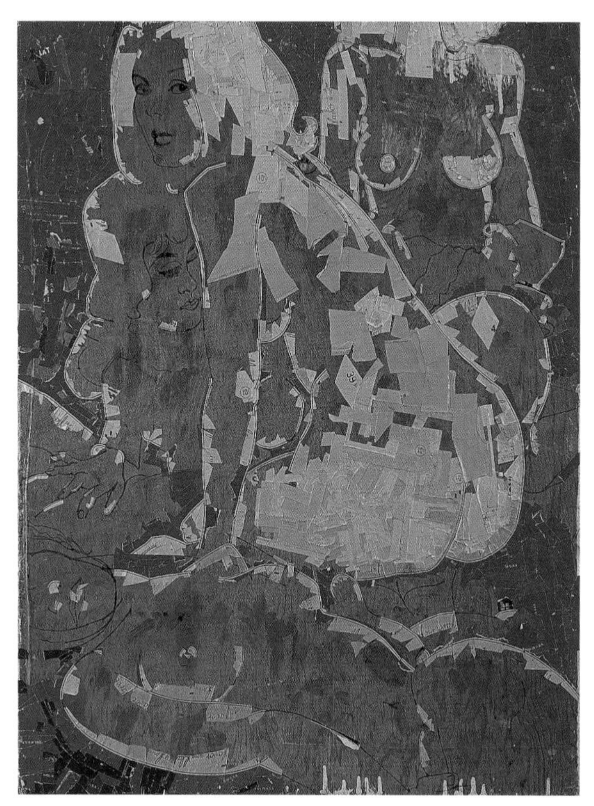

506 Al Hansen, Unfinished Symphony for Stefan Wewerka, 1969; Collage aus Hershey-Schokoladenpapier auf Holzbrett, 73 x 55 cm; Privatsammlung Berlin

Anmerkungen

* Im Titel greife ich eine Formulierung auf, die in einem der ersten längeren Beiträge über Fluxus in einer deutschen Kulturzeitschrift verwendet wurde: »magnum-Interview: Die Fluxus-Leute. John Anthony Thwaites, Gottfried Michael Koenig und Wolfgang Ramsbott interviewen Jean-Pierre Wilhelm, Nam June Paik, Wolf Vostell und C. Caspary«. In: *magnum*, H. 47, 1963, S. 32–35, 62–68.

1 Vgl. Historisches Archiv der Stadt Köln (Hg.): *intermedial kontrovers experimentell. Das Atelier Mary Bauermeister in Köln 1960–62.* Köln 1993.

2 George Maciunas an Nam June Paik, zit. n. Conzen, Ina: »Vom Manager der Avantgarde zum Fluxusdirigenten. George Maciunas in Deutschland«. In: René Block; Gabriele Knapstein (Hg.): *Eine lange Geschichte mit vielen Knoten. Fluxus in Deutschland 1962–1994.* Ausst.Kat. Institut für Auslandsbeziehungen. Stuttgart 1995, Textband S. 18–31, hier S. 25 (Übersetzung G.K.). Conzen erläutert u.a. Maciunas' Verständnis von »konkreter« Kunst. Zu den »neo-dadaistischen« Aspekten der Fluxus-Musik vgl. Johnston, Jill: »Dada and Fluxus«. In: Susan Hapgood (Hg.): *Neo-Dada. Redefining Art, 1958–62.* Ausst.Kat. Scottsdale Center for the Arts. New York 1994, S. 85–103.

3 George Brecht im Gespräch mit Michael Nyman, abgedruckt in: Gachnang, Johannes (Hg.): *Jenseits von Ereignissen. Texte zu einer Heterospektive von George Brecht.* Ausst.Kat. Kunsthalle Bern. Bern 1978, S. 35–82, hier S. 74.

4 Dick Higgins, zit. n. Block, René: »Von einem der auszog das Fluxen zu lernen«. In: René Block (Hg.): *1962 Wiesbaden Fluxus 1982. Eine kleine Geschichte von Fluxus in drei Teilen.* Ausst.Kat. Museum Wiesbaden, Nassauischer Kunstverein, Harlekin Art. Berlin 1983, S. 326–371, hier S. 351. Auf die für Fluxus in Deutschland nicht unbedeutende Sonderrolle von Joseph Beuys, der 1963 in Düsseldorf im Rahmen des »Festum Fluxorum« seine erste Aktion **Sibirische Symphonie 1. Satz** durchführte und der sowohl an der Veranstaltung »Actions/AgitPop/Decoll/age/Happening/Events/Antiart/L'autrisme/Art Total/Refluxus« 1964 in Aachen als auch am »24 Stunden«-Happening 1965 in der Galerie Parnass in Wuppertal teilgenommen hat, kann in der Kürze dieses Aufsatzes nicht eingegangen werden.

5 Die im Fluxus-Umkreis entstandenen Multiples, deren Inhalt zur interaktiven Benutzung aufruft, sind beschrieben in: Conzen, Ina (Hg.): *Art Games. Die Schachteln der Fluxus-Künstler.* Ausst.Kat. Staatsgalerie Stuttgart. Stuttgart; Köln 1997.

6 Köpcke, Arthur: *begreifen erleben. Gesammelte Schriften.* Köln; Stuttgart; London; Berlin 1994, S. 73. Zu Köpckes **Reading/Work-Pieces** vgl. Rennert, Susanne: *Arthur Köpcke – Grenzgänger. Bilder, Objekte, Fluxus-Stücke.* München 1996.

7 Alison Knowles, zit. n. Schulz, Bernd; Knowles, Alison (Hg.): *Indigo Islands. Art Works by Alison Knowles.* Ausst.Kat. Stadtgalerie Saarbrücken. Saarbrücken 1994, S. 10.

8 Wolf Vostell, zit. n. Rüdiger, Ulrike (Hg.): *Wolf Vostell. Leben = Kunst = Leben.* Ausst.Kat. Kunstgalerie Gera. Leipzig 1993, S. 201.

9 Filliou, Robert: *Lehren und Lernen als Aufführungskünste.* Unter Mitwirkung von John Cage, Benjamin Patterson, George Brecht, Allan Kaprow, Marcelle, Vera und Bjoessi und Karl Rot, Dorothy Iannone, Diter Rot, Joseph Beuys. Köln; New York 1970, S. 198.

10 George Brecht und Robert Filliou, zit. n. ebd., S. 205.

507 Wolf Vostell, Coca Cola, 1961; Décollage auf Hartfaserplatte, 200 x 300 cm; Museum Ludwig, Köln

»Refreshing and Delicious« Nouveau Réalisme und Pop-art

Joachim Jäger

Essen als Kunst, Kunst als Essen – keiner hat diese Idee wörtlicher genommen als der Schweizer Künstler Daniel Spoerri. Am 17. Juni 1968 eröffnete er in der Düsseldorfer Altstadt sein legendäres »Restaurant Spoerri«. Angeboten wurden dort traditionelle Gerichte wie Forelle und Steaks, aber berüchtigt war das Lokal wegen Spezialitäten wie »Omelette mit gerösteten Termiten«, »Seehund-Schnitzel mit grünem Algenreis« oder »Tagliatelle mit Klapperschlangenragout«[1]. Das Konzept stieß auf begeisterte Resonanz; das Interesse des Publikums betraf jedoch nur am Rande das Essen selbst. Den Utensilien des Lokals galt die eigentliche Neugier, denn was man hier berührte, verschmutzte, auf den Tellern und Tischen liegen ließ, gehörte seit neuestem zu bildender Kunst. Daniel Spoerri war schließlich nicht nur der »Chef du cuisine«, sondern der Erfinder von sogenannten Fallenbildern, großen Objektbildern, die kulinarische Ereignisse in Ästhetik überführten. Ob Frühstücke, Brotzeiten oder opulente Abendessen – alle Relikte eines Essens wurden von Daniel Spoerri auf der originalen Unterlage aufgeklebt und als »Bilder« aufgehängt. Das Benehmen der Gäste, die Unruhe am Tisch, das Kleckern der Speisen blieben auf diese Weise irritierend gegenwärtig. Der alte Traum des Künstlers, Leben unmittelbar in Kunst zu verwandeln, schien endgültig verwirklicht. Zu diesem Konzept paßte, daß Daniel Spoerri über dem Restaurant eine Galerie unterhielt, in der die Tableaus ausgestellt und verkauft werden konnten.[2] Idealismus und Pragmatik, Kunst und Kommerz waren auch hier in erfrischender Direktheit aneinandergekoppelt.

»Eat Art«, wie man dieses Ereignis in Düsseldorf nannte, markierte einen ersten Endpunkt. Die Anfänge der »Fallenbilder« lagen schließlich bereits um 1960: Damals lebte der Künstler in Paris und arbeitete eng mit Jean Tinguely zusammen, der aus alten Reifen, Blechen und Schrotteilen seine ersten Maschinen schuf. Spoerri: »Was mich dazumal interessierte, war die

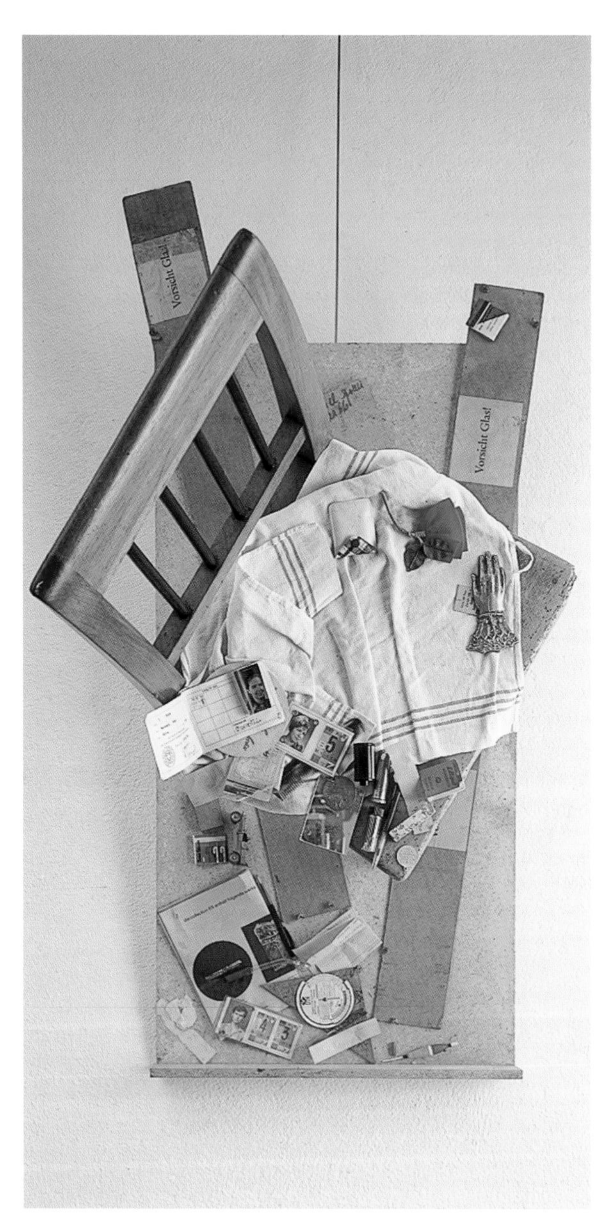

508 Daniel Spoerri, La chaise de la City Galerie, 1966; Assemblage, 130 x 65 x 94 cm; Galerie Bischofberger, Zürich

510 Daniel Spoerri, Tableau piège (en carré), 1961; Assemblage, 36 x 47 x 54 cm; Neues Museum Weserburg, Bremen, Sammlung Gerstner

509 Christo, Store Front Project, 1964; Objekt mit eingebauter Glühbirne, 90 x 122 x 10 cm; Staatliche Museen zu Berlin, Nationalgalerie

Bewegung, was sicherlich von meiner langen Freundschaft mit Jean Tinguely herrührte; ich fand die Fallenbilder seien festgehaltener Augenblick, der bei den anderen Bewegungen hervorruft.«[3] Dieses Festfrieren von Handlungen war bereits das große Thema der informellen Malerei gewesen, in der die Aktionen des Künstlers durch den spontanen Farbauftrag lebendig blieben. Mit Spoerri rückten nun höchst banale, außerkünstlerische Realitäten in den Blick: Bierflaschen, Zuckerdosen, Gläser, Korken und Gitanes-Schachteln wie im Fall des **Tuborg-Relief** (Kat.Nr. 510). Gleichzeitig vollzog sich eine ungeheure Veredlung des Alltäglichen: Abgespeiste Tafelrunden wurden zu malerischen Kompositionen, zu virtuosen Stilleben. Spoerri: »Widersprüchlichkeiten sind mir lieb, weil sie Spannung hervorrufen. Und erst aus Gegensätzen ergibt sich ein Ganzes. Bewegung löst Stillstand aus. Stillstand, Fixation, Tod sollten Bewegung, Veränderung und Leben provozieren […].«[4]

Diese Paradoxien des Realen waren das Leitmotiv der »Nouveaux Réalistes«, jener Künstlergruppe, die sich um 1960 in Paris formierte und die mit Werken aus Müll, Schrott, weggeworfenen Autoteilen und abgefledderten Plakatabrissen für erhebliche Furore sorgte. Neben Daniel Spoerri und Jean Tinguely gehörten zu ihr Yves Klein, Arman, César, François Dufrêne, Raymond Hains, Martial Raysse, Mimmo Rotella, Niki de Saint-Phalle, Villeglé und zeitweilig auch Christo. Der Name »Nouveaux Réalistes« wandte sich gegen den starren »Salon des Réalistes Nouvelles« in Paris und nahm dadurch zwangsläufig einen neo-avantgardistischen Zug an. Der »neue Realismus« – das war der frische Blick auf die Gesamtheit des modernen Lebens, auf die reale »Collage« des Alltags aus Plakatwänden, Haushaltswaren, Sonderangeboten und Abfallbergen. Nicht zufällig heißt es im Gründungsmanifest der Gruppe:

511 Arman, Concert de Munich, No. 1, »Colère de violoncelle«, 1963; Assemblage, mixed media, 165 x 122 cm; Louisiana Museum Moderner Kunst, Humlebaek, Dänemark

»Nouveau Réalisme = neuer Zugang zur Wahrnehmung«[5]. Und Pierre Restany, Kunstkritiker und intellektueller Kopf der Bewegung, fügte hinzu: »Die Soziologie kommt dem Bewußtsein und dem Zufall zu Hilfe, sei es in bezug auf die Auswahl oder den Abriß des Plakates, auf die Erscheinung eines Gegenstandes, des Haus- oder Salonkehrichts, auf die Auflösung einer mechanischen Zuneigung oder die Verbreitung der Sensibilität über die Grenzen der Wahrnehmung hinaus.«[6]

Grenzüberschreitend war die Bewegung auch im wörtlichen Sinne. In atemberaubend raschem Wechsel fanden Ausstellungen in Paris, Mailand, Köln, Düsseldorf, München, Amsterdam, Stockholm und sogar in New York, Los Angeles und Tokio statt. Nach Deutschland ergaben sich die ersten Kontakte über die Gruppe ZERO, also über die Künstler Otto Piene und Heinz Mack, die ähnlich wie Spoerri und Tinguely an Motiven der realen Bewegung interessiert waren (vgl. S. 340ff.). 1958 erhielten Jean Tinguely und Yves Klein in Gelsenkirchen den Auftrag, Arbeiten für das neue Opernhaus zu erstellen.[7] Im Jahr darauf konnte Tinguely in der Galerie Schmela eine seiner ersten großen »Meta-Matic«-Maschinen zeigen; und im März desselben Jahres warf Tinguely 150.000 Flugblätter über Düsseldorf ab, in denen er emphatisch für eine Kunst des Augenblicks plädierte: »Es bewegt sich alles, Stillstand gibt es nicht. Laßt Euch nicht von überlebten Zeitbegriffen beherrschen. Fort mit den Stunden, Sekunden und Minuten. Hört auf, der Veränderlichkeit zu widerstehen. Seid in der Zeit – seid statisch, seid statisch – mit der Bewegung.«[8]

Auch Christos Kunst hat frühe Wurzeln in Deutschland: Seine erste Einzelausstellung hatte er 1961 in Köln; sie bestand aus einfachen Ölfässern, die Christo am Hafen am Rhein entdeckte und im vorderen Teil der Galerie Lauhus in Form von Säulen stapelte, im hinteren Teil als Mauer präsentierte, die den Weg versperrte.[9] Hier offenbart sich bereits der Im puls des Künstlers, ganze Räume in Beschlag zu nehmen und durch Materialmassen zu transformieren. Christo hat nicht zufällig in seiner jüngsten Arbeit im Gasometer in Oberhausen auf diesen bedeutungsvollen Anfang Bezug genommen.[10] Heute wie damals beruht die Wirkung seiner Kunst erneut auf dem Umkehrprinzip, auf einer Metamorphose vom Nützlichen ins Kunstvolle, vom Banalen ins Ästhetische. Auch das frühe Fenster **Store Front Project** (Kat.Nr. 509), das zu einer ganzen Serie von Ladenfront-Werken gehört, demonstriert dies: Als isoliertes, »minimal« gegliedertes Objekt verweist es eher auf das Regelsystem der Kunst als auf die bunte Welt der Waren. In analoger Weise verwandelt sich ein reales Cello bei Arman in ein malerisches Bildrelief. Das Werk **Concert de Munich, No. 1** (Kat.Nr. 511) war anläßlich der letzten gemeinsamen Ausstellung der »Nouveaux Réalistes« in München entstanden. Die virtuosen Brüche und Splitter belegen nicht nur den brutalen Akt des Zerschmetterns, sondern vergegenwärtigen auch die Dynamik des Konzerts. Zugleich verbirgt sich in dem Motiv des zerbrochenen Cellos unverkennbar eine große Hommage an die Pioniere der Collage: an Georges Braque und Pablo Picasso.

Dieser *cross-over* von Hochkunst und Alltag, von Tradition und Trash, der die Kunst der »Nouveaux Réalistes« leitmotivisch durchzieht, findet eine aufregend-zeitgleiche Parallele in der Kunst der beiden Amerikaner Jasper Johns und Robert Rauschenberg. Beide haben ebenfalls den Glauben an das traditionelle »Bild« nicht aufgegeben und Ende der fünfziger Jahre gänzlich neue Welten der Kunst erschlossen, indem sie ihre »abstrakte« Malerei um vorgefundene »Secondhand«-Produkte des Alltags erweiterten. Das Werk **Pink Door** von Rauschenberg (Kat.Nr. 512) kann als frühes, prominentes Beispiel gelten: Die Kombination von Hühnerstalltür und collagierter Leinwand, von rotem Bild und durchscheinender Wand führt erneut aufs intellektuelle Glatteis und läßt jede Grenzziehung zwischen Leben und Kunst fragwürdig erscheinen.

Schock-Kunst, Kulturimperialismus, Neo-Dada?

Der »Neue Realismus« um 1960 hatte viele Namen: Akkumulation, Combine-Painting, Compression, Dé-Collage, Tableau-Piège. Einig waren sich allerdings weite Teile des Kunstestablishments diesseits und jenseits des Atlantiks darin, daß es sich bei dieser Kunst aus Müll und Schrott ganz offensichtlich um eine Protestbewegung handeln müsse, um eine provokative Infragestellung der Hochkultur, kurz: um »Neo-Dada«.[11] In Deutschland wurde diese Diskussion besonders hitzig ausgetragen, und die Auseinandersetzung steigerte sich bis ins Gesell-

512 Robert Rauschenberg, Pink Door, 1954; Öl, Collage auf Baumwolle, Türrahmen, Gaze, Tür, 230 x 121 cm; Staatliche Museen zu Berlin, Nationalgalerie, Leihgabe der Sammlung Marx

513 Richard Hamilton, Gemeinsam wollen wir die Welt erobern, 1962; Collage; Staatliche Museen zu Berlin, Kupferstichkabinett

schaftspolitische, als in den Jahren nach 1964 die amerikanische »Pop-art« in Deutschland eintraf: Werke von Andy Warhol und Roy Lichtenstein, die Mickey Mouse, Dollar-Scheine, Marilyn Monroe und Autounfälle zeigten und keinerlei Distanz oder Handschrift mehr erkennen ließen. Dieser »Pop-Import« polarisierte und stieß entweder auf frenetische Begeisterung oder auf extremes Unverständnis. Die Zeitschrift *Das Kunstwerk* witterte eine wirtschaftliche Strategie und schrieb in einem Sonderheft zum Thema »Pop«: »Der amerikanische Kunsthandel, durch die Finanzkrise nach der Kuba-Affäre in Verlegenheit gebracht, benutzte die Gelegenheit, eine Neuheit zu volkstümlichen Preisen zu lancieren.«[12] Der *FAZ*-Kritiker sah »Pop« gar »als Symptom einer Bewußtseinskrise«, und G.C. Vieten lamentierte in der Zeitschrift *Weltkunst*, »daß jede Generation die Kunst bekommt, die sie verdient«[13].

Erst in den Jahren 1966 bis 1968 versachlichte sich die Diskussion um »Pop«. Zahlreiche Ausstellungen, angefangen mit der Wanderausstellung der Berliner Akademie der Künste *Neue Realisten und Pop Art* (1964), den Präsentationen der »Sammlung Hahn« (Köln, 1968) und »Sammlung Ströher« (München, Berlin und Düsseldorf, 1968/69), der starken Präsenz von Pop-Künstlern auf dem Kölner Kunstmarkt sowie deren Würdigung in den Massenmedien machte die Öffentlichkeit mit der gesamten Bandbreite von »Pop« vertraut. »Pop hat sein Publikum, Pop macht volle Säle«, resümierte die *FAZ* im Jahr 1968.[14]

In dieser Zeit wurde man sich der eigentlichen Wurzeln von »Pop« bewußt, dem britischen »Pop« von Eduardo Paolozzi, Peter Blake und Richard Hamilton. Sie waren es, die schon in den fünfziger Jahren die Bilderflut der Magazine durchkämmten und aus den stereotypen Motiven der Werbung verspielte und ironischwitzige Collagen fabrizierten. »Just what is it that makes today's homes so different, so appealing?« (Abb. S. 408) ist das Paradebeispiel dieser klischeebeladenen Klebebilder, in denen der Wirtschaftsboom der Nachkriegszeit anspielungsreich karikiert wird. **Refreshing and Delicious** (Kat.Nr. 514) heißt ein ebenso freches Werk von Paolozzi, das die Angebote der Werbung zu einer süffigen Melange zusammen›rührte‹. Unverkennbar ist bei beiden ein kritischer Impetus, wie Paolozzi selbst erklärt: »Der Geist meiner Arbeiten ist polemischer Art – es sind Bilder von und über unsere Gesellschaft.«[15]

»American Pop« ist demgegenüber weit radikaler. Andy Warhol zum Beispiel war an einer persönlichen Stellungnahme nicht interessiert. »I don't like to touch things«, sagt er.[16] Seine Kunst bestand aus Zurückhaltung und absoluter Indifferenz – eine Haltung, die letztlich von Marcel Duchamp und seiner Idee des Readymade beeinflußt war. Denn Bilder von Marilyn Monroe, Kennedy, Coca-Cola, Dollar-Scheinen, Autounfällen oder vom Todesstuhl waren ebenfalls Ready-mades: Fertigbilder, die in der immergleichen Stanze in den Medien und Werbeanzeigen vorlagen und allgegenwärtig waren. Warhol erkannte, daß Personen und Dinge in der Gesellschaft austauschbar geworden waren, weil sie keinerlei Bedeutung mehr besaßen, lediglich als Bilder existierten.

Konsequenterweise arbeitete Warhol in Serien, in Fließbandproduktion, im »Factory«-Prinzip. **Thirty are better than one** heißt Warhols berühmte Version von **Mona Lisa**, und ebenso standarisiert war sein Umgang mit Stars, Markenartikeln, Geld (Kat.Nr. 516) oder dem Tod (Kat.Nr. 517). Die Kopie ist längst glaubwürdiger als das Original. Denn das Erlebnis des Immergleichen ist – nach Andy Warhol – das zentrale Kennzeichen der modernen Gesellschaft: »Everything repeats itself. It's amazing that everybody thinks everything is new, but it's all repeat.«[17]

»Leben mit Pop« hieß eine berühmt gewordene Reaktion auf diese Ideen in Deutschand. Konrad Lueg und Gerhard Richter hatten 1963 in Düsseldorf ein Möbelhaus in Beschlag genommen und das gesamte Inventar zu »Kunst« erklärt.[18] KP Brehmer strebte eine ähnliche Nobilitierung des Trivialen an, in dem er ab 1964 »Klischeedrucke« in unlimitierten Auflagen produzierte, die eine »Demokratisierung des Kunstkonsums« bewirken sollten: Aus Motiven wie Fernsehern, Autos, Sportlern und Astronauten fabrizierte er

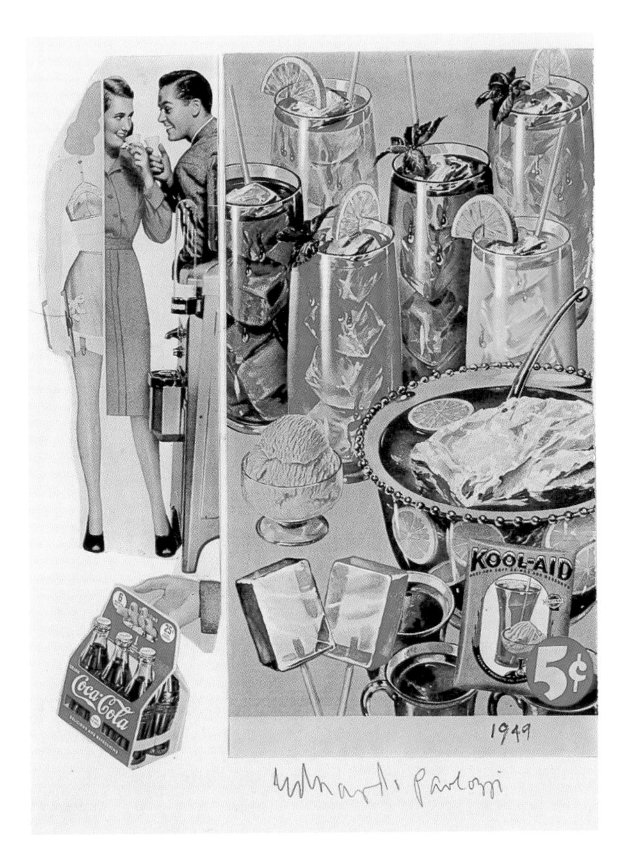

514 Eduardo Paolozzi, »Bunk«-Kassette, Refreshing and Delicious, 1972; Lithographie auf Glanzpapier, 37,8 x 28 cm; Staatliche Museen zu Berlin, Kupferstichkabinett

515 Eduardo Paolozzi, »Bunk«-Kassette, Take-Off, 1972; Lithographie auf Glanzpapier, 33,4 x 24 cm; Staatliche Museen zu Berlin, Kupferstichkabinett

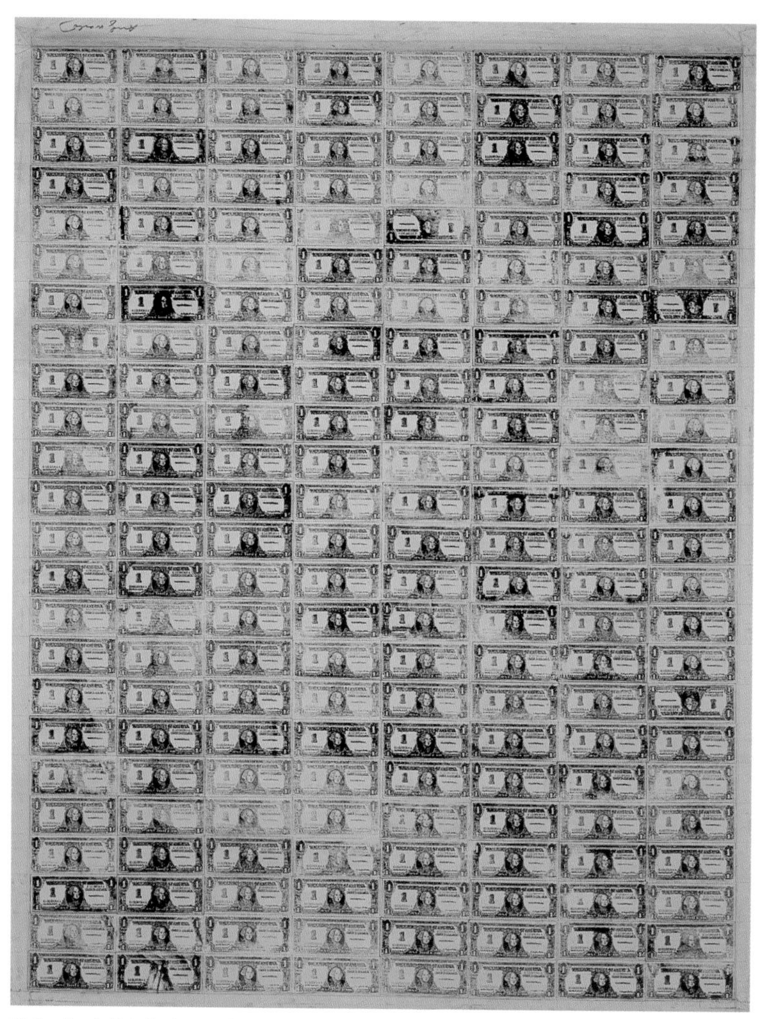

516 Andy Warhol, 192 One Dollar Bills, 1962; Siebdruck, Blei, Acryl auf Leinwand, 249 x 189 cm; Staatliche Museen zu Berlin, Nationalgalerie, Leihgabe der Sammlung Marx

Serien, die er bis in dreidimensionale »Aufsteller« (Kat.Nr. 518) und Schachteln erweiterte.[19] Das »Leben mit Pop« wurde zur handlichen Darreichung, zum Mitmach-Angebot. Schon kurze Zeit darauf war »Pop« in Deutschland so verbreitet, so allgegenwärtig, daß der Autor Heinz Ohff 1968 bereits ein erstes Fazit wagen konnte. Unter dem Titel »Pop und die Folgen« schrieb er: »Amerika ist der Kern von jedem Pop-Werk. Der britische Pop, der erstgeborene, entstammt ja doch dem Einfluß Amerikas. Hervorgebracht hat das alles der Amerikanismus, der als Phänomen über alle Kontinente hinweggefegt ist. Französischer Pop ist nur ein bißchen französisiert; asiatischer Pop wird bald auftauchen (ich denke an Hongkong). Die Schablone (the pattern) wird nicht weit sein von Coca-Cola, dem Auto, der Würstchenreklame, der Jukebox. Es handelt sich um einen Amerikanischen Mythos. FOR THIS IS THE BEST OF ALL POSSIBLE WORLDS.«[20]

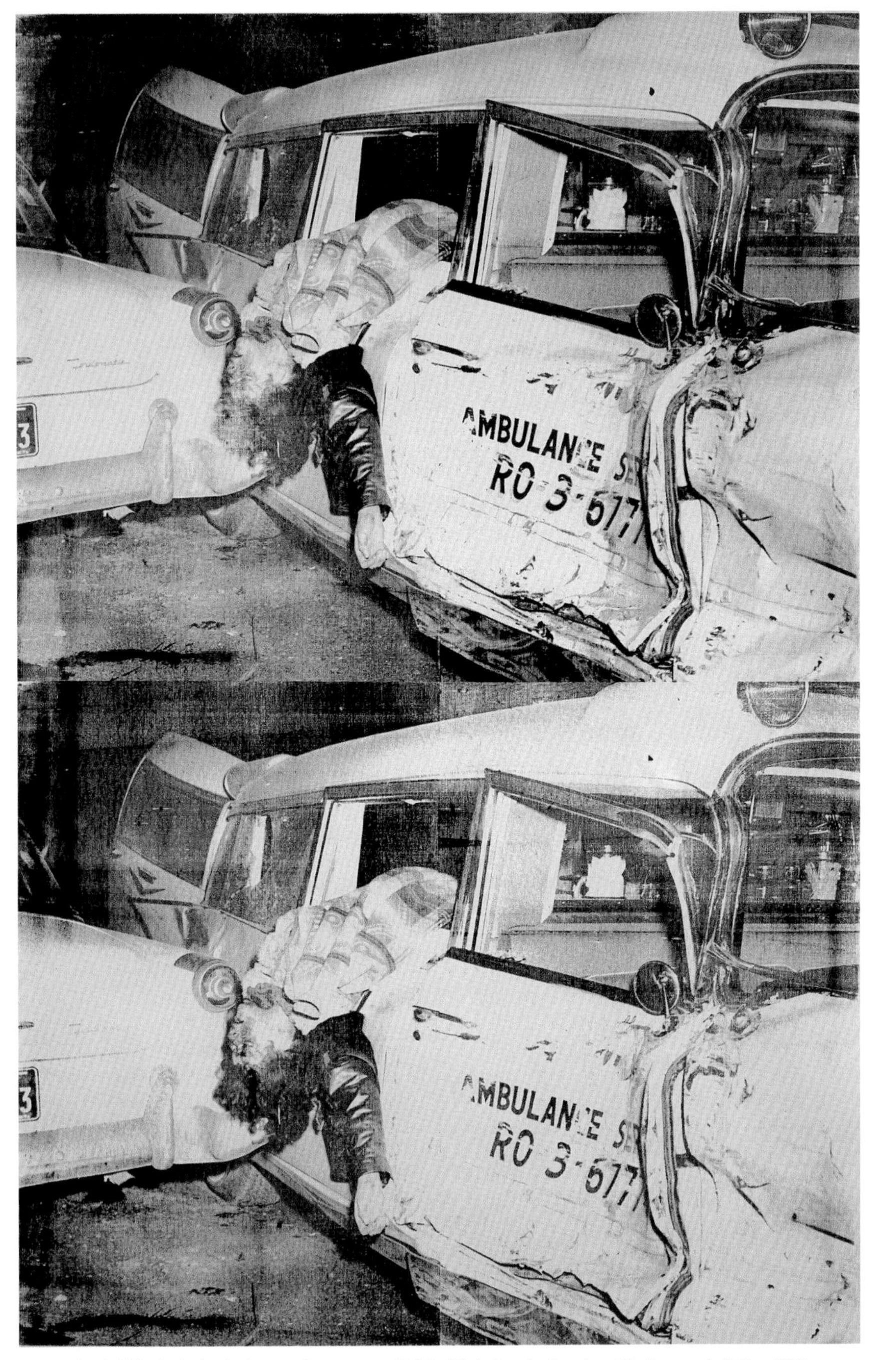

517 Andy Warhol, Ambulance Desaster, 1963; Siebdruck, Acryl auf Leinwand, 315 x 203 cm; Staatliche Museen zu Berlin, Nationalgalerie, Leihgabe der Sammlung Marx

Anmerkungen

1 Violand-Hobi, Heidi E.: *Daniel Spoerri. Biographie und Werk.* München 1998, S. 58.
2 Ebd., S. 60f.
3 Daniel Spoerri, zit. n. *Les Nouveaux Réalistes.* Ausst.Kat.. Mannheim 1986, S. 74.
4 Spoerri, Daniel: »Zu den Fallenbildern. Dezember 1960«. In: *Zero.* Bd. 3. Düsseldorf 1961.
5 Zit. n. Les Nouveaux Réalistes (Anm. 3), S. 75.
6 Zit. n. ebd., S. 70.
7 Ebd., S. 60.
8 Jean Tinguely, zit. n. Hultèn, Pontus: *Jean Tinguely. A Magic Stronger Than Death.* London 1987, S. 56.
9 Vgl. Kellein, Thomas: *Montage der Attraktionen. Christos Kölner Anfänge zu Großprojekten.* Worms 1986, S. 16f.
10 Christo und Jeanne-Claude: **The Wall**, 1999, Gasometer, Oberhausen.
11 Vgl. dazu Busche, Ernst: *Die Pop Art im Spiegel der deutschen Kunstkritik von den Anfängen bis 1968.* Diss. FU Berlin 1975, S. 65.
12 *Das Kunstwerk*, 10/XVII, April 1964, S. 2.
13 Zit. n. Busche, Pop Art (Anm. 11), S. 78.
14 Schöffler, Heinz: »Dies Ding ist dies Ding und sonst nichts«. In: *FAZ*, 1. Juni 1968.
15 Dienst, Rolf Gunter: *Pop-Art. Eine kritische Information.* Wiesbaden 1965, S. 94.
16 Andy Warhol, zit. n. Kerber, Bernhard: *Amerikanische Kunst seit 1945.* Stuttgart 1971, S. 214.
17 Andy Warhol, zit. n. *Andy Warhol. A Factory.* Ausst.Kat. Kunstmuseum Wolfsburg, 1998, n. pag.
18 Strelow, Hans: »›Leben mit Pop‹ – eine Demonstration für den kapitalistischen Realismus, von Konrad Lueg und Gerhard Richter, Düsseldorf, 1963«. In: Bernd Klüser (Hg): *Die Kunst der Ausstellung.* Frankfurt am Main 1995, S. 166.
19 Vgl. *KP Brehmer. Alle Künstler lügen.* Ausst.Kat. Fridericianum Kassel, 1998, S. 22.
20 Ohff, Heinz: *Pop und die Folgen oder die Kunst, Kunst auf der Straße zu finden.* Düsseldorf 1968, S. 142.

518 KP Brehmer, Aufsteller 15, 1965; Klischeedruck auf Pappe kaschiert, gefaltet, mit Stoffen, 40 x 30 x 25 cm; Privatsammlung Berlin

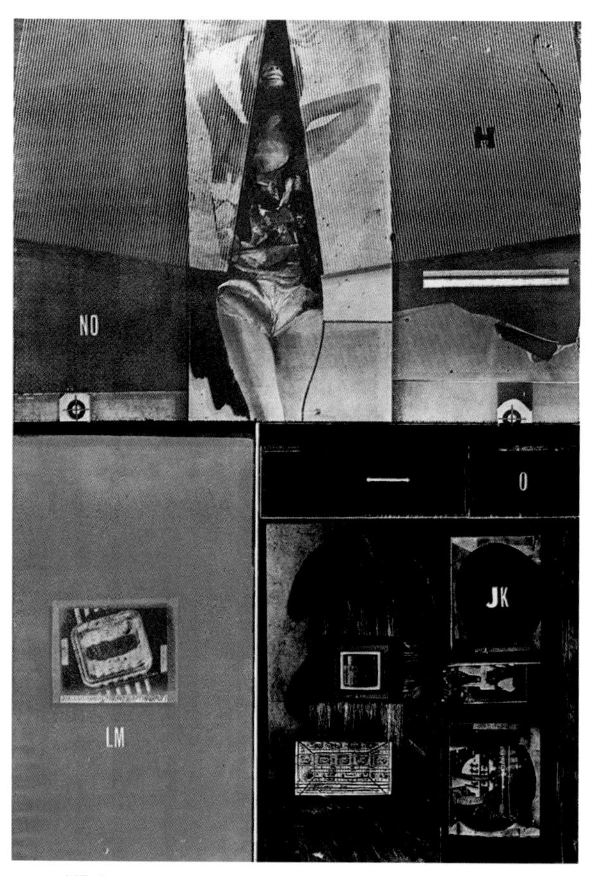

519 KP Brehmer, Ohne Titel, 1964; Klischee-Tondruck, 50 x 34 cm; Nachlaß KP Brehmer, Berlin

Der Schnitt entlang der Zeit

Alfred Döblin, Berlin Alexanderplatz, 1929

Jochen Meyer

»Das ist der Benzin, mit dem mein Motor läuft.« Alfred Döblin (1878–1957) meinte mit dieser Antwort auf eine Umfrage der *Vossischen Zeitung*[1] im April 1922 die große Stadt Berlin – »das Ganze hat mächtig inspiratorische Kraft« –, und gleichzeitig dasselbe Berlin als ein »Chaos von Städten« und darin jedes Atom einer unendlich fragmentierten Wahrnehmung der Großstadtwirklichkeit: »Diese Erregung der Straßen, Läden, Wagen ist die Hitze, die ich in mich schlagen lassen muß, wenn ich arbeite.« »Tatsachenphantasie« hat Döblin dieses Verhältnis zu den Realien seiner Bücher schon in seinem *Berliner Programm* vom Mai 1913 genannt[2] – also zu historisch Tradiertem ebenso wie zur zeitgenössischen Realität, vermittelt durch Anschauung und Erleben wie durch wissenschaftliches Quellenstudium und Lektüre von Zeitungen oder Litfaßsäulen. Über die Art solcher *Lektüre* schrieb er: »Ich ›las‹ die Bücher und später zahllose andere, so – wie die Flamme das Holz ›liest‹ [...] manches, was mir in den Büchern und Akten vor Augen kam, schien mir ohne weiteres geeignet – mein Eigentum zu sein. [...] ich hatte Glück, daß ich es fand, darauf stieß.«[3] Die Wahrnehmung seines Stoffes, seiner Stoffe in der Form von *Fundstücken*, deren rezeptive Anverwandlung als fragmentierte, ja atomisierte Realität und schließlich ihre produktive Umwandlung in eine epische Totalität – das sind die Elemente der »Tatsachenphantasie« des Autors von **Berlin Alexanderplatz** (1929).

Auch in diesem Hauptwerk hat Döblin seinem alten Kult der Fakten, der unverändert übernommenen Wirklichkeitsfragmente gehuldigt. Im Manuskript des Romans geben sich viele Zitate und Montagen als veritable Collagen zu erkennen. Schere und Kleister, dazu das disponierende Kalkül des Autors, haben den Bruchstücken einer außerfiktionalen Realität zu einem Platz in der Romanwirklichkeit verholfen. So können, wenn Franz Biberkopf im Bahnhof Alexanderplatz völkische Zeitungen verkauft, deren Schlagzeilen und Meldungen in den Romantext hineinsprechen. Wenn die »Kolonne Pums« einen Einbruch vorbereitet, gelten die mäßigen Wetteraussichten, die ein ins Manuskript geklebter Zei-

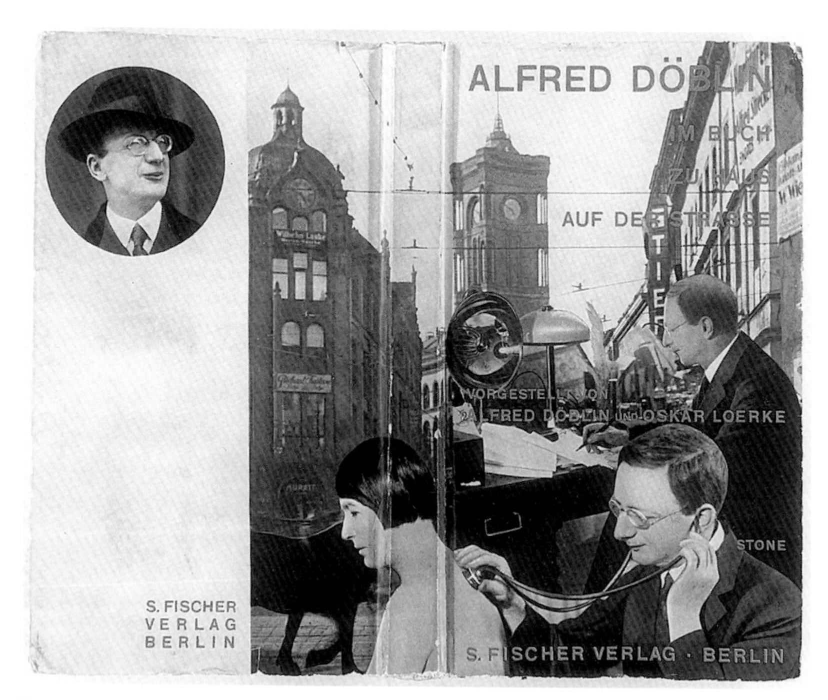

Zum 50. Geburtstag Alfred Döblins 1928; Umschlag mit Fotomontage von Sasha Stone: Döblin als Arzt (als Patientin seine Frau); Döblin am Schreibtisch; Berlin mit Königstraße und Rotem Rathaus

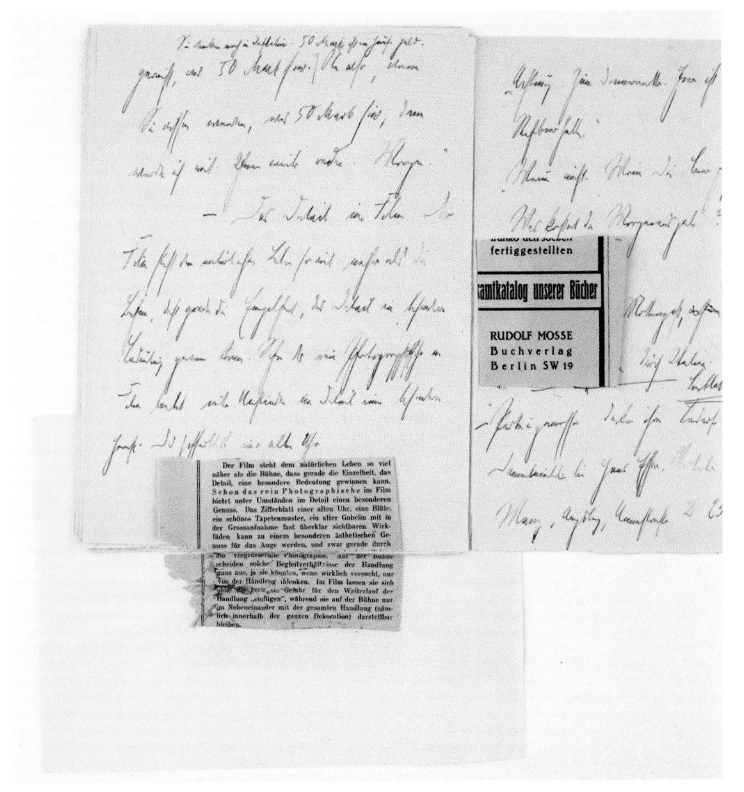

521 Manuskriptseite aus Berlin Alexanderplatz (Mappe 1, Konvolut 3), 1929; 21,2 x 16,5 cm; Nachlaß Alfred Döblins im Deutschen Literaturarchiv, Marbach am Neckar

tungsausschnitt verkündet, auch für dieses Unternehmen. Ein anderer Ausschnitt aus der Gärtnerecke einer Zeitung lehrt den Leser, daß Wildfrüchte und Hagebutten entschieden mehr Einsicht zeigen als der halsstarrige Romanheld: Die werden nämlich – bereitwilliger als der allzulange unbelehrbare Franz Biberkopf – süß und genießbar erst durch Kälteeinwirkung. So konnte Jürgen Stenzel die Leistung einer solchen Montage darin sehen, daß sie »den heilsgeschichtlichen Gehalt des gesamten Romans in wenigen Zeilen parabolisch zusammenfaßt«[4].

Unser Beispiel aus dem Romanmanuskript stammt aus dem »Zweiten Buch«. »Franz Biberkopf geht auf die Suche«, so beginnt eine Kapitelüberschrift: auf die Suche nach seiner verlorenen männlichen Potenz, nach einer Möglichkeit, Geld zu verdienen, und überhaupt nach »Anständigkeit«. In der Invalidenstraße, Ecke Chausseestraße, kommt er mit seiner neuen Freundin, der polnischen Lina, an einem Zeitungsstand in einem zugigen, engen Hausflur vorbei. Der Händler hält gar nichts von der Gratislektüre der meisten Passanten. Im gedruckten Romantext liest Biberkopf sich fest in einer »fatalistischen Rede des Reichskanzlers Marx« und provoziert den Ärger des Händlers: »Nu haben Sie wohl ausgelesen, Herr?« Die Manuskriptfassung gibt der Passantenwahrnehmung des Zeitungsangebots noch viel mehr Raum. Der eingeklebte Ausschnitt über das »Detail im Film« – »Das Zifferblatt einer alten Uhr, eine Blüte, ein schönes Tapetenmuster, ein alter Gobelin mit in der Großaufnahme fast überklar sichtbaren Wirkfäden kann zu einem besonderen ästhetischen Genuss für das Auge werden« – thematisiert geradezu das collagierende Verfahren des Romanautors und stellt eine Beziehung her zwischen diesem Verfahren und der neuen Technik filmischer Großaufnahmen und Schnitte. Collagetechnik und Kinostil – das sind bis heute die Markenzeichen von **Berlin Alexanderplatz**. Vielleicht hat Alfred Döblin diese Passage des Romanmanuskripts gerade wegen ihrer – allzudeutlichen – Selbstreflexivität in der Druckfassung getilgt.

Anmerkungen

1 »Hemmt oder beeinträchtigt Berlin wirklich das künstlerische Schaffen?« In: *Vossische Zeitung*, 16. April 1922, Nr. 180, Beilage 1, S. 1. Döblins Antwort ist überschrieben: »Berlin und die Künstler«.

2 Döblin, Alfred: »An Romanautoren und ihre Kritiker. Berliner Programm«. In: *Der Sturm,* Jg. 4, Nr. 158/159, 1913, S. 17f.

3 Döblin, Alfred: »Der Epiker, sein Stoff und die Kritik«. In: *Der Neue Merkur*, Jg. 5, H. 1, 1921, S. 56–64.

4 Stenzel, Jürgen: »Mit Kleister und Schere«. In: *Text + Kritik,* H. 13/14, [2]1972, S. 44.

Politische Fotomontage
John Heartfield – Klaus Staeck – Thomas Ruff

Roland März

1912 proklamierte Kurt Tucholsky: »Wir brauchen viel mehr Fotografien. Eine Agitation kann gar nicht schlagfertiger geführt werden [...]. Nichts beweist mehr, nichts peitscht mehr auf als diese Bilder [...] Mit *Gegensätzen* und *Gegenüberstellungen*. Und mit *wenig Text*.«[1] Politische Fotomontage der elementaren, kontradiktorischen Form begann mitten im Ersten Weltkrieg als gezielte Entlarvung der chauvinistischen Kriegspropaganda. Fotografie wurde nicht mehr nach dem ›falsch‹ oder ›richtig‹, sondern nach ihrem manipulativen Charakter im Spannungsfeld von Lüge und Wahrheit befragt. »Ich schneide die Zeit aus« – Franz Pfemferts Rubrik in der politisch-literarischen Wochenschrift *Die Aktion* war das Forum des Antimilitarismus: zeitkritische, kommentarlose Zitatmontage aus Texten der kaisertreuen deutschen Presse. Ähnlich ›primitiv‹ begann John Heartfield in der Gegenüberstellung zweier Fotografien mit gefallenen Soldaten auf den Schlachtfeldern Europas: »So sieht der Heldentod aus.« Die Forderung nach der *»Gegenüberstellung«* von Fotografien mit wenig Text haben Ernst Friedrich im Antikriegsjahr 1924 mit seinem Buch *Krieg dem Kriege!* (vgl. Abbn. S. 451f.) und Kurt Tucholsky 1929 mit seinem von Heartfield montierten Buch *Deutschland, Deutschland über alles* beispielhaft eingelöst, in der Tradition des reflektierten Krieges, die bis zu Bertolt Brechts *Kriegsfibel* (1955) reicht.

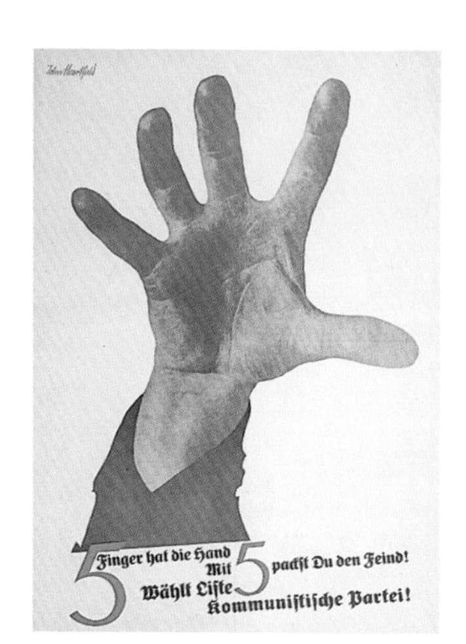

522 John Heartfield, 5 Finger hat die Hand, 1928 (Wahlplakat); Offsetdruck (Reproduktion 1974), 97 x 69 cm; Stiftung Archiv der Akademie der Künste, Berlin, Kunstsammlung, Heartfield

John Heartfield – »Benutze Foto als Waffe!«

»Man hat die Menschheit so sehr mit der Fotografie belogen, aber ich wollte die Wahrheit sagen« – eine Lebenscollage der Konfrontationen mit Kaiserreich, Weimarer Republik, Faschismus und Sozialismus. Der ›Dada-Konzern Grosz & Heartfield‹ brachte das neue Medium Fotomontage sprunghaft voran, von Helmut Herzfeld alias John Heartfield im Buchumschlag des Malik-Verlags, im Plakat und auf Erwin Piscators Politischer Bühne in den zwanziger Jahren experimentell erprobt und argumentativ weiterentwickelt. Schlagfertig gereift im intellektuellen Klima der europäischen Linken Bertolt Brecht, Hanns Eisler, Sergej Eisenstein, Wladimir Majakowski und Dsiga Wertow. Der Bruder Wieland Herzfelde war ihm der wichtigste Ideen- und Ratgeber für seine Fotomontagen, nach Sergej Tretjakow der »Schnitt entlang der Zeit, das heißt in die Zukunft, historisch-dialektisch«[2]. 1929 gestaltete Heartfield einen Raum in der Internationalen Werkbundausstellung *Film und Foto* in Stuttgart, in dem er beispielhaft sein variables Arbeiten mit der Fotografie demonstrierte: Foto Montage, Foto Zeichnung, Foto Grafik, Foto Plakat, Foto Satire, Foto Einbände. Seine Maxime lautete: »Benutze Foto als Waffe!« an der Seite der Kommunistischen Partei Deutschlands. Der KPD folgte Heartfield auch da, wo sie irrte: in der Polemik gegen die Sozialdemokratie als ›Sozialfaschismus‹. Mutig ›köpfte‹ er den Berliner Polizeipräsidenten Zörgiebel (Kat.Nr. 352), verantwortlich für den Blutmai 1929, und mit seinem Wahlplakat »5 Finger hat die Hand. Mit 5 packst Du den Feind!« (Kat.Nr. 522) setzte er mit der gespreizten Hand das suggestivste Zeichen für den Kampf seiner Partei. Heartfields entlarvender »Krieg im Frieden« hatte längst begonnen. Mit der Auferstehung wilhelminischer Reaktion und dem aufkommenden Faschismus war die ›Gespensterstunde‹ der Weimarer Republik gekommen.

Fotomontagen zur Zeitgeschichte 1930–1938. Heartfield montierte[3] für Willi Münzenbergs *Arbeiter-Illustrierte-Zeitung* (AIZ) bis 1933 in Berlin, dann im Prager Exil – Heartfields schöpferischsten und unruhigsten Jahre unter erschwerten Bedingungen mit 236 Fotomontagen, der Domäne seines Schaffens. »Il faut être de son temps«, Honoré Daumier als Bündnispartner gegen den Faschismus. Keiner der deutschen Satiriker hat Adolf Hitler (»Ich aber beschloss Politiker zu werden!«) so ›satierisch‹ demontiert wie Heartfield: »Adolf der Übermensch: schluckt Gold und redet Blech!« (Kat.Nr. 523) und der ›kleine Mann‹ Hitler als bezahlter Agent des Großkapitals: »Millionen stehen hinter mir!« (Kat.Nr. 525). Fotomonteur Heartfield, der eng mit Fotografen und Retuscheuren zusammenarbeitete, hat sein Medium als aufwendige, nuancenreiche grafische ›Handarbeit‹ betrieben: »Male mit Foto! Dichte mit Foto!« Seine Klebemontagen (vgl. Kat.Nrn. 525–533) aber waren als Vorlagen immer für die massenhafte Reproduktion im Kupfertiefdruckverfahren bestimmt, der Verwendungszweck für die **Auferstehung** (Kat.Nr. 524) ist unbekannt. Er nutzte die Dokumentarmontage (»Brauner Künstlertraum«, Kat.Nr. 531), die gestellte Figur (»Wie im Mittelalter ... so im Dritten Reich«, mit dem Schauspieler Erwin Geschonneck als Modell; Kat.Nr. 535), die Objektmontage (»O Tannenbaum im deutschen Raum, wie krumm sind deine Äste!«, Kat.Nr. 527) und die kabarettistische Inszenierung (»Hurrah, die Butter ist alle!«, Kat.Nr. 530). Seinen Kampf gegen Hitler, »Das gigantischste Lügenmaul aller Zeiten« (Kat.Nr. 529), von der Zensur überdruckt, hatte Heartfield 1938 am Vorabend des Zweiten Weltkrieges verloren. Im englischen Exil kam das Aus für seine Fotomontage, passé »die Entlarvung der Lüge, der Heuchelei, des großmäuligen Verbrechertums« (Paul Westheim). Charlie Chaplin knüpfte 1940 da an, wo Heartfield aufhören mußte, mit seinem Film *The Great Dictator*. Moralistische Illusion aller Satiriker, daß ›Lächerlichkeit tötet‹; an Hitlers katastrophaler Machtpolitik sind Heartfield wie Chaplin gescheitert.

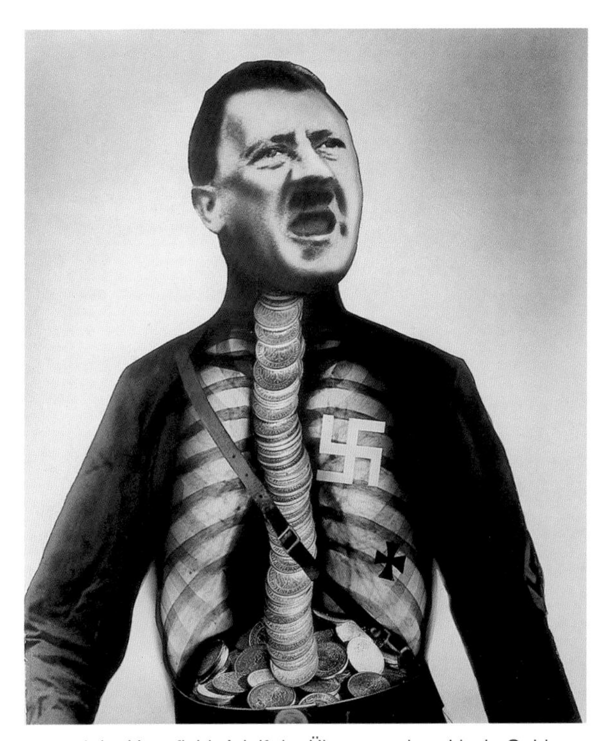

523 John Heartfield, Adolf der Übermensch: schluckt Gold und redet Blech!, 1932 (Reproduktionsvorlage für AIZ, Berlin, Nr. 29, S. 675); Fotomontage, retuschiert, 70,5 x 59 cm; SAdK, Berlin, Kunstsammlung, Heartfield

524 John Heartfield, Auferstehung, 1932; Fotomontage, retuschiert, 42 x 57,9 cm; SAdK, Berlin, Kunstsammlung, Heartfield

525

526

527

528

529

530

531

532

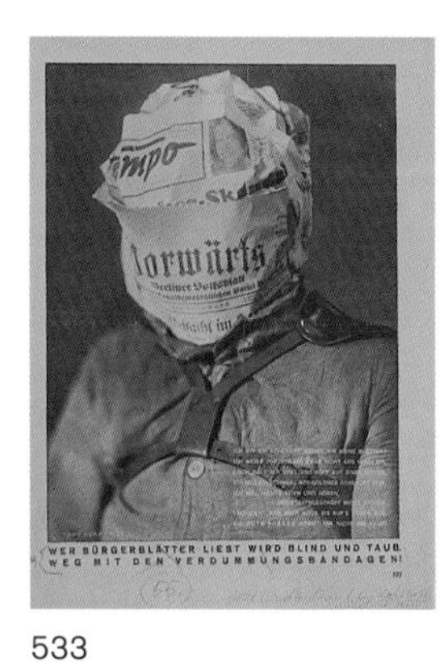

533

525 John Heartfield,
Der Sinn des Hitlergrusses:
Kleiner Mann bittet um
große Gaben, 1932
(AIZ, Berlin, Nr. 42, S. 985)

526 John Heartfield,
Der Gipfel ihrer Wirtschafts-
weisheit, 1937 (VI, Prag,
Nr. 17, S. 269)

527 John Heartfield,
O Tannenbaum im deut-
schen Raum, wie krumm
sind deine Äste!, 1934
(AIZ, Prag, Nr. 52, S. 848)

528 John Heartfield,
Stimme aus dem Sumpf,
1936 (AIZ, Prag, Nr. 12,
S. 179)

529 John Heartfield,
Das gigantischste Lügen-
maul aller Zeiten, 1938
(VI, Prag, Nr. 40, n. pag.)

530 John Heartfield,
Hurrah, die Butter ist alle!,
1935 (AIZ, Prag, Nr. 51,
S. 816)

531 John Heartfield,
Brauner Künstlertraum,
1938 (VI, Prag, Nr. 29,
n. pag.)

532 John Heartfield,
Faschistische Ruhmesmale,
1936 (AIZ, Prag, Nr. 17,
S. 272)

533 John Heartfield,
Wer Bürgerblätter liest wird
blind und taub, 1930
(AIZ, Berlin, Nr. 6, S. 103)

Alle:
Kupfertiefdruck, 38 x 27 cm;
SAdK, Berlin, Kunstsamm-
lung, Heartfield

Johnny Heartfield, der »blauäugige Knirps« (Sergej Tretjakow), der – so Clément Moreau – jede Diskussion als Marxist begann und als Hysteriker beendete, kam 1950 aus England in die sozialistische DDR. Anfänglich als Westemigrant verdächtigt und als Formalist verschrien, folgten die späten Jahre der Affirmation an Stelle der Opposition. Genosse Heartfield als Professor, hochdekoriert, stilles Schweigen zu den Zuständen im eigenen Lande aus dem Refugium Waldsieversdorf. Vergebens der letzte Aufschrei, das Feindbild ist weg: »Dieser gottverdammte Faschismus, ich habe die Blätter im Kampf gemacht und ich will weiter kämpfen gegen ihn.« John Heartfield starb 1968 in Ostberlin, mit seinen Fotomontagen einer der Bannerträger der europäischen Studentenrevolte und der »Neuen Linken«.

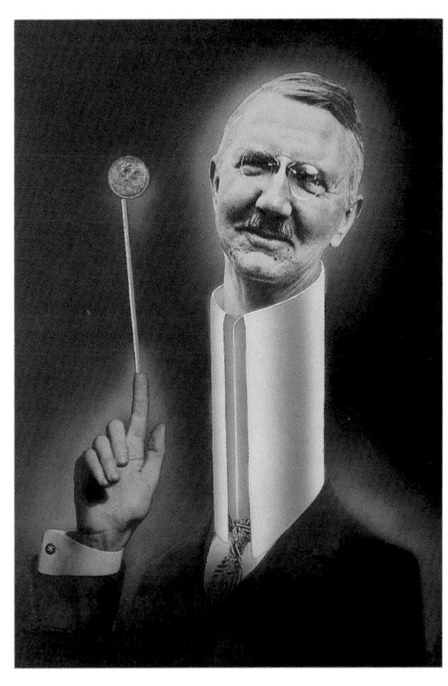

534 John Heartfield, Hjalmar oder Das wachsende Defizit, 1934 (Reproduktionsvorlage für AIZ, Prag, Nr. 14, S. 224); Fotomontage, retuschiert, 54 x 38,3 cm; SAdK, Berlin, Kunstsammlung, Heartfield

Klaus Staeck – »Die Kunst findet nicht im Saale statt«

„Mein Bruder John Heartfield hätte, wenn er Ihre unermüdliche künstlerische Aktivität erlebt hätte, in Ihnen einen erfreulichen Nachfolger erkannt und begrüßt«[4] – Briefzeile von Wieland Herzfelde vom März 1976 an Klaus Staeck. Dieser bekannte schon Anfang der siebziger Jahre: »Bestimmend war für meine Arbeit schließlich die Begegnung mit der Arbeit John Heartfields.«[5] Beide gehören zu der Familie visueller Rhetoriker, die sich mutig und provokant in die Zeitläufte der Politik in Deutschland und in der Welt einmischten. Beide haben neben ihren emblematischen ›Lese-Bildern‹ auch Objekte gebaut, das alte Spiel mit dem Kartenhaus als Metapher des Einsturzes, bei Heartfield 1934 als Demontage von Hitlers völkischer Phraseologie vom »Tausendjährigen Reich« (Kat.Nr. 536) und bei Staeck 1988 als Persiflage des »Grossen Ehrenwortes« (Abb. S. 532) der Christlich-Demokratischen Union anläßlich der Barschel-Affäre in Bonn.

In das Jahr 1938 fällt Heartfields erzwungene ›Endstation Fotomontage‹, Klaus Staeck ist im selben Jahr im sächsischen Pulsnitz bei Dresden geboren: aufgewachsen im giftigen Industrierevier von Bitterfeld, als 18jähriger Oberschüler 1956 Übersiedlung ins romantische Heidelberg, »Beschreitung des ›Bitterfelder

535 John Heartfield, Wie im Mittelalter ... so im Dritten Reich, 1934 (Reproduktionsvorlage für AIZ, Prag, Nr. 22, S. 352); Fotomontage, retuschiert, 59,6 x 35,8 cm; SAdK, Berlin, Kunstsammlung, Heartfield

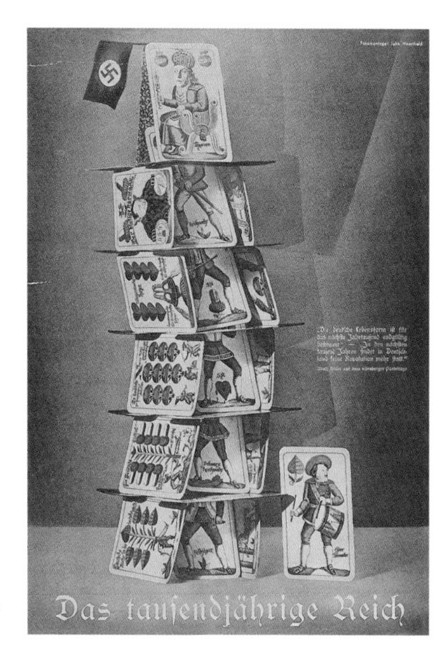

536 John Heartfield, Das tausendjährige Reich, 1934 (AIZ, Prag, Nr. 38, S. 616); Kupfertiefdruck, 38 x 27 cm; SAdK, Berlin, Kunstsammlung, Heartfield

Klaus Staeck mit Spielkartenobjekt »Dem großen Ehrenwort«, Bonn 1988 (zur Barschel-Affäre)

Weges‹ in umgekehrter Richtung«. Autodidakt, anfänglich abstrakte Holzschnitte, collagierter Pop, Multiples und Environments. Seit 1971 politische Plakate und Postkarten in Serie, millionenfach gedruckt, tausendfach geklebt und hundertemal ausgestellt: Staecks unverdrossene ›Anschläge‹ auf das Gewissen der Nation. Als ›Politpornograph‹ und SPD-Mitglied ist er immer im Kreuzfeuer der Kritik, von konservativ bis rechts, als Rechtsanwalt glänzender Rhetor und Verteidiger seiner satirischen Aggression, der aus jedem Gespräch eine lebhafte ›Parteiversammlung‹ in eigener Sache macht. Heartfield war noch Kollektivwesen seiner Partei, Staeck ist ganz eigene Firma und Werbeagentur, mit Bruder Rolf und dem Drucker und Verleger Gerhard Steidl an der Seite. Bei Heartfield noch das langwierige, grafische Bearbeiten der Fotomontage per Hand, bei Staeck die Kombination von Foto und Text nach Rohskizze und Ideendiskussion direkt im Apparat des Lichtsatzes und der elektronischen Bildmontage. Hier die malerischen Valeurs mit der Intention ›Kunst‹ und da das ›kunstlose‹ Konfrontieren von fotografischem Bild und Text in äußerst treffender Lakonie. »Schwerpunkt der Arbeit sind die Themen Meinungsfreiheit, Friedenssicherung, Schutz der Umwelt, soziale Probleme, Kampf gegen Heuchelei und Reaktion«[6] – die antithetische Demontage von Realpolitik und Zeitgeist in den Massenmedien, »die Verlogenheit der Bilder, darauf bin ich einfach trainiert«. Kein Umgang mit Politik ohne die unausweichlichen Vereinfachungen und Verkürzungen, die auch die harsche Äußerung von Freund und Mitstreiter Joseph Beuys mit erklärt: »Klaus Staeck ist mein politischer Gegner.« »Plakatanschläge ohne Auftrag«, das rationelle Operieren mit These und Antithese, ›Bild und Text‹ als gezielte Irritation: ein Panorama von »Deutsche Arbeiter! Die SPD will euch eure Villen im Tessin wegnehmen« (Kat.Nr. 537) bis hin zu den Segnungen heutiger Demokratie: »Ein Volk das solche Boxer Fußballer Tennisspieler und Rennfahrer hat kann auf seine Uniwersitäten ruhig verzichten« (Kat.Nr. 540). Der Teufel ›staeckt‹ auch hier im Detail, mit dem ›Druckfehler‹ »w« auf den Punkt gebracht. Staeck – so Eberhard Roters – als ›Gummihammer zur Überprüfung ideologischer Kniesehnenreflexe!‹

537 Klaus Staeck,
Deutsche Arbeiter!, 1972

538 Klaus Staeck, Alle
reden vom Frieden, 1981

539 Klaus Staeck,
Der Bücherwurm, 1978

540 Klaus Staeck,
Uniwersität, 1997

541 Klaus Staeck,
Im Mittelpunkt steht immer
der Mensch, 1981

542 Klaus Staeck,
Mietsache, 1983

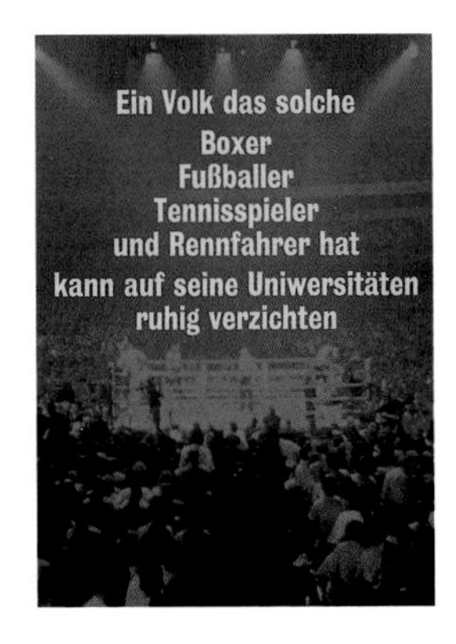

543 Klaus Staeck, Stell Dir
vor Du mußt flüchten, 1986

544 Klaus Staeck,
Generationenvertrag, 1995

545 Klaus Staeck,
Das sind die Leute, 1998

Alle: Plakat, 59,5 x 84 cm;
Edition Staeck, Heidelberg

Klaus Staeck hat es bei seinen millionenhaften Drucksachen wider den tierischen Ernst der Demokratie nicht bewenden lassen und seit den siebziger Jahren gezielte selbstfinanzierte Plakataktionen auf der Straße veranstaltet: »Die Kunst findet nicht im Saale statt.«[7] Anläßlich des Dürerjubiläums 1971 versah er die berühmte Zeichnung der Mutter des Künstlers mit der provokanten Inschrift: »Würden Sie dieser Frau ein Zimmer vermieten?« (Abb. S. 534). Plakatiert auf 300 Nürnberger Litfaßsäulen wurde die kunsthistorische Ikone zum zeitgenössischen Sozialfall, der unzählige Anfragen der Bürger an die Stadtverwaltung hervorrief. Die Plakatsäule als steter Stein des Anstoßes und der Reflexion: »Die Gedanken sind frei« (Abb. S. 534) – in Manfred Butzmanns Plakatversion[8] für die Staeck-Ausstellung 1981 in der Hauptstadt der DDR, Galerie Unter den Linden, eine unerhörte Provokation, nach wenigen Stunden zwangsläufig abgehängt. Im Plakattext die vorweihnachtliche Freiheit auf Raten: »Die Gedanken sind frei / vom 3.12. bis zum 19.12. 1981«. Und das im Staatlichen Kunsthandel der DDR, nur wenige Schritte von der Mauer.

2. Oktober 1995 – Vortag der Feier zum 5. Jahrestag der Deutschen Einheit, mit Staecks Plakat »Ordnung muß sein« (Abb. S. 535) neben dem Haupteingang der Johanneskirche in Düsseldorf, wo an diesem

Klaus Staeck, Sozialfall, Plakataktion Nürnberg, 1971

Manfred Butzmann, Plakat zur Ausstellung Plakate, Berlin (Ost), 1981

Plakat »Ordnung muß sein« von Klaus Staeck neben dem Haupteingang der Johanneskirche, Düsseldorf, am Tag der Eröffnung der Ausstellung Sechs Jahre Vaterland, 2. Oktober 1995

Abend die Ausstellung *Sechs Jahre Vaterland* eröffnet wurde. Davor ein geparktes Polizeiauto für alle Fälle, denn ›Ordnung muß sein‹ im Ländle der wiedervereinten Bockwurst und Banane: Ruhet sanft in allen Kissen ... Der Fotomonteur Staeck, ›Gerechtigkeitstyp‹ und Aufklärer, zugleich Galerist, Büchermacher und Verleger, hält unverzagt und ohne Illusionen über den Einfluß seiner Arbeit fest an seinen satirischen Rundumschlägen im Meer einer kommerzialisierten Bilderflut, in dem andere längst ersoffen sind, nur er nicht: »Mein Problem ist – und darauf beruht, wie ich meine, auch immer die Wirkung – ganz nah ran zu gehen an die Realität. Ganz nah ran. Dabei habe ich gemerkt, nur das tut den Leuten weh. Es sind nach meiner Erfahrung nicht die großen Entwürfe, die jene aufrütteln, die es angeht.«[9] Wie nun weiter in der rot-grünen Berliner Republik der ›Neuen Mitte‹? Der Satiriker lebt aus der Polarisierung und vom Widerspruch. Angriffslust ist da, wo ›Verlust der Mitte‹ droht.

Thomas Ruff – Serie »Plakat«

Die Fotomonteure Heartfield und Staeck haben professionell nie fotografiert, der 1958 geborene Thomas Ruff aber ist Fotograf, hervorgegangen aus der Becher-Schule an der Düsseldorfer Akademie. Bekannt geworden ist er durch die Serie großformatiger ›Porträts‹ von Bekannten und Freunden seiner Generation, die in ihrer distanziert ›eingefrorenen‹ Objekthaftigkeit Ruffs These von der Nichtdarstellbarkeit des Menschen veranschaulichen. Nach der Serie »andere Porträts« von 1994/95 begann 1996 die Fotomontagenserie »Plakat«[10], deren Thema die Demontage der Gesten und Rituale der Macht in nationaler Ausprägung zeitgenössischer Politiker ist. »Anlässe waren immer wieder politische Ereignisse, die mich aufregten«[11], so die Atomwaffentests Frankreichs in der Südsee 1995, das Massaker auf dem Platz des Himmlischen Friedens in Peking 1989 oder Helmut Kohls unerfüllt gebliebener Traum von der ›neuen Hauptstadt‹ Berlin.

Plakat I (Kat.Nr. 546) – Monsieur le président Jacques Chirac in Feldherrenpose à la Grand roi Louis XIV. läßt grüßen. Schaut her, der Atompilz über dem Südseeatoll Mururoa, Wiederaufnahme der Tests 1995, mit dem letzten Test der Serie Januar 1996 vorläufig beendet. Irritierend der Panzer aus dem Ersten Weltkrieg in Chiracs Hand, die Nazimilitärs daneben und alte Bomber mit dem Höllensturz der Verdammten. Ferne Reminiszenz an die Montagen John Heartfields. Die gespiegelten Texte von Ruff, in Versalia oben und unten in Rot (»Ruhm dem großen Jacques Chirac«) und die Inschrift in Weiß (»Für seinen heroischen Einsatz im Kampf für das Verbot der Atomwaffentests«). Das heroische Pathos der Eitelkeit wird durch die Falschmeldung vom ›Verbot‹ ironisch gebrochen. »Die Spiegelung des Textes ist ein einfacher Trick, um lateinische Schrift kyrillisch aussehen zu lassen (Assoziation an russische Propagandaplakate aus den dreißiger Jahren). Außerdem wollte ich nicht, daß man die zum Teil recht dummen Sprüche sofort entziffern kann«[12], der glorreiche Chirac, Ruffs ›Vorführung‹ machtbesessenen Größenwahns, Medienfunke anachronistischer Apokalypse am Ende des Jahrhunderts, schon fast vergessen.

Plakat II (Kat.Nr. 547) – Vor zehn Jahren, 4. Juni 1989, Platz des Himmlischen Friedens in Peking, Massendemonstrationen für Demokratie und Menschenrechte, Aufzug der Panzer, Verhaftung der Studenten, hunderte blutige Opfer. China, das Land des Lächelns, der Redner ist mit dem Kopf des damaligen Ministerpräsidenten Li Peng (und den Augen Maos!), dem Ver-

546 Thomas Ruff, Plakat I, 1996/97; C-Print, 248 x 183 cm, Ed. 6; Courtesy Mai 36 Galerie, Zürich

547 Thomas Ruff, Plakat II, 1996/97; C-Print, 243 x 180 cm, Ed. 6; Courtesy Mai 36 Galerie, Zürich

antwortlichen für das Massaker, auf den Körper Tschou En Lais, Ministerpräsident in den fünfziger Jahren, montiert, ein »Photoshop-Bastard« (Peter P. Schneider). Die roten Sterne als Symbol bröckelnder Macht. Links stürzend rote chinesische Schriftzeichen über dem deutschen Text: »Das Volk und nur das Volk ist der Herrscher des Landes«, Beschwichtigungslosung Li Pengs im chinesischen Fernsehen. Heute: trügerische Friedhofsstille im roten China.

Plakat III (Kat.Nr. 548) – »Helmut Kohl zieht um«, kopfunter ›in die neue Hauptstadt‹, 1997 von Ruff montiert. Ein Politikertraum, 1998 durch das Wahldesaster der CDU/CSU zunichte gemacht: »Wie ›große‹ Staatsmänner vor ihm, träumte auch er von einer repräsentativen Hauptstadtarchitektur, die jetzt von ›Lobbyisten‹ am Potsdamer Platz realisiert wurde. Als Metapher dafür montierte ich eine Hauptstadtskyline, ähnlich der, die sich Stalin für Moskau gewünscht hat, von der allerdings nur die Universität realisiert wurde. Nicht um die ›Sprachverwirrung‹, sondern die Finanzverwirrung darzustellen, suchte ich als Unterbau der Skyline eine Art babylonischen Turm, in Wirklichkeit ist es die Catedral de S. Sebatião do Rio de Janeiro.«[13] Das ›Aussitzen‹ von Politik, zum Jahrtausendwechsel im gemütlichen Oggersheim.

Thomas Ruffs Fotomontagen entstehen in digitaler Bildbearbeitung, »um die Bilder frei zu stellen, zu skalieren, nebeneinander zu setzen und den Text einzubauen. Die Montage existiert zunächst als elektronische Datei. Von dieser Datei lasse ich ein Negativ ausbelichten, von diesem Negativ mache ich dann einen Farbabzug (C-Print).«[14] Die ›Plakate‹ von Thomas Ruff reagieren in kalter Präzision auf die Imagepflege in der politischen Plakatwerbung, auf die Brutalität, Dummheit und das Imponiergehabe der ›Repräsentanten‹. Bei Staeck noch der massenhafte Plakatanschlag, bei Ruff das ›Kunstwerk‹ in kleiner Auflage. Schauplatz ist nicht mehr die Straße, für Ruff »ist es besser, diese Bilder ins Museum zu bringen, da dies ein Ort ist, an dem der Betrachter eher motiviert und konzentriert ist, sich mit dem Dargestellten auseinanderzusetzen [...]«[15]. Bei Heartfield und Staeck die satirische Lakonie der Kontrastkoppelungen, beim chirurgisch sezierenden ›Eulen-

548 Thomas Ruff, Plakat III, 1996/97; C-Print, 256 x 183 cm, Ed. 6; Courtesy Mai 36 Galerie, Zürich

spiegel‹ Thomas Ruff die kompliziertere Struktur der Fotomontage »Plakat« gegen die plakative Hohlheit heutiger Politpublicity und Wahlwerbung gesetzt. Nach ihrer treffsicheren Hoch-Zeit in den zwanziger Jahren und der agitatorischen Vielfalt in den sechziger Jahren ist die politische Fotomontage heute ein Auslaufmodell, das mit seinem traditionellen ›Auf Papier‹-Status außerhalb der modernen Massenmedien TV und Internet steht. Den letzten Don Quijotes des zeitkritisch montierten Denkbildes kommt später Trost mit Karl Kraus: »Alles Leben in Staat und Gesellschaft beruht auf der stillschweigenden Voraussetzung, daß der Mensch nicht denkt. Ein Kopf, der nicht in jeder Lage einen aufnahmefähigen Hohlraum darstellt, hat es gar schwer in der Welt.«[16]

Anmerkungen

1 Tucholsky, Kurt: »Mehr Fotografien!«, 1912. In: Ders.: *Gesammelte Werke.* Bd. 1. Reinbek 1960, S. 21.
2 Vgl. März, Roland (Hg.): *John Heartfield. Der Schnitt entlang der Zeit. Selbstzeugnisse, Erinnerungen, Interpretationen. Eine Dokumentation.* Dresden 1981. Vgl. ferner *John Heartfield.* Ausst.Kat. Akademie der Künste zu Berlin. Berlin 1991.
3 Vgl. März, Roland: *Heartfield montiert 1930–1938.* Leipzig 1993.
4 Zit. n. *Klaus Staeck BRD.* Ausst.Kat. Galerie Arkade, Staatlicher Kunsthandel der DDR. Berlin 1976, n. pag.
5 Zit. n. März, Schnitt (Anm. 2), S. 539. Vgl. ebd. das Gespräch zwischen Roland März und Klaus Staeck, 1976, S. 539–547.
6 Klaus Staeck, in: *Kritisches Lexikon der Gegenwart.* Ausgabe 21. München 1993, S. 15.
7 Staeck, Klaus: *Die Kunst findet nicht im Saale statt.* Text Dieter Adelmann. Reinbek 1976. Vgl. März, Roland: »Zur Arbeit des Fotomonteurs und Plakatgestalters Klaus Staeck«. In: *Bildende Kunst,* H. 1, 1977, S. 27–29.
8 Vgl. *Parallel. Plakate von Klaus Staeck seit 1971 und Manfred Butzmann seit 1977.* Galerie Sophien-Edition Berlin. Berlin 1996.
9 Zit. n. März, Staeck (Anm. 7), S. 29.
10 Vgl. Römer, Stefan: »Politik der Fotomontage. Thomas Ruffs Serie ›Plakat‹«. In: *Texte zur Kunst,* Jg. 8, Nr. 29, 1998, S. 94–99. Heute ist Thomas Ruff bei **Plakat IX** angelangt.
11 Thomas Ruff: Antworten auf die Fragen von Roland März zur Serie »Plakat« (Brief vom 1. und 7. Juni 1999).
12–15 Ebd.
16 Kraus, Karl: *Aphorismen und Gedichte. Auswahl 1903–1933.* Berlin 1984, S. 64.

Rudolf Herz, Zugzwang, 1995

Rudolf Herz

Dirk Halfbrodt: Das ist vielleicht das Paradoxe: Auf den ersten Blick wirken Deine Arbeiten scheinbar ganz einfach, weil man viele Bildelemente wiedererkennt. Das war auch so bei Deiner provozierendsten Arbeit der letzten Jahre, der Installation **Zugzwang** (Kat.Nr. 549), die 1995 im Kunstverein Ruhr in Essen zu sehen war. Ähnlich einem Schachbrettmuster hast Du die Wände des gesamten Raumes, der sich im Untergeschoß der Alten Synagoge befindet, über und über mit zwei grob gerasterten Porträts von Adolf Hitler und Marcel Duchamp tapeziert. Worin besteht die eigentliche Provokation? In der bildlichen Penetranz, in der gleichmacherischen Präsentation oder schon in der Veröffentlichung an diesem Ort? **Rudolf Herz: Zugzwang** ist eine künstlerische Versuchsanordnung – eingerichtet in einem Kunstraum, in dem grundsätzlich alles zur Disposition steht und immer wieder neu überdacht werden muß. Sie stellt ganz grundsätzlich die Frage nach unserem Bildverständnis. Das heißt, wie wir es mit ›schwierigen‹ Bildern halten, mit unserer Empörung oder Verehrung. **Halfbrodt:** Man könnte sagen, die Porträts sind auf doppelte Weise das Thema. Einerseits geht es darum, welche politischen und künstlerischen Assoziationen wir mit den Porträtierten verknüpfen, und dann um das Erscheinungsbild und die Selbstinszenierung der Porträtierten, damit um die Frage: Wie verhält sich das Abbild zum Abgebildeten. **Herz:** Entscheidend ist das Gesicht als Projektionsfläche. Hitlers Gesicht kennt jeder, überall auf der Welt, es wurde zum visuellen Kürzel, das mit seinem Auftauchen ein ganzes Paket von politischen Meinungen, Klischees und Glaubensbekenntnissen, Schuldgefühlen und Haß aktiviert. Eher Zufall ist, daß beide Aufnahmen von Heinrich Hoffmann, Hitlers späterem ›Hoffotografen‹ stammen. **Halfbrodt:** Für was sollte Hitler denn in dieser Kontrastierung überhaupt stehen? **Herz:** Historisch betrachtet war Hitler ein Vernichtungspolitiker sondergleichen. In Hitler jedoch allein das absolut Böse zu sehen, bedeutet eine hilflose und unproduktive Vereinfachung. Er war der beliebteste Staatsmann dieses Jahrhunderts in Deutschland, der sich als Künstler verstand und auch als solcher von seinen Anhängern verehrt wurde. Das ist obszön und schwer auszuhalten. **Halfbrodt:**... besonders nach Auschwitz! **Herz:** Man kann vielleicht sogar sagen, daß Hitler und Duchamp die heimlichen Antagonisten der Kunst des 20. Jahrhunderts sind. In gewisser Weise verkörpern sie zwei Kunstauffassungen, deren Unterschiede kaum größer gedacht werden können: Der eine vertritt eine populäre, vom Massenpublikum bevorzugte Abbild-Kunst und versuchte unter dem Schlagwort ›Entartete Kunst‹ die Avantgarde zu eliminieren. Der andere steht eben genau für diese verfemte Minderheit, für das gedankliche Experiment, für den Zweifel und für eine Kunst, die alles andere als volkstümlich ist. **Halfbrodt:** Du stellst – sozusagen in einem programmatischen Akt – diese Relation her, einen Zusammenhang zwischen dem Vertreter des gesunden ›Volksempfindens‹ und dem außenseiterischen Intellektuellen. Was an sich noch keinen Regelverstoß darstellt. **Herz:** Aber die Art und Weise, wie ich das tue, ist einer. Denn das explizite Ausstellen von Hitler-Porträts in der Öffentlichkeit, auch im Museum, gilt als Tabubruch. Dabei wird diesen Bildern vielfach immer noch eine ganz besondere Manipulationskraft zugemessen, vor der man ›die Leute schützen müsse‹. ›Hitler, der Verführer‹ war und ist ein beliebtes Denkbild und folgt der weit verbreiteten Überschätzung der nationalsozialistischen Propaganda. Walter Benjamin wollte in seinem Kunstwerkaufsatz sogar das Ästhetische zum Angelpunkt machen, an dem sich das Schicksal des deutschen Faschismus entscheiden sollte. Damit wollte er erklären, warum das deutsche Proletariat zu Hitler übergelaufen ist. Man könnte auch sagen, mit dieser Dämonisierung war eine ganz große Lebenslüge verknüpft. **Halfbrodt:** Du schlägst mit diesen Gedankengängen sozusagen eine Interpretation vor, die die Bedeutung des Ästhetischen

549 Rudolf Herz, Zugzwang, 1995; Rauminstallation (Ausschnitt); Kunstverein Ruhr, Essen

relativiert und eine distanziertere Sicht auf diese Phänomene erreichen will. Wozu aber Duchamp? **Herz:** Das Porträt von Duchamp, ein visueller Nobody, ist einerseits eine Art Folie zur direkten Überprüfung der angeblichen Suggestivität von Porträts. Zweitens ist er selbst eine Art Kronzeuge, weil er die trivialisierenden Wirkungen der massenmedialen Bildwelten behandelt. Und schließlich ändert der Ort, der Kontext die ganzen Bedeutungen und Botschaften, gerade bei Fotografien. Er schafft erst die Bedingungen für eine ästhetische Wahrnehmung. Für diese Einsicht steht exemplarisch der Handgriff Duchamps von 1917.

Überarbeiteter Ausschnitt aus dem 1997 zwischen Rudolf Herz und Dirk Halfbrodt geführten Gespräch »Spieltrieb und der Wille zum Widerspruch«. In: Peter Friese; Dirk Halfbrodt (Hg.): *HERZ.* Nürnberg 1997, S. 17f.

Edward und Nancy Reddin Kienholz
Volksempfängers, 1975–77

Hans Jürgen Papies

In Europa bekannt geworden ist der US-amerikanische Künstler Edward Kienholz durch sein 1968 in Kassel auf der *documenta IV* gezeigtes Environment **Roxy**. Es war seine erste derartige Arbeit, 1961–62 entstanden, bei der ausrangiertes Mobiliar und andere Wohnutensilien sowie grob verfremdete Körperabgüsse und Puppen in einem raumgreifenden, begehbaren Ambiente zu einer spießbürgerlichen Bordellszenerie im Las Vegas der vierziger Jahre nachgestellt wurden. Seine künstlerische Sprache der plastischen Montage aus Fundmaterialien hatte Kienholz in den fünfziger Jahren entwickelt.

Gemeinsam mit seiner Lebensgefährtin Nancy Reddin Kienholz schuf Edward Kienholz 1975 bis 1977 unter dem übergreifenden Titel **Volksempfängers** eine Folge von neunzehn Arbeiten. Entstanden ist die Werkfolge in Berlin(-West). Bei regelmäßigen Besuchen auf dortigen Flohmärkten waren die Kienholz' auch auf die »Volksempfänger« gestoßen, jene einfachen, mit zwei oder drei Röhren bestückten und mit einem Bakelitgehäuse versehenen Rundfunkempfänger von begrenzter Reichweite, die in der Zeit des ›Dritten Reiches‹ in Deutschland produziert worden waren. Den geschichtlichen Kontext dieser Geräte kannte Edward Kienholz noch nicht, als er die ersten »Volksempfänger« erwarb. Doch schon das offenbare Gebrauchtsein – bis hin zum schäbigen Verbrauchtsein – alltäglicher Dinge weckte sein Interesse. Er »findet in dem einst weggeworfenen, nun nostalgisch wieder hervorgekramten Zivilisationsmüll einer Gesellschaft Leben aufgehoben. Die beschädigten Dinge reflektieren für ihn Geschichte«[1].

Leonid, Ganz Deutschland hört den Führer mit dem Volksempfänger, 1936

Natürlich blieb ihm im weiteren nicht verborgen, daß die »Volksempfänger« im ›Dritten Reich‹ hauptsächlich als Propagandainstrument nationalsozialistischer Ideologie[2] gedacht und eingesetzt wurden. Joseph Goebbels, Hitlers Reichspropagandaminister, sah im Rundfunk das »allerwichtigste Massenbeeinflussungsinstrument« (zumal das Fernsehen derzeit noch in den Anfängen steckte). Seiner Forderung, Rundfunk für jeden deutschen Haushalt, entsprach die Rundfunkindustrie, indem sie in Gemeinschaftsproduktion den »Volksempfänger« in hoher Stückzahl und zu einem relativ geringen Preis herstellte. Bis 1939 waren bereits 12,5 Millionen »Volksempfänger« – im Volksmund auch »Goebbelsharfe« oder »Goebbelsschnauze« genannt – verkauft, so daß man tatsächlich bald in jedem Haushalt die Führer-Reden und den Lale-Andersen-Gesang *Lili Marleen*, die Siegeseuphorie und später die Durchhalteappelle hören konnte.

Die zuerst entstandene Arbeit dieser Werkfolge war der **Küchentisch**.[3] Auf einem abgeschabten Küchentisch (aus dem Fundmaterial im Atelier) haben die Kienholz' seitlich zwei »Volksempfänger« aufgestellt, Lautsprecher gegen Lautsprecher gerichtet. Anstatt der zunächst beabsichtigten Wiedergabe von Hitler-Reden ertönt nun aus beiden Lautsprechern pathetische Opernmusik von Richard Wagner, dem ›Lieblingskomponisten‹ Hitlers (hier eine Tonfolge aus dem ersten Akt des *Siegfried*). Eine zwischen den Lautsprechern stehende alte Fotografie mit der Aufnahme einer nackten Frau, die sich kitschig-romantisch an einen robusten Hengst anschmiegt, könnte bei der

Musik vielleicht Vorstellungen an eine Frauengestalt aus dem *Ring der Nibelungen* hervorrufen. Spiegelt sich nicht zuletzt auch darin etwas von der schwülstigen Staatsinszenierung und dem Führerkult im ›Dritten Reich‹ wider?

Schon in dieser ersten Arbeit findet sich ein Grundmuster auch der folgenden Assemblagen in der Werkfolge der **Volksempfängers**. Immer wieder wurden diese Rundfunkgeräte, einzeln oder gebündelt, mit zeitgenössischem Hausrat kombiniert, mit Tischen, Stühlen, Lampen, Konsolen, Ofenschirmen, Leitern, Waschbrettern, alten Fotografien und anderem. Und immer wieder ertönen dabei, auf Knopfdruck, anspielungsreiche Partien aus Wagners *Ring der Nibelungen* in historischen Aufnahmen. Doch gibt es bei den nachfolgenden Arbeiten auch Akzentverschiebungen. Dem in der Zeit des ›Dritten Reiches‹ noch üblichen Waschbrett wird eine ›tragende‹ Bedeutung nicht nur in der Arbeit **Die Waschbretter** zugesprochen, indem die Kienholz' es mit dem »Ehrenkreuz der Deutschen Mutter« dekorierten und damit offenbar auf die Praxis im ›Dritten Reich‹ anspielten, im Sinne Hitlers ›gebärfreudige‹ Mütter auszuzeichnen. Bei anderen Arbeiten kommt eher die ideologische Eingrenzung im ›Dritten Reich‹ zum Ausdruck, wenn, wie in **Der Käfig**, die »Volksempfänger« in Reih' und Glied in einem vergitterten Regal stehen. Obwohl die Arbeit **Die Leiter** durchaus nicht die zuletzt entstandene in dieser Werkfolge war, könnte sie doch so etwas wie ein Schlußpunkt darin sein: Während die rechte Hand der auseinandergerissenen Arme den »Volksempfänger« zerdrückt und mithin das Ende des ›Dritten Reiches‹ signalisiert, kann die andere Hand, ein Lenkrad mit dem Mercedesstern (wie ihn auch Hitlers Staatskarosse trug) haltend, auch in der Nachkriegszeit an der aufsteigenden Leiter sich halten.

550 Edward und Nancy Reddin Kienholz, Volksempfängers, Der Eisensockel, 1975; mixed media, 125 x 70 x 54 cm; Staatliche Museen zu Berlin, Nationalgalerie

Anmerkungen

1 Merkert, Jörn: »Ed Kienholz und die Sprache der Dinge«. In: *Edward Kienholz, Volksempfängers*. Ausst.Kat. Nationalgalerie Berlin. Berlin 1977, S. 24.
2 Joseph Goebbels: »[...] den Rundfunk werden wir in den Dienst unserer Idee stellen, und keine andere Idee soll hier zu Wort kommen.« Zit. n. Rexin, Manfred: »Radio«. In: *100 Wörter des Jahrhunderts*. Frankfurt am Main 1999, S. 220.
3 Vgl. Reddin Kienholz, Nancy: »Biographie«. In: *Kienholz. Retrospektive*. Ausst.Kat. Berlinische Galerie. Berlin 1997, S. 277f.

Kunst ist Trumpf

Zwei Installationen von Hans Haacke

Friedegund Weidemann

Vor lichtblauem Hintergrund strebt sie vorwärts in weißen Kitteln, die Brigade neuen Typs im reiferen Alter. In der Mitte rührt der Brigadier in einer dunklen Soße, flankiert von zwei transparentbewehrten weiblichen Kollektivmitgliedern. Über ihnen das rote »Trumpf«-Banner der Arbeit. Den Sinn ihres Tuns erhellt die Schrift auf den Transparenten und Kisten links und rechts. Einerseits liegen dort Schocarrées – den Schogetten zum Verwechseln ähnlich – im Karton, andererseits sieht man ein Versandgut des »Staatlichen Kunsthandels der DDR« für die »Ludwig Stiftung für Kunst und internationale Verständigung« über »Trumpf-Schokolade-[...]-GmbH«. Solidarisch mit den Kollegen im kapitalistischen Teil von Berlin, fordert man Lohnerhöhung und einen Stop der Arbeitsplatzkürzungen. Das ist die Schokoladenseite sozialistisch-realistischer Weite und Vielfalt in der Honecker-Ära. Getrennt durch eine hohe Wand begegnen wir dem westlichen Alltag: In der bunten Welt von Trumpf pausiert modisch-lässig mit einem Schächtelchen »ChoCo Time« unter dem Motto »... so viel Zeit muß sein.« eine junge Dekorateurin auf der Leiter zwischen edel gestylten Schaufensterpuppen. Zu Füßen der Figuren leuchten rot und stark vergrößert links »Genüsse in Choco« und rechts, als Signatur, ein Trumpf-Emblem.

Hans Haacke, Umschlagentwurf »Der Pralinenmeister« für den Katalog zur Ausstellung in der Galerie Paul Maenz, 1981; Besitz des Künstlers

Hans Haacke, in New York lebender Rheinländer, stellt seit 1971 die Freiheit der Kunst und ihrer Vermittler in Frage. Nach einem reichlichen Jahrzehnt konzeptueller Arbeit mit Text- und Dokumententafeln traut er in den achtziger Jahren wieder der sinnlichen Macht der Bilder. Im ironischen Spiel montiert er Versatzstücke aus Malerei, Werbung, Fotografie, Gewerbe und Agitation mit hintergründiger Absicht zu ›Realzeitsystemen‹. Aus jüngster Zeit erinnern wir uns an seinen mit dem goldenen Löwen ausgezeichneten Beitrag für die Biennale in Venedig 1993, mit dem er auf den Mißbrauch der Kunst in diesem Jahrhundert hinwies. Er vergegenwärtigte die faschistische Geschichte des deutschen Biennale-Gebäudes durch ein auf rotem Grund im Eingang angebrachtes Großfoto, das den Besuch von Hitler und Mussolini 1934 zeigte, sowie die Versalien GERMANIA über dem Portikus und im Inneren über aufgebrochenem Boden des 1938 im klassizistischen Stil des Dritten Reiches umgebauten Pavillons. Die Abhängigkeit der Kultur von der Wirtschaft im nunmehr vereinten Deutschland symbolisierte die große Replik einer 1 DM-Münze von 1990 als Türkrönung.

Ein aus Malerei und Fotografie zusammengesetztes Gemälde, ein Werbeplakat des Monheim-Konzerns und eine beide Teile trennende Holzwand inszenierte

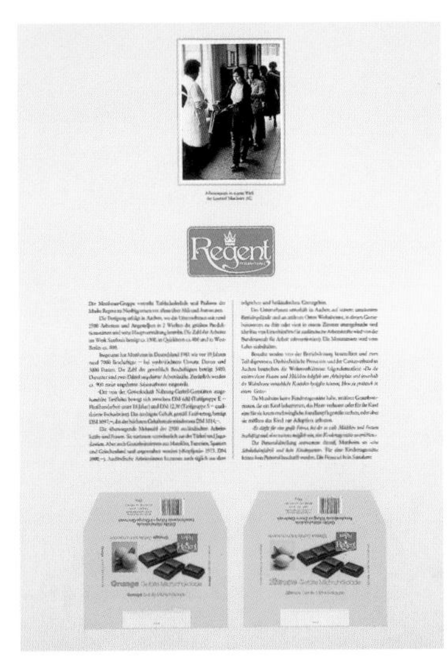

551 Hans Haacke, Der Pralinenmeister, 1981 (Ausschnitt); mehrfarbiger Siebdruck mit eingeklebten Fotos, Pralinen- und Schokoladenpackungen in braunen Holzrahmen unter Glas, 14 Tafeln, je 100 x 70 cm; Sammlung Gilbert und Lila Silverman, Detroit, Michigan, USA

Haacke zum Thema **Weite und Vielfalt der Brigade Ludwig** (Kat.Nr. 552). Die Ost und West darstellenden Tafeln erweisen sich als künstliche Konstrukte, die schöne Scheinwelten voller Klischees in einer signalhaft reduzierten Sprache versinnbildlichen und über das Trumpf-Logo miteinander kommunizieren. Kunst ist Trumpf und Trumpf ist Peter Ludwig, Schokoladenfabrikant und Kunstsammler. Sein Bild als sozialistischer Brigadier faßte Hans Haacke in der Pose des von August Sander 1928 fotografierten **Konditormeister**. Für die

Porträts der beiden Arbeiterinnen nutzte er in ironischer Verfremdung authentische Vorlagen: Links die Solidarität einfordernde Gattin des Unternehmers, Irene Ludwig, entstammt einem gemalten Doppelporträt des Ehepaares von Jean Olivier Hucleux aus den Jahren 1975/76. Ihr sekundiert rechts Erika Steinführer, die ›Heldin der Arbeit‹ der DDR, aus einem Gemälde von Walter Womacka, 1981 (im Besitz der Ludwig Galerie Schloß Oberhausen).

Die Ikonografie der Agitationstafel aus zusammengesetzten Elementen dient Haacke hier für einen konterkarierenden Stilvergleich zwischen propagandistischer sozialistisch-realistischer Kunst und kapitalistischer Konsumkultur. Die so aufeinander bezogenen Tafeln verbildlichen die engen Verflechtungen zwischen Schokoladenvertrieb und Kunsterwerb im ost-westlichen Wirken des Fabrikanten und Kunstsammlers Peter Ludwig.

Schon drei Jahre zuvor hatte der Künstler auf vierzehn Schrifttafeln in Diptychen mit dem Titel **Der Pralinenmeister** (Kat.Nr. 551) den als Förderer internationalen Kunstaustausches auftretenden Unternehmer analysiert. In Entsprechung zu immer derselben Porträtfotografie Peter Ludwigs auf der linken Tafel oben sind rechts oben Innenaufnahmen der Fließbandarbeit seiner Angestellten montiert. Am unteren Bildrand beider Seiten läuft ein Band mit den diversen Schokoprodukten. Dazwischen sind die Texte gespannt. Links dokumentieren sie unter je einer Überschrift Steuervorteile, Ambitionen und Manipulationen des Kunstmäzens, rechts, unter den verschiedenen Markenzeichen, das Netzwerk des Konzerns, dessen Aufsichtsrat er vorsitzt. Immer liegen den Darstellungen aufwendige Recherchen zugrunde, sie kennzeichnen zusammen mit der präzisen Dokumentation Haackes spezifischen Beitrag zu einer politisch erweiterten Konzeptkunst. Der unmit-

552 Hans Haacke, Weite und Vielfalt der Brigade Ludwig, 1984; Öl auf Leinwand, 225 x 170 cm; Plakatwand, 267 x 371 cm; Besitz des Künstlers; Installation im Künstlerhaus Bethanien, Berlin, während der NGBK-Ausstellung, Herbst 1984

Hans Haacke, Weite und Vielfalt der Brigade Ludwig, 1984 (Ausschnitt); Besitz des Künstlers

Hans Haacke, Weite und Vielfalt der Brigade Ludwig, 1984 (Ausschnitt); Besitz des Künstlers

telbare Bezug des Themas zu Ort und Zeitpunkt einer Ausstellung ist unabdingbare Voraussetzung für seine Arbeit. Skandale, Unterbindungen von Ausstellungen und Veröffentlichungen sind wichtige Elemente der aktiven Rezeption.[1] Diesen dialektischen Prozeß von Entstehung und Wirkung begreift Haacke als das ›offene System‹ seiner Kunst.

Im September 1984 zeigte die Staatliche Kunsthalle Berlin eine Sammlung ausgewählter DDR-Kunst von Peter und Irene Ludwig unter dem Motto *Durchblick*, die zuvor von und in der Städtischen Galerie Schloß Oberhausen zusammengetragen worden war. Zwei Tage nach Eröffnung dieser Ausstellung mit einer Lobpreisung auf den beispielhaften Mäzen Ludwig durch den damaligen Verbandspräsidenten der bildenden Künstler der DDR, Willi Sitte, dessen repräsentatives Ludwig-Porträt ebenfalls zu sehen war, stellte Haacke in seiner Werkschau der Neuen Gesellschaft für Bildende Kunst im Künstlerhaus Bethanien neben dem **Pralinenmeister** auch die in Reaktion auf die Ludwig-Schau entstandene Installation **Weite und Vielfalt der Brigade Ludwig** aus. Bereits wenig zuvor war es anläßlich der Düsseldorfer Ausstellung *von hier aus* der beiden Werke wegen zu Irritationen des mit dem Katalog betrauten Verlages gekommen.[2] Das gewinnträchtige Abkommen über billige Arbeitskräfte und günstige Absatzmärkte im Osten hinter der Fassade deutsch-deutschen Kulturaustausches wurde vor der Öffentlichkeit verborgen gehalten. Nur wenige wußten, daß der Staatliche Kunsthandel der DDR die Ausfuhr von Werken der DDR-Kunst zu Sonderkonditionen an Ludwig betrieb, die üblicherweise als ›nationales Kulturgut‹ die DDR nicht verlassen durften. Die Ausstellung beider Installationen im geteilten Berlin, an der Nahtstelle zwischen Ost und West, barg deshalb einigen Zündstoff. Mit der jetzigen Präsentation stellt sich die Nationalgalerie ihrer ostdeutschen Geschichte, da auch sie von 1977 bis zum Ende der DDR im Alten Museum ein größeres Konvolut langfristiger Leihgaben westlicher Kunst aus der Sammlung Ludwig präsentierte. Und dieses wäre 1990 in eine Schenkung übergegangen, wenn die Bereitschaft bestanden hätte, den Schinkelbau mit dem Namen Ludwig zu verzieren.

Anmerkungen

1 Vgl. z. B. 1971 die kurzfristige Absage der Ausstellung seiner Arbeit **Shapolsky et all Manhattan Immobilienbesitz – ein gesellschaftliches Realzeitsystem** über New Yorker Grundstücksspekulanten und deren Transaktionen durch das Guggenheim Museum und die Entlassung des verantwortlichen Kurators; 1974 die Ablehnung des **Manet-Projektes '74**, einer Dokumentation in zehn Tafeln der Provenienzen des **Spargelstilleben**, 1880, von Edouard Manet für die Ausstellung *Projekt 74* durch das Kölner Wallraf-Richartz-Museum.

2 Aus der 1. Auflage des Kataloges *von hier aus: 2 Monate neue deutsche Kunst* zog der DuMont Buchverlag den Aufsatz von Walter Grasskamp über **Weite und Vielfalt der Brigade Ludwig** auf juristisches Anraten hin zurück.

Lutz Dammbeck, OVER GAMES, 1998/99

Eugen Blume

»Omufuma hieß in Deutschland Bangurari!«[1] Was hat der Tod des Asylbewerbers aus Sierra Leone mit dem Traum vom Gesamtkunstwerk und den Bombenattentaten des Ingenieurs Franz Fuchs zu tun?[2]

Die Installation **OVER GAMES** ist im Zusammenhang mit dem 1998 von Lutz Dammbeck gedrehten Dokumentarfilm *Das Meisterspiel* entstanden. Der Film, der anhand eines bislang nicht aufgeklärten Kunstattentats, der Übermalung von 27 Gemälden des österreichischen Künstlers Arnulf Rainer 1994 in der Wiener Kunstakademie, die Rolle des Künstlers in der modernen westlichen Gesellschaft am Ende dieses Jahrhunderts reflektiert, vermittelt eine beunruhigende Zeitstimmung. Die längst domestizierte einstmalige Avantgarde, der Arnulf Rainer von den Attentätern zugeordnet wird, wird von einer, in avantgardistischer Attitüde agierenden, unbekannt bleibenden Gruppe paraphrasiert und attackiert. Vermutet wird zunächst ein Zusammenhang mit den Bombenattentaten der fiktiven Befreiungsarmee »BBA«. Was sich auf der einen Seite in Kunst entlädt, wird auf der Seite politischen Terrors bitterer Ernst. Die Gespinste aus okkulten und esoterischen Geheimlehren, nationalistisch-rassistischen Wahnvorstellungen und links/rechts vermischenden Erlöserphantasien nähern sich in ihren Planspielen dem in der späten Moderne offenen Kunstbegriff an.

553 Lutz Dammbeck, OVER GAMES; Entwurf für die Installation, 1998/99

Der von Dammbeck eingerichtete Raum eines fiktiven Ermittlers, der auf dem Boden eine raumgroße Zeichnung zeigt, die Spielanordnung und Lageplan zugleich ist, führt in die scheinbar schlüssige Kontinuität einer geistigen Bewegung, die in der theosophischen Heilsverkündung als Gesamtkunstwerk die Rettung einer ›kranken‹ Welt spintisiert.

Das esoterische Ideengut findet im 20. Jahrhundert sowohl in der Kunst der Moderne als auch in den geheimbündlerischen Formierungen totalitärer Systeme und in der trivialen Auslegung verwirrter Einzeltäter einen fruchtbaren Boden. Trotz der sichtbaren Parallelität der Strömungen finden sie in den differierenden Interpretationen gemeinsamer Quellen nirgends zueinander, sondern sind meist antagonistisch geschieden. Erst in einer künstlich errichteten Rezeptionsebene, wie sie der Raum von Lutz Dammbeck in unserer Ausstellung anbietet, verweben sich die unterschiedlichen Affekte und Formungen zu einer seltsam disparaten und gleichzeitig miteinander korrespondierenden ›Zone‹, in der alles möglich scheint. In das Material an den Wänden sind unter anderem Botschaften integriert, die sich auf religiöse Geheimgesellschaften wie etwa die Rosenkreuzer berufen. Die sich im 17. Jahrhundert gründende und dem historisch nicht faßbaren sagenhaften Christian Rosenkreuz nachfolgende Bruderschaft versucht durch Einbeziehung der sich seit der Renaissance entwickelnden modernen Wissenschaft, das Christentum zu modernisieren. Erstmals verbinden sich rationales Wissenschaftsdenken und mystische Weltanschauung. Die Fama von Christian Rosenkreuz und die sich darum rankende eklektische Lehre aus kabbalistischen, gnostischen, alchimistischen und christlichen Quellen zieht sich bis ins 20. Jahrhundert hinein;

Spuren finden sich auch in der Kunst der Moderne. Bei den Recherchen zu seinem Film *Das Meisterspiel*, in dem anfänglich auch das Attentat auf Joseph Beuys während des *festivals neuer kunst* 1964 in Aachen eine Rolle spielen sollte, entdeckte Dammbeck, daß sich Joseph Beuys in seinen ersten Aktionen auf den Rosenkreuzermythos bezogen hat. Bei dem Anthroposophen Rudolf Steiner, der für Beuys die Quelle seiner Rosenkreuzerphantasien war, ist Christian Rosenkreuz der Prototyp des ›Geistesmenschen‹, eines noch kommenden ›neuen‹ Menschen, der sich für Beuys im Künstler bereits zeigt.

In der von Dammbeck spiralförmig angelegten Materialschichtung kreisen nun Rosenkreuzertum, Wiedertäuferbewegung, Theosophie, Gnostizismus, Nationalsozialismus, absurdes Erfindertum, künstlerischer Avantgardismus und ein alles in sich vermischender politischer Terrorismus umeinander und werden auf ihre gemeinsamen Quellen hin untersucht. Im Zentrum stehen der ›wahnsinnige‹ Bombenbauer Franz Fuchs und seine fiktive Befreiungsarmee von Gleichgesinnten, die aus ihren aus gnostischen, rechtsradikalen und aktionistischen Bruchstücken collagierten Rechtfertigungsmanifesten die Beweggründe für ihren ›Befreiungskrieg‹ herleiten, den sie als den Beginn einer ›Weltheilung‹ verstehen. Fuchs wird anonym bleibenden Informanten zufolge als Anhänger der Ideen des Philosophen und Naturforschers Viktor Schauberger bezeichnet. Schauberger war Begründer der ersten Umweltbewegung Österreichs und sah sich in der Nachfolge von Pythagoras und Kepler berufen, die ›kranken‹ Elemente Wasser, Boden und Luft zu ›heilen‹. 1943 entwarf er für die SS ufo-ähnliche Flugkörper, angetrieben von alternativer Energie. Implosion statt Explosion ist eine Erkenntnis Schaubergers. Welcher Weg aber führt von der Ganzheitlichkeit zu terroristischer Gewalt?

»Ein Künstler erkennt sein Werk, wird es ihm via Medien frei ins Haus geliefert [...]«, heißt es zynisch in einem Manifest der Bombenbauer. Ein Terrorspiel als Kunstwerk? Die absurden Auftritte von Fuchs vor Gericht erinnern Beobachter an einen künstlerischen Aktionismus im Stile der sechziger Jahre, der die Grenze des modellhaften Spiels hin zur konsequenten Ausführung seiner Phantasien überschritten hat. »Zerstörungslust, Destruktionstrieb ist eine der wichtigsten Antriebe der Materialaktion. Es soll alles Bestehende, was keine Wirklichkeit mehr hat, zu Grunde gehen, und vernichtet werden.«[3] Das Spiel von Terroristen, die sich zynisch als ›Künstler‹ bezeichnen, zeigt das verzerrte Spiegelbild des Willens zur Revolte einer im Museum und durch den Markt stillgestellten Moderne. Die Revolution sind wir, steht auf einem der in Dammbecks Raum hängenden Texte, Erinnerung an die historische künstlerische Avantgarde. Veränderung jetzt?

Lutz Dammbeck, OVER GAMES; Entwurf für die Installation, 1998/99

Anmerkungen

1 Schlagzeile einer österreichischen Boulevardzeitung über den Tod eines Asylbewerbers bei seiner gewaltsamen Abschiebung aus Österreich.

2 Von 1993 bis 1997 erschüttert eine Serie von Bombenanschlägen Österreich. Es gibt Tote und Verletzte. Zu den Anschlägen bekennt sich eine fiktive »Bajuwarische Befreiungsarmee (BBA)«. Die Terroranschläge sind als historisches Rollenspiel konzipiert, das die Befreiung Wiens 1683 von den Türken nachspielt. Am 1. Oktober 1997 wird der Vermessungsingenieur Franz Fuchs als möglicher Täter gefaßt und im Februar 1999 zu lebenslanger Haft verurteilt.

3 Der österreichische Aktionskünstler Otto Mühl 1968 in einem Film des NDR.

Die wirkungsvollen Eroberungen der Moderne

Décor. A conquest by Marcel Broodthaers

Dorothea Zwirner

Stellt sich am Ende des 20. Jahrhunderts allenthalben die Frage nach den großen Künstlern und Werken dieser Epoche, so fällt meist immer noch erst der zweite Blick auf das Werk des belgischen Künstlers Marcel Broodthaers. Dabei ist sein Schaffen mit den vielfältigen Rückbezügen auf das 19. Jahrhundert in besonderer Weise geeignet, den großen Rückblick zu wagen. In der eigenen Werkentwicklung läßt sich dieser Versuch zur retrospektiven Zusammenfassung des eigenen Schaffens in einer unter dem Begriff *Décor* zusammengefaßten Ausstellungsreihe (1974–76) deutlich erkennen.[1]

Aus dieser Periode stammt auch das Werk **Décor. A conquest by Marcel Broodthaers** (Kat.Nr. 554), das sich aus den beiden Räumen des 19. und des 20. Jahrhunderts zusammensetzt. Bei dieser ursprünglich für die ICA New Gallery in London 1975 konzipierten Arbeit handelt es sich um »une exposition uniquement ›Décor‹ avec du matériel de location«[2]. Die beiden Räume des ICA wurden damals von Broodthaers mit Requisiten ausgestattet, die weitgehend aus einem kommerziellen Filmverleih stammten.[3] Für die Wiedereinrichtung dieses Dekors, die schon einmal für die *documenta* 7 in Kassel 1982 unternommen worden ist, stellt sich zunächst die Frage nach dem zugrundeliegenden Werk- und Kunstbegriff. Dabei zeichnet der für die Jahrhundertausstellung im Hamburger Bahnhof ausgewählte Aspekt der Montage bereits die Rahmenbedingungen einer Antwort vor.

Eine erste Annäherung an die komplexe Konzeption des *Décor* bietet die von Jürgen Harten und Peter-Klaus Schuster vorgenommene Deutung des *Décor* als Installation.[4] Gegenüber dem die Idee von Kunst repräsentierenden Werk definiert sich die Installation als eine Konstellation verschiedener Elemente, die in einer Art Montageverfahren miteinander in Beziehung gesetzt werden.[5] Broodthaers selbst hat seine künstlerische Methode mit dem dekorativen Arrangement auf einem Kaminsims verglichen: »J'ai souvent fait de l'art comme en fait des dessus de cheminée [...].«[6] Den Verzicht auf eine »organische« Einheit zugunsten einer »nicht-organischen« Vielheit verschiedener Realitätsfragmente beschrieb Peter Bürger bereits 1974 in seiner *Theorie der Avantgarde* als entscheidende Veränderung gegenüber dem traditionellen Werkbegriff.[7] Losgelöst aus der Totalität ihres Lebenszusammenhanges und isoliert von ihrer realen Funktion entsteht ein wie auch immer widersprüchlicher und rätselhafter Sinn aus dem Verhältnis der Fragmente zueinander. Die aus dem produzierten Zufall erstellte Sinnkonstellation läßt sich also nur zwischen den Zeilen lesen, das heißt, der Sinn entsteht jenseits der (Werk)Präsenz inmitten von Übergängen, Beziehungen, Spiegelungen.[8] Wie schon bei seinem Museumskonzept übernimmt er hier eher die Rolle des Museumsdirektors, des Dekorateurs und Regisseurs als die des Künstlers.

Den Ausgangspunkt für Broodthaers' Ausstellungskonzeption bildete auf der inhaltlichen Ebene die Auseinandersetzung mit der englischen Geschichte und Kultur, die schon in die frühen sechziger Jahre zurückreichte, und auf der formalen Ebene die räumliche Beschaffenheit und Lage des Ausstellungsorts. Den Erinnerungen des Kurators Barry Barker und Maria Gilissen zufolge entwickelte Broodthaers zuerst die Idee, eine Kanone zu leihen, wie sie ihm aus seinem früheren Film *Un voyage à Waterloo* (1969) vor Augen gestanden haben mag. Die Auswahl militärischer Requisiten dürfte durch die Lage des ICA begünstigt worden sein, das sich zwischen dem Buckingham Palace und dem Admirality Arch befindet, wo sich alljährlich im Juni das offizielle Zeremoniell zum Geburtstag der Königin abspielt. In diese Zeit sollte auch die Ausstellung fallen, so daß die beiden Räume und das Defilee gleichzeitig auch die Drehorte für seinen Film *The Battle of Waterloo* bilden konnten. Den entscheidenden Baustein fand Broodthaers schließlich in dem Geschenk eines Puzzles mit dem Motiv der Schlacht von Waterloo, das

Barker ursprünglich für die kleine Tochter von Broodthaers mitgebracht hatte. Empfänglich für das von Stéphane Mallarmé beschworene Zufallsprinzip erkannte Broodthaers darin zugleich das Konstruktionsprinzip wie den Schlüssel seiner beiden Jahrhunderträume.

Auf die zeitliche Zuordnung der beiden Räume verwiesen im Eingangsbereich zwei der Ausstellungsplakate mit dem goldenen Schriftzug »Décor«, den Broodthaers jeweils mit der handschriftlichen Zufügung »XIXth Century« und »XXth Century« ergänzt hatte. Für den mit einer Holzleiste und Kassettentüren geschmückten Raum des 19. Jahrhunderts arrangierte Broodthaers zwei Kanonen der Zeit, eine Pistole auf weißem Holzsockel, eine ausgestopfte Riesenschlange sowie sechs Palmen und zwei rot gepolsterte Stühle, jeweils auf grünen Grasmatten. Hinzu kamen noch zwei silberne Kerzenleuchter und zwei kleine Holzfässer (Rum und Gin) auf Eisengestellen, darüber ein Farbfoto aus einem alten amerikanischen Cowboyfilm, ein dekorativer Ball aus Strohblumen sowie ein kleiner Tisch mit grüner Decke, auf dem ein Hummer und eine Krabbe mit Miniaturkarten zu spielen schienen. Der *Décor* wurde von vier Scheinwerfern, zwei roten und zwei grünen, beleuchtet, so daß eine atmosphärische Mischung aus Filmstudio, Wintergarten, Armeemuseum und Alice's *Wonderland* entstand.

Da es Broodthaers bei der Ausstellung um »die Beziehung zwischen Krieg und Komfort« ging, richtete er den Raum des 20. Jahrhunderts mit einer zentralen Sitzgruppe aus weißen Gartenmöbeln und darüber gespanntem Sonnenschirm ein, die mit modernen Maschinengewehren und Pistolen auf zwei Wandborden kontrastierten. In einer Ecke lehnte ein zugeklappter Schirm, während ein roter Scheinwerfer auf das auf dem Gartentisch liegende Puzzlespiel strahlte. Als Pendant zu den Karten spielenden Schalentieren mochte das halbfertige Puzzle der Schlacht von Waterloo an den kulturhistorischen Zusammenhang von Krieg und Spiel als einem nach bestimmten Regeln geordneten Wettkampf erinnern.[9]

»Die Beziehung zwischen Krieg und Komfort« mußte aus der Sicht der großen Vernichtungs- und Materialschlachten des 20. Jahrhunderts absurd erscheinen, nicht jedoch aus der Perspektive der damaligen Kriegsführung. Während der Schlacht von Waterloo im Juni 1815 konnte der Herzog von Wellington mit seinen Offizieren, begleitet von ihren Ehefrauen und Maitressen, den Verlauf der Kriegshandlung vom Feldlager aus in sicherer Entfernung beobachten. Den hohen Unterhaltungswert des kriegerischen Schauspiels machte sich dann das Kino zunutze, das im Cowboyfilm seinen verharmlosenden Prototyp entwickelt hat. Im Medienzeitalter hat sich der Zuschauer längst daran gewöhnt, ferngesteuerte Kriege von seinem gemütlichen Heim aus im Fernsehen zu verfolgen.

Jenseits der visionären politischen Dimension dieser Arbeit, wie sie angesichts des Golfkrieges von Paul Virilio auf den vergleichbaren Nenner von ›Krieg und Fernsehen‹ gebracht wurde, setzt Broodthaers in den durch eine Türöffnung verbundenen Räumen nicht nur »Krieg und Komfort« miteinander in Beziehung, sondern spannt gleichzeitig einen großen historischen Bogen vom europäischen 19. Jahrhundert des Imperialismus und der Nationalstaaten zum amerikanischen 20. Jahrhundert der globalen Mediengesellschaft. Dabei bildet die der filmischen Montage vergleichbare Methode des *Décor* das verbindende Scharnier der beiden Jahrhunderte.

Eine reale Filmmontage stellt sein letzter Film *The Battle of Waterloo* dar, der aus gegeneinander geschnittenen Blicken in die Ausstellung und Ausblicken auf die alljährliche Parade vor dem ICA besteht. Bei den Aufnahmen der beiden Innenräume sieht man neben den Ausstellungsobjekten eine junge Frau am Gartentisch sitzen, die das Puzzle erst langsam zusammensetzt, um es dann kurz vor seiner Vollendung wieder in einzelne Teile zu zerlegen. Die auf Miniaturformat reduzierte Schlachtszene wird von der Geräuschkulisse des Paradeplatzes und der Musik der Regimentskapelle untermalt. Zwischenschnitte und Überblendungen aus Richard Wagners Ouvertüre zu *Tristan und Isolde* steigern die dramaturgische Qualität und schlagen den Bogen von der Inszenierung des Gesamtkunstwerkes zur Illusionswerkstatt des modernen Films. Deutete das Foto aus einem amerikanischen Cowboyfilm bereits in diese Richtung, so spielt das Puzzlespiel auf die ent-

554 Marcel Broodthaers, Décor. A Conquest by Marcel Broodthaers: Der Raum des 19. Jahrhunderts, 1975; Privatsammlung; Installation ICA New Gallery, London

Marcel Broodthaers, Décor. A Conquest by Marcel Broodthaers:
Der Raum des 20. Jahrhunderts, 1975; Privatsammlung;
Installation ICA New Gallery, London

cht von Waterloo

sprechende Szene in Orson Welles' berühmtem Film *Citizen Cane* an.[10]

Mündet der anthropologische Spieltrieb auf der einen Seite im Krieg, so hat er auf der anderen Seite immer wieder als Erklärungsmodell für die Entstehung des Kunstwerkes gedient.[11] Das aus dem Würfelspiel Mallarmés hervorgegangene Werk von Broodthaers ist seinem ganzen Wesen nach ein großes Rätsel-, Rollen-, Wort- und Versteckspiel. Im übertragenen Sinne erscheint hier das Zusammensetzen und Zerlegen des Puzzlespiels als Sinnbild für die moderne Problematik von Einheit, Ganzheit und Sinn. Das mit diesem Modernisierungsprozeß verbundene Verlustgefühl ließ sich nur noch auf der ästhetischen Ebene mit genuin modernen Strategien kompensieren, wie sie gerade im wagnerianischen Gesamtkunstwerk oder dem Film verwirklicht worden sind.

Weit entfernt von der akademischen Festlegung der Epochengrenze zur Moderne ist Broodthaers' Werk zutiefst im 19. Jahrhundert verwurzelt. Die vielfältigen Rückbezüge auf diese Epoche stehen im Dienst einer Fragestellung, die den eigenen Standort in der Moderne und damit den Begriff der Moderne neu zu bestimmen sucht. Dabei spielt der militärische Sprachgebrauch des Untertitels »A conquest by Marcel Broodthaers« (Eine Eroberung von M.B.) auf den Begriff der Avantgarde an.[12] In diesem ebenfalls aus dem militärischen Wortschatz übertragenen Avantgardebegriff als einer der aktuellen Entwicklung vorauseilenden Vorhut kündigt sich bereits die unheilvolle Verquickung von Modernisierung und totalitärem Machtanspruch an, die den Kern der Modernekritik ausmachen wird. Die in dem poetischen Kosmos der Muschel- und Eierschalen, der Palmen und Papageien ungewohnte Ikonographie eines militärischen *Décor* erinnert an die wirkungsvollen Eroberungen der Moderne. Dabei macht sich Marcel der Eroberer die der Moderne eigene Reflexivität zunutze, die sie von Anfang an zum Gegenstand ihrer eigenen Kritik werden läßt.[13] Unter diesem doppelten Blickwinkel wird es fragwürdig, ob die Moderne das Subjekt oder Objekt der Eroberung ist, so daß die Kritik der Moderne in die Kritik an der Moderne übergeht.

Jenseits der theoretischen Bestimmung der Moderne läßt sich bei der Musterung der beiden Räume das moderne Wechselspiel euphorischer Vorstöße und melancholischer Rückzugsgefechte, musealer Sicherheitszonen und reflexiver Hinterhalte, destruktiver Versprengungen und konstruktiver Zusammenziehungen, technisch-rationaler Entzauberung und spielerisch-phantastischer Wiederverzauberung unmittelbar erfahren.

Anmerkungen

1 Zur Konzeption des *Décor* vgl. Zwirner, Dorothea: *Marcel Broodthaers.* Köln 1997, S. 148–162.

2 Marcel Broodthaers an »Mon cher J.« (Alain Jouffroy), Januar 1975. In: Archiv Maria Gilissen.

3 Vgl. Barker, Barry: »Décor. A conquest by Marcel Broodthaers«. In: *Marcel Broodthaers.* Ausst.Kat. Jeu de Paume, Paris. Paris 1991, S. 274f. Barker erzählt von der komplizierten Suche nach den gewünschten Requisiten, bei der auch zu einem guten Teil der Zufall des Vorgefundenen beteiligt war. Die Requisiten wurden dann kurz nach Broodthaers' Tod weitgehend von dessen Witwe, Maria Gilissen, aufgekauft.

4 Vgl. Harten, Jürgen; Schuster, Peter-Klaus (Hg.): »Vorwort«. In: *Marcel Broodthaers. Cinéma.* Ausst.Kat. Kunsthalle Düsseldorf. Gent 1997, n.pag.

5 Vgl. Oliveira, Nicolas de u.a. (Hg.): *Installation Art.* London 1994.

6 Presseerklärung des Centre Nationale d'Art Contemporain in Paris anläßlich der Ausstellung von Broodthaers vom 2.–10. November 1975. In: Archiv Maria Gilissen.

7 Bürger, Peter: *Theorie der Avantgarde.* Frankfurt am Main 1974, S. 76–116.

8 Vgl. Jacques Derrida, in: Wolfgang Welsch (Hg.): *Schlüsseltexte der Postmoderne-Diskussion.* Weinheim 1988, S. 33.

9 Vgl. Huizinga, Johan: *Homo Ludens. Vom Ursprung der Kultur im Spiel.* Hamburg 1994, S. 51f., S. 101–118.

10 Vgl. Jenkins, Bruce: »Cinema Broodthaers«. In: *Marcel Broodthaers.* Ausst.Kat. Walker Art Center Minneapolis. 1989, S. 108.

11 So hat Hans-Georg Gadamer das »Spiel als Leitfaden seiner ontologischen Explikation« des Kunstwerkes gewählt. In: Ders.: *Wahrheit und Methode.* Tübingen [5]1986, S. 109ff.

12 In dem Miniaturatlas *La conquêt de l'Espace. Atlas à l'usage des artistes et des militaires* (1975) werden Schattenbilder von 32 Ländern in derselben Größe mit dem entsprechenden Namen darunter abgedruckt.

13 Vgl. Vietta, Silvio: »Die Modernekritik der ästhetischen Moderne«. In: Ders.; Dirk Kemper (Hg.): *Ästhetische Moderne in Europa. Grundzüge und Problemzusammenhänge seit der Romantik.* München 1998, S. 531–549.

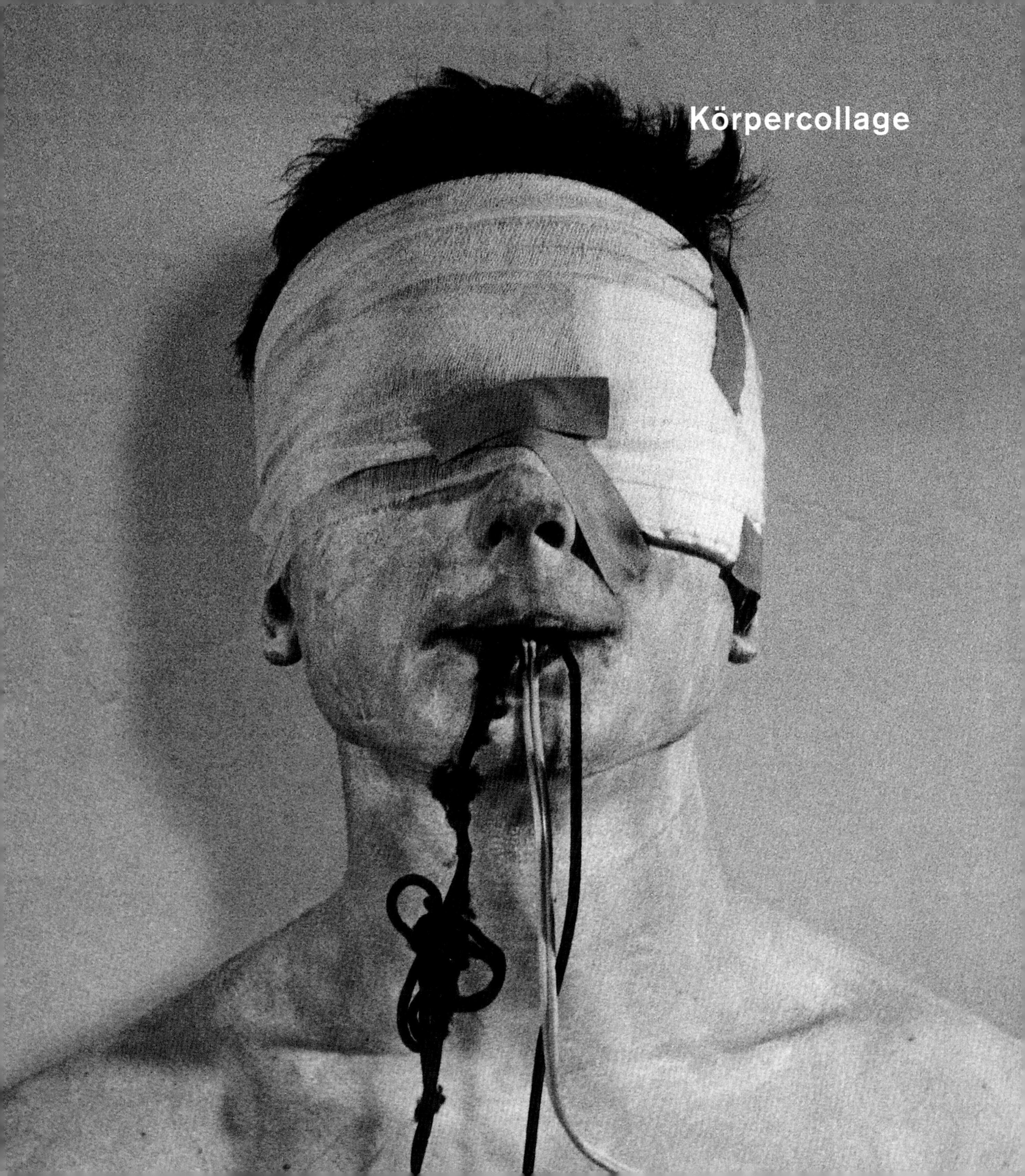

Körpercollage

Körpercollage

Projektionsfläche Leib

Claudia Banz

Die Herausbildung der Anatomie als eigenständige Wissenschaft im 16. Jahrhundert brachte die Entwicklung von anatomischen Wachsmodellen mit sich. Ihre Technik setzte das Sezieren des menschlichen Körpers voraus, um dessen Innenleben für Demonstrationszwecke aufbereiten zu können. Als Kuriosa fanden anatomische Wachsplastiken später Eingang in die fürstlichen Wunderkammern, wo sie zusammen mit Kunstwerken und naturwissenschaftlichen Instrumenten ein Abbild des Makrokosmos bildeten.

Schließlich begaben sich auch die Künstler in die Anatomiesäle, um den menschlichen Körper zu studieren. In der Folgezeit avancierte das Zeichnen nach Gipsabgüssen von Armen, Beinen und Torsi neben dem Zeichnen nach dem Modell zum wesentlichen Bestandteil der akademischen Ausbildung. Somit fand bereits in diesem Kontext eine Konfrontation des Künstlers mit der Fragmentierung des Körpers statt, der als Mechanismus begriffen, demontiert und wieder zusammengebaut wurde. Abgüsse der unterschiedlichsten Art dienten dem Künstler als Studienmaterial und waren wichtiger Bestandteil eines Ateliers, wo man sie auf Tischen, Regalen oder an der Wand hängend aufbewahrte.

Eine solche Atelierwand hat Adolph von Menzel zum bildwürdigen Thema erhoben. Die **Atelierwand** (Abb. S. 556) zeigt die Montage gipsener, durch die Lichtführung effektvoll in Szene gesetzter Körperfragmente. In ihnen materialisieren sich Leben und Geschichte, Gegenwart und Vergangenheit. Adolph von Menzel, der »Zergliederer des anschaulichen Lebens und der Forscher mit dem anatomischen Blick«[1], schuf mit diesem Bild eine Art künstlerisches Manifest, das den Triumph der Ästhetik des Fragments zum Ausdruck bringt – eine Ästhetik, die im 19. Jahrhundert Autonomie erlangte.

Adolph von Menzel, Atelierwand, 1852; Staatliche Museen zu Berlin, Nationalgalerie

Joseph Beuys, Ohne Titel, 1959; Stiftung Museum Schloß Moyland, Sammlung van der Grinten

Zwischen den beiden Armstümpfen hängt der anatomische Abdruck einer Hand. In der Hierarchie der Körperteile steht die Hand ganz oben. Hände besitzen ihre eigene Sprache, und in ihrer Gebärde spiegeln sich Bewußtseinszustände wider. Hände können applaudieren, trösten, schützen, verletzen, töten; mit den Händen treten wir in einen ersten körperlichen Kontakt zu anderen Menschen. Auch in der bildenden Kunst kommt der Hand eine zentrale Bedeutung zu, als Symbol der Macht, der Gerechtigkeit, als Segensgestus. In Menzels **Atelierwand** wird jedoch noch eine weitere Funktion der Hand angesprochen, die künstlerisch relevanteste: die schöpferische Hand, die Empfängerin des erfinderischen Geistes, die ergreift und erschafft.

In sechs Tagen erschuf Gott die Welt: Für die Erschaffung des Menschen hat Michelangelo mit der die Hand Adams berührenden Hand Gottes in der Sixtinischen Kapelle die kongeniale Bildformel geprägt. Bereits in der mittelalterlichen Bildtradition findet sich die ›von

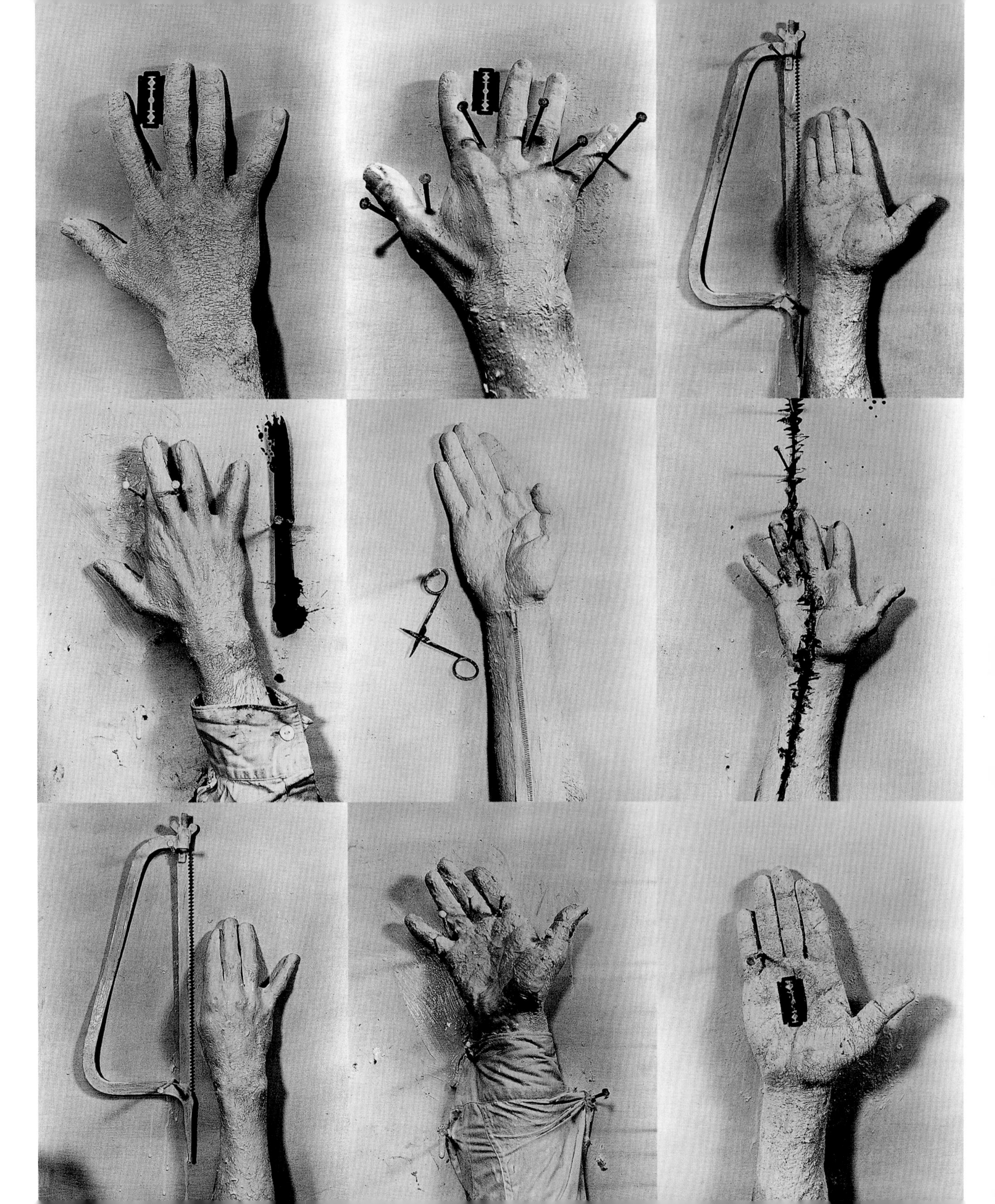

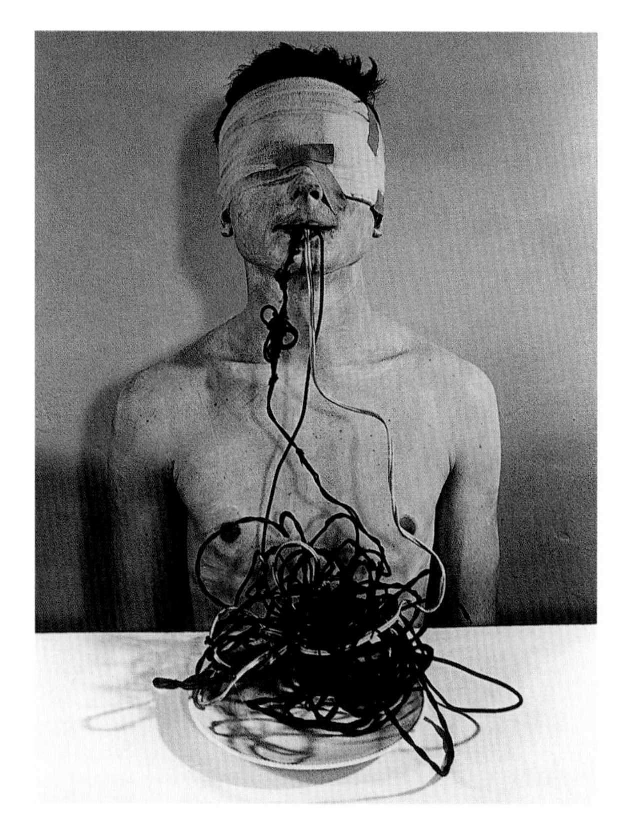

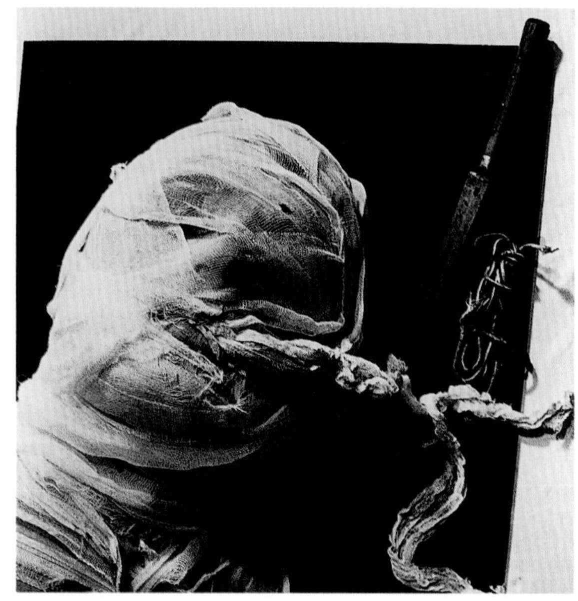

oben‹, manchmal auch aus den Wolken heraus ›nach unten‹ zeigende Hand als Inkarnation des Göttlichen, als symbolische Abbreviatur für den über alles waltenden und alles sehenden Gott. Das abgetrennte Körperfragment bringt seine Ganzheit zum Ausdruck.

Die Assoziation mit der Hand Gottes stellt sich auch angesichts eines Objekts von Joseph Beuys ein, das 1959 entstanden ist (Abb. S. 556): Der Gipsabguß einer Hand weist von oben herab auf einen Besteckkasten, in dessen einzelnen Fächern mit dem Braunkreuz bezeichnete Fetzen Papier liegen. Das Braunkreuz, in dessen Farbigkeit sich dumpfe Erdigkeit und verkrustetes Blut abzeichnen, vergegenwärtigt den Vorgang der Inkarnation, in der die Materie den Geist empfängt. Beuys interpretierte den Kreuztod Christi als »realen Fluß substantiell verändernder Kraft«, als christliches Potential, das »die Wirklichkeit als eine Art energetischer Impuls«[2] durchdringe. Die Hand, die so sehr an die Hand Gottes erinnert und sich als solche sehr gut in den Kontext einfügen würde, ist jedoch eine anatomische. Sie könnte demnach eher das Gegenteil repräsentieren, die Wissenschaft, die *ratio* und die laut Beuys damit verbundene Fixierung auf die Materie. Um den Materialismus überwinden zu können, müsse der Mensch den Funken des »christlichen Potentials« in seinem Inneren entdecken und aktivieren.

Bereits in mittelalterlichen Passionsspielen fand eine öffentliche Inszenierung des leidenden und zerstückelten Körpers zum Zwecke frommer Erbauung statt. Folterpraktiken wurden in der Passionsliteratur minutiös beschrieben und während der Spiele vorgeführt: »Die Lust des Quälens steigert den Jubel über die Erlösung, und die Perspektive der Erlösung lizensiert die Orgien an Grausamkeit.«[3] Ebenso war die Darstellung von Marterinstrumenten, genauer gesagt der *arma Christi* – Nägel, Hammer, Zange, Seil, Geißel –, in der

Seite 557: 555 Günther Brus, Handbemalung, 1964; neun Fotografien, je 49 x 38,6 cm; Staatliche Museen zu Berlin, Nationalgalerie

556 Rudolf Schwarzkogler, 3. Aktion, »o.T.«, 1965; zwei Fotografien, je 39 x 30,5 cm; Staatliche Museen zu Berlin, Nationalgalerie

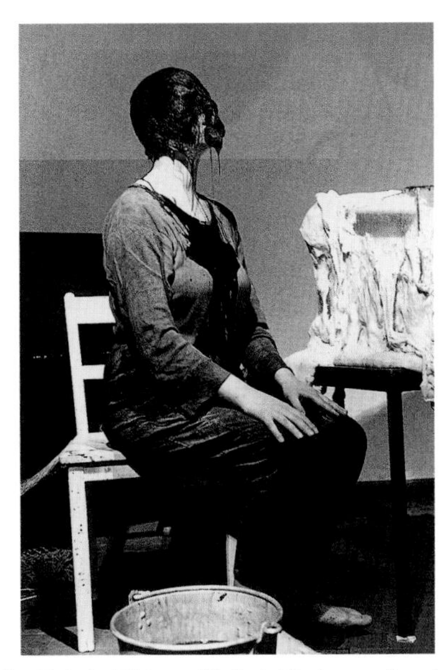

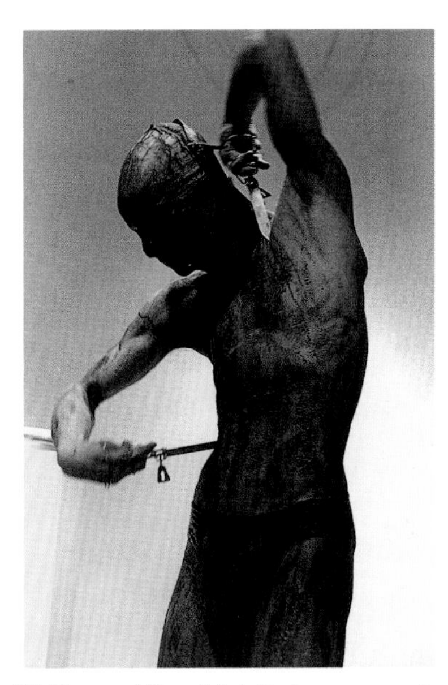

557 Permanente Kunstkonferenz, Ost-Berlin, Galerie Weisser Elefant: Via Lewandowsky, Trichinen auf Kreuzfahrt, Performance und anonyme Perzeption, 3. Juni 1989; Else Gabriel und Ulf Wrede, ALIAS, die Kunst der Fuge, Performance und Autoperforationsartistik, 17. Juni 1989; Micha Brendel, Der Mutterseelenalleinring und ErkenntnisART, 9. Juni 1989; Video; Besitz Christoph Tannert

christlichen Kunst weit verbreitet. Sogar die Wunden Jesu wurden auf Andachtsbildern ›vorgeführt‹, damit der gläubige Christ sich in ihren Anblick versenken möge. Hiermit verband sich die religiöse Strategie, an die *compassio* zu appellieren und über das Mit-Leiden das Gedenken an die Erlösung zu stimulieren. Der geschundene Körper Jesu und die *arma Christi* fungierten als Projektionsfläche erinnernder Glaubensgewißheit.

Religiöse und mythische Riten, die Themen Leben und Tod, Überwindung des Todes, Selbstauslöschung und Auferstehung bilden eine wesentliche Facette des geistigen Nährbodens, in dem der nach dem Gesamtkunstwerk strebende Wiener Aktionismus wurzelt. In expressiv-kathartischen Aktionen als manipuliertes Material vorgeführt, setzten die Wiener Aktionisten ihren Körper mit aller Konsequenz einer psychoanalytischen Decodierung aus, deren Radikalität sich von Aktion zu Aktion steigerte. Der Körper wurde Projektionsfläche und Gegenstand künstlerischer Interpretationen, Kunst zur Therapie und existentiellen Haltung.

Handbemalung (Kat.Nr. 555) nannte Günther Brus den ersten Teil der Aktion SELBSTBEMALUNG, die im Dezember 1964 im Atelier des Wiener Kunsthändlers John Sailer vor der Fotokamera stattfand. Die Aktionsfotos zeigen eine weiße Hand mit unterschiedlichen, collageartig angeordneten Objekten – Nägel, Schere, Rasierklinge, Säge –, die im Zusammenhang mit dem Körper die Empfindung von Schmerz und Verletzung evozieren.

Für Günther Brus ist »SELBSTBEMALUNG [...] eine Weiterentwicklung der Malerei. Die Bildfläche hat ihre Funktion als alleiniger Ausdrucksträger verloren. Sie wurde zu ihrem Ursprung, zur Wand, zum Objekt, zum Lebewesen, zum menschlichen Körper zurückgeführt. Durch die Einbeziehung meines Körpers als Ausdrucksträger entsteht als Ergebnis ein Geschehen, dessen Ablauf die Kamera festhält und der Zuschauer

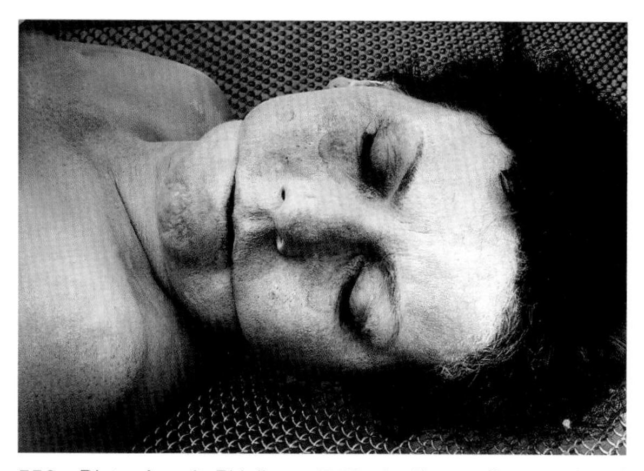
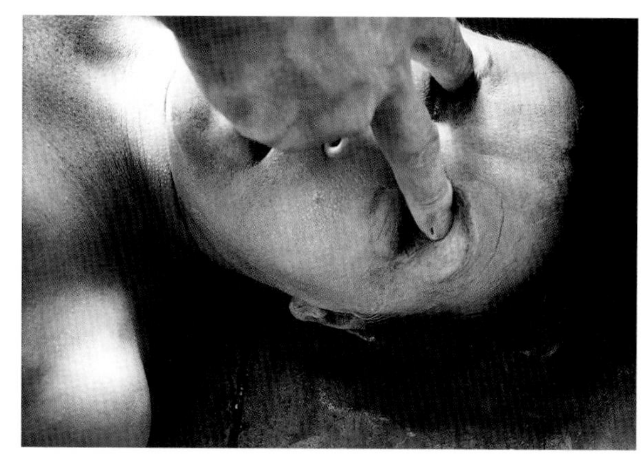

558 Dieter Appelt, Pitigliano, 1982; vier Fotografien aus einer Serie von 12, je 90 x 120 cm; Besitz des Künstlers

miterleben kann. Der Raum, mein Körper und alle Objekte, die sich im Raume befinden, werden verwandelt. Alles wird weiß gestrichen, alles wird zur Bildfläche.«[4] In der Folge beschreibt der Künstler die Selbstbemalung als »bewältigte Selbstverstümmelung« und als »unendlich ausgekostete Selbstentleibung«. Wie einst die *arma Christi* auf die Passion verwiesen, so dienen die ›Marterinstrumente‹ in den Aktionsfotos als Verweis auf die Selbstverstümmelung des Künstlers: Sie symbolisieren ein sukzessives Eindringen in die Malfläche, die aus dem eigenen verletzbaren Körper besteht. Auch die schwarze Linie steht bei Brus als analytisches Zeichen der Verletzung: der trennende Strich als Andeutung der körperlichen Trennung in zwei Hälften.

Der Künstler zerstört die Hand, durch die er seine Kunst erst zu erschaffen vermag. Zerstörung als Umkehrung des heroischen Schöpfungsaktes? Zerstörung als subversiv befreiender Akt, um zu neuen Wahrnehmungsqualitäten zu gelangen?

Die Gewalt der semantischen Materialcollagen in den von einem ästhetischen Perfektionismus geprägten Aktionsfotografien von Rudolf Schwarzkogler löst beim Betrachter eine Flut von unangenehmen Assoziationen und Gefühlen aus. Wie Brus arbeitet auch er mit einem charakteristischen Materialvokabular, das er in der **3. Aktion, »o.T.«** (Kat.Nr. 556) erweitert: Neben der weißen Kugel, dem Fisch, dem schwarzen Glasquadrat, Rasierklingen und Verbandsmaterial kommen Elektrokabel hinzu. Schwarzkogler arrangiert die einzelnen Szenen zu stillebenartigen Tableaus, montiert unterschiedlichste Details in höchst sensibler Form zu einer neuen Wirklichkeit. Der nackte Körper eines jungen Mannes wird in seinen Aktionen in Beziehung zu einem Fisch, zu keimfreiem Verbandsstoff oder metallenen Drähten gestellt. Die in einem klinisch-sterilen Ambiente inszenierten Objekt- und Körperkonstellationen lösen unweigerlich Gefühle der Angst und Be klemmung, ein verstärktes Empfinden unserer Verletzlichkeit und unseres existentiellen Ausgesetztseins aus. Vor allem die Verletzung durch Kastration sowie sadomasochistisch-erotische Aggressionen spielen bei Schwarzkogler als psychoanalytisches Leitmotiv eine große Rolle. Seine Probanden, durch die Bandagen entpersonifiziert, erscheinen als willenlose Opfer, die man in einem naturwissenschaftlichen Laboratorium einer umfassenden synästhetischen Versuchsreihe unterzieht. Die Dekonstruktion aller etablierten Vorstellungen vom Leben und eine neue intensivierte Erlebnisfähigkeit waren das Ziel, das Rudolf Schwarzkogler in und mit seiner Kunst anstrebte.

Als Epigonen des Wiener Aktionismus bezeichnete man zu Unrecht eine Gruppe von Künstlern, die in den achtziger Jahren in Dresden und Ost-Berlin für Furore sorgten. Sie bezeichneten sich seit 1987 als »Autoperforationsartisten« und traten 1990 in Paris das letzte Mal gemeinsam unter diesem Namen auf. Vorder-

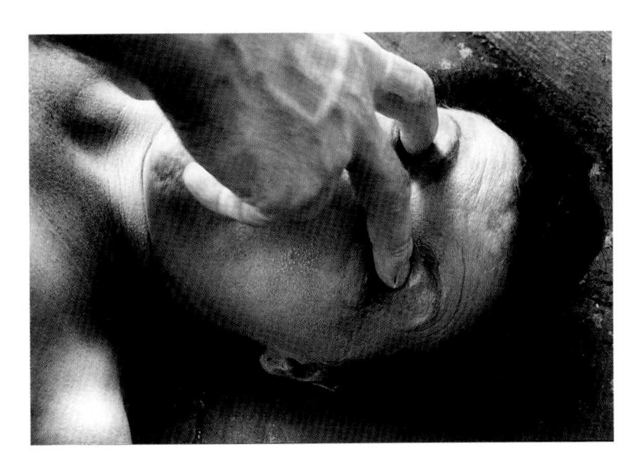

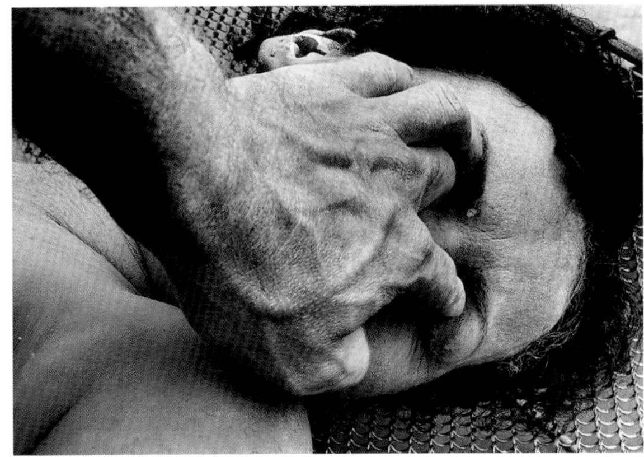

gründig richteten sich ihre anfangs als Faschingsfeste getarnten Aktionen zunächst gegen den anhaltenden Exodus der Künstler aus der ehemaligen Kunstmetropole Sachsens und die daraus resultierende Stagnation innerhalb der dortigen Kunstszene. Doch hatten diese Künstler durchaus mehr im Sinn, als sie ihren eigenen Körper während der Aktionen zahlreichen extremen Situationen aussetzten. »Ich habe Waffen entwickelt für den täglichen Nahkampf. Z.B. AUTO-PERFORATION, die Selbstlöcherung, handhabbar zum Unschädlichmachen von Gefühlsüberschuß, der entsteht, wenn sich einer gut- oder bösartig akuten Gemütsbewegung der Gegenstand entzieht bzw. ihr entzogen wird [...] AUTO-PERFORATIONS-ARTISTIK ist die Fortsetzung dieses Regulationsprozesses mit anderen Mitteln.«[5] Der Widerstandskampf gegen das Phantom eines allgegenwärtigen und zugleich ungreifbaren Staates lag den Autoperforationsartisten jedoch fern. Eher wollten sie die im riesigen Käfig DDR erstarrte Gesellschaft unter Einsatz ihres Körpers und der eigenen Biographie als Material schockieren, verwirren und peinlich berühren.

Im Juni 1989 fand in der Berliner Galerie Weisser Elefant die *Permanente Kunstkonferenz* statt, während der die Autoperforationsartisten einzelne Aktionen durchführten: Lewandowsky versuchte in **Trichinen auf Kreuzfahrt** (Kat.Nr. 557) sinnlose Abläufe zwanghaft in Ordnung zu bringen und Kohlköpfe zu züchtigen. Als dramatische »ErkenntnisArt« in drei Teilen führte Micha Brendel **Der Mutterseelenalleinring** auf, in dessen erstem Teil er sich mit seinen in Messern endenden Händen Hautritzungen zufügte. Else Gabriel ließ sich während der Performance **ALIAS, die Kunst der Fuge** an den Resonanzkörper eines Klavierflügels binden. Während der Schlußszene steckte sie ihren Kopf in einen Eimer mit zwei Tage altem Schweineblut und setzte sich anschließend einem Fliegenschwarm aus.

Mittels ›Selbstlöcherungen‹ wollten sich die ›Artisten‹ in die Lage versetzen, das eigene Ich überhaupt wieder spüren zu können. Gleichzeitig appellierten sie an das Publikum, wollten ihm die permanente Ausnahmesituation, die Einschränkung der Gefühle und Amputation der Sinne vor Augen führen: Autoperforation als Mittel gegen staatlich verordnete Unmündigkeit.

Um den menschlichen Körper – meistens den eigenen – *in toto* oder als Fragment dreht sich auch die künstlerische Arbeit von Dieter Appelt. Im Unterschied zum expressiv-dynamischen, gewaltsamen oder nihilistischen Gestus des Wiener Aktionismus besitzen seine Aktionen einen eher statischen Charakter, Veränderungen vollziehen sich nur äußerst langsam. Appelt setzt sich mit dem Thema der Langsamkeit, mit der Wahrnehmung von Zeit als Daseinsqualität auseinander. In metaphorischen Selbstinszenierungen oder stillebenartigen Naturstücken werden elementare Erfahrungen und Ängste des Daseins, die immer wieder

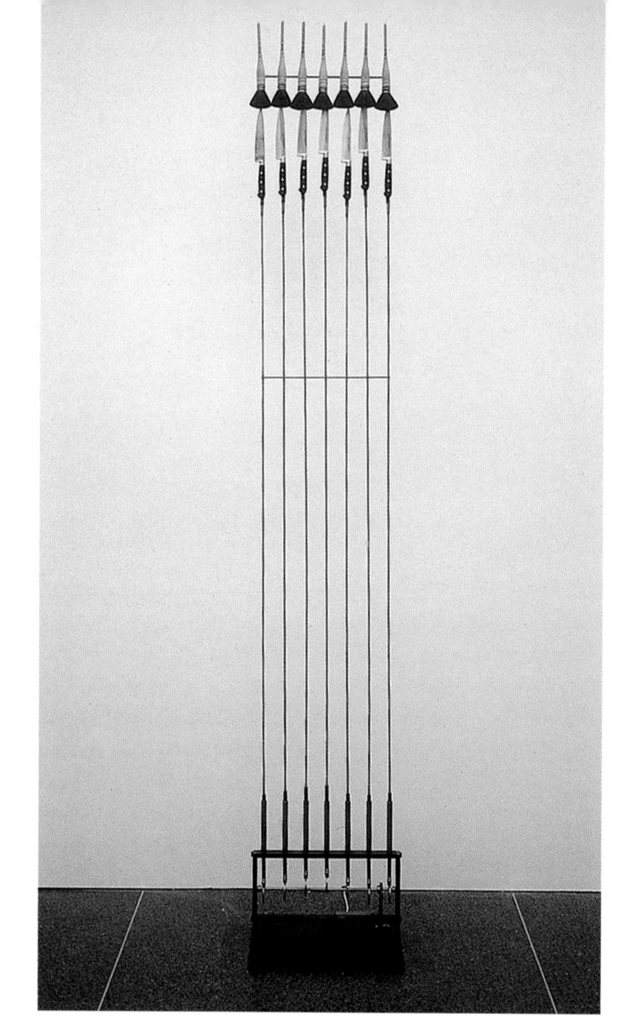

559 Rebecca Horn, The 77 Branches of Destiny, 1993; Messer, Pinsel, Metallkonstruktion, Motor, 193 x 50 x 40 cm; Los Angeles, County Museum of Art

um die Frage nach Leben, Tod und Wiederkehr kreisen, thematisiert.

1982 entstand die Serie **Pitigliano** (Kat.Nr. 558), benannt nach dem Ort in Oberitalien, in dem die Aufnahmen entstanden sind. Die Idee für die Arbeit lieferte das Totenritual, welches Appelt dort beobachtete: Die Augen der Toten werden geschlossen und ihre Münder mit einem Bindfaden eingeschnürt, damit sie geschlossen bleiben. Appelts Bilder sind jedoch nicht aus der Beobachtung einer solchen Situation heraus entstanden, sondern wurden für die Kamera inszeniert, ein Bild pro Tag. Ihre eindringliche Wirkung ist einerseits der Nahsicht der Aufnahme geschuldet, andererseits dem Motiv selbst. Es ist eine Hand, die eine Handlung vollzieht: Zwei Finger einer gespreizten Männerhand berühren die Augen einer Frau. Es ist eine durchaus ambivalente Handlung, denn der Akt des Augenschließens besitzt etwas Sanftes und Gewaltsames zugleich. Hände besitzen wie gesagt ihre eigene Sprache. Sie können schützen oder verletzen.

Man könnte die Serie **Pitigliano** auch als Diskurs über Wahrnehmung und Imagination interpretieren: »Die Fingerkuppen auf den Augäpfeln, sie rühren an das Geheimnis des Entstehens der geistigen Bilder gleich Ideen, sie tauchen in das Meer einer Bildwelt, die jeder in sich trägt und die, so wie sie sich bildete in ihm, auch mit ihm untergeht.«[6]

Rebecca Horn kreierte anfänglich Körperinstrumente wie den **Handschuhfinger** (1972), die der Intensivierung des Sensoriums dienen und neue mentale Erfahrungen auslösen sollen. Das Thema des durch ›Prothesen‹ unterschiedlichster Art entgrenzten Körpers ist dabei eng mit der eigenen Biographie verknüpft. Während eines fast einjährigen Sanatoriumsaufenthalts durchlebte Gefühle der Isolation und Einsamkeit führten zu einer gesteigerten Sensibilität für menschliche Nähe und Berührungen. Doch das Bedürfnis nach Nähe scheint immer ein ambivalentes zu sein, da es zugleich das Bedürfnis nach Zurückgezogenheit und Abgrenzung miteinschließt. Diese Ambivalenz findet ihren symbolischen Ausdruck vor allem in den zahlreichen Fächer- und Flügelobjekten oder Kleidern aus Federn (vgl. Kat.Nr. 254), denen im Werk Rebecca Horns eine zentrale Bedeutung zukommt: als taktile Verlängerung der Außenhaut und zugleich als sanftes Gefängnis. In der Folgezeit mutierte der Körper in ihren Arbeiten immer mehr zur Maschine, bis er vollständig verschwand und die Maschine an seine Stelle trat. Hier zeigt sich deutlich der Einfluß der Idee von der Junggesellenmaschine, die im **Großen Glas** von Marcel Duchamp kulminierte. Sie zeichnet sich durch eine Maschinenästhetik aus, die den Körper in ein thematisches Beziehungsgeflecht von Psychologie, sozialem Kontext, Sexualität und Autorität der Geschlechter einschreibt. Auf die Junggesellenmaschine antwortete

Rebecca Horn mit ihren Brautmaschinen, in denen die Frau nicht mehr länger Objekt der Begierde bleibt, sondern als sinnliches Subjekt handelt.

Für die Künstlerin sind ihre Maschinen beseelt, sie agieren, beben und zittern und erleben durchaus auch erotische Momente. So taucht das Motiv des Küssens oder Sex zwischen Apparaten immer wieder auf und ist auch Thema der **77 Branches of Destiny** (Kat.Nr. 559). In der stetig wiederkehrenden Bewegung der Messer und Pinsel drückt sich das permanente Streben nach Befriedigung der Libido aus. Sinnlich, verstörend und kalt zugleich, erscheinen die Maschinen als Surrogate des begehrenden Körpers.

Anmerkungen

1 Schuster, Peter-Klaus: »Menzels Modernität«. In: Claude Keisch u. a. (Hg.): *Menzel 1815–1905. Das Labyrinth der Wirklichkeit.* Ausst.Kat. Nationalgalerie und Kupferstichkabinett, Staatliche Museen zu Berlin. Köln 1996, S. 409.
2 Leutgeb, Doris: »Christusimpuls«. In: Harald Szeemann (Hg.): *Beuysnobiscum.* Amsterdam; Dresden 1997, S. 65.
3 Müller, Jan-Dirk: »Das Gedächtnis des gemarterten Körpers«. In: Claudia Öhlschläger u. a. (Hg.): *Körper, Gedächtnis, Schrift.* Berlin 1997, S. 78.
4 Zit. n. Klockner, Hubert: »Die Dramaturgie des Organischen«. In: Ders. (Hg.): *Wiener Aktionismus 1960–1971.* Ausst.Kat. Graphische Sammlung Albertina Wien. Klagenfurt 1989, S. 55.
5 Zit. n. Gillen, Eckhart: »Angst vor Deutschland«. In: Christoph Tannert (Hg.): *Autoperforationsartistik.* Ausst.Kat. Kunsthalle Nürnberg. Nürnberg 1991, S. 17.
6 Gercken, Günther: »noch Einmal tage, liebes Augenlicht«. In: Helmut Friedel (Hg.): *Dieter Appelt. Pitigliano 1982.* Ausst.Kat. Städtische Galerie im Lehnbachhaus München. Berlin 1983.

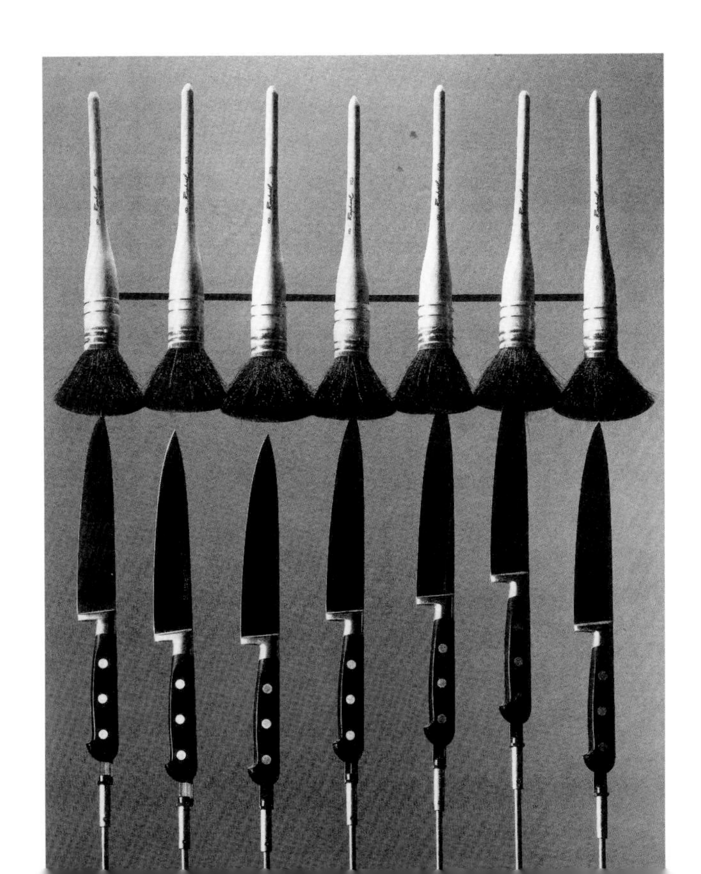

Rebecca Horn, The 77 Branches of Destiny, 1993 (Ausschnitt); Los Angeles, County Museum of Art

Inszenierte Melancholie

Fritz Jacobi

560 Jürgen Klauke, Melancholie der Stühle III, 1980/81; aus der Reihe der Bildparabeln »Formalisierung der Langeweile«, Tafel X; siebzehnteiliges Fototableau s/w, 180 x 270 cm; Museum für Moderne Kunst, Frankfurt am Main

Seit Albrecht Dürers **Melencholia I** von 1514 hat dieses Thema die Künstler immer wieder beschäftigt. Nicht nur die (deutsche) Romantik, insbesondere auch die Kunst des 20. Jahrhunderts hat sich mit dieser Mentalität auseinandergesetzt und häufig – wie bei Giorgio de Chirico und Jürgen Klauke – neue, prägnante Bildfindungen erbracht. 1914 schreibt Guillaume Apollinaire über seinen späteren Künstlerfreund Giorgio de Chirico: Er »baut harmonische und geheimnisvolle Kompositionen inmitten von Stille und Meditation«[1]. Diese knappe Charakteristik erster Werke jener »metaphysischen Jahre«[2] trifft das Grundmoment dieser präsurrealen Schaffensintention. Der italienische Maler, der mit einer starken Hinwendung zu den Deutschen Arnold Böcklin und Max Klinger sein Schaffen in München begann, reflektierte damals: »Unser Geist wird von Visionen bedrängt; sie kommen aus immerwährenden Quellen. Auf den Stadtplätzen legen Schatten ihre geometrischen Rätsel aus. [...] Überall Unendlichkeit, überall Geheimnis.«[3] Die hohe Empfänglichkeit für solche Zwischenstimmungen des Realen treibt de Chirico zur Gestaltung absurder Konstellationen.

In **Der Große Metaphysiker** (Kat.Nr. 561) setzt er in die Klarheit eines Platzes die bizarre Körpermontage einer denkmalhaften Gliederpuppe. De Chirico koppelt das Widersprüchliche: Plastische Realität und groteske Phantasie, Tektonik und kubistisch aufgebrochene Instabilität oder die schwere ballonartige Kopfform und fragil gefügte Holzsegmente. Diese gegenseitige Aufhebung läßt eine dumpfe, melancholische Verhangenheit entstehen, die empfindungsmäßige Grenzbereiche beklemmend ins Bild drängt.

Einen grundsätzlich verwandten Ausdruck absurder Bildwirkung, getragen von existentieller Untergründigkeit und trockener Ironie erreicht Jürgen Klauke mit seriellen, leicht variierten Aneinanderreihungen von fotografischen Ablichtungen gestellter Situationen, in denen Alltagsgegenstände, er selbst oder wenige andere Personen als gleichsam erstarrte Bildakteure agieren. Klauke inszeniert Verfremdung und stummes Wechselspiel – so in seinem siebzehnteiligen Werk **Melancholie der Stühle III** (Kat.Nr. 560) von 1980/81 – auf einer nüchtern gehaltenen Raumbühne, im entrückten Hell-Dunkel, durch die Lakonie des einfachen Gegenstandes.

Klaukes Arbeiten erscheinen wie eine verschattete Ding-Pantomime, die eine imaginäre Existenz zwischen Wirklichkeit und Unwirklichkeit zu ergründen sucht. 1981 schreibt er in einem Brief: »Der Schatten als Mass der Zeit im Ursprünglichen (Sonnenuhr) und der immer länger werdenden Schatten als Endstation (Sonnenstich)!? Ähnlich wie Schatten – als ein ständiger Begleiter – eine ständige Projektion – bei genügend Licht (im Kopf) sehe ich auch meine Arbeit.«[4]

561 Giorgio de Chirico, Der Große Metaphysiker, 1918; Bleistift auf Papier, 30,5 x 20 cm; Staatliche Museen zu Berlin, Kupferstichkabinett

Anmerkungen

1 Guillaume Apollinaire über den *Salon des Indépendants*, Paris, 1914. Zit. n. Düchting, Hajo: *Apollinaire zur Kunst. Texte und Kritiken 1905–1918.* Köln 1989, S. 227.

2 Chirico, Giorgio de: »Vorahnungen«, 1911–15. Zit. n. Angelika Wesenberg (Hg.): *Eine Reise ins Ungewisse – Arnold Böcklin, Giorgio de Chirico, Max Ernst.* Ausst.Kat. Nationalgalerie Berlin. Bern [3]1998, S. 111.

3 Chirico, Giorgio de: »Rückblicke eines Malers«, 1970. Zit. n. ebd., S. 97.

4 Jürgen Klauke an G.J. Lischka, 12. Januar 1981. In: *Jürgen Klauke – Formalisierung der Langeweile.* Ausst.Kat. Bonn 1981, S. 34.

Fragment und Synthese

Fritz Jacobi

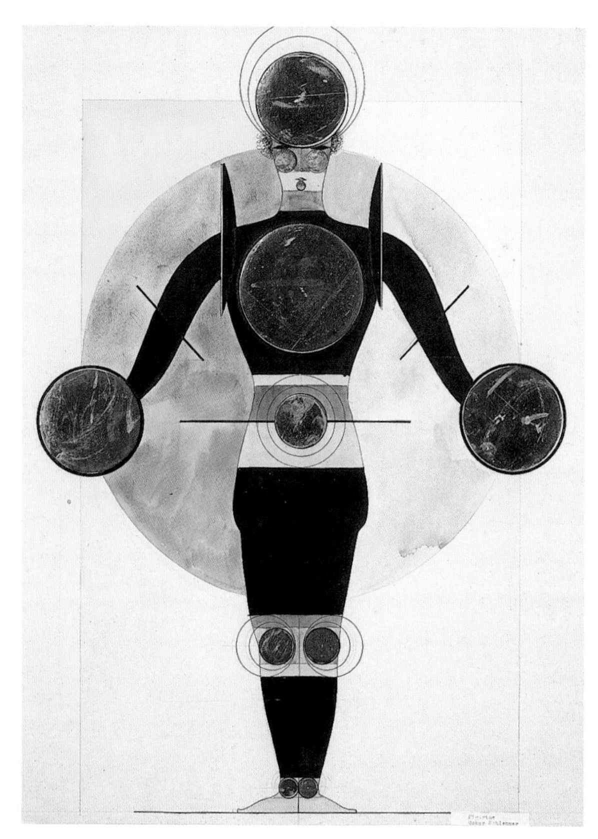

562 Oskar Schlemmer, Figurine mit bronzierten Scheiben, 1926; farbige Tusche und Collage aus bronziertem Silberpapier, 58 x 44,5 cm; Bühnen Archiv Oskar Schlemmer, Sammlung UJS

563 Stephan von Huene, Mann von Jüterbog, 1995/96; mixed media, ohne Sockel: 92,5 x 62,5 cm; Staatliche Museen zu Berlin, Nationalgalerie, Eigentum des Vereins der Freunde der Nationalgalerie

Innerhalb des Konstruktivismus gibt es gerade in den zwanziger Jahren einige bedeutende Künstler, die aus einem tektonischen Montage- und Ordnungsprinzip heraus den Gestaltwert des Figurativen in eine neue Dimension gehoben haben. Zu ihnen gehört vor allem Oskar Schlemmer, der – vom Baugedanken erfüllt – ›Menschen-Typen‹ innerhalb eines umfassenden Körper-Raum-Gefüges und als eine abstrakte Aufbereitung der Figur in die Fläche einspannt. Das **Relief JG** von 1919 zeigt die vielgliedrige Segmentierung einer stilisierten Körperform in eigenständige Teilbereiche, die in ihrer Gesamtheit den Eindruck einer anatomischen Baukastenlandschaft vermitteln. Diese potentielle Mo-

rechte Seite: 564 Tony Cragg, Policeman, 1988; blaue Plastikfragmente, 400 x 200 cm; Sammlung Klüser, München

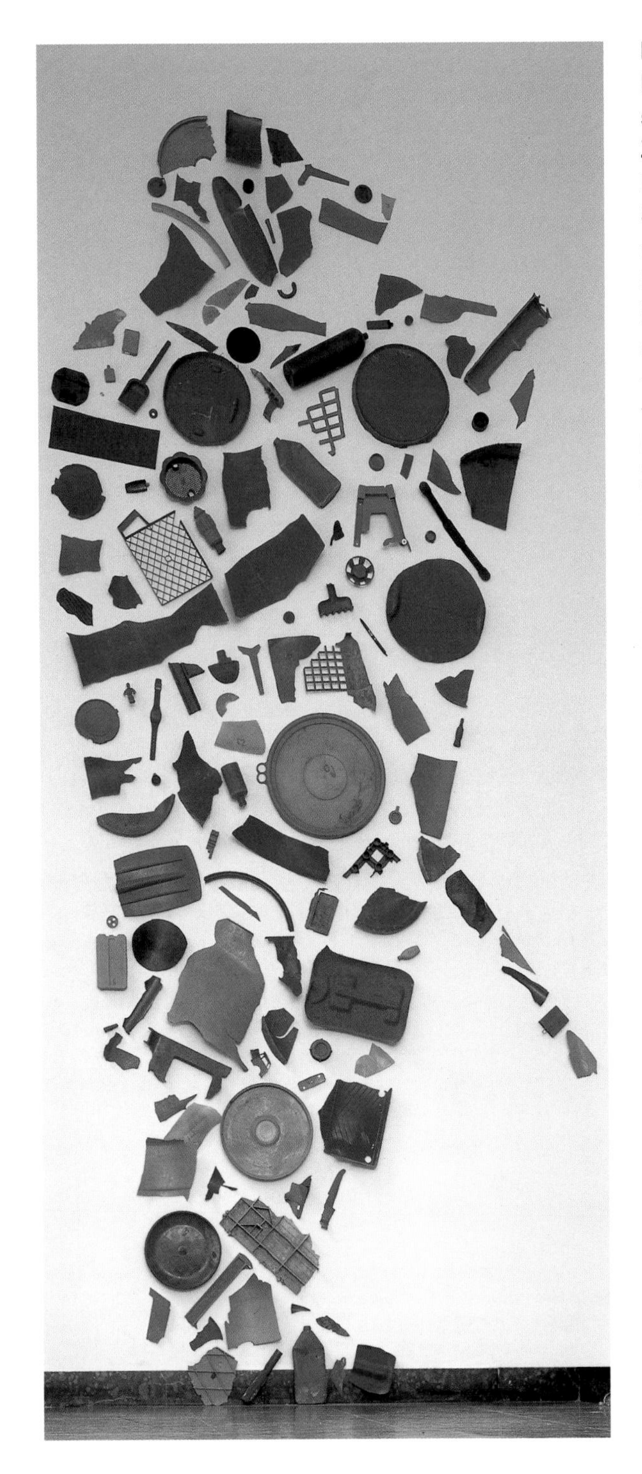

bilität eines Schwebezustandes findet sich auch in der **Figur mit Streifen** aus der Reihe der »Mauerbilder«, die sein Künstlerfreund Willi Baumeister etwa zur gleichen Zeit geschaffen hat, wenngleich dort der Bezug von Figur und Dekor spielerischer vorgetragen wird. Für Schlemmer standen fast durchweg der Mensch und die mit ihm verbundenen »Symbolwerte« im Zentrum seiner Kunst, was gerade durch ein Blatt wie die **Figurine mit bronzierten Scheiben** (Kat.Nr. 562) – 1926 nach einer der Figurinen seines **Triadischen Balletts** entstanden – markant belegt wird. Die Kopplung von statuarisch-frontaler Körpersilhouette und großen, schildartigen Kreisformen verweist auf die universalen kosmischen Zusammenhänge des menschlichen Lebens; der Paukenschläger wird zum priesterlichen Signalgeber.

Die Magie des Technischen in einer sehr versachlichten Form setzt Rudolf Belling, der sich intensiv mit der Problematik der Körper-Raum-Durchdringung in der Skulptur beschäftigte, konsequent in der **Skulptur 23** (Kat.Nr. 565) um. Grotesk und verfremdend montiert er maschinelle Teile zu einer präzis-faszinierenden Kopfgestalt, deren starre Materie den Eindruck des Belebten auslöst. »In dieser Metallplastik«, schreibt Schmoll, gen. Eisenwerth, »ist die Vorstellung eines ganzen Zeitalters vom roboterhaften Gesicht der Technik enthalten. Der Kopf ›Skulptur 23‹ gilt mit Recht als eines der Hauptwerke des internationalen Konstruktivismus.«[1]

In der zweiten Jahrhunderthälfte setzt eine Künstlerhaltung ein, die dem Fortschrittsgedanken deutlich distanzierter und skeptischer gegenübersteht. Die strenge Konstruktivität wird von einer die Stofflichkeit betonenden Instabilität abgelöst. So ist in der mythisch anmutenden Skulptur **Krokodil** (Kat.Nr. 566) von Eduardo Paolozzi der Kontrast von amorpher Masse und aufgedrückter technischer Rasterstruktur ein Ausdruck des Widerstreits zwischen Leben und Apparatur, der Gefährdung des Organischen durch nicht mehr zu bewältigende zivilisatorische Restbestände. Auf andere Art geht Tony Cragg mit einer ähnlichen Problematik in seinem **Policeman** (Kat.Nr. 564) um: Dieser aus Alltagsgegenständen und Abfallmaterialien zusammengestückte Figurenschatten ist fast clownesk behandelt, aber die additiv ausgefüllte Gestalt reflektiert ebenso

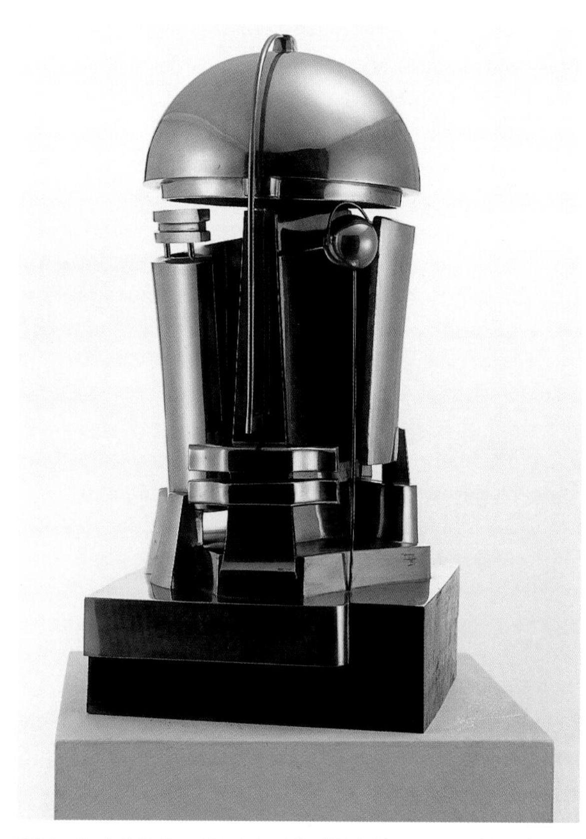

565 Rudolf Belling, Skulptur 23, 1923; Bronze, auf Messingfarbe legiert, 41,5 x 21,5 x 24,5 cm; Staatliche Museen zu Berlin, Nationalgalerie

566 Eduardo Paolozzi, Krokodil, 1956; Bronze, 93 x 63,5 x 25,5 cm; Wilhelm Lehmbruck Museum Duisburg

den Umgang mit den materiellen Ressourcen. Cragg selbst formulierte es so: »Ich glaube, daß Abfall aufhören muß, Abfall zu sein, bevor der Künstler etwas damit anfangen kann. [...] Das Material kann sich nicht selbst verwandeln, aber wir sollten die Fähigkeit aufrechthalten, Materialien wahrzunehmen und zu differenzieren.«[2]

Stephan von Huene setzt dagegen mit dem **Mann von Jüterbog** (Kat.Nr. 563) eine bedrängende Dingmagie in Szene – von Dada, Neuer Sachlichkeit und Konstruktivismus gleichermaßen geprägt. Diese Figur bezieht ihre schockartige Wirkung aus der instrumentalisierten Bewegungsrhythmik des fragmentierten Realkörpers und seiner Kopplung mit der stoßartigen Akustik von Trommelapparatur und Sprachfetzen des Schriftstellers Reinhard Lettau. Zwischen Modesalon und Militärkommando angesiedelt, wird dieses verfremdete »Gesamtkunstwerk« in seiner mechanischen Stückhaftigkeit zum Inbegriff einer automatisierten Welt. »Konfrontiert mit dem klassischen Begriff eines Denkmals«, so Heinrich Klotz, »[...] nähert sich der Mensch der hampelnden Schießbudenfigur an – ohne eine Schießbudenfigur zu werden. In beängstigender Nähe zum Unernst wird es ernst.«[3]

Anmerkungen

1 Schmoll, J.A., gen. Eisenwerth: *Rudolf Belling.* St. Gallen 1971, S. 13.

2 Cragg, Anthony: »Kunst aus Müll?« Vorlesung am internationalen Forum für Gestaltung, Ulm 1991. In: *Anthony Cragg – Material – Objekt – Form.* Ausst.Kat. Lenbachhaus München. München 1998, S. 35.

3 Klotz, Heinrich (Hg.): *Kunst der Gegenwart – Museum für Neue Kunst – Zentrum für Kunst und Medientechnologie Karlsruhe.* Ausst.Kat. München; New York 1997, S. 19.

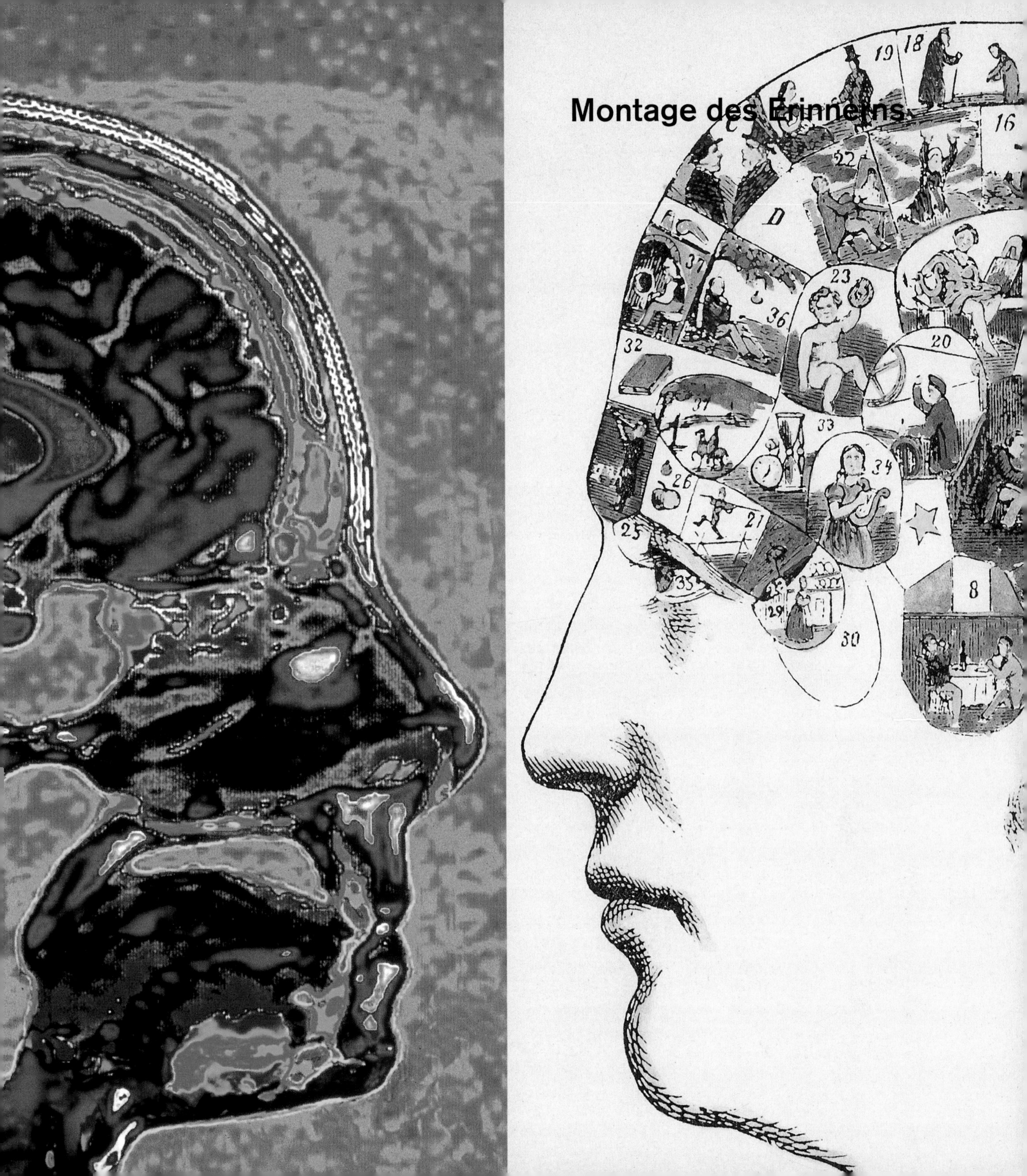

Montage des Erinnerns

Montage des Erinnerns

Jörg Makarinus

Das wahre Bild der Vergangenheit *huscht* vorbei.

Vergangenes historisch artikulieren heißt nicht, es erkennen ›wie es denn eigentlich gewesen ist‹. Es heißt, sich einer Erinnerung bemächtigen, wie sie im Augenblick einer Gefahr aufblitzt.[1]

Walter Benjamin

Auf der Suche nach der verlorenen Zeit schrieb Marcel Proust auf ungezählten Bögen und Blättern nieder, auf jedem ihm verfügbaren und noch so kleinen Stück Papier. Diese Fragmente wurden gesammelt und aneinandergereiht. Die Fahnen aus der Druckerei versah er kaum mit Korrekturen, sondern füllte die freien Ränder mit neuem, erweiterndem Text. Sein Erinnern war Suche, die sich im Sammeln entfaltete und eine Ordnung fand. Hier tritt das Prinzip CollageMontage als ein universales hervor. Denn es war nicht nur Methode, und es beschreibt mehr als nur die stilistische Struktur des Textes von Proust. Das Prinzip CollageMontage ist der einzigen dem Menschen möglichen Weise, der Geschichte habhaft zu werden, verwandt – denn wir können keine Ganzheitlichkeit erinnern; das menschliche Vorstellungsvermögen und die in ihm lagernden oder visionären Bilder bleiben nur deutlich im Nacheinander. Das Auftauchen und Verschwinden unserer inneren Bilder ist an einen Zeitverlauf gebunden. Es gibt keine Komplexität, sondern nur Folgen, einzelne Bilder, Episoden, Sentenzen, Szenen – aber nie ›die‹ Geschichte, weder auf einem gedachten Punkt noch in der Realität.

Wir würden Benjamins irritierende Notizen zum Begriff der Geschichte zu eng interpretieren, erwarteten wir, hinter dem Wort »Gefahr« allein einem dramatischen und uns überwältigenden historischen Ereignis zu begegnen. Beschrieben ist mit dieser Metapher vor allem die Intensität des Erinnerns, die hochgradig individuell und in subjektiv prädisponierten Bahnen verläuft. Dem Wechsel der ›vorbeihuschenden‹ Bilder begegnen wir nicht mit Schnelligkeit, sondern mit geistiger Vertiefung, mit Sensibilität und Erfahrung. Wir erinnern uns, um ein »unwiederbringliches Bild der Vergangenheit« in die Gegenwart zu retten, weil diese sich »als in ihm gemeint erkannte«[2].

Anselm Kiefer

Als seine Generationsgefährten beim Woodstock-Festival ihre Lebensalternative mit Janis Joplin, Jimi Hendrix und all den anderen Musikern in die Worte »Love and Peace« faßten, als die Welt von dem südvietnamesischen Dorf My Lai gehört und die Bilder der Barrikaden in Paris und der Brände in Berlin gesehen hatte, als der »Prager Frühling« zerschlagen war, als der Nachricht vom gewaltsamen Tod Che Guevaras in Bolivien die von der Ermordung Martin Luther Kings in Memphis, Tennessee, gefolgt war, als die Gewalt des Terrorismus sich formierte und seine politischen Ziele durch die Aktionen selbst *ad absurdum* führte, als die aus geschichtlicher Interpretation der Gegenwart entstandene Verdrossenheit an den gesellschaftlichen Zuständen sich in studentischen Unruhen entladen hatte und zu verebben begann, als der Versuch gescheitert war, »eine Revolution, die noch nicht stattgefunden hatte«, nachzuholen, obwohl es »schon zu spät«[3] war, und als mancher in deren Bahn »das Ende der Kunst propagiert«[4] hatte, spätestens in diesem Jahr, 1969, verabschiedete sich Anselm Kiefer von der dem Nachgeborenen möglichen Distanz zu den Verhängnissen der Geschichte, wie sie von seiner Vätergeneration mitgetragen oder verursacht worden waren. Kiefer widmete sich seither dem Künstler-Buch, jener schwer zu fassenden Gattung, die sich im Laufe ihrer wandlungsreichen Geschichte vom Skizzenbuch zum freien, nurmehr in gebundener Form existierenden Werk emanzipiert hatte. Bücher im allgemeinen sind Quelle und Resultat von Wissen; die des Künstlers zeigen häufig Texte, vor

567 Anselm Kiefer, Du bist Maler, 1969; Tinte, Originalfotografien und Illustriertenfotos auf Papier, 25 x 19 x 1 cm, 220 Seiten; Privatsammlung

568 Anselm Kiefer, Ausbrennen des Landkreises Buchen I–IV, 1975 (Detail); Eisenoxyd und Leinöl auf Fragmenten füherer Bilder (Öl auf Rupfen), Kartoneinband, 60 x 42 x 8 cm, 74 Seiten; Privatsammlung

569 Anselm Kiefer, Lilith am roten Meer, 1990; Blei, Emulsion, Leinen, Asche, Kreide auf Leinwand, 280 x 625 cm; Staatliche Museen zu Berlin, Nationalgalerie, Leihgabe der Sammlung Marx

allem aber montieren und collagieren sie vorgefundene und eigene Bilder. Sie wollen Verdichtung und Übersicht, sind Versuch oder Variante, sie ordnen Stoff und Form. Eines der frühen Bücher Kiefers trägt den programmatischen Titel **Du bist Maler** (Kat.Nr. 567). Also kein ›Ende der Kunst‹, sondern ein Anfang, der der Bestimmung von und der Besinnung auf sich selbst gewidmet ist. Nach der Fotografie einer Seher-Skulptur von Thorak, die das Buch als Frontispiz schmückt, führen die folgenden Seiten in das Atelier Kiefers. Anders als zu erwarten, stellt diese ›Dokumentation‹ keine Werke ins Zentrum. Inmitten einer unübersichtlichen Häufung von Utensilien zeigt Kiefer einen Tisch, auf dem eine »Leibgarde« aus Zinnsoldaten aufmarschiert ist. Auf anderen Seiten des Buches lassen die Fotografien weitere Formationen erkennen, die sich, wie in den Schaukästen historischer Museen, stumm und erbittert schlagen. Dieses Atelier ist nicht der Raum eines begnadeten Genies, sondern der Ort eines naiv scheinenden, aber hintersinnigen Nachspieles der Geschichte, improvisiert und ohne jedes Pathos, chaotisch und voller Ratlosigkeit, weil nichts mehr einen Anfang hat. Kiefers Weg in die Kunst ist der Geschichte gewidmet, ihren Dramen und dem, was ihrem Lauf unterlag. Die folgenden Bücher, **Heroische Sinnbilder** und **Für Genet**, zeigen neben historischen Fotografien und Aquarellen Selbstdarstellungen Kiefers in namenlosen Landschaften und an Orten, die während des Krieges ideologisch und / oder militärisch besetzt waren. Dort, wo dreißig Jahre zuvor die Uniformen zurechtgezupft worden waren, um auf dem Lichtbild die deutsche Kameradschaft repräsentabel zu zeigen, erscheint nun Kiefer mit der zum römischen Gruß erhobenen Rechten. Sein Habit ist alles andere als heroisch. Trotz dieser Ironie mußte seine Aktion des Nachvollzugs früherer Besatzungen die Kritik in allen Lagern einer politisch wertenden Öffentlichkeit provozieren. Kiefer betritt den Boden der Geschichte als Provokateur und unter der Prämisse des potentiell Mitschuldigen, der er, früher geboren, hätte werden können. Seine Bücher sammeln, ordnen und bewahren die Indizien und Ausgangspunkte solcher historischen Varianten, die Kiefer in seine Biographie projiziert. Das künstlerische Selbstverständnis dieser zwischen Schmerz und verfremdender Satire vorgetragenen Stoffe integriert eine Auseinandersetzung mit den künstlerischen Mitteln, die das vorgefundene Bild aus seinem historischen Kontext lösen oder verändern und, wie beim Übermalen, auch das Verschwinden des Bildes zeitigen können. 1974 entsteht eine Folge von neun Büchern: Das **Ausbrennen des Landkreises Buchen** (Kat.Nr. 568) führt zunächst wie ein Panorama in jene Landschaft ein, in der sich Kiefers Atelier befand, beschreibt sie in allen Himmelsrichtungen, um schließlich von Schwarz überzogen zu werden. Die Materialien, Eisenoxyd und Leinöl, zum Teil auf die Fragmente früherer Bilder gebracht, sind die des Malers. Wir sehen sie wie Ruß und Asche. Das »zugrunde richtende Element, das, vom zynischen Feuereifer eines Nero bis zu Hitlers Strategie der verbrannten Erde, nichts von seiner Aktualität eingebüßt hat«[5], ist ›hier‹ gewesen. Es wird nicht als dramatisches Lodern und in seiner von jeher faszinierenden Gewalt gezeigt, sondern in der Banalität seines Resultats. Hier waltet keine alchemistische Suche nach einem Stoff (in jedem ordentlichen Farbkasten findet sich eine Tube Eisenoxid-Schwarz). Der Sinn, der sich an das Schwarz in Kiefers Buch knüpft, ist auf die Banalität der künstlerischen Mittel angewiesen, auf die Leere eines jeden gesprochenen Wortes angesichts der trostlosen Unumkehrbarkeit des Geschehens. Das Material hat sozusagen das Thema vor sich. Durch die Reihung der Bilder und ihr Verschwinden wird eine Intention in die Mittel gelegt. Das Schwarz selbst ist prädestiniert für diese Vision, weil es Teil unserer Erfahrung ist. In späteren Arbeiten Kiefers begegnen wir einer assoziativen Ausweitung dieser Botschaften in den und mit den Materialien selbst, die die hier zu würdigende Identität zwischen künstlerischem Stoff und Biographie aufhebt. Zunehmend auch werden Bildelemente davon befreit, einer erzählenden Darstellung zu dienen. Stroh, Blei, Asche, Erdreich, Pflanzen und Assemblagen werden im Sinne einer individuellen Mythologie und Ikonographie verwendet, um in ihrer physischen Beschaffenheit selbst von sich und für den Gehalt des Werkes zu sprechen: **Lilith am roten Meer** (Kat.Nr. 569) knüpft an die Legenden um Adams erste Frau an, die Nachtmahr, die Kinder tötete. Die Kombination der Materialien wird zu einem Relief, das vor dem Bildträger zu schweben scheint. Dieser Fond aus Blei ist mit Kleidern bestückt.

570 Joseph Beuys, Dürer, ich führe persönlich Baader + + Meinhof durch die Dokumenta V, 1972; zwei Hartfaserplatten, Holz, Filz, Fett, Rosenstiele, Latte, ca. 200 x 200 x 40 cm; Sammlung Reiner Speck, Köln

Sie sind »Überbleibsel von etwas, das einmalig lebendig war, Todesgeschenke an das Leben, magische Instrumente auf ihrem Weg, etwas Vergessenes wiederzubeleben«, die nicht allein die Legenden um Lilith erinnern, sondern zu den »eindrücklichsten Bildern« zählen, die wir von den »Toten des 20. Jahrhunderts mit uns tragen«[6].

Joseph Beuys

Mit seiner Skulptur **DAS ENDE DES 20. JAHRHUNDERTS** (Kat.Nr. 572) beschreibt Beuys einen

571 Joseph Beuys, Unschlitt / Tallow, 1977; Talg, Fett, Gips, Thermoelemente, Voltmeter, Transformator, Stahl, Meßgeräte, 955 x 306 x 195 cm; Staatliche Museen zu Berlin, Nationalgalerie, Leihgabe der Sammlung Marx, Eigentum des Landes Berlin; Aufnahme der Aufstellung im Westfälischen Landesmuseum für Kunst und Kulturgeschichte Münster, 1977

geschichtlichen Rahmen, der bereits durch die Dinglichkeit der Arbeit selbst, die Basalt-Stelen, und die heute üblichen Hilfsmittel für einen Transport solch schwerer Gegenstände, einen Hubwagen und eine eiserne Stange, umrissen ist. Die Steine erscheinen wie ein Gräberfeld, über das sich die Natur für Jahrhunderte gelegt hatte. Ihre Herkunft weist zurück in eine Zeit, »in der das heutige Erdbild entstanden ist und in der erstes organisches Leben in diese Erdenwelt eintritt«[7]. Erst der Mensch war in der Lage, die »Steine aus ihrem Jahrmillionen währenden Zusammenhang herauszubrechen und sie der Gestaltung und Anschauung, aber auch der Zerstörung auszusetzen«[8]. Aus jedem dieser Steine wurde ein Stück herausgeschnitten. In das entstandene Loch füllte Beuys Tonerde und Filz und setzte die kegelförmigen Ausschnitte wieder in die Steine zurück. Diese Veränderung kann in einem metaphorischen Sinne als eine Tat interpretiert werden, die die ungestaltete und tote Materie wärmt oder belebt und gestaltend ordnet. Die Skulptur beschreibt somit auch menschliches Vermögen, die Natur sinnstiftend und maßvoll zu verändern. Die technischen Hilfsmittel bezeichnen einen Zeitpunkt, das »Ende des 20. Jahrhunderts«, an dem dieser historische Prozeß angelangt ist und nach dem er fortgesetzt werden wird. Beuys transformiert mit dieser Metapher die gesamte geschichtliche Natur auf unsere Situation und unser Denken – und unsere Existenz in dieses Zeitmaß. Dieses Zusammendenken von Welt- und Menschwerdung ist einem Geschichts- und Werkbegriff adäquat, der sich aus Beuys' Beschäftigung mit den Naturwissenschaften, mit existentiellen und anthroposophischen Fragen, vor allem mit den Schriften Rudolf Steiners, herleitet, und der immer wieder den Widerspruch beschreibt zwischen der »Größe, die der Mensch in seinen geistigen Gegenständen nicht los wird« und der drohenden »Finalität«, dem »Verlust dieser Gegenstände«[9]. Dieser Begriff von Geschichte erfordert, historische Vorgänge nicht als »abstraktes Aneinanderreihen von Evénements«[10] zu verstehen. Vielmehr müsse man »das Bildende in der Geschichte« erfahren, sie kennenlernen »wie eine organische Ausformung von Welt«[11]. Das »Bildende« war Beuys ein Begriff der Veränderung, deren Phänomene sich nur mit dem Blick auf »jeden einzelnen Moment auf einem Zeitband«[12] entschlüsseln ließen. So zeigen seine Werke immer auch die Ferne des nahe Geglaubten. Auch die **Straßenbahnhaltestelle** (vgl. Kat.Nr. 146) bezieht sich mit der ihren Bestandteilen innewohnenden historischen Distanz, Fragmente eines Denkmals aus dem 17. Jahrhundert und eine Straßenbahnschiene, auf solch ein Verhältnis zwischen Nähe und Ferne. Joseph Beuys erlebte die Begegnung zwischen diesen Elementen während der Kindheit in seiner Heimatstadt Kleve als spannungsvoll und vielleicht als anachronistisch. In dem 1977 in erster Fassung entstandenen Environment verdichtet sich dieses Erlebnis zu einem Extrakt, der das Verhältnis von Fortschritt und Geschichte, Gewinn und Verlust, Zivilisation und Tod reflektiert. In das Kanonenrohr der »Feldschlange« ist der Kopf eines sterbenden Soldaten montiert. Die Zeit eilt an ihm vorbei, und noch immer ist er nicht erlöst. All diese Gegenstände und Materialien sprechen von Geschichte oder sie bewahren sie in ihrer Patina. Sie erinnern eine kindlich scheinende Sehnsucht nach der Antwort auf die Frage vom Sinn der Welt, weil sie das Geheimnis und die Macht des Materials in sich tragen. Beuys löst das Einzelne aus funktionaler, räumlicher, zeitlicher Bindung und führt zurück an seinen Ur-Zustand, von dem aus seine Universalität erkannt werden kann. Die Dinge bewahren in dieser ›Unschuld‹ die Fähigkeit der Provokation. Sie bleiben un-bestimmt und neigen zur Verweigerung wie alle Kunde von Utopie. Der Materialbegriff bei Beuys verlangt die Montage als geistiges Prinzip der Aneignung. Wir haben uns einer Erinnerung zu bemächtigen. Dieses Erinnern bedeutet, den aktuellen Ort in eine historische Dimension zu denken, aus der heraus er bewertet und verstanden werden kann. In dieser Hoffnung auf eine Chance, die Aufgabe einer gesellschaftlichen Umgestaltung als »soziale Plastik« verwirklichen zu können, widmet sich Beuys der Vergangenheit wie der Gegenwart, um jene »Stellen« zu suchen, »wo etwas zerbrochen wurde, wo ein Traum verlorenging«[13]. Der an seinen Assistenten Thomas Reiter, alias »Dürer« gerichtete Satz, er, Beuys, würde Baader und Meinhof persönlich durch die *documenta V* führen, berichtet davon (vgl. Kat.Nr. 570); Beuys ordnet der verbalen Äußerung Filz, Fett, Erde und Rosenstiele zu, schafft ein »Aggregat«, das Wärme und Aufklärung bereithält. Dieses Prinzip, »durch die Materie«[14] zu informieren, beschreibt auch die wohl größte Herausforderung an Beuys' Schaffen. Mit der Skulptur **Unschlitt / Tallow** (Kat.Nr. 571) reagiert er auf eine funktionslose Hinterlassenschaft urbanen Bauens: ein keilförmiger, betonierter Hohlraum, der sich kalt, grau und unzugänglich über einer Fußgängerunterführung befand, drei Meter hoch, zehn Meter tief. Ursprünglich für die Ausstellung *Skulptur 1977* in Münster begonnen und als eine ideelle Alternative, als soziale Position auf die vorgefundene Realität in dieser Stadt gerichtet, konnte die Arbeit erst später ausgestellt werden. Das Wachs, aus dem diese »Wärmeskulptur« gegossen wurde, erkaltete sehr langsam. Die Ausstellung war vorüber, ehe der Block in sechs unregelmäßige Segmente zerteilt und öffentlich gezeigt werden konnte. Die Episode von der verzögerten Entstehung des **Unschlitt / Tallow** als Gegenentwurf zu der beschriebenen Architektur, als ein Körper, der Wärme speichert, der weich ist und eine Farbe hat, der der sinnlichen Wahrnehmung zugetan ist und der im übertragenen Sinne so ist und erinnert, wie Architektur für den Menschen beschaffen sein sollte, stellt unfreiwillig die nachdenklich stimmende Frage nach der Zeit für Alternativen urbanen Gestaltens.

Joseph Beuys hat keine Punkte auf einem Zeitband gesucht oder beschrieben, um sie uns zu zeigen. Sein Werk knüpft ein Zeitband in einem Sinn und Maß, in dem der Mensch »sich als die Geschichte selbst«[15] empfindet oder in dem er es kann.

Anmerkungen

1 Benjamin, Walter: »Über den Begriff der Geschichte«. In: Ders.: *Allegorien kultureller Erfahrung. Ausgewählte Schriften 1920–1940.* Hg. von Sebastian Kleinschmidt. Leipzig 1984, S. 156–169, hier S. 158.
2 Ebd.
3 Anselm Kiefer, in: Burckhardt, Jacqueline (Hg.): *Ein Gespräch. Joseph Beuys, Jannis Kounellis, Anselm Kiefer, Enzo Cucchi.* Mit einer Einleitung von Jean-Christophe Amman. Zürich 1986, S. 39.
4 Ebd., S. 37.
5 Adriani, Götz: »Jede Gegenwart hat ihre Geschichte«. In: Ders. (Hg.): *Anselm Kiefer. Bücher 1969–1990.* Ausst.Kat. Kunsthalle Tübingen, 1990, S. 8–19, hier S. 15.
6 LeVitté-Harten, Doreet: »Bruch der Gefäße«. In: *Anselm Kiefer.* Ausst.Kat. Nationalgalerie Berlin. Berlin 1991, S. 20–28, hier S. 27.
7 Blume, Eugen: »Joseph Beuys«. In: Heiner Bastian (Hg.): *Sammlung Marx.* Bd. I. Ausst.Kat. Hamburger Bahnhof, Museum für Gegenwart – Berlin. Berlin 1996, S. 15–21, hier S. 19.
8 Ebd.
9 Bastian, Heiner: »Keine einfachen Überlegungen angesichts dieser Gegenstände von Beuys«. In: Ders: *Joseph Beuys, Robert Rauschenberg, Cy Twombly, Andy Warhol. Sammlung Marx.* Berlin [2]1983, S. 11–15, hier S. 11.
10 Beuys, Joseph: *Jeder Mensch ein Künstler. Gespräche auf der »documenta 5« 1972, aufgezeichnet von Clara Bodenmann-Ritter.* Frankfurt am Main; Berlin; Wien 1975, S. 89.
11 Ebd.
12 »Aufzeichnung eines Gesprächs zwischen Joseph Beuys und Hans van der Grinten vom 7.12.1970«. In: *Joseph Beuys. Aktioner. Aktionen. Zeichnungen und Objekte 1937–1970 aus der Sammlung van der Grinten.* Moderna Museet Stockholm, 1971, n. pag.
13 Bastian, Sammlung Marx (Anm. 7), S. 12.
14 »Das Museum ein Ort der permanenten Konferenz. Gespräche Beuys' mit H. Kurnitzky und Jeannot Simmen vom 1.2. 1980 im Atelier des Künstlers«. In: Kurnitzky, H. (Hg.): *Notizbuch 3. Kunst und Gesellschaft.* Berlin 1980, S. 47–74. Zit. n. Heiner Stachelhaus: *Joseph Beuys.* Leipzig 1989, S. 228.
15 Beuys, Jeder Mensch ein Künstler (Anm. 10), S. 89.

572 Joseph Beuys, DAS ENDE DES 20. JAHRHUNDERTS, 1982–83; 21 Basaltsteine, Filz, Tonerde, Steinbock, Brechstange, Maße variieren nach Aufbau; Staatliche Museen zu Berlin, Nationalgalerie, Leihgabe der Sammlung Marx, Eigentum des Landes Berlin

Clemens Weiss, Hanne Darboven, Christian Boltanski, Joseph Kosuth, Arnold Dreyblatt

Claudia Banz

Clemens Weiss

Als »philosophisches Experiment« bezeichnet Clemens Weiss seine künstlerische Arbeit insgesamt und als »erweiterte Collagen« seine Glaskonstruktionen. Entscheidend ist das Innenleben dieser Glaskästen (Kat.Nr. 573). In ihnen befinden sich hauptsächlich Texte und Zeichnungen, die der Künstler eigens für diese Installation geschaffen hat, Federzeichnungen aus der sogenannten ›endlos-serie‹ oder zeichnerische Studien und Skizzen. Die einzelnen Glaskästen werden zu Stapeln zusammengefügt, die meistens eine pyramidale Form besitzen, und diese finden ihren Platz wiederum in einem schlichten Metallregal. Insgesamt ergibt sich eine ausgewogene Komposition, in der keiner dieser Stapel in seinem visuellen Erscheinungsbild oder thematisch einen anderen dominiert, und es gibt auch keine bestimmte Abfolge. Innerhalb dieser Stapel existiert allerdings sehr wohl eine syntaktische Ordnung: Sie sind von oben nach unten ablesbar, gleich einer Assoziationskette, die stufenweise zu einer konkreten Information führt.

Man könnte Clemens Weiss' Arbeiten auch als Entwurf einer künstlerischen Erkenntnistheorie bezeichnen, bei der es um das Sichtbarmachen menschlicher Denkstrukturen geht. Die ›Objekte‹ des Denkens befinden sich in den Glaskästen: die schriftlichen Reflexionen in Form von Texten, die die *idea* verkörpern, und die Zeichnungen. Seit der Renaissance gilt der *disegno* als Synonym für Erkenntnisvermögen und Denken. Er wurde mit der *idea* gleichgestellt und als das Gefäß aller geistigen Vorgänge begriffen. Durch das Medium des *disegno* findet der geistige Entwurf seinen vorläufigen Ausdruck.[1]

Thema des **installationssegment no. 3** ist das Evozieren gleichzeitig ablaufender Prozesse, die Simulation einer Situation möglichen Denkens – daher auch die ausgewogenen Proportionen als sinnfälliger Ausdruck dieser Simultaneität. »[…] die humanen Möglichkeiten des Verfolgens gleichzeitig passierender Abläufe, auch wenn sie noch so interessant und entscheidend für das beobachtende Subjekt, – sind bekanntlich unzureichend ausgebildet. Dieses gilt besonders für die Orientierung inmitten der Abläufe eines jedweden Moments, gleich welcher Art, und ebenfalls im nachhinein von Abläufen und Ereignissen, – also wenn ›erinnert‹ wird.«[2]

Nicht die konkrete Erinnerung an eine bestimmte Zeit, Biographie oder ein bestimmtes Objekt ist das Thema von Clemens Weiss. Erinnerung wird vielmehr als abstrakter Prozeß vorgestellt, bei dem man in immer tiefere Schichten des Gedächtnisses vordringt. Diese Schichten liegen als gläserne Behältnisse im Regal, sie verheißen Wissen und Erkenntnis, verweigern und schützen beides aber zugleich.

Darüber hinaus betont der Künstler die erzählerische Natur seiner Arbeit: »Interessant in diesem Zusammenhang vielleicht noch, – die Wahrnehmung komplexer wie vermeintlich einfacher Vorgänge funktioniert und ist dominiert durch die Erinnerung […]. Es ist also die konstante Wiederaufbereitung zu möglichst entsprechenden komplexen Strukturen […], die von schon Vergangenem erzählt.«[3]

Der Akt des Erzählens gilt in doppelter Hinsicht als Leistung der *ars memoriae*: als Reproduzieren und Wiederholen von Fakten sowie als narrative Fixierung aller Handlungen, Ereignisse und Erfahrungen, über die sich eine Kultur konstituiert und identifiziert. Die kulturelle Dimension ist von Anfang an essentieller Bestandteil der *artes memorativae* gewesen, die sich keineswegs nur auf Merkmechanismen, Kombinatoriken und Wissensdiagramme reduzieren lassen. Sie findet sich

Rechte Seite: 573 Clemens Weiss, installationssegment no. 3, 1986–88; zeichen/schrift/objektserien, unbetitelt 1986–88; tusche auf papier, div. material, holz, glas, eisen, 300 x 165 x 330 cm; Galerie Löhrl, Mönchengladbach

auch im **installationssegment no. 3** wieder, im Innenleben der transparenten Kästen, im ›Geistigen‹, das das Wissen und Wesen einer Kultur verkörpert und zum Ausdruck bringt.

Hanne Darboven

Kurt Schwitters wäre 1987, dem Entstehungsjahr von Hanne Darbovens Arbeit, 100 Jahre alt geworden. Von den Nationalsozialisten als ›entarteter‹ Künstler deklariert, hatte er 1937 seine Heimat verlassen, um fortan im Exil, zunächst in Norwegen, später in England zu leben. Als Schwitters 1948 in Ambleside starb, war der ›Erfinder‹ der Merzkunst weitgehend in Vergessenheit geraten. Es sollte gut ein Jahrzehnt dauern, bevor er in seiner wegweisenden Bedeutung für die Kunst des 20. Jahrhunderts erkannt und wieder in das Licht der Öffentlichkeit gerückt wurde.

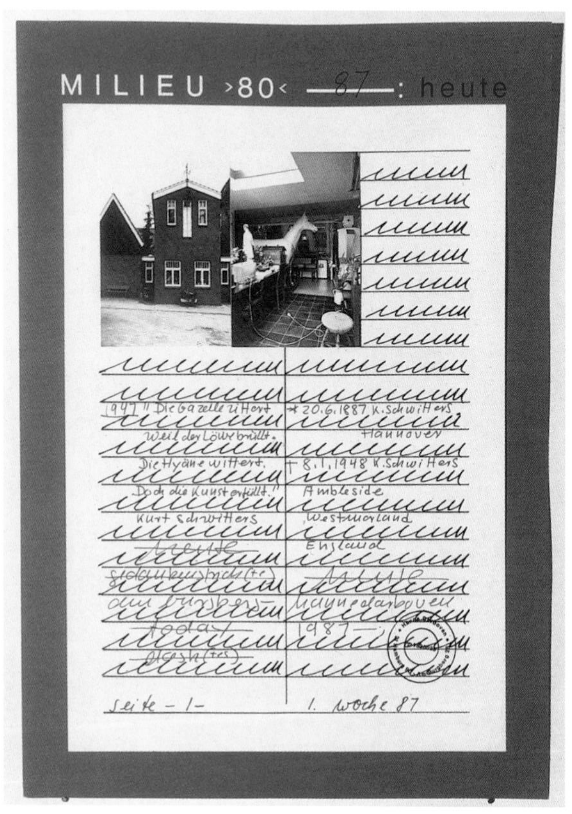

Hanne Darboven, Kurt Schwitters, 1987 (Ausschnitt); Sammlung Onnasch

Hanne Darboven hat Schwitters' Lebensdaten auf der ersten Seite, mit der die Arbeit beginnt, vermerkt. Außerdem zitiert sie eines seiner vielen Gedichte (vgl. Abb. S. 580). Für Schwitters war »die Kunst [...] eine geistige Funktion des Menschen, mit dem Zwecke, ihn aus dem Chaos des Lebens (Tragik) zu erlösen«[4]. Durch regen Schriftverkehr versuchte er, die Isolation des Exils zu durchbrechen und den Kontakt zu alten Freunden und Bekannten aufrechtzuerhalten. Zahlreiche Collagen aus jener Zeit, in die er Postanschriften, Poststempel, Adressen und Absender integrierte, belegen die Bedeutung dieser brieflichen Kontakte. Hanne Darboven scheint in ihrer Arbeit auf diesen Aspekt anzuspielen, indem sie jedes Tagesblatt links oben mit einer Postkarte mit dem eigenen Absender beginnen läßt und darüber hinaus jedes Blatt rechts unten gestempelt hat. Das Einfügen von Postkarten zeichnet zwar mehrere Arbeiten von Darboven aus, erhält in diesem Kontext jedoch eine zusätzliche Bedeutung.

Eine geistige Verwandtschaft zu Kurt Schwitters, der neben Marcel Duchamp zu Darbovens künstlerischen Vorbildern gehört, klingt auf mehreren Ebenen an, ohne daß sie die Variation der ästhetischen Ansätze bedeutet: Neben der collagierenden Arbeitsweise und der künstlerischen Auseinandersetzung mit Klang, Musik, Bild und Sprache ist es vor allem die Entwicklung individueller Systeme, die für beide charakteristisch ist. Das unermüdliche Systematisieren von Schrift, Sprache und Zahl, das immer neue Bilden logischer Beschreibungssysteme gehörte zu Schwitters' künstlerischer Selbstverwirklichung. Analog zieht sich das System eines durch mathematische Strukturen und Kalenderdaten gegliederten und geordneten Kosmos leitmotivisch durch das Werk von Hanne Darboven. Schwitters' künstlerisches Schaffen kulminierte im **Merzbau** (Kat.Nr. 444), in dem er seine Vorstellung vom ›reinen‹ Kunstwerk, in dem kalkulierte Sachlichkeit und schwärmerische Imagination dicht beieinanderliegen, auf das eindrucksvollste verwirklicht hat. Hanne Darboven hat jeder Woche des Jahres 1987 ein Blatt vorangestellt, auf dem anstelle der Postkarte ein montiertes

574 Hanne Darboven, Kurt Schwitters, 1987 (Ausschnitt); Fotos, Tinte, Offsetdruck auf Papier auf Karton, 424 Bätter, je 42 x 29,7 cm; Sammlung Onnasch

Foto erscheint. Es zeigt die Außenansicht ihres Hauses, die mit immer anderen Innenansichten des Ateliers kombiniert wird. Diese Fotomontagen tauchen auch in anderen Arbeiten auf, doch stellt sich in diesem spezifischen Kontext die Assoziation vom ›persönlichen Merzbau‹ der Künstlerin ein, dessen geordnetes Chaos in scheinbarem Gegensatz zu der rationellen Strenge und Klarheit ihres künstlerischen Tuns steht.

Der ›Verlauf der Zeit‹ ist das zentrale, künstlerisch immer wieder in Angriff genommene Thema von Hanne Darboven, veranschaulicht durch den wellenförmigen Schriftduktus als Ausdruck des täglich vollzogenen Schreibakts und das Ineinanderblenden von Vergangenheit und Gegenwart. Die Vergangenheit materialisiert sich in den Lebensdaten von Kurt Schwitters, die zudem den Blick auf einen spezifischen historischen Kontext weiten. Das Textzitat als *pars pro toto* des künstlerischen Schaffens repräsentiert zugleich einen bestimmten ästhetischen Ansatz. Dieser Vergangenheit stellt Darboven ihre eigene Lebenszeit und ihren eigenen Raum gegenüber, versinnbildlicht durch die Fotografien, die ihre Existenz vergegenwärtigen, die Kalenderdaten und die in ihrer Arbeit immer wiederkehrende Formel: »heute Gedankenstrich (+e) am burgberg today dash (es)«, die mit Ausnahme der Adresse alle durchgestrichen sind.[5] Die Denkfigur des Durchstreichens steht für die abwesende Anwesenheit und ist ein Zeichen für die verrinnende Gegenwart und soeben Erledigtes.

Indem sie nahezu immer, direkt oder indirekt, ein Stück Geschichte rekonstruiert, leistet Hanne Darboven Gedächtnis- und Erinnerungsarbeit. Diese ist eingebettet in verschiedene, sich gegenseitig durchdringende Zeitsysteme: Zeit, erfahrbar als autonome Größe, als historische, individuelle und psychologische Entität.

Christian Boltanski

»Für mich sind Kleider ganz stark verbunden mit der Photographie – ein Bekleidungsstück ist wie die Photographie ein Objekt der Erinnerung an ein Subjekt. Da ist der Geruch, das sind die Falten, das ist wie eine Hohlform im Vergleich zum Photo.«[6] Beiden Materialien gemeinsam ist der Aspekt der gleichzeitigen An- und Abwesenheit. Kleider fungieren als Statthalter imaginärer Personen, sie evozieren Erinnerungen an abwesende, verschwundene oder tote Menschen und stiften

Christian Boltanski, The Work People of Halifax, 1995; Henry Moore Foundation, Leeds

somit Geschichte. In der Installation **The Work People of Halifax** (Abb. S. 582) rief Christian Boltanski die kollektive Memoria an die Arbeiter auf, die nach dem Schließen der Fabrik in Halifax und ihrer Umwandlung in ein Museum entlassen wurden und deren weiteres Schicksal in den meisten Fällen dem Vergessen anheim gefallen war. Um in die ehemalige Fabrikhalle hineinzukommen, mußte der Besucher auf die Kleider treten, ein Akt, der äußerst ambivalente Empfindungen hervorzurufen vermag. In Basel häufte Boltanski die Kleider auf dem Boden an, um einen mehrdeutigen Bezug zu provozieren: »wir als Mörder – ist das denkbar –, jenes Vergnügen, über die Kleider, die doch an Kadaver erinnern, also tatsächlich das Vergnügen, über Leichen zu gehen.«[7] In Japan hingegen fühlten sich die Besucher angesichts einer ähnlichen Arbeit an eine mythische Erzählung aus dem Buddhismus erinnert, an den *See der Toten*, die vom Moment des Todes, in dem die Seele den Körper verläßt, handelt.

Boltanskis Strategie zielt darauf ab, den Betrachter in ein von verschiedenen Strukturen durchzogenes Feld kollektiver und individueller Erinnerung einzubeziehen: Das Massenhafte, die Anhäufung von Fotografien und insbesondere von abgelegten Kleidern löst vor allem in unserem Kulturkreis Assoziationen an Massentod und massenhaftes Töten aus. Hierin offenbart sich das Gedächtnis an den »Leidschatz der Menschheit«, ein Begriff, den Aby Warburg geprägt hat. Seiner Ansicht nach können traumatische Erfahrungen oder Erschütterungen vom kollektiven Unterbewußtsein als mnemische Energie gespeichert werden und sich als Dauerspur im Menschheitsgedächtnis niederschlagen. Durch bestimmte ›Energieconserven‹, das heißt durch erinnerungswirksame Bilder, kann diese soziale Mneme wieder aktiviert werden.[8] Indes betont Boltanski, nicht Kunst *über*, sondern nach dem Holocaust zu machen, das bedeutet, im Bewußtsein dessen, was geschehen ist. Seine künstlerische Arbeit handelt vom Tod im allgemeinen, vom totalen Verlust und vollständigen Verschwinden. Wider diesen Verlust trägt Boltanski Spuren in seinen »Archiven« und »Depots« zusammen, denn die Subjekte sind verschwunden, und was bleibt, sind

575 Christian Boltanski, Réserve, 1988/99; Staatliche Museen zu Berlin, Nationalgalerie, Hamburger Bahnhof

einzig die Objekte. Entscheidend ist dabei, daß es sich nicht immer um reale, sondern vielfach um simulierte Spuren handelt. Boltanski sichert und rekonstruiert nicht nur Erinnerung, manchmal erfindet er sie auch, fingiert durch Zusammenstellung verschiedener Spuren eine Realität, die als solche gar nicht existiert hat. Doch wenn diese Spuren das Essentielle des Alltags zu kondensieren vermögen, stellt sich die kollektive Erfahrung fast von selbst ein. An Marcel Proust schätzt er, daß dieser gar nicht so viel von sich selbst spräche, sondern von jedem von uns und sich jeder auf seine Art in der Erzählung wiederfände. »Ein Kunstwerk muß deshalb eine gewisse Undefiniertheit haben; damit jeder daran seine eigenen Geschichten, seine eigenen Erinnerungen festmachen kann.«[9] Wenn Boltanski schließlich dem Geruch der Kleider und damit den immateriellen Sinneseindrücken eine wichtige Bedeutung beimißt, dann evoziert er jene Form von Erinnerung, über die Proust in seiner berühmten Madeleine-Episode schreibt: »Aber wenn von einer früheren Vergangenheit nichts existiert nach dem Ableben der Personen, dem Untergang der Dinge, so werden allein, zerbrechlicher aber lebendiger, immateriell und doch haltbar, beständig und treu Geruch und Geschmack noch lange wie irrende Seelen ihr Leben weiterführen [...] und in einem beinahe unwirklich winzigen Tröpfchen das unermeßliche Gebäude der Erinnerung unfehlbar in sich tragen.«[10]

Joseph Kosuth

Die drei Texttafeln **Error of philosophers** (Kat.Nr. 577) und die beiden Neons **Words are deeds** (Kat.Nr. 576) und **Language must speak for itself** waren ursprünglich Bestandteil einer Ausstellung, die Kosuth 1991 unter dem Titel *Double Intention: Nietzsche, Wittgenstein Re-Installed* in Neapel realisiert hatte. Auf den Texttafeln zitiert Kosuth aus zwei Werken von Friedrich Nietzsche, aus *Menschliches Allzumenschliches* (1878) und aus *Die fröhliche Wissenschaft* (1882). Beide Schriften markieren im Werk Nietzsches insofern einen Wendepunkt, als der Aphorismus von nun an als Form dominiert und die Entlarvung der herkömmlichen Philosophie in den Vordergrund rückt. Bei den Neon-

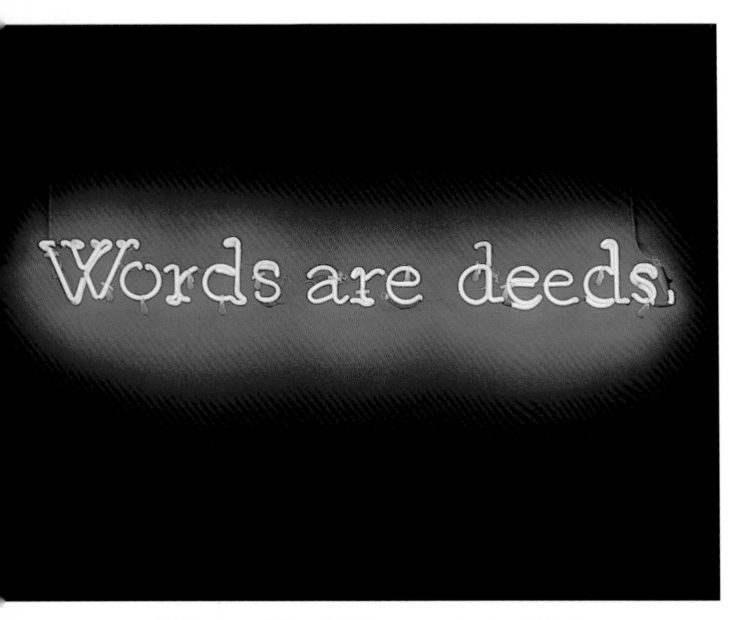

576 Joseph Kosuth, Words are deeds, 1991; Neon, 15 x 108 cm; Collezione Manroe, Teresa Scarlato, Courtesy Galerie Lia Rumma, Neapel

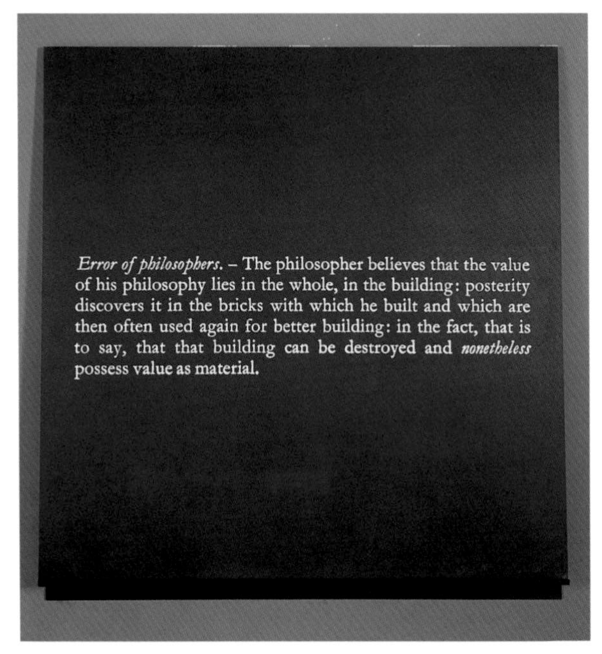

577 Joseph Kosuth, Error of philosophers, 1991; Siebdruck auf Schiefer, 107 x 107 cm; Courtesy Galerie Lia Rumma, Neapel

schriften handelt es sich um Zitate aus Ludwig Wittgensteins *Philosophischen Untersuchungen*, in denen es primär um die Alltagssprache, um den alltäglichen Gebrauch von Wörtern und Sätzen geht.

Die »Re-Installation« von Wittgenstein und Nietzsche kommt einer Reinstallation der eigenen künstlerischen Maxime gleich. In *art after philosophy* (1969) spricht Kosuth von der Irrealität und vom Ende der Philosophie und ihrer Ablösung durch die Kunst. Aus der Erkenntnis heraus, daß die traditionellen Kunstsprachen in Auflösung begriffen sind, entwickelte er die Vorstellung von einer Kunst, die innerhalb ihres eigenen Systems reflektiert werden müsse. Somit führte er die Sprache – theoretisch und praktisch als formaler Grundstoff – als Modell für Kunst ein. Ausgehend von der Sprachphilosophie Ludwig Wittgensteins definierte Kosuth ein Kunstwerk als einen analytischen Satz, als Tautologie, da es nichts anderes als sich selbst darstellen solle.

Das Zitieren als postmodernes Prinzip schlechthin bildet eine wesentliche Grundlage von Kosuths Arbeit. Seine Zitate stammen primär aus Lexika oder aus Büchern. Im übertragenen Sinn bedeutet dies, daß alles schon einmal gesagt wurde. Sie stellen somit ein »made-ready«, ein »Vor-Fertiges« dar, das nicht »der Ästhetik wegen im Spiel ist, [...] sondern [...] schlicht als Konstruktionselement der Untersuchung des kulturellen Codes fungiert«[11]. Als »Modellfall des engagierten Anthropologen«[12] gibt der Künstler seine Kultur weiter, indem er bestimmte Eigenschaften von ihr bewahrt und benutzt. Daher geht es weniger um die spezifischen Inhalte der zitierten Texte als vielmehr um die prinzipielle Veranschaulichung eines kulturellen Prozesses, der in der Tradierung von Texten, die einen zentralen Aspekt unserer Schriftkultur ausmachen, besteht. Der ›Künstler als Anthropologe‹ bedient somit das kulturelle Gedächtnis: »Es gibt offenkundig strukturelle Ähnlichkeiten zwischen einer ›anthropologisierten Kunst‹ und der Philosophie im Hinblick auf ihre Beziehung zur Gesellschaft (beide beschreiben sie und machen die gesellschaftliche Wirklichkeit verständlich), aber die Kunst manifestiert sich als Praxis, sie veranschaulicht die Gesellschaft, während sie sie verändert. Und daß sie kulturelle Wirklichkeit wird, liegt begründet in der dialektischen Beziehung zu ihrer eigenen Geschichtlichkeit (als kulturelles Gedächtnis) und zur sozialen Struktur der gegenwärtigen Realität.«[13]

Text und Schrift, zwei der ältesten Metaphern für Gedächtnis, werden in Kosuths Rauminstallation gegenübergestellt. Als kongeniales Medium des reinen Geistes erfährt die Schrift durch das Neon eine Verräumlichung, wobei die Immaterialität des Lichts der Immaterialität des Geistes entspricht. Die Schrift ist dem Text vorgängig, der sich durch den Akt des Schreibens erst konstituiert. Für Kosuth besitzen die zitierten Texte eine linguistische Funktion, insofern sie Bausteine eines neuen Textes liefern. Die »made-ready« bewirken somit eine dynamische Konstellation von Künstler beziehungsweise Autor und Betrachter, der als Leser in diesen kulturellen Prozeß involviert wird.

Durch das In-Beziehung-Setzen und die Suche nach Bedeutungen werden bereits bestehende Ordnungen und Strukturen dekonstruiert, und es entstehen neue kulturelle Kontexte.

Arnold Dreyblatt[14]

Die Verbindung von Gedächtnis und Raum gehört seit der Antike zu den wesentlichen Bestandteilen der Mnemotechnik: »Der Kern der *ars memorativa* besteht aus ›imagines‹, der Kodifizierung von Gedächtnisinhalten in prägnanten Bildformeln, und ›loci‹, der Zuordnung dieser Bilder zu spezifischen Orten eines strukturierten Raumes. Von dieser topologischen Qualität ist es nur ein Schritt zu architektonischen Komplexen als Verkörperungen des Gedächtnisses. Es ist der Schritt von Räumen als mnemotechnischen *Medien* zu Gebäuden als *Symbolen* des Gedächtnisses.«[15]

Genau diesen Schritt vollzieht auch Arnold Dreyblatt in seiner Arbeit im Hamburger Bahnhof, die eine äußerst komplexe räumliche Gedächtnismetapher darstellt. Er hat ein dunkles, labyrinthartiges Raumgefüge geschaffen, in dem der Besucher mit Fragen nach Geschichte, Biographie und Identität, nach der Natur des Suchens, Sammelns und Speicherns von Daten und deren Vernetzung konfrontiert wird.

Ein schmaler, langer Korridor, an dessen Stirnseite auf Mikrofilm aufgenommene Dokumente über eine Projektionsfläche laufen, soll den Besucher atmosphärisch einstimmen. Von hier aus betritt man den ersten ›locus‹, den Dreyblatt **ReCollection** (Kat.Nr. 578) nennt. Im Zentrum steht eine transluzide Drahtgittersäule, auf die ein dynamischer Text projiziert wird, ohne Anfang, ohne Ende – die digitale Endlosseite, die von einer scheinbar universellen Datenbank gespeist wird. Zwei Computer suchen in diesem Text entspre-

Arnold Dreyblatt, The ReCollection Mechanism, 1998; Felix Meritis Foundation, Amsterdam

578 Arnold Dreyblatt, The ReCollection Mechanism, 1998 (Ausschnitt); Installation in der Felix Meritis Foundation, Amsterdam

chend einer vom Künstler verfaßten Wortliste nach hunderten von Begriffen. Sobald ein Wort gefunden wird, wird es markiert und mit Hilfe eines speziellen Soundsystems von einer weiblichen und männlichen Stimme vorgetragen, in einen neuen Kontext gestellt, erneut vorgetragen usw. Die Informationsbasis für die Datei liefert das *Who's who in Central and East Europe* von 1933, das Dreyblatt 1985 in einem Antiquariat in Istanbul entdeckt hat und das zu seiner ›Obsession‹, zum wichtigen Movens seiner künstlerischen Arbeit wurde.[16] Aus diesem umfangreichen Material von annähernd 10.000 individuellen Lebensgeschichten inszeniert er eine dynamische Hypertext-Architektur. Den Prozeß des Suchens, Sortierens und Findens von Information optisch zu simulieren, ist ihm dabei ebenso wichtig, wie das Publikum am nicht-linearen, assoziativen Lesen und Vortragen des Textes in einem öffentlichen Forum teilhaben zu lassen. Man fühlt sich wie in einem ›Gedächtnistheater‹, ein Eindruck, der durch die zum Verweilen einladenden Treppenstufen verstärkt wird. Die Idee des Gedächtnistheaters hat die Menschen seit langem fasziniert, man denke nur an das Traktat des *Teatro della memoria* von Giulio Camillo aus dem 16. Jahrhundert.

Die Personen, auf die sich die Hypertext-Collage bezieht, leben nicht mehr; was von ihrer Biographie bleibt, sind lediglich einige Fragmente, die zusammen die kollektive Geschichte bilden. Je nachdem, wie diese einzelnen Fragmente vernetzt werden, ergibt sich ein anderes Bild. Geschichte erscheint demnach immer auch als eine Frage der Rekonstruktion und vor allem der Interpretation.

Im nächsten Raum, *artificial memory* überschrieben, erstreckt sich entlang der Wand ein fast unsichtbares Wandregal, auf dem eine zwanzig Meter lange Schriftrolle liegt. Hier wird die mittlerweile antiquierte Art der Archivierung auf Papier verdeutlicht, wobei die Form der Schriftrolle an biblische Zeiten denken läßt. In dem endlosen, ab und an durch Fotos unterbrochenen Text hat Dreyblatt über lange Jahre hinweg gesammelte Dokumente und Fachliteratur zum Thema Archiv und Archivierung verarbeitet. Wichtig ist in diesem Zusammenhang, daß die Informationen aus den digitalen Medien stammen und nun sozusagen auf Papier abgespeichert werden. Inhalt dieser Dokumente ist die Diskussion um die Konservierungsmethoden und -möglichkeiten aller Arten von Daten aus unterschiedlicher Sicht, die Diskussion um die Permanenz und zugleich die ephemere Natur von Datenspeichern. Das Archivieren gerät dabei zur Metapher für den Kampf gegen das Vergessen.

Der letzte Raum, den Dreyblatt *T-mail* nennt, wird von einer horizontal im Raum schwebenden schwarzen Plexiglasscheibe dominiert. ›T‹ war der Deckname eines 1879 in Ungarn geborenen und 1943 in Shanghai gestorbenen internationalen Spions, orthodoxer Jude, christlicher Missionar und buddhistischer Mönch, der in unterschiedlichen Ländern und Kontinenten zu Hause war und unterschiedlichen Berufungen folgte. Über das Leben von ›T‹ hat Dreyblatt in verschiedenen europäischen und nordamerikanischen Archiven an die 3000 Dokumente zusammengetragen, die größtenteils von Geheimdiensten erstellt worden sind. Die Identität von ›T‹ konstituiert sich aus der kollektiven Beobachtung seiner Aktivitäten durch Dritte. Dabei sind diese Beobachtungen über die Person teilweise interessanter als die Person selbst. Basiert das *Who's who* auf den Ein-

Arnold Dreyblatt, The Brain in the Memory Hall, 1998; Felix Meritis Foundation, Amsterdam; produziert von der Amsterdamer Felix Meritis Foundation in Zusammenarbeit mit der Hebbeltheater GmbH, Berlin, unterstützt von der Niederländischen Regierung im Rahmen des Programms für Intensivierung der internationalen Zusammenarbeit (HGIS) und der Stiftung Premium Erasmianum

zelgeschichten tausender von Personen, so vereint ›T‹ auf sich tausende von Geschichten und mehrere potentielle Lebensläufe. Diese täglichen Berichte und Korrespondenzen wurden zwischen Sendern und Empfängern – daher auch der Name ›mail‹ – über die Weltmeere und Landesgrenzen hin- und hergeschickt zu einer Zeit, als die Telekommunikationstechnik noch in ihren Anfängen steckte. Dank modernster Computertechnik erscheinen die T-Dokumente bei Dreyblatt als fortlaufendes Textband auf der rechten und deren Inhalt als aktiver, sich gleichsam selbst schreibender Text auf der linken Seite der fast unsichtbaren Plexiglasscheibe. Nach einer gewissen Zeit greift der aktive Text auch auf die rechte Seite über; es entstehen mehrere Felder automatischen Schreibens. Der Text enthält zahlreiche Querverweise auf bestimmte historische Ereignisse, internationale Persönlichkeiten und geographische Punkte. Aus dieser Datenverknüpfung entsteht ein virtuelles Kommunikationsnetz. Ein Soundsystem kodiert das Schreiben in Morsezeichen und macht somit den historischen Kontext, dem die Dokumente entstammen, akustisch erfahrbar.

Dreyblatts ›medialer Diskurs über das Erinnern‹, das Hauptmotiv, um das sich seine interaktiven Projekte der letzten Jahre wie musikalische Variationen ranken, öffnet den Blick in viele Richtungen: Welche Spuren hinterläßt das Individuum, wie und wo können wir diese aufspüren, wie läßt sich aus diesen Spuren die Biographie rekonstruieren, und in welchem Verhältnis stehen Fiktion und Wahrheit in dieser Rekonstruktion zueinander? Individuelle und kollektive Geschichte greifen ineinander, und dies führt zu der allgemeineren Frage, was Geschichte überhaupt ist, aus wievielen Mikrogeschichten sie besteht und wer sie angemessen aufbewahren kann. Sammeln, Aufbewahren und Speichern und der Ort, an dem dies geschieht, das Archiv, sind immer stärker in das Zentrum von Dreyblatts künstlerischer Arbeit gerückt. Zuletzt hat er die Funktionsweise einer solchen Institution im **memory–project** in Amsterdam (vgl. Abb. S. 587) simuliert. Auch die Berliner Arbeit ließe sich als ›Meta-Archiv‹ bezeichnen: Das Archiv figuriert sich selbst, jedoch nicht in ›klassischem Gewand‹, sondern als digitales Archiv.

Ein Archiv bedeutet die Auslagerung des Gedächtnisses aus dem Menschen und zugleich die Institutionalisierung von Gedächtnis und Erinnerung. Nach Derrida ist ein Archiv immer auch eine ›politische Kategorie‹, da die Zugänglichkeit bestimmter Archive ganz von den jeweiligen Herrschaftsstrukturen abhängig ist. Häufig geht mit dem Wandel der Regierung ein Wandel der Relevanz der eingelagerten Akten einher. Durch die Verwendung hochspezialisierter Computertechnik kündigt sich ein Paradigmenwechsel in der Konservierung der Daten an. Die digitalen Massenspeicher führen dazu, das Wissen von seiner Gebundenheit an Raum und Materie zu befreien und ubiquitär verfügbar zu machen. Die Möglichkeit des vollautomatisierten Zugriffs auf sämtliche vorhandene Informationen zieht wiederum die Herausbildung neuer Machtfelder nach sich.

Dreyblatt versteht seine Arbeit indes nicht als Kommentar zu diesem durchaus brisanten Thema. Er bezieht eher die Position des Forschers, und die Frage, die ihn ganz wesentlich beschäftigt, ist die nach der externen und internen Speicherung von Geschichte: »Wir durchsuchen und durchforsten gewissermaßen den Speicher unseres eigenen Bewußtseins wie auch die Archive und aktuellen Datenbanken einer ›Außenwelt‹ nach dem verborgenen Sinn, der uns einen Schlüssel zu dem liefern könnte, was uns verlorengegangen ist.«[17]

Anmerkungen

1 Vgl. Kemp, Wolfgang: »DISEGNO, Beiträge zur Geschichte des Begriffs zwischen 1547 und 1607«. In: *Marburger Jahrbuch für Kunstwissenschaft*, Bd. 19, 1974, S. 219–241.
2 Zit. n. dem Auszug aus einem unveröffentlichten Interview (New York, 1996). Clemens Weiss war so freundlich, dieses Material zur Verfügung zu stellen.
3 Ebd.
4 Schwitters, Kurt: *Das literarische Werk.* Hg. von Friedhelm Lach. Bd. 5. Köln 1981, S. 143.
5 Über die Bedeutung dieser Bemerkungen vgl. Conzen, Ina: »Das kleine Einmaleins; Hanne Darboven: *Kinder dieser Welt*«. In: *Hanne Darboven. Kinder dieser Welt.* Ausst.Kat. Staatsgalerie Stuttgart. Stuttgart 1997, S. 17.
6 Drateln, Doris von: »Der Clown als schlechter Prediger« (Interview mit Christian Boltanski, Paris, Dezember 1990). In: Uwe Schneede (Hg.): *Christian Boltanski, Inventar.* Ausst.Kat. Hamburger Kunsthalle. Hamburg 1991, S. 63.
7 Ebd., S. 72.
8 Vgl. Assmann, Aleida: *Erinnerungsräume. Formen und Wandlungen des kulturellen Gedächtnisses.* München 1999, S. 372f.
9 Von Drateln, Boltanski (Anm. 6), S. 64.
10 Proust, Marcel: *In Swanns Welt. Auf der Suche nach der verlorenen Zeit,* Bd. 1. Frankfurt am Main 1981, S. 66f.
11 Kosuth, Joseph: *Kein Ausweg.* Stuttgart 1991, S. 20.
12 Kosuth, Joseph: »Der Künstler als Anthropologe«. In: Gudrun Inboden (Hg.): *Joseph Kosuth. Bedeutung von Bedeutung.* Ausst.Kat. Staatsgalerie Stuttgart. Stuttgart 1981, S. 110.
13 Ebd.
14 Ich danke Arnold Dreyblatt für die instruktiven Gespräche über seine Arbeit.
15 Assmann, Aleida: »Zur Metaphorik der Erinnerung.« In: Kai-Uwe Hemken (Hg.): *Vergessen und Erinnern in der Gegenwartskunst.* Leipzig 1996, S. 18.
16 Vgl. Dreyblatt, Arnold: *Who's who in Central and East Europe 1933. Eine Reise in den Text.* Berlin 1995.
17 Dreyblatt, Arnold: »The Spaces Of Memory«. In: *Kursiv, Kunstzeitschrift aus Österreich*, H. 2–4, 1995, S. 7.

Der montierte Raum
original
LUXO
lampe
BRINKO

Bogomir Ecker, Prototypen, 1980–90

Eugen Blume

»**Prototyp** (griech. protótypos ›ursprünglich‹) der, -s /-en, 1) bildungssprachlich für: Inbegriff, Urbild, Vorbild, Muster; Phänomene verschiedenster Art (Subjekte und Objekte), die in sich bezeichnende und markante Merkmale vereinigen.
2) Meßwesen: Bez. für die Normale von → Meter und → Kilogramm.
3) Sozialwissenschaften: Begriff zur Bez. bedeutsamer zwischenmenschl. Beziehungen, die die Sozialisation des menschlichen Individuums maßgeblich bestimmen (prototyp. Gruppen), als verhaltensleitende Vorbilder soziale Orientierungen vermitteln und damit die Umwelt strukturieren helfen. Im wiss. Bereich allg. Ausdruck für Lösungswege und Theorien, die sich bei der Bewältigung bestimmter Probleme bewährt haben (prototyp. Lösungen).«[1]

In gewisser Weise enthalten die **Prototypen** (Kat.Nr. 579) von Bogomir Ecker alle drei Definitionen, auch wenn sie aus so unterschiedlichen Blickwinkeln wie dem bildungssprachlichen, meßwesenhaften und sozialwissenschaftlichen hergeleitet sind. Sie können das aus einem einfachen Grunde, weil sie als originäre Phänomene »in sich bezeichnende und markante Merkmale vereinigen«, die sie als Kunstwerke definieren. Jedes Kunstwerk ist ein Prototyp, der nicht in Serienproduktion geht, der seine Singularität behauptet, auch wenn er ediert wird. In den prototypischen Skulpturen von Ecker vereinigen sich zwei Möglichkeiten der plastischen Figur, die der gefundenen und die der geformten Gestalt. In den seltensten Fällen sind sie nur Readymades, gefundene Gegenstände, die aufgrund ihrer äußeren Merkmale zum ästhetischen Objekt erklärt werden. Prototypen setzen immer einen konstruktiven, einen erfinderischen Akt voraus, der sich mitunter nur durch eine winzige Veränderung auszeichnet.

Wenn man den in den Maßen nicht sehr großen Skulpturen ein gemeinsames Thema unterstellen möchte, so könnte dies in dem Vorgang des Hörens gefunden werden. Nicht auf den Klang selbst wird das Auge gelenkt – was bei Titeln wie **Flüstertüte, Hallo, Sprechblasen, Mikrophon, Ameisengeräusch, Walkman, Sammlung von Lauten, Redeschwall** etc. durchaus in den Sinn kommt –, sondern auf den Vorgang des Aufnehmens von Klängen, auf eine physiologische Meisterleistung. Das Ohr ist eine grandiose Skulptur, in der sich Tausende Klänge verfangen, sortiert und weitergeleitet werden. Das Ohr selbst ist still. Im Gegensatz zur Nase, die geräuschvoll riechen kann, muß das Ohr stumm hören.

Eine Arbeit heißt **Hörbares Denken/Tonlose Stimme**, eine andere **Abgeschnittenes Ohr**. Die Gestalt des Ohres findet sich häufig im Werk von Ecker, mitunter in paradoxer Umkehrung, das Ohr als Lautsprecher oder als Ohr eines Radios. Die Arbeit **Resonanz und Aufführung** zum Beispiel besteht aus einem aufgeschlagenen Notizblock, auf dessen rechter Seite ein Ohr mit Goldfarbe gezeichnet ist, links liegt eine

Bogomir Ecker, Prototyp 27, 1984; Edelstahl, PVC, 27 x 18 x 18 cm; Besitz des Künstlers

Brille aus Blech. Das Sehen und das Hören sind hier verschwistert in einem Abbild: ein surrealistischer Akt, gleichwohl beide Organe einem Körper zugehören und inwendig verbunden sind, kann das Auge das Ohr nicht sehen und das Ohr das Auge nicht hören.

In einem verchromten Becher liegt eine in Silikon gegossene Ohrgestalt. Möglicherweise ein Schierlingsbecher, der Giftiges zu hören bekommt. Was immer diese Figuren sagen mögen, was immer der Erfinder ihnen unterlegt hat, sie sind Denkbilder, die sich aus der bildlichen Kombinatorik heraus entwickeln. Das Ohr am Radio ist einerseits eine Skulptur, die aus der Gestalt des gefundenen Radios und dem angesetzten Ohr aus Gips besteht, andererseits beinhaltet sie einen ›prototypischen‹ Gedanken insofern, als sie den sozialen Vorgang des Hörens und Gehörtwerdens thematisiert. Niemand käme auf den Gedanken, den einem ›echten‹ Prototyp zugrundeliegenden Gebrauchswert auf dieses Objekt zu beziehen. Seine mechanische Funktion ist aufgehoben, schwingt nurmehr geistig mit, als Reminiszenz an einen möglichen Gebrauch. Die Tröten werden nicht mehr betätigt, durch das Sprachrohr wird nicht mehr gesprochen, das Radio nicht mehr angestellt, das Telefon nicht abgenommen. Die Enge der Funktion, die den Benutzer in eine bestimmte, oft stupide Handlung hineinzwingt, ist aufgehoben durch die Unendlichkeit der freien Assoziation. Prototypen sind skurrile Sammlungsobjekte, Fundstücke einer außergewöhnlichen Existenz, die sich dem Abwegigen zuwendet, die ihre Leidenschaft an der absurden Begegnung entlegener Stücke und deren Versammlung in einer Wunderkammer befriedigt. Ihr poetischer Motor wird angetrieben durch einen feinsinnigen Humor, dessen Lebens-Bilder wie Aphorismen im Grenzgebiet zwischen Kunst und Philosophie siedeln.

Zunächst aber muß man sich ihnen sehend nähern. Ihre Gestalt ist es, die tiefer reicht als das Wort. Ein spiralförmiger Eisenspan ist auf dem Boden einer Emailleschüssel befestigt, leicht aus der Mitte gerückt. Der harmlose, einfache Gebrauchszusammenhang der Waschschüssel ist durch den scharfkantigen Span in eine gefährliche Untiefe geraten. Der Span aber ist nicht zufällig hineingeraten, er ist absichtlich plaziert

579 Bogomir Ecker, Prototypen, 1980–90; verschiedene Materialien und Größen; Besitz des Künstlers, Courtesy Produzentengalerie Hamburg

worden. Er bewirkt Stillstand, niemand wird in diese Schüssel Wasser eingießen und seine Hände in Unschuld waschen. Schweigend steht der Betrachter vor einem **Prototyp**, der die Gedanken bis hin zu jenem folgenschweren Gerichtstag in Jerusalem zu Beginn unserer Zeitenrechnung lenkt. Der Titel dieses **Prototyps** von 1984 lautet **Über das Schweigen**.

Anmerkung

1 *Brockhaus Enzyklopädie*. Bd. 17. Mannheim 1992, S. 599.

Olaf Metzel, 112 : 104, 1991

Jörg Makarinus

Die Trümmer eines Basketballfeldes persiflieren das Ende eines Spiels. Wo immer die Arbeit installiert wird, teilt der Punktestand auf der Anzeigetafel mit, daß ›wir‹ gewonnen haben, während die anderen die Verlierer sind. Einhundertzwölf zu Einhundertvier. Das Spiel ist vorbei, und alles ist in Scherben. Spielzeit – Auszeit, der ›Freizeitpark‹ hat geschlossen. Welche Kriterien definieren Gewinn und Verlust?

Olaf Metzels Arbeiten folgen den Prinzipien der Demontage und Montage, Destruktion und Konstruktion. Meist sind es vorgefundene und für einen ganz bestimmten Gebrauch gefertigte Gegenstände, die er auf diesem Weg verfremdet. Die Skulptur **112 : 104** (Kat.Nr. 580) fragmentiert einen Raum. Sie beraubt ihn seiner ursprünglichen Bestimmung, unterwirft seine Elemente dem Chaos und der Funktionslosigkeit. Sie provoziert die geistige Suche nach jenen unausgesprochenen Zusammenhängen, die den Gehalt aus der Struktur des Werkes erschließen lassen. Die Assoziationen fächern sich weit und überlagern einander wie die Bruchstücke des zerborstenen Spielfeldes: Sport und Erfolg, Teamgeist und Gewalt, Unterhaltung und Freizeit, Realität und Kunst.

Olaf Metzel, 112 : 104, 1991 (Ausschnitt); Installation im Martin-Gropius-Bau Berlin, 1991

Wolfgang Max Faust betonte die ebenso ironisch wie ernst gemeinte Reflexion Metzels auf die Situation der Kunst, die sich hier aus dem »Ambiente einer sportlichen Disziplin« erhebt und ihre »immer größere Nähe zur Freizeitkultur«[1] zur Schau stelle. In einem zweiten Gedanken bezog Faust die formale Architektur der Skulptur auf Caspar David Friedrichs Gemälde **Das Eismeer**, 1821/24, das unter dem Titel **Die gescheiterte »Hoffnung«** populär wurde und als Metapher menschlicher Existenz und gesellschaftlicher Zustände mehr ist als die bloße »Darstellung einer Schiffskatastrophe im ewigen Eis des Nordpolarmeers«[2].

Anders als in Friedrichs Bild sagen die Trümmer in Metzels Arbeit nichts über die Ursache der Zerstörung. Es gibt nur die Mitteilung über ihr Ausmaß. Eine Nachricht, keine Erklärung. Sie hält sich, wie alle Nachrichten, an das Phänomen. Die Frage nach jener Gewalt, die das Spielfeld zersplittern konnte, mag kindlich scheinen, aber sie wird evoziert. Sie besteht, solange das Werk in der Authentizität seines Materials und als Ganzes, nicht als Montage einzelner Segmente, wahrgenommen wird. Wir kennen die Kräfte der Natur unzureichend, ahnen aber, daß sie solch eine Zerstörung bewirken könnten, denken nicht nur an die Planken jenes Seglers in Friedrichs Bild, der den bezeichnenden Namen »Hoffnung« trug, und erinnern uns vielleicht der seinerzeit ›unsinkbar‹ genannten Schiffe wie die *Titanic* und die *Andrea Doria*. Aber Metzels Skulptur beschreibt keinerlei Begegnung mit den Phänomenen der Natur. Sein ›Raum‹ im Raum, das abgerissene Basketballfeld in der Ausstellung, ist allein Menschenwerk. Wir stehen vor einem Bild der Umkehr, des jähen Abbruchs einer fortschreitenden Spezialisierung und Verfeinerung kulturellen Vermögens. Ebenso erinnert dieser Raum an die Formen der Beseitigung und des Abtragens, die wir selbst vollziehen und als deren Resultat sich die Relikte

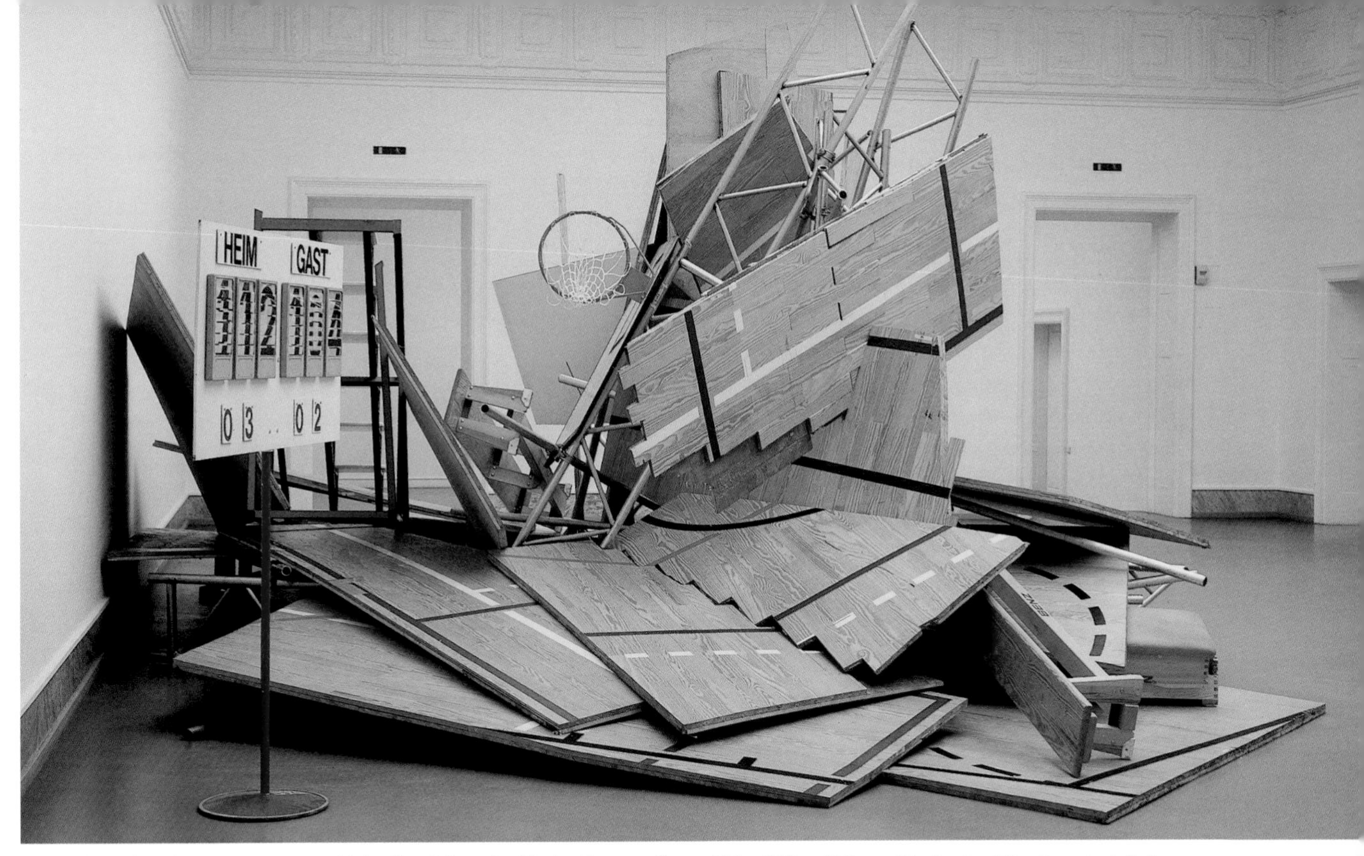

580 Olaf Metzel, 112 : 104, 1991; Holz, Aluminium, Stahlrohr, Kunststoff, ca. 950 x 630 x 400 cm; Besitz des Künstlers; Installation in der Kunsthalle Baden-Baden, 1992

unserer Zivilisation auf den Deponien vor den Toren der Städte anhäufen. Dem Erschrecken über die Gewalt der Natur weicht das über die Gewalt gegen sie. Diese Gewalt gegen uns ist dem Maß der Selbstüberschätzung adäquat, wie sie die Bauherren der ›unsinkbaren‹ Schiffe für sich beanspruchten. Auch in Metzels Installation bleibt nur das Verbale, ein Ergebnis, 112 : 104, das von der katastrophalen Realität des zunichte gemachten Raumes der Lächerlichkeit preisgegeben wird. Insofern spricht sich auf dem Wege der Ironie die Hoffnung aus, daß kulturelle Kreativität ihr Wohl nicht in zwanghaften Erfolgsbilanzen finden und sich den Kategorien des Wetteiferns unterwerfen werde. Metzels Künstlerraum ist ein Spiegel für den Ausbruch aus einem zu eng werdenden Gefäß, in dem die Künste einem Strudel der Belanglosigkeit austauschbarer ›Events‹ und der bedenkenlosen Flut virtueller ›Realität‹ ausgesetzt sind.

Die Bruchstücke dieses Raumes, der der körperlichen Leistungskraft, der Professionalität und, wenn man so will, der Perfektion des Spiels und des Wettkampfes errichtet war, machen die Kurzlebigkeit manchen Erfolges deutlich. Zugleich deuten sie auf Verhängnisvolles hin, dem keine Perfektion gewachsen ist. Es ist ein menschenleerer Raum, der menschliches Vermögen und Versagen repräsentiert und der erscheint, als habe sich ein Echo von Théodore Géricaults Gemälde **Das Floß der Medusa**, 1818/19, in ihm verirrt.

Anmerkungen

1 Faust, Wolfgang Max: »Gemeint ist das Leben – doch Kunst dominiert«. In: *art. Das Kunstmagazin*, Nr. 7, 1991, S. 49.
2 Ebd.

Reinhard Mucha, Dokumente I–IV, 1992

Immo Wagner-Douglas

Vier Wandobjekte, die gleich Schaukästen an den vier gegenüberliegenden Wänden eines Raumes montiert sind, in der Mitte drei kleine Fußbänkchen: Wer Arbeiten des Düsseldorfer Künstlers Reinhard Mucha schon einmal gesehen hat, erkennt ihn hier wieder. Tischlerplatte, Aluminiumprofile, Hartfaserplatte und Wollfilz, bis hin zu den Rostschutzfarben Braun, Dunkelbraun und Bleimennige-Rot sind Materialien, die der Künstler in seinen Arbeiten immer wieder verwendet. Sie verweisen auf eine industrielle Fertigung und auf die Welt der Arbeit. Die Fußbänkchen wirken im Vergleich hierzu wie ein ironischer Kommentar.

In die Vorderseite der umseitig mit Wollfilz bespannten Schaukästen sind Aluminiumprofile eingelassen, die die Frontfläche in horizontaler Gliederung durchlaufen. Die unterschiedlich großen, verschiebbaren und rückwärtig mit Linien bemalten Glasscheiben schließen ihren Inhalt – Fototafeln und Leuchtstofflampen – nach außen hin ab.

Augenfällig in den Schaukästen sind zunächst die Fototafeln aus der Rheinstahlgießerei AG im Gußstahlwerk Oberkassel. Aufgeklebt auf hellblauer Hartfaserplatte und sorgfältig mit roten Linien eingegrenzt, werden die Kandidaten der Betriebsratswahlen von 1975 in Schwarz-Weiß-Fotografien vorgestellt. Die authentischen Tafeln, die ihrerseits gerahmt sind, wirken in den Schaukästen wie Reliquien, die bewahrt und geschützt werden – nicht nur vor der Zeit, sondern auch vor einem anderen Ort und Wahrnehmungskontext. Auch der umgekehrte Sinn ist denkbar, daß die rundum geschützten Tafeln isoliert und ausgegrenzt werden aus der elitären Welt der Kunst.

Im vierten Schaukasten bleibt die Fläche, die von den Fototafeln eingenommen wird, leer. Beim Blick durch die Scheibe auf den grauen Filz spiegelt sich die Gestalt des Betrachters wider – ein Effekt, den Reinhard Mucha sorgfältig kalkuliert und in Beziehung zu den Schwarz-Weiß-Porträts auf den Fototafeln setzt.

Dokumente I–IV (Kat.Nr. 581), wie Reinhard Mucha diese Installation genannt hat, entstand im Rahmen der *documenta IX* in Kassel. Der Name spielt hierauf an und liefert zugleich einen Hinweis auf seinen konzeptuellen Ansatz. Die Frage, was der Inhalt seiner Kunst sei, gibt er an das Museum und seine Besucher zurück. Seine Werke beschäftigen sich mit den Spielregeln der Bildkommunikation und Kunstrezeption. Die Bildtafeln mit den Arbeitern und Angestellten sind nur ein Aufhänger. An einem fremden Ort fallen alle Selbstverständlichkeiten der Rezeption fort, und die in ihrer Umgebung unauffälligen Fototafeln werden in einem Museum für zeitgenössische Kunst zu fast befremdlichen Artefakten. Nicht die Tafeln bilden den Ausgangspunkt der Rezeption, sondern die quadratischen Leuchtstofflampen, die links von ihnen in die Frontfläche der Schaukästen eingelassen sind. Ihr künstliches Licht trifft niemand anderes als den Betrachter selbst. Bei der Einrichtung im Hamburger Bahnhof achtet der Künstler darauf, daß die Lampen nicht heller scheinen als diejenigen in der Milchglasdecke des Ausstellungsraumes. Der Gedanke einer ›beleuchteten Beleuchtung‹, die letztlich auf den Betrachter zurückverweist und ihn ins Bild mit hineinnimmt, knüpft an das Spiel mit Wahrnehmungsmustern an und spinnt den hier vertretenen kritischen Diskurs fort. Mucha fächert ein ganzes Spektrum von Verweisen und Zitaten auf, die sich dem Problem der Vermittlung von Kunst und unseren Bildgewohnheiten widmen. Vor diesem Hintergrund wird die Künstlichkeit, nicht nur der Beleuchtungssituation und der Materialen, deutlich. Die mit Wollfilz bespannten Schaukästen mit den charakteristischen, horizontal laufenden Aluminiumprofilen erinnern an Transport-Container. Die Stromkabel für die Leuchtstofflampen verleihen ihnen ebenso Wichtigkeit wie die Verblendung durch die verschiebbaren Glasscheiben und die angehängten Namen deutscher Bahnhöfe. Aber nicht der Inhalt, das auratische Kunstwerk, zählt hier, sondern die Rhetorik,

581 Reinhard Mucha, Dokumente I–IV, 1992 (Ausschnitt); Dokumente I/Goslar, Dokumente II/Lehrte, Dokumente III/Oppeln, Dokumente IV/Stryck, Dokument Greven (Zusatzdokument); 1 Skulptur, 4 Wandobjekte, je 135 x 340 x 26,5 cm; Staatliche Museen zu Berlin, Nationalgalerie

die es zum Thema macht. Im Zentrum der vier Schaukästen, die die Wände ›besetzen‹, steht das »Zusatzdokument« Greven. Die kleine Architektur aus den schäbigen Fußbänkchen steht auch noch schief. Unter eines der Beine ist ein Maßband gelegt. Unwillkürlich wird man sich fragen: Wozu diente dieses Arrangement, was hat es mit den vier großen Wandobjekten zu tun? Wurde es dazu benutzt, Dokumente 1 bis 4 aufzuhängen? In ihrer Deplaziertheit und Unangemessenheit, die diese Bänkchen geradezu hilflos dastehen läßt, wird die Situation eines Abstandes und zuletzt einer Entfremdung deutlich, die schon den Porträts der Arbeiter und Angestellten auf den Fototafeln anhaftet.

Hermann Pitz, Wedding Therese, 1984

Anne Marie Freybourg

Hermann Pitz hat die verschiedenen Formen, in denen sich seine künstlerische Praxis formuliert – Modelle, Fotografie, situativer Eingriff oder Installation – von Anbeginn zu einem feingesponnenen, dichten und komplexen Geflecht von lebensgeschichtlichen Bezügen, Werkzitaten und Wiederholungen verknüpft. So stammt der Fensterrahmen in der 1984 entstandenen Arbeit **Wedding Therese** (Kat.Nr. 582) aus der zwei Jahre zuvor entstandenen Installation »Restauration des Gesellschaftsraums des BÜRO BERLIN«. In jener Arbeit wurde der Situation des konkreten, vorgefundenen Ortes eine Fotografie hinzugefügt, die den zu einem früheren Zeitpunkt aufgenommenen Blick aus dem über Eck liegenden Fenster des Kreuzberger Fabrikraums zeigte. Dadurch wurde die räumliche Situation zu einem durch Vergangenheit und Gegenwart zeitlich aufgeladenen Raumbild inszeniert. Zugleich war die Arbeit auch eine Referenz an die künstlerische Produktionsgruppe »Büro Berlin«, die Pitz zusammen mit Fritz Rahmann und Raimund Kummer in Berlin gegründet hatte.

Die Arbeit **Wedding Therese** entwickelte Pitz für eine Ausstellung in dem Berliner Stadtteil Wedding. Er versetzte das in der Installation »Restauration« auftauchende Kreuzberger Fenster in einen ähnlichen Fabrikraum, aber zu einer anderen Zeit an einen anderen Ort. Nun hat das Fenster seinen realen architektonischen Zusammenhang verloren und wird wie eine Kulisse auf ein Stück künstlichen Mauerwerks gesetzt, von oben beleuchtet und von vorne durch Eisenstangen gestützt.

Hermann Pitz, Wedding Therese, 1984; Installation Haus Salve Hospes, Braunschweig 1991

582 Hermann Pitz, Wedding Therese, 1984; Installation Ackerstraße Berlin, Maße variabel; Besitz des Künstlers

Hermann Pitz, Wedding Therese, 1984; Installation Padiglione d'Arte Contemporanea, Mailand 1989

Das Fenster gestattet einen Einblick in einen Raum, der in seiner offenen und improvisierten Rekonstruktion ohnehin einsehbar ist. Da ist eine Raumecke gebaut, eine Tapete aufgeklebt, ein Stück Fußleiste angebracht und ein Quadratmeter Teppichboden ausgelegt. Merkwürdige Gegenstände liegen auf dem Fußboden. Tritt man ganz dicht an das Fenster heran, hat man den Eindruck, in eine leerstehende, vielleicht gerade verlassene Wohnung zu blicken. Man fragt sich, ob es der Raum von Therese sein könnte. Schon mit einem Schritt zurück verändert sich das Raumbild und wird zu einer Art Filmset. Es wirkt wie ein Blick hinter die Kulissen einer Filmproduktion. Nur wenn man ganz genau durch den engen Ausschnitt des mittleren Fensterfeldes schaut, ist alles das aus dem Blickfeld ausgeblendet, was den Eindruck, wirklich in einen privaten Raum zu schauen, aufheben könnte.

Es hängt also vom Standort des Betrachters ab, ob ein realistisch erscheinendes Bild oder die Irrealität der Kulisse wahrgenommen wird. Nun geht es Pitz nicht darum, den Betrachter zu überraschen oder zu verunsichern. Das Anschauen der Arbeit ist klar bestimmt durch die Kulissenhaftigkeit der Anordnung; nur wenn der Betrachter ganz bewußt sein Wissen über die reale Konstellation beiseite läßt, kann der Eindruck eines intimen Bildes entstehen. Pitz fragt in seinen Arbeiten nach den verschiedenen Einflüssen und Beeinflussungen, denen unsere Wahrnehmung unterliegt und ausgesetzt ist. Wie wird zum einen durch optische Hilfsmittel, zum Beispiel dem Vergrößerungsglas, oder durch die Technik eines Apparates, zum Beispiel der Film- und Fotokamera, und wie wird zum anderen durch die als seelische Filter funktionierenden Erinnerungen und Stimmungen das verändert, was wir sehen. Es ist ein intensives Befragen des Zusammenhangs, was wir sehen und wie wir es sehen können. Dies kann eine Einschränkung bedeuten, es kann aber auch neue Wahrnehmungsdimensionen eröffnen. Diese Frage, was und wie wir sehen, werfen die Arbeiten von Pitz immer wieder auf und suchen dabei eine fein austarierte Balance zwischen Analyse und Emotion. Durch das entwaffnend lapidare und doch rätselhafte Arrangement der Dinge entstehen für den Betrachter neuartige Bilder und Eindrücke.

hingegen andererseits jedenfalls keinerlei dermaßen günstig hinreichend g

bezüglich gleichwohl nochmals demnach beinahe dasselbe zweifellos weitg

bereits vorgeblich ziemlich immergleich gegenüber vorwiegend inzwischen

einge

wiewohl beziehungsweise allerdings

583 ›Feuilleton Klimax‹ 1998/99
Behindertenzufahrt des
Hamburger Bahnhof

LOTHAR BAUMGARTEN

chsam **dieseits** inmitten **anläßlich** deshalb **beispielsweise** angesichts **derart**

end **sozusagen** wieauchimmer **obgleich** solchermaßen **dennoch** gelegentlich

k nichtsdestoweniger **letztendlich** stets **irgendwie** währenddessen **abermals**

ensowenig jedoch **dergestalt** üblich **nachgerade** jedwede **lediglich** umsonst

Ulrike Grossarth, rot/grün, grau, 1999

Ulrike Grossarth

Das Thema der Arbeit **rot/grün, grau** (Kat.Nr. 584) ist in bildnerisch-plastischer Weise der Versuch, Bedingungen zu schaffen, um das klassische Spannungsfeld der Polaritäten und des Komplementären verlassen zu können und einen Abzweig zu suchen, der das Hervorbringen ›vorsprachlicher‹ Formenkomplexe ermöglicht. Dazu möchte ich einen Absatz aus Gotthard Günther zitieren: »Es muß ein materialer Problemkreis aufgewiesen werden, der auf der klassischen Ebene des Denkens nicht existiert und der, selbst wenn er entdeckt und formuliert ist, sich den Behandlungsmethoden unseres überlieferten Denkens grundsätzlich entzieht.«

Mich interessiert nun, diese Fragen im raum-zeitlichen Feld anschaulich zu machen und mich handelnd damit auseinanderzusetzen. Der Komplex von Formen und Bildern, der entstanden ist, markiert das momentane Stadium meines Nachdenkens und experimentellen Materialisierens. Thematisch ist letztlich das aus meiner Erfahrung mit dem Tanz hervorgehende Problem, was geschieht, wenn die Bewegung selbst, die permanente Veränderung von Formen, thematisch wird und auf ein Bewußtsein trifft, das auf Fixieren und Kontrollieren von Illusionen, auf Feststellen von Dauerhaftem angelegt ist.

Materieller Ausgangspunkt sind Konservengläser mit roten und grünen Kirschen. Früchte spielen seit 1995 vor allem in meinen Zeichnungen eine Rolle, meist in idealtypischer Überzeichnung, so auch die in der Werbung oft als Signet für alles ›Fruchtige‹ verwendete ›Doppelkirsche‹, die bei mir für die gleichwertige ›2‹ steht. Bei den jetzt gewählten Kirschkonserven ist in beiden Fällen mit der Farbe manipuliert worden. Die roten Kirschen sind in der Farbintensität durch chemische Prozesse gesteigert worden, während die grünen Kirschen durch Farbumwandlung entstanden sind. Im Titel klingt an, daß es um Farbgebung geht, das heißt, es müssen materielle Träger da sein, denen diese Farbe als Merkmal zugefügt wird.

Es ging also darum, Gegenstände zu erfinden, die diese Farbaspekte tragen sollten. So habe ich zwölf Grundformen (Typen) entwickelt, die als ›Einsatzpunkte‹ für plastische ›Millies‹ dienen, das heißt, diesen Grundformen werden Struktur und Ausdehnung gegeben, immer der Maßgabe folgend, nicht zu konstruieren,

Ulrike Grossarth, Studie zu rot/grün, grau, 1999

584 Ulrike Grossarth, Galvanisch, Studie zu rot/grün, grau, 1999; Fotokopie, Ölfarbe, 21 x 29,6 cm; Besitz der Künstlerin

sondern ein ›Wachsen‹ zu ermöglichen. Der Aspekt ›Farbe‹ tritt in verschiedener Weise auf, nämlich als Farbglas, als farbiges Licht und als Farbüberzug, durch Eintauchen der Gegenstände in ein Farbbad. Dieses die Gegenstandsoberfläche nachzeichnende Verfahren habe ich gewählt, damit die Aspekte der Form und der Ausdehnung gleichermaßen thematisch deutlich bleiben.

Der Besucher kann verschiedene Wege durch den Aufbau nehmen und dadurch die Gegenstände von allen Seiten und aus verschiedenen Richtungen her wahrnehmen. Die Bewegung des Betrachters, das Umkreisen, das Näherkommen und Abstandnehmen korrespondiert mit der offenen Struktur des plastischen Feldes, das niemals total wirkt, weil es gehend und schauend in der Zeit erschlossen werden muß. Dadurch entsteht ein übergängiger und leitender Charakter. Die einzelnen Gegenstände wirken relativ und als Variablen, wobei auch die Freiflächen und Zwischenräume mitwirken. Die Gegenstände verweisen aufeinander und ermöglichen ein Wahrnehmen als absichtsloses Spiel.

Die Vielfalt der Elemente in ihren unterschiedlichen Konfigurationen stiftet ein Bezugssystem gegenseitiger Durchdringung und wechselseitiger Abhängigkeit, in dem jeder Punkt als Mittelpunkt betrachtet werden kann. Allen Gegenständen ist der Status des ›Merkmalträgers‹ eigen. Man sieht ihnen an, daß sie aus einfachen Handlungen hervorgegangen sind. Es sind minimierte Körper oder präsente Massen, an denen die Bedingungen ihrer Herstellungsprozesse nachvollziehbar bleiben. Damit sie untereinander anschlußfähig sind und aufeinander verweisend, dürfen die Gegenstände nicht viele Eigenschaften besitzen. Oftmals sind es lediglich Verkörperungen einzelner Aspekte, die an klar definierten repräsentativen Gegenständen normalerweise als Summe von Eigenschaften auftreten.

Durch die jahrelange Auseinandersetzung mit den Bedingungen positionierter Gegenstandskörper und den Problemen im plastischen Feld konnte ich bezüglich Raum-Zeitfragen so viele Versuche anstellen, daß es mich drängte, diese wieder auf das Gebiet des menschlichen Körpers und der Bewegung zu übertragen. Die dazu notwendigen Produktionsbedingungen waren seit 1996 durch Einladungen vom »Theater am Turm« in Frankfurt und in diesem Jahr durch die »Wiener Festwochen« in Zusammenarbeit mit dem »Marstall« in München gegeben. Auch hier sind zunächst die populären Vorstellungen von Körper und Raum zu bedenken. Durch den gängigen Raumbegriff ergibt sich das nur auf sich bezogene Individuum, das sogar die Bedingtheit des ›im Raum seins‹, zumindest den Boden, auf dem es steht, nicht wahrnimmt. So wird dann der ›Raum‹ zur eigenschaftslosen Leere, die als aufnahmefähig gilt. Weil das Ineinanderwirken von eigener Materialität, die schwerkraftgebunden und eigenbewegt ist, mit den Phänomenen, die einen Raum physisch bestimmen, als nicht weiter beachtete Voraussetzung angenommen wird, ist der Raum, von dem so viel gesprochen wird, wesentlich ein Bildraum, ein hauptsächlich vom Blick und der Arm-/Hand-Zone geprägter Ort. Er ist Projektionsraum einer von den Mühen des Lebensvollzuges entbundenen Daseinsweise. Wird dagegen der Raum vom Körper aus gestiftet, durch die Erfahrung der sinnlichen Voraussetzungen, ergibt sich eine ganz andere Sphäre, die lebendig und reich an Aspekten ist. Es ist dann nicht mehr der ›stehende‹ Raum, sondern ein Handlungsraum, in dem Menschen Platz haben.

Ulrike Grossarth, Aktion, 1996; Phase 2; Theater am Turm, Frankfurt am Main

Peter Fischli/David Weiss, Ohne Titel, 1992

Anne Marie Freybourg

585 Peter Fischli/David Weiss, Ohne Titel, 1992 (Ausschnitt); Installation, Maße variabel; Staatliche Museen zu Berlin, Nationalgalerie

Kommt man in den Ausstellungsraum, ist man doch im ersten Augenblick erschrocken, daß durch die Hektik vor der Eröffnung solches Ungeschick passieren kann, daß die letzten Spuren der Handwerker, die die weißen Wände des Museums noch kurz vor der Eröffnung perfektionieren und auch die kleinsten Flecken und Unebenheiten übertünchen, nicht beseitigt sind. Anscheinend sind die Dinge und Gegenstände von den Handwerkern hier vergessen worden und zerstören nun die heilige Ruhe und Erhabenheit des musealen Raumes. Nach diesem intensiven Moment der Irritation vermutet man, daß es doch nicht liegengebliebene Handwerkerutensilien sein können, da ja die Ausstellung schon vor längerem eröffnet wurde und in der Zwischenzeit dies irgend jemandem aufgefallen sein müßte. Dann findet sich das aufklärende, kunstidentifizierende Exponatenschild, das verzeichnet, daß dieses Stück »Ohne Titel« sei (Kat.Nr. 585). Also auch hier keine Aufhebung der Irritation durch einen poetischen, hilfreichen Titel, sondern die Fortsetzung des lapidaren Gestus der Arbeit. Es gibt für dieses Stück keine Bezeichnung. Kann es dann identifiziert werden als das, was es vorgibt zu sein?

Das Schweizer Künstlerduo Peter Fischli und David Weiss arbeitet scheinbar am Gegenstandsmassiv des Alltäglichen, aber eigentlich sind ihre Arbeiten Studien über die philosophische Frage nach der Erscheinung. Gleich ernsthaften Scholastikern grübeln sie über den existentiell notwendigen Unterschied von Schein und Sein und über die so begrenzten menschlichen Möglichkeiten, dies zu unterscheiden. Seit 1979, als Fischli und Weiss ihre künstlerische Kooperation begannen, wird dieses unerschöpfliche Thema in ihren Arbeiten ausgebreitet. All jene Fragen, die mit der Unterscheidung von Schein und Sein impliziert sind, also die Frage nach dem Original und der Kopie, dem Echten und dem Gefälschten, die Fragen nach dem Faktischen, der Illusion, dem Konkreten werden aufgeworfen. Sie werden gestellt in bezug auf den Gegenstand, wie in dem hier ausgestellten skulpturalen Ensemble, und in ihren Fotoserien, Filmen und Videoarbeiten auf unsere Vorstellung vom Bild bezogen.

Fischli/Weiss arbeiten mit einer Methode des Ähnlich-Machens, die sie immer weiter verfeinert haben. Sie dient ihnen als gedankliche wie auch materiale Basis ihrer Überlegungen zu Schein und Sein. Sie verwenden plastische Materialien wie Lehm und Gummi ebenso wie die perfekte abbildliche Reproduktion von Fotografie und Video. Seit einigen Jahren werden die Dinge aus dem Kunststoff Polyurethan in Originalgröße und mit äußerster Perfektion geschnitzt und, um die realistische Illusion vollkommen zu machen, gegenstandsgetreu bemalt. Vielleicht geht es ihnen um den alten Traum des Künstlers, in der perfekten Imitation die Illusion des Realen zu schaffen. Oder es gefällt ihnen die Rolle des Künstlers als Spieler und Gaukler, der durch das Vertauschen von Schein und Sein den Ordnungssinn zum Stolpern bringt.

Thematisch schließen sie an Marcel Duchamps Fragestellung an, der mit dem Ready-made in unvergleichlich radikaler Weise die philosophisch wie ästhetisch grundlegende Frage nach Schein und Sein für die Kunst neu formuliert hat, indem er einen realen Gegenstand durch eine willkürliche Neudefinition zum Kunstwerk erklärt. Fischli/Weiss liefern in ihren Arbeiten weiteres Material, neue Blickwinkel und irritierende Fragen, um diesen Unterschied für unsere Wahrnehmung und unser lebenspraktisches Verständnis genauer zu beleuchten. Sie tun es in erfrischender Weise mit einer ungewöhnlichen Mischung aus analytisch-skeptischem Wissen und spielerischer Gelassenheit.

Peter Fischli/David Weiss, Ohne Titel, 1992 (Ausschnitt); Staatliche Museen zu Berlin, Nationalgalerie

Nikolaus Lang, Roadkill, 1999

Eugen Blume

Erst die einem Fundstück auferlegte Ordnung, das bewußte Einordnen in einen bestimmten Zusammenhang, verleiht dem wertlosen Ding eine Bedeutung, die über den Gegenstand an sich hinausweist. Es gibt zwei Möglichkeiten, derartige Dinge in ein künstlerisches Konzept einzureihen, die eine ist die Entdeckung ihrer ästhetischen Qualitäten, also ein mehr dekorativer Gedanke, die andere ist ihre Eingliederung in eine Absicht, die letztendlich den Gegenstand transzendiert, ihn heraushebt aus seiner Alltäglichkeit. Seit Marcel Duchamps berühmten Ready-mades ist dieses künstlerische Prinzip bis zur Erschöpfung ausgebeutet worden. Das Ritual der Wiederverwertung verworfener Dinge hat in der künstlerischen Moderne einen hohen Stellenwert erlangt. Positiv betrachtet spielt es die Rolle eines moralisch agierenden Korrektivs, das sich gegen die unwiederbringliche Vernichtung um des Neuen willen stellt. Man könnte es im guten Sinne eine konservative Haltung nennen.

Die künstlerische Strategie von Nikolaus Lang ist nicht einfach zu beschreiben. Auch seine Werke handeln von Hinterlassenschaften. Oftmals sichern sie Spuren vergangener Existenzen und vernichteter Kulturen wie die neolithische Kultur der Aborigines in Australien. Seine Spurensuche ist immer mit der Natur verbunden, in der sich Tiere und Menschen aufhalten, und mit deren natürlichen oder magischen Bindungen. Lang untersucht auch geologische Phänomene, etwa in seinen wie großformatige abstrakte Gemälde wirkenden Abnahmen von freiliegenden Erdschichten in italienischen und australischen Sandgruben.

Der Raum, der für unsere Ausstellung unter dem Namen **Roadkill** (Kat.Nr. 586) entstanden ist, behandelt in besonderer Weise das Thema des ›Fundstücks‹. Entlang der unendlichen Straßen, die Australien durchziehen, liegen Tausende durch Autofahrer getötete Tiere. Nahezu alle australischen Tierarten vom Känguruh, Dingo bis zu Schlangen und Echsen sind hier zu finden. Diese Tiere werden bei Nachtfahrten unabsichtlich getötet, aber auch tagsüber aus Vergnügen mit dem Auto gejagt und erlegt. Nikolaus Lang ist mehrere Monate in sengender Hitze die Strecken abgefahren und hat die Kadaver frisch ›erlegter‹ Tiere mit Farbe eingestrichen und sie auf feste Papiere geworfen, die auf speziell gefertigte Rahmen befestigt waren. Diese Abklatsche lassen auf eine seltsame, fast magische Weise

Nikolaus Lang, Roadkill, 1999; Atelieraufnahme

Nikolaus Lang, Roadkill, 1999; Atelieraufnahme

die Tiere in ihrer natürlichen Lebendigkeit auferstehen. Die abgedruckten Bilder ihrer einstigen Gestalt erscheinen wie fotografierte Seelen, die beim Verlassen des Körpers für einen kurzen Moment sichtbar werden. Das Werfen der Tiere verhindert bewußt eine dekorative Ordnung, das Abbild stellt sich zufällig ein. Das aleatorische Prinzip gestattet den Tieren eine letzte Lebendigkeit, die aus ihnen zu kommen scheint und die nicht vom Menschen vorgeschrieben ist. Lang ist nurmehr das ›Medium‹. Er handelt ›im Auftrag‹ der Tiere. In dieser Hinwendung, in diesem Dienst, dem sich Lang verschrieben hat, verbergen sich Reminiszenzen an schamanistische Rituale. Am Ende des zwanzigsten Jahrhunderts erschafft ein moderner Mensch noch einmal eine ›Höhle‹ mit einem Tierzauber. Diese Rückbindung an magische Kulturen, die in der Natur, in den Pflanzen und Tieren eine beseelte Welt verehrten, verdeutlicht die erschreckende Absenz eines ganzheitlichen Bewußtseins in unseren hochindustrialisierten Gesellschaften. Der moderne Mensch hat sich in seiner mechanistischen Vorstellung von Gott als Herrscher über eine Weltmaschine von der magischen Bindung an die Natur befreit. Das Tier ist in seinem Bewußtsein zum Nahrungsmittelproduzenten, zur domestizierten Kreatur und zum Objekt der Wissenschaft verkommen. Sein in den Mythen lebendiges Seelenleben, seine ehemals enge Bindung an den Menschen ist verlorengegangen. Die Welt wird immer mehr zu einem vom Menschen umgestalteten künstlichen Gebilde. In der fortschreitenden ökologischen Krise werden täglich ganze Tierarten ausgerottet. Das Drama, das sich an den australischen Highways unbemerkt abspielt wie eine scheinbar leicht zu korrigierende Regelverletzung, ist in Wirklichkeit symptomatisch für einen weltumspannenden Ausrottungsprozeß, der die Existenz des Tieres als Spezies bedroht. Nikolaus Langs Tierbilder bewegen sich nicht zwischen Hoffnung auf Jagderfolg und Bitte um Vergebung, wie der animistische Jagdzauber, sondern sie zeigen die Poesie des Tieres, seine Eleganz, seine Leichtigkeit, seine seelenhafte Existenz. Wie ein Schattenspiel bewegen sich die unterschiedlichen Gattungen auf Papierbahnen durch den Raum. Das Tier ist reines Naturwesen, es lebt in einem paradiesischen Zustand. Der Mensch ist aus dem Paradies um der Erkenntnis willen herausgetreten. Er emanzipiert sich zum Herrscher über die Natur, ohne wirklich Freiheit zu erlangen. Der Raum von Lang führt im Schattenbild des Tieres auf eine nichtbeherrschte Natur zurück, deren Stellvertreter das Kunstwerk ist. Nur dem Kunstwerk gelingt eine Erfahrung der anfänglichen Natur. Es nimmt, wie Theodor W. Adorno in seiner *Ästhetischen Theorie* schreibt, die Gestalt der naturbeherrschenden Vernunft an.

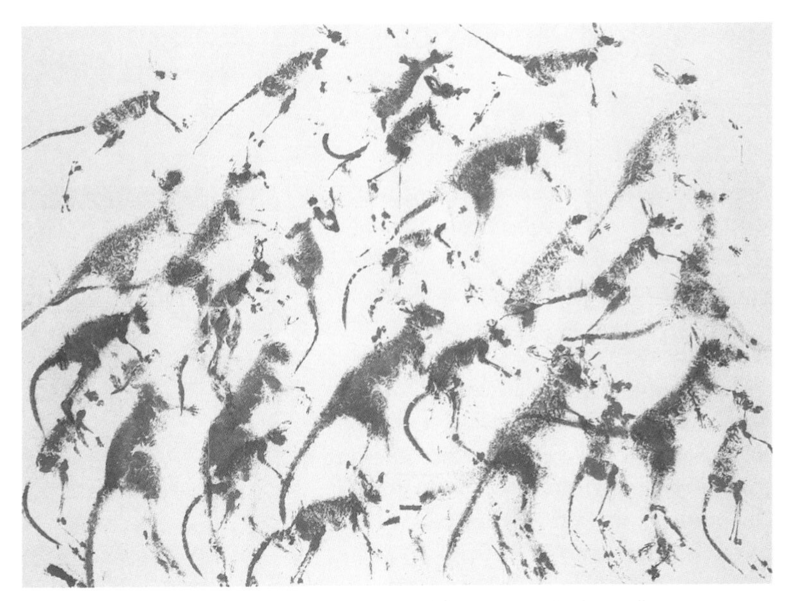

586 Nikolaus Lang, Roadkill, 1999 (Ausschnitt); Raum für die Ausstellung *Das XX. Jahrhundert – Ein Jahrhundert Kunst in Deutschland*; Besitz des Künstlers

Das Werk **Roadkill** wurde möglich durch die freundliche Unterstützung des Goethe-Instituts in Sidney, Australien.

Susanne Weirich, Tokyo Rose, 1989

Eugen Blume

Eines Tages ist inmitten des Kriegsgeschehens im Pazifik eine weibliche Stimme zu hören, eine Stimme, deren Klang Tausende von amerikanischen Soldaten in Atem hält und sie träumen läßt von einem weiblichen Wesen, das dieser Stimme zugehört. Es ist die Stimme der japanischen Propaganda, eine, wie sich später herausstellt, synthetische Stimme, zusammengesetzt aus verschiedenen Frauenstimmen: »Tokyo Rose is a composite of several Women.«[1] Von dieser Episode ausgehend erzählt Susanne Weirich in drei Kapiteln die Geschichte der sprechenden Frauen und ihrer Medien:

I. DIE UNIVERSALITÄT DES SEUFZERS
II. DER STROM DER SPRACHE
III. DIE SPUR DER STIMMEN

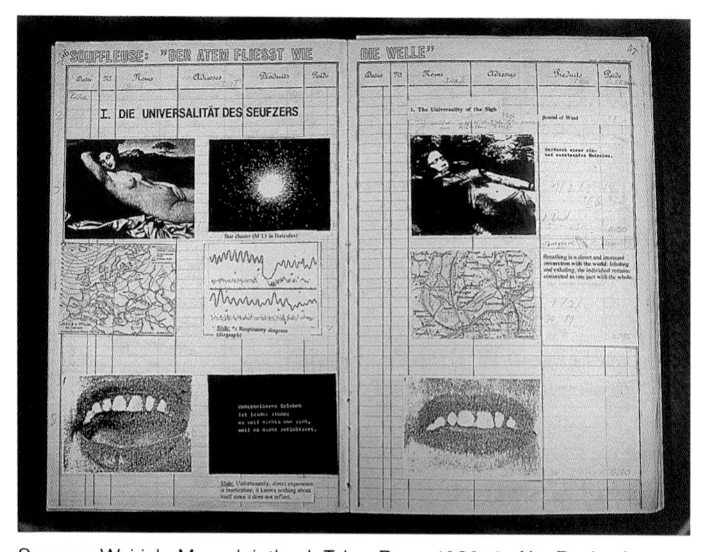

Susanne Weirich, Manuskriptbuch Tokyo Rose, 1989, 1. Akt; Besitz der Künstlerin, Courtesy Rainer Borgemeister

Es ist ein Bilderspiel aus Diagrammen, Landkarten, Gemäldereproduktionen, Schrifttafeln und Illustriertenfotos, dem Ton- und Textmontagen unterlegt sind.

Der Seufzer ist eine dramatisierte Form des Atmens. Der Seufzer ist Poesie noch bevor bekannt ist, warum er ausgestoßen wird. Naturformen wie dem Wind wird das Seufzen ebenso unterstellt wie dem traurigen oder glücklichen Menschen. Seufzen ist eine besondere Form des Atmens. Im Atmen realisiert sich eine ganzheitliche Beziehung zur Welt, Atmen ist Synonym für Leben: »Atmung ist unmittelbare und unaufhörliche Verbindung mit der Welt. Einatmend und ausatmend bleibt das einzelne Individuum als ein Teil mit dem ganzen verbunden.«

Zwischen ruhenden Frauen die Unendlichkeit des Kosmos, zwischen dem auf Landkarten verzeichneten Lauf der Winde Atemkurven und zwischen zwei geöffneten Mündern der Satz: »Unmittelbares Erleben ist leider stumm; es weiß nichts von sich, weil es nicht reflektiert.«

Der Wind verfängt sich als Seufzer in der zum Trocknen aufgehängten weiblichen Unterwäsche und der wehenden Gardine in Adolph von Menzels Balkonfenster. Dazwischen das französische Wort »soupir«, Ausdruck einer der Erotik und Eleganz der Szene angemessenen Sprache.

Die Verbindung von Bild und Wort, das poetische Spiel mit dem Bezeichneten und Bezeichnenden, wie es René Magritte und Marcel Broodthaers entworfen haben, ist der stimulierende Motor von Susanne Weirichs collagiertem Material. Was sich hier geheimnisvoll zu einer Geschichte zu verbinden sucht und doch wieder auseinanderfällt, ist keine rationale Untersuchung. Das positivistische Versprechen, einen Beitrag zur Geschichte sprechender Frauen zu liefern, wird nicht eingelöst. Es scheitert an der Poesie. Was bleibt, ist die Empfindung eines undefinierbaren Zustandes, wie er

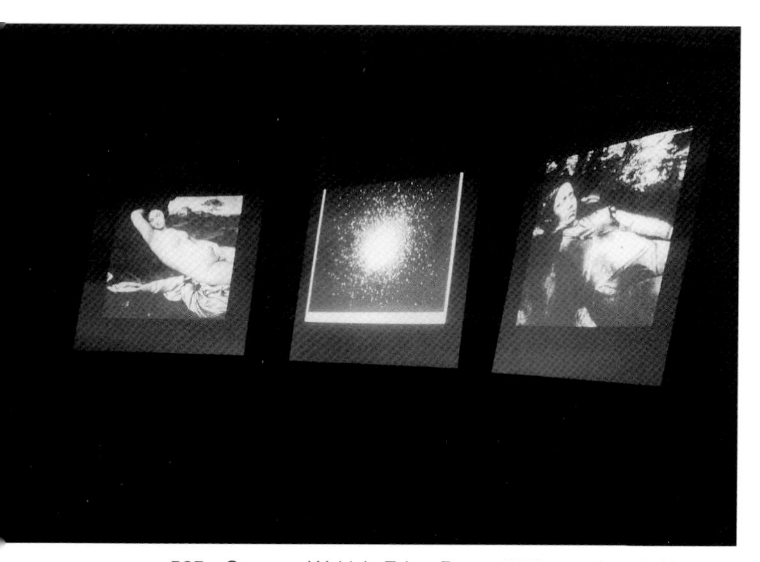

587 Susanne Weirich, Tokyo Rose, 1989; aus dem 1. Akt: Die Universalität des Seufzers; Besitz der Künstlerin; Courtesy Rainer Borgemeister

Susanne Weirich, Tokyo Rose, 1989; Installationsansicht; 3 Leinwände, 2 Souffleurkästen

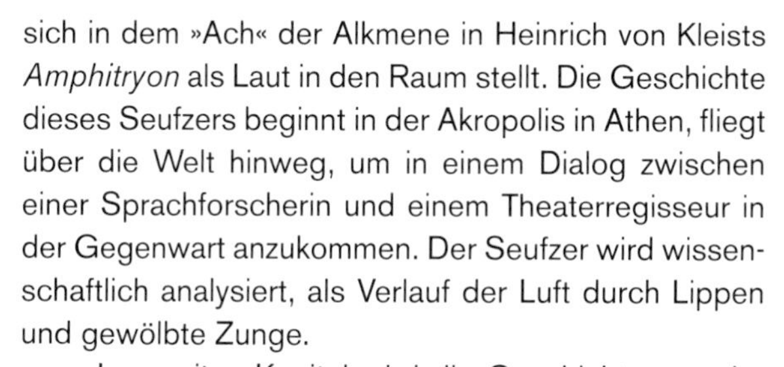

sich in dem »Ach« der Alkmene in Heinrich von Kleists *Amphitryon* als Laut in den Raum stellt. Die Geschichte dieses Seufzers beginnt in der Akropolis in Athen, fliegt über die Welt hinweg, um in einem Dialog zwischen einer Sprachforscherin und einem Theaterregisseur in der Gegenwart anzukommen. Der Seufzer wird wissenschaftlich analysiert, als Verlauf der Luft durch Lippen und gewölbte Zunge.

Im zweiten Kapitel wird die Geschichte von sieben Mädchen erzählt: »Kürzlich liefen sieben Zigeunermädchen von zu Hause davon. Sie konnten lesen und schreiben, sie kannten das Fernsehen und wollten nicht mehr aus der Hand lesen wie ihre Mutter.« Eine von ihnen, die Älteste, ist Iphigenie, die Tochter von Klytämnestra und Agamemnon. Die blutige Geschichte von Iphigenie ist verwoben mit den wunderbaren Erlebnissen von Alice hinter den Spiegeln. Iphigenie schmiedet ein »Sprachschwert«, eine »Wortwaffe«. Die Schwestern von Alice, Charlotte, Emily und Anne, spinnen »Sprachfäden«. »16 Jahre weben sie an ihrem Wortteppich. 19 000 Worte allein für das Geheimnis.« Auf einem der Bilder sieht man das Werk **Richtkräfte** (Kat.Nr. 294) von Joseph Beuys, ein Geheimnis aus 100 Tafeln mit Leuchtkasten und Hasenbild. Auf einer der Tafeln ist zu lesen: »Make the secret productive.«

Im letzten Kapitel nähern wir uns Tokyo Rose, der unbekannten Stimme über dem Pazifik. Vielleicht ist es die Meerjungfrau Undine, »die Sprachgewaltigste unter den Elementargeistern«, oder eine unbekannte Frau, die ihre Sprache verloren hat. Sprache als Meer, Sprache als Geheimnis, Sprache als Klang, Sprache als Liebe, Sprache als Besitz, Sprache als Verlust und Sprache als Gewalt und Befriedung: »Only the strongest memories remain. Memories of battle and boredom and real moments of relief like a softly feminine voice from Radio Tokyo.« Die Erweiterung der Sprache durch das Bild und die Erweiterung des Bildes durch die Sprache nicht im rationalen Sinne, sondern im Geist des poetischen Geheimnisses ist das Thema von **Tokyo Rose**, einem Bildgedicht in vierzig Minuten.

Anmerkung

1 Alle Zitate im Text stammen aus dem Manuskriptbuch zu **Tokyo Rose**.

Georg Herold, Kulturgut, 1990

Claudia Banz

Kulturgut (Kat. Nr. 588) – Georg Herold wählt für den Titel seiner Arbeit einen komplexen Begriff, der in unserem Sprachgebrauch eine fast inflationäre Verwendung findet, ohne daß man sich seiner genauen Bedeutung eigentlich bewußt ist. Was ist überhaupt ein Kulturgut, was ist eigentlich Kultur? Bestehen Kulturgüter aus Bimssteinen und zersägten Stühlen? Der programmatische Titel erweist sich als Denkanstoß. Wir greifen zum Lexikon und lesen, daß Kultur als Sammelbegriff für die Gesamtheit der Lebensäußerungen der menschlichen Gesellschaft in Sprache, Religion, Wissenschaft, Kunst und darüber hinaus als Pflege, Veredelung, Vervollkommnung, vor allem der menschlichen Gesittung, Lebensführung und der Umwelt des Menschen zu verstehen ist – oder, auf die Heroldsche Formel gebracht: »Kultur ist, wenn man Zahnstocher aus Elfenbein hat und freiwillig liest.«[1]

Unseren traditionellen Vorstellungen zufolge materialisiert sich Kultur nicht unbedingt in Bimssteinen oder zersägten Stühlen, eher in anderen Formen: zum Beispiel in der Literatur, in der Musik, der Philosophie, der Architektur oder in der Kunst. In seiner Analyse der bürgerlichen Öffentlichkeit zeigt Jürgen Habermas, wie Kultur im 18. Jahrhundert im Theater, im Museum, im Konzertsaal, im Lesesaal allgemein zugänglich gemacht wird. Kultur ist von nun an nicht mehr den privilegierten Schichten vorbehalten, sondern kann auch von einer breiteren Öffentlichkeit ›konsumiert‹ werden. Damit nimmt Kultur Warenform an, sie wird kommerzialisiert, denn für Lektüre, Theater, Konzert oder Museum hat man zu bezahlen.[2] Wie Warengüter unterliegen Kulturgüter somit den Gesetzen des Marktes. Im Kontext von Absatzsteigerung und Gewinnbringung nimmt der Kulturgütermarkt jedoch zunehmend Qualitäten des Freizeitmarktes an und läuft Gefahr, Kultur sowohl formal als auch inhaltlich in einen Massenartikel zu verwandeln, sie zu standardisieren. »Die Kommerzialisierung der Kulturgüter« steht dabei in einem »umgekehrten Verhältnis zu ihrer Komplexität. Umgang mit Kultur übt, während der Verbrauch der Massenkultur keine Spuren hinterläßt.«[3]

Herolds ›Anti‹-**Kulturgut** erscheint wie eine Metapher des Verschleißes der Kunst im Kulturapparat, des Entsetzens über die Trivialität und Dekadenz heutiger Kulturformen. Hochkultur und Massenkultur, »High« und »Low« in der Kunst, materieller und ideeller Wert der Kunst, Kunst und Kommerz sind denn auch die Themen, die den konzeptuellen Rahmen für Herolds künstlerisches Schaffen bilden. Seine Werke gleichen kalkulierten Versuchsanordnungen, um unsere festgefahrenen Glaubenssätze, Wertesysteme und Regeln ins Wanken zu bringen. So hat Kultur in unserer traditionellen Vorstellung unter anderem mit Ästhetik zu tun, mit gutem Geschmack. Auch diesen Anspruch löst Herolds **Kulturgut** ganz bewußt nicht ein. Mit der Verwendung unprätentiösen Materials wie Backsteinen oder Holzlatten und dem oft provisorisch wirkenden Charakter seiner Werke unterläuft er sämtliche Vorstellungen von Ästhetik: »Sollte Geschmackliches das Geheimnis von Kunst sein? Ist ein verfeinerter Geschmack das, was wir unter Kultur verstehen?«[4]

Formal wirkt der steinerne Kubus wie ein vergrößertes minimalistisches Sitzmöbel von Donald Judd. Die wie Ufos im Raum schwebenden zersägten und neu zusammengefügten Stühle erinnern hingegen an Bruce Nauman. Das oft mit Ironie gepaarte Zitieren anderer Künstler, man denke nur an seinen aus Holzleisten zusammengefügten **Dürerhasen** (1984), bildet eine weitere wichtige Facette im Werk von Georg Herold.

Nicht zufällig wählt der Künstler Sitzmöbel als repräsentative Zeichen für **Kulturgut** aus, denn unter den seßhaften Europäern zeichne sich insbesondere der Deutsche durch ›Sitzhaftigkeit‹ aus. Daher werde seine Vorstellung von Ästhetik und Kultur im wesentlichen durch die ›Eigenheimgestaltung‹ geprägt: »Die

588 Georg Herold, Kulturgut, 1990; Bimssteine, Holzstühle, zersägt und neu geleimt, Steine: 68 x 97 x 522 cm; Museum Kurhaus Kleve, Sammlung Ackermans

Hausrathaltung war geboren und mit ihr das, was wir heute unter dem Begriff Ästhetik zu verstehen versuchen. Ein Bestreben, alles in eine Ordnung zu bringen und diese mit dem schönen Namen KULTUR zu rechtfertigen. Aus der Putzerei entstanden eigene Bereiche, wie Inneneinrichtung, Design, Farbgestaltung. Kein Möbel wurde verschont und keine Wand ausgelassen. Jeder Winkel im Haus wurde behandlungswürdig, und wenn nicht genügend Winkel vorhanden waren, wurden Winkel erfunden. [...] Der Gegenstand der Ästhetik wurde die Ästhetik selber.«[5] In **Kulturgut** inszeniert Herold somit auch eine Ästhetik des geraden Winkels, der Ordnung und Norm, die durch eine Ästhetik des Destabilen konterkariert wird.

Anmerkungen

1 Büttner, Werner; Herold, Georg: *Miserere.* Ausst.Kat. Kunsthalle Klagenfurt. Klagenfurt 1993, S. 52.
2 Vgl. Habermas, Jürgen: *Strukturwandel der Öffentlichkeit.* Darmstadt [17]1987, S. 44.
3 Ebd., S. 200.
4 Georg Herold, zit. n. *Georg Herold.* Ausst.Kat. Institut für Auslandsbeziehungen – Stuttgart. Stuttgart 1996, S. 32.
5 Ebd.

Dieter Roth, Grosse Tischruine

Gabriele Knapstein

> Auf meinem Ateliertisch an der Danneckerstrasse 32 in Stuttgart (aufgestellt um 1974) fing ich an, 1978 oder '79, ein Bild zu malen, worein ich Kassetten-Aufnahmegeräte baute. Auf diesen Geräten nahm ich die Geräusche, um mich herum, während des Malens auf. Plattenspieler-Musik, eigene Körpertöne (Niesen, Furzen, Seufzen) u.Ä. Zu jener Zeit hatte ich keine Geduld, irgend etwas malend darzustellen, und besonders auf diesem Gemälde gelang mir nur ein Geschmier. Am Anfang malte ich auf ein grobes, leichtes Holzgestell aus Latten, das ich auf den Tisch gelegt hatte. Später, um es bequemer zu haben, stellte ich das Brett, mit dem ersten Aufnahmegerät darauf, schräg. Es kam mir bald wie ein Armaturenbrett vor, – nachdem ich ein zweites Aufnahmegerät angebracht hatte, womit ich nicht nur die jeweilen entstehenden Geräusche aufnahm, sondern auch das auf dem ersten Gerät schon registrierte.[1]

Die hier von Dieter Roth beschriebene Konstruktion ist das Herzstück der **Grossen Tischruine** (Kat.Nr. 589), die auf dem und um den Arbeitstisch des Künstlers herum entstanden ist. Immer mehr Gegenstände kamen ins ›Bild‹, Werkzeuge, Farbtöpfe mit Pinseln und leere Verpackungen, Stühle, Leitern und zusätzliche Tische, Filmprojektoren, Schreibtischlampen und Verkabelungen, gefüllte Aschenbecher und leere Kaffeetassen. Durch Festkleben, Ein- und Antrocknen, Anbauen und Aufeinandertürmen erweiterte und vergrößerte sich das erstmals 1979 in der Staatsgalerie Stuttgart gezeigte Gebilde im Laufe der Jahre von Ausstellungsort zu Ausstellungsort. Die beim Auf- und Abbau entstandenen Ton- und Filmaufnahmen wurden in das wachsende Gebilde integriert, ebenso die verbrauchten, nicht mehr funktionstüchtigen Apparate: »Auf den Reisen + Ausstellungen, die der Tisch mitgemacht hat, verändert sich das Verhältnis von funktionierenden Apparaten oder ansehnlichen Augenschmausgebilden zu zerstörten Apparaten oder unansehnlich verkommenen Gebilden immer mehr zugunsten eines Übergewichtes des Letzteren. Der Tisch stirbt, als Kino und Schaustück, immer mehr ab.«[2]

Zusammen mit seinem Sohn Björn Roth hat Dieter Roth bis zu seinem Tod im Jahr 1998 an der **Grossen Tischruine** gearbeitet, er hat sie verändert und um Filme und Objekte aus früheren Werkphasen erweitert. Wie in vielen Grafiken, Büchern, Gemälden, Skulpturen, Musikstücken, Filmen und Fotografien, die seit den sechziger Jahren entstanden sind, geht es dem Künstler auch in diesem Arbeitsprozeß darum, das entstehende Werk zugleich wachsen zu lassen und zu destabilisieren, Ansätze zu gekonntem Komponieren zu stören und Verfallsenergien einzubeziehen. »Nicht was paßt, was sich fügt, wird drübergeworfen oder dranmontiert, sondern was die Gefälligkeit weiter zerstört, ›das Bild noch weiter runterzieht‹. Alles, was das Bild runterziehe, sei erlaubt, weil es in Wahrheit das Bild hebe.«[3] Gegen die Hybris und Arroganz des Könnens ist diese Strategie des Ruinierens gerichtet, und damit hat sich Dieter Roth keinen leichten Gegner gewählt, wie er in einem 1978 veröffentlichten Text deutlich machte:

> Da, Können marschiert auf! mit dem bunten Schaumbeutel auf der hohen Schulter ists über hohe Berge gestiegen ins tiefe Tal, zu uns runter, vergesst der Sterne Funkeln, vergesst des Todes Rumpeln, vergesst des Papieres Bleiche, vergesst der frühen Jugend verschmierte Reiche, vergesst der schlimmen Zeiten Entsetzen verschlimmerndes Zerbrökeln und Zerpökeln – Kö, Kö, Kö ist da! Jedoch keine Angst vor diesem, sei der passende Rufjodler! Wir werden dieses Ungetüm in unsere tiefe Falle locken, und sollten wir selber der Köder sein, und mit in der Falle sitzen müssen, gefällt muss es werden.[4]

589 Dieter Roth, Grosse Tischruine, 1970–98; Mischtechnik, ca. 12 x 6 m; Sammlung Hauser & Wirth, St. Gallen/Schweiz

In den großen plastischen Gebilden und Installationen der achtziger und neunziger Jahre, wie sie Dieter Roth zuletzt 1992 in einer Lagerhalle des Holderbank-Konzerns in der Schweiz, 1995 in der Wiener Secession und 1997 im Musée d'Art Contemporain in Marseille inszeniert hat, suchte der Künstler seinen Gegner mit Hilfe des Prinzips der »restlosen Verwertung«[5] zu überwältigen: Unübersehbare Ansammlungen von Materialien, technischen Geräten, Abfällen, Möbelstücken, Teppichen, Gemälden und Grafiken flossen in diese Installationen ebenso ein wie die in Tagebuchaufzeichnungen, Polaroidfotos, Ton-, Film- und Videoaufnahmen dokumentierten Bewegungen im Lebens- und Arbeitsprozeß des Künstlers. Die **Grosse Tischruine**, die neben anderen raumgreifenden Arbeiten in Wien und Marseille zu sehen war, führt dieses Prinzip der »restlosen Verwertung« paradigmatisch vor, und zugleich verschafft sie dem Topos der künstlichen Ruine eine überraschende Aktualität.

Anmerkungen

1 Roth, Dieter: *Ladenhüter (aus den Jahren 1965–1983).* Ausst. Kat. Reinhard Onnasch Ausstellungen Berlin. Berlin 1983, S. 13.
2 Ebd., S. 15.
3 Müller, Hans-Joachim: »Kunst als Fall-Beschreibung. Hans-Joachim Müller über Dieter Roth«. In: Lothar Romain; Detlef Bluemler (Hg.): *Künstler. Kritisches Lexikon der Gegenwartskunst.* München 1990, S. 10.
4 Roth, Dieter: *Das Weinen. Das Wähnen. Band 2 A.* Stuttgart; London; Zug 1978, Text Nr. 79.
5 Glozer, Laszlo: »Die Strategie der Spinne. Dieter Roths Totaltheater der Untergangsbilder in der Fabrikhalle Holderbank, Schweiz«. In: *du,* H. 6, 1993, S. 74.

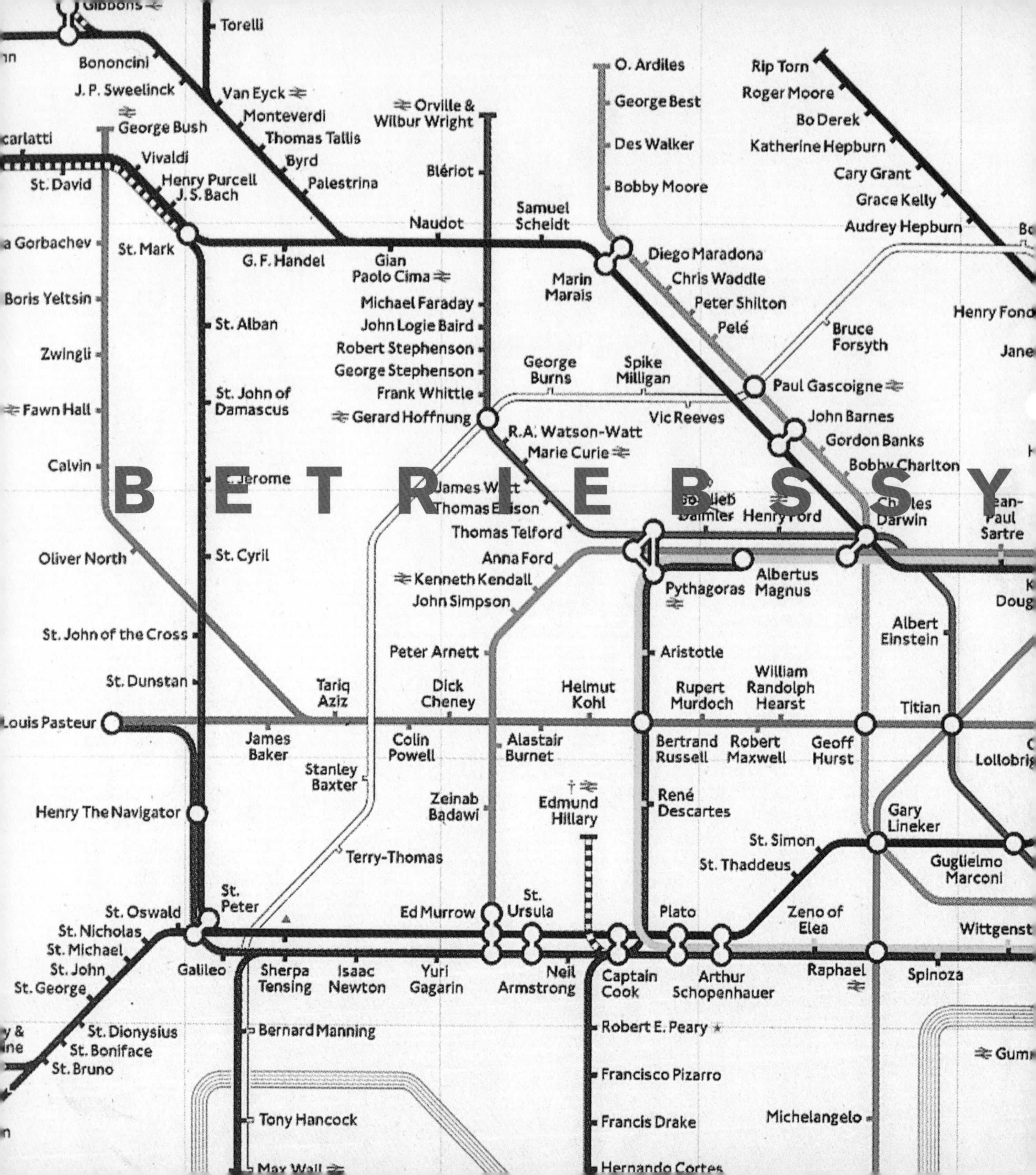

Gibbons
Torelli
Bononcini
J. P. Sweelinck
Van Eyck
Monteverdi
Thomas Tallis
Byrd
Palestrina
George Bush
Vivaldi
Henry Purcell
J. S. Bach
St. David
carlatti
O. Ardiles
George Best
Des Walker
Bobby Moore
Orville & Wilbur Wright
Blériot
Rip Torn
Roger Moore
Bo Derek
Katherine Hepburn
Cary Grant
Grace Kelly
Audrey Hepburn
a Gorbachev
St. Mark
G. F. Handel
Naudot
Gian Paolo Cima
Samuel Scheidt
Marin Marais
Diego Maradona
Chris Waddle
Peter Shilton
Pelé
Bruce Forsyth
Henry Fond
Jane
Boris Yeltsin
Zwingli
Fawn Hall
Calvin
St. Alban
St. John of Damascus
Michael Faraday
John Logie Baird
Robert Stephenson
George Stephenson
Frank Whittle
Gerard Hoffnung
George Burns
Spike Milligan
Vic Reeves
Paul Gascoigne
John Barnes
Gordon Banks
Bobby Charlton
R.A. Watson-Watt
Marie Curie

B E T R I E B S S Y

Jerome
James Watt
Thomas Edison
Thomas Telford
Gottlieb Daimler
Henry Ford
Charles Darwin
Jean-Paul Sartre
Oliver North
St. Cyril
Anna Ford
Kenneth Kendall
John Simpson
Pythagoras
Albertus Magnus
St. John of the Cross
Peter Arnett
Aristotle
Albert Einstein
St. Dunstan
Tariq Aziz
Dick Cheney
Helmut Kohl
Rupert Murdoch
William Randolph Hearst
Titian
Louis Pasteur
James Baker
Colin Powell
Alastair Burnet
Bertrand Russell
Robert Maxwell
Geoff Hurst
Lollobri
Stanley Baxter
Zeinab Badawi
Edmund Hillary
René Descartes
Henry The Navigator
Gary Lineker
St. Simon
St. Thaddeus
Guglielmo Marconi
Terry-Thomas
St. Peter
St. Oswald
St. Nicholas
St. Michael
St. John
St. George
Ed Murrow
St. Ursula
Plato
Zeno of Elea
Wittgenst
Galileo
Sherpa Tensing
Isaac Newton
Yuri Gagarin
Neil Armstrong
Captain Cook
Arthur Schopenhauer
Raphael
Spinoza
St. Dionysius
St. Boniface
St. Bruno
Bernard Manning
Robert E. Peary
Gumm
Francisco Pizarro
Tony Hancock
Francis Drake
Michelangelo
Max Wall
Hernando Cortes

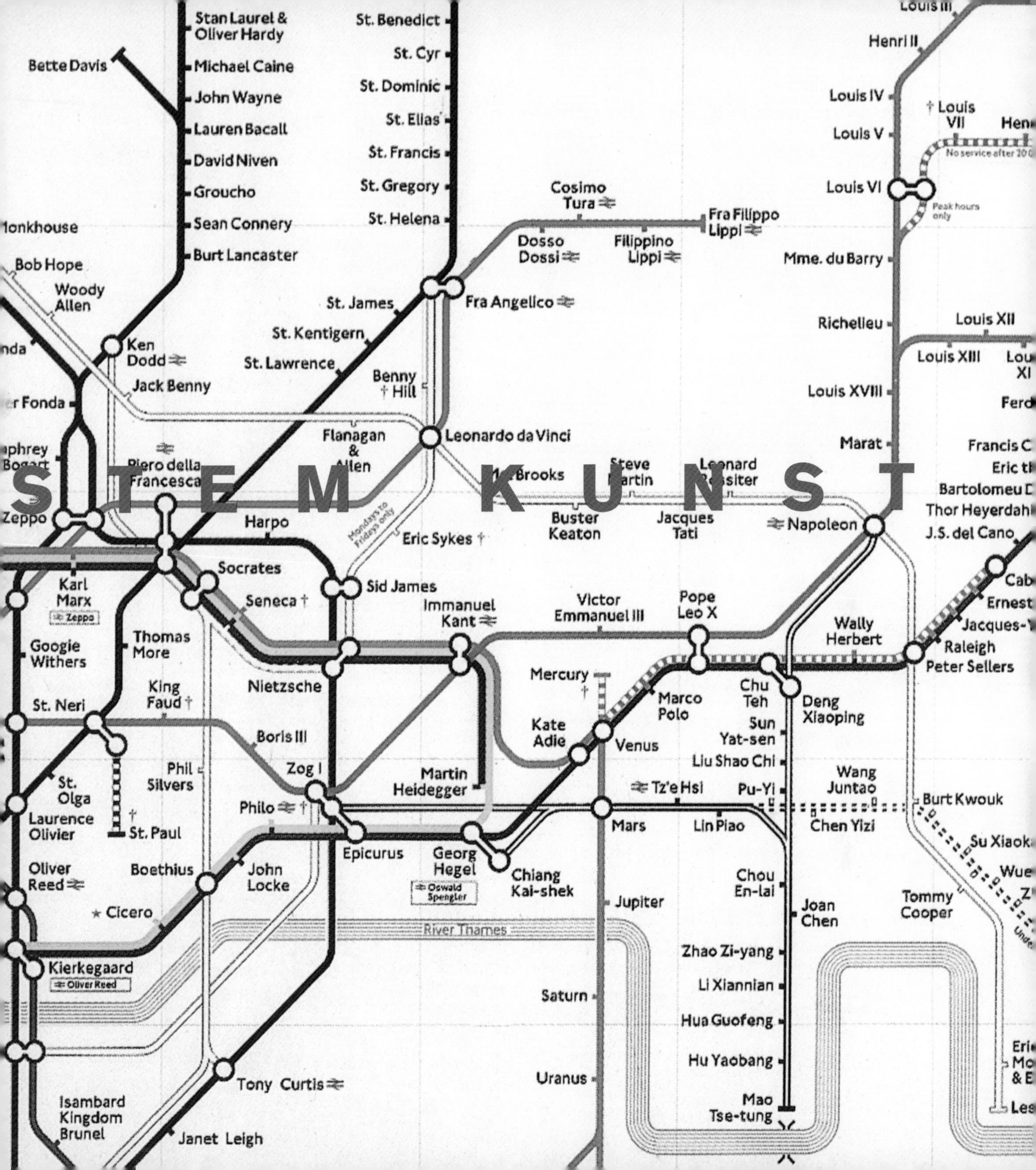
STEM KUNST
Stan Laurel & Oliver Hardy
Michael Caine
John Wayne
Lauren Bacall
David Niven
Groucho
Sean Connery
Burt Lancaster
Bette Davis
Bob Hope
Woody Allen
Ken Dodd
Jack Benny
Zeppo
Karl Marx
Zeppo
Googie Withers
Thomas More
King Faud †
St. Neri
Boris III
Phil Silvers
St. Olga
Laurence Olivier
St. Paul
Philo †
Oliver Reed
Boethius
John Locke
Cicero
Kierkegaard
Oliver Reed
Tony Curtis
Isambard Kingdom Brunel
Janet Leigh
St. Benedict
St. Cyr
St. Dominic
St. Elias
St. Francis
St. Gregory
St. Helena
St. James
St. Kentigern
St. Lawrence
Benny † Hill
Fra Angelico
Cosimo Tura
Dosso Dossi
Filippino Lippi
Fra Filippo Lippi
Flanagan & Allen
Leonardo da Vinci
Piero della Francesca
Harpo
Socrates
Seneca †
Sid James
Mondays to Fridays only
Eric Sykes †
Mel Brooks
Steve Martin
Leonard Rossiter
Buster Keaton
Jacques Tati
Immanuel Kant
Victor Emmanuel III
Pope Leo X
Nietzsche
Zog I
Martin Heidegger
Epicurus
Georg Hegel
Oswald Spengler
Chiang Kai-shek
Mercury †
Kate Adie
Venus
Marco Polo
Mars
Tz'e Hsi
Lin Piao
Jupiter
Saturn
Uranus
River Thames
Chu Teh
Deng Xiaoping
Sun Yat-sen
Liu Shao Chi
Pu-Yi
Wang Juntao
Chen Yizi
Chou En-lai
Joan Chen
Zhao Zi-yang
Li Xiannian
Hua Guofeng
Hu Yaobang
Mao Tse-tung
Wally Herbert
Raleigh
Peter Sellers
Burt Kwouk
Tommy Cooper
Napoleon
Henri II
Louis IV
Louis V
† Louis VII
No service after 2000
Louis VI
Peak hours only
Mme. du Barry
Richelieu
Louis XII
Louis XIII
Louis XVIII
Marat
Thor Heyerdahl
J.S. del Cano

Betriebssysteme der Kunst: Die schreibenden Federn

Joachim Kaak

> Was wird aus der Fama neben Printinghouse square?
>
> Karl Marx

Zur Kunst des 20. Jahrhunderts gehört das geschriebene Wort – ein Gemeinplatz zugegebenermaßen und ein immer wieder zu vernehmender Stoßseufzer, der hervorgebracht wird von all jenen, die in den zahlreichen Beschreibungen, Kommentaren, Interpretationen und Kritiken sowie Manifesten und Programmen den Blick auf die Kunst eher verstellt als das Verständnis derselben gefördert sehen. Das Mißtrauen, welches sich in dieser populistischen Annahme äußert und das in Thomas Bernhards *Alte Meister* sein schonungslos beschämendes Denkmal gefunden hat, übersieht dabei ein facettenreiches Beziehungsgeflecht, welches mit Karl Marx als eine Beherrschung der Legende von Kunst und Künstler durch die Aneignung der entsprechenden Betriebssysteme beschrieben werden könnte.

Nach Marx ist es die Mythologie, welche die Naturkräfte in der Einbildung und durch die Einbildung überwindet, während sie selbst mit der gewonnenen Herrschaft verschwindet.[1] Vergleichbares, so möchte man anfügen, wäre für die im gesellschaftlichen Kontext wirkenden Kräfte im Verhältnis von Kunst, Künstler und Kunstliteratur anzunehmen. Der Fama, jener zum Beispiel in Jan Mullers Gedächtnisblatt zu Bartholomaeus Sprangers mustergültig verklausulierten Legende vom Nachleben des Künstlers in der überzeitlichen Gegenwärtigkeit seiner Werke, wird nachgeholfen durch den Rückgriff auf die gegebenen Kommunikationsmittel; hier durch die programmatische Formulierung im reproduktionsfähigen Medium des Kupferstichs.

Über Marx hinaus wäre allerdings festzuhalten, daß mit dem Zugriff auf das geschriebene Wort der Mythos einer autodynamischen Wahrnehmung von Kunst und Künstler durchaus nicht verschwindet. Vielmehr wird er einer eigenen Gesetzlichkeit unterworfen, deren Rationalität sich im Verhältnis von Kunst und Gesellschaft konstituiert, in der das Werk entsteht.[2] Es bliebe mithin, nach Funktion und Bedeutung von Kunstliteratur als einem unverzichtbaren Betriebssystem zu fragen, in welchem gleichermaßen die Äußerungen von Künstlern wie auch die Publikationen der Autoren wirksam werden, die die Entwicklungen der Moderne begleiten.

Dabei ist mit der Literatur zu Kunst und Künstlern zunächst durchaus kein Phänomen des 20. Jahrhunderts zu beschreiben, denkt man an die unzähligen Schriften von Leon Battista Alberti, Leonardo da Vinci und Giorgio Vasari über Karel van Manders *Schilderboek* aus dem Jahre 1604 bis hin zu Joshua Reynolds' *Discourses on Art*. Bekanntermaßen werden mit den kunsttheoretischen und biographischen Diskursen hier zugleich auch der gesellschaftliche Stand des Künstlers, ästhetische Normen und Rezeptionsformen definiert, die von der Produktion – und damit auch von der Wahrnehmung – der Kunstwerke nicht zu trennen sind.

Dennoch ist für die Kunst des 20. Jahrhunderts ein Qualitätssprung festzustellen, der nicht nur in dem exzessiven Gebrauch der Printmedien durch die Künstler begründet ist. Die schriftlichen Äußerungen in Manifesten, Streitschriften, Aufsätzen oder in Buchform begleiten die Entwicklungen der Moderne als feste funktionale Größe. Die Publikationen von Kasimir Malewitsch, Wassily Kandinsky und Willi Baumeister bis hin zur Zeitschrift *De Stijl* von Theo van Doesburg und Piet Mondrian sind hier ebenso bekannt wie die kulturkonservativen Pamphlete, in denen widerstreitende Positionen denunziert und das eigene Schaffen propagiert werden.

Die Vehemenz und der Umfang aber, mit denen das geschriebene Wort an Bedeutung innerhalb der

Entwicklung der Moderne zunimmt, scheint hingegen vielmehr in jenem Vakuum ihren Ausgang zu nehmen, welches die Säkularisierung der Kunst zum ausgehenden 18. Jahrhundert aufriß. Die Verflüchtigung der Ikonographie »zu einer aufgrund der Ausdrucksdimension der Figuration allenfalls möglichen Konnotation«, die Werner Busch beschreibt, führt nicht nur zu neuen Bildformen und Gattungen in der Kunst des 19. Jahrhunderts.[3] Sie läßt das Kunstwerk vielmehr als solches ortlos werden und überantwortet es ausschließlich der individuellen Auseinandersetzung. Wie Busch weiter ausführt, ist es fortan die Aufgabe der Kunst, dieser Inanspruchnahme wirkungsstrategisch zuzuarbeiten: »Nicht einen vorgegebenen Sinn, den es in seiner Erscheinung adäquat aufhebt, löst es ein, sondern sinnvoll wird es nur, je anders, im Moment seiner Rezeption.«[4]

Dies mag bereits als ein hinreichender Grund erscheinen für die sprunghafte Zunahme von theoretischer Unterfütterung, Exegese und Kritik, die nun gleichermaßen von Künstlern, Kunstwissenschaftlern und Rezensenten zu leisten ist.[5] Die Formen der wechselnden, wirkungsstrategischen Erscheinungen sind zu begründen und auf ihre Funktionalität hin zu prüfen. Späterhin erhalten sie auch in der öffentlichen Diskussion ihre Legitimation oder ihr Verdammungsurteil, wie die zahllosen und mitunter polemisch geführten Rezensionen etwa der Pariser Salons zeigen.

Mit der Verflüchtigung der Ikonographie ist aber zudem auch eine Verflüchtigung des Geistes festzustellen, die sowohl in der Verwissenschaftlichung der Religion als auch in den wissenschaftlich-technischen und naturwissenschaftlichen Umwälzungen Vorschub erhält. Die scheinbar gesicherte Unterscheidung zwischen Geist und Materie, Diesseitigkeit und Transzendenz verliert mit jeder naturwissenschaftlichen Entdeckung an Selbstgewißheit und ist schließlich von Auflösung bedroht, ja führt zu einem als notwendig empfundenen Paradigmenwechsel zwischen Natur- und Geisteswissenschaft.[6]

Vor diesem nur kurz angerissenen Hintergrund ließe sich das geschriebene Wort auch als eine Rückversicherung des in Naturwissenschaft und Technik längst materialisierten und der Kunst fraglich gewordenen Geistes betrachten[7]; eine legitime Rückversicherung, so muß angefügt werden, angesichts der Entdeckung des Nichts, der Auflösung jeder Figuration in den Abstraktionen des Suprematismus, der konkreten Kunst oder in der Synästhesie Kandinskys oder mit anderen Worten: angesichts des Vordringens in bisher unbekannte ästhetische, spirituelle oder lebensweltliche Erfahrungshorizonte.

Das geschriebene Wort korrespondiert dabei dem Anspruch, dem statischen Menschenbild einer eschatologischen Weltordnung die Möglichkeit selbstbestimmter metaphysischer oder kritisch-utopischer Visionen entgegenzusetzen. Auch wenn die literarisch ausgeführten, metaphysischen Weiterungen Kandinskys etwa einzelnen Zeitgenossen, wie Wilhelm Hausenstein, zunächst durchaus suspekt sind[8], wird die Stiftung einer neuen Lebenswirklichkeit durch die Kunst frühzeitig als eigenständige Qualität wahrgenommen und in theoretische Diskurse integriert.

Uwe Fleckner und Thomas Gaehtgens werten hier zu Recht Carl Einsteins 1926 als sechzehnter Band der *Propyläen-Kunstgeschichte* erschienenes Buch *Die Kunst des 20. Jahrhunderts* als »kunsttheoretisch durchdachtes und in seiner Darstellung durchkomponiertes entwicklungsgeschichtliches Großmodell, das den Weg der Kunst von der formalen Selbstbesinnung um 1900 [...] zu einer neuen mythisch bestimmten Kunst nachzeichnet«[9]. Dem Entwicklungsgang der Kunst fügt sich dabei der philosophisch reflektierte Versuch Carl Einsteins, ein sprachliches Äquivalent zu entwickeln, damit die Darstellung »nicht nur Imitation eines bereits vollzogenen Vorgangs sei«[10].

Es ist hier nun nicht der Ort, den wechselseitig sinnstiftenden Einfluß von Kunst und Literatur im Detail auszuführen. Welche Bedeutung jedoch der theoretischen Äußerung in diesem Diskurs noch in ihrer Abweisung zukommt, mag vielleicht eine Randbemerkung zur Diskussion um die Zeitgenossenschaft der Kunst dieses Jahrhunderts erhellen.

Mit der Erfahrung der zivilisatorischen Katastrophe der nationalsozialistischen Barbarei und einer sich daran anschließenden Diskussion über eine mögliche, schuldhafte Verstrickung der Klassischen Moderne[11], verschwand zunächst jeder utopische Optimismus. Konservative Autoren wie Hans Sedlmayr oder Wilhelm Hausenstein erteilten der Vorstellung einer im gesellschaftlichen Kontext wandelbaren Kunst eine Absage und forderten die Rückbesinnung auf eine in der Schöpfung Gottes verankerte Ebenbildlichkeit der Kunst. Die Auseinandersetzung über ein evolutionäres oder statisches Menschenbild der Kunst gipfelte schließlich in dem bekannten Streit zwischen Sedlmayr, Baumeister, Adorno und anderen anläßlich des Ersten Darmstädter Gesprächs 1950.

Wilhelm Hausenstein, dem 1924 Max Beckmann noch als sozialistische Reinkarnation gotischer Schönheit geleuchtet hatte[12], revidierte in seinem in dezidierter Anlehnung an Hans Sedlmayrs *Verlust der Mitte* 1949 veröffentlichtes Buch *Was bedeutet die Moderne Kunst* auf fast tragisch zu nennende Weise sein früheres, schriftstellerisches Lebenswerk. Dem deutlichen Bewußtsein einer durch die Säkularisation verursachten Diskontinuität korrespondiert dabei hier die Vehemenz der sprachlichen Äußerung, welche die Möglichkeiten der Kunst zur Erneuerung insgesamt in Frage stellt. Hiernach ist mit der Säkularisation nicht nur der Geist, der innere Zusammenhang mit der »Schönheit der sichtbaren Schöpfung« verlustig gegangen; es »entstand auch der Verlust des Zusammenhangs innerhalb der Bilder selbst«[13].

Man muß nun die Forderung nach einer christlichen Erneuerung der ins Religiöse gewendeten Autoren zurecht als unzeitgemäße Randbemerkungen zur Geschichte der Kunst und als unzulässige Infragestellung der Moderne abtun. Werner Hofmann erkannte jedoch in der Folge ein Zurückschrecken in die Totalakzeptanz, der die Moderne »nur noch selten ein Reizthema« ist, »das zu leidenschaftlichem Für und Wider zwingt. [...] Wir lassen jede Einstellung als eine von vielen ›richtigen‹ gelten. Aber wir sollten bedenken, daß auch die postmoderne Geschmackskatholizität dem kritischen Denken nicht bekommt. Gerade im Rückzug auf die Problemlosigkeit erlebt es etwas, was schlimmer ist als alle Gefährdung – die Aufbahrung in der Affirmation.«[14] In diesem Sinne wäre es wohl nicht falsch, das geschriebene Wort, sei es als künstlerisches Manifest oder erhellende Auseinandersetzung, als notwendiges Pendant zur kritischen Zeitgenossenschaft der Kunst anzusehen.

Anmerkungen

1 Vgl. Marx, Karl: »Ökonomische Manuskripte 1857/58«. In: Ders., Friedrich Engels: *Gesamtausgabe*. Bd. II, 1.1, S. 44f.

2 In diesem Sinne hat zum Beispiel Enrico Castelnuovo in *Arte, Industria, Rivoluzioni. Temi di storia sociale dell'arte* (Turin 1985, S. 33ff.) gefordert, das wechselseitige Verhältnis von Kunstwerk, Publikum, Produktion und Rezeption zu einem Gegenstand der Kunstgeschichte zu machen und am Beispiel von Ideologie und Kunstpolitik zur Zeit der französischen Revolution ausgeführt. Ebd., S. 125ff.

3 Vgl. auch für das folgende: Busch, Werner: *Das sentimentalische Bild. Die Krise der Kunst im 18. Jahrhundert und die Geburt der Moderne*. München 1993, S. 477ff., hier bes. S. 478.

4 Ebd., S. 478.

5 Einen Überblick bieten Harrison, Charles; Wood, Paul (Hg.): *Die Kunsttheorie im 20. Jahrhundert*. 2 Bde. Ostfildern 1998.

6 Vgl. Cassirer, Ernst: *Das Erkenntnisproblem in der Philosophie und Wissenschaft der neueren Zeit*. Darmstadt o.J. (engl.[1]1950).

7 Von dramatischer Beispielhaftigkeit ist in diesem Zusammenhang das von Busch angeführte Schicksal Joseph Priestleys. Priestley, der zwar mit »einer vielbändigen Religionsgeschichte seine ausgeprägte Frömmigkeit unter Beweis stellte«, machte auf dem Gebiet der experimentellen Gasforschung Entdeckungen, die es nahelegten, eine Unterscheidung zwischen Geist und Materie insgesamt aufzugeben. Der Versuch, seine in den Experimenten gewonnene Erkenntnis in zahlreichen theologischen Schriften zu rechtfertigen, schlug jedoch fehl. 1791 zerstörte eine aufgebrachte Menge seine Instrumente und seine Bibliothek. Vgl. Busch, Das sentimentalische Bild (Anm. 3), S. 481.

8 Vgl. Hausenstein, Wilhelm: *Die bildende Kunst der Gegenwart*. Stuttgart; Berlin 1914, S. 299f.

9 Einstein, Carl: *Die Kunst des 20. Jahrhunderts.* Hg. von Uwe Fleckner und Thomas W. Gaehtgens. Berlin 1998, S. 13.

10 Zit. n. ebd., S. 15. Zum sprachlichen Rang des Werkes vgl. bes. S. 14–16.

11 Vgl. Breuer, Gerda (Hg.): *Die Zähmung der Avantgarde. Zur Rezeption der Moderne in den 50er Jahren.* Basel; Frankfurt am Main 1997.

12 Bei allem Erkennen einer gefährdeten Welt war es die utopisch-kritische Dimension, die Hausenstein faszinierte und die Trost versprach. »Hier ist nun zu erzählen«, so führt der Autor aus, »daß Beckmann eine Art von politischem Radikalem ist. Er glaubt den Sozialismus. Er glaubt den Fortschritt durch den Sozialismus. Er ist von Optimismus erfüllt – von politischem Optimismus. Wir sollen – meint er – nicht die Ohren hängen lassen und nicht traurig vor uns hinschauen. Nein. Der Sozialismus werde sein – und damit werde wieder allenthalben in der Welt sich alles zum Guten fügen.« Hausenstein, Wilhelm: »Max Beckmann«. In: Curt Glaser u.a.: *Max Beckmann.* München 1924, S. 61. Zur gotischen Identität einerseits sowie zum vermeintlich proletarischen Habitus des Künstlers andererseits vgl. S. 68ff., S. 71f.

13 Hausenstein, Wilhelm: *Was bedeutet die moderne Kunst. Ein Wort der Besinnung.* Leutstetten 1949, S. 79ff.

14 Vgl. auch für das folgende Hofmann, Werner: »Im Banne des Abgrunds. Der ›Verlust der Mitte‹ und der Exorzismus der Moderne«. In: Breuer, Die Zähmung der Avantgarde (Anm. 11), S. 43ff., bes. S. 53f.

Wo die Avantgarde Station machte

Regionalität und Provinzialität in der deutschen Moderne des 20. Jahrhunderts

Bernhard Schulz

Noch hat sich die Moderne nicht gänzlich zur Epoche gerundet. Einige ihrer Fragestellungen auch künstlerischer Art sind offengeblieben. Mit Erstaunen darf man jedenfalls den Wirbel registrieren, den die Weimarer Ausstellung *Aufstieg und Fall der Moderne* (Abb. S. 629) im Frühsommer 1999 entfachte.[1] Was sich vordergründig als Streit um die Bewertung des Kunstgeschehens in der DDR darbot, galt im Grunde der ästhetischen Rangfolge, die die – westlich geprägte – Moderne scheinbar unangefochten aufgestellt hat.

Es mag in diesem Zusammenhang dahingestellt bleiben, ob die Unabgeschlossenheit der Moderne, wie sie im Weimarer Streit offenkundig wurde, vorrangig mit unterschiedlichen Wahrnehmungsgeschwindigkeiten zwischen Ost und West zu tun hat. Hier interessiert etwas anderes. Es ist neuerlich ein kleinerer und in der Kunstgeschichte der Moderne nicht eben kontinuierlich auftauchender Ort innerhalb Deutschlands, in dem eine derart grundsätzliche Diskussion stattfand. Und es war neuerlich eine temporäre Ausstellung und nicht etwa eine auf Dauerhaftigkeit zielende Museumsgründung, die den Streit provoziert hat.

Damit sind zwei Charakteristika einer Kunstgeschichte der Moderne in Deutschland benannt, die sie weit stärker als diejenige anderer Länder prägen. Es sind dies die Dezentralität der Ereignisorte und die zeitliche Fokussierung auf das Medium der Ausstellung. Nun sind Ausstellungen – provozierende zumal – ohnehin ein Bestandteil der Strategie der Avantgarde, um Öffentlichkeit zu erreichen und zu mobilisieren.[2] Paris hat mit den ersten Auftritten der Fauves und der Kubisten sicher ein Modell geliefert. Die Beschränkung auf die Arbeiten einer Künstlergruppe oder Richtung ist das eigentlich Neue. Das Fehlen einer geschmacksbildenden Instanz, wie es in Frankreich der ehrwürdige Salon war, auf den auch die Bestrebungen der modernen Künstler nach Anerkennung mit bemerkenswerter Hartnäckigkeit über Jahrzehnte gerichtet waren, hat in Deutschland keine Entsprechung. Statt dessen konnte die Avantgarde auf die eigentümliche Form der Wanderausstellungen zurückgreifen, mit denen bereits im 19. Jahrhundert die zeitgenössische Kunst über die verstreuten Kunstzentren hinweg vermittelt worden war. Neue, ideologisch motivierte Formen wie die Gruppenausstellung traten jetzt hinzu. An wie abgelegenen Orten auch immer, es war ein überregional gedachtes Publikum, dem sich die Avantgarde mitzuteilen suchte.

Seit der Königsweg der Moderne als eher nachträglich konstruierte Rechtfertigungsstrecke erkannt und zumindest um zahllose Ab- und Nebenwege, insbesondere solche der einzelnen Künstlerpersönlichkeiten, ergänzt worden ist, erscheint eine nicht länger ausschließlich stilgeschichtliche, sondern topographische Betrachtung als legitim und erkenntnisträchtig. Es ist gewiß nicht allein dem Ermatten einer linearen Stilchronologie zuzuschreiben, daß das Interesse an den Vermittlungsformen und den Ereignisorten der modernen Kunst in den vergangenen Jahren sprunghaft gestiegen ist.

Den Gedanken, die Geschichte der Moderne in Deutschland von der Rezeption her als Abfolge nachwirkender Ausstellungsereignisse zu beschreiben, hat der Autor dieser Zeilen 1986 als – wiederum – Ausstellungskonzept entworfen, das die Berlinische Galerie zwei Jahre später unter dem Titel *Stationen der Moderne* zu einem beeindruckenden Panorama bekannter Werke in vielfach unbekannten Zusammenhängen bündelte.[3] Seinerzeit schien die Moderne abgeschlossener, auch unergiebiger geworden zu sein, als sich dies heute, zehn Jahre nach dem Fall der Mauer in Berlin und dem Eisernen Vorhang in Europa, behaupten ließe. Das eingangs erwähnte Weimarer Debakel ist nur ein Indiz dafür. Womöglich ist selbst die scheinbar wertungsfreie Aufzählung wirkungsmächtiger Ausstellungen ihrerseits revisionsbedürftig, wird doch die 1988 unangefochten getroffene Auswahl in ihren legitimatorischen Nebenwirkungen erkennbar. Am Ende eines Jahrhunderts, das die nachgerade typische deutsche Polarität von Avantgarde und Konservativismus mit der spezifischen Frontstellung von westlich-formaler und östlich-inhaltsbezogener Kunst nochmals überblendet, muß die Frage offenbleiben, ob es nicht zweierlei Geschichten der Moderne, eine westliche und eine östliche, zu erzählen gäbe, mit folglich jeweils unterschiedlicher Gewichtung von Orten und Ereignissen.

Der Blaue Reiter, Galerie Thannhauser, München, zweiter Raum, 1911/12; Gabriele Münter- und Johann Eichner-Archiv, Städtische Galerie im Lenbachhaus, München

Die Übereinstimmung in der Bewertung solcher Stationen der Moderne dürfte umso eindeutiger ausfallen, je weiter diese in der Vergangenheit liegen. Die Kaiserzeit gibt dabei das ideale historische Umfeld ab, besteht doch über die ästhetische Sackgasse der wilhelminischen Offizialkunst durchweg Einigkeit. Auf die Fundamentalopposition aller künstlerischen Strömungen des Jahrhundertbeginns kann jeder sich berufen, mag er auch am Ende dieses Jahrhunderts mit dem zwischenzeitlichen Verlauf der Moderne unzufrieden geworden sein. So lassen sich ohne Umstände die drei oder vier Paukenschläge aufzählen, mit denen die Moderne in Deutschland auf die Bühne trat: die Ausstellung der Künstlergemeinschaft Brücke in Dresden 1910, die Erstveranstaltung des Blauen Reiter 1911 in München (Abb. S. 619), womöglich die Ausstellung des rheinischen Sonderbundes in Köln 1912 und ganz sicher der *Erste deutsche Herbstsalon* 1913 in Berlin. Während die beiden erstgenannten Ausstellungen der Eigenpräsentation programmatischer Künstlerzusammenschlüsse dienten, denen sie öffentliche Aufmerksamkeit und eine in die Gesellschaft zielende Wirkung verschaffen sollten, sind die beiden letzteren breitangelegte Überblicke über das internationale Kunstgeschehen ihrer Zeit. Wie international die Ausstrahlung des deutschen Kunstgeschehens damals im übrigen war, mag der Umstand beleuchten, daß die legendäre New Yorker *Armory Show* von 1913, mit der die Avantgarde den amerikanischen Kontinent betrat, nach dem Vorbild der Kölner *Sonderbund*-Ausstellung organisiert war.

Mit Dresden und München sind die beiden klassischen Kunstzentren benannt, die sich aus dem feudalen Auftragsverhältnis von Hof und Künstlerschaft zur vermittelnden Instanz der fürstlichen, in diesen Fällen königlichen Akademien des ausgehenden 19. Jahrhunderts entwickelt hatten. Beide Städte zehrten vom Ruhm der Vergangenheit, den sie selbstzufrieden in der Gegenwart eines aufkeimenden Fremdenverkehrs zu nutzen verstanden. Der politischen Bedeutungslosigkeit korrespondierte ein gern zur Schau getragenes kulturelles Selbstwertgefühl, dem freilich das Bewußtsein für die notwendige Erneuerung abging. Die Ansprüche des nichtetablierten, außerakademischen Künstlernachwuchses von Brücke und Blauem Reiter zielten auf eben diese Leerstelle, verstanden freilich als eine vorrangig ästhetische. Ihre gesellschaftliche Sprengkraft gewann die künstlerische Avantgarde erst im Schmelztiegel der Reichshauptstadt Berlin.

Gesellschaftlich prägend zu sein, war indessen nicht wirklich das Ziel der modernen Künstler der Kaiserzeit, allenfalls gesellschaftlich auffällig. Der Skandal wurde gewissermaßen salonfähig. Der Gesellschafts-

Raoul Hausmann und Hannah Höch 1923 bei der Eröffnung der *Ersten Internationalen Dada-Messe*, Berlin, Raum 1; Berlinische Galerie, Landesmuseum für Moderne Kunst, Photographie und Architektur

Erste Russische Kunstausstellung, Berlin 1922, Galerie van Diemen; v.l.n.r.: David Sterenberg, D. Marianow, Nathan Altman, Naum Gabo und Friedrich A. Lutz; Berlinische Galerie, Landesmuseum für Moderne Kunst, Photographie und Architektur

ferne entspricht eine bemerkenswerte Hinwendung zur Natur; sei es in ihrer sichtbaren Gestalt der Landschaft, sei es in ihrer metaphysischen einer neuen Geistigkeit. Die Urbanität der französischen Moderne hat östlich des Rheins – läßt man Berlin allerdings aus – keinen rechten Gegenpart. Man müßte Adolph von Menzel als einen geistigen Verwandten Edouard Manets bemühen und Max Liebermann als denjenigen Claude Monets, aber man würde schon im deutschen Impressionismus eine ungleich größere Politikferne erkennen als im französischen Vorbild. Um wieviel mehr gilt dies für die Strömungen nach der Jahrhundertwende. Die Geburtsstätten der modernen deutschen Kunst befanden sich – zumindest auch – in Murnau und an den Moritzburger Teichen. Die Strömungen nach der Jahrhundertwende entstammen nicht mehr einem liberalen Großbürgertum wie noch die Sezessionen der Jahre zuvor, die durch Herkunft und Vermögen in die gesellschaftlichen Eliten einbezogen blieben, in denen der Stachel gegen den wilhelminischen Pomp, und sei's auch nur versteckt, goutiert wurde. Die Avantgarde des Jahrhundertanbruchs war kleinbürgerlich und schon darum von einer Radikalität, die im Laufe der deutschen Geschichte dieses unseligen Jahrhunderts noch ins politische Extrem ausschlagen sollte.

Andererseits wären die künstlerischen Erneuerungsversuche ohne das Engagement aus Finanz- und Industriekreisen bloße Einzelgängerei geblieben. Die Schnittpunkte zwischen Avantgarde und Öffentlichkeit liegen darum im späten Kaiserreich bemerkenswert oft im Westen des Reiches. Die Kölner *Sonderbund*-Ausstellung ist bereits erwähnt worden; auch dort waren es kunstsinnige Industrielle, die sich den Veranstaltern sogar mit dem Bau einer Ausstellungshalle an die Seite stellten. Der Geldadel des Westens – jener Provinzen, aus denen Preußen den Großteil seiner Steuereinnahmen zog – begann sich in zweiter, dritter Generation für die Veredelung des Lebens zu begeistern und damit für eine gesellschaftskonforme Beantwortung der »socialen Frage«, als welche die Verteilungskämpfe zwischen Unternehmern und Arbeitern damals angesprochen wurden. Über die reine Kunst hinaus kommen Gestaltung, Industrieproduktion und endlich auch Lebensreform in den Blick, und ob in Krefeld, in Wuppertal oder in Essen, stets spielten die pragmatischen Aspekte der Öffnung und Verbreiterung von Märkten für eine künstlerisch gestaltete Produktion eine wichtige Rolle. Die Gründung des Deutschen Werkbundes 1907 in München markiert die organisatorische Bündelung dieser Bestrebungen. Ihre engste Verbindung mit der bildenden Kunst aber erfuhren sie in Hagen, einer pragmatischen Industriestadt mit dem herausragenden Mäzen Karl Ernst Osthaus. Seine Vision eines Museums Folkwang stellt – nicht im Ergebnis, aber der Genese nach – eine wundersame Kreuzung avantgardistischer und reaktionärer Ideen dar, ihrer Zeit gemäß, wenn man so will, aber darin auch zeittypisch für die unausgegorenen Vorstellungen der künstlerischen Avantgarde, die – nur als Beispiel – 1914 ebenso freudig in den Krieg zog wie die von ihr verachteten Vertreter der wilhelminischen Trägerschichten.[4]

Hagen jedenfalls beherbergte einen der raren Versuche der Verstetigung der künstlerischen Avantgarde. Gegründet 1902 und damit nur ein Jahr nach der Ausstellung *Ein Dokument Deutscher Kunst* der Künstlerkolonie Mathildenhöhe in Darmstadt, geht doch zwischen diesen beiden beinahe letzten Ansätzen fürstlicher Kunstförderung und dem bürgerlichen Nachfahren in Hagen eine tiefe Zäsur. Darmstadt sah die Apotheose des Jugendstils unter freilich vollständiger Verkennung der ökonomischen Gegebenheiten, Hagen dessen Befreiung aus einem ganz ähnlichen Ansatz heraus. Daß das Hagener Museum der Gegenwartskunst nach dem allzu frühen Tod seines Mäzens im Jahre 1921 regelrecht verkauft und nach Essen verlagert wurde, unterstreicht nur die von höchst zufälligen Faktoren beeinflußte Dezentralität der Stationen der Moderne.

Neben Hagen muß Weimar erwähnt werden als Ort des Versuchs, Zeitgenossenschaft auf Dauer zu begründen. Harry Graf Kessler zog dazu die französische Moderne als Leitbild heran, an dem sich die im Mittelmaß befindliche Akademie orientieren sollte. Der Versuch der Inanspruchnahme, um nicht zu sagen der Überrumpelung fürstlicher Patronage endete in Querelen, die der Erwähnung allenfalls als Lokalposse wert wären, bildeten sie nicht die unvermeidliche Kehrseite solcher Provinzialisierung der Moderne. Immerhin gelang es in Weimar als dem Ort der Beschwörung des »deutschen Geistes«, die unterschiedlichen Sezessionen zu einen und 1903 den Deutschen Künstlerbund aus der Taufe zu heben; einen Künstlerverband, der sich dieser »zentriphoben Landschaft«[5] anpaßte und für seine Jahresausstellungen den Wechsel des Veranstaltungsortes bis in kleine Provinzstädte hinein auf die Fahnen schreiben sollte. Er hält, nebenbei, an diesem Prinzip bis heute fest. Auch diese Gründung verdankt sich dem Engagement Graf Kesslers. Interessant ist hier dessen Selbsteinschätzung, die sich bald als Selbstüberschätzung erweisen sollte: »Mir überlegt, welche Wirkungsmittel ich in Deutschland habe: d. Deutsche Künstlerbund, meine Stellung in Weimar inclusive d. Prestiges trotz des grossherzoglichen Schwachsinns [...]. Niemand anders in Deutschland hat eine so starke, nach so vielen Seiten reichende Stellung. Diese ausnutzen im Dienste einer Erneuerung Deutscher Kultur: mirage oder Möglichkeit? Sicherlich könnte Einer mit solchen Möglichkeiten Princeps Juven-

Ausstellung *Entartete Kunst*, München, 1937, Raum 3, Obergeschoß

documenta, 1955; Ansicht des Treppenhauses mit Werken von Oskar Schlemmer; documenta Archiv

tutis sein. Lohnt es die Mühe?«[6] Nicht ob es die Mühe lohnte, wäre die Frage gewesen, sondern ob sich eine solche »Erneuerung« überhaupt von der Provinz her ins Werk hätte setzen lassen. Es war dies – und gewiß nicht wegen des »grossherzoglichen Schwachsinns« – eine realitätsferne Hoffnung und eine deutsch-romantische dazu.[7]

Provinzialität ist wenn schon kein Charakteristikum, so doch ein Kernproblem der deutschen Kunst weit vor der Moderne und unabhängig von ihr. Immer kannten die deutschen Künstler Vorbilder andernorts, suchten sie und blieben sich ihrer eigenen Leistung unsicher; von wenigen, glücklichen Ausnahmen abgesehen. Die Heterogenität der deutschen Geschichte und Politik ließ eben nie jenen Mittelpunkt entstehen, an dem gültige Maßstäbe reifen können und geschärft werden – von der einen, aber herausragenden Ausnahme Berlin zumal in den Jahren vom Jahrhundertanbruch bis 1930 abgesehen. Das sprunghafte Auftauchen und Verschwinden regionaler Brennpunkte der Moderne spiegelt beides, das fehlende Zentrum im Großen wie das Ausweichen vor dem übermächtigen Vorbild, das im 19. Jahrhundert ohnehin und auch im 20. lange Paris hieß und nach 1960 von New York abgelöst wurde.

In der Weimarer Zeit setzte sich die Reihe temporärer Brennpunkte fort. Der kurzlebige, aber ungemein kräftige Dadaismus kam mit der *Ersten Internationalen Dada-Messe* in Berlin 1920 zu seinem Höhepunkt (Abb. S. 620). Und doch bleiben Fragen. Wieviele Besucher mögen die Außentreppe in die versteckten Räume im Seitenflügel des ersten Hinterhofes erklommen haben, um die Ausstellung tatsächlich zu sehen? Nachweislich 310 Eintrittskarten wurden in den ersten zwei der sieben Wochen dauernden Ausstellung verkauft. Wieviel an Wirkung verdankt sich demgegenüber der polizeilichen Aufmerksamkeit, die die Aktivitäten der Dadaisten auch diesmal fanden, wie schon wenige Monate zuvor bei dem nicht ganz unähnlichen *Dada-Vorfrühling* in einem Kölner Brauhaus, bei dem der selbsternannte »Dada-Max« Ernst seinen ersten Auftritt genoß? Überhaupt die Künstlertreffen wie der *Kongreß der Union internationaler und fortschrittlicher Künstler* im Mai 1922 in Düsseldorf und kurz darauf im September der *Internationale Konstruktivisten- und Dadaistenkongreß* in Weimar – erbrachten sie mehr als die Selbstverständigung der Künstler, von lokalen Aufregungen einmal abgesehen? Waren die Aktivitäten des Dada-Einzelgängers Kurt Schwitters in Hannover, diesem Inbegriff der provinziell gebliebenen Großstadt, auf lange Sicht nicht wirkungsmächtiger? Apropos Hannover: mit den Ausstellungen des Provinzialmuseums und jenen der Kestner-Gesellschaft nimmt die Stadt an der Leine auf der kulturellen Landkarte der Weimarer Epoche einen unübersehbaren Platz ein. Erinnert sei auch an El Lissitzkys *Kabinett der Abstrakten* von 1927, einen neuartigen Versuch musealer Präsentation, das – man muß sagen: folgerichtig – von den Nazis 1937 zerstört wurde.

Weimar tritt ein weiteres Mal auf den Plan mit der ersten Ausstellung des 1919 gegründeten Bauhauses 1923, tatsächlich bereits einer Retrospektive auf die erste, handwerklich-sozialutopische Phase des Bauhauses mit dem ersten Aufleuchten der künftigen, produktionsorientierten Gestaltung. Die Neue Sachlichkeit, die seit der Währungsreform nachgerade sprichwörtlich in der Luft lag, trat 1925 mit einer Ausstellung in Mannheim ins Rampenlicht. Einer vergleichbaren Übersichtsausstellung zu den nichtgegenständlichen und abstrakten Tendenzen am gleichen Ort blieb im Jahr darauf ein vergleichbares Echo versagt. Bezeichnend für die durch die deutsche Teilung nach 1945 ausgeschiedenen Orte der Moderne ist übrigens, daß die *Neue Sachlichkeit* nach Mannheim ausschließlich in Mitteldeutschland zu sehen war: Dresden, Chemnitz, Erfurt und verändert in Dessau, Halle und Jena. Von Dresden abgesehen waren das keine prägenden Kunstzentren, aber solche, deren Modernität als regionale Industriestandorte auch zu kultureller Modernität drängte.

Spätestens an dieser Stelle muß ein rühmendes Wort über die Rolle Berlins gesagt werden. Die eigentümliche Zersplitterung der Avantgarde in Deutschland findet ihr Gegengewicht in Berlin allein schon aufgrund der Anziehungskraft als deutsche Hauptstadt und – bis 1933 – Begegnungsstätte aller gesellschaftlichen Schichten und politischen Lager.[8] Der Kunsthandel hatte hier seine avanciertesten Galerien, unter denen der *Sturm* Herwarth Waldens vor dem Ersten Weltkrieg die aktivste war. Cassirer, Flechtheim, Neumann und Nierendorf überrundeten Walden als Kunstvermittler, nicht zuletzt durch publizistische und editorische Aktivitäten in einem heute nur mehr staunenerregenden Ausmaß. Es würde den Rahmen dieses Beitrags sprengen, die zentrale Rolle Berlins auch nur annähernd ausleuchten zu wollen. Besonders hervorgehoben sei aber die Position der Nationalgalerie unter Ludwig Justi, die mit der zeitgenössischen Sammlung im Kronprinzenpalais ab 1919 die Maßstäbe setzte, die in die ganze deutsche Museumsszene ausstrahlten. Die aus Gründen der nicht zu unterschätzenden politischen Feindschaft oft nur als Dauerleihgaben gezeigten Werke erhielten hier museale Weihen im nobelsten Sinne. Ein halbes Hundert Ausstellungen zur deutschen und internationalen Moderne untermauerte den Anspruch des Museums als Ort der Aktualität. Deren herkömmliches Forum war die *Große Berliner Kunstausstellung*, die hier insbesondere wegen El Lissitzkys »Prounenraum« von 1923 und Kasimir Malewitschs retrospektiver Sonderausstellung von 1927 erwähnt sei. In diesen mittleren Jahren der Weimarer Epoche war Berlin ein Hauptort der osteuropäischen Avantgarde. So stattete László Moholy-Nagy 1929 an der Krolloper eine Inszenierung von *Hoffmanns Erzählungen* aus, mit der die Bauhaus-Ästhetik radikal vor Augen gestellt wurde; aber das berührt schon ein weiteres, freilich glanzvolles Kapitel Berlins, das des Zusammenwirkens von Musik und Kunst auf einem später nie wieder erreichten Niveau.

Berlins Stellung als Drehscheibe der osteuropäischen Moderne begann 1922. Die russisch-frühsowjetische Avantgarde fand mit der von Sowjetrußland angeregten *Ersten Russischen Kunstausstellung* in der angesehenen Galerie van Diemen Unter den Linden, unweit der russischen Botschaft, einen Legende gewordenen Höhepunkt (Abb. S. 620). Die Wirkung auf die westeuropäischen Künstler darf hoch veranschlagt werden; finanziell war die als Hilfsaktion für Hungernde in Rußland deklarierte Veranstaltung alles andere als ein Erfolg.

Es sind in einem nicht geringen Maße andere Künstler, die das Publikum avancierter Ausstellungen zumal in Galerien bilden, und Berlin wurde spätestens mit der Übersiedlung der Brücke 1910 zur Stadt der Künstler. Die Urbanität Berlins bildet den Gegenpol zur regionalen Streuung der Moderne in Deutschland überhaupt. In dieser Urbanität knüpft Berlin an Paris an. Wie dort die Großstadtmalerei des 19. Jahrhunderts, ist sie im 20. »in ihrem bedeutendsten Teil in Berlin entstanden«: »Das Berlin der zehner und zwanziger Jahre kann geradezu als energetisches Zentrum dieser Gattung der bildenden Kunst bezeichnet werden, die für das säkulare Epochenbewußtsein zum Erkennungszeichen geworden ist.«[9]

Ohne daß sie notwendigerweise solche Großstadtkunst geschaffen hätten, läßt sich feststellen, daß die Mehrzahl der deutschen Künstler jedenfalls des ersten Drittels des Jahrhunderts zu irgendeinem Zeitpunkt ihrer Laufbahn in Berlin tätig war, die Stadt womöglich auch gehaßt und mit Erleichterung wieder verlassen hat; aber sie waren jedenfalls da. Für die zweite Jahrhunderthälfte läßt sich das wegen der Teilung der Stadt und ihrer gesunkenen Anziehungskraft nicht mehr sagen, zumal sich entlang der westdeutschen »Rheinschiene« eine machtvolle Alternative gerade auch in Kunsthandel und Vermittlung aufbaute. Dies ist nun – Wechsel der Örtlichkeiten – auch schon wieder Geschichte. Seit der Wiedervereinigung von 1990 kommt Berlins alte Kraft wieder in Sicht, zumal für eine jüngere, international geprägte Künstlergeneration, die die jahrzehntelangen Verkrustungen der westlichen Halbstadt nicht mehr erlebt hat. Doch zurück zur Zeit vor 1933. Die Regionalität und vielfach Provinzialität der Moderne und ihrer Vermittlung kann immer nur in Gegenüberstellung zur Sogwirkung Berlins gerecht beurteilt werden.

Berlins Vermittlerposition war selbst hinsichtlich der osteuropäischen Avantgarde niemals singulär. Insbesondere die rastlose Aktivität Lissitzkys machte den Konstruktivismus weithin bekannt. Hannover wurde bereits erwähnt. Die Gestaltung des sowjetischen Pavillons auf der Kölner *Pressa* von 1928 und fast mehr noch die Begleitbroschüre markieren einmal mehr die Überschreitung der Kunst zur Gebrauchs- und Medienkunst, auch zur Propaganda. Mit dieser Presseausstellung konnten ganz andere Besucherschichten erreicht werden als die der herkömmlichen Museumsfreunde.

Gleichermaßen publikumsträchtig war die Wanderausstellung *Film und Foto*, mit der der Deutsche Werkbund nochmals als Sammelstelle der zeitgenössischen ästhetischen Tendenzen hervortrat. In Stuttgart eröffnet, wurde die Ausstellung innerhalb Deutschlands noch in Berlin, Danzig und München gezeigt und erreichte, da sie die vergleichsweise neuen technischen Medien als künstlerisch gleichberechtigte und schöpfungskräftige vorführte, ein weit über den Zirkel der Kunstinteressierten hinausreichendes Publikum. Da die technischen Medien ihrer Natur nach nicht mehr auf den einzelnen Ort einer Ausstellung beschränkt blieben, sondern beispielsweise Fotografien aus der Ausstellung in illustrierten Zeitschriften abgedruckt wurden, stellt sich anhand der *FiFo* in einem bis dahin unbekannten Maße die Frage nach der Entkoppelung von Ausstellungspräsentation und Wirkungsgeschichte, wie sie für die Zeit der massenhaften medialen Verbreitung von Kunst seit den fünfziger Jahren des 20. Jahrhunderts grundsätzlich zu berücksichtigen wäre. Und noch ein provinzielles Zentrum leuchtet in der Weimarer Epoche auf. Dessau als neuer Sitz des Bauhauses seit 1926 wurde zum Laboratorium der Moderne und Wallfahrtsort ihrer Bewunderer. Oder täuschen auch hier die nachträglich geflochtenen Lorbeerkränze über die Mühsal der damaligen Zeit hinweg? Über die eigentümliche Rolle des Exils für die Wirkungsgeschichte der Moderne in Deutschland wird noch zu sprechen sein. Gerade am Beispiel des Dessauer Bauhauses läßt sie sich beispielhaft nachweisen.

Es gilt mittlerweile nicht mehr als Ketzerei, einen Wirkungszusammenhang zwischen der Kulturbarbarei der NS-Herrschaft und dem Siegeszug der Moderne in der Nachkriegszeit zu erkennen.[10] Die Verdammung, der mehr oder weniger alle nicht-reaktionären Strömungen unter dem NS-Diktat anheimfielen, wirkte nachträglich als Legitimation und dies von einer Breitenwirkung, wie sie die Künstler der ersten drei Dezennien allenfalls beschwören mochten, nie aber auch nur annähernd zu hoffen wagten. Das von Paul Klee geprägte Wort »Uns trägt kein Volk« war den Nazis vertraut genug, um keinen Widerstand gegen ihre Austreibung der modernen Kultur befürchten zu müssen. Doch die böse Absicht wandte sich gegen ihre Urheber. Die Ausstellung *Entartete Kunst* (Abb. S. 621), die 1937 in München begann und bis in die Kriegsjahre hinein in verkleinerten und veränderten Fassungen in zahlreichen deutschen Städten gezeigt wurde, brachte ein nach Millionen zählendes Publikum in Kontakt mit einer Kunst, die es zuvor nie oder nur höchst selten gesehen haben dürfte. Die diffamierende Zurschaustellung der gebrandmarkten Kunst, die die Strategien der Aufmerksamkeitsweckung insbesondere der Dadaisten imitierte, hat die Besucher in ihren von der Propaganda vorgeprägten Urteilen womöglich weniger bestärkt denn irritiert. Ein Weniges der Wirkungsmacht, die sich die Moderne gerne selbst attestierte, mag tatsächlich erspürt worden sein. Wie auch immer, die Zurschaustellung der *Entarteten Kunst* muß als ein zentraler Berührungspunkt zwischen Avantgarde und Öffentlichkeit vermerkt werden.

Ob die recht eigentlich erst durch Untersuchungen jüngerer Zeit ins Bewußtsein gerückten Ausstellungen in Paris und London, *Exhibition of Twentieth Century German Art* im Juli 1938 sowie *Exposition de l'Union des artistes libres* im November desselben Jahres, als mehr denn der noble Ausweis des Widerstandes der exilierten Künstler gelten können, darf hingegen bezweifelt werden. Ihre Wirkung am Vorabend des neuerlichen Weltkriegs war naturgemäß äußerst begrenzt. Wenn es im Kontext der Vertreibung der Moderne einen spezifischen Ort gab, der keinesfalls übergangen werden darf, dann ist es Luzern: Hier, bei der *Versteigerung der Galerie Fischer* im Sommer 1939, setzte die Wirkungsgeschichte der deutschen Avantgarde im Ausland ein. Von hier aus gingen die regelrecht verscherbelten Werke in die Museen der westlichen Hemisphäre, in denen sie seither ihren unangefochtenen Platz haben – und ihr Publikum.

Die Kanonisierung der Moderne in der Dauerpräsentation des New Yorker Museum of Modern Art nach dem Kriege – eben jener »Königsweg«, von dem eingangs die Rede war – geht gewiß nicht auf die seit den dreißiger Jahren und oft von exilierten Europäern erworbenen Werke zurück. Dahinter steckte von Anbeginn die Strategie des – bekanntlich der deutschen Moderne sehr zugetanen – Museumsdirektors Alfred H. Barr. Aber die Wirkung, die diese Präsentation für die ganze westliche Welt entfalten konnte, bedurfte auch der Legitimation durch die Geschichte, indem vorrangig dem New Yorker Museum die Rolle des Hafens der Exilierten zufiel, die das Pendant darstellt zur politischen Rolle der Vereinigten Staaten im Kampf gegen die Nazi-Barbarei.

Erst auf diesem Umweg ins anti-nazistische Ausland wiederum entfaltete sich die Breitenwirkung der Moderne in Deutschland. Die bereits ein reichliches Jahr nach Ende des Zweiten Weltkrieges abgehaltene *Allgemeine Deutsche Kunstausstellung* in Dresden ließ noch kaum erahnen, in welche Richtung sich die Kulturpolitik im sowjetisch administrierten Teil Deutschlands entwickeln sollte. An die Moderne der zwanziger Jahre erinnerten Werkgruppen etwa der Expressionisten. Die unmittelbare Gegenwartskunst war demgegenüber heterogen und Augenzeugen zufolge qualitativ kaum bemerkenswert. Erst die als Bilanz der verlorenen Jahre gedachte erste *documenta* in Kassel 1955 (Abb. S. 622) vermochte ein gültiges Panorama der nunmehr klassisch gewordenen Moderne vorzuführen. Zusammen mit der nachfolgenden, ganz der zeitgenössischen Kunst gewidmeten *documenta II* vier Jahre später entstand für das westdeutsche Publikum ein Kanon der Moderne, der seine Gültigkeit weit über die kritischen Fragestellungen etwa der fünften *documenta* von 1972 hinaus behalten sollte. Kassel jedenfalls nahm seinen bis heute unangefochtenen Platz als temporärer Austragungsort künstlerischer Konzepte und Gegenkonzepte ein; eine Sonderstellung, die die Stadt in der nordhessischen Provinz ungeachtet der Internationalisierung und mediengerechten Verbreitung der Kunst bis heute beibehalten konnte.

Aufstieg und Fall der Moderne, Weimar, 1999; Ansicht der Panorama-Halle; dpa

Die erste *documenta* durfte als triumphale Heimholung der verfemten Moderne verstanden werden.[11] Sie fand zu einem Zeitpunkt statt, da die junge Bundesrepublik bereits gefestigt genug war, die vor ihr liegende Nazi-Zeit als Betriebsunfall der Geschichte von sich zu rücken. Das bedeutete umgekehrt, daß der modernen Kunst keinerlei Ressentiments mehr entgegengebracht wurden, wie sie manche Teilnehmer der Dresdner *Kunstausstellung* von 1946 noch hatten erfahren müssen. Der deutsche Expressionismus, verstanden als Epochenbegriff für die Künstler vor dem Ersten Weltkrieg, setzte zu seinem Siegeszug über Postkarten und Wandkalender an. Das Stigma der ›Entarteten Kunst‹ wandelte sich zum Gütesiegel. Bedingt durch die verschlungenen Pfade von Kunsterwerb und Mäzenatentum wurden Museen zu Wallfahrtsorten expressionistischer Malerei, die mit der Entstehung dieser Werke in keiner Beziehung gestanden hatten, wie zunächst vor allem Köln und später München sowie Stuttgart. Die mitteldeutschen Museen, einst doch führend in der Bekanntmachung dieser Kunst wie jene in Halle oder Jena, hatten keinerlei Möglichkeit, die Wunden der NS-Beschlagnahmungen zu schließen. Sie verloren, schlicht gesagt, den Anschluß. Im Westen war es neben Berliner Häusern vor allem das Essener Museum Folkwang, das mit bewundernswerter Beharrlichkeit an den einstigen Glanz seiner Sammlung anknüpfen konnte.

Zugleich suchten die (west-)deutschen Museen Zeitgenossenschaft. Die Abstraktion der Nachkriegszeit – ihrem Selbstbild nach das Gegenteil jedweden Provinzialismus', verstand sie sich doch als Weltsprache – fand spätestens nach der zweiten *documenta* mit ihrer Würdigung der großen Einzelgänger Wols, Pollock, Baumeister und de Staël Eingang in die Museen. Die zunehmende Akzeptanz von Gegenwartskunst auch in einer breiteren Öffentlichkeit ließ Skandale, wie sie noch die zwanziger Jahre erlebt hatten, bestenfalls als Provinzpossen fortleben. Im Gegenteil konnten sich manche Häuser – und mit ihnen manche Kommunen – als Orte der aktuellen Kunst profilieren. Beispiele engagierten Sammelns stellten lange Jahre die Häuser in Mönchengladbach und Leverkusen dar, wiederum zwei Orte in peripherer Lage.

Welche Ausstellungen derart nachhaltig gewirkt haben, wie sich das beispielsweise für die Erstpräsentationen von Brücke und Blauem Reiter sagen ließ, ist schwerer zu entscheiden. Die Gruppenausstellung *ZEN 49* im kriegszerstörten München von 1950 und die Galerieveranstaltung *Quadriga* in Frankfurt zwei Jahre darauf zählen sicherlich dazu. Prägender im Sinne der Ausbildung einer spezifischen Sichtweise war die Ausstellung *subjektive fotografie* in Saarbrücken 1951; nebenbei eine Stadt, die damals außerhalb des bundesdeutschen Staatsgebietes lag, was ihre Randlage nur unterstreicht. Erneut und in noch stärkerem Maße gilt, was für die *FiFo* von 1929 festgestellt werden konnte: daß das Medium der Fotografie durch den Vorzug, zugleich technisches Mittel wie künstlerische Gattung zu sein, einen unmittelbaren Einfluß auf die vorherrschende Wahrnehmungsweise ihrer Zeit auszuüben vermag. Von der *subjektiven fotografie* gehen die Linien zu geschmacksbildenden Zeitschriften wie insbesondere dem im renommierten Kölner Verlagshaus DuMont erschienenen Kulturmagazin *magnum*, das durch seine – aus heutiger Sicht fast naiv anmutenden – Gegenüberstellungen von moderner Kunst mit naturwissenschaftlichen Erkenntnissen und technischen Errungenschaften zur Anerkennung der abstrakten Kunst beim Bildungsbürgertum durchaus beigetragen hat.

Es hieße dies im Umkehrschluß, daß die Bedeutung einzelner Ereignisse zur Gegenwart hin abgenommen hätte. Darüber ist kaum zuverlässig zu urteilen. Mit dem aufkommenden Ausstellungsboom seit Ende der sechziger Jahre, abzulesen allein schon an der Einrichtung von Kunsthallen ausschließlich für temporäre Veranstaltungen wie in Düsseldorf und Köln, rückt das Ausstellungsereignis in den Vordergrund, das, was mittlerweile als *event* geplant und goutiert wird. Auch dazu lieferte die *documenta* mit ihrem von Mal zu Mal zunehmenden Spektakel das Vorbild. Mit der bezeichnenderweise in die Messehallen verlagerten Ausstellung *Westkunst* suchte die Stadt Köln 1981 ihre selbstgewählte Rolle als künstlerischer Brückenpfeiler zwischen Europa und New York zu untermauern – und die (west-)deutsche Kunst durch ihre Einbettung in die amerikanisch dominierte Kunst von New York School bis Minimal Art gewissermaßen dauerhaft zu entprovinzialisieren. Eine dezidierte Gegenposition nahm im Jahr darauf die Berliner Ausstellung *Zeitgeist* ein, die die jahrzehntelang verdrängte und scheinbar endgültig begrabene Frage nach dem Deutschen in der deutschen Kunst pointiert neu stellte; freilich in einem dezidiert internationalen Kontext. Künstler wie Georg Baselitz oder Anselm Kiefer erhielten danach mit ihren pointiert deutschen Themen und Titeln eine gerade auch internationale Resonanz, die weit über das Kunstpublikum hinausreichte. Mit Köln und (West-)Berlin – auch Düsseldorf meldete sich regelmäßig in Sachen aktueller Kunst zu Wort, etwa 1984 mit *von hier aus* – ist der Wettstreit angesprochen, den die Kommunen in den achtziger Jahren auszufechten begannen, als sich das Schlagwort vom »weichen Standortfaktor« Kultur bis zu den Stadtkämmerern herumzusprechen begann und entsprechende Mittel in die Kulturförderung gesteckt wurden. Daß sich die Kunst nicht beliebig instrumentalisieren ließ, mußte gerade Köln erfahren, das acht Jahre nach *Westkunst* mit der spekulativen Ausstellung *Bilderstreit* an den Erstlingserfolg anknüpfen wollte und ein intellektuelles Fiasko ohnegleichen erlebte.

Mit der Wende und der deutschen Vereinigung flossen unvermittelt die so strikt getrennten Kunstgeschichten der beiden Deutschländer zusammen, ohne daß es bislang zu einem wirklichen Austausch gekommen wäre. Der eingangs erwähnte Weimarer Kunststreit ist, ein Jahrzehnt nach der deutschen Einheit, ein bezeichnendes Indiz. Zwei Jahre zuvor hatte es 1997 die Berliner Ausstellung *Deutschlandbilder* unternommen, eine durchaus subjektiv gefärbte, jedenfalls aber entschiedene Sichtung der ganzen deutschen Kunst dieses Jahrhunderts vorzunehmen. Das Echo blieb zwiespältig, aber die Aufgabe war gestellt.[12] An ihr werden sich künftige Ereignisse in diesem Land womöglich stärker orientieren als an der Verbreitung neuester Tendenzen der Gegenwartskunst, die kennenzulernen es heutzutage immer weniger der Vermittlungsinstanz der Ausstellung bedarf. Insofern ließe sich das prophetische Wort vom *global village*, in das die elektronischen Medien die Welt verwandeln, pointiert auf den dezentralen Charakter der deutschen Kunstszene übertragen: Im *global village* der Kunst spielt es keine Rolle mehr, wie regional und wechselnd die Stationen der Moderne in Deutschland womöglich auch weiterhin bleiben mögen.

Anmerkungen

1 Vgl. Kunstsammlungen zu Weimar (Hg.): *Aufstieg und Fall der Moderne*. Ausst.Kat. Kunstsammlungen zu Weimar. Stuttgart 1999.

2 Die internationale Perspektive neuerdings bei: Altshuler, Bruce: *The Avant-Garde in Exhibition. New Art in 20th Century*. New York 1994.

3 Berlinische Galerie (Hg.): *Stationen der Moderne. Die bedeutenden Kunstausstellungen des 20. Jahrhunderts in Deutschland*. Ausst.Kat. Martin-Gropius-Bau. Berlin 1988.

4 Mommsen, Wolfgang J.: *Bürgerliche Kultur und künstlerische Avantgarde. Kultur und Politik im deutschen Kaiserreich 1870–1914*. Frankfurt am Main; Berlin 1994, bes. S. 128–153.

5 Grasskamp, Walter: »Die Reise der Bilder«. In: Stationen der Moderne (Anm. 3), S. 27.

6 Zit. n. März, Roland: »Porträt eines Weltmannes. Edvard Munch malt Harry Graf Kessler in Weimar«. In: Aufstieg und Fall der Moderne (Anm. 1), S. 176.

7 Zudem sind die nationalistischen Untertöne deutlich. Die Überlagerung der künstlerischen Debatten vor 1914 mit chauvinistischen Gedanken ist ein Sonderproblem der Provinzialität. Schlaglichtartig deutlich wurde es am »Protest deutscher Künstler« gegen die international ausgerichtete Ankaufspolitik der Bremer Kunsthalle 1911. Vgl. Manheim, Ron: »Im Kampf um die Kunst«. De discussie van 1911 over contemporaine kunst in Duitsland. Hamburg 1987.

8 Roters, Eberhard (Hg.): *Berlin 1910–1933. Die visuellen Künste*. Berlin 1983.

9 Roters, Eberhard; Schulz, Bernhard (Hg.): *Ich und die Stadt. Mensch und Großstadt in der deutschen Kunst des 20. Jahrhunderts*. Ausst.Kat Berlinische Galerie. Berlin 1987, S. 35.

10 Zuerst bei: Bussmann, Georg: »›Entartete Kunst‹ – Blick auf einen nützlichen Mythos«. In: Christos M. Joachimides; Norman Rosenthal; Wieland Schmied (Hg.): *Deutsche Kunst im 20. Jahrhundert*. Ausst.Kat. Staatsgalerie Stuttgart. München 1986.

11 Grasskamp, Walter: »›Entartete Kunst‹ und ›documenta I‹. Verfemung und Entschärfung der Moderne«. In: Kunstsammlung Nordrhein-Westfalen (Hg.): *Museum der Gegenwart – Kunst in öffentlichen Sammlungen bis 1937*. Ausst.Kat. Kunstsammlung Nordrhein-Westfalen. Düsseldorf 1987.

12 Vgl. die Einleitungsbeiträge von Tilman Fichter und Eckhart Gillen in: *Deutschlandbilder. Kunst aus einem geteilten Land*. Ausst.Kat. Martin-Gropius-Bau Berlin. Köln 1997.

»Sammeln und kaufen, kaufen und sammeln«
Die Kunst des 20. Jahrhunderts in deutschem Privatbesitz

Stefan Pucks

»Zu jeder Kunst gehören zwei: einer, der sie macht, und einer, der sie braucht«[1], stellte der Bildhauer Ernst Barlach 1917 lapidar fest. Warum aber wurde und wird die zeitgenössische Kunst in Deutschland von privaten Kunstsammlern besonders in den ersten und in den letzten Jahrzehnten dieses Jahrhunderts ›gebraucht‹? Ein kurzer Überblick über die Zeitläufe, über die Arten von Kunsterwerb und -präsentation sowie über die Motive für das Kunstsammeln versucht, einige Antworten zu geben.

Von Eduard Arnhold zu Peter Ludwig

Eine kulturelle Blüte wie das Kunstsammeln gedeiht nur auf wirtschaftlich gesundem und politisch stabilem Boden. So hatten die Reichsgründung 1871 und französische Reparationszahlungen den deutschen Unternehmern und Bankiers einen Reichtum beschert, der bald durch Aneignung von Kunst aus Renaissance und Barock nobilitiert wurde. Um 1900 war die alte Kunst nicht nur teuer geworden, sondern auch – alt. Nun wollte man ›modern‹ sein. An einen neuen Typus des Sammlers, der »da rasch zugreift, wo sein künstlerisches Empfinden in starke Schwingungen versetzt«[2] wird, dachte auch der Direktor der Nationalgalerie, Hugo von Tschudi, als er 1896 der impressionistischen Malerei Edouard Manets, Claude Monets und Edgar Degas' durch Ankäufe zum ersten Mal in Deutschland Museumswürde verlieh. Den Anstoß hatte Tschudi von Max Liebermann erhalten, der seit den frühen neunziger Jahren die Vorreiterrolle seiner französischen Kollegen anerkannte. Liebermann tat dies nicht nur als Maler, sondern auch – einer Erbschaft sei dank – als Sammler. Die Preise für die in ihrer Heimat verkannten Franzosen stiegen nämlich rasch, weil es auch in den USA einige sehr schnell sehr reich gewordene Industriebosse gab, welche Impressionisten begehrten. Die größte und auch qualitätvollste Sammlung impressionistischer Kunst baute sich in Deutschland der Kohlemagnat Eduard Arnhold (Abb. S. 629) auf. Er förderte die Kunst auf vielfältige Weise, so etwa 1910 mit der Stiftung der Villa Massimo in Rom zur Ausbildung deutscher Künstler. Die Verfechter des Neuen stammten wie Arnhold meist aus dem Judentum, so die Familien Cassirer, Mendelssohn und Oppenheim in Berlin, Hugo Nathan in Frankfurt am Main oder Hugo Kolker in Breslau. Als frühe Sammler der französischen Impressionisten und Werken Auguste Rodins, als Entdecker Vincent van Goghs, Edvard Munchs oder Paul Cézannes wetteiferten mit ihnen nichtjüdische Kunstfreunde wie Dr. Max Linde in Lübeck, Oscar Schmitz in Dresden, Gottlieb F. Reber in Barmen oder das Ehepaar Schmits in Elberfeld. Aus Liebe zu Kunst, Heimatstadt oder auch Vaterland sammelten und stifteten sie moderne Kunst in einer Zeit des bornierten Nationalismus, als Einzelpersonen oder im Zusammenschluß zu neugegründeten Museums- und Galerievereinen. Dieser Höhepunkt an Kultur ist in Deutschland unerreicht – und wohl auch unerreichbar.

Der verlorene Erste Weltkrieg, in seiner Folge die Inflation 1922/23 und schließlich der Börsenkrach von 1929 ruinierten die deutsche Wirtschaft und mit ihr die privaten Kunstsammlungen. In die Lücke, welche der Rückzug der jüdischen Unternehmer- und Finanzelite aus der Förderung zeitgenössischer Kunst, besonders des deutschen Expressionismus, hinterließ, stieß das nichtjüdische Bildungsbürgertum. Vor allem die jungen, mutigen Museumsdirektoren konkurrierten nun mit den Privatleuten um die relativ preiswerte Kunst ihrer Zeitgenossen. Darüber hinaus trugen die Museumsleiter für sich selbst stattliche Privatsammlungen zusammen, etwa Walter Kaesbach in Erfurt oder Carl Georg Heise in Lübeck. Die bedeutendsten Kollektionen expressionistischer Kunst konnten sich jedoch immer noch nur die Unternehmer und Bankiers leisten: Sammler wie Bernhard Koehler und Markus Kruss in Berlin, das Ehepaar Ludwig und Rosy Fischer sowie Dr. Carl Hagemann in Frankfurt am Main, August von der Heydt in Elberfeld oder, last but not least, der Schuhfabrikant Alfred Hess in Erfurt.

Das trotz aller wirtschaftlichen Rückschläge immer noch beachtlich hohe Niveau deutscher Kultur in der Weimarer Republik wurde nach der Machtergreifung der Nationalsozialisten 1933 systematisch und radikal zerstört. Jetzt galt es zu retten, was noch zu retten war. Die Schokoladen- und Zigarettenfabrikanten Bernhard Sprengel und Hermann F. Reemtsma sowie das in Rom lebende Maler-Ehepaar Emanuel und Sofie Fohn (Abb. S. 631) bekannten sich mit einer Mischung aus Qualitätsbewußtsein und Trotz zur ›entarteten Kunst‹ und stifteten das gerettete Gut in den sechziger Jahren ihren Heimatstädten Hannover, Hamburg und München. Den größten Einfluß auf die nachfolgende Sammlergeneration, unter ihnen Peter Ludwig, übte der Rechtsanwalt Josef Haubrich aus: Er schenkte seiner Heimatstadt Köln bereits 1946 die bedeutende Kollektion von Expressionisten.

Eduard Arnhold in seinem Berliner Haus, Regentenstraße 19, um 1920; vor Edouard Manets *L'artiste*, 1875

Wer sich in der gerade gegründeten Bundesrepublik fortschrittlich dünkte, knüpfte bei den von den Nationalsozialisten verfemten Künstlern an. Lothar-Günter Buchheim setzte sich schon in den fünfziger Jahren für die Expressionisten ein, indem er ihre Werke sammelte und Bücher über sie im Eigenverlag herausgab. Später konkurrierte mit ihm der Duisburger Bau-Unternehmer Hans Grothe, der seine »Sammlung Rheingarten« in den siebziger Jahren zugunsten der zeitgenössischen Kunst verkaufte. In der DDR entdeckte Georg Brühl, »vielleicht der bedeutendste, sicher der schillerndste«[3] Kunstsammler im Osten, vor allem den Jugendstil wieder; andere, wie Wolfgang Lehmann in Dresden (Bilder von Altenbourg, Glöckner und Wigand), verließen das Land. Zur zeitgenössischen ungegenständlichen Malerei bekannten sich im Westen nur relativ wenige. Mit einer Leidenschaft, die letztlich sein Engagement für die abstrakte Kunst behinderte, setzte sich der Psychiater Ottomar Domnick als Sammler, Schreiber und als Filmemacher für die damalige Moderne ein. 1954 bereits stellte der Darmstädter Fabrikant Karl Ströher seine Sammlung, zu der auch deutsches Informel zählte, im Hessischen Landesmuseum aus. Ende der sechziger Jahre wurde die informelle Malerei als beliebtestes zeitgenössisches Sammelgebiet abgelöst von der Pop-art und anderen Kunstrichtungen wie Op art, Fluxus, Concept und Minimal art. Neben den Südwesten Deutschlands, als französische Besatzungszone ›naturgemäß‹ auf die Ecole de Paris ausgerichtet, trat nun das Rheinland mit Köln und Düsseldorf als konkurrierende Zentren der Avantgarde-Kunst und ihrer Sammler.

Durch den Aachener Schokoladenfabrikanten Peter Ludwig meldete sich das wirtschaftlich wiedererstarkte Deutschland zurück im internationalen Kunstleben, wenn auch nur auf der Bühne der Sammler: 1968 kaufte Peter Ludwig Pop-art aus amerikanischem Privatbesitz und stellte sie im Jahr darauf im Kölner Wallraf-Richartz-Museum aus. Der von Wolf Vostell gestaltete Katalog mit seinem Text in Deutsch und Englisch belegt den internationalen Anspruch. Ludwigs Vorbild und Berater, der Kölner Restaurator Wolfgang Hahn, der seine heute in Wien verwahrte Sammlung bereits 1968 in Köln zeigte, ist so gut wie vergessen, ebenso Ludwigs größter Konkurrent von damals, Karl Ströher. Der Darmstädter Fabrikant, der noch vor Ludwig auf Pop-art und sogar auf Joseph Beuys ›umgestiegen‹ war, hatte zu Lebzeiten nicht vorgesorgt, so daß die Sammlung nach seinem Tod 1977 zerstreut wurde, wenn auch ein großer Teil im Museum für Moderne Kunst in Frankfurt am Main landete. Dagegen baute sich Ludwig ein wahres Kunstimperium auf; allein bis 1992 beschickte er fünf Länder, zehn Städte und 21 Museen mit Leihgaben aus vier Jahrtausenden. Zu Lebzeiten wegen seiner Machtfülle heftig umstritten, scheint sich jetzt in bezug auf Ludwig die Erkenntnis des englischen Kunsthistorikers Francis Haskell zu bewahrheiten, »daß große Kunstmäzene und -sammler der Nachwelt um so sympathischer erscheinen, je größer der historische Abstand zu ihnen ist«[4]. In den siebziger Jahren interessierten sich neue Käuferschichten für die zeitgenössische Kunst, vor allem die schnell reichgewordenen Bau-Unternehmer und Immobilienmakler wie Hans Grothe und Karl-Heinrich Müller in Düsseldorf, Erich Marx, Reinhard Onnasch sowie Hans-Hermann Stober in Berlin. Bald erkannten auch andere Firmenchefs, daß man mit einem Quantum an zeitgenössischer Kunst das Image eines modernen, fortschrittlichen Unternehmens pflegen und zugleich die Mitarbeiter motivieren kann. Nicht zufällig gingen beim Corporate Collecting in Deutschland die größten, weltweit operierenden Unternehmen voran, seit 1978 Daimler-Benz (heute DaimlerChrysler) und seit 1980 auch die Deutsche Bank. Aufgrund der leeren Kassen der Kommunen setzten in den achtziger Jahren spürbar die von Firmen als Sponsoren geförderten beziehungsweise mit privaten Leihgaben bestrittenen Ausstellungen ein. Was in den neunziger Jahren neu war, abgesehen von einer wahren Flut von Museumspräsentationen privater Sammlungen: die Bereitschaft der Leihgeber, mit ihrem Namen für das Gezeigte einzustehen. Vielleicht ist dieses *coming out* ein Zeichen für ein neues Selbstbewußtsein der wohlhabenden bürgerlichen Kunstsammler – offenbar haben sie nach der deutschen Wiedervereinigung und der Diskreditierung des Sozialismus keine Angst mehr vor linken Weltverbesserern, die ihnen den Besitz streitig machen könnten.

»Kaufen und sammeln«

Im 20. Jahrhundert wurde auch die zeitgenössische Kunst als Konsumgut entdeckt. »Sammeln und kaufen, kaufen und sammeln«[5], forderte der Kunsthistoriker Emil Waldmann und trug damit schon 1920 Eulen nach Athen; denn was er als »die wirksamste Förderung von Kunst« bezeichnete, war längst Wirklichkeit geworden: Die Schaffenskraft einengenden Auftragsarbeiten spielten keine Rolle mehr; auf dem großen, anonymisierten Kunstmarkt war der Künstler nun (vogel-)frei. Unter den Sammlertypen gibt es diejenigen, die früh mit wenig Geld und viel Mut anfangen, und diejenigen, die spät mit mehr Geld als Courage kaufen. Nur selten verfügen Kunstfreunde über ein gutes Auge und eine dicke Brieftasche zugleich. Einer der ersten war der Berliner Kaufmann Ernst Seeger, der 1895 die Jahresproduktion Wilhelm Leibls kaufte. 1918 erwarb der Fabrikant Fritz Beindorff in Hannover die in der Kestner-Gesellschaft gezeigte Ausstellung Adolf Hoelzels. Doch erst nach 1945 setzte sich die Erkenntnis durch, daß man mit dem spektakulären ›Aufkaufen‹ eines Künstlers sowohl sich als Sammler als auch dem Künstler Publicity verschaffen kann. En bloc erwarb zum Beispiel Karl Ströher die Beuys-Ausstellungen in Mönchengladbach (1967) und in der Düsseldorfer Galerie Schmela (1969) sowie die Pop-art-Sammlung Kraushar aus New York 1968. Im selben Jahr kaufte Peter Ludwig beim Aufbau seiner Pop-art-Kollektion praktisch die Kölner Galerie Zwirner leer. 1973 erwarb Hans Grothe für 20.000 DM die 38 Bilder einer Ausstellung Sigmar Polkes in Münster und setzte 1988 seine Ankaufspolitik, Zyklen und Räume zu sammeln, fort, als er 200.000 DM für einen Raum der Balkenhol-Ausstellung in Basel ausgab.

Eitle Sorge um die Überlieferung des Aussehens an die Nachwelt sichert dem Sammler-Porträt bis heute, wenn auch im bescheidenen Umfang, als Auftragsarbeit einen Platz in den privaten Kollektionen. Wer als Mitglied der Wirtschafts- und Kulturelite etwas auf sich hielt, ließ sich im ersten Drittel dieses Jahrhunderts von Max Liebermann malen. Wieviel mutiger waren diejenigen, die sich in den zwanziger Jahren der subjektiven Abbildkunst von Künstlern des Expressionismus oder des Verismus stellten! Dieses Selbstbewußtsein offenbaren die Familienporträts des Wiesbadener Kunstsammlers Heinrich Kirchhoff (1920) und des Dresdner Rechtsanwalts Fritz Glaser (1921/25) von Conrad Felixmüller und Otto Dix. Nach dem Krieg blieb das Porträt in der DDR beliebt, im Westen spielte es keine Rolle mehr. Erst um 1980 zeigten die westdeutschen Sammler wieder genügend Mut oder Eitelkeit, nicht nur mit ihren Kollektionen, sondern auch mit ihren Konterfeis an die Öffentlichkeit zu treten. Andy Warhol, der »court painter of the 70's«[6], versprach ihnen auch internationale Reputation, und so ließen sie sich von ihm für viel Geld malen: Peter Ludwig (Abb. S. 632) und der Berliner Bau-Unternehmer Erich Marx (1978), die drei Verleger-Brüder Franz, Frieder und Hubert Burda (1983) sowie der Stuttgarter Fabrikant Josef Froehlich (1986). Fast alle deutschen Warhol-Verehrer geben sich vergeistigt, die Hand nachdenklich am Kinn, nur Froehlich bekennt sich mit Zigarillo zum traditionellen Unternehmerattribut, das man (als Zigarre) schon bei Liebermanns Bildnissen findet. Wollen die von Warhol Dargestellten auf diese Weise etwas von der Weihe seiner Ikonen des 20. Jahrhunderts wie Marilyn Monroe, Elvis oder Mao abbekommen? Auf die Renaissance greift das Porträt des Fabrikanten Reinhold Würth zurück. Sein 1987 von Rudolf Hausner gemaltes Porträt zeigt den Kaufmann im Kontor: Würth neigt sich leicht zur Seite und gibt so den Blick frei auf eine Weltkarte, in deren Mittelpunkt der Firmensitz in Künzelsau liegt.

Emanuel und Sofie Fohn. o.J.

Vom Zimmerschmuck zum Museumsstück

Man muß nicht gerade ›Engros‹-Sammler sein wie Seeger, Ströher oder Ludwig, um eines Tages festzustellen, daß der Kunstkonsum den Bedarf an Zimmerschmuck längst übertroffen hat: »Die Wohnung war überfüllt, dann war das Büro überfüllt, dann mußte irgend etwas geschehen.«[7] So wie Karl-Heinrich Müller, dem Düsseldorfer Immobilienmakler, geht es wohl den meisten Kunstsammlern – doch wohin mit der Kunst? Am Anfang steht der Wunsch, sich zu Hause mit Kunstwerken zu umgeben. Sie sind Ansporn und Trost, ein Lebenselixier. Dabei nimmt man auch Unannehmlichkeiten in Kauf: Günter Ulbricht ertrug eine großformatige Beuys-Installation mit Zinkplatten und Fett in seiner ›guten Stube‹, und der Kölner Concept-art-Sammler Hans Böhning mußte alle zehn Tage Stoffbahnen Daniel Burens austauschen, bekannte aber, daß er dieser Anweisung des Künstlers nicht immer nachkommen könne. Es gab und gibt jedoch Sammler, die in ihren eigenen vier Wänden nichts von der zeitgenössischen Kunst sehen wollen. Der Industrielle Walther Rathenau stellte zu Beginn des Jahrhunderts die Bilder junger Künstler auf dem Dachboden seiner Grunewald-Villa ab, und Jost Herbig, einer der bedeutendsten deutschen Kunstsammler nach 1945, bekannte: »Ich be vorzuge leere Wände.«[8] Folgerichtig ließ er seine Sammlung (u.a. Minimal art, Beuys, Gerhard Richter und – sehr früh, sehr unverstanden – Georg Baselitz) zunächst einlagern und ab 1975 in der Neuen Galerie in Kassel ausstellen. Auch bei Ludwig, diesem letztlich konservativen, mehr historisch als künstlerisch denkenden Sammler, fanden die spektakulären Neuerwerbungen von 1968/69 keine Aufnahme. In dem 1953 von ihm und seiner Frau entworfenen Haus im Aachener Landhausstil ging er nur bis August Macke und Fernand Léger, die Pop-art sollte gleich ins Museum.

Eines Tages muß sich fast jeder Sammler aus Platz-, Geld- oder Geschmacksgründen von Altem trennen. Mit dem Sammeln aufhören will keiner; denn wie sagte Friedrich Nietzsche so schön, es sei leichter, einer Leidenschaft ganz zu entsagen, als in ihr Maß zu halten. Glücklich sind die Fabrikanten, die Ausrangiertes oder Neues zunächst in der Firma unterbringen können. Manch einer mietet Abstellraum: Hans Grothe lagerte großformatige Arbeiten ein, und Reinhard Onnasch befreite 1991 Edward Kienholz' Environment **Roxy's** vom Staub neunjähriger Einlagerung, als er es im Neuen Museum Weserburg in Bremen aufstellte. Das ist nun wahrhaft fürstliche Tradition: Von Depots ist nämlich bei den frühen Sammlern der Moderne in Deutschland noch keine Rede – liegt es an den fehlenden Berichten oder daran, daß man früher großzügiger, ›hochherrschaftlich‹ wohnte und daß die Kunst nicht so riesig war? Oder hielt sich der Kunstkonsum zu Beginn des Jahrhunderts ohnehin in Grenzen? Man muß jedenfalls ins 17. Jahrhundert zurückgehen, um eine solche Form der Vorratshaltung von Kunst zu finden: Erzherzog Leopold Wilhelm, Statthalter der Spanischen Niederlande in Brüssel, hängte nämlich nur ausgewählte Bilder in seine Wohnräume, den Rest verbannte er in Lagerräume seines Schlosses.

Andy Warhol, Peter Ludwig, 1980; Privatsammlung

Von den Depots ist es kein weiter Weg mehr zu den jüngst gegründeten Sammlermuseen wie dem Neuen Museum Weserburg in Bremen von 1991. Hier wird den privaten Kunstsammlungen ein öffentliches Forum geboten, ohne daß sich die Besitzer für immer von ihren Schätzen trennen müssen. Mit Recht warnt jedoch der Kunstkritiker Eduard Beaucamp seit Jahren davor, daß dieses Tauschgeschäft jederzeit zum Nachteil der Allgemeinheit ausfallen kann, solange die Bilder in Privatbesitz bleiben. Nach jahrelanger öffentlicher Aufwertung in den Museen Darmstadts und Kassels wurden zum Beispiel die Sammlungen Ströher und Herbig von den Erben versteigert. Deshalb mag die Einrichtung von Stiftermuseen, die außer der Sammlung auch den Namen des Schenkenden bewahren, die bessere Lösung sein. Erinnert sei daran, daß das 1986 in Köln eröffnete Museum Ludwig seine Vorläufer mit dem Städelschen Kunstinstitut in Frankfurt am Main oder mit dem Kölner Wallraf-Richartz-Museum schon im 19. Jahrhundert hat. Doch sollte im Einzelfall entschieden werden, ob die Sammlung wirklich die anfallenden Bau- und Folgekosten wert ist. Ideal ist natürlich ein Mann wie Karl-Heinrich Müller, der 1987 den Natur- und Kunstraum »Insel Hombroich« am Niederrhein aus eigener Tasche finanzierte.

Aber inwieweit haben die Sammlungen den Namen des Sammlers eigentlich verdient? Gibt es doch bei fast jedem Sammler den Hinweis auf jemanden, der ihn auf vielversprechende Künstler hingewiesen oder bei Ankäufen beraten hat. »Kein Sammler, der in einem größeren Unternehmen verantwortlich tätig ist, kann die Kenntnisse erwerben und die Zeit aufbringen, um eine so breit angelegte, auf hohe Qualität ausgerichtete Sammlung in relativ kurzer Zeit aufzubauen.«[9] Diese Erklärung von Erich Marx, dessen seit 1996 im Hamburger Bahnhof in Berlin ausgestellte Sammlung im Grunde ein Werk seines Kurators Heiner Bastian ist, gilt nicht nur für Firmenbosse, sondern für jeden Berufstätigen damals wie heute. Als Berater rangieren die Kunsthistoriker noch hinter den Ehefrauen. Auch die Galeristen, die zwar mit einem Informationsvorsprung ausgestattet sind, oft aber aus Eigeninteresse falsch raten, haben nicht das höchste Ansehen, sondern – die Künstler selbst: »Ich habe die sichere Erfahrung gemacht, daß, wenn es ernst wird, Kunst nur erkannt werden kann von wirklich guten Künstlern.«[10] Wer das sagt, ist kein Laie, es ist der ehemalige Präsident der Hamburger Hochschule für bildende Künste, Carl Vogel, der zu den wichtigsten Grafik-Sammlern der Gegenwart zählt. Auf sich selbst können nur die wenigsten zählen: So kaufte der Verleger Lothar Schirmer schon als Abiturient 1964/65 Zeichnungen bei Cy Twombly und Beuys.

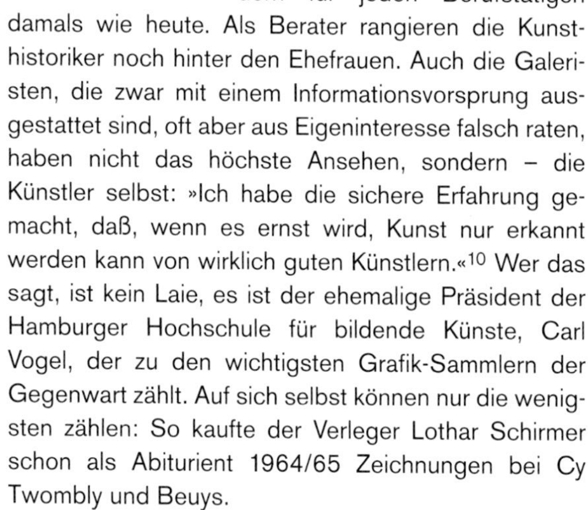

Wer ist Hanno Ludwig?

Mit dieser Frage kommen wir zu den Motiven fürs Kunstsammeln. Hanno Ludwig ist nämlich der Bruder Peter Ludwigs; er übernahm die väterliche Fabrik in Koblenz, und sein Bedarf an Kunst scheint den Bereich des Üblichen nicht überstiegen zu haben. Wieso sammelte also Peter Kunst, Hanno jedoch nicht? Die Historiker und Soziologen können nur das wirtschaftliche und soziale Klima beschreiben, in dem Kunstsammeln gedeihen kann: die Nobilitierung von Reichtum, eine Aufwandskonkurrenz im Lebensstil, Familientradition etc. Weshalb der ›Virus‹ bei dem einen ausbricht, bei dem anderen nicht, können in dieser selbstreflexiven Zeit nicht einmal die Kunstsammler beantworten. Hier sind Psychologen gefragt. Doch greift deren individualpsychologischer Ansatz oft zu kurz: unglückliche Kindheit, Einsamkeit, Angst vor der schnellebigen Zeit, letztlich Angst vorm Tod. Sind etwa Länder mit einer hohen Sammelkultur bevölkert von lauter unglücklichen Menschen? Da kommt man nicht weit, sind einem fast schon die kunstsammelnden Unternehmer und Bankiers sympathisch, die sich offen zur Spekulation mit Kunst bekennen. Eine wesentliche Antriebskraft für das Kunstsammeln kann im Reiz des Schöpferischen, der ›Zwecklosigkeit‹ der Kunst als Alternative zum einseitig gewinnorientierten, arbeitsteiligen Berufsleben liegen. Äußerungen von Eduard Arnhold, dem ehemaligen Daimler-Chef Edzard Reuter, Josef Froehlich oder Reinhold Würth legen das nahe. Nicht zufällig gibt es das Klischee vom Kunstsammler als verhindertem Künstler: Um 1910 malte Walther Rathenau Pastelle (und wird im Künstlerlexikon von Thieme-Becker erwähnt!), der in München lebende Impressionistensammler Marczell von Nemes zeichnete, Karl Ströher griff in den fünfziger Jahren zu Pinsel und Farbstift, auch die Beuys-Förderer van der Grinten sind künstlerisch tätig, Hans zeichnet und radiert, sein Bruder Franz-Joseph schneidet in Holz und Linol oder malt mit Öl. Wem dies gar nicht gegeben ist, betont die schöpferische Qualität des Sammelns: Siegbert Marzynski, Berliner Fabrikant und Handzeichnungssammler der zwanziger Jahre, ebenso Peter Ludwig oder der Kölner Arzt Reiner Speck. Günther Gercken stellt den Sammler mit dem Künstler auf eine Stufe, beide seien »verantwortungslos« gegenüber der Gesellschaft, und wie der Künstler an seinem Bild, so male der Sammler »mit den Werken der Künstler an seiner Sammlung«[11]. Mag man auch Tschudi zustimmen, der schon 1911 vom Sammler des 20. Jahrhunderts künstlerisches Empfinden forderte, so muß man doch eines betonen: Die Kunst wird immer noch von Künstlern gemacht. Oder gibt es heutzutage eine Neuauflage des Streites aus dem 18. Jahrhundert, wer für die Kunst wichtiger sei: der Künstler oder der Mäzen (respektive Sammler)?

Anmerkungen

1 Schult, Friedrich: *Barlach im Gespräch.* Wiesbaden 1948, S. 13.
2 Tschudi, Hugo von: Vorwort zum Katalog der [...] Sammlung Marczell von Nemes-Budapest [...]. Zit. n. Ernst Schwedeler-Meyer (Hg.): *Hugo von Tschudi. Gesammelte Schriften zur neueren Kunst.* München 1912, S. 226–231, hier S. 229.
3 Sager, Peter: *Die Besessenen. Begegnungen mit Kunstsammlern zwischen Aachen und Tokio.* Köln 1992, S. 32.
4 Haskell, Francis: »Ein französischer Mäzen des italienischen Klassizismus«. In: Ders: *Wandel der Kunst in Stil und Geschmack. Ausgewählte Schriften.* Köln 1990, S. 89–121, hier S. 89.
5 Hier und im folgenden: Waldmann, Emil: *Sammler und ihresgleichen.* Berlin 1920, S. 72.
6 Rosenblum, Robert: »Andy Warhol: Court Painter of the 70's«. In: David Whitney (Hg.): *Andy Warhol. Portraits of the 70's.* Ausst.Kat. Whitney Museum of American Art, New York. New York 1979/80, S. 8–21.
7 Zit. n. Sager, Die Besessenen (Anm. 3), S. 213.
8 Zit. n. Bongard, Willi: »Dr. Jost Herbig (Willi Bongards Sammlerporträt, II. Folge)«. In: *Kunstforum International*, Jg. 1, Bd. 2/3, 1973, S. 72.
9 Marx, Erich: »Vorwort«. In: Heiner Bastian (Hg.): *Sammlung Marx. 2 Bde.* Ausst.Kat. Hamburger Bahnhof-Museum für Gegenwart, Berlin. Berlin 1996, S. 7–11, hier S. 11.
10 Zit. n. Tschechne, Martin: »Grafik an die Wand, nicht in Schubladen.« Interview mit dem Hamburger Sammler Carl Vogel. In: *art*, August 1991, S. 14.
11 Gercken, Günther: »Privates und öffentliches Sammeln zeitgenössischer Kunst«. In: *Kunst-Bulletin des Schweizerischen Kunstvereins,* Nr. 5, 1984, S. 8–15, hier S. 9.

Das Deutsche als ästhetische Unmöglichkeit

Moritz Wullen

Seit dem 16. Jahrhundert taucht ›deutsch‹ in Zusammenhängen auf, wie sie unterschiedlicher nicht sein könnten: in der Rechtstheorie, der Tugendlehre, der Rhetorik, der Hof- und Kulturkritik, aber natürlich auch in der Kommunikation über nationale Identität. In jedem dieser unzähligen Kontexte lagert sich dem Wort ›deutsch‹ eine andere Bedeutung an, und man gerät leicht vom Hundertsten ins Tausendste, wenn man versucht, den gemeinsamen ›deutschen‹ Nenner all dieser Bedeutungen zu finden. Mit dem ›Deutschen‹ verhält es sich daher nicht anders als mit dem Handlungsreisenden der experimentellen Mathematik: Schon bei einer vernachlässigenswert kleinen Anzahl von Anlaufstellen wird unentscheidbar, welche Strecke für den Handlungsreisenden die kürzeste ist. Da kann es sinnvoll sein, auf eine vollständige Erfassung des Begriffes ›deutsch‹ zu verzichten. Einzelne Zusammenhänge sind schon interessant genug.

Ein Zusammenhang von größter Bedeutung war lange Zeit das seltsam schwierige Verhältnis von Bildern und Texten. Freilich kann man leugnen, daß es da überhaupt nennenswerte Schwierigkeiten gibt. In einem Lehrbuch der zwanziger Jahre wird beispielsweise suggeriert, Worte und Bilder ließen sich problemlos im Sinnmaßstab von 1:1 ineinander transformieren (Abb. S. 635). Das Wort »Schlüssel« und das Bild eines Schlüssels erscheinen als die beiden sinngleichen Seiten ein und derselben Idee eines Schlüssels, und diese Idee fungiert anscheinend – wie auch immer – als Relais der Übersetzung. Allerdings wird unterschlagen, daß die Existenz einer solchen Idee noch nicht bewiesen ist. Für den Beobachter sind allein das Wort und das Bild des Schlüssels vorhanden, und es bleibt völlig unklar, wie beide Seiten korrelieren. Selbst die Tatsache, daß das Wort »Schlüssel« einen Menschen dazu bringt, einen Schlüssel auf ein Blatt Papier zu zeichnen, beweist kaum mehr als die statistische Wahrscheinlichkeit einer Koinzidenz zwischen einer sprachlichen und einer visuellen Operation. Da ist es gewagt, von einer gemeinsamen Sinnmitte von Wort und Bild zu reden. Wenn überhaupt, so gibt es nur ein operatives Gleichgewicht ansonsten separater Informationssysteme, und die Vorstellung einer Sinneinheit von Sprache und Bildern ist wohl ein Traum, vielleicht sogar ein spezifisch deutscher Traum.

Dieser Traum beflügelte erstmals im 18. Jahrhundert die intellektuellen Geister. Es war dies eine Zeit, in der die grundsätzliche Verschiedenheit von Bildwelt und Sprachwelt so spürbar wurde wie noch nie. Eine Entwicklung bahnte sich an, die in der Medienwelt von heute auf groteske Weise eskaliert: Nicht einmal der banalste Video-Clip ist schlicht genug, um auch nur halbwegs in Worte gefaßt werden zu können. Über die Ursachen dieses Bruches läßt sich nur spekulieren, und in einer ausführlicheren Untersuchung jener Umbruchszeit dürfte sicherlich nicht nur von der technischen Flexibilisierung visueller Kommunikation durch Holzstich, Stahlstich oder Lithographie die Rede sein. Jedenfalls meldeten sich im 18. Jahrhundert erstmals Zweifel an der Sinnsymmetrie von Bildwelt und Sprachwelt. Das Horazische Motto »Ut pictura poesis« verlor zusehends an Autorität, und in Lessings *Laokoon* wurden visuelle und sprachliche Medien mit dem Nachdruck der Endgültigkeit entflochten. Noch heute einprägsam ist der Ausspruch Denis Diderots: »Les mot et les couleurs ne sont choses pareilles / Ni les yeux ne sont les oreilles.«[1]

Als ob gerettet werden müßte, was ohnedies nicht mehr zu retten war, wurde die überwundene Epoche des Horazischen Prinzips nahezu zeitgleich zur guten alten Zeit verklärt. Fingiert wurde ein über aller Kommunikation schwebendes Sinnutopia, auf das sich Sprachliches und Visuelles einheitlich beziehen sollten. Die Vorstellung war paradiesisch: Was hienieden durch Kommunikation geschieden sei, fließe auf höherer Ebene sinneinheitlich ineinander, in redlichem Einklang, sachlicher Treue und klarer Entsprechung. Nur hier gelte Gemaltes soviel wie Gesprochenes, Gesprochenes soviel wie Gedachtes. Als Wächter dieses Paradieses imaginierte man den guten, alten Deutschen – die Tradition schrieb es vor. Schon Tacitus hatte die Germanen als »gens astuta nec callida«[2] geschildert, als einen Menschenschlag, der Kommunikation allein nach den Regeln des hehren Sinns betreibt. Die Deutschen, so heißt es denn auch bei Sebastian Franck, seien ein Volk, »das nicht verschlagen oder hinterlistig ein anders im mundt hat, dann es mit den worten und geberden anzeygt«[3], und in einer Moralischen Wochenschrift des 18. Jahrhunderts wird über den ›Alten Deutschen‹ berichtet: »Er hielt sich nicht mit Eitelkeiten auf, und was sein Mund sprach, davon wuste sein Hertze.«[4]

Als Hüter einer kommunikationsübergreifenden Sinntotalität empfahl sich der Deutsche daher mit ganz besonderem Nachdruck. Das Deutsche wurde zum Sinn an sich, zum imaginären Fluchtpunkt aller Kommunikation. Einen ersten Gipfelpunkt erreicht diese neue Metaphysik des Deutschen 1797 mit Wilhelm Wackenroders *Herzensergiessungen eines kunstliebenden Klosterbruders*. Unter der Kapitelüberschrift »Ehrengedächtnis unsers ehrwürdigen Ahnherrn Albrecht Dürers« entfaltet Wackenroder das deutsche Utopia einer totalen Gleichschaltung von Bild, Text und Gedachtem.[5] In Dürers Kunst, so das Kernargument Wackenroders, werden durch die ausschließliche Verpflichtung auf den lauteren Gedanken die künstlichen Grenzen zwischen visueller und sprachlicher Kommunikation aufgehoben. Der Sinn ist alles, das Medium gilt nichts. So will es Wackenroder scheinen, »als wenn die Figuren in diesen deinen Bildern wirkliche Menschen wären, welche zusammen redeten [...]. Alle Figuren reden, und reden laut und vernehmlich. Kein Arm bewegt sich unnütz oder bloß zum Augenspiel und zur Füllung des Raums; alle Glieder, alles spricht uns gleichsam mit Macht an, daß wir den Sinn und die Seele des Ganzen recht fest im Gemüthe fassen. Wir glauben alles, was der kunstreiche Mann uns darstellt; und es verwischt sich nie aus unserm Gedächtniß.«[6]

Wackenroder erlebt Dürers Kunst als visuelle Sprache, als gesprochene Visualität, und es ist gerade diese Erlebnistotale, die in seinen Augen den ›Ahnherrn Albrecht Dürer‹ als Repräsentanten deutschen Wesens legitimiert. Nostalgisch blickt er auf die Zeit Dürers zurück: »Als Albrecht den Pinsel führte, da war der Deutsche auf dem Völkerschauplatz unsers Welttheils noch ein eigenthümlicher und ausgezeichneter Charakter von festem Bestand; und seinen Bildern ist nicht nur in Gesichtsbildung und im ganzen Äußeren, sondern auch im inneren Geiste, dieses ernsthafte, grade und kräftige Wesen des deutschen Charakters treu und deutlich eingeprägt.«[7] ›Deutscher Charakter‹ – so lautet also der Name jenes Programms, das der beängstigenden Divergenz von sprachlicher und visueller Kommunikation gegensteuern soll. Nur im Bekenntnis zum deutschen Wesen finden Bildwelt und Sprachwelt auf ihren gemein-

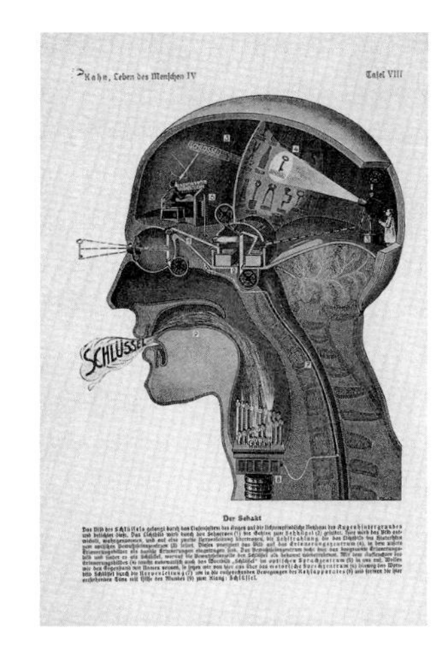

Der Sehakt; Illustration in: Fritz Kahn: *Das Leben des Menschen – Eine volkstümliche Anatomie*, Stuttgart 1929; Österreichische Nationalbibliothek, Wien

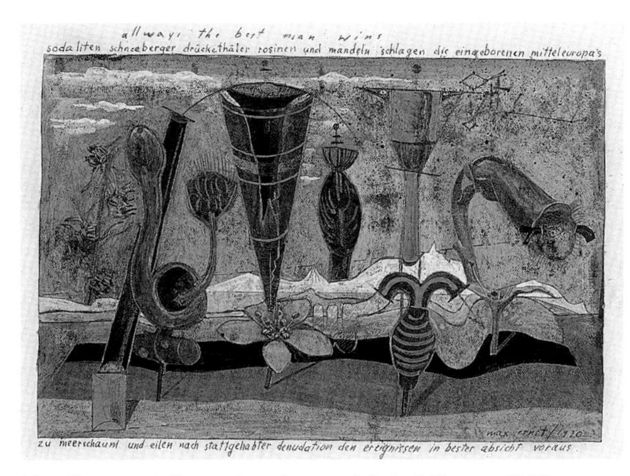

Max Ernst, sodaliten schneeberger drückethäler ..., 1920; Privatsammlung

samen Nenner zurück. Nur von den deutschen Bildern Dürers kann es rechtens heißen: »Alle Figuren reden, und reden laut und vernehmlich.«

Wackenroder war vom Erfolg und der Stichhaltigkeit seines Programms gewiß überzeugt. In seinen Schriften findet sich keine einzige Zeile, in der er die Paradoxie seiner Argumentation reflektiert. Dabei ist die Paradoxie eklatant: Wackenroder formuliert die Idee einer transmedialen Sinninstanz mit einem Instrument, das medialer nicht sein könnte – der Sprache. Mit der sprachlichen Markierung ›deutsch‹ als Ausgangspunkt wird mit sprachlichen Mitteln ein virtuelles Dürerbild erstellt, das – wie könnte es auch anders sein – dann auch nur sprachlich funktioniert. Das Gemalte interessiert ausschließlich als Plattform sprachlicher Aktivität und das Bildpersonal als deklamierende Bühnentruppe, deren Sichtbarkeit eine bloße Nebensache ist. Man hört die Figuren nur reden – »laut und vernehmlich«. Wirklich deutsch ist allein der sprachlich virtualisierte Dürer, und auch die sorgfältigste Lektüre läßt die Frage offen, wo eigentlich die Deutschheit in Dürers Bildern beginnt und wo sie ihre Grenzen hat. Als visuelle Qualität bleibt das Deutsche unsichtbar; es existiert nur als sprachliche Metapher. So liest sich Wackenroders »Ehrengedächtnis« wie ein Plädoyer für den Dominanzanspruch der Sprache. Der Hiatus zur Welt der Bilder wird nicht überbrückt.

Die von Wackenroder beabsichtigte Koordinierung von Sprachsystem und Bildsystem blieb eine Utopie. Im Laufe des 19. Jahrhunderts drifteten die Systeme noch weiter auseinander. Den endgültigen Bruch besiegelte die Entdeckung der Fotografie. Mit der Fotografie ergab sich die Möglichkeit, Bilder ohne Vorschaltung sprachlicher Steuerungsprogramme zu generieren. Das menschliche Zutun beschränkte sich auf die Schaffung günstiger apparativer Ausgangsbedingungen. Zu keinem früheren Zeitpunkt der Zivilisationsgeschichte hatten sich Bildkultur und Poesie so weit voneinander entfernt. »Was der Daguerreotypie fehlt«, so schrieb der Genfer Ästhetikprofessor Rodolphe Toepffer 1841, »diese Eigenschaft, die für immer die Wunder des Verfahrens von den einfachen Produkten einer intelligenten Schöpfung trennt, das ist der Abdruck des menschlichen, individuellen Geistes, das ist die Seele, die sich auf die Leinwand überträgt, das ist das poetische Wollen [...].«[8]

Heinrich Hoffmann, Adolf Hitler, vor August 1927; Postkarte

Visuelle Kommunikation war von nun an als eigenständige, eigendynamische Sinnmaschine denkbar, die – von der einhaltgebietenden Macht der Worte unbeirrt – sich ihre eigene Zukunft konstruierte. Selbst im Milieu der klassischen visuellen Medien brach die Kluft zwischen Bildwelt und Sprachwelt auf. Die moderne Malerei entzog sich zusehends dem sprachlichen Zugriff, und die Kunstkritik stieß auf ungeahnte Schwierigkeiten. Vor den Bildern der Moderne versagten die traditionellen Methoden der sprachlichen Beschreibung und der sprachlichen Analyse. Welchen Sinn sollte es auch haben, dort sprachliche Referenzpunkte anzusetzen, wo die Visualität sich auf sich selbst bezog? Selbstbezüglichkeit war höchstens durch Selbstbezüglichkeit zu illustrieren. Der

Kritiker Octave Mirbeau kommt daher Anfang der neunziger Jahre des 19. Jahrhunderts vor den Heuhaufen Monets folgerichtig zu dem Schluß, daß die moderne Malerei wohl nur in freier Dichtung, nicht in verbindlicher Beschreibung sprachlich kommuniziert werden kann. Allein der Dichter, so Mirbeau, habe in den Galerien und Salons moderner Kunst das Recht »de parler et de chanter«[9]. Dabei befand sich Mirbeau durchaus noch in einer komfortablen Situation. Claude Monets Heuhaufen ließen sich sprachlich eindeutig als »Heuhaufen« identifizieren, und anläßlich der Ausstellung in der Galerie Durand-Ruel waren noch Sätze möglich wie: »quinze tableaux représentant tous la même meule prise à des heures différentes du jour et aux différentes saisons de l'année.«[10]

Zwanzig Jahre später war die Sinnkoordinierung von Bild und Text selbst auf diesem Niveau der gröbsten Beschreibung ein Ding der Unmöglichkeit geworden. Die Diagnose lautete auf Ungegenständlichkeit, und der daran anschließenden Debatte über Abstraktion und Gegenständlichkeit ist der Schrecken über den plötzlichen Verlust aller Eineindeutigkeiten zwischen Sprachsystem und Bildsystem unübersehbar eingeschrieben. Altgediente sprachliche Unterscheidungen wie »Porträt«, »Landschaft« oder »Stilleben« verloren gleichsam über Nacht ihre Bedeutung als Selektionsvorgabe für die Tagesproduktion der visuellen Medien. »Landschaft« konnte, namentlich bei Wassily Kandinsky, nun alles mögliche bedeuten, und von Kandinskys Diktum »Jede Kunst ist ein eigenes Leben. Sie ist ein Reich für sich«[11] ist es nur ein kleiner Schritt zur letzten, absoluten Trennung von Bild und Text im Werk Max Ernsts. So entsteht 1920 eine zart aquarellierte, tief in sich versponnene Collage mit Blumen- und Gebirgsmotiven. Der Titel hält sich in grotesker Entfernung: **sodaliten schneeberger drückethäler rosinen und mandeln schlagen die eingeborenen mitteleuropas zu meerschaum und eilen nach stattgehabter denudation den ereignissen in bester absicht voraus**.

Heinrich Hoffmann, Adolf Hitler, vor August 1927; Postkarte

Wackenroders deutscher Wunschtraum von einer ungeteilten Sinnwelt, in welcher Bilder und Texte harmonisch ineinanderweben, hatte sich spätestens mit dem Beginn der Moderne zerschlagen, und es ist müßig zu erörtern, ob diese Entwicklung bedauert werden muß. Wahrscheinlich ist sie ebenso eigendynamisch wie die Systeme, die sie produziert, und jeder Versuch einer Gleichschaltung wäre nur als Gewaltakt effektiv. Ist aber einmal die Entscheidung für Gewalt gefällt, kann Wackenroders deutscher Traum leicht zum Alptraum werden. Die Zeit zwischen 1933 und 1945 liefert hierfür einen tragischen Beleg.

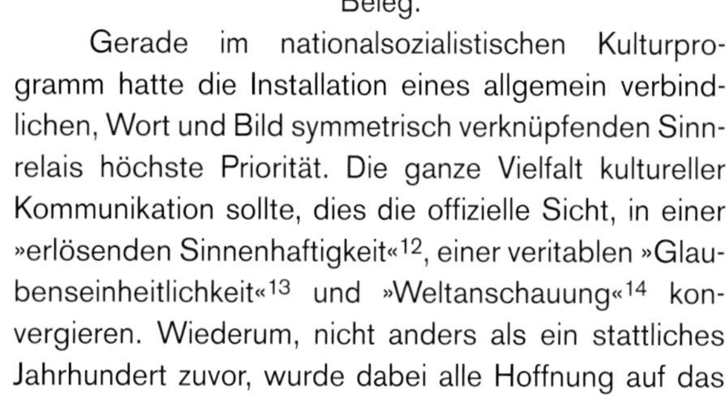

Gerade im nationalsozialistischen Kulturprogramm hatte die Installation eines allgemein verbindlichen, Wort und Bild symmetrisch verknüpfenden Sinnrelais höchste Priorität. Die ganze Vielfalt kultureller Kommunikation sollte, dies die offizielle Sicht, in einer »erlösenden Sinnenhaftigkeit«[12], einer veritablen »Glaubenseinheitlichkeit«[13] und »Weltanschauung«[14] konvergieren. Wiederum, nicht anders als ein stattliches Jahrhundert zuvor, wurde dabei alle Hoffnung auf das

›Deutsche‹ gesetzt. Erneut entstand der Traum vom deutschen Sinnutopia, in dem jeder Maler ein Dichter, jeder Dichter ein Maler war, und allein der pure, lautere Gedanke zählte. In diesem Utopia waren Wortsinn und Bildsinn aus ihrer scheinbar widernatürlichen Trennung befreit und »nur ein verschiedenes Funkeln desselben Inhaltes, bald nach der Seite der bildlichen Natur hin, bald nach der Seite des Ornaments und des Worts«[15]. Ungetrübt durch die Eigenkörnigkeit der Medien sollte der reine Strahl des Gedankens leuchten. Nur er hätte die Kraft, »das Dasein zu bewegen, zu erwärmen, es zu durchleuchten und emporzuheben«[16]. Die Form sollte unsichtbar sein, einzig der Inhalt sollte wirken: »Der Inhalt muß die Form von innen heraus gestalten. Das ist das Wesen deutscher Kunst.«[17]

Tatsächlich ging es aber nicht im geringsten um eine gleichberechtigte Zusammenführung von Wortsinn und Bildsinn. Weit eher wurden, wie schon bei Wackenroder, sprachliche Hegemonialansprüche geltend gemacht. Die Rückbindung der visuellen Künste an die Tugenden der Sprache war das eigentliche Ziel. Breite Akzeptanz fand dieses Vorhaben im populistisch geschürten Mißvergnügen des gesunden Volksempfindens an einer Kunst, die sich scheinbar egomanisch und ohne Rücksicht auf äußere Verbindlichkeiten nur noch auf ihren eigenen Gedeih fixierte. Die von den Vertretern des verhaßten ›L'art pour l'art‹-Prinzips verfochtene Autonomie der bildenden Kunst wurde eben nicht enthusiastisch als neue Freiheit gefeiert, sondern als Verlust einer sinnmäßigen Mitte von Sprachwelt und Bildwelt beklagt. Namentlich an Kandinskys Bildern vermißte man eine »vernehmliche Sprache«[18]. In Zukunft sollte es darum gehen, die bildende Kunst aus der Binnenlogik »seelenloser Klexereien«[19] zu befreien und wieder auf einen sprachlich faßbaren Sinn zu verpflichten. Aus der Perspektive der Alltagskommunikation war diesem Kulturprogramm eines »reactionary modernism«[20] eine gewisse Plausibilität nicht abzusprechen. Nicht erst seit Wilhelm von Humboldt wurde Sinn mit der sprachlichen Verwertbarkeit von Information identifiziert, und als Fibelwahrheit galt, daß Vernunft nur da unterstellt werden kann, wo auch eine sprachliche Erklärung möglich ist. Gerade aus dieser Arroganz der

Heinrich Hoffmann, Adolf Hitler, vor August 1927; Postkarte

Heinrich Hoffmann, Adolf Hitler, vor August 1927; Postkarte

Sprache mußte der Weg der Moderne freilich als Irrweg erscheinen.[21] »Die Kunst«, so schreibt Hermann Beenken 1933 in *Die Krise der Malerei,* »ist frei geworden, sie hat den Kampf gegen alle Forderungen, die von außen an sie herantraten, durchgefochten, indem sie sie als außerkünstlerische entlarvte. Der Künstler wollte seine Kunst um ihrer selbst willen betreiben, ungehemmt und unangefochten. Er hat diesen Willen durchgesetzt; aber um welchen Preis?«[22] Der Höhe der Arroganz entspricht die Perfidie der Polemik: Die evolutionsbedingte Differenzierung von Bildverstand und Wortverstand wird als Schuld registriert und diese gezielt auf die Figur des modernen Künstlers gehäuft: »Er zerstörte jede Bindung, schnitt alle Wurzeln ab, um einer äußerlichen Freiheit willen. Die Kunst starb.«[23]

Ein wichtiger Schritt auf dem Weg zur Disziplinierung der bildenden Kunst war die Straffung und Aufrüstung sprachlicher Kommunikation, ihre artilleristisch zielgenaue Ausrichtung auf die Phänomene der visuellen Kultur. Lange genug hatte sich die bildende Kunst dem sprachlichen Zugriff entzogen und für »babylonische Sprachenverwirrung«[24] gesorgt. Nun galt es, der Sprache wieder eindeutige visuelle Referenzpunkte zu verschaffen. Sprache sollte sich wieder als Leitkommunikation etablieren, und Worte wie »schön« sollten nicht mehr alles mögliche bedeuten können: »Viel Mißbrauch getrieben wird mit dem Wörtchen ›schön‹. Man hört Urteile wie: Der Redner spricht schön, das Instrument klingt schön, die Blume riecht schön, ja sogar: das Essen schmeckt schön. In jedem dieser Fälle will man eine auf die Sinne angenehm wirkende Wahrnehmung mit ›schön‹ bezeichnen, womit man eigentlich gar nichts sagt, bloß, wie es so häufig geschieht, irgend etwas hinredet, um eben etwas zu sagen. Solche Flachheiten müssen aufhören. Unsere Sprache ist ein viel zu kostbares Gut, als daß man sie mißbrauchen dürfte.«[25] Selbst an und für sich reichlich abstrakte Sinneinheiten wie zum Beispiel »Volkskörper« luden sich mit neuen visuellen Sensationen auf: »Uns Heutigen wird der ›Volkskörper‹, ein längst zur abstrakten Redensart verflüchtigter Begriff, auf einmal wieder zu etwas Sichtbarem, das sich im Raume bewegt und dem ein Jahr selbst zugehört.«[26]

Paul Mathias Padua, Der 10. Mai 1940, aus: Große Deutsche Kunstausstellung, München 1941

So wurden die Phänomene der bildenden Kunst wieder in den Zuständigkeitsbereich sprachlicher Kommunikation überstellt. Die Sprache erhielt das Recht auf Darstellung, Qualifizierung und Beschreibung visueller Tatbestände zurück. Der Kunstbericht, seit den frühen Anfängen der Moderne ein Ding der Unmöglichkeit, wurde nun zur sachlichen Notwendigkeit: »An die Stelle der bisherigen Kunstkritik, die in völliger Verdrehung des Begriffes ›Kritik‹ in der Zeit jüdischer Kunstüberfremdung zum Kunstrichtertum gemacht worden war, wird ab heute der Kunstbericht gestellt; an die Stelle des Kritikers tritt der Kunstschriftleiter. Der Kunstbericht soll weniger Wertung, als vielmehr Darstellung und Würdigung sein.«[27] Mirbeau hatte noch aus Einsicht in die selbstbezügliche Formensprache der Moderne dem traditionellen Kunstbericht abgeschworen. Reiner Farbpoesie konnte seiner Meinung nach nur noch mit reiner Wortpoesie entsprochen werden. Eine solche Kapitulation vor der Selbstbezüglichkeit des Visuellen war im nationalsozialistischen Kulturprogramm nicht mehr vorgesehen.

Natürlich genügte es nicht, nur die Dominanz der Sprache zu reklamieren. Ebenso notwendig war es, visuelle Kommunikation von vornherein auf die Bedürfnisse und Möglichkeiten sprachlicher Verarbeitung zuzuschneiden. ›Visualizing‹ wurde als ›Textualizing‹ programmiert und die bildende Kunst zum bloßen Verstärker eines sprachlich verfaßten Gehalts degradiert. Nicht anders als bei Wackenroder wurden denn auch die Ideale einer künftigen, besseren Kunst als sprachliche Tugenden vermittelt. Bei Wackenroder, so sei erinnert, sprachen die Figuren eines Bildes »laut und vernehmlich«. Genau in diesem Sinne forderte man mehr als ein Jahrhundert später die Rückkehr der Kunst zur »strengen Sprache des Lebens«[28], und keineswegs nur metaphorisch zu verstehen sind Formulierungen wie: »Die Kunst soll allgemein verständlich und klar sein. Der Inhalt soll zu allen sprechen.«[29] Hitlers architekturästhetisches Bekenntnis zum ›Wort aus Stein‹ hatte in diesem Zusammenhang fast schon die Bedeutung eines Glaubenssatzes. Dementsprechend heißt es 1942 in der Zeitschrift *Das Reich*: »Man hat vom ›gebauten Nationalsozialismus‹ gesprochen, und das will besagen, daß es der gegenwärtigen deutschen Baukunst nicht um technische Fragen oder ästhetische Werte geht, sondern um eine politische Lebensform, die aus den Bauten spricht.«[30] Auch der überkommene klassizistische Gedanke, die Zeichnung sei kraft der Präzision ihrer gestalterischen Mittel die sprachlichste und damit auch gedanklich reinste Form der bildenden Kunst, gewann neue Aktualität. Gerade die Vernachlässigung dieser Disziplin, so der polemische Tenor der Zeit, habe die Kunst in die Sprachlosigkeit gedrängt: »Die Zeichnung war in der deutschen Kunst [...] immer der Faden einer lebendigen Tradition. Mit der Preisgabe der Zeichnung waren auch alle anderen an diese Tradition gebundenen Werte verloren gegangen, und die Kunst dieser Zeit wurde zu einem charakterlosen und unverständlichen Gestammel wie eine Sprache, die ihre Grammatik aufgegeben hatte.«[31]

Wackenroders »Ehrengedächtnis« liest sich geradezu als Urtext dieser ›deutsch‹ verbrämten Medienesoterik. Hier wie da sollten die einander entfremdeten Sinnwelten der Bilder und der Worte durch den Zauber deutschen Wesens wieder gleichberechtigt zueinanderfinden, und beide Male lief doch alles auf die Restitution eines sprachlichen Sinnmonopols hinaus. Während sich allerdings Wackenroder kontemplativ auf das Raisonnieren beschränkte, beanspruchte die nationalsozialistische Argumentation direkte politische Wirkung. Die sprachliche Zurechnungsfähigkeit von Kunst wurde zum Gesetz: »Es ist oft die Frage gestellt worden, was denn nun ›deutsch sein‹ eigentlich heiße. Unter allen Definitionen, die in Jahrhunderten und von vielen Männern darüber aufgestellt worden sind, scheint mir jene wohl am würdigsten zu sein, die es überhaupt nicht versucht, in erster Linie eine Erklärung abzugeben als vielmehr ein Gesetz aufzustellen. Das schönste Gesetz aber, das ich mir für mein Volk auf dieser Welt als Aufgabe seines Lebens vorzustellen vermag, hat schon ein großer Deutscher einst ausgesprochen: ›Deutsch sein heißt klar sein‹. Das aber würde besagen, daß Deutschsein damit logisch und vor allem aber auch wahr sein heißt. Ein herrliches Gesetz [...].«[32] An einer historischen Überprüfung der These von der deutschen Klarheit bestand wenig Interesse. Das ›Deutsche‹ war recht eigentlich auch nicht das Thema. In erster Linie ging es um sprachlich fundierte Klarheit und Logik und ihre gesetzeskräftige Durchsetzung. »Erklärungen« taugten hierfür wenig, und der Diskurs über das Deutsche wurde nachdrücklich tabuisiert: »was ist denn überhaupt deutsche Kunst? wer das heute noch fragen kann aus grundsätzlichem Zweifel an dem Begriffe selbst, der ›ist nicht geschickt zum Reiche Gottes‹, der ist ein Fremdling im Reiche der deutschen Kunst und stellt sich selber außerhalb dieses gottgesegneten Gartens.«[33]

Mit der Verpflichtung der bildenden Kunst auf die sprachliche Tugend des Alten Deutschen wurde die Moderne als Schuld disqualifiziert, die es abzutragen galt. Dabei waren das Ausscheren aus der sprachlichen Sinndisziplinierung und die Ausbildung eigenständiger, rein visuell basierter Sinnkonstruktionen mit Sicherheit nicht das Ergebnis einer Verschwörung von »abgestrakten«[34] Künstlern; vielmehr handelte es sich um einen kulturevolutionär bedingten Prozess der Ausdifferenzierung, wie er seit dem Beginn der Neuzeit auch für unzählige andere Bereiche nachweisbar ist. Entsprechend dem kontrafaktischen Weltentwurf des Nationalsozialismus wurde diese Logik der Entwicklung nun durch die Logik der Sprache ersetzt. Die bildende Kunst erhielt die Aufgabe, optimale Bedingungen für die Entstehung von Wortsinn zu schaffen. Ein Vorbild ersten Ranges war die Allegorie. Hier diente Visualität nur als Benutzeroberfläche für ein Programm, das ausschließlich sprachlich operierte. Bildinformation war nichts anderes als chiffrierte Textinformation und damit auch leicht auf eine sprachliche Pointe zu bringen. Adolf Ziegler zumindest vermittelt den Eindruck, als sei mit drei kurzen Zeilen zu seinem Elementebild (vgl. Kat.Nr. 82) schon alles nötige gesagt: »Die Arbeit stellt unsere Weltanschauung dar. Ihr philosophischer Kern, die Bejahung der Naturgesetzlichkeit, ist dargestellt durch die 4 Elemente: Feuer, Wasser, Erde und Luft.«[35] Diese Fixierung auf die sprachliche Prägnanz des Visuellen verwischte auch die traditionellen Grenzen zwischen Hochkunst und Plakatkunst. Ob ›high art‹ oder ›low art‹, das Bildpersonal des Dritten Reichs ist redlich bemüht, mit einem tapferen Quantum an mimischem und gestischem Aufwand auf den Bildbetrachter einzureden: »Die Figuren reden, und sie reden laut und vernehmlich.« Arno Brekers **Der Künder** oder Paul Mathias Paduas **Der 10. Mai 1940** zeigen aggressive Kommunikationsbereitschaft, der Betrachter wird frontal angegangen. Der Bildeindruck ist nichts weiter als eine visuelle Metapher für eine sprachliche Wirkung. »Wie der

Arno Breker, Der Künder, aus: Arno Breker: Sechzig Bilder, Königsberg 1943

Dichter«, so schreibt Kurt Eberlein 1942 emphatisch über den bildenden Künstler, »ruft er heute wieder dies deutsche Herz der Welt kämpferisch tapfer und beschwörend zu neuen Taten des Geistes auf: ›O heilig Herz der Völker! O Vaterland!‹«[36]

›Deutsch‹ war lange Zeit der zentrale Kampfbegriff im Konkurrenzstreit des sprachlichen Kommunikationsbetriebs mit dem System der visuellen Medien. Zwar wurde ›deutsch‹ notorisch als eine numinose Qualität vermittelt, die souverän und unparteiisch ebenso über den Worten wie über den Bildern schwebt, doch wo auch immer von ›deutsch‹ die Rede war, hatte sich die Sprache in erster Linie selbst im Sinn. Das Deutsche, schlechthin und absolut gedacht, war eine ästhetische Unmöglichkeit. Wie denn auch anders? Mit der sprachlichen Markierung ›deutsch‹ war bereits die Entscheidung für die Sprache gefällt. Diese durch und durch sprachliche Ambition des Begriffes ›deutsch‹ fand ihre aggressivste Ausprägung freilich zu jener Zeit, als mit der Emanzipation des Visuellen der Traum vom Sinnmonopol der Sprache nahe daran war, für immer zu verfliegen. Über den Begriff ›deutsch‹ mobilisierte sich der Sprachapparat zum Machtapparat. In der Ausstellung *Entartete Kunst* wurde das rigoroseste Exempel statuiert. Werke, die in weiter Entfernung von sprachlichen Sinnkonventionen entstanden waren, wurden ins Reich sprachlicher Sinngewalt heimgeführt – und vorgeführt. An den Ausstellungswänden hingen die Bilder wie in einem enggezurrten Netz aus Texten. Das Schweigen der Moderne war gebrochen. Wider ihre Natur begannen nun auch die Bilder der Moderne wieder »laut und vernehmlich« zu sprechen, perverser noch: Sie sprachen »laut und vernehmlich« gegen sich selbst.

Dieser deutsche Alptraum ist, so scheint es, überstanden. Erlöst blickt man zurück auf die ›Kunst nach '45‹. Der deutsche Sprachgeist ist längst aus den Tempeln der Kunst exorziert, und die sprachlichen Dämonen des ›Illustrativen‹ und ›Anekdotischen‹ sind leicht zu bannen, indem man sie beim Namen nennt. ›Anekdotisch‹, ›Illustrativ‹ – es gab nach 1945 keine besseren begrifflichen Hilfsmittel, um einen Künstler wieder auf den rechten Weg zu führen. *Ex negativo* wurde ›gute‹ Kunst über ihre Ferne zur Sprache definiert. In Willi Baumeisters *Das Unbekannte in der Kunst*, einem der wirkungsreichsten Kursbücher des Kunstlebens der Nachkriegsjahre, steht denn auch im Resümee der letzten Seiten, daß »sich von vornherein mittels Sprache nie ausdrücken läßt, was in den Kernbezirk der bildenden Kunst gehört«[37]. Wahre Kunst, so formulierte es Ernst Wilhelm Nay im Rückblick auf den Bildersturm im Dritten Reich, »ist eine stumme Kunst«[38]. So erscheint uns noch heute nichts absurder als der Versuch, die Kultur der visuellen Medien wieder auf die deutschen Tugenden sprachgemäßer Deutlichkeit und Klarheit zu vereidigen. Und dennoch: Auch wenn von ›deutsch‹ als einer normativen Qualität nicht mehr die Rede ist, so ist das ungeklärte Verhältnis von Bildern und Texten doch weiterhin ein Thema. Noch immer wird auf die Existenz eines Sinns an sich spekuliert, der Bildwelt und Sprachwelt einheitlich umgibt, und noch immer wird dieser Sinn unterschwellig als sprachlicher Sinn formuliert. Die Form eines Bildes mag zwar visuell sein, den Inhalt stellt man sich dann aber doch mehr oder weniger sprachlich vor. So kommt es auch, daß man im Umgang mit Kunst erst durch die Präsenz eines Textes stabilen Grund unter den Füßen fühlt. Nicht im verschwommenen Milieu der Bilder, sondern in der Bildbeschriftung, im Katalogtext, in der museumspädagogischen Führung geht die Sinnsuche des Laien vor Anker. Selbst der Kunstgelehrte geriert sich kaum klüger. Schließlich ist er es, der den Sprachapparat am Laufen hält, und in seinem ganzen Tun auf die Hypothese angewiesen ist, daß ›Kunst‹ nicht nur als ›Kunst‹, sondern irgendwo da draußen tatsächlich als Kunst existiert. Dabei verhält es sich mit der Kunst nicht anders als mit dem Schlüssel in jenem Lehrbuchorganogramm der zwanziger Jahre: Auf der einen Seite gibt es ein Wort, auf der anderen Seite gibt es ein Bild, und niemand weiß, ob und wie beide Seite zusammenhängen. So sind ›Deutsch‹ und ›Kunst‹ vielleicht nur Teil einer Geschichte sprachlicher Illusionen und, zumindest aus der Mitte der visuellen Sphäre betrachtet, eine ästhetische Unmöglichkeit.

Anmerkungen

1 Zit. n. Rensselaer, W. Lee: »Ut Pictura Poesis. The Humanistic Theory of Painting«. In: *The Art Bulletin*, Bd. XXII, 1940, S. 197–272, hier S. 203.

2 Publius Cornelius Tacitus: *Germania.* Zweisprachig übertragen und erläutert von Arno Mauersberger. Leipzig 1980, S. 60.

3 Franck, Sebastian: *Chronica, Zeitbuch und Geschichtbibell von anbeginn biss in diss gegenwertig MDXLIII jar verlengt [...].* 1543, fol. VI a.

4 *Der Alte Deutsche Nebst einem Register über Zwey und Funfzig Blätter.* Hamburg 1730, 30. Blatt, S. 236.

5 Das »Ehrengedächtniß unsers ehrwürdigen Ahnherrn Albrecht Dürers Von einem kunstliebenden Klosterbruder« findet sich abgedruckt in: Silvio Vietta; Richard Littlejohns (Hg.): *Wilhelm Heinrich Wackenroder, Sämtliche Werke und Briefe. Historisch-kritische Ausgabe.* Bd. 1. Heidelberg 1991, S. 90–96.

6 Ebd., S. 91.

7 Ebd., S. 93f.

8 Toepffer, Rodolphe: »Über die Daguerreotypie«. In: Wolfgang Kemp: *Theorie der Fotografie I, 1839–1912.* München 1980, S. 72.

9 Zit. n. Levine, Stephen Z.: *Monet and His Critics.* New York; London 1976, S. 119.

10 Zit. n. ebd., S. 129.

11 Kandinsky, Wassily: »Über Bühnenkomposition«. In: Max Bill (Hg.): *Wassily Kandinsky. Essays über Kunst und Künstler.* Stuttgart 1955, S. 47.

12 Über die »Sehnsucht des Deutschen nach erlösender Sinnenhaftigkeit« wird reflektiert in: Sommer, Johannes: *Arno Breker.* Bonn 1940, S. 13.

13 Kremer, Hannes: »Kunstkritik und Weltanschauung«. In: *Die Völkische Kunst,* Bd. 1, 1935, S. 1f., hier S. 1.

14 Wendland, Winfried: *Kunst und Nation. Ziel und Wege der Kunst im Neuen Deutschland.* Berlin 1934, S. 21.

15 Wühr, Hans: »Graphik: Politische Kunst«. In: *Die Kunst im Dritten Reich,* Bd. 2, 1938, S. 164. Zit. n. Joseph Wulf: *Die Bildenden Künste im Dritten Reich. Eine Dokumentation.* Gütersloh 1963, S. 201.

16 Lampe, Jörg: »Zur Frage der geistigen Freiheit«. In: *Die Literatur,* 1938/39, S. 588. Zit. n. Wulf, Die Bildenden Künste (Anm. 15), S. 90.

17 Eugen Hönig, in: Ernst Adolf Dreyer (Hg.): *Deutsche Kultur im Neuen Reich.* Berlin 1934, S. 59–62. Zit. n. Wulf, Die Bildenden Künste (Anm. 15), S. 198f., hier S. 199.

18 Baudissin, Klaus Graf von: »Das Essener Folkwang-Museum stößt einen Fremdkörper ab«. In: *Nationalzeitung*, 28.9.1936. Zit. n. Wulf, Die Bildenden Künste (Anm. 15), S. 305f., hier S. 305.

19 Reinhold Krause, in: Rudolf Benze (Hg.): *Rassische Erziehung als Unterrichtsgrundsatz der Fachgebiete.* Frankfurt am Main 1937, S. 198. Zit. n. Wulf, Die Bildenden Künste (Anm. 15), S. 277.

20 Vgl. Herf, Jeffrey: *Reactionary Modernism. Technology, Culture, and Politics in Weimar and the Third Reich.* Cambridge 1984.

21 Die traditionelle Identität von Denken und Sprache wird gerade heute wieder heftig diskutiert. Vgl. Trabant, Jürgen (Hg.): *Sprache denken: Positionen aktueller Sprachphilosophie.* Frankfurt am Main 1995. Positionen einer konsequenten Trennung von Sprache und Denken finden sich vor allem in der Systemtheorie. Einen radikalen Ansatz vertritt Peter Fuchs in: *Die Umschrift. Zwei kommunikationstheoretische Studien: »japanische Kommunikation« und »Autismus«.* Frankfurt am Main 1995.

22 Beenken, Hermann: »Die Krise der Malerei«. In: *Deutsche Vierteljahreshefte für Literatur, Wissenschaft und Geistesgeschichte*, Bd. 11, 1933, S. 436–444, hier S. 436.

23 Wendland, Kunst und Nation (Anm. 14), S. 18.

24 Scholz, Robert: *Lebensfragen der bildenden Kunst.* München 1937, S. 76.

25 Griessdorf, Harry: »Unsere Weltanschauung, Gedanken über Alfred Rosenberg: Der Mythos des 20. Jahrhunderts«. Berlin 1942. Zit. n. Wulf, Die Bildenden Künste (Anm. 15), S. 216.

26 Hager, Werner: »Bauwerke im Dritten Reich«. In: *Das Innere Reich*, Bd. 1, 1937, S. 6f., hier S. 6.

27 »Anordnung des Reichsministers für Volksaufklärung und Propaganda«. In: Wulf, Die Bildenden Künste (Anm. 15), S. 119.

28 Hadamowsky, Eugen: *Propaganda und nationale Macht.* Oldenburg 1933, S. 148.

29 Adolf Feulner, in: *Kunst und Geschichte*, Leipzig 1942, S. 37f. Zit. n. Wulf, Die Bildenden Künste (Anm. 15), S. 155.

30 Petersen, Jürgen: »Albert Speer – Über einen deutschen Baumeister«. In: *Das Reich*, 11.1.1942. Zit. n. Wulf, Die Bildenden Künste (Anm. 15), S. 228.

31 Robert Scholz, in: *Kunst und Geschichte*, Leipzig 1942, S. 37f. Zit. n. Wulf, Die Bildenden Künste (Anm. 15), S. 156.

32 Aus Hitlers Rede zur Eröffnung des Hauses der Deutschen Kunst, München, 18.7.1937. Zit. n. Wulf, Die Bildenden Künste (Anm. 15), S. 185.

33 Hanns Bastanier, in: *Kunst und Wirtschaft*, 1933, S. 65. Zit. n. Wulf, Die Bildenden Künste (Anm. 15), S. 186.

34 Willrich, Wolfgang: *Säuberung des Kunsttempels. Eine kunstpolitische Kampfschrift zur Gesundung deutscher Kunst im Geiste nordischer Art.* Berlin 1937, S. 79.

35 Adolf Ziegler an Minister Darré, 11.11.1936. Zit. n. Wulf, Die Bildenden Künste (Anm. 15), S. 142.

36 Große Berliner Kunstausstellung 1942.

37 Baumeister, Willi: *Das Unbekannte in der Kunst.* Stuttgart 1947, S. 165.

38 Diese Äußerung Nays steht im Zusammenhang mit dem Fernsehfilm *Bildersturm im Dritten Reich* von 1964. Ausführlicher zitiert wird Nay in: *Bilder kommen aus Bildern. E.W. Nay. 1902–68.* Krefeld 1985, S. 76.

Bibliographie – Eine Auswahl

Adorno, Theodor W.: *Ästhetische Theorie.* Hg. von Gretel Adorno und Rolf Tiedemann. Frankfurt am Main 1973.

Albrecht, Hans J.: *Farbe als Sprache. Robert Delaunay, Josef Albers, Richard Paul Lohse.* Köln 1974.

Altshuler, Bruce: *The Avant-Garde in Exhibition. New Art in 20th Century.* New York 1994.

Anders, Günther: *Die Antiquiertheit des Menschen. Über die Seele im Zeitalter der zweiten technischen Revolution.* München 1988.

Anselm Kiefer. Ausst.Kat. Nationalgalerie Berlin. Berlin 1991.

Antonowa, Irina; Merkert, Jörn (Hg.): *Berlin – Moskau 1900–1950.* Ausst.Kat. Berlinische Galerie. München; New York 1995.

Art into Society, Society into Art. Seven German Artists. Ausst.Kat. Institute of Contemporary Arts, London. Berlin 1974.

Assmann, Aleida: *Erinnerungsräume. Formen und Wandlungen des kulturellen Gedächtnisses.* München 1999.

Bätschmann, Oskar: *Ausstellungskünstler. Kult und Karriere im modernen Kunstsystem.* Köln 1997.

Balázs, Béla: *Der Geist des Films.* Frankfurt am Main 1972 ([1]1930).

Ball, Hugo: *Die Flucht aus der Zeit.* Zürich 1992.

Barron, Stephanie (Hg.): *»Entartete Kunst«: Das Schicksal der Avantgarde im Nazi-Deutschland.* Ausst.Kat. Los Angeles County Museum of Art. München 1992.

Bazin, André: *Qu'est-ce que le cinéma?* Paris 1994.

Beaucamp, Eduard: *Der verstrickte Künstler. Wider die Legende von der unbefleckten Avantgarde.* Köln 1998.

Belting, Hans: *Das Ende der Kunstgeschichte?* München 1983.

Ders.: *Die Deutschen und ihre Kunst. Ein schwieriges Erbe.* München 1992.

Benjamin, Walter: *Das Kunstwerk im Zeitalter seiner technischen Reproduzierbarkeit.* Frankfurt am Main 1977.

Bergius, Hanne: *Das Lachen Dadas. Die Berliner Dadaisten und ihre Aktionen.* Gießen 1989.

Bischoff, Ulrich (Hg.): *Kunst als Grenzbeschreitung. John Cage und die Moderne.* Ausst.Kat. Bayerische Staatsgemäldesammlungen, Neue Pinakothek, München. Düsseldorf; Winterscheidt 1991.

Block, René: *1962 Wiesbaden Fluxus 1982. Eine kleine Geschichte von Fluxus in drei Teilen.* Ausst.Kat. Museum Wiesbaden, Nassauischer Kunstverein, Harlekin Art. Berlin 1983.

Ders.; Knapstein, Gabriele (Hg.): *Eine lange Geschichte mit vielen Knoten. Fluxus in Deutschland 1962–1994.* Ausst.Kat. Institut für Auslandsbeziehungen Stuttgart. Ostfildern 1995.

Bonitzer, Pascal: *Le champ aveugle. Essais sur le cinéma.* Paris 1982.

Bordwell, David; Staiger, Janet; Thompson, Kristin: *The classical Hollywood Cinema. Film Style and Mode of Production to 1960.* London 1994.

Bothe, Rolf; Föhl, Thomas (Hg.): *Aufstieg und Fall der Moderne.* Ausst.Kat. Kunstsammlungen zu Weimar. Stuttgart 1999.

Breuer, Gerda (Hg.): *Die Zähmung der Avantgarde. Zur Rezeption der Moderne in den 50er Jahren.* Basel; Frankfurt am Main 1997.

Buchloh, Benjamin H.P.; Gidal, Peter; Pelzer, Birgit (Hg.): *Gerhard Richter.* Ausst.Kat. Kunst- und Ausstellungshalle, Bonn. 3 Bde. Stuttgart 1993.

Buddensieg, Tilmann: »Das hellenische Gegenbild. Schinkels Museum und Hegels Tempel am Lustgarten«. In: Ders.: *Berliner Labyrinth, Preußische Raster.* Berlin 1993.

Buderer, Hans-Jürgen: *Neue Sachlichkeit. Bilder auf der Suche nach der Wirklichkeit. Figurative Malerei der zwanziger Jahre.* Ausst.Kat. Städtische Kunsthalle Mannheim. München 1994.

Burch, Noel: *Life to those Shadows.* Berkley; Los Angeles 1990.

Burckhardt, Jacqueline (Hg.): *Ein Gespräch / Una Discussione, Joseph Beuys, Jannis Kounellis, Anselm Kiefer, Enzo Cucchi.* Zürich 1986.

Busch, Bernd: *Belichtete Welt. Eine Wahrnehmungsgeschichte der Fotografie.* München; Wien 1989.

Busch, Werner: *Das sentimentalische Bild. Die Krise der Kunst im 18. Jahrhundert und die Geburt der Moderne.* München 1993.

Castelnuovo, Enrico: *Arte, Industria, Rivoluzione. Temi di storia sociale dell'arte.* Turin 1985.

Clair, Jean: *Die Verantwortung des Künstlers. Avantgarde zwischen Terror und Vernunft.* Köln 1998 (frz. Original 1997).

Conzen, Ina (Hg.): *Art Games. Die Schachteln der Fluxus-Künstler.* Ausst.Kat. Staatsgalerie Stuttgart. Stuttgart; Köln 1997.

Deleuze, Gilles: *Kino 1. Das Bewegungs-Bild. / Kino 2. Das Zeit-Bild.* Frankfurt am Main 1990.

Der elektronische Raum. 15 Positionen zur Medienkunst. Hg. von der Kunst- und Ausstellungshalle der Bundesrepublik Deutschland GmbH, Bonn. Ostfildern 1998.

Deutschlandbilder. Kunst aus einem geteilten Land. Ausst.Kat. Martin-Gropius-Bau Berlin. Köln 1997.

Die letzten Tage der Menschheit. Bilder des Ersten Weltkrieges. Ausst.Kat. Deutsches Historisches Museum Berlin. Berlin 1994.

Documenta 1. Ausst.Kat. Kassel. Kassel 1955.

Documenta 2. Ausst.Kat. Kassel. Kassel 1959.

Documenta 3. Ausst.Kat. Kassel. Kassel 1964.

Documenta 4. Ausst.Kat. Kassel. Kassel 1968

Documenta 5. Ausst.Kat. Kassel. Kassel 1972.

Documenta 6. Ausst.Kat. Kassel. Kassel 1977.

Documenta 7. Ausst.Kat. Kassel. Kassel 1982.

Documenta 8. Ausst.Kat. Kassel. Kassel 1987.

Documenta IX. Ausst.Kat. Kassel. Stuttgart. 1992.

Documenta X. Ausst.Kat. Kassel. Ostfildern 1997.

Eberle, Matthias: *Der Weltkrieg und die Künstler der Weimarer Republik.* Zürich 1989.

Eggum, Arne: *Edvard Munch. Gemälde, Zeichnungen und Studien.* Stuttgart 1986.

Eiblmayr, Silvia: *Die Frau als Bild. Der weibliche Körper in der Kunst des 20. Jahrhunderts.* Berlin 1993.

Einstein, Carl: *Die Kunst des 20. Jahrhunderts.* Leipzig 1988 ([1]1926).

Ders.: *Werke.* Berliner Ausgabe. Berlin 1996.

Eisenstein, Sergej M.: *Gesammelte Aufsätze.* Zürich o.J.

El Lissitzky 1890–1941. Retrospektive. Ausst.Kat. Sprengel Museum Hannover. Hannover 1988.

Elsässer, Thomas; Hoffmann, Kaj: *Cinema Futures: Cain, Abel or Cable? The Screen Arts in the Digital Age.* Amsterdam 1998.

Ernst Ludwig Kirchner. Gemälde, Aquarelle, Zeichnungen und Druckgraphik. Ausst.Kat. Kunstforum Wien. München 1998.

Expressionisten. Die Avantgarde in Deutschland 1905–1920. Ausst.Kat. Staatliche Museen zu Berlin, Nationalgalerie und Kupferstichkabinett. Berlin 1986.

Fechter, Paul: *Der Expressionismus.* München 1914.

Feist, Günter; Feist, Ursula: *Weggefährten – Zeitgenossen. Bildende Kunst aus drei Jahrzehnten.* Ausst.Kat. Berlin, Altes Museum. Berlin 1979.

Feist, Günter; Gillen, Eckhart; Vierneisel, Beatrice (Hg.): *Kunstdokumentation SBZ / DDR 1945–1990.* Köln 1996.

Ferdinand Hodler. Ausst.Kat. Nationalgalerie Berlin. Zürich 1983.

Forgács, Eva: *The Bauhaus Idea and Bauhaus Politics.* Budapest 1995.

Franz Marc 1880–1916. Ausst.Kat. Städtische Galerie im Lenbachhaus. München 1994.

Führer durch die Ausstellung: »Entartete Kunst«. Verantwortlich für den Inhalt: Fritz Kaiser. Berlin (1937).

Gachnang, Johannes; Gohr, Siegfried (Hg.): *Bilderstreit. Widerspruch, Einheit und Fragment in der Kunst seit 1960.* Ausst.Kat. Museum Ludwig Köln. Köln 1989.

Gassen, Richard W.; Holecek, Bernhard (Hg.): *Apokalypse. Ein Prinzip Hoffnung? Ernst Bloch zum 100. Geburtstag.* Ausst.Kat. Wilhelm-Hack-Museum, Ludwigshafen am Rhein. Heidelberg 1985.

Gaßner, Hubertus; Kopanski, Karlheinz; Stengel, Karin (Hg.): *Die Konstruktion der Utopie. Ästhetische Avantgarde und politische Utopie in den 20er Jahren.* Marburg 1992.

Geelhaar, Christian (Hg.): *Paul Klee. Schriften, Rezensionen und Aufsätze.* Köln 1976.

Georg Baselitz. Ausst.Kat. Nationalgalerie Berlin. Ostfildern 1996.

Giloy-Hirtz, Petra; Steiner, Peter B.: *Geistes Gegenwart.* Ausst.Kat. Ehemalige Karmelitenkirche, München. Ostfildern 1998.

Glozer, Laszlo: *Westkunst. Zeitgenössische Kunst seit 1939.* Ausst.Kat. Museen der Stadt Köln. Köln 1981.

Godard, Jean-Luc: *Jean-Luc Godard par Jean-Luc Godard 1/2.* Paris 1985, 1998.

Göpel, Erhard; Göpel, Barbara: *Max Beckmann. Katalog der Gemälde.* Bern 1976.

Grohmann, Will: *Kunst unserer Zeit. Malerei und Plastik.* Köln 1966.

Haftmann, Werner: *Malerei im 20. Jahrhundert.* München 1954.

Hannah Höch: Eine Lebenscollage. 2 Bde. Bearb. von Cornelia Thater-Schulz. Berlinische Galerie. Berlin 1989.

Hans Arp 1883–1966. Ausst.Kat. Württembergischer Kunstverein. Stuttgart 1986.

Hapgood, Susan (Hg.): *Neo-Dada. Redefining Art, 1958–62.* Ausst.Kat. Scottsdale Center for the Arts. New York 1994.

Harrison, Charles; Wood, Paul (Hg.): *Kunsttheorie im 20. Jahrhundert.* 2 Bde. Ostfildern 1998.

Hein, Birgit: *Film im Untergrund.* Frankfurt; Berlin; Wien 1971.

Hemken, Uwe (Hg.): *Vergessen und Erinnern in der Gegenwartskunst.* Leipzig 1996.

Herf, Jeffrey: *Reactionary Modernism. Technology, Culture and Politics in Weimar and the Third Reich.* Cambridge 1984.

Hoffmann, Hilmar: *Mythos Olympia. Autonomie und Unterwerfung von Sport und Kultur.* Berlin; Weimar 1993.

Hofmann, Werner: *Die Moderne im Rückspiegel. Hauptwege der Kunstgeschichte.* München 1998.

Hommage à Schönberg. Der Blaue Reiter und das Musikalische in der Malerie der Zeit. Ausst.Kat. Nationalgalerie Berlin. Berlin 1974.

Hüneke, Andreas (Hg.): *Oskar Schlemmer. Idealist der Form. Briefe, Tagebücher, Schriften 1912–1943.* Leipzig 1990.

Im Reich der Phantome. Fotografie des Unsichtbaren. Ausst.Kat. Städtisches Museum Abteiberg Mönchengladbach. Ostfilden 1997.

Japp, Uwe: *Theorie der Ironie.* Frankfurt am Main 1983.

Joachimides, Christos M.: *Joseph Beuys – Richtkräfte.* Berlin 1977.

Ders.; Rosenthal, Norman (Hg.): *Zeitgeist.* Ausst.Kat. Martin-Gropius-Bau Berlin. Berlin 1982.

Ders.: *Deutsche Kunst im 20. Jahrhundert. Malerei und Plastik 1905–1985.* Ausst.Kat. Staatsgalerie Stuttgart. München 1995.

Joseph Beuys. Ausst.Kat. Kunsthaus Zürich. Zürich 1993.

Jürgens-Kirchhoff, Annegret: *Technik und Tendenz der Montage in der Bildenden Kunst des 20. Jahrhunderts.* Gießen 1978.

Kandinsky, Wassily: *Über das Geistige in der Kunst.* Hg. von Max Bill. Bern 1970 ([1]1911).

Ders.; Marc, Franz (Hg.): *Der Blaue Reiter.* Dokumentarische Neuausgabe von Klaus Lankheit. München 1965.

Kellein, Thomas: *Sputnik – Schock und Mondlandung. Künstlerische Grossprojekte von Yves Klein zu Christo.* Stuttgart 1989.

Kemp, Wolfgang: *Theorie der Fotografie I. 1839–1912.* München 1980.

Kimpel, Harald: *Documenta: Mythos und Wirklichkeit.* Köln 1997.

Klockner, Hubert (Hg.): *Wiener Aktionismus 1960–1971.* Ausst.Kat. Graphische Sammlung Albertina Wien. Klagenfurt 1989.

Klotz, Heinrich (Hg.): *Perspektiven der Medienkunst. Museumspraxis und Kunstwissenschaft antworten auf die digitale Herausforderung.* Stuttgart 1996.

Klüser, Bernd (Hg.): *Die Kunst der Ausstellung.* Frankfurt am Main 1995.

Korte, Hermann: *Die Dadaisten.* Reinbek 1994.

Kosinski, Dorothy (Hg.): *Fernand Léger. 1911–1924. Der Rhythmus des modernen Lebens.* Ausst.Kat. Kunstmuseum Wolfsburg. München 1994.

Kracauer, Siegfried: *Theorie des Films. Die Errettung der äußeren Wirklichkeit.* Frankfurt am Main 1985.

Kuhn, Anette: *Zero. Eine Avantgarde der sechziger Jahre.* Frankfurt am Main 1991.

Kunst in der Bundesrepublik Deutschland 1945–1985. Ausst.Kat. Nationalgalerie Berlin. Berlin 1985.

Kunst in Deutschland. Werke zeitgenössischer Künstler aus der Sammlung des Bundes. Ausst.Kat. Kunst- und Ausstellungshalle der Bundesrepublik Deutschland, Bonn. Köln 1995.

Kunst und Macht im Europa der Diktatoren 1930 bis 1945. Ausst.Kat. Organisiert von der Hayward Gallery, London, in Verbindung mit dem Deutschen Historischen Museum Berlin und Centre de Cultura Contemporania de Barcelona. London 1996.

Lang, Lothar: *Malerei und Graphik in der DDR.* Leipzig 1983.

L'art au corps. Le corps exposé de Man Ray à nos jours. Ausst.Kat. Mac, galeries contemporaines des Musées de Marseille. Marseille 1996.

László Moholy-Nagy. Ausst.Kat. Württembergischer Kunstverein. Stuttgart 1974.

Leopoldseder, Hannes (Hg.): *Cyberarts98.* Linz 1998.

Lepp, Nicola; Roth, Martin; Vogel, Klaus (Hg.): *Der neue Mensch. Obsessionen des 20. Jahrhunderts.* Ausst.Kat. Deutsches Hygiene-Museum Dresden. Ostfildern 1999.

Mack, Heinz; Piene, Otto (Hg.): *ZERO 1,2,3.* Hg. 1958 (1, 2), 1961 (3). Zusammenfassender Neudruck Köln und MIT. Cambridge/Mass. 1973.

März, Roland (Hg.): *John Heartfield. Der Schnitt entlang der Zeit. Selbstzeugnisse, Erinnerungen, Interpretationen. Eine Dokumentation.* Dresden 1981.

Ders. u.a. (Hg.): *Kunst in Deutschland.* Ausst.Kat. Nationalgalerie Berlin. Berlin 1992.

Marianne Brandt, Hajo Rose, Kurt Schmidt. Drei Künstler aus dem Bauhaus. Ausst.Kat. Kupferstichkabinett der Staatlichen Kunstsammlungen Dresden. Dresden 1978.

Maur, Karin von: *Oskar Schlemmer. Monographie; Œuvrekatalog der Gemälde, Aquarelle, Pastelle und Plastiken.* 2 Bde. München 1979.

Dies. (Hg.): *Vom Klang der Bilder. Die Musik in der Kunst des 20. Jahrhunderts.* Ausst.Kat. Staatsgalerie Stuttgart. München 1985.

Metamorphose des Dinges. Kunst und Antikunst 1910–1970. Ausst.Kat. Neuer Berliner Kunstverein e.V., Nationalgalerie. Berlin 1971.

Metken, Günter: *Spurensicherung. Kunst als Anthropologie und Selbsterforschung.* Köln 1977.

Meyer, Raimund; Bolliger Hans (Hg.): *Dada. Eine internationale Bewegung 1916–1925.* Ausst.Kat. Kunsthalle der Hypo-Kunststiftung München. Zürich 1994.

Mierau, Fritz: *Russen in Berlin. Literatur, Malerei, Theater, Film 1918–1933.* Leipzig 1987.

Mommsen, Wolfgang J.: *Bürgerliche Kultur und künstlerische Avantgarde. Kultur und Politik im deutschen Kaiserreich 1870–1914.* Frankfurt am Main; Berlin 1994.

Nerdinger, Winfried u.a. (Hg.): *Bauhaus-Moderne im Nationalsozialismus. Zwischen Anbiederung und Verfolgung.* München 1988.

Öhlschläger, Claudia u.a. (Hg.): *Körper, Gedächtnis, Schrift.* Berlin 1997.

Ohff, Heinz: *Pop und die Folgen oder die Kunst, Kunst auf der Straße zu finden.* Visualisiert von Wolf Vostell. Düsseldorf 1966.

Okkultismus und Avantgarde. Von Munch bis Mondrian 1900–1915. Ausst.Kat. Schirn Kunsthalle, Frankfurt am Main. Ostfildern 1995.

Orchard, Karin; Schulz, Isabel (Hg.): *Kurt Schwitters. Werke und Dokumente. Verzeichnis der Bestände im Sprengel Museum.* Hannover 1998.

Oskar Schlemmer. Tanz – Theater – Bühne. Ausst.Kat. Kunstsammlung Nordrhein-Westfalen, Düsseldorf. Stuttgart 1994.

Patka, Erika (Red.): *Oskar Kokoschka. Symposion der Hochschule für angewandte Kunst in Wien.* Salzburg; Wien 1986.

Pillep, Rudolf (Hg.): *Max Beckmann. Die Realität der Träume in den Bildern. Schriften und Gespräche 1911–1950.* München 1990.

Pries, Christine (Hg.): *Das Erhabene. Zwischen Grenzerfahrung und Größenwahn.* Weinheim 1989.

Riha, Karl (Hg.): *Dada Berlin. Texte, Manifeste. Aktionen.* Stuttgart 1977.

Rosenblum, Robert: *Modern Painting and the Northern Romantic Tradition. Friedrich to Rothko.* London 1988 ([1]1975).

Roters, Eberhard: *fabricatio nihili oder Die Herstellung von Nichts. Dada Meditationen.* Berlin 1990.

Rotzler, Willi: *Objektkunst. Von Duchamp bis in die Gegenwart.* Köln 1975.

Ders.: *Konstruktive Konzepte. Eine Geschichte der konstruktiven Kunst vom Kubismus bis heute.* Zürich 1977.

Ruhrberg, Karl (Hg.): *Zeitzeichen. Stationen Bildender Kunst in Nordrhein-Westfalen.* Ausst.Kat. Ministerium für Bundesangelegenheiten des Landes Nordrhein-Westfalen in Bonn. Köln 1989.

Sager, Peter: *Die Besessenen. Begegnungen mit Kunstsammlern zwischen Aachen und Tokio.* Köln 1992.

Schmalenbach, Werner: *Bilder des 20. Jahrhunderts.* Ausst.Kat. Kunstsammlung Nordrhein-Westfalen, Düsseldorf. München 1986.

Schmied, Wieland: *Malerei nach 1945 in Deutschland, Österreich und der Schweiz.* Wien 1974.

Schneede, Uwe M.: *Munch und Deutschland.* Ausst.Kat. Kunsthalle der Hypo-Kulturstiftung, München. Stuttgart 1994.

Schubert, Dietrich: *Die Kunst Lehmbrucks.* Dresden 1990.

Schult, Friedrich (Hg.): *Ernst Barlach. Das plastische Werk.* Hamburg 1960.

Schulz-Hoffmann, Carla; Weiss, Judith C. (Hg.): *Max Beckmann – Retrospektive.* Ausst.Kat. Haus der Kunst, München. München 1984.

Schuster, Peter-Klaus (Hg.): *Delaunay und Deutschland.* Ausst.Kat. Bayerische Staatsgemäldesammlungen, Staatsgalerie moderner Kunst, München, im Haus der Kunst. Köln 1985.

Ders. (Hg.): *George Grosz. Berlin – New York.* Ausst.Kat. Nationalgalerie Berlin. Berlin 1994.

Ders. (Hg.): *Nationalsozialismus und »Entartete Kunst«. Die »Kunststadt« München 1937.* Ausst.Kat. Bayerische Staatsgemäldesammlungen, Staatsgalerie moderner Kunst, München. München 1998.

Sedlmayr, Hans: *Verlust der Mitte. Die bildende Kunst des 19. und 20. Jahrhunderts als Symptom und Symbol der Zeit.* Salzburg 1948.

Shadowa, Larissa A.: *Kasimir Malewitsch und sein Kreis. Suche und Experiment.* München 1982.

Sigmar Polke. Die drei Lügen der Malerei. Ausst.Kat. Kunst- und Ausstellungshalle der Bundesrepublik Deutschland. Berlin 1997.

Spies, Werner; Metken, Günter; Metken, Siegrid (Bearb.): *Max Ernst. Œuvre-Katalog.* 6 Bde. Houston; Köln 1974–1998.

Spree, Tommy: *Das Anti-Kriegs-Museum. Ein Museum für den Frieden.* Berlin, Anti-Kriegs- Museum e.V., o.J.

Sprung in die Zeit. Zeit und Bewegung als Darstellungsprinzipien in der Fotografie. Ausst.Kat. Berlinische Galerie. Berlin 1992.

Stationen der Moderne. Die bedeutenden Kunstausstellungen des 20. Jahrhunderts in Deutschland. Ausst.Kat. Martin-Gropius-Bau Berlin. Berlin 1988.

Syring, Marie-Louise (Hg.): *Um 1968 – Konkrete Utopien in Kunst und Gesellschaft.* Köln 1990.

Szeemann, Harald: *Der Hang zum Gesamtkunstwerk. Europäische Utopien seit 1800.* Arau; Frankfurt a. Main 1983.

Tannert, Christoph (Hg.): *Autoperforationsartistik.* Ausst.Kat. Kunsthalle Nürnberg. Nürnberg 1991.

Thomas, Karin: *Zweimal deutsche Kunst nach 1945.* Köln 1985.

Tisdall, Caroline u.a. (Hg.): *Art meets Science and Spirituality in a changing Economy.* Den Haag 1990.

Töteberg, Michael: *Montage als Kunstprinzip. Internationales Colloquium, Akademie der Künste zu Berlin.* Berlin 1991.

Truffaut, François: *Mr Hitchcock, wie haben Sie das gemacht?* München 1997.

Tschudi, Hugo von: *Gesammelte Schriften zur neueren Kunst.* Hg. von E. Schwedeler-Meyer. München 1912.

Tuchman, Maurice; Freeman, Judi (Hg.): *Das Geistige in der Kunst. Abstrakte Malerei 1890–1985.* Stuttgart 1988.

Ullrich, Ferdinand (Hg.): *Kunst des Westens. Deutsche Kunst 1945–1960.* Ausst.Kat. Kunsthalle Recklinghausen. Köln 1996.

Urban, Martin: *Emil Nolde. Werkverzeichnis der Gemälde.* München 1987.

Vietta, Silvio; Kemper, Dirk (Hg.): *Ästhetische Moderne in Europa. Grundzüge und Problemzusammenhänge seit der Romantik.* München 1998.

Vitali, Christoph (Hg.): *Ernste Spiele. Der Geist der Romantik in der deutschen Kunst 1790–1990.* Ausst.Kat. Haus der Kunst, München. München 1995.

Vorstand der Jahrhundertausstellung (Hg.): *Ausstellung Deutscher Kunst aus der Zeit von 1775–1875.* Ausst.Kat. Nationalgalerie Berlin. München 1906.

Vostell, Wolf; Becker, Jürgen: *Happenings, Fluxus, Pop Art, Nouveau Réalisme.* Reinbek 1965.

Waldman, Diane: *Collage und Objektkunst vom Kubismus bis heute.* Köln 1993.

Walther, Ingo F. (Hg.): *Kunst des 20. Jahrhunderts.* 2 Bde. Köln 1998.

Welsch, Wolfgang: *Ästhetisches Denken.* Stuttgart 1990.

Werner Tübke. Gemälde, Aquarelle, Zeichnungen, Lithografien. Ausst.Kat. Nationalgalerie Berlin. Berlin 1989.

Wescher, Herta: *Die Geschichte der Collage. Vom Kubismus bis zur Gegenwart.* Köln 1974.

Wolbert, Klaus: *Die Nackten und die Toten des Dritten Reiches. Folgen einer politischen Geschichte des Körpers in der Plastik des deutschen Faschismus.* Gießen 1982.

Wulf, Joseph: *Die Bildenden Künste im Dritten Reich. Eine Dokumentation.* Gütersloh 1963.

Zumdick, Wolfgang: *Über das Denken bei Joseph Beuys und Rudolf Steiner.* Basel 1995.

Zweite, Armin (Hg.): *Kandinsky und München. Begegnungen und Wandlungen 1896–1914.* Ausst.Kat. Städtische Galerie im Lenbachhaus, München. München 1982.

Ders.: *Joseph Beuys. Natur, Materie, Form.* Ausst.Kat. Kunstsammlung Nordrhein-Westfalen. Düsseldorf 1991.

Personenregister

Kursiv gesetzte Zahlen verweisen auf Katalognummern

Bildnachweis

Frontispiz

Joseph Beuys schreibt »Das Ende des XX. Jahrhunderts«, 27. Mai 1983, am Tag vor der Eröffnung der Ausstellung *Der Hang zum Gesamtkunstwerk* in der Städtischen Kunsthalle und Kunstverein für die Rheinlande und Westfalen, Düsseldorf; Foto: Franz Fischer, Bonn

Selbst montiert

Oskar Schlemmer in Breslau, 1931; Bühnen Archiv Oskar Schlemmer

Max Ernst, der Punching Ball oder die Unsterblichkeit Buonarottis, 1920; Sammlung Arnold Crane, USA

353 John Heartfield, John Heartfield mit Polizeipräsident Zörgiebel, 1929 (Reproduktionsvorlage für AIZ, Berlin, Nr. 37, S. 7); Fotomontage, retuschiert, 28 x 21,1 cm; Stiftung Archiv der Akademie der Künste, Berlin, Kunstsammlung, John-Heartfield-Archiv

352 El Lissitzky, Der Konstrukteur, Selbstportrait mit Zirkel, 1924; Fotogramm, Fotomontage, Mehrfachbelichtung, Vintage Silver Print, 26,3 x 29,5 cm; Thomas Walther Collection, New York

Victor Obsatz, Portrait No. 29 (Double Exposure: Full Face and Profile), 1953; Philadelphia Museum of Art, Archiv Marcel Duchamp, Schenkung Jacqueline, Peter und Paul Matisse zum Gedenken an ihre Mutter Alexina Duchamp

Rebecca Horn, Übung mit 2 Scheren gleichzeitig Haare schneiden, 1975; Privatsammlung

Günther Brus, Selbstbemalung, 1964 (Ausschnitt); Staatliche Museen zu Berlin, Nationalgalerie

Joseph Beuys, wie man dem toten Hasen die Bilder erklärt, 1965; Foto: Walter Vogel

Vorsatzblätter

Die Gewalt der Kunst
Altes Museum

Geist und Materie
Neue Nationalgalerie
Foto: Christian Gahl, Berlin

Prinzip CollageMontage
Hamburger Bahnhof
Foto: Jens Ziehe, Berlin

Automatenbilder
371 Jürgen Klauke, Selbstfindung, 1989/90 (Ausschnitt)

Collage – Montage – Décollage
511 Arman, Concert de Munich, No. 1, »Colère de violoncelle«, 1963 (Ausschnitt)

Der Schnitt entlang der Zeit
353 John Heartfield, John Heartfield mit Polizeipräsident Zörgiebel, 1929 (Ausschnitt)

Körpercollage
556 Rudolf Schwarzkogler, 3. Aktion, »o.T.«, 1965 (Ausschnitt)

Montage des Erinnerns
Abb. li.: MRI Brain Scan – Medical Technology; HMS Images, The Image Bank, Berlin
Abb. re.: Lehrbild der Phrenologie (Versuch einer Zuordnung der menschlichen Fähigkeiten und psychischen Eigenschaften zu den einzelnen Zonen des Gehirns), 1864, spätere Kolorierung; Archiv für Kunst und Geschichte (AKG), Berlin / London

Der montierte Raum
589 Dieter Roth, Grosse Tischruine, 1970–98 (Ausschnitt)

Betriebssystem Kunst
Simon Patterson, Der Große Bär, 1992 (Ausschnitt); The Saatchi Collection, London

Kursiv gesetzte Zahlen verweisen auf Katalognummern.

Die Bildvorlagen wurden freundlicherweise von den in den Bildlegenden genannten Museen, Galerien und Sammlungen zur Verfügung gestellt; ferner stammen sie aus den folgenden Museen, Archiven und Fotoateliers:

Aachen, Anne Gold: *97*
Basel, Öffentliche Kunstsammlung, Martin Bühler: *354*, *447*
Berlin, Jörg P. Anders: *9*, *23*, *25f.*, *30*, *35*, *40–43*, *48f.*, *81*, *91*, *98*, *123*, *132*, *145*, *166*, *192*, *207–209*, *219*, *221–223*, *225*, *227–229*, *232*, *252f.*, *269*, *280f.*, *304*, *335*, *387*, *394*, *396*, *409*, *415f.*, *422*, *424f.*, *432*, *456*, *509*, *513–515*, *555f.*, *561*; S. 25 u., 28 u., 29, 72, 140 li.u., 149, 163, 206, 251, 333, 401 li.u., 555, 556 li.
Bauhaus-Archiv: *53f.* (Atelier Schneider); *58f.* (Gunter Lepkowski); *60* (Fred Kraus); *185* (Hans-Joachim Bartsch); *188* (Markus Hawlik); *452* (Hermann Kiessling)
Bibliothek und Archiv zur Geschichte der Max-Planck-Gesellschaft: S. 198
Bildarchiv Preußischer Kulturbesitz: S. 126 u., 128, 422
Busche Galerie: *574*
R. Friedrich: *344f.*, *347f.*, *360*
Christian Gahl: S. 21 o.
Klaus Göken: *3*, *19*, *402*; S. 18 o.
Markus Hawlik: *380f.*
Gerhard Kassner: S. 393
Dietmar Katz: *5*, *57*, *463–465*, *467–483*, *488*
Hermann Kiessling: *420*
Kranichphoto: S. 56 Mi. und re.
Bernd Kuhnert: *126f.*; S. 407 re.
J. Littkemann: *118*, *230*, *292f.*, *567f.*; S. 27 u., 30, 179, 181, 301
Karin März: *21*
Roman März: *128*, *411*, *522*, *525–533*, *536*, *575*; S. 28 o.
Klaus Manzek: *44*
Jürgen Müller-Schneck: *294*; S. 323
Reinhard Saczewski: *20*

Berlin, Ullstein Bilderdienst: S. 629
Jochen Wermann, Archiv Ursus Press: *557*
Werner Zellien: *484*, *492f.*, *495–500*, *518*
Jens Ziehe: *18*, *112*, *146*, *291*, *333*, *346*, *384f.*, *397*, *441*, *459*, *519*, *550*, *563*, *565*, *572*; S. 17 u., 21 u.
Bern, Peter Lauri: *175*, *270f.*
Bielefeld, von Uslar Foto-Design: *371*; S. 413
Billerbeck, Michael Sommer: *96*
Bloomington, Indiana University Art Museum, Michael Cavanagh and Kevin Montague: *37*
Bochum, Jens Dietrich / NETZHAUT: S. 535
Irma Berndt: *278*
Bonn, Reni Hansen: *254*
Wolfgang Morell: *317*, *429*
Sachsse: *34*
Bremen, Joachim Fliegner: *510*
Kunsthalle: S. 345
Cambridge, Rick Stafford, © President and Fellows of Harvard College, Harvard University: *4*; S. 24 re.o.
Darmstadt, Robert Häusser: *455*
Dortmund, Jürgen Spiler: *168*
Dresden, Herbert Boswank: *220*, *224*
Sächsische Landesbibliothek – Staats- und Universitätsbibliothek Dresden, Dezernat Deutsche Fotothek: *129* (A. Rous); S. 78, 82
Düsseldorf, Octavian Beldiman: *566*
Norbert Faehling: *218*
Walter Klein: *13*, *46*; S. 26 li.o., 407 li., 497, 556 re.
Duisburg, Bernd Kirtz: *17*
Frankfurt am Main, Wonge Bergmann: S. 601
dpa, Heinz Hirndorf, Zentralbild: S. 625
Ursula Edelmann: *284*
Halle, Klaus-Eberhard Göltz: *131*, *215f.*, *453*
Reinhard Hentze: *448*
Hamburg, Arno Declair: *359*
Beatrice Frehn: *117*
Kunsthalle, Elke Walford: *27*, *113–115*, *417*; S. 24 li.o.
Wolfgang Neeb: *581*
Karin Plessing: *553*; S. 547
Produzentengalerie Hamburg: *365–367* (Helge Mundt), *368* (Peter Sander)
Transglobe Agency: *167*
Hannover, Michael Herling: *121*, *431*, *434–439*, *443*
Michael Herling und Uwe Vogt: *428*
Sprengel Museum: S. 482–485
Houston, Hickey-Robertson: S. 370 li.
Ingolstadt, Helmut Bauer: *71*
Kassel, documenta Archiv, Günther Becker: S. 622
Kleve, Fritz Getlinger: S. 183
Köln, FAS Akin – Schirwon: S. 281 u.
Galerie Sprüth: *329*
Frank Oleski: *93*, *95*, *136*
Pietro Pellini: *485f.*, *489f.*
Rheinisches Bildarchiv: *94*, *303*, *308* (Sander Citylab GmbH), *507*; S. 407 Mi.
Friedrich Rosenstiel: *570*
Kopenhagen, Hans Petersen: *36*
Leipzig, Museum der bildenden Künste, Gerstenberger: *134*; S. 49 li.
London, Transcolour *trans*parency: *258*
Wiener Library: *79*, *83*; S. 125
Mailand, Luca Carra: *440*
Foto Saporetti: *389*
Mannheim, Kunsthalle, Margita Wickenhäuser: *390*
Studio Kauffelt: *213*
Miami, Rafael Salazar: *245*; S. 265
München, Deutsches Museum: © für *263*
Hans Döring: *549*
Mario Gastinger: *301*, *564*
Olaf Metzel: *580*
Philipp Schönborn: *203f.*, *206*, *305*
New York, Hans Haacke: *551f.*; S. 542
© The Solomon R. Guggenheim Foundation, New York: *165* (David Heald); *172*, *198* (Sally Ritts)
Nürnberg, Kurt Paulus: *2*
Offenbach, Wolfgang Günzel: *325*
Oggebbio, Photoarchiv C. Raman Schlemmer, I – 28824 Oggebbio: *56*, *62–66*, *356f.*, *562*; S. 26 re.o., 87, 95 u., 400 li.o., 414–421
Oslo, Munch-museet, Sidsel de Jong: *234*
Otterlo, © stichting kröller-müller museum: *73*
Paris, Photothèque des collections du Musée national d'art moderne: *226*, *300*; *262*, S. 296 (Philippe Migeat)
Potsdam, Marx & Lüder: *377*
Sion, H. Preisig: *212*
Stuttgart, Uli Zeller: S. 202
Ulm, Stadtarchiv, Wolfgang Adler: *395*
Vancouver, Art Gallery: *386*
Venedig, Hildegard Weber: S. 182
Weimar, Roland Dreßler: *130*
Eberhard und Stefan Renno: S. 402
Wien, Dr. Parisini: *364*
Fritz Simak: *235–237*, *239f.*
M. Sirotek: *358*
Wuppertal, A. Zeis-Loi, © medienzentrum wuppertal: *170*
Zürich, A. Burger: *589*; S. 589
Kunsthaus: *23*, S. 74 o.

Volker Baradt: S. 412 o.
Egon Beyer: *523*
CMU: *75*
Color G·R·U·P·P·E·N: *135*, *511*; S. 453
Susan Crowe: S. 582
Betty Fleck: *187*, *189*, *191*
Roland Fritsch: S. 545
Bruce Jones: *393*
Jürgen Klauke: *560*
Marcus Leith / Mark Heathcote: *559*
Marion Mennicken: *326*
Klaus Mettig: *362f.*
Hubertus Müll: *587*; S. 607
Peter Oszvald: *399*
Jens Rathmann: *257*
RBK The Hague Tim Koster: *74*
RETINA: *72*
Thomas Ruff: *309f.*; S. 339
Luca Ruzza: *578*; S. 585, 587
John Seyfried: S. 76 re.
Strüwing Foto / Poul Buchard: *135*
Nic Tenwiggenhorn: *261*; S. 203 (© Dia Art Foundation 1977)
Walter Vogel: S. 201, 401 re.u.
Nina und Graham Williams: S. 620 r.

Hier nicht aufgeführte Abbildungen stammen aus dem Archiv der Nationalgalerie bzw. dem Zentralarchiv der Staatlichen Museen zu Berlin oder wurden von den Autoren zur Verfügung gestellt.